3 tres

HOLT McDOUGAL

¡Avancemos!

TEACHER'S EDITION

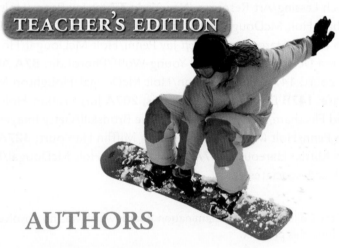

AUTHORS

Estella Gahala

Patricia Hamilton Carlin

Audrey L. Heining-Boynton

Ricardo Otheguy

Barbara J. Rupert

HOLT McDOUGAL
a division of Houghton Mifflin Harcourt

Cover Photography
Front cover Plaza de la Constitución at night, Santiago, Chile, David Noton Photography;
Inset: Winter sports in Chile, Scott Markewitz/Taxi/Getty Image
Back cover
Level 1a: View toward La Fortaleza, San Juan, Puerto Rico, Steve Dunwell/The Image Bank/Getty Images
Level 1b: View of Buenos Aires through the Puente de la Mujer, Joseph Rodriguez/Gallery Stock Limited
Level 1: Monumento a la Independencia on the Paseo de la Reforma at night, Mexico City, Mexico, Panoramic
         Images/Getty Images
Level 2: Cibeles Fountain and Palacio de Comunicaciones at night, Madrid, Spain, Doug Armand/Getty Images
Level 3: Plaza de la Constitución at night, Santiago, Chile, David Noton Photography
Level 4: Santa Catarina Arch, Guatemala, Jeremy Woodhouse/Masterfile

Photography
Title page Scott Markewitz/Taxi/Getty Images; **T3** *bird* Michael & Patricia Fogden/Corbis; *teens* Robert Frerck/
Odyssey Productions, Inc.; **T6** Erich Lessing/Art Resource, New York; **T7** *top* Jay Penni/Holt McDougal/Houghton
Mifflin Harcourt; *bottom* Jorge Albán/Holt McDougal/Houghton Mifflin Harcourt; **T14, T15, T16** *all* Jorge
Albán/Holt McDougal/Houghton Mifflin Harcourt; **27A** *left* Jay Penni/Holt McDougal/Houghton Mifflin
Harcourt; *right* Greg Johnson/Danita Delimont; **27B** David Young-Wolff/PhotoEdit; **87A** Allan Penn/Holt
McDougal/Houghton Mifflin Harcourt; **147A** *top* Allan Penn/Holt McDougal/Houghton Mifflin Harcourt; *bottom*
Rubberball Productions/ImageState; **147B** Danny Lehman/Corbis; **207A** Jorge Albán/Holt McDougal/Houghton
Mifflin Harcourt; **207B** *right* David Fleetham/Getty Images; *left* Clive Brunskill/Getty Images; **267A** Wes Walker/
Lonely Planet Images; **267B** Allan Penn/Holt McDougal/Houghton Mifflin Harcourt; **327A, 327B, 387A** Jorge
Albán/Holt McDougal/Houghton Mifflin Harcourt; **447A** *left* Allan Penn/Holt McDougal/Houghton Mifflin
Harcourt; *right* Cy Hire/Tom Stack & Asscociates.

* Pre-AP is a registered trademark of the College Entrance Examination Board, which was not involved in
  the production of and does not endorse this product.

* International Baccalaureate is a registered trademark of the International Baccalaureate Organization

ISBN-10: 0-547-25539-X
ISBN-13: 978-0-547-25539-2

2 3 4 5 6 0940 13 12 11 10

Internet: www.holtmcdougal.com

Contents

Teacher Reviewers

Teacher's Edition

Sue Arandjelovic
Dobson High School
Mesa, AZ

Shaun A. Bauer
Olympia High School, *retired*
Orlando, FL

Hercilia Bretón
Highlands High School
San Antonio, TX

Maria Fleming Alvarez
The Park School
Brookline, MA

Fatima Hicks
Suncoast High School, *retired*
Riviera Beach, FL

Robin C. Hill
Warrensville Heights High School
Warrensville Heights, OH

Pam Johnson
Stevensville High School
Stevensville, MT

Kristen M. Lombardi
Shenendehowa High School
Clifton Park, NY

Debbe Tomkinson
Madison Middle School
Titusville, FL

Ronie R. Webster
Monson Junior/Senior High School
Monson, MA

Student Text

Susan K. Arbuckle
Mahomet-Seymour High School
Mahomet, IL

Kristi Ashe
Amador Valley High School
Pleasanton, CA

Sheila Bayles
Rogers High School
Rogers, AR

Robert L. Bowbeer
Detroit Country Day Upper School
Beverly Hills, MI

Hercilia Bretón
Highlands High School
San Antonio, TX

Adrienne Chamberlain-Parris
Mariner High School
Everett, WA

Mike Cooperider
Truman High School
Independence, MO

Susan B. Cress
Sheridan High School
Sheridan, IN

Michèle S. de Cruz-Sáenz, Ph.D.
Strath Haven High School
Wallingford, PA

Lizveth Dague
Park Vista Community
    High School
Lake Worth, FL

Parthena Draggett
Jackson High School
Massillon, OH

Rubén D. Elías
Roosevelt High School
Fresno, CA

Phillip Elkins
Lane Tech College Prep High School
Chicago, IL

Michael Garber
Boston Latin Academy
Boston, MA

Marco García
Derry University Advantage Academy
Chicago, IL

David Gonzalez
Hollywood Hills High School
Hollywood, FL

Raquel R. González
Odessa Senior High School
Odessa, TX

Neyda Gonzalez-Droz
Ridge Community High School
Davenport, FL

Becky Hay de García
James Madison Memorial
    High School
Madison, WI

Robin C. Hill
Warrensville Heights High School
Warrensville Heights, OH

Gladys V. Horford
William T. Dwyer High School
Palm Beach Gardens, FL

Richard Ladd
Ipswich High School
Ipswich, MA

Patsy Lanigan
Hume Fogg Academic Magnet
    High School
Nashville, TN

Kris Laws
Palm Bay High School
Melbourne, FL

Elizabeth Lupafya
North High School
Worcester, MA

David Malatesta
Niles West High School
Skokie, IL

Patrick Malloy
James B. Conant High School
Hoffman Estates, IL

Brandi Meeks
Starr's Mill High School
Fayetteville, GA

Kathleen L. Michaels
Palm Harbor University High School
Palm Harbor, FL

Linda Nanos
Brook Farm Business Academy
West Roxbury, MA

Nadine F. Olson
School of Teaching and
 Curriculum Leadership
Stillwater, OK

Pam Osthoff
Lakeland Senior High School
Lakeland, FL

Nicholas Patterson
Davenport Central High School
Davenport, IA

Carolyn A. Peck
Genesee Community College
Lakeville, NY

Daniel N. Richardson
Concord High School, *retired*
Concord, NH

Rita E. Risco
Palm Harbor University High School
Palm Harbor, FL

Miguel Roma
Boston Latin Academy
Boston, MA

Nona M. Seaver
New Berlin West Middle/
 High School
New Berlin, WI

Susan Seraphine-Kimel
Astronaut High School
Titusville, FL

Mary Severo
Thomas Hart Middle School
Pleasanton, CA

Clarette Shelton
WT Woodson High School, *retired*
Fairfax, VA

Maureen Shiland
Saratoga Springs High School
Saratoga Springs, NY

Lauren Schultz
Dover High School
Dover, NH

Irma Sprague
Countryside High School
Clearwater, FL

Mary A. Stimmel
Lincoln High School
Des Moines, IA

Karen Tharrington
Wakefield High School
Raleigh, NC

Alicia Turnier
Countryside High School
Clearwater, FL

Roberto E. del Valle
The Overlake School
Redmond, WA

Todd Wagner
Upper Darby High School, *retired*
Drexel Hill, PA

Ronie R. Webster
Monson Junior/Senior High School
Monson, MA

Cheryl Wellman
Bloomingdale High School
Valrico, FL

Thomasina White
School District of Philadelphia
Philadelphia, PA

Jena Williams
Jonesboro High School
Jonesboro, AR

Program Advisory Council

Louis G. Baskinger
New Hartford High School
New Hartford, NY

Linda M. Bigler
James Madison University
Harrisonburg, VA

Jacquelyn Cinotti-Dirmann
Duval County Public Schools
Jacksonville, FL

Flora Maria Ciccone-Quintanilla
Holly Senior High School
Holly, MI

Desa Dawson
Del City High School
Del City, OK

Robin C. Hill
Warrensville Heights High School
Warrensville Heights, OH

Barbara M. Johnson
Gordon Tech High School, *retired*
Chicago, IL

Ray Maldonado
Houston Independent School
 District, *retired*
Houston, TX

Karen S. Miller
Friends School of Baltimore
Baltimore, MD

Dr. Robert A. Miller
Woodcreek High School
 Roseville Joint Union High
 School District
Roseville, CA

Debra M. Morris
Wellington Landings Middle School
Wellington, FL

Maria Nieto Zezas
West Morris Central High School
Chester, NJ

Rita Oleksak
Glastonbury Public Schools
Glastonbury, CT

Sandra Rosenstiel
University of Dallas, *retired*
Grapevine, TX

Emily Serafa Manschot
Northville High School
Northville, MI

¡Avancemos!

Where great lessons begin!

❋ Culture is a Cornerstone

- Celebrates the cultural diversity of the Spanish-speaking world
- Motivates students to think critically with essential questions
- Transports students from the classroom to authentic locations

Language Learning that Lasts

- Presents manageable chunks of material
- Recycles and reviews frequently so students remember
- Spirals content across levels

Practice with a Purpose

PARA Y PIENSA

- Sets a clear goal
- Provides built-in self-checks and remediation
- Offers abundant leveled practice

Time-Saving Teacher Tools

- Simplify your planning with the all-inclusive **ONE-STOP PLANNER**

- Enliven your presentations with ready-made **POWER PRESENTATIONS**, including **Animated Grammar**

- Test, Score, Report, and Reteach with the comprehensive **Online Assessment System**

- Simplify skills assessment with the **RUBRIC GENERATOR**

Easy Articulation

One Complete Program for Middle School through Level 4

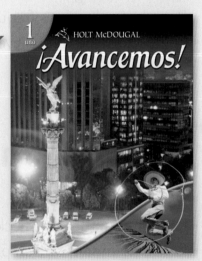

or

Levels 1a & 1b are designed with middle school learners in mind. They include more practice, more games and more appropriate visuals for your middle school students. These books prepare students for *¡Avancemos!* level 2.

Level 1 introduces students to the culture and language of the Spanish-speaking world in eight manageable units. To provide flexibility and pacing options, the material taught in units 7 and 8 is fully spiraled in level 2.

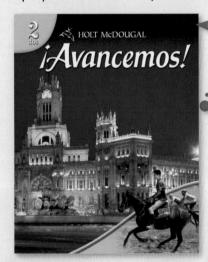

Level 2 begins with a thorough review of core level 1 content. Seamless articulation continues, as material taught in units 7 and 8 of level 2 is spiraled into level 3.

Level 3 reviews core content from levels 1 and 2 before students move on to more advanced language skills.

Level 4 reviews and expands upon the content from the first three levels, as students go on to master more advanced language skills.

1a

Theme	Vocabulary	Grammar	♻ Recycling
¡Hola! (Preliminar)	**Nueva York**		
	Greetings; Introductions; Saying where you are from; Numbers from 1 to 10; Exchanging phone numbers; Days of the week; The weather; Classroom phrases	The Spanish alphabet	
Un rato con los amigos (Unidad 1)	**Estados Unidos**		
1 ¿Qué te gusta hacer?	After-school activities; Snack foods and beverages	Subject pronouns and **ser**; **Gustar** with an infinitive	Weather expressions
2 Mis amigos y yo	Describing yourself and others	Definite and indefinite articles; Noun-adjective agreement	**Ser**; Snack foods; **Gustar** with an infinitive; After-school activities
¡Vamos a la escuela! (Unidad 2)	**México**		
1 Somos estudiantes	Daily schedules; Telling time; Numbers from 11 to 100	The verb **tener**; Present tense of **-ar** verbs	After-school activities
2 En la escuela	Describing classes; Describing location; Expressing feelings	The verb **estar**; The verb **ir**	Class subjects; Adjective agreement; Telling time
Comer en familia (Unidad 3)	**Puerto Rico**		
1 Mi comida favorita	Meals and food; Asking questions	**Gustar** with nouns; Present tense of **-er** and **-ir** verbs	**Gustar** with an infinitive; Snack foods; The verb **estar**; Telling time
2 En mi familia	Family; Giving dates; Numbers from 200 to 1,000,000	Possessive adjectives; Comparatives	The verb **tener**; Numbers from 11 to 100; After-school activities; Describing others
En el centro (Unidad 4)	**España**		
1 ¡Vamos de compras!	Clothing; Shopping	Stem-changing verbs: e → ie; Direct object pronouns	Numbers from 11 to 100; The verb **tener**; After-school activities
2 ¿Qué hacemos esta noche?	Places and events; Getting around town; In a restaurant	Stem-changing verbs: o → ue; Stem-changing verbs: e → i	Present tense of **-er** verbs; The verb **ir**; Direct object pronouns; **Tener** expressions

1b

Theme	Vocabulary	Grammar	♻ Recycling
Repaso ♻	**Antes de Avanzar**		
	♻ This unit reviews most of the vocabulary in Units 1–4.	♻ This unit reviews most of the grammar in units 1–4.	♻ This unit recycles most of the vocabulary and grammar in units 1–4.
Bienvenido a nuestra casa (Unidad 5)	**Ecuador**		
1 Vivimos aquí	Describing a house; Household items; Furniture	**Ser** or **estar**; Ordinal numbers	Stem-changing verbs: o → ue; Location words; Colors; Clothing
2 Una fiesta en casa	Planning a party; Chores	More irregular verbs; Affirmative **tú** commands	**Tener que**; Interrogative words; Expressions of frequency; Direct object pronouns
Mantener un cuerpo sano (Unidad 6)	**República Dominicana**		
1 ¿Cuál es tu deporte favorito?	Sports	The verb **jugar**; **Saber** and **conocer**; The personal **a**	Numbers from 200 to 1,000,000; **Gustar** with nouns; Comparatives
2 La salud	Staying healthy; Parts of the body	Preterite of regular **-ar** verbs; Preterite of **-car**, **-gar**, **-zar** verbs	**Gustar** with nouns; Stem-changing verbs: o → ue; Telling time
¡Una semana fenomenal! (Unidad 7)	**Argentina**		
1 En el cibercafé	Sending e-mails; Talking about when events occur	Preterite of regular **-er** and **-ir** verbs; Affirmative and negative words	Affirmative **tú** commands; Telling time; Foods and beverages; Preterite of regular **-ar** verbs;
2 Un día en el parque de diversiones	Making a phone call; Places of interest	Preterite of **ir**, **ser**, and **hacer**; Pronouns after prepositions	Noun-adjective agreement; Places around town; Stem-changing verbs: o → ue
Una rutina diferente (Unidad 8)	**Costa Rica**		
1 Pensando en las vacaciones	Daily routines; Vacation plans	Reflexive verbs; Present progressive	Preterite of **hacer**; Direct object pronouns; Parts of the body; Chores; Houses; Telling time
2 ¡Vamos de vacaciones!	Discussing vacation and leisure activities	Indirect object pronouns; Demonstrative adjectives	Family; Numbers from 200 to 1,000,000; **Gustar** with an infinitive; Present progressive; Classroom objects

Theme	Vocabulary	Grammar	♻ Recycling
¡Hola!	**Nueva York**		
Preliminar	Greetings; Introductions; Saying where you are from; Numbers from 1 to 10; Exchanging phone numbers; Days of the week; The weather; Classroom phrases	The Spanish alphabet	
Un rato con los amigos	**Estados Unidos**		
1 ¿Qué te gusta hacer?	After-school activities; Snack foods and beverages	Subject pronouns and **ser**; **Gustar** with an infinitive	Weather expressions
2 Mis amigos y yo	Describing yourself and others	Definite and indefinite articles; Noun-adjective agreement	**Ser**; Snack foods; **Gustar** with an infinitive; After-school activities
¡Vamos a la escuela!	**México**		
1 Somos estudiantes	Daily schedules; Telling time; Numbers from 11 to 100	The verb **tener**; Present tense of **-ar** verbs	After-school activities
2 En la escuela	Describing classes; Describing location; Expressing feelings	The verb **estar**; The verb **ir**	Class subjects; Adjective agreement; Telling time
Comer en familia	**Puerto Rico**		
1 Mi comida favorita	Meals and food; Asking questions	**Gustar** with nouns; Present tense of **-er** and **-ir** verbs	**Gustar** with an infinitive; Snack foods; The verb **estar**; Telling time
2 En mi familia	Family; Giving dates; Numbers from 200 to 1,000,000	Possessive adjectives; Comparatives	The verb **tener**; Numbers from 11 to 100; After-school activities; Describing others
En el centro	**España**		
1 ¡Vamos de compras!	Clothing; Shopping	Stem-changing verbs: e → ie; Direct object pronouns	Numbers from 11 to 100; The verb **tener**; After-school activities
2 ¿Qué hacemos esta noche?	Places and events; Getting around town; In a restaurant	Stem-changing verbs: o → ue; Stem-changing verbs: e → i	Present tense of **-er** verbs; The verb **ir**; Direct object pronouns; **Tener** expressions
Bienvenido a nuestra casa	**Ecuador**		
1 Vivimos aquí	Describing a house; Household items; Furniture	**Ser** or **estar**; Ordinal numbers	Stem-changing verbs: o → ue; Location words; Colors; Clothing
2 Una fiesta en casa	Planning a party; Chores	More irregular verbs; Affirmative **tú** commands	**Tener que**; Interrogative words; Expressions of frequency; Direct object pronouns
Mantener un cuerpo sano	**República Dominicana**		
1 ¿Cuál es tu deporte favorito?	Sports	The verb **jugar**; **Saber** and **conocer**; The personal **a**	Numbers from 200 to 1,000,000; **Gustar** with nouns; Comparatives
2 La salud	Staying healthy; Parts of the body	Preterite of regular **-ar** verbs; Preterite of **-car, -gar, -zar** verbs	**Gustar** with nouns; Stem-changing verbs: o → ue; Telling time
¡Una semana fenomenal!	**Argentina**		
1 En el cibercafé	Sending e-mails; Talking about when events occur	Preterite of regular **-er** and **-ir** verbs; Affirmative and negative words	Affirmative **tú** commands; Telling time; Foods and beverages; Preterite of regular **-ar** verbs;
2 Un día en el parque de diversiones	Making a phone call; Places of interest	Preterite of **ir, ser,** and **hacer**; Pronouns after prepositions	Noun-adjective agreement; Places around town; Stem-changing verbs: o → ue
Una rutina diferente	**Costa Rica**		
1 Pensando en las vacaciones	Daily routines; Vacation plans	Reflexive verbs; Present progressive	Preterite of **hacer**; Direct object pronouns; Parts of the body; Chores; Houses; Telling time
2 ¡Vamos de vacaciones!	Discussing vacation and leisure activities	Indirect object pronouns; Demonstrative adjectives	Family; Numbers from 200 to 1,000,000; **Gustar** with an infinitive; Present progressive; Classroom objects

	Theme	Vocabulary	Grammar	♻ Recycling
Preliminar	**Mis amigos y yo**	**Florida**		
		♻ Saying who you are; Personality characteristics; Daily activities and food; Places in school and around town; Saying how you feel; Daily routine; Making plans	♻ Definite and indefinite articles; Subject pronouns and **ser**; Adjectives; The verb **tener**; The verb **gustar**; **Ir** + **a** + place; **Ser** or **estar**; Regular present-tense verbs; Stem-changing verbs	
Unidad 1	**¡A conocer nuevos lugares!**	**Costa Rica**		
	1 ¡Vamos de viaje!	Going on a trip	Direct object pronouns; Indirect object pronouns	Possessions; Prepositions of location; Places around town; Daily activities
	2 Cuéntame de tus vacaciones	On vacation	Preterite of -**ar** verbs; Preterite of **ir**, **ser**, **hacer**, **ver**, **dar**	Interrogatives; Food; Days of the week; Parties
Unidad 2	**¡Somos saludables!**	**Argentina**		
	1 La Copa Mundial	Sports and health	Preterite of -**er** and -**ir** verbs; Demonstrative adjectives and pronouns	Food; Sports equipment; Colors; Clothing; Classroom objects
	2 ¿Qué vamos a hacer?	Daily routines	Reflexive verbs; Present progressive	**Pensar;** Parts of the body; Telling time; Places in school and around town
Unidad 3	**¡Vamos de compras!**	**Puerto Rico**		
	1 ¿Cómo me queda?	Clothes and shopping	Present tense of irregular **yo** verbs; Pronouns after prepositions	**Gustar;** Clothing; Expressions of frequency
	2 ¿Filmamos en el mercado?	At the market	Preterite of -**ir** stem-changing verbs; Irregular preterite verbs	Family; Chores; Food
Unidad 4	**Cultura antigua, ciudad moderna**	**México**		
	1 Una leyenda mexicana	Legends and stories	The Imperfect tense; Preterite and imperfect	Expressions of frequency; Weather expressions; Daily activities
	2 México antiguo y moderno	Past and present	Preterite of -**car**, -**gar**, -**zar** verbs; More verbs with irregular preterite stems	Daily activities; Arts and crafts
Unidad 5	**¡A comer!**	**España**		
	1 ¡Qué rico!	Preparing and describing food	**Usted/ustedes** commands; Pronoun placement with commands	Staying healthy; Chores
	2 ¡Buen provecho!	Ordering meals in a restaurant	Affirmative and negative words; Double object pronouns	Prepositions of location; Pronoun placement with commands
Unidad 6	**¿Te gusta el cine?**	**Estados Unidos**		
	1 ¡Luces, cámara, acción!	Making movies	Affirmative **tú** commands; Negative **tú** commands	Daily routines; Telling time
	2 ¡Somos estrellas!	Invitations to a premiere	Present subjunctive with **ojalá**; More subjunctive verbs with **ojalá**	Spelling changes in the preterite; School subjects; Vacation activities; Sports
Unidad 7	**Soy periodista**	**República Dominicana**		
	1 Nuestro periódico escolar	The school newspaper	Subjunctive with impersonal expressions; **Por** and **para**	Present subjunctive; Events around town
	2 Somos familia	Family and relationships	Comparatives; Superlatives	Clothing; Family; Classroom objects
Unidad 8	**Nuestro futuro**	**Ecuador**		
	1 El mundo de hoy	The environment and conservation	Other impersonal expressions; Future tense of regular verbs	Expressions of frequency; Vacation activities
	2 En el futuro...	Careers and professions	Future tense of irregular verbs	Clothing; Telling time; Daily routine

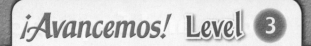

	Theme	Vocabulary	Grammar	♻ Recycling
Preliminar	**Una vida ocupada**	**Estados Unidos**		
		♻ Talking about yourself and your friends; Saying what you know how to do; Talking about people and places you know; Describing your daily routine; Making comparisons	♻ Verbs like **gustar;** Present tense of regular verbs; Present tense of irregular verbs; Present tense of **yo** verbs; Stem-changing verbs; The verbs **decir, tener,** and **venir; Saber** or **conocer; Ser** or **estar;** Reflexive verbs	
Unidad 1	**Nos divertimos al aire libre**	**México**		
	1 Vamos a acampar	Camping; Nature	Preterite tense of regular verbs; Irregular preterites	Irregular present tense
	2 Vamos a la playa	Family relationships; At the beach	Imperfect tense; Preterite vs. imperfect	**Saber** and **conocer**
Unidad 2	**¡Es hora de ayudar!**	**Estados Unidos**		
	1 ¡Todos para uno y uno para todos!	Volunteer activities and projects	**Tú** commands; Other command forms	Irregular preterite; Family relationships; Describing a camping trip; Beach activities; **Ir a** + infinitive
	2 ¿Cómo nos organizamos?	Requests and recommendations; Media	Pronouns with commands; Impersonal expressions + infinitive	Preterite vs. imperfect; Beach activities; Volunteer activities
Unidad 3	**¡El futuro de nuestro planeta!**	**Centroamérica**		
	1 ¿Cómo será el futuro?	Environmental concerns	Future tense; **Por** and **para**	**Ustedes** commands; **Ir a** + infinitive; Media vocabulary
	2 Por un futuro mejor	Social awareness; Presenting and supporting opinions	Present subjunctive of regular verbs; More subjunctive verb forms	**Ustedes** commands; Impersonal expressions; Future tense
Unidad 4	**Así quiero ser**	**El Caribe**		
	1 ¿Quién te inspira?	Describing others; Professions	Future tense; Subjunctive with verbs of influence	**Ser** vs. **estar;** Future tense
	2 ¿Quiénes son los héroes?	Expressing positive and negative emotions; More professions; Supporting opinions	Subjunctive with doubt; Subjunctive with emotion	Describing people; Superlatives; Family relationships; **-ísimo**
Unidad 5	**¿Cómo te entretienes?**	**Los países andinos**		
	1 Comuniquémonos entre naciones	Travel preparations; Computers; Requirements and conditions	Subjunctive with conjunctions; Subjunctive with the unknown	Commands with **tú;** Professions vocabulary
	2 Nuevos amigos, nuevas oportunidades	Participating in a group discussion; Leisure activities	Conditional tense; Reported speech	Preterite; Computer vocabulary
Unidad 6	**¿Dónde vivimos?**	**España**		
	1 La vida en la ciudad	Around the neighborhood; An apartment in the city	Past participle as adjectives; Present perfect tense	Preterite; Direct object pronouns
	2 Fuera de la ciudad	Traveling by train; Describing a cultural excursion	Past perfect tense; Future perfect tense	Present perfect; **Tú** commands; Places in the neighborhood; Past participles as adjectives
Unidad 7	**Tu pasado y tu futuro**	**Venezuela y Colombia**		
	1 Recuerdos	Planning for the future; School activities and events; Part-time jobs	Imperfect subjunctive; Subjunctive of perfect tenses	Present perfect; Subjunctive with doubt; Impersonal expressions
	2 Nuevos principios	Pursuing a career	**Si** clauses; Sequence of tenses	Subjunctive with impersonal expressions; Conditional future; Architectural structures
Unidad 8	**Hablemos de literatura**	**Cono Sur**		
	1 Cuentos y poesía	Discussing and critiquing literature	Past progressive; Conjunctions	Preterite vs. imperfect; Professions
	2 El drama	Reading and interpreting plays	**Se** for unintentional occurrences; Uses of the subjunctive	**Si** clauses; Literary vocabulary

	Theme	Vocabulary	Grammar	♻ Recycling
Unidad 1	**El mundo del trabajo**			
	1 En busca de trabajo	Job searches and different jobs	**Ser** vs. **estar**; Direct and indirect object pronouns	Demonstrative adjectives; Preterite vs. imperfect
	2 Comunicándose en el trabajo	Workplace communication and tasks	Reflexive pronouns; Verbs with prepositions	Conditional; Preterite; Present perfect
Unidad 2	**Ejercicio y diversión**			
	1 Ejercicio al aire libre	Outdoor sports	Preterite vs. imperfect; Verbs that change meaning in the preterite	Adverbs; Reflexive pronouns
	2 Diversión bajo techo	Indoor sports and games	Comparatives; The gerund	**Ir a** + infinitive
Unidad 3	**La aventura de viajar**			
	1 ¿Adónde vamos de vacaciones?	Vacation plans and hotels	Past participle; Present perfect and past perfect	Preterite vs. imperfect; Preterite
	2 Viajemos en avión	Airplane travel	Future and conditional; Future and conditional of probability	**Ir a** + infinitive
Unidad 4	**¿Cómo es nuestra sociedad?**			
	1 Familia, sociedad y problemas sociales	Family, society, and social problems	Present subjunctive in noun and adjective clauses; Present subjunctive in adverbial clauses	Verbs with prepositions; Present progressive; Future
	2 Educación universitaria y finanzas	College education and finances	Present perfect subjunctive; Imperfect subjunctive	Direct and indirect object pronouns
Unidad 5	**¡Hablemos de arte!**			
	1 Arte a tu propio ritmo	Painting and music	Future perfect and conditional perfect; Relative pronouns	Present perfect
	2 A crear con manos y palabras	Sculpture and literature	Passive voice, passive **se** and impersonal **se**; **Se** for unintentional occurrences	Future tense; Imperfect
Unidad 6	**Ver, divertirse e informarse**			
	1 ¿Qué hay en la tele?	Television programming and advertising	Imperfect subjunctive in adverbial clauses; More uses of the imperfect subjunctive	Comparatives; Preterite vs. imperfect
	2 El mundo de las noticias	News coverage, media, and current events	Past perfect subjunctive; Sequence of tense	Past perfect indicative

Cultural References

Cultural References

Cultural References

¡Avanza con Tradiciones!

● The *Tradiciones* section of *¡Avancemos!* includes twelve mini cultural lessons about traditions throughout the Spanish-speaking world. *Tradiciones* allows you to teach a special lesson when it is relevant and when it fits your schedule!

● The *Tradiciones* mini cultural lessons are also available online. The **online version** gives you the added benefit of *Cultura interactiva*. Just click on any photo and watch the tradition come to life!

Cultura INTERACTIVA ClassZone.com See these pages come alive!

Banderas nacionales

Las banderas son símbolos importantes de la identidad nacional. A veces los colores tienen significados especiales, por ejemplo, el color verde representa la fertilidad de la tierra *(land)* en las banderas de México y Bolivia. El rojo significa la valentía *(bravery)* en las banderas de Venezuela y Bolivia, pero en las banderas de Puerto Rico y México simboliza la sangre *(blood)* de la gente. El blanco significa la paz *(peace)* en la bandera de Panamá, la libertad en la de Puerto Rico y la pureza *(purity)* en la de México. Algunas banderas incluyen estrellas, escudos y otras imágenes simbólicas.

Vocabulario para las banderas nacionales

la bandera *flag*
el desfile *parade*
el escudo *coat of arms*
la estrella *star*
el significado *meaning*

Venezuela
La valentía venezolana Durante la Copa Davis en Caracas este aficionado tiene la cara pintada de los colores de la bandera venezolana. El rojo es la valentía y el azul, la independencia de España. Las ocho estrellas representan las siete provincias del país, más Guyana, que originalmente formaba parte de la República de Venezuela. El escudo *(seal)* tiene símbolos que representan las ideas de unión, victoria y libertad.

Puerto Rico
Una bandera caribeña Aníbal Acevedo Vilá lleva la bandera puertorriqueña durante la campaña para gobernador de la isla. El triángulo azul de la bandera representa el cielo, el Caribe y las tres ramas *(branches)* del gobierno.

México
La historia El mexicano Antonio Pérez celebra con sus compañeros después de ganar el campeonato Renault Fórmula 2000. En la bandera de México, la rama de encina *(oak)* representa la fuerza y la rama de laurel, la victoria. El águila *(eagle)* y la serpiente son de la mitología azteca.

Panamá
Dos estrellas La atleta panameña Eileen Coparropa lleva los colores de su bandera durante los Juegos Panamericanos. El blanco representa la paz, el azul es la pureza y el rojo, la autoridad.

Nueva York
La hispanidad Estos espectadores del Desfile de la Hispanidad llevan banderas de varios países hispanos: Bolivia (rojo, amarillo y verde), España (rojo y amarillo), Puerto Rico (rojo, blanco y azul) y Ecuador (amarillo, azul y rojo). Se pueden ver los escudos en las banderas españolas y ecuatorianas.

Comparación cultural
1. Compara los eventos en que estas personas llevan la bandera de su país. ¿Cuándo llevas la bandera de tu país? ¿En qué eventos públicos usamos las banderas?
2. Compara el significado de los colores y las estrellas de la bandera de Estados Unidos con el significado de los elementos de las banderas de los países hispanos.

C24 Tradiciones

Tradiciones C25

● *Comparación cultural* highlights the diversity of the *Tradiciones* of the Spanish-speaking world.

¡Avanza con cultura!

- Each unit includes two thematic lessons that present a manageable amount of material.

- Each unit is set in a location that provides the **cultural backdrop** for real-life themes.

- Experience **authentic culture** online at ClassZone.com!

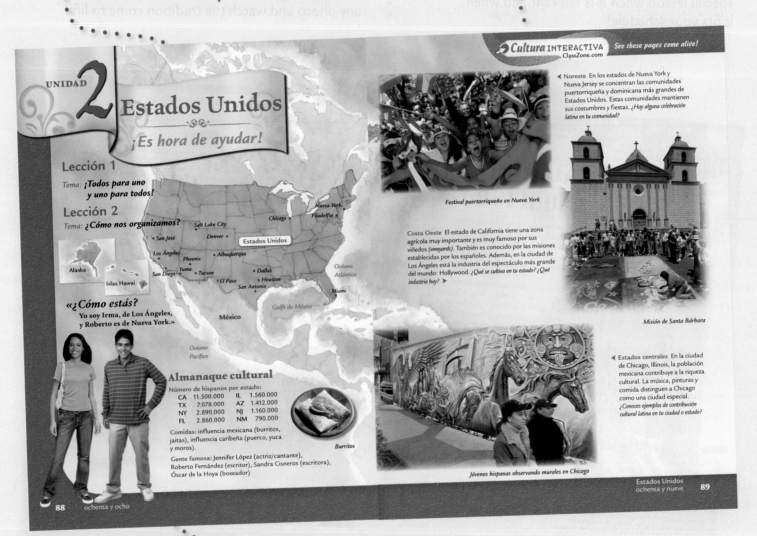

Cultura INTERACTIVA ClassZone.com · *See these pages come alive!*

UNIDAD 2

Estados Unidos
¡Es hora de ayudar!

Lección 1
Tema: ¡Todos para uno y uno para todos!

Lección 2
Tema: ¿Cómo nos organizamos?

«¿Cómo estás?»
Yo soy Irma, de Los Ángeles, y Roberto es de Nueva York.»

Alaska

Islas Hawai

Estados Unidos

Salt Lake City · Denver
San José ·
Los Ángeles · · Phoenix · Albuquerque
San Diego · Yuma · Tucson · Dallas
· El Paso · · Houston
San Antonio

México

Chicago ·
Nueva York ·
Filadelfia ·

Océano Atlántico

Miami

Golfo de México

Océano Pacífico

Almanaque cultural

Número de hispanos por estado:

CA	11.500.000	IL	1.560.000
TX	7.078.000	AZ	1.412.000
NY	2.890.000	NJ	1.160.000
FL	2.860.000	NM	790.000

Comidas: influencia mexicana (burritos, jaitas), influencia caribeña (puerco, yuca y moros).

Gente famosa: Jennifer López (actriz/cantante), Roberto Fernández (escritor), Sandra Cisneros (escritora), Óscar de la Hoya (boxeador)

Burritos

◀ **Noreste** En los estados de Nueva York y Nueva Jersey se concentran las comunidades puertorriqueña y dominicana más grandes de Estados Unidos. Estas comunidades mantienen sus costumbres y fiestas. *¿Hay alguna celebración latina en tu comunidad?*

Festival puertorriqueño en Nueva York

Costa Oeste El estado de California tiene una zona agrícola muy importante y es muy famoso por sus viñedos (*vineyards*). También es conocido por las misiones establecidas por los españoles. Además, en la ciudad de Los Ángeles está la industria del espectáculo más grande del mundo: Hollywood. *¿Qué se cultiva en tu estado? ¿Qué industria hay?* ▶

Misión de Santa Bárbara

◀ **Estados centrales** En la ciudad de Chicago, Illinois, la población mexicana contribuye a la riqueza cultural. La música, pinturas y comida distinguen a Chicago como una ciudad especial. *¿Conoces ejemplos de contribución cultural latina en tu ciudad o estado?*

Jóvenes hispanas observando murales en Chicago

Estados Unidos ochenta y nueve **89**

88 ochenta y ocho

- Students get a quick look at important **facts and figures** about the target country or region.

- Meet the main characters from *En contexto* who introduce the theme of each lesson in a real-life situation.

● *Avanza* lets your students know what they will learn and why.

● **Lessons** are based on themes that are relevant to students.

● **Online tools** help your students succeed!

UNIDAD 2

Estados Unidos

LECCIÓN 1

Tema:

¡Todos para uno y uno para todos!

¡AVANZA! In this lesson you will learn to
- describe volunteer activities
- organize people to do a project
- persuade or influence others

using
- **tú** commands
- **usted(es), nosotros** commands
- polite requests

♻ *¿Recuerdas?*
- irregular preterite
- family relationships
- camping and beach activities

Comparación cultural

In this lesson you will learn about
- museums of Latin art
- artists and the community

● Compara con tu mundo

Estos jóvenes están en Miami, Florida. Participan en *Hands On Miami Day*, un día en que se hacen trabajos comunitarios. ¿Qué trabajos crees que se pueden hacer en tu comunidad en un día como ése?

¿Qué ves?

Mira la foto

¿Qué hacen los jóvenes de la foto?

¿Crees que forman un equipo? ¿Por qué?

¿A quién(es) piensas que ayudan?

Jóvenes durante el Hands On Miami Day,
Miami, Florida

Online SPANISH CLASSZONE.COM

Featuring...
Cultura INTERACTIVA
Animated Grammar
@HomeTutor

And more...
- Get Help Online
- Interactive Flashcards
- Review Games
- WebQuest
- Conjuguemos.com

90 noventa

Estados Unidos noventa y uno 91

● *Compara con tu mundo* helps students see the relevance of cultural information by asking them to compare the target culture with their own. Look for this feature throughout the unit.

¡Avanza con vocabulario!

● *Avanza* provides a clear goal to let students know what is new and what is review.

● **Vocabulary** is presented in context.

✿ Presentación de VOCABULARIO

¡AVANZA! **Goal:** Learn about activities based on volunteer work. Then talk about ways that volunteers can help in their own communities. *Actividades 1–3*

✿ *¿Recuerdas?* Irregular preterites p. 42

AUDIO

A Una forma de ayudar es trabajar de voluntario. Los voluntarios deben organizar actividades en equipo o individualmente para colaborar con la comunidad. La cooperación es muy importante para cumplir con los objetivos.

BUSCAMOS VOLUNTARIOS PARA TRABAJAR EN...

...EL HOGAR DE ANCIANOS
Necesitamos personas para colaborar en proyectos de acción social para recaudar fondos.

...EL HOSPITAL
Puedes elegir una tarea para hacer: puedes leer los artículos de los periódicos y revistas a los pacientes o colaborar en el diseño de los letreros y pósteres.

...EL COMEDOR DE BENEFICENCIA
Necesitamos hacer un presupuesto para la comida y un plan para gastar bien el dinero.

NUESTRO TELÉFONO ES: 1-800-VOLUNTA

Más vocabulario

contar con los demás *to count on others*	el lema *motto*	prestar *to lend*
delegar *to delegate*	las noticias *news*	la prioridad *priority*
el envase *container*	la pobreza *poverty*	tirar basura *to litter*
juntar fundos *to fundraise*		*Expansión de vocabulario p. R4*
		Ya sabes p. R4

92 Unidad 2 Estados Unidos
noventa y dos

B Los voluntarios limpian los parques y las calles. También recogen la basura y reciclan las latas y otros artículos de papel o plástico.

C La publicidad es muy importante. Los grupos voluntarios presentan su campaña poniendo anuncios en la prensa, en las emisoras de radio o en los canales de televisión. Las agencias de publicidad trabajan con mucha creatividad.

las revistas

los periódicos

el guante de trabajo

LAS LATAS SON UNA LATA

el lema

la lata

la bolsa de plástico

D Las campañas son para solicitar dinero para comprar comida para la gente sin hogar, medicinas o artículos para limpiar la ciudad. Las personas mandan cheques para apoyar estas campañas.

E La planificación es muy importante en los trabajos voluntarios, porque así los voluntarios saben de antemano qué van a hacer.

¡A responder! Escuchar 🎧

Vas a escuchar ocho oraciones. Si la oración describe un ejemplo de ayudar a otros, indícalo con el dedo pulgar hacia arriba. Si la oración no describe un ejemplo de ayudar a otros, indícalo con el dedo pulgar hacia abajo.

@HomeTutor
Interactive Flashcards
ClassZone.com

Lección 1
noventa y tres **93**

● **Blue words** help students know what to study.

● A **listening** activity provides a quick comprehension check.

● **Additional practice** is provided online.

Vocabulary is reinforced in a relevant, ongoing context. *Contexto 1, 2,* and *3* in each lesson follow an entire event or project.

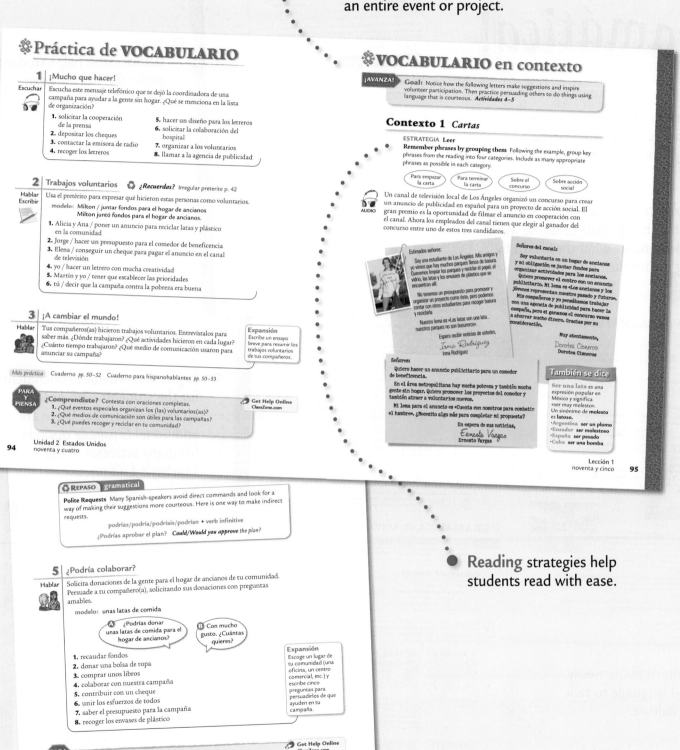

❋ Práctica de VOCABULARIO

1 ¡Mucho que hacer!

Escuchar

Escucha este mensaje telefónico que te dejó la coordinadora de una campaña para ayudar a la gente sin hogar. ¿Qué se menciona en la lista de organización?

1. solicitar la cooperación de la prensa
2. depositar los cheques
3. contactar la emisora de radio
4. recoger los letreros
5. hacer un diseño para los letreros
6. solicitar la colaboración del hospital
7. organizar a los voluntarios
8. llamar a la agencia de publicidad

2 Trabajos voluntarios   ✪ ¿Recuerdas? Irregular preterite p. 42

Hablar
Escribir

Usa el pretérito para expresar qué hicieron estas personas como voluntarios.

modelo: Milton / juntar fondos para el hogar de ancianos
Milton juntó fondos para el hogar de ancianos.

1. Alicia y Ana / poner un anuncio para reciclar latas y plástico en la comunidad
2. Jorge / hacer un presupuesto para el comedor de beneficencia
3. Elena / conseguir un cheque para pagar el anuncio en el canal de televisión
4. yo / hacer un letrero con mucha creatividad
5. Martín y yo / tener que establecer las prioridades
6. tú / decir que la campaña contra la pobreza era buena

3 ¡A cambiar el mundo!

Hablar

Tus compañeros(as) hicieron trabajos voluntarios. Entrevístalos para saber más. ¿Dónde trabajaron? ¿Qué actividades hicieron en cada lugar? ¿Cuánto tiempo trabajaron? ¿Qué medio de comunicación usaron para anunciar su campaña?

Expansión
Escribe un ensayo breve para resumir los trabajos voluntarios de tus compañeros.

Más práctica   Cuaderno pp. 50–52   Cuaderno para hispanohablantes pp. 50–53

PARA Y PIENSA

¿Comprendiste? Contesta con oraciones completas.
1. ¿Qué eventos especiales organizan los (las) voluntarios(as)?
2. ¿Qué medios de comunicación son útiles para las campañas?
3. ¿Qué puedes recoger y reciclar en tu comunidad?

🖱 Get Help Online
ClassZone.com

❋ VOCABULARIO en contexto

¡AVANZA!   **Goal:** Notice how the following letters make suggestions and inspire volunteer participation. Then practice persuading others to do things using language that is courteous. *Actividades 4–5*

Contexto 1 *Cartas*

ESTRATEGIA Leer
Remember phrases by grouping them Following the example, group key phrases from the reading into four categories. Include as many appropriate phrases as possible in each category.

- Para empezar la carta
- Para terminar la carta
- Sobre el concurso
- Sobre acción social

AUDIO

Un canal de televisión local de Los Ángeles organizó un concurso para crear un anuncio de publicidad en español para un proyecto de acción social. El gran premio es la oportunidad de filmar el anuncio en cooperación con el canal. Ahora los empleados del canal tienen que elegir al ganador del concurso entre uno de estos tres candidatos.

Estimados señores:

Soy una estudiante de Los Ángeles. Mis amigos y yo vimos que hay muchos parques llenos de basura. Queremos limpiar los parques y reciclar el papel, el vidrio, las latas y los envases de plástico que se encuentran allí.

No tenemos un presupuesto para promover u organizar un proyecto como éste, pero podemos contar con otros estudiantes para recoger basura y reciclarla.

Nuestro lema es «Las latas son una lata... nuestros parques no son basureros».

Espero recibir noticias de ustedes,

Irma Rodríguez
Irma Rodríguez

Señores del canal:

Soy voluntaria en un hogar de ancianos y mi obligación es juntar fondos para organizar actividades para los ancianos. Quiero promover el centro con un anuncio publicitario. Mi lema es «Los ancianos y los jóvenes representan nuestro pasado y futuro». Mis compañeros y yo pensábamos trabajar con una agencia de publicidad para hacer la campaña, pero si ganamos el concurso vamos a ahorrar mucho dinero. Gracias por su consideración.

Muy atentamente,

Dorotea Cisneros
Dorotea Cisneros

Señores:

Quiero hacer un anuncio publicitario para un comedor de beneficencia.

En el área metropolitana hay mucha pobreza y también mucha gente sin hogar. Quiero promover los proyectos del comedor y también atraer a voluntarios nuevos.

Mi lema para el anuncio es «Cuenta con nosotros para combatir el hambre». ¿Necesito algo más para completar mi propuesta?

En espera de sus noticias,

Ernesto Vargas
Ernesto Vargas

También se dice

Ser una lata es una expresión popular en México y significa «ser muy molesto». Un sinónimo de *molesto* es *latoso*.
• Argentina ser un plomo
• Ecuador ser molestoso
• España ser pesado
• Cuba ser una bomba

Reading strategies help students read with ease.

✪ REPASO gramatical

Polite Requests Many Spanish-speakers avoid direct commands and look for a way of making their suggestions more courteous. Here is one way to make indirect requests.

podrías/podría/podríais/podrían + verb infinitive

¿Podrías aprobar el plan?   *Could/Would you approve the plan?*

5 ¿Podría colaborar?

Hablar

Solicita donaciones de la gente para el hogar de ancianos de tu comunidad. Persuade a tu compañero(a), solicitando sus donaciones con preguntas amables.

modelo: unas latas de comida

A ¿Podrías donar unas latas de comida para el hogar de ancianos?

B Con mucho gusto. ¿Cuántas quieres?

1. recaudar fondos
2. donar una bolsa de ropa
3. comprar unos libros
4. colaborar con nuestra campaña
5. contribuir con un cheque
6. unir los esfuerzos de todos
7. saber el presupuesto para la campaña
8. recoger los envases de plástico

Expansión
Escoge un lugar de tu comunidad (una oficina, un centro comercial, etc.) y escribe cinco preguntas para persuadirlos de que ayuden en tu campaña.

PARA Y PIENSA

¿Comprendiste? ¿Qué puedes decir para...
1. convencer a tu profesor(a) de que no debe dar tarea?
2. convencer a tus padres de que deben comprarte un carro?
3. solicitar la ayuda de un amigo en la planificación de un proyecto?

🖱 Get Help Online
ClassZone.com

Para y piensa helps students know if they "got it."

¡Avanza con gramática!

- A wide **variety** of practice activities keeps students interested. Careful sequencing builds success.

- *Comparación cultural* boxes highlight the variety within the Spanish-speaking world. Students personalize what they learn by comparing it with their own world.

- Students **activate** newly learned language to talk about culture.

- **Grammar** is used in context in the second part of the lesson's ongoing story.

- **English Grammar Connection** helps students make the link between Spanish and English.

- *Expansión* provides enrichment for the students who need an extra challenge. There are additional *Expansión* options for many activities in the Teacher's Edition.

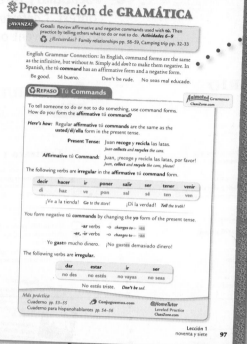

Presentación de GRAMÁTICA

¡AVANZA! **Goal:** Review affirmative and negative commands used with **tú**. Then practice by telling others what to do or not to do. **Actividades 6–9**
¿Recuerdas? Family relationships pp. 58–59, Camping trip pp. 32–33

English Grammar Connection: In English, command forms are the same as the infinitive, but without *to*. Simply add *don't* to make them negative. In Spanish, the *tú* **command** has an affirmative form and a negative form.

Be good.   Sé bueno.   Don't be rude.   No seas mal educado.

REPASO Tú Commands

To tell someone to do or not to do something, use command forms. How do you form the **affirmative tú command?**

Here's how: Regular **affirmative tú** commands are the same as the **usted/él/ella** form in the present tense.

Present Tense: Juan **recoge** y **recicla** las latas.
Juan collects and recycles the cans.

Affirmative tú Command: Juan, **¡recoge** y **recicla** las latas, por favor!
Juan, collect and recycle the cans, please!

The following verbs are **irregular** in the **affirmative tú command** form.

decir	hacer	ir	poner	salir	ser	tener	venir
di	haz	ve	pon	sal	sé	ten	ven

¡Ve a la tienda! *Go to the store!*   ¡Di la verdad! *Tell the truth!*

You form negative **tú** commands by changing the **yo** form of the present tense.

-ar verbs -o *changes to* -es
-er, -ir verbs -o *changes to* -as

Yo **gasto** mucho dinero. ¡No **gastes** demasiado dinero!

The following verbs are **irregular**.

dar	estar	ir	ser
no des	no estés	no vayas	no seas

No estés triste. *Don't be sad.*

Más práctica
Cuaderno pp. 53–55
Cuaderno para hispanohablantes pp. 54–56

Conjuguemos.com
@HomeTutor
Leveled Practice
ClassZone.com

Lección 1
noventa y siete **97**

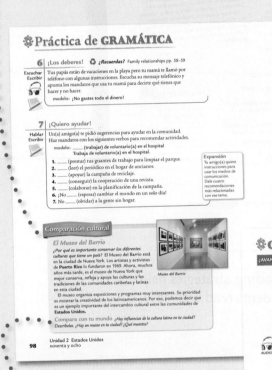

Práctica de GRAMÁTICA

6 **¡Los deberes!** **¿Recuerdas?** Family relationships pp. 58–59

Escuchar Escribir Tus papás están de vacaciones en la playa pero tu mamá te llamó por teléfono con algunas instrucciones. Escucha su mensaje telefónico y apunta los mandatos que usa tu mamá para decirte qué tienes que hacer y no hacer.

modelo: ¡No gastes todo el dinero!

7 **¡Quiero ayudar!**

Hablar Escribir Un(a) amigo(a) te pidió sugerencias para ayudar en la comunidad. Haz mandatos con los siguientes verbos para recomendar actividades.

modelo: _____ (trabajar) de voluntario(a) en el hospital
Trabaja de voluntario(a) en el hospital.

1. _____ (prestar) tus guantes de trabajo para limpiar el parque.
2. _____ (leer) el periódico en el hogar de ancianos.
3. _____ (apoyar) la campaña de reciclaje.
4. _____ (conseguir) la cooperación de una revista.
5. _____ (colaborar) en la planificación de la campaña.
6. ¡No _____ (esperar) cambiar el mundo en un solo día!
7. No _____ (olvidar) a la gente sin hogar.

Expansión
Tu amigo(a) quiere instrucciones para usar los medios de comunicación. Dale cuatro recomendaciones más relacionadas con ese tema.

Comparación cultural

El Museo del Barrio
¿Por qué es importante conservar las diferentes culturas que tiene un país? El Museo del Barrio está en la ciudad de Nueva York. Los artistas y activistas de **Puerto Rico** lo fundaron en 1969. Ahora, muchos años más tarde, es el museo de Nueva York que mejor conserva, refleja y apoya las culturas y las tradiciones de las comunidades caribeñas y latinas en esta ciudad.

El museo organiza exposiciones y programas muy interesantes. Su prioridad es mostrar la creatividad de los latinoamericanos. Por eso, podemos decir que es un ejemplo importante del intercambio cultural entre las comunidades de **Estados Unidos**.

Compara con tu mundo ¿Hay influencias de la cultura latina en tu ciudad? ¿Hay un museo en tu ciudad? ¿Qué muestra?

Museo del Barrio

Unidad 2 Estados Unidos
98 noventa y ocho

---

8 **Organiza el campamento** **¿Recuerdas?** Camping trip pp. 32–33

Hablar Con un(a) compañero(a), túrnense *(take turns)* para decirles a las personas siguientes qué deben hacer para organizar el campamento. Usen mandatos afirmativos y negativos.

modelo: Jaime, no busques las partes de la tienda ahora.
Saca el equipo del carro.

Ana	buscar	estufa de gas
Jaime	recoger	partes de la tienda
Ramón	cerrar	sacos de dormir
Ernesto	sacar	a nosotros
Carmen y Ramón	traer	cantimplora
Ernesto y Carmen	ayudar	latas de refresco
Carmen y Jaime	contar	equipo
Ana, Ramón y Jaime	guardar	tienda de campaña
Todos	organizar	puerta del carro
	montar	mochilas
	descansar	

9 **¡Gracias por tu ayuda!**

Escribir Organízate una campaña en un comedor de beneficencia. Escríbele una nota a un(a) compañero(a) que te quiere ayudar la semana que tú no puedes ir. Dile qué tiene que hacer y qué no debe hacer. Usa por lo menos...

Expansión

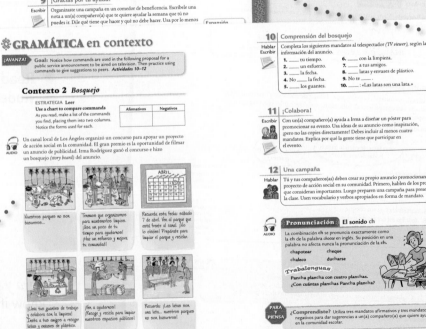

GRAMÁTICA en contexto

¡AVANZA! **Goal:** Notice how commands are used in the following proposal for a public service announcement to be aired on television. Then practice using commands to give suggestions to peers. **Actividades 10–12**

Contexto 2 *Bosquejo*

ESTRATEGIA Leer
Use a chart to compare commands
As you read, make a list of the commands you find, placing them into two columns. Notice the forms used for each.

Afirmativos	Negativos

Un canal local de Los Ángeles organizó un concurso para apoyar un proyecto de acción social en la comunidad. El gran premio es la oportunidad de filmar un anuncio de publicidad. Irma Rodríguez ganó el concurso e hizo un bosquejo *(story board)* del anuncio.

Nuestros parques no son basureros...

Tenemos que organizarnos para mantenerlos limpios. ¡Usa un poco de tu tiempo para ayudarnos! ¡Haz un esfuerzo y mejora tu comunidad!

Recuerda esta fecha: sábado 7 de abril. Ven al parque que está frente al canal. ¡No lo olvides! Prepárate para limpiar el parque y reciclar.

ABRIL

¡Lleva tus guantes de trabajo y colabora con la limpieza!

¡Ven a ayudarnos! Recoge y recicla para limpiar nuestros espacios públicos.

Recuerda: ¡Las latas son una lata... nuestros parques no son basureros!

Unidad 2 Estados Unidos
100 cien

---

10 **Comprensión del bosquejo**

Hablar Escribir Completa los siguientes mandatos al telespectador *(TV viewer)*, según la información del anuncio.

1. _____ tu tiempo.
2. _____ un esfuerzo.
3. _____ la fecha.
4. No _____ la fecha.
5. _____ los guantes.
6. _____ con la limpieza.
7. _____ a tus amigos.
8. _____ latas y envases de plástico.
9. No te _____.
10. _____ : «Las latas son una lata.»

11 **¡Colabora!**

Escribir Con un(a) compañero(a) ayuda a Irma a diseñar un póster para promocionar su evento. Usa ideas de su anuncio como inspiración, ¡pero no las copies directamente! Debes incluir al menos cuatro mandatos. Explica por qué la gente tiene que participar en el evento.

Expansión
Prepara otro póster para Irma. Esta vez, usa algunas ideas propias.

12 **Una campaña**

Hablar Tú y tus compañeros(as) deben crear su propio anuncio promocionando un proyecto de acción social en su comunidad. Primero, hablen de los programas que consideran importantes. Luego preparen una campaña para presentar en la clase. Usen vocabulario y verbos apropiados en forma de mandato.

Pronunciación El sonido ch

La combinación *ch* se pronuncia exactamente como la *ch* de la palabra *choose* en inglés. Su posición en una palabra no afecta nunca la pronunciación de la *ch*.

chapotear   cheque
chaleco   ducharse

Trabalenguas
Pancha plancha con cuatro planchas.
¿Con cuántas planchas Pancha plancha?

PARA Y PIENSA **¿Comprendiste?** Utiliza tres mandatos afirmativos y tres mandatos negativos para dar sugerencias a un(a) compañero(a) que quiere ayudar en la comunidad escolar.

Get Help Online
ClassZone.com

Lección 1
ciento uno **101**

T22 Unit Preview

- Two **grammar points** are presented in each lesson.

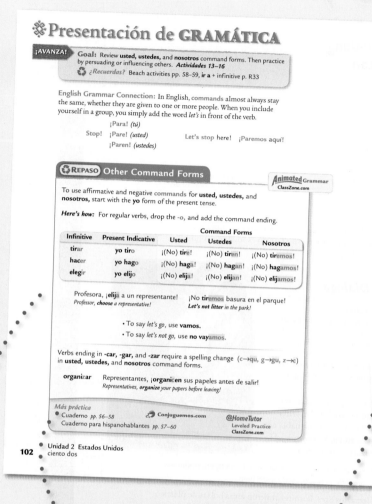

✿Presentación de GRAMÁTICA

¡AVANZA! **Goal:** Review **usted**, **ustedes**, and **nosotros** command forms. Then practice by persuading or influencing others. *Actividades 13–16*

♻ *¿Recuerdas?* Beach activities pp. 58–59, **ir a** + infinitive p. R33

English Grammar Connection: In English, commands almost always stay the same, whether they are given to one or more people. When you include yourself in a group, you simply add the word *let's* in front of the verb.

	¡Para! *(tú)*
Stop!	¡Pare! *(usted)*
	¡Paren! *(ustedes)*

Let's stop here! ¡Paremos aquí!

♻REPASO Other Command Forms

Animated Grammar ClassZone.com

To use affirmative and negative commands for **usted**, **ustedes**, and **nosotros**, start with the **yo** form of the present tense.

Here's how: For regular verbs, drop the -o, and add the command ending.

Command Forms

Infinitive	Present Indicative	Usted	Ustedes	Nosotros
tirar	yo tiro	¡(No) tire!	¡(No) tiren!	¡(No) tiremos!
hacer	yo hago	¡(No) haga!	¡(No) hagan!	¡(No) hagamos!
elegir	yo elijo	¡(No) elija!	¡(No) elijan!	¡(No) elijamos!

Profesora, ¡**elija** un representante! ¡No **tiremos** basura en el parque!
Professor, choose a representative! ***Let's not litter in the park!***

- To say *let's go*, use **vamos**.
- To say *let's not go*, use **no vayamos**.

Verbs ending in **-car**, **-gar**, and **-zar** require a spelling change (c→qu, g→gu, z→c) in **usted**, **ustedes**, and **nosotros** command forms.

organizar Representantes, ¡**organicen** sus papeles antes de salir!
Representatives, organize your papers before leaving!

Más práctica
- Cuaderno *pp. 56–58*
- Cuaderno para hispanohablantes *pp. 57–60*

Conjuguemos.com

@HomeTutor
Leveled Practice
ClassZone.com

102 Unidad 2 Estados Unidos
ciento dos

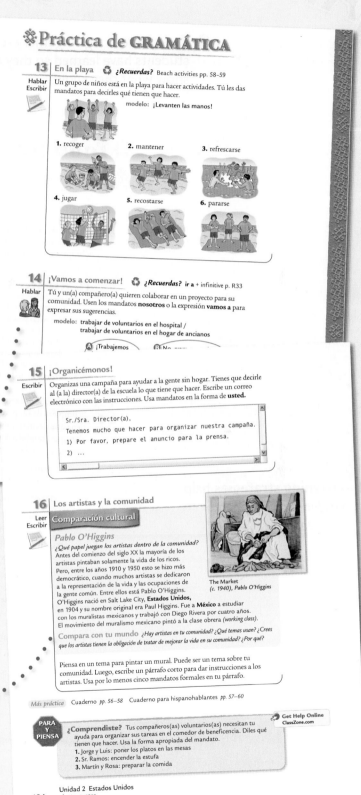

✿Práctica de GRAMÁTICA

13 **En la playa** ♻ *¿Recuerdas?* Beach activities pp. 58–59

Hablar Escribir

Un grupo de niños está en la playa para hacer actividades. Tú les das mandatos para decirles qué tienen que hacer.

modelo: ¡Levanten las manos!

1. recoger
2. mantener
3. refrescarse
4. jugar
5. recostarse
6. pararse

14 **¡Vamos a comenzar!** ♻ *¿Recuerdas?* **ir a** + infinitive p. R33

Hablar

Tú y un(a) compañero(a) quieren colaborar en un proyecto para su comunidad. Usen los mandatos **nosotros** o la expresión **vamos a** para expresar sus sugerencias.

modelo: trabajar de voluntarios en el hospital /
trabajar de voluntarios en el hogar de ancianos

A ¡Trabajemos...   **B** No...

15 **¡Organicémonos!**

Escribir

Organizas una campaña para ayudar a la gente sin hogar. Tienes que decirle al (a la) director(a) de la escuela lo que tiene que hacer. Escribe un correo electrónico con las instrucciones. Usa mandatos en la forma de **usted**.

```
Sr./Sra. Director(a),
Tenemos mucho que hacer para organizar nuestra campaña.
1) Por favor, prepare el anuncio para la prensa.
2) ...
```

16 **Los artistas y la comunidad**

Leer Escribir **Comparación cultural**

Pablo O'Higgins

¿Qué papel juegan los artistas dentro de la comunidad? Antes del comienzo del siglo XX la mayoría de los artistas pintaban solamente la vida de los ricos. Pero, entre los años 1910 y 1950 esto se hizo más democrático, cuando muchos artistas se dedicaron a la representación de la vida y las ocupaciones de la gente común. Entre ellos está Pablo O'Higgins. O'Higgins nació en Salt Lake City, **Estados Unidos**, en 1904 y su nombre original era Paul Higgins. Fue a **México** a estudiar con los muralistas mexicanos y trabajó con Diego Rivera por cuatro años. El movimiento del muralismo mexicano pintó a la clase obrera *(working class)*.

The Market (c. 1940), Pablo O'Higgins

Compara con tu mundo ¿Hay artistas en tu comunidad? ¿Qué temas usan? ¿Crees que los artistas tienen la obligación de tratar de mejorar la vida en su comunidad? ¿Por qué?

Piensa en un tema para pintar un mural. Puede ser un tema sobre tu comunidad. Luego, escribe un párrafo corto para dar instrucciones a los artistas. Usa por lo menos cinco mandatos formales en tu párrafo.

Más práctica Cuaderno *pp. 56–58* Cuaderno para hispanohablantes *pp. 57–60*

PARA Y PIENSA **¿Comprendiste?** Tus compañeros(as) voluntarios(as) necesitan tu ayuda para organizar sus tareas en el comedor de beneficencia. Diles qué tienen que hacer. Usa la forma apropiada del mandato.

Get Help Online ClassZone.com

1. Jorge y Luis: poner los platos en las mesas
2. Sr. Ramos: encender la estufa
3. Martín y Rosa: preparar la comida

104 Unidad 2 Estados Unidos
ciento cuatro

- Opportunities for **extra practice** are easy for students to find.

- **Grammar presentations** are clear and easy to follow.

- Frequent **recycling** helps students remember previously taught material.

- Students **activate** newly learned grammar to talk about culture.

¡Avanza con Todo junto!

- ***Todo junto*** brings together everything students have learned so they can show what they know.

- **Listening strategies** help students comprehend with ease.

Todo junto

¡AVANZA! **Goal:** ***Show what you know*** Notice how Irma uses command forms to give instructions in the following dialogue. Then practice by explaining how to do something. ***Actividades 17–19***

Resumen contextos 1 y 2 Irma ganó un concurso con una propuesta publicitaria para televisión. El objetivo de su anuncio es invitar a voluntarios a limpiar un parque de Los Ángeles.

Contexto 3 *Diálogo*

ESTRATEGIA **Escuchar**

Use what you know to sharpen the focus
Before listening, examine the photo and consider what you already know about environmental clean-up and recycling. While listening several times, use these clues, plus the speakers' voice intonation, to bring the meaning into focus.

AUDIO

Muchos voluntarios vinieron para ayudar con la limpieza de un parque de Los Ángeles. Irma tiene que decirles qué deben hacer. Irma habla con el grupo y también con su amigo Darío, que está ayudando con la organización del evento.

Irma: Tenemos mucho que hacer, pero no se preocupen, podemos completar todo si nos organizamos bien.

Darío: Mira, Irma, los Sres. Ramírez trajeron estas bolsas de plástico.

Irma: ¡Qué bien! Sr. y Sra. Ramírez, si no les molesta, repartan las bolsas entre los voluntarios.

Sra. Ramírez: Claro, Irma. No dudes en decirnos si hay otra cosa que podemos hacer.

Irma: Gracias, Sra. Ramírez. Si no tenemos suficientes bolsas, vaya a comprar más a la tienda, por favor. Sr. Ramírez, tome el dinero de la campaña, está allí. A ver... Darío, ¿podrías formar un grupo de personas para recoger artículos de vidrio y papel, cerca del lago? Pónganlos aquí en estas bolsas. ¡No olviden usar los guantes de trabajo!

Darío: No hay problema. ¡Vamos!

Lección 1
ciento cinco 105

The ongoing project for each lesson is concluded, in *Contexto 3*, with a **listening activity**.

Students read, listen, and speak using theme-related prompts. *Integración* prepares students for the new format of the AP Language test.

Each activity is labeled so you and your students know exactly which **skill** to focus on.

Irma: Esteban, ¿nos puedes ayudar a reciclar los envases de plástico y las latas? Escoge a cinco voluntarios para recoger esos materiales y luego pónganlos aquí. Pero, no los mezclen con el vidrio.

Esteban: ¡Enseguida, Irma! A ver... ustedes, por favor, ¿por qué no vienen conmigo? Vamos a empezar aquí, junto a estos árboles.

Darío: ¡Irma, Irma, no te imaginas qué pasó!

Irma: ¿Qué pasó? ¡Dime!

Darío: ¡Adivina quiénes acaban de llegar!

Irma: ¿Quién? ¿Quiénes? ¡Cuéntame! ¡Me muero de curiosidad!

Darío: Oye, ya sabes que están filmando una película muy cerca de aquí...

Irma: Sí, sí..., ¡no me hagas esperar ni un segundo más! Dime qué pasa.

Darío: Bueno, las estrellas de la película vinieron para ayudar con el proyecto de limpieza... ¡Salma Hayek, Antonio Banderas, Benicio del Toro, Gael García Bernal y Penélope Cruz!

Irma: ¡No me digas! Darío, llama al canal de televisión. ¡Y a los periódicos! ¡Y a la radio! ¡Tenemos una oportunidad increíble para hacer la publicidad de nuestra campaña!

Darío: ¡De acuerdo! Préstame tu celular. ¡Ya llamo a todos!

17 Comprensión del diálogo

Escuchar Hablar Escribir

Según el diálogo, di qué actividad(es) asocias con quién(es).

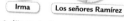

Irma | Los señores Ramírez | Darío | Esteban

1. dijo a todos lo que tenían que hacer
2. formó un grupo para reciclar cosas
3. pidió el teléfono celular
4. recogió artículos de papel y vidrio
5. repartió las bolsas de plástico
6. trabajó cerca del lago
7. trajeron bolsas de plástico
8. vio a unas estrellas de cine

---

18 Integración

Leer
Escuchar
Hablar

Lee el folleto solicitando voluntarios para la comunidad. Luego escucha el discurso de Jaime en el parque. Después di cuáles son las oportunidades para voluntarios que hay en la comunidad. Usa palabras para persuadir a la gente a trabajar como voluntario(a).

Fuente 1 Folleto

¡Tu comunidad te necesita!
Tu colaboración puede cambiar la vida de muchas personas. Organiza actividades en el hogar de ancianos. Colabora en el comedor de beneficencia. Ayuda en el hospital. No olvides que tú puedes hacer una gran diferencia en la vida de los demás. Llama a Acción Social, el centro de voluntarios de la comunidad.

1-800-CCENTRO
www.accionsocial.org
¡La comunidad cuenta contigo!

Fuente 2 Discurso

Escucha y apunta
• ¿Qué pide Jaime Lagos en su discurso?
• ¿Qué oportunidades para voluntarios hay en esa comunidad?

modelo: Jaime Lagos busca gente para trabajar en la comunidad. Se puede trabajar en hogares de ancianos y juntar fondos.

19 ¡Un evento memorable!

Escribir

Escribe un artículo sobre una campaña para limpiar un parque. Utiliza expresiones para dar órdenes y las siguientes pistas (*hints*) para escribirlo.

Pistas: lugar, día, describir el lugar antes y después de limpiarlo, da nombres de los que participaron, las tareas de cada cual y los materiales que utilizaron.

Writing Criteria	Excellent	Good	Needs Work
Content	You include all of the important information and quote several commands.	You include some of the important information and quote some commands.	You include little information and quote few commands.
Communication	Your article is organized and easy to follow.	Parts of your article are organized and easy to follow.	Your article is disorganized and hard to follow.
Accuracy	You make few mistakes in grammar and vocabulary.	You make some mistakes in grammar and vocabulary.	You make many mistakes in grammar and vocabulary.

Más práctica Cuaderno pp. 59–60 Cuaderno para hispanohablantes pp. 61–62

PARA Y PIENSA

¿Comprendiste? Da instrucciones a un(a) compañero(a) para explicar cómo hacer algo, por ejemplo: llegar a tu casa, estudiar para un examen, preparar una comida o jugar a algún deporte. Usa la forma **tú** de los mandatos e incluye dos mandatos negativos.

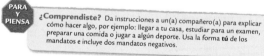

Get Help Online
ClassZone.com

An **open-ended writing activity** provides a rubric so students know exactly what they have to do to succeed.

¡Avanza con lecturas!

Lecturas literarias introduce students to a variety of authors and genres.

Reading strategies help students become successful readers.

Authentic literature about relevant themes sparks students' interest in reading.

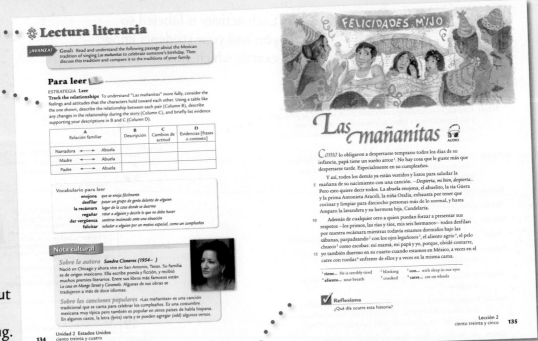

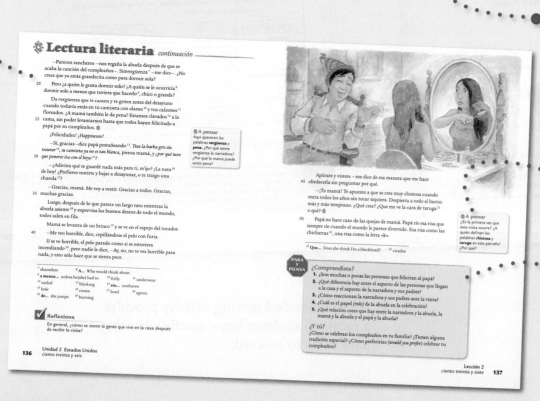

Reflexiona questions offer students a place to stop and check their understanding.

A pensar encourages students to analyze and to interact with the text.

Comprehension questions encourage students to apply the information they have learned from the reading.

¡Avanza con Conexiones!

● Students use Spanish to learn more about other disciplines in *Conexiones*.

✳ Conexiones *La historia*

Un líder latino

Uno de los líderes latinos más influyentes del siglo XX es César Chávez. Nació en 1927 cerca de Yuma, Arizona. Hijo de padres mexicanos, desde niño experimentó la dificultad de seguir una vida migratoria, pasando de una ciudad a otra en busca de trabajo.

Desde muy joven trabajó en las cosechas de uvas *(grapes)*, damascos *(apricots)* y aceitunas *(olives)*. Chávez decía que la cosecha más difícil era la de aceitunas: «Son tan pequeñas que nunca llenas los cubos *(buckets)*».

Chávez simpatizaba con los trabajadores migratorios y decidió ayudarlos. En 1962 creó la National Farm Workers Association, que luego se transformó en la United Farm Workers Union. Usó tácticas no violentas como manifestaciones, huelgas *(strikes)* y ayunos *(fasts)* para conseguir leyes a favor de los trabajadores del campo.

Después de una vida de sacrificios y esfuerzos en nombre de los trabajadores migratorios, Chávez murió en su casa, cerca de Yuma. Ahora, para conmemorar sus esfuerzos, se celebra el *César Chávez Day of Service and Learning* en siete estados (Arizona, California, Colorado, Missouri, Nuevo México, Texas, Utah) y muchas ciudades de Estados Unidos.

Proyecto En la biblioteca o en Internet, investiga las celebraciones del *César Chávez Day of Service and Learning.* ¿Qué actividades se organizan? ¿Hay diferencias entre las celebraciones de un estado y otro?

Investiga sobre otro(a) líder latino(a) en Estados Unidos. ¿Qué causa social apoya? ¿Qué quiere hacer para mejorar su comunidad?

En tu comunidad

¿Se celebra el *César Chávez Day of Service and Learning* en tu estado o ciudad? ¿Hay comunidades de latinos en tu estado o ciudad? ¿Hay líderes latinos importantes en tu comunidad? ¿Hay otras celebraciones que se asocian con líderes de tu comunidad?

112 Unidad 2 Estados Unidos
ciento doce

● *En tu comunidad* opens the door for students to use Spanish in their community.

● *Escritura* gives students an opportunity to write about the lesson theme. Step-by-step instructions make this assignment manageable for all students.

✳ Escritura

La importancia del trabajo voluntario

Escribe un discurso para promover el trabajo voluntario entre los estudiantes de tu escuela. Usa la siguiente secuencia de estrategias para organizar tus ideas.

❶ **Prepárate para escribir**

ESTRATEGIA **Selecciona trabajos voluntarios** Haz una lista de trabajos voluntarios en los que quieres participar. Luego haz otra lista con trabajos voluntarios que no te gustan.

❷ **Escribe**

ESTRATEGIA **Establece un punto de vista** Para establecer un punto de vista es bueno estudiar los aspectos del tema y ver si son positivos o negativos. Luego, se escogen las mejores razones para convencer al público. De la lista que hiciste, escoge un trabajo que te gusta y uno que no te gusta. Completa una tabla como la siguiente con los aspectos positivos y negativos de cada trabajo. Luego escribe un ensayo para persuadir a la gente de que participe en los dos trabajos. Plantea la importancia del trabajo voluntario. Incluye los elementos positivos y convence a la gente para superar los aspectos negativos.

Aspectos del trabajo voluntario	Positivo	Negativo
Se trabaja gratis.	Se contribuye con trabajo y tiempo.	A veces la gente no toma sus obligaciones en serio porque no recibe dinero.

❸ **Revisa tu composición**

Lee el borrador de tu compañero(a).

• Comprueba que use suficientes mandatos en la forma correcta de **ustedes** y expresiones impersonales con infinitivo para pedir, recomendar o sugerir. Subraya lo correcto y corrige si es necesario.

• ¿Están claros la opinión y los lados positivos que presenta?

• ¿Hay una introducción y una conclusión interesantes?

Después de las correcciones, revisa tu ensayo.

¡Trabajen de voluntarios en el hospital! Miren. Mira. el lado positivo: podemos ayudar a mucha gente que está enferma. ¿El lado negativo? Sí, es triste estar enfermo y muchos días en el hospital, pero es importante ayudar a la gente que está sola.

138 Unidad 2 Estados Unidos
ciento treinta y ocho

● Each step is supported with a strategy to improve students' writing skills.

¡Ya llegamos!

The **all-inclusive review** page highlights essential vocabulary and grammar from the lesson.

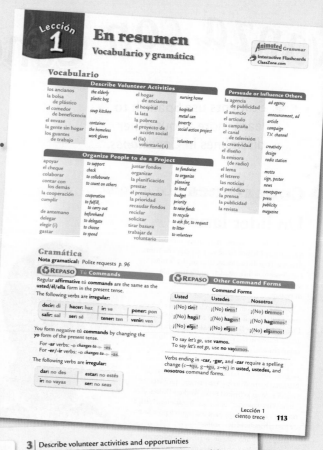

Llegada reminds students exactly what they have accomplished in the lesson.

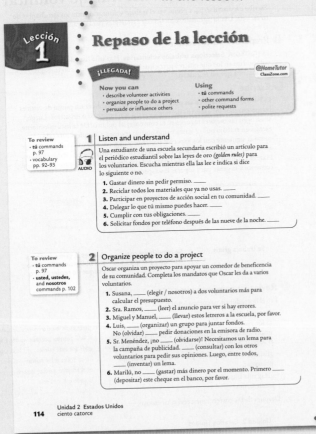

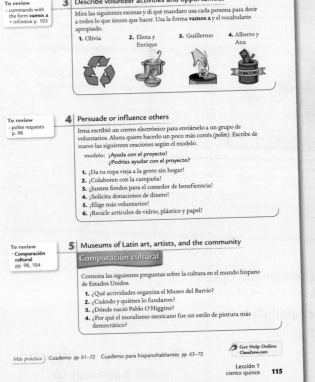

Diagnostic review helps students prepare for the test.

Comparación cultural integrates reading and writing skills with cultural information.

Writing strategies help students organize their ideas.

Repaso inclusivo provides options for cumulative review.

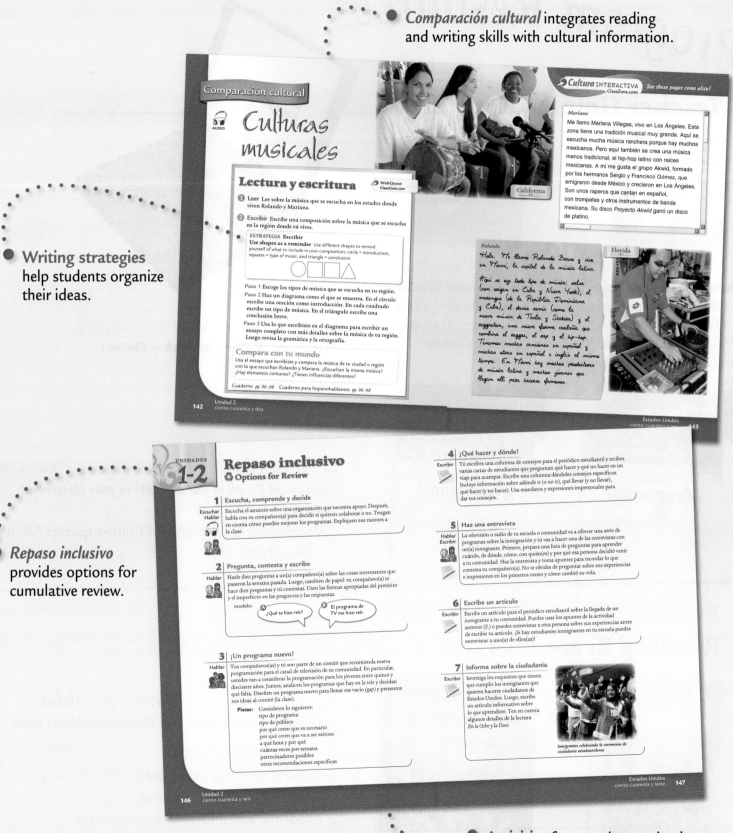

Comparación cultural

Culturas musicales

Lectura y escritura

1 Leer Lee sobre la música que se escucha en los estados donde viven Rolando y Mariana.

2 Escribir Escribe una composición sobre la música que se escucha en la región donde tú vives.

ESTRATEGIA Escribir
Use shapes as a reminder Use different shapes to remind yourself of what to include in your composition: circle = introduction, squares = type of music, and triangle = conclusion.

Paso 1 Escoge los tipos de música que se escucha en tu región.

Paso 2 Haz un diagrama como el que se muestra. En el círculo escribe una oración como introducción. En cada cuadrado escribe un tipo de música. En el triángulo escribe una conclusión breve.

Paso 3 Usa lo que escribiste en el diagrama para escribir un ensayo completo con más detalles sobre la música de tu región. Luego revisa la gramática y la ortografía.

Compara con tu mundo
Usa el ensayo que escribiste y compara la música de tu ciudad o región con la que escuchan Rolando y Mariana. ¿Escuchan la misma música? ¿Hay elementos comunes? ¿Tienen influencias diferentes?

Cuaderno pp. 96–98   Cuaderno para hispanohablantes pp. 96–98

Cultura INTERACTIVA ClassZone.com *See these pages come alive!*

Mariana
Me llamo Mariana Villegas, vivo en Los Ángeles. Esta zona tiene una tradición musical muy grande. Aquí se escucha mucha música ranchera porque hay muchos mexicanos. Pero aquí también se crea una música menos tradicional, el hip-hop latino con raíces mexicanas. A mí me gusta el grupo Akwid, formado por los hermanos Sergio y Francisco Gómez, que emigraron desde México y crecieron en Los Ángeles. Son unos raperos que cantan en español, con trompetas y otros instrumentos de banda mexicana. Su disco *Proyecto Akwid* ganó un disco de platino.

Rolando
Hola. Me llamo Rolando Bravo y vivo en Miami, la capital de la música latina.

Aquí se oye todo tipo de música: salsa (con origen en Cuba y Nueva York), el merengue (de la República Dominicana y Cuba), el dance remix (como la nueva música de Thalía y Shakira) y el reggaetón, una nueva forma caribeña que combina el reggae, el rap y el hip-hop. Tenemos muchas canciones en español y muchas otras en español e inglés al mismo tiempo. En Miami hay muchos productores de música latina y muchos jóvenes que llegan allí para hacerse famosos.

California

Florida

Unidad 2
142 ciento cuarenta y dos

Estados Unidos
ciento cuarenta y tres 143

UNIDADES 1-2

Repaso inclusivo
♻ Options for Review

1 Escucha, comprende y decide

Escuchar / Hablar
Escucha el anuncio sobre una organización que necesita apoyo. Después, habla con tu compañero(a) para decidir si quieren colaborar o no. Tengan en cuenta cómo pueden mejorar los programas. Expliquen sus razones a la clase.

2 Pregunta, contesta y escribe

Hablar
Hazle diez preguntas a un(a) compañero(a) sobre las cosas interesantes que pasaron la semana pasada. Luego, cambien de papel: tu compañero(a) te hace diez preguntas y tú contestas. Usen las formas apropiadas del pretérito y el imperfecto en las preguntas y las respuestas.

modelo:
A ¿Qué te hizo reír?
B El programa de TV me hizo reír.

3 ¡Un programa nuevo!

Hablar
Tus compañeros(as) y tú son parte de un comité que recomienda nueva programación para el canal de televisión de su comunidad. En particular, ustedes van a considerar la programación para los jóvenes entre quince y diecisiete años. Juntos, analicen los programas que hay en la tele y decidan qué falta. Diseñen un programa nuevo para llenar ese vacío (gap) y presenten sus ideas al comité (la clase).

Pistas: Consideren lo siguiente:
tipo de programa
tipo de público
por qué creen que es necesario
por qué creen que va a ser exitoso
a qué hora y por qué
cuántas veces por semana
patrocinadores posibles
otras recomendaciones específicas

4 ¡Qué hacer y dónde!

Escribir
Tú escribes una columna de consejos para el periódico estudiantil y recibes varias cartas de estudiantes que preguntan qué hacer y qué no hacer en un viaje para acampar. Escribe una columna dándoles consejos específicos. Incluye información sobre adónde ir (o no ir), qué llevar (y no llevar), qué hacer (y no hacer). Usa mandatos y expresiones impersonales para dar tus consejos.

5 Haz una entrevista

Hablar / Escribir
La televisión o radio de tu escuela o comunidad va a ofrecer una serie de programas sobre la inmigración y tú vas a hacer una de las entrevistas con un(a) inmigrante. Primero, prepara una lista de preguntas para aprender cuándo, de dónde, cómo, con quién(es) y por qué esa persona decidió venir a tu comunidad. Haz la entrevista y toma apuntes para recordar lo que contesta tu compañero(a). No te olvides de preguntar sobre sus experiencias e impresiones en los primeros meses y cómo cambió su vida.

6 Escribe un artículo

Escribir
Escribe un artículo para el periódico estudiantil sobre la llegada de un inmigrante a tu comunidad. Puedes usar los apuntes de la actividad anterior (5.) o puedes entrevistar a otra persona sobre sus experiencias antes de escribir tu artículo. ¡Si hay estudiantes inmigrantes en tu escuela puedes entrevistar a uno(a) de ellos(as)!

7 Informa sobre la ciudadanía

Escribir
Investiga los requisitos que tienen que cumplir los inmigrantes que quieren hacerse ciudadanos de Estados Unidos. Luego, escribe un artículo informativo sobre lo que aprendiste. Ten en cuenta algunos detalles de la lectura *En la Ocho y la Doce.*

Inmigrantes celebrando la ceremonia de ciudadanía estadounidense

Unidad 2
146 ciento cuarenta y seis

Estados Unidos
ciento cuarenta y siete 147

Activities focus on integrating language and grammar taught in previous units.

Program Resources

❖ Teacher Time Savers

One-Stop Planner
includes audio and video, plus
· All Print Resources
· Teacher's Edition
· Calendar Planner
· Examview Assessment Suite

PowerPresentations
with Animated Grammar!
· PowerPoint™ Slides
· Overhead Transparencies
· Review Games

Online Assessment System
Test, Score, Report, Reteach – Online!

Differentiated Assessment Program
Assessment for all of the students in your classroom!
  includes
· Vocabulary, Grammar, and Culture quizzes (on-level only)
· Lesson Tests
· Unit Tests
· Midterm Exam
· Final Exam

❖ Reading Resources

AvanzaCómics   **Mundos paralelos**
High-interest comic book uses language students know

Lecturas para todos
· Cultural Readings in Spanish
· Literary Readings in Spanish
· Academic and Informational Readings
· Standardized Test Preparation
· Audio CD available

✿ Authentic Language Comes to Life

El gran desafío: Internacional

· Lively, motivating adventure series
· 8 Episodes
· International cast

BONUS!

El gran desafío: México

Audio Program

· Student Text Audio
· Workbook Audio
· Assessment Audio
· Heritage Learners Audio
· *Lecturas para todos* Audio

✿ Personalized Practice with a Purpose

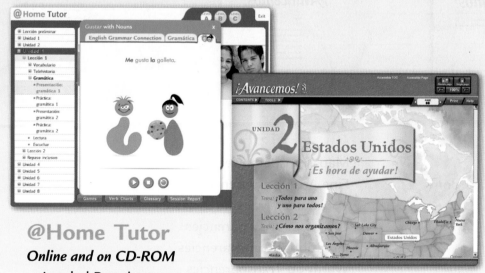

@Home Tutor

Online and on CD-ROM

· Leveled Practice
· Animated Grammar
· Audio
· VideoPlus with Interactive Script

eEdition Online

· *Cultura interactiva*
· Audio
· Video
· Links to Reteaching Copymasters

Cuaderno: práctica por niveles
Cuaderno para hispanohablantes

3 levels of practice — A, B, C

· Vocabulary
· Grammar
· Integrated Skills
· Listening
· Reading
· Writing
· Culture

✤ Resources for Heritage Learners

Lecturas para hispanohablantes

· Cultural Readings in Spanish
· Literary Readings in Spanish
· Academic and Informational Readings
· Standardized Test Preparation
· Audio CD available

Cuaderno para hispanohablantes

· Leveled practice to meet the varied needs of heritage learners
· Additional instruction targeted to heritage learners' unique needs

Heritage Learners Assessment

· Lesson Tests
· Unit Tests
· Midterm Exam
· Final Exam

✤ Teacher Resource Manager

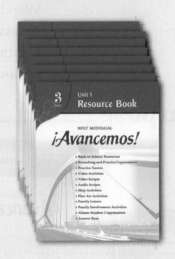

Best Practices Toolkit

· Strategies for Effective Teaching
· Using Technology in the World Languages Classroom
· Tools for Motivation
· Pre-AP and International Baccalaureate*

Unit Resource Books

· Reteaching & Practice Copymasters
· Practice Games
· Video Activities
· Video Scripts
· Audio Scripts
· Map/Culture Activities
· Fine Art Activities
· Family Letters
· Family Involvement Activities
· Absent Student Copymasters

Unit Transparency Books

· Map Transparencies
· Fine Art Transparencies
· Vocabulary Transparencies
· Grammar Transparencies
· Situational Transparencies
· Warm-up Transparencies
· Student Book and Workbook Answer Transparencies

Lesson Plans

Teaching Proficiency Through Reading and Storytelling

*International Baccalaureate is a registered trademark of the International Baccalaureate Organization.

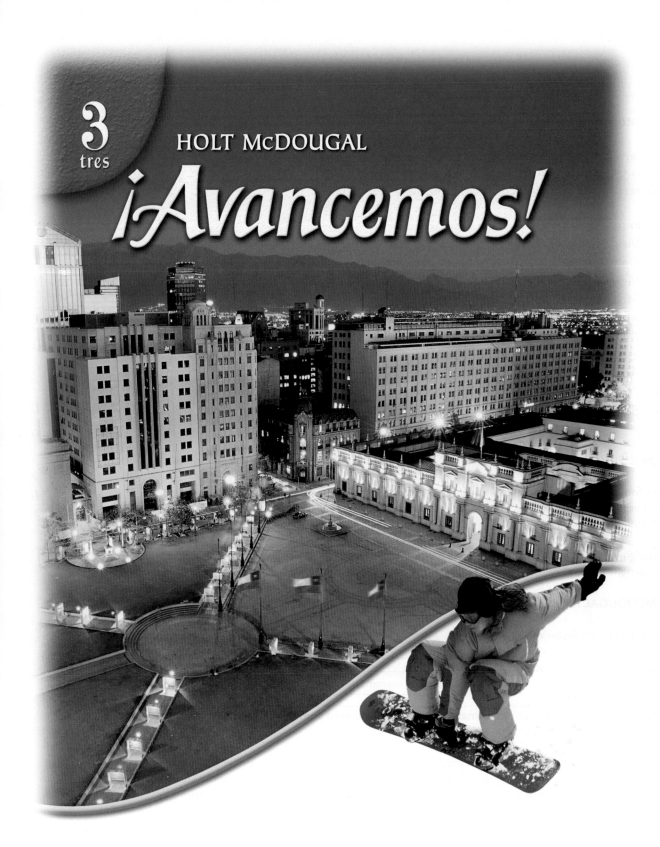

3
tres

HOLT McDOUGAL

¡Avancemos!

HOLT McDOUGAL
a division of Houghton Mifflin Harcourt

3
tres

HOLT McDOUGAL

¡Avancemos!

Tradiciones

Cultura INTERACTIVA Explora las tradiciones del mundo hispano

Una tejedora guatemalteca

Online at CLASSZONE.COM

Cultura INTERACTIVA *pp. C2–C3, C4–C5, C6–C7, C8–C9, C10–C11, C12–C13, C14–C15, C16–C17, C18–C19, C20–C21, C22–C23, C24–C25*

La fiesta de la Mercé, Barcelona, España

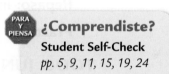

PARA Y PIENSA **¿Comprendiste?**
Student Self-Check
pp. 5, 9, 11, 15, 19, 24

Estudiantes preuniversitarias conversando

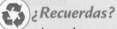

Cultura

- **Explora México** *p. 28*
- **La naturaleza y el arte** *p. 38*
- **Monterrey y sus parques** *p. 44*
- «**Hermandad**», «**Viento, agua, piedra**» *p. 48*

♻ **¿Recuerdas?**

- irregular present tense *p. 36*

PARA Y PIENSA **¿Comprendiste?**

Student Self-Check
pp. 34, 36, 39, 41, 44, 47, 51

Online at CLASSZONE.COM

Cultura INTERACTIVA	**Animated Grammar**	**@HomeTutor VideoPlus**
pp. 28–29 82–83	*pp. 37, 42, 53 63, 68, 79*	*pp. 84–85*

Video/DVD

El gran desafío
pp. 84–85

Una familia acampando en México

Playa en la Península de Yucatán,
ruinas de Tulum

Cultura
- **Los clavadistas de Acapulco** *p. 64*
- **En familia** *p. 70*
- **«Como agua para chocolate»** *p. 74*
- **Tierra de Contrastes** *p. 82*

 ¿Recuerdas?
- **saber** and **conocer** *p. 62*
- expressions of emotion *p. 70*

 PARA Y PIENSA *¿Comprendiste?*
Student Self-Check
pp. 60, 62, 65, 67, 70, 73, 77

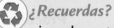
Cultura
- Explora Estados Unidos *p. 88*
- El Museo del Barrio *p. 98*
- Pablo O'Higgins *p. 104*
- «En la Ocho y la Doce» *p. 108*

¿Recuerdas?
- irregular preterite *p. 94*
- family relationships *p. 98*
- describing a camping trip *p. 99*
- beach activities *p. 103*
- ir a + infinitive *p. 103*

PARA Y PIENSA **¿Comprendiste?**
Student Self-Check
pp. 94, 96, 99, 101, 104, 107, 111

Online at CLASSZONE.COM

 Cultura INTERACTIVA
pp. 88–89 142–143

 Animated Grammar
pp. 97, 102, 113 123, 128, 139

@HomeTutor VideoPlus
pp. 144–145

 **Video/DVD**
El gran desafío
pp. 144–145

Jóvenes durante el *Hands On Miami Day*,
Miami, Florida

Jóvenes haciendo trabajos voluntarios,
ciudad de Nueva York

Cultura
- **Concierto para todos** *p. 124*
- **Periódicos estadounidenses en español** *p. 130*
- **«Las mañanitas»** *p. 134*
- **Culturas musicales** *p. 142*

 ¿Recuerdas?
- **preterite** vs. **imperfect** *p. 120*
- beach activities *p. 125*
- volunteer activities *p. 129*

 ¿Comprendiste?
Student Self-Check
pp. 120, 122, 125, 127, 130, 133, 137

UNIDAD 3 Centroamérica
¡El futuro de nuestro planeta!

Costa Rica   Honduras

El Salvador   Nicaragua

Guatemala   Panamá

Cultura INTERACTIVA Explora la cultura de Centroamérica **148**

Lección 1

Tema: *¿Cómo será el futuro?* **150**

Cultura
- **Explora Centroamérica** *p. 148*
- **El lago de Nicaragua** *p. 156*
- **Especies en peligro** *p. 164*
- **«La mejor edad»** *p. 168*

¿Recuerdas?
- **ustedes** commands *p. 154*
- **ir a** + infinitive *p. 156*
- media vocabulary *p. 158*

PARA Y PIENSA **¿Comprendiste?**
Student Self-Check
pp. 154, 156, 159, 161, 164, 167, 171

Online at CLASSZONE.COM

Cultura INTERACTIVA
pp. 148–149
202–203

Animated Grammar
pp. 157, 162, 173
183, 188, 199

@HomeTutor VideoPlus
pp. 204–205

Video/DVD
El gran desafío
pp. 204–205

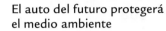

El auto del futuro protegerá
el medio ambiente

Molinos de viento, Tilarán, Costa Rica

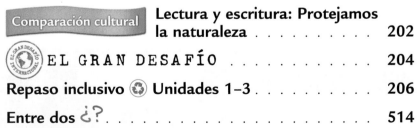

UNIDAD 4

El Caribe
Así quiero ser

Cuba

República Dominicana

Puerto Rico

Cultura
- **Explora El Caribe** *p. 208*
- **Roberto Clemente** *p. 219*
- **Juan Luis Guerra** *p. 224*
- **«El sueño de América»** *p. 228*

 ¿Recuerdas?
- **ser** vs. **estar** *p. 214*
- future tense *p. 219*

 PARA Y PIENSA **¿Comprendiste?**
Student Self-Check
pp. 214, 216, 219, 221, 224, 227, 231

 Online at **CLASSZONE.COM**

Cultura INTERACTIVA	**Animated Grammar**	**@HomeTutor** VideoPlus
pp. 208–209 262–263	*pp. 217, 222, 233 243, 248, 259*	*pp. 264–265*

 **Video/DVD**
El gran desafío
pp. 264–265

Félix Sánchez, atleta de la República Dominicana

Un bombero en acción

 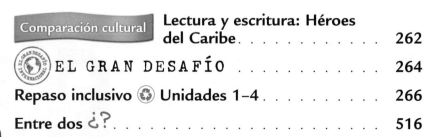

UNIDAD 5 Los países andinos

¿Cómo te entretienes?

 Bolivia

Ecuador

 Perú

Cultura

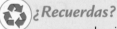

- **Explora los países andinos** *p. 268*
- **El Museo de Metales Preciosos** *p. 278*
- **El arte de Tigua, Ecuador** *p. 284*
- **«La ciudad de los mapas»** *p. 288*

¿Recuerdas?

- commands with **tú** *p. 274*
- professions vocabulary *p. 278*

¿Comprendiste?

Student Self-Check *pp. 274, 276, 279, 281, 284, 287, 291*

 at CLASSZONE.COM

 **Video/DVD**

El gran desafío *pp. 324–325*

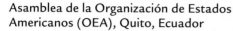
Asamblea de la Organización de Estados
Americanos (OEA), Quito, Ecuador

Estudiantes en la Plaza de Armas,
Trujillo, Perú

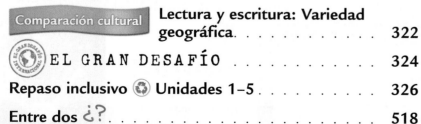

UNIDAD 6

España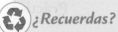

¿Dónde vivimos?

Cultura

- **Explora España** *p. 328*
- **Un banco sin fin** *p. 336*
- **El flamenco: clásico y moderno** *p. 344*
- **«Manolito Gafotas»** *p. 348*

 ¿Recuerdas?
- preterite *p. 334*
- direct object pronouns *p. 341*

PARA Y PIENSA **¿Comprendiste?**
Student Self-Check
pp. 334, 336, 339, 341, 344, 347, 351

Online at CLASSZONE.COM

Cultura INTERACTIVA *pp. 328–329 382–383*

Animated Grammar *pp. 337, 342, 353 363, 368, 379*

@HomeTutor VideoPlus *pp. 384–385*

 **Video/DVD**
El gran desafío *pp. 384–385*

Plaza Real, Barcelona

Vista de Granada

Cultura

- **Las autonomías españolas** *p. 362*
- **El Greco y Toledo** *p. 370*
- **«Romance sonámbulo»** *p. 374*
- **Lo moderno y lo tradicional** *p. 382*

 ¿Recuerdas?

- present perfect *p. 360*
- **tú** commands *p. 360*
- places in the neighborhood *p. 364*
- past participles as adjectives *p. 365*

 ¿Comprendiste?

PARA
Y
PIENSA

Student Self-Check
pp. 360, 362, 365, 367, 370, 373, 377

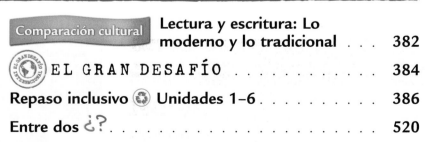

UNIDAD 7 Colombia y Venezuela

Tu pasado y tu futuro

Online at CLASSZONE.COM

Cultura INTERACTIVA pp. 388–389 442–443

Animated Grammar pp. 397, 402, 413 423, 428, 439

@HomeTutor VideoPlus pp. 444–445

Video/DVD
El gran desafío pp. 444–445

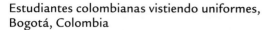

Estudiantes colombianas vistiendo uniformes,
Bogotá, Colombia

Día de graduación en una escuela
colombiana

Cultura

• **Los retratos de Fernando Botero** *p. 425*

• **Universidades** *p. 430*

• **«El esqueleto de visita»** *p. 434*

• **Educación especializada** *p. 442*

¿Recuerdas?

• subjunctive with impersonal expressions *p. 420*

• conditional *p. 420*

• future *p. 422*

• architectural structures *p. 424*

PARA Y PIENSA ¿Comprendiste?

Student Self-Check
pp. 420, 422, 425, 427, 430, 433, 437

UNIDAD 8 El Cono Sur
Hablemos de literatura

Argentina Paraguay

Chile Uruguay

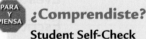

Online at CLASSZONE.COM

Cultura INTERACTIVA
pp. 448–449
502–503

Animated Grammar
pp. 457, 462, 473
483, 488, 499

@HomeTutor VideoPlus
pp. 504–505

Video/DVD
El gran desafío
pp. 504–505

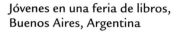
Jóvenes en una feria de libros,
Buenos Aires, Argentina

Estudiantes argentinos preparando
una obra de teatro

Lección
2

Cultura

- **El carnaval gigante** *p. 482*
- **Los teatros: monumentales obras de arte** *p. 490*
- **«Colón agarra viaje a toda costa (parte 4)»** *p. 494*
- **Cuna de autores famosos** *p. 502*

¿Recuerdas?
- **si** clauses *p. 487*
- literary vocabulary *p.489*

PARA Y PIENSA
¿Comprendiste?
Student Self-Check
*pp. 480, 482, 485, 487,
490, 493, 497*

Recursos

¡Avancemos!

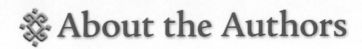

About the Authors

Estella Gahala

Estella Gahala received degrees in Spanish from Wichita State University, French from Middlebury College, and a Ph.D. in Educational Administration and Curriculum from Northwestern University. A career teacher of Spanish and French, she has worked with a wide variety of students at the secondary level. She has also served as foreign language department chair and district director of curriculum and instruction. Her workshops and publications focus on research and practice in a wide range of topics, including culture and language learning, learning strategies, assessment, and the impact of current brain research on curriculum and instruction. She has coauthored twelve basal textbooks. Honors include the Chevalier dans l'Ordre des Palmes Académiques and listings in *Who's Who of American Women, Who's Who in America,* and *Who's Who in the World.*

Patricia Hamilton Carlin

Patricia Hamilton Carlin completed her M.A. in Spanish at the University of California, Davis, where she also taught as a lecturer. Previously she earned a Master of Secondary Education with specialization in foreign languages from the University of Arkansas and taught Spanish and French at the K–12 level. Patricia currently teaches Spanish and foreign language/ESL methodology at the University of Central Arkansas, where she coordinates the second language teacher education program. In addition, Patricia is a frequent presenter at local, regional, and national foreign language conferences. In 2005, she was awarded the Southern Conference on Language Teaching's Outstanding Teaching Award: Post-Secondary. Her professional service has included the presidency of the Arkansas Foreign Language Teachers Association and the presidency of Arkansas's DeSoto Chapter of the AATSP.

Audrey L. Heining-Boynton

Audrey L. Heining-Boynton received her Ph.D. in Curriculum and Instruction from Michigan State University. She is a professor of Education and Romance Languages at The University of North Carolina at Chapel Hill, where she teaches educational methodology classes and Spanish. She has also taught Spanish, French, and ESL at the K–12 level. Dr. Heining-Boynton served as the president of ACTFL and the National Network for Early Language Learning. She has been involved with AATSP, Phi Delta Kappa, and state foreign language associations. In addition, she has presented both nationally and internationally and has published over forty books, articles, and curricula.

Ricardo Otheguy

Ricardo Otheguy received his Ph.D. in Linguistics from the City University of New York, where he is currently professor of Linguistics at the Graduate Center. He is also director of the Research Institute for the Study of Language in Urban Society (RISLUS) and coeditor of the research journal *Spanish in Context.* He has extensive experience with school-based research and has written on topics related to Spanish grammar, bilingual education, and Spanish in the United States. His work has been supported by private and government foundations, including the Rockefeller Brothers Fund and the National Science Foundation. He is coauthor of *Tu mundo: Curso para hispanohablantes,* and *Prueba de ubicación para hispanohablantes.*

Barbara J. Rupert

Barbara Rupert completed her M.A. at Pacific Lutheran University. She has taught Level 1 through A.P. Spanish and has implemented a FLES program in her district. Barbara is the author of CD-ROM activities for the *¡Bravo!* series. She has presented at many local, regional, and national foreign language conferences. She has served as president of both the Pacific Northwest Council for Languages (PNCFL) and the Washington Association for Language Teaching, and was the PNCFL representative to ACTFL. In 1996, Barbara received the Christa McAuliffe Award for Excellence in Education, and in 1999, she was selected Washington's "Spanish Teacher of the Year" by the Juan de Fuca Chapter of the AATSP.

John DeMado, Creative Consultant

John DeMado has been a vocal advocate for second-language acquisition in the United States for many years. He started his career as a middle/high school French and Spanish teacher, before entering the educational publishing profession. Since 1993, Mr. DeMado has directed his own business, John DeMado Language Seminars. Inc., a company devoted exclusively to language acquisition issues. He has authored numerous books in both French and Spanish that span the K–12 curriculum. Mr. DeMado wrote and performed the ¡AvanzaRap! songs for Levels 1 and 2.

Carl Johnson, Senior Program Advisor

Carl Johnson received degrees from Marietta College (OH), the University of Illinois, Université Laval, and a Ph.D. in Foreign Language Education from The Ohio State University, during which time he studied French, German, Spanish, and Russian. He has been a lifelong foreign language educator, retiring in 2003 after 27 years as a language teacher (secondary and university level), consultant, and Director of Languages Other Than English for the Texas Department of Education. He has completed many publications relating to student and teacher language proficiency development, language textbooks, and nationwide textbook adoption practices. He also served as president of the Texas Foreign Language Association, Chair of the Board of the Southwest Conference on Language Teaching, and president of the National Council of State Supervisors of Foreign Languages. In addition, he was named Chevalier dans l'Ordre des Palmes Académiques by the French government.

Rebecca L. Oxford, Learning Strategy Specialist

Rebecca L. Oxford received her Ph.D. in educational psychology from The University of North Carolina. She also holds two degrees in foreign language from Vanderbilt University and Yale University, and a degree in educational psychology from Boston University. She leads the Second Language Education and Culture Program and is a professor at the University of Maryland. She has directed programs at Teachers College, Columbia University; the University of Alabama; and the Pennsylvania State University. In addition, she initiated and edited Tapestry, a series of student textbooks used around the world. Dr. Oxford specializes in language learning strategies and styles.

Contributing Writers

Sandra Rosenstiel
University of Dallas, retired
Grapevine, TX

Kristin Swanson
Portland, OR

Consulting Authors

Dan Battisti
Dr. Teresa Carrera-Hanley
Bill Lionetti
Patty Murguía Bohannan
Lorena Richins-Layser

❖ Teacher Reviewers

Sue Arandjelovic
Dobson High School
Mesa, AZ

Susan K. Arbuckle
Mahomet-Seymour High School
Mahomet, IL

Kristi Ashe
Amador Valley High School
Pleasanton, CA

Shaun A. Bauer
Olympia High School, *retired*
Orlando, FL

Sheila Bayles
Rogers High School
Rogers, AR

Robert L. Bowbeer
Detroit Country Day Upper School
Beverly Hills, MI

Hercilia Bretón
Highlands High School
San Antonio, TX

Adrienne Chamberlain-Parris
Mariner High School
Everett, WA

Mike Cooperider
Truman High School
Independence, MO

Susan B. Cress
Sheridan High School
Sheridan, IN

Michèle S. de Cruz-Sáenz, Ph.D.
Strath Haven High School
Wallingford, PA

Lizveth Dague
Park Vista Community High School
Lake Worth, FL

Parthena Draggett
Jackson High School
Massillon, OH

Rubén D. Elías
Roosevelt High School
Fresno, CA

Phillip Elkins
Lane Tech College Prep High School
Chicago, IL

Maria Fleming Álvarez
The Park School
Brookline, MA

Michael Garber
Boston Latin Academy
Boston, MA

Marco García
Derry University Advantage Academy
Chicago, IL

David González
Hollywood Hills High School
Hollywood, FL

Raquel R. González
Odessa Senior High School
Odessa, TX

Neyda González-Droz
Ridge Community High School
Davenport, FL

Becky Hay de García
James Madison Memorial
  High School
Madison, WI

Fátima Hicks
Suncoast High School, *retired*
Riviera Beach, FL

Gladys V. Horsford
William T. Dwyer High School
Palm Beach Gardens, FL

Pam Johnson
Stevensville High School
Stevensville, MT

Richard Ladd
Ipswich High School
Ipswich, MA

Patsy Lanigan
Hume Fogg Academic Magnet
  High School
Nashville, TN

Kris Laws
Palm Bay High School
Melbourne, FL

Kristen M. Lombardi
Shenendehowa High School
Clifton Park, NY

Elizabeth Lupafya
North High School
Worcester, MA

David Malatesta
Niles West High School
Skokie, IL

Patrick Malloy
James B. Conant High School
Hoffman Estates, IL

Brandi Meeks
Starr's Mill High School
Fayetteville, GA

Kathleen L. Michaels
Palm Harbor University High School
Palm Harbor, FL

Linda Nanos
Brook Farm Business Academy
West Roxbury, MA

Nadine F. Olson
School of Teaching and Curriculum
  Leadership
Stillwater, OK

Pam Osthoff
Lakeland Senior High School
Lakeland, FL

Nicholas Patterson
Davenport Central High School
Davenport, IA

Carolyn A. Peck
Genesee Community College
Lakeville, NY

Daniel N. Richardson
Concord High School, *retired*
Concord, NH

Rita E. Risco
Palm Harbor University High School
Palm Harbor, FL

Miguel Roma
Boston Latin Academy
West Roxbury, MA

Nona M. Seaver
New Berlin West Middle/High School
New Berlin, WI

Susan Seraphine-Kimel
Astronaut High School
Titusville, FL

Lauren Schultz
Dover High School
Dover, NH

Mary Severo
Thomas Hart Middle School
Pleasanton, CA

Clarette Shelton
WT Woodson High School, *retired*
Fairfax, VA

Maureen Shiland
Saratoga Springs High School
Saratoga Springs, NY

Irma Sprague
Countryside High School
Clearwater, FL

Mary A. Stimmel
Lincoln High School
Des Moines, IA

Karen Tharrington
Wakefield High School
Raleigh, NC

Alicia Turnier
Countryside High School
Clearwater, FL

Roberto E. del Valle
The Overlake School
Redmond, WA

Todd Wagner
Upper Darby High School, *retired*
Drexel Hill, PA

Ronie R. Webster
Monson Junior/Senior High School
Monson, MA

Cheryl Wellman
Bloomingdale High School
Valrico, FL

Thomasina White
School District of Philadelphia
Philadelphia, PA

Jena Williams
Jonesboro High School
Jonesboro, AR

Program Advisory Council

Louis G. Baskinger
New Hartford High School
New Hartford, NY

Linda M. Bigler
James Madison University
Harrisonburg, VA

Flora María Ciccone-Quintanilla
Holly Senior High School
Holly, MI

Jacquelyn Cinotti-Dirmann
Duval County Public Schools
Jacksonville, FL

Desa Dawson
Del City High School
Del City, OK

Robin C. Hill
Warrensville Heights High School
Warrensville Heights, OH

Barbara M. Johnson
Gordon Tech High School, *retired*
Chicago, IL

Ray Maldonado
Houston Independent School
  District
Houston, TX

Karen S. Miller
Friends School of Baltimore
Baltimore, MD

Dr. Robert A. Miller
Woodcreek High School
  Roseville Joint Union High School
  District
Roseville, CA

Debra M. Morris
Wellington Landings Middle School
Wellington, FL

María Nieto Zezas
West Morris Central High School
Chester, NJ

Rita Oleksak
Glastonbury Public Schools
Glastonbury, CT

Sandra Rosenstiel
University of Dallas, *retired*
Grapevine, TX

Emily Serafa Manschot
Northville High School
Northville, MI

EL GRAN DESAFÍO

VIDEO DVD

Welcome to the Gran Desafío Internacional! In this video you will meet six teenagers from Argentina, Chile, Mexico, and the Dominican Republic who are going to take part in the second phase of a competition. Each contestant has already participated in and won the first phase of the competition and is now here to win the grand prize. Teams of two will participate in eight different challenges and each challenge is worth one point. The team with the most points wins. The grand prize is a year of studies at the UNAM, an apartment in Mexico City, and 100,000.00 pesos living expenses for one year.

Meet the participants!

El director:
Profesor Miguel Dávila

José de la Argentina y Carmen de la República Dominicana

Marco de Chile y Ana de México

Luis de México y María de Chile

1

El desafío Each team has to pitch a tent in the least amount of time.

2

El desafío One person from each team takes a turn as the guest vocalist of a local mariachi band.

3

El desafío The teams partake in specific activities to help protect the environment.

4

El desafío The teams must guess how each contestant describes him or herself.

5

El desafío Each team has to research and make guacamole from scratch for a famous restaurant in Cuernavaca.

6

El desafío The teams are given clues to search for specific objects in different locations in a neighborhood.

7

El desafío Each team must come up with a way to earn the most amount of money by the end of the day.

8

El desafío The teams write and perform a play.

Prólogo **xxix**

Why Study Spanish?

Discover the world

Deciding to learn Spanish is one of the best decisions you can make if you want to travel and see the world.

More than 400 million people around the globe speak Spanish. After Chinese, English and Spanish are tied as the two most frequently spoken languages worldwide. Spanish is now the third most-used language on the Internet. In Europe, Spanish is the most popular foreign language after English. People who speak both Spanish and English can communicate with people from all around the globe, no matter where they find themselves.

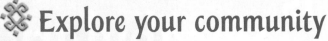
Explore your community

Inside the United States, Spanish is by far the most widely spoken language after English.

There are currently about 30 million Spanish speakers in the U.S. When you start to look and listen for it, you will quickly realize that Spanish is all around you—on the television, on the radio, and in magazines and newspapers. You may even hear your neighbors speaking it. Learning Spanish will help you communicate and interact with the rapidly growing communities of Spanish speakers around you.

Experience a new perspective

Learning a language is more than just memorizing words and structures.

When you study Spanish, you learn how the people who speak it think, feel, work, and live. Learning a language can open your eyes to a whole new world of ideas and insights. And as you learn about other cultures, you gain a better perspective on your own.

Create career possibilities

Knowing Spanish opens many doors.

If you speak Spanish fluently, you can work for international and multinational companies anywhere in the Spanish speaking world. You can create a career working as a translator, an interpreter, or a teacher of Spanish. And because the number of Spanish speakers in the U.S. is growing so rapidly, being able to communicate in Spanish is becoming important in almost every career.

What Is Vocabulary?

Building Your Spanish Vocabulary

Vocabulary is a basic building block for learning a foreign language. By learning just a few words, you can start to communicate in Spanish right away! You will probably find that it is easier to understand words you hear or read than it is to use them yourself. But with a little practice, you will start to produce the right words in the right context. Soon you will be able to carry on conversations with other Spanish speakers.

How Do I Study Vocabulary?

First Steps

- Read all of the new words in **blue** on the Vocabulary presentation page in your textbook.
- Point to each word as you say it out loud.

Be Creative

- Make flashcards with your new vocabulary words. You could also draw pictures of the words on the back of the flashcards.
- Group vocabulary words by theme. Add other words that fit the categories you've learned.
- Imagine a picture of the word.
- Create a rhyme or song to help you remember the words.

Make It Personal

- Use vocabulary words to write original sentences. Make them funny so you'll be sure to remember!
- Label everyday items in Spanish.
- Create reminders for difficult words. Put note cards inside your locker door, or on your mirror at home.
- See it, and say it to yourself! For example, if you are learning colors and clothing words, think of the Spanish word to describe what your friends are wearing.

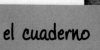
el cuaderno

Practice Makes Perfect

- Say your vocabulary words out loud and repeat each word several times.
- Write each word five times, keeping its meaning in mind.
- Use Spanish words with your classmates outside of class—if you're having lunch in the cafeteria, use the words you know for food. Greet your classmates in the hallway in Spanish!

Create Your Own System

- Practice a little bit every day. Many short sessions are better than one long one.
- Focus on the words that are the hardest for you.
- Find a buddy. Quiz one another on the vocabulary words.
- Keep a vocabulary notebook and update it regularly.
- Use the study sheets in the back of your workbook to review vocabulary.

What Is Grammar?

Some people think of grammar as the rules of a language, rules that tell you the "correct" way to speak a language. For instance, why do you say *big red house*, not *red big house*? Why do you say *how much money do you have* instead of *how many money*? If English is your first language, you probably don't think about the rule. You make the correct choice instinctively because it *sounds right*. Non-native speakers of English have to learn the rules. As you begin your study of Spanish, you will need to learn the grammar rules of Spanish.

Why Should I Study Grammar?

Grammar helps you to communicate.

For instance, using the past tense or future tense makes it clear when something happens. (*I did my homework* versus *I will do my homework.*) Using subject pronouns lets you know who is performing the action. (*I gave the book to her* versus *She gave the book to me.*) Using correct grammar when speaking Spanish will help you communicate successfully with native speakers of Spanish.

 # How Do I Study Grammar?

Read the English Grammar Connection before each grammar explanation.

Think about how you use the same type of grammar in English. Understanding your own language will help you to better understand Spanish.

> **English Grammar Connection:** Some impersonal expressions show uncertainty that something will happen. In both English and Spanish, such expressions are followed by verbs in the **subjunctive.**
>
> It's important that he **leave.**   Es importante que él **salga.**

Practice the new forms that you are learning.

Completing the practice activities in your student book and workbook will help you to learn the correct way to say things.

Use the Spanish you know as often as you can.

After all, that's how you learned to speak English, by hearing and speaking it every day.

What Is Culture?

To communicate with people from Spanish-speaking countries in a meaningful way, you need to know something about their culture. Vocabulary and grammar will help you learn what words to say and how to put them together, but culture will give you a better understanding of "how, when, and why to say what to whom."

What exactly is culture?

Culture includes . . .

Art
History
Traditions
Relationships
Music
Holidays
Food
Architecture
Pastimes

and more!

How can I learn about another culture?

- Read the **Comparación cultural** information to find out more about the cultures that you are studying.
- Think about the answers to the questions in the **Comparación cultural.**
- Think about the perspectives and practices that shape and influence the culture.
- Compare your own culture with the cultures you are studying.

What Is Culture? **xxxvii**

El mundo

OCÉANO ÁRTICO

Mar de Siberia Oriental

Mar de Beaufort

Bahía de Baffin

GROENLANDIA (DINAMARCA)

RUSIA

Mar de Bering

Alaska (EE.UU.)

Bahía de Hudson

Mar del Labrador

CANADÁ

ESTADOS UNIDOS

OCÉANO ATLÁNTICO

Golfo de México

Islas Hawai (EE.UU.)

REP. DOMINICANA

ISLAS BAHAMAS

PUERTO RICO (EE.UU.)

SAN CRISTÓBAL Y NEVIS

HAITÍ

ANTIGUA Y BARBUDA

CUBA

GUADALUPE (FRANCIA)

MÉXICO

JAMAICA

DOMINICA

BELICE

MARTINICA (FRANCIA)

Mar Caribe

SANTA LUCÍA

SAN VICENTE Y GRANADINAS

ISLAS MARSHALL

OCÉANO PACÍFICO

GUATEMALA

EL SALVADOR

HONDURAS

NICARAGUA

PANAMÁ

GRANADA

BARBADOS

TRINIDAD Y TOBAGO

COSTA RICA

VENEZUELA

COLOMBIA

GUAYANA FRANCESA (FRANCIA)

NAURU

KIRIBATI

Islas Galápagos (Ecuador)

ECUADOR

GUYANA

SURINAM

ISLAS SALOMÓN

ISLAS TUVALU

VANUATÚ

SAMOA

Samoa Americana (EE.UU.)

PERÚ

BRASIL

BOLIVIA

FIDJI

TONGA

NUEVA CALEDONIA (FRANCIA)

PARAGUAY

NUEVA ZELANDA

CHILE

URUGUAY

ARGENTINA

Islas Malvinas (R.U.)

OCÉANO ÁRTICO

Mar de Kara

Mar de Barents

Mar de Noruega

Mar de Laptev

RUSIA

1	DINAMARCA	9	ESLOVENIA
2	HOLANDA	10	CROACIA
3	BÉLGICA	11	BOSNIA Y HERZEGOVINA
4	LUXEMBURGO	12	SERBIA Y MONTENEGRO
5	SUIZA	13	ALBANIA
6	REPÚBLICA CHECA	14	MACEDONIA
7	ESLOVAQUIA	15	BULGARIA
8	HUNGRÍA		

SUECIA   FINLANDIA
NORUEGA
ESTONIA
LETONIA
Mar del Norte
LITUANIA
REINO UNIDO
IRLANDA
BIELORRUSIA
ALEMANIA   POLONIA
UCRANIA
FRANCIA   AUSTRIA   MOLDAVIA
ANDORRA   RUMANIA
ESPAÑA   ITALIA   Mar Negro   GEORGIA
PORTUGAL   GRECIA   TURQUÍA   ARMENIA
ALTAR (R.U.)   MALTA   CHIPRE   SIRIA   AZERBAIYÁN
MARRUECOS   Mar Mediterráneo   LÍBANO   IRAQ   IRÁN
Canarias (sp.)   TÚNEZ   ISRAEL   JORDANIA   KUWAIT
ARGELIA   LIBIA   EGIPTO   BAHREIN   QATAR
AHARA DENTAL   ARABIA SAUDITA   E.Á.U   OMÁN

KAZAKSTÁN
Mar de Aral
UZBEKISTÁN   KIRGUISTÁN
Mar Caspio   TURKMENISTÁN   TADJIKISTÁN
AFGANISTÁN
PAQUISTÁN

MONGOLIA

Lago Baikal

Mar de Ojotsk

COREA DEL NORTE   Mar de Japón
CHINA   COREA DEL SUR   JAPÓN

Trópico de Cáncer

BHUTÁN
NEPAL
BANGLADESH
INDIA   MYANMAR
LAOS
TAILANDIA   VIETNAM
CAMBOYA   Mar de China
TAIWÁN
FILIPINAS
GUAM (EE.UU.)

OCÉANO PACÍFICO

MAURITANIA   MALÍ   NÍGER   CHAD
SENEGAL   BURKINA FASO   BENIN   NIGERIA
A GUINEA   COSTA DE MARFIL   TOGO   CAMERÚN
AU   LIBERIA   GHANA   REP. CENTRO-AFRICANA
IERRA LEONA   GUINEA ECUATORIAL   CONGO   GABÓN
SANTO TOMÉ Y PRÍNCIPE   CABINDA (ANGOLA)
ERITREA   YEMEN
SUDÁN   JIBUTI
ETIOPÍA
UGANDA   KENIA
REP. DEM. DEL CONGO   RUANDA
BURUNDI   TANZANÍA
SOMALIA

Mar Rojo
Mar Arábigo
Golfo de Bengala

ISLAS MALDIVAS
SRI LANKA
SEYCHELLES

BRUNEI   MICRONESIA
MALAYSIA   PALAU
SINGAPUR   Ecuador 0°
INDONESIA   PAPUASIA NUEVA GUINEA
TIMOR ORIENTAL

ANGOLA   COMORES
ZAMBIA   MALAWI
NAMIBIA   ZIMBABWE   MADAGASCAR   MAURICIO
BOTSWANA
MOZAMBIQUE

OCÉANO ÍNDICO

Trópico de Capricornio
AUSTRALIA

SUAZILANDIA
SUDÁFRICA   LESOTHO

30°S

60°N

30°N

60°S

0   1,000   2,000 millas
0   1,000   2,000 kilómetros

N
O   E
S

ANTÁRTIDA

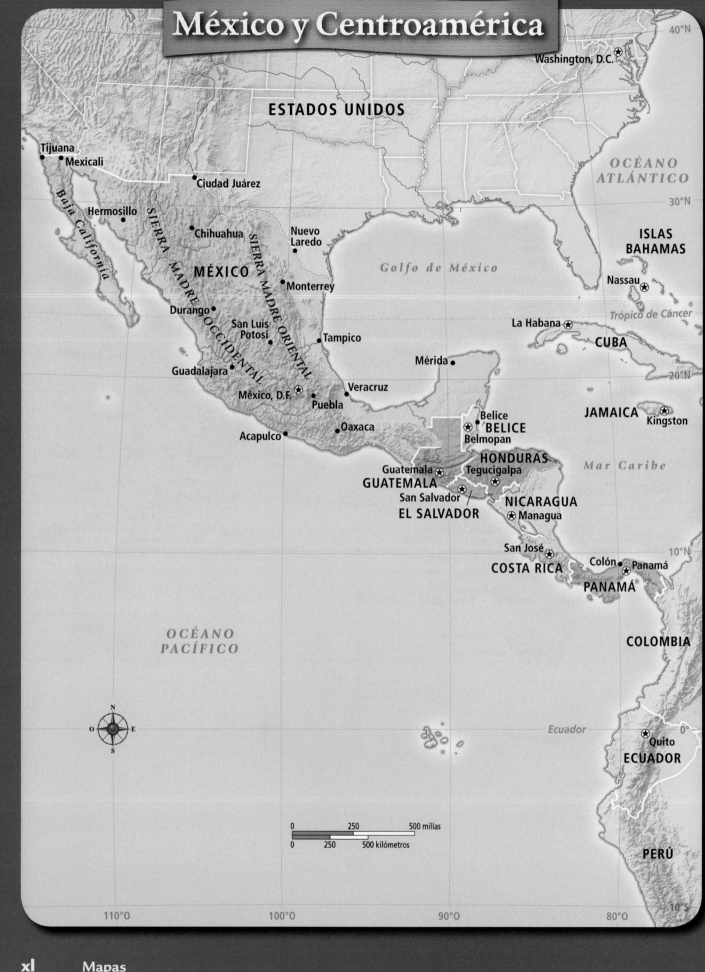

México y Centroamérica

ESTADOS UNIDOS

Washington, D.C.

OCÉANO
ATLÁNTICO

Tijuana
Mexicali

Ciudad Juárez

40°N

30°N

Baja California

Hermosillo

Chihuahua

Nuevo
Laredo

SIERRA MADRE OCCIDENTAL

MÉXICO

SIERRA MADRE ORIENTAL

Monterrey

Durango

San Luis
Potosí

Guadalajara

México, D.F.

Puebla

Acapulco

Oaxaca

Tampico

Veracruz

Golfo de México

ISLAS
BAHAMAS

Nassau

Trópico de Cáncer

La Habana

CUBA

Mérida

20°N

JAMAICA

Kingston

Belice
BELICE
Belmopan

Guatemala
GUATEMALA

San Salvador
EL SALVADOR

HONDURAS
Tegucigalpa

NICARAGUA

Managua

Mar Caribe

San José

COSTA RICA

Colón

Panamá

PANAMÁ

10°N

COLOMBIA

OCÉANO
PACÍFICO

N
O   E
S

Ecuador

Quito

0°

ECUADOR

250   500 millas

0   250   500 kilómetros

PERÚ

10°S

110°O   100°O   90°O   80°O

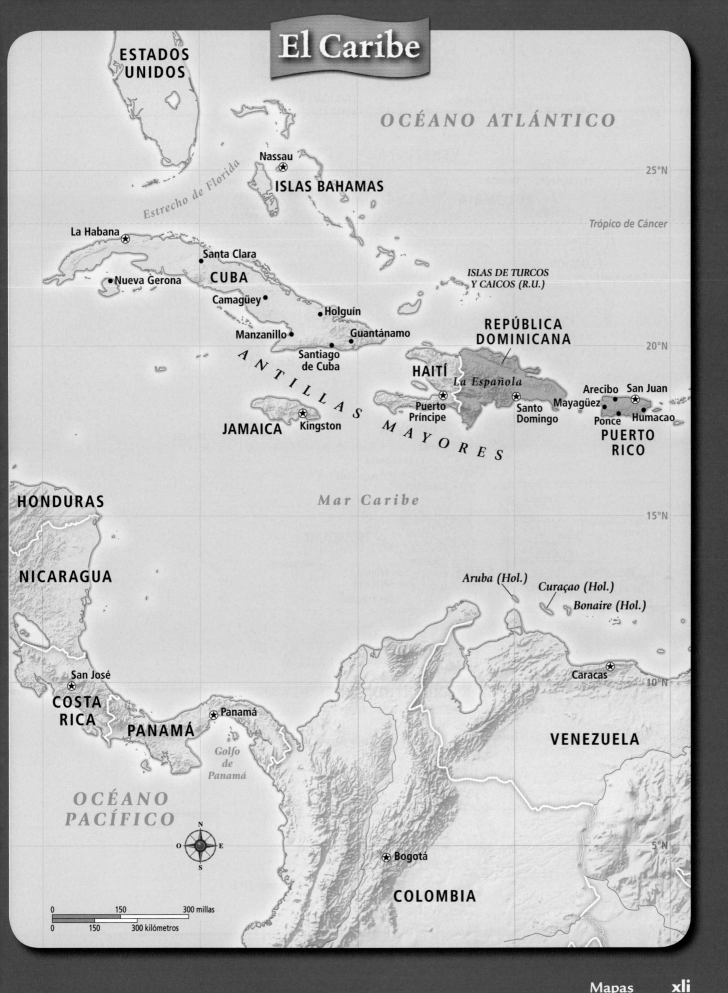

El Caribe

ESTADOS UNIDOS

OCÉANO ATLÁNTICO

Estrecho de Florida

Nassau ★
ISLAS BAHAMAS

25°N

Trópico de Cáncer

La Habana ★
Santa Clara ●

Nueva Gerona ●

CUBA

Camagüey ●

Holguín ●

Manzanillo ●

Guantánamo ●

Santiago de Cuba ●

ISLAS DE TURCOS Y CAICOS (R.U.)

REPÚBLICA DOMINICANA

20°N

A N T I L L A S

HAITÍ

La Española

Puerto Príncipe ★

Santo Domingo ★

Arecibo ●

Mayagüez ●

San Juan ★

Humacao ●

Ponce ●

PUERTO RICO

JAMAICA

Kingston ★

M A Y O R E S

Mar Caribe

15°N

HONDURAS

NICARAGUA

Aruba (Hol.)

Curaçao (Hol.)

Bonaire (Hol.)

San José ★

Caracas ★

10°N

COSTA RICA

PANAMÁ

Panamá ★

Golfo de Panamá

VENEZUELA

OCÉANO PACÍFICO

N
O   E
S

5°N

Bogotá ★

COLOMBIA

0   150   300 millas

0   150   300 kilómetros

Mapas   **xli**

xli

Sudamérica

Mar Caribe

OCÉANO ATLÁNTICO

10°N

Barranquilla
Cartagena
Maracaibo
Caracas
Lago Maracaibo
Río Orinoco
VENEZUELA
TRINIDAD Y TOBAGO
Puerto España
Georgetown
Paramaribo
GUYANA
Cayena
SURINAM
GUAYANA FRANCESA (FRANCIA)

Medellín
Manizales
Bogotá
Cali
COLOMBIA

Otavalo
Quito
ECUADOR
Guayaquil
Cuenca

Ecuador 0°

Río Negro
Río Amazonas

PERÚ

CORDILLERA DE LOS

Trujillo

BRASIL

10°S

Callao
Lima

Río Madeira
Río Tapajóz
Río Xingú
Río Tocantins
Río São Francisco

Lago Titicaca
BOLIVIA
La Paz
Cochabamba
Santa Cruz
Sucre

Brasilia

OCÉANO PACÍFICO
Islas Galápagos (Ecuador)
Bogotá
COLOMBIA
Quito
ECUADOR
PERÚ
0 200 400 millas
0 200 400 kilómetros

20°S

GRAN CHACO
PARAGUAY
Asunción

Salta
San Miguel de Tucumán
Resistencia

Trópico de Capricornio

ANDES

CHILE

Córdoba

30°S

Valparaíso
Santiago
Mendoza
Rosario
Buenos Aires
La Plata
URUGUAY
Montevideo

OCÉANO PACÍFICO

OCÉANO ATLÁNTICO

Concepción

ARGENTINA

PAMPAS

Mar del Plata
Bahía Blanca

Temuco

40°S

PATAGONIA

N
O E
S

0 250 500 millas
0 250 500 kilómetros

Estrecho de Magallanes
Islas Malvinas (R.U.)

50°S

Tierra del Fuego
Cabo de Hornos

100°O 90°O 80°O 70°O 60°O 50°O 40°O 30°O 20°O

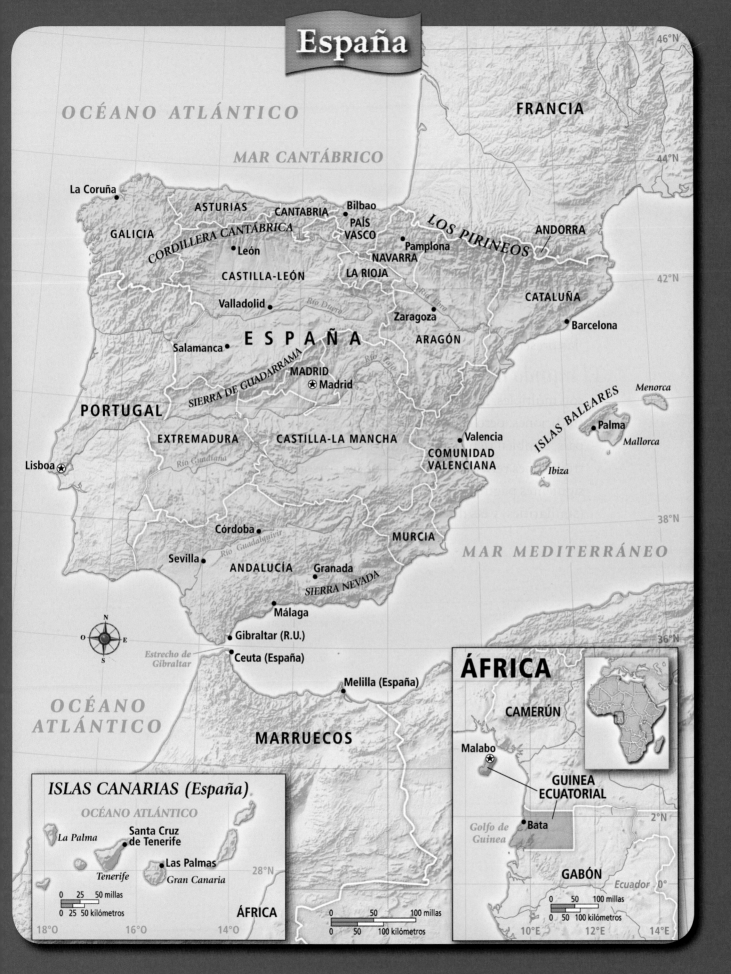

España

OCÉANO ATLÁNTICO

MAR CANTÁBRICO

FRANCIA

La Coruña

ASTURIAS   CANTABRIA   Bilbao
GALICIA   PAÍS
         CORDILLERA CANTÁBRICA   VASCO
                  León   NAVARRA
         CASTILLA-LEÓN   Pamplona
                         LA RIOJA
Valladolid   Río Duero   Río Ebro   ANDORRA
                                                              LOS PIRINEOS
            E S P A Ñ A   Zaragoza
Salamanca   ARAGÓN   CATALUÑA
                  MADRID   Barcelona
      SIERRA DE GUADARRAMA   Río Tajo
PORTUGAL   ★ Madrid
                                              ISLAS BALEARES   Menorca
                                                                  Palma
EXTREMADURA   CASTILLA-LA MANCHA   Valencia   Mallorca
Lisboa ★   COMUNIDAD   Ibiza
        Río Guadiana   VALENCIANA

                                                    MAR MEDITERRÁNEO
            Córdoba   MURCIA
        Río Guadalquivir
Sevilla   ANDALUCÍA   Granada
                  SIERRA NEVADA
            Málaga

            Gibraltar (R.U.)
N   Ceuta (España)
O   E
    Estrecho de
    Gibraltar   Melilla (España)
S

OCÉANO
ATLÁNTICO

            MARRUECOS   ÁFRICA
                                                              CAMERÚN

                                                        Malabo ★
                                                              GUINEA
                                                              ECUATORIAL

ISLAS CANARIAS (España)

OCÉANO ATLÁNTICO

La Palma   Santa Cruz
           de Tenerife
      Tenerife   Las Palmas
              Gran Canaria

0   25   50 millas
0   25   50 kilómetros   ÁFRICA

18°O   16°O   14°O

0   50   100 millas
0   50   100 kilómetros

Golfo de
Guinea   Bata

GABÓN   Ecuador

0   50   100 millas
0   50   100 kilómetros

10°E   12°E   14°E

46°N
44°N
42°N
38°N
36°N
28°N
2°N
0°

Las tradiciones

Las siguientes lecciones sobre tradiciones te enseñarán más sobre la cultura del mundo hispanohablante. Son lecciones adicionales que puedes leer en tus ratos libres o cuando tu maestro o maestra las presente en una clase especial.

El mundo hispano es grande y variado y sus tradiciones son múltiples. Los países hispanos comparten (share) algunas tradiciones, pero cada país hispano, y a veces cada región de un país, también tiene tradiciones únicas. La diversidad de estas tradiciones refleja la diversidad de las personas hispanas. En las siguientes páginas verás algunas de estas tradiciones, las semejanzas (similarities) y las diferencias.

Contenido

Objectives
- Make students familiar with some well-known myths and legends of the Spanish-speaking world.
- Compare these myths and legends with those they already know.

Presentation Strategies
20-minute lesson
- Have students work in groups, reading the text and the photo captions.
- Discuss the Comparación cultural questions as a class.
- Have students choose a legend to investigate in greater detail.

50-minute lesson
- Complete 20-minute lesson.
- Have students do a jigsaw activity by breaking the class up into five base groups, one for each legend presented. Students in each group become "experts" on their assigned section by familiarizing themselves with their legend. The class then reforms into new groups with an expert from each of the five sections in every group. Each expert shares information about his or her section with the rest of the group.
- Lead students in a discussion of the legends, asking which ones they found most interesting and why.

STANDARDS
- **1.2** Understand language
- **1.3** Present information
- **2.1** Practices and perspectives
- **3.2** Acquire information
- **4.2** Compare cultures

Mitos y leyendas

Vocabulario para los mitos y las leyendas

la fuerza natural *natural force*
el relato *tale*
el ser sobrenatural
   supernatural being
el símbolo
   symbol

Los pueblos indígenas de Latinoamérica tienen una rica tradición de mitos y leyendas. Los mitos y las leyendas son relatos orales o escritos que explican el origen de las cosas, las relaciones sociopolíticas y los fenómenos naturales. Los mitos generalmente incluyen a dioses o a otros seres sobrenaturales que representan las fuerzas naturales. La leyenda es un relato aparentemente histórico, pero con muchos elementos imaginarios o distorsionados *(distorted)*.

Guatemala

El quetzal Según la leyenda maya, durante la invasión de los conquistadores, el quetzal se paró *(landed)* encima del rey maya Tecún Umán mientras *(while)* moría. La sangre *(blood)* del rey manchó *(stained)* el quetzal y desde entonces el pájaro tiene el pecho *(chest)* de color rojo brillante.

Florida

La fuente de la juventud Cuando Juan Ponce de León era gobernador de Puerto Rico, él oyó una leyenda sobre una fuente *(fountain)* en la isla de Bimini donde uno podía recuperar la juventud *(youth)* si bebía de o se bañaba en las aguas. Entonces formó una expedición para encontrarla. Nunca encontró ni la isla ni la fuente, pero sí encontró Florida en el año 1513.

Bridging Cultures

Heritage Language Learners
Support What They Know Most heritage learners know at least one myth or legend from their family's country of origin. Encourage them to share it with the class, then have students compare and contrast them with those presented here. What general topics do they describe (geographical features, animals, deities)?

Heritage Language Learners
Writing Skills Have heritage students work in a group to write a myth explaining the creation of a geographical feature in their community. Encourage them to be creative and to draw upon elements of the myths and legends presented here. Afterward, have students share their stories with the class.

Cultura INTERACTIVA *See these pages come alive!*
ClassZone.com

Argentina

Las cataratas del Iguazú Según un mito guaraní, el dios del río *(river)* Iguazú se enamoró de la muchacha Naipú. Pero Naipú estaba enamorada de un guerrero guaraní y trató de *(tried to)* escaparse con él en una canoa. El dios, furioso, formó las cataratas *(waterfalls)* para atraparlos. Transformó al guerrero en un árbol al lado del río y atrapó a su querida Naipú en las cataratas para siempre.

México

El dios Yum K'aax En la mitología de los mayas hay unos 190 dioses. Yum K'aax era el dios del maíz, una comida básica de la dieta maya. Para tener una buena cosecha *(harvest)*, en sus ritos y mitos los mayas honraban a Yum K'aax y a Chac, el dios de la lluvia.

Colombia

El Dorado Según una leyenda muisca, El Dorado era el rey de una tribu andina que llegaba todos los años a un lago *(lake)* para hacer un rito religioso. El rey, cubierto *(covered)* en polvo *(dust)* de oro, subía a una balsa *(raft)* y tiraba objetos de oro al lago. Luego, se bañaba en el agua. Los españoles buscaron a El Dorado y su lago por años, pero nunca lo encontraron.

Comparación cultural

1. ¿Conoces alguna leyenda sobre un animal, un fenómeno geográfico o un lugar mítico? Descríbela y compárala con una de las leyendas que leíste aquí.

2. ¿Qué otras culturas explican el mundo humano y las fuerzas naturales con leyendas sobre dioses y diosas ? Compara lo que hacen los dioses en esas leyendas con lo que hacen los dioses en las leyendas de aquí.

Tradiciones **C3**

Enrichment

Arts and Crafts

Posters Have students choose one of the imaginary places described above, such as the fountain of youth or El Dorado, and imagine what it looks like. Have students draw or paint its image on a poster with text underneath it that describes the place in greater detail. Hang the posters on the class bulletin board after students present them to the class.

Connections

Biology Have students do further research on the quetzal bird. Tell students that the quetzal is the national bird of Guatemala whose image appears on its currency. Have students write a short report about the quetzal. Their reports should include an opinion as to why it is an important patriotic symbol.

Central America

This mini-lesson links well with the Central America location of Unit 3.

Link to Unit Vocabulary:
· Have students use the following words from the Unit 3 vocabulary to write sentences about the text and the legends: **proteger, valorar, apreciar, emprender, cometer un error, insistir, luchar, encargarse de, respetar, satisfacer.** Students can read their sentences aloud and the rest of the class says which myth or legend it refers to.

Link to Unit Grammar:
· Have students work in small groups and encourage them to use impersonal expressions with the subjunctive as they react to the different stories: **Es necesario/ importante/una pena/triste que...**
· Have students talk about myths that may be told in the future about today's societies: **En el futuro, hablarán de las innovaciones de esta época...** Students should use the future tense with the unit vocabulary.

Connections

History

Have students work in groups to discuss myths and legends of the U.S. They can be based on real characters (such as Daniel Boone), or on folklore, such as Paul Bunyan. Have students research one, then do a presentation comparing it to one of the Latin American myths or legends.

Comparación cultural

Possible Answers

1. Conozco la leyenda de Paul Bunyan. Era un leñador gigante y cuando pisó la tierra de Minnesota, sus huellas crearon los diez mil lagos de ese estado. Esta leyenda se parece a la de las cataratras del Iguazú, cuando el dios formó las cataratas.

2. Así como la mitología guaraní y maya, los griegos tenían dioses que se enamoraban de humanos y controlaban las fuerzas naturales.

Objectives
· Familiarize students with foods of the pre-Columbian Americas.
· Encourage students to make comparisons between the different foods described.

Presentation Strategies
20-minute lesson
· Have students read the text and captions aloud.
· Discuss the Comparación cultural in small groups.

50-minute lesson
· Complete 20-minute lesson.
· Do a round robin reading by calling on different students to read aloud sentences from the text and photo captions.
· Have students choose one of the foods to investigate further, then follow up by presenting information about it to the class or preparing a dish that contains that food and sharing it with the class.

 STANDARDS
1.2 Understand language
1.3 Present information
2.2 Products and perspectives
3.2 Acquire information
4.2 Compare cultures

Connections
Science

Have students work in small groups, choosing one of the foods featured in the spread. Ask them to research nutritional information about the food, including number of calories per serving, what a serving size is, and what vitamins and minerals it offers. Have students prepare a short report that details their findings.

Comida de las Américas

Vocabulario para la comida de las Américas

el aguacate *avocado*
el alimento *food*
el cacao *cacao tree*
la cocina *cuisine*
ser originario(a) de *to come from*

Muchos alimentos que hoy asociamos con la comida de los países europeos son productos que ningún europeo conocía antes de 1492. La introducción en Europa de alimentos del Nuevo Mundo tuvo un gran impacto en la cocina y en la economía de los países europeos. Hoy en día muchos platos populares de Estados Unidos usan alimentos que son originarios de las culturas indígenas de Latinoamérica.

El aguacate Hace más de 7000 años que se cultiva el aguacate en el sur de México y en Centroamérica. Los aztecas comían esta fruta en un puré con tomates que hoy conocemos como el guacamole.

El tomate Los tomates probablemente son originarios de la costa de Perú. Los italianos fueron los primeros europeos en adoptarlos en su cocina. Hoy el tomate es esencial en muchos platos españoles, como el gazpacho.

Bridging Cultures

Heritage Language Learners

Support What They Know Most heritage learners know at least one fruit, food, or ingredient used in the cuisine from their family's country or region of origin. Encourage them to share it with the class, and then have students compare and contrast them with those presented here. What similarities and differences (origin, use, eating habits) do they see?

English Learners

Increase Interaction Have English learners work with heritage students in groups to create a menu based on a mix of the cuisine from their family's country of origin, and elements of American cuisine. When all groups are done, encourage students to create a bulletin board of one big menu using the information provided by every group.

Cultura INTERACTIVA *See these pages come alive!*
ClassZone.com

La papa La papa, o patata, tiene una historia de cultivo de más de 7000 años en los valles *(valleys)* andinos de Sudamérica. Los incas cultivaban más de 200 variedades, y hoy en día hay más de 1000. Los españoles fueron los primeros europeos en comer la papa, pero se popularizó rápidamente en toda Europa.

El chocolate El cacao era un árbol sagrado *(sacred)* para los mayas. Los mayas y los aztecas usaban las bayas *(beans)* de cacao para preparar una bebida de chocolate con pimienta (¡y sin azúcar!) para las ceremonias religiosas. Cuando los conquistadores introdujeron el chocolate en Europa, lo preparaban con azúcar y vainilla.

Comparación cultural

1. Piensa en dos o tres platos típicos de tu región e identifica los ingredientes del Nuevo Mundo en cada uno.
2. ¿Qué frutas y verduras se producen en tu región? ¿Son «nativos» de esa región o son productos originarios de otro continente?

Tradiciones **C5**

Enrichment

Project

Menus Have students work in pairs to create a menu for an elegant dinner that includes all of the foods shown in the spread. They should include a complete recipe for one of the dishes. Encourage students to use the Internet for recipe ideas in Spanish and to include dishes from a variety of Spanish-speaking countries.

Role-play

Cooking Show Have pairs of students role-play a cooking show on Spanish television. A visiting chef and the host or hostess prepare a dish that uses one of the foods shown as an ingredient. Have students review food and food preparation vocabulary from the Lección preliminar in order to describe the preparation of their dish.

Pacing Suggestions

Mexico

This mini-lesson works well with the Mexico location of Unit 1.

Link to Unit Vocabulary:
· Have students use the foods described here with recycled Lección preliminar food vocabulary to describe the dishes they could prepare over an **estufa de gas** while camping. Challenge them to come up with one way to prepare each of the foods shown here.

Link to Unit Grammar:
· Have students make statements about the foods described, using **saber** and **conocer.** Start them off with the following examples:
1. **Los expertos no _____ con certeza, pero creen que los tomates son originarios de la costa de Perú.**
2. **Los incas _____ más de 200 variedades de patatas.**

Cultura

Regional Accents

Discuss regional variations for some of these food items. For example, **palta** is also used for *avocado* in Argentina, while **aguacate** is used in most other Spanish-speaking countries. **Patata** is used in Spain for *potato,* while **papa** is used in the rest of the Spanish-speaking world. Have students research regional variations for other food names: **judía verde/habichuela, frijoles/caraotas, maíz/elote,** etc.

Comparación cultural

Possible answers

1. La sopa de *clam chowder* y el pastel *Boston Cream Pie* son platos típicos de mi región. La sopa tiene patatas y el pastel tiene chocolate (cacao).
2. En mi región se producen maíz, arándanos *(cranberries),* manzanas y calabazas. Los arándanos son nativos de esta región. El maíz es de Centroamérica y la calabaza de Sudamérica. La manzana viene del Medio Oriente.

C5

Objectives
· Familiarize students with some festivals and celebrations in various Spanish towns and cities.
· Encourage students to make comparisons between the celebrations described.

Presentation Strategies
20-minute lesson
· Have students work in pairs to read the text and the photo captions.
· Discuss the Comparación cultural questions as a class.
· Ask students to choose one of the celebrations and write a paragraph describing their reaction to it.

50-minute lesson
· Complete 20-minute lesson.
· Ask students to complete a QDCP chart as they read, detailing **qué, dónde, cuándo,** and **por qué** for each of the celebrations shown, or as much information is available for each. (Have students do research outside of class to fill in the missing information.)
· After students read the selection, have them compare their charts to those of another pair and pool their information.

STANDARDS
1.2 Understand language
1.3 Present information
2.1 Practices and perspectives
3.2 Acquire information
4.2 Compare cultures

Ferias de España

Vocabulario para las ferias de España

la batalla *battle; fight*
la carroza *float*
el desfile *parade*
los fuegos artificiales *fireworks*
el santo patrón / la santa patrona *patron saint*

Todas las comunidades de España, desde las ciudades grandes hasta los pueblos *(towns)* más pequeños, celebran sus ferias. Muchas ferias tienen orígenes religiosos, por ejemplo, para honrar al santo patrón o a la santa patrona de la ciudad o del pueblo, o conmemorar fechas religiosas importantes. Otras ferias son cívicas o estacionales. Algunas ferias son modernas o recientes; otras tienen más de mil años. Típicamente las ferias pueden incluir música, desfiles, bailes tradicionales, fuegos artificiales y comida especial, pero las ferias de muchas regiones también tienen tradiciones únicas.

Laredo, Cantabria

La Batalla de Flores (agosto) Esta joven participa en el desfile de la Batalla de Flores. Las carrozas están decoradas con miles de flores y tienen diferentes temas. Compiten en la «batalla» para ganar el gran premio de la feria.

Pamplona, Navarra

La feria de San Fermín (del 7 al 14 de julio) Esta feria tiene fama por el recorrido del encierro *(running of the bulls)*. El recorrido empieza a las ocho de la mañana todos los días de la fiesta. Los participantes vienen de todas partes del mundo.

C6 Tradiciones

Bridging Cultures

Heritage Language Learners
Support What They Know Encourage heritage students to speak about the different festivals, carnivals, or national celebrations from their family's country or region of origin. Then have students compare and contrast what they know with those presented above. What similarities and differences (origin, how they celebrate, how long) do they see in contrast to American celebrations and festivals?

English Learners
Build Background Have heritage learners, English learners, and English native students work in groups to write a list of American celebrations and celebrations from their family's country of origin. Encourage them to write a complete description of each event and to provide local terms and vocabulary associated with each celebration. Have them exchange and read each other's work.

Cultura INTERACTIVA *See these pages come alive!*
ClassZone.com

Buñol,
Valencia

La Tomatina (agosto) Según el *Libro Guinness de los Récords,* es la batalla de comida más grande del mundo. Dicen que empezó en 1944 ó 1945 como una broma *(joke)* entre amigos, pero hoy hay más de 30.000 participantes y unas 90.000 libras *(pounds)* de tomates.

Barcelona,
Cataluña

La fiesta de la Señora de Mercé (24 de septiembre) La atracción más fascinante de la fiesta es la competencia de los *castellers* en la Plaça Sant Jaume. Estas torres *(towers)* humanas pueden llegar a ser de ocho, nueve y diez niveles.

Anguiano,
La Rioja

Las Fiestas de María Magdalena (julio) La danza de los zancos *(stilts)* es la gran tradición de los padres e hijos durante esta feria. Los bailadores bajan las escaleras de la iglesia y giran *(spin)* por las calles estrechas *(narrow)* y empinadas *(steep).*

Comparación cultural

1. Haz una lista de todas las ferias o festivales de tu región. ¿Cuántas incluyen desfiles? ¿Música? ¿Bailes típicos? ¿Carrozas? ¿En qué se parecen a las ferias de España?

2. ¿Conoces ferias o festivales que incluyan una «batalla»? ¿Cómo es? ¿Es más parecida a la batalla de flores de Laredo o a la batalla de tomates de Buñol?

Tradiciones   **C7**

Enrichment

Connections

Dance Have students work in small groups to choreograph a short dance that could be performed as part of the Fiestas de María Magadalena in Anguiano.

Connections

Music Bring in some music associated with various celebrations in Spain and play the different types of songs. For example, the **sardana** is an integral part of many **catalán** celebrations, while other regions are known for **flamenco** (Andalucía), **trikitrixa** (País Vasco), **jota** (Aragón, Extremadura), and **chotis** (Madrid).

Pacing Suggestions

Spain

This mini-lesson works well with the Spain location of Unit 6.

Link to Unit Vocabulary:

· Have students look at a map of Spain (p. xxxiii) to see where each of the celebrations described takes place. Have students put together an itinerary to travel to each of these locations by train. (Remind students that they always need to travel to large cities such as Madrid, Barcelona, Sevilla, Córdoba, Bilbao, and Valencia before they reach the smaller towns.) Then have students write a description of their imaginary train trip.

Link to Unit Grammar:

· Encourage students to react to the different elements of the celebrations described using the present perfect. For example: **¡Nunca he participado en una batalla de flores, ni de tomates! Pero sí he visto muchos desfiles y fuegos artificiales.**

Cultura

Expanded Information

Tell students that there is a well-known Spanish children's song about San Fermín that helps them remember the date. It begins: **Uno de enero, dos de febrero, tres de marzo, cuatro de abril, cinco de mayo, seis de junio, siete de julio, ¡San Fermín!**

Comparación cultural

Possible Answers

1. En mi región hay una celebración para el 4 de julio, con desfiles, carrozas y fuegos artificiales. También hay un desfile con carrozas el día de Thanksgiving. Se parecen a las ferias de España que tienen desfiles y carrozas, como la Batalla de Flores.

2. Conozco una batalla de conjuntos musicales de mi ciudad. Es más parecida a la Batalla de Flores porque hay un premio.

TRADICIONES

Objectives
- Familiarize students with some traditional dances of the Spanish-speaking world.
- Encourage students to make comparisons between the dances and the customs that go with them.

Presentation Strategies
20-minute lesson
- Ask students to work in small groups to read the text and the photo captions.
- Discuss the Comparación cultural questions in small groups.
- Have students work in small groups to choose one of the dances to research further.

50-minute lesson
- Complete 20-minute lesson.
- Have students look at the photos and title without reading the text. Have them predict which types of dances (traditional, modern, folkloric) will be described and what cultures (European, African, indigenous) might be associated with them, based on their locations.
- Have students read the selection in small groups and discuss how the information they learned compares with their predictions.
- Let students choose one the dances described to research and learn, and then present it to the class with appropriate music.

STANDARDS
- **1.2** Understand language
- **1.3** Present information
- **2.1** Practices and perspectives
- **3.2** Acquire information
- **4.2** Compare cultures

Bailes típicos

Vocabulario para los bailes típicos

el bailarín / la bailarina *dancer*
el (la) cantante *singer*
el conjunto *(dance) group*
interpretar *to perform (a dance)*
el paso *(dance) step*

El baile expresa las tradiciones y costumbres de una cultura. En el mundo hispano, los bailes típicos son una fusión de culturas. En el flamenco de España vemos tradiciones de los españoles, los moros y los gitanos. Los bailes del Caribe son una mezcla de las culturas indígenas, africanas y europeas. Aunque *(Although)* puedes ver algunos de los bailes típicos principalmente durante celebraciones culturales, otros bailes, como el merengue de la República Dominicana y la cumbia de Colombia, son populares durante cualquier ocasión. Los elementos más importantes del baile típico son los pasos y la música, y en los festivales, la ropa tradicional también es importante.

España

Una danza tradicional de Navarra Las presentaciones de bailes folklóricos son parte de la fiesta de San Fermín en Pamplona.

Bolivia

La Morenada La Festividad del Señor del Gran Poder es conocida por las presentaciones de bailes folklóricos. Este conjunto presenta La Morenada, un baile que se originó en la comunidad afroboliviana.

C8   Tradiciones

Bridging Cultures

Heritage Language Learners
Support What They Know If students are from one of the cultures shown above, ask them to talk about the dance associated with their country of origin. If they are from a country not included, ask them to describe a traditional dance from their culture, including when it is danced and what costumes and musical instruments are used.

Heritage Language Learners
Support What They Know Many heritage learners are familiar with music of the Spanish-speaking world. The terms **flamenco, merengue, cumbia, bomba,** and **plena** refer to musical styles as well as dances. Have students discuss the ones they know and like best. Encourage them to bring different kinds of music to play in class.

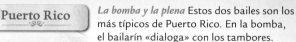

Cultura INTERACTIVA *See these pages come alive!*
ClassZone.com

La bomba y la plena Estos dos bailes son los más típicos de Puerto Rico. En la bomba, el bailarín «dialoga» con los tambores.

México

La danza de la Flor de Piña Esta danza es una de las atracciones de la Guelaguetza, una celebración de Oaxaca para dar gracias por la cosecha *(harvest)*. Miles de turistas asisten a este festival.

Perú

Bailes peruanos tradicionales Durante la Copa América en Lima, varios conjuntos interpretan bailes típicos de Perú en ropa tradicional. Algunos de los bailes de Perú son la marinera, el huayno, el festejo y el vals criollo.

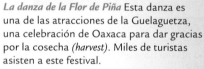

Comparación cultural

1. ¿Cuáles son algunos de los bailes típicos de este país? Describe la música, la ropa y los pasos de un baile típico que conoces.
2. En el mundo hispano, los bailes típicos se interpretan durante las fiestas nacionales y regionales, en los desfiles y eventos deportivos y cívicos. ¿Durante qué celebraciones y eventos podemos ver bailes típicos en este país?

Tradiciones   **C9**

Enrichment

Presentation

Research Have students work in groups to research one of the celebrations mentioned (San Fermín, Festividad del Señor del Gran Poder, Guelaguetza). Each group should create that festival in class, bringing in music and food associated with the celebration and presenting additional information (history, where it is celebrated, when, etc.).

Projects

Music and Dance Have students work in pairs to create a poster promoting one of the dances mentioned (**flamenco, merengue, cumbia, morenada, bomba, plena, danza de la Flor de Piña, marinera, huayno, festejo,** or **vals criollo**). Posters should show the dancers in traditional costume and any instruments associated with the dance.

Pacing Suggestions

Peru, Bolivia, and Ecuador

This mini-lesson works well with the Peru, Bolivia, and Ecuador location of Unit 5.

Link to Unit Vocabulary:
· Have students talk about how to search for more information about these dances on the Internet. Encourage them to use the Lesson 1 vocabulary to talk about **búsquedas, salones de charla,** and **sitios web.**

Link to Unit Grammar:
· Have students write a paragraph using conditional forms to say which dance they would most like to see and why, using phrases such as: **Me gustaría ver..., Sería interesante..., Podría...**

Communication

Interpretive Mode

Create a five-row chart on the board with the following column heads: **País, Baile,** and **Descripción.** Have student pairs fill in the countries, the dance(s), and two facts about each dance.

Cultura

About the Photos

Discuss the photos. Ask students to state what mix of cultures they see in each one. Have them support their response by discussing the people, clothing, and instruments shown.

Comparación cultural

Possible Answers

1. Algunos bailes típicos de Estados Unidos son *swing* y *square dancing.* La música swing es una orquesta con trompetas. La ropa es de los años 40, como los *zoot suits.* Los pasos son ligeros y rápidos.
2. Podemos ver bailes típicos en St. Patrick's Day.

Objectives

· Make students aware of the importance of soccer in the Spanish-speaking world.
· Familiarize students with various soccer championships and their importance in the Spanish-speaking world.

Presentation Strategies
20-minute lesson

· Have students read the text and the photo captions.
· Discuss the Comparación cultural questions as a class.
· Bring in a video clip of a soccer game broadcast on a Spanish-speaking television station so students can hear the play-by-play commentary in Spanish.

50-minute lesson

· Complete 20-minute lesson.
· Have students create a KWL chart about soccer and its role in the Spanish-speaking world. Before reading, they should include facts they already Know about soccer and a list of things they Would like to learn. After students read the text and the photo captions, have them complete the chart with information they Learned from the spread.
· Encourage students to watch a soccer game in Spanish outside of class and write a short follow-up paragraph describing the game and what happened.

STANDARDS

1.2 Understand language
1.3 Present information
2.1 Practices and perspectives
3.2 Acquire information
4.2 Compare cultures

Connections
Physical Education

Have a member of a soccer team come to the class to give a mini-lesson in demonstrating some of the moves and explaining the rules of the game. Encourage students to think about what abilities are important when playing soccer, such as endurance, quick reflexes, and coordination.

¡FÚTBOL!

Colombia

La Copa América
Este aficionado colombiano tiene un modelo del trofeo de la Copa América, una competencia que se estableció en 1916 para los países americanos.

El fútbol es el deporte más popular del mundo. Los hispanos aprenden a jugar al fútbol desde muy jóvenes, practicando con amigos en los parques durante el tiempo libre. Generalmente, no hay equipos de fútbol en las escuelas. Para competir, un joven hispano tiene que afiliarse a *(join)* un club de fútbol. Hay competencias de la comunidad y de nivel *(level)* nacional. Casi todos los países hispanos tienen ligas profesionales de fútbol y equipos nacionales. Aunque *(Although)* el fútbol era un deporte principalmente masculino en los países hispanos, hoy en día también hay clubes para chicas y mujeres.

Ecuador

Parque Carolina Estos muchachos practican el fútbol en el Parque Carolina de Quito, Ecuador.

C10 Tradiciones

Bridging Cultures

Heritage Language Learners

Support What They Know Encourage heritage students to speak about the most popular sports in their family's country or region of origin. Ask them to share the information with the class. Then have students compare and contrast what they know with those presented above. What similarities and differences do they see in contrast to the most popular American sports?

English Learners

Increase Interaction Have English learners talk about a popular sport in their country of origin. Encourage them to explain the rules of play and why this sport is so important in their country.

Cultura INTERACTIVA
ClassZone.com
See these pages come alive!

Vocabulario para el fútbol

el Campeonato Mundial Juvenil
  World Youth Championship
la Copa Mundial *World Cup*
el (la) aficionado(a) *fan*
la liga *league*
el torneo *tournament*
el trofeo *trophy*

Perú

La Copa Mundial Estos aficionados peruanos animan a *(cheer for)* su equipo durante un partido contra *(against)* el equipo ecuatoriano en la Copa Mundial de la FIFA (Federación Internacional de Fútbol Asociado).

Argentina

El Campeonato Mundial Juvenil El equipo de Argentina celebra el triunfo después de ganar el torneo del Campeonato Mundial Juvenil de la FIFA en Holanda.

Comparación cultural

1. ¿Qué tipo de equipos de fútbol hay en tu comunidad? ¿Sólo hay clubes privados de fútbol o también hay equipos escolares o de la comunidad?

2. La Copa Mundial tiene más televidentes *(viewers)* que ningún otro evento del mundo. En algunos países hispanos, los partidos se emiten *(are broadcast)* en televisores gigantes en las calles, en las oficinas y por Internet. ¿Qué eventos atraen a muchos televidentes en este país?

Tradiciones   **C11**

Enrichment

Role-play

Sports Commentary Have students work in pairs to film part of a school soccer game, then show the video in class with the sound off. Students should role-play two sportscasters giving play-by-play commentary. Encourage them to use the well-known Spanish cry of **¡Gooooool!** whenever a point is scored and to describe the action as it progresses.

Presentation

Famous Athletes Have students choose a well-known Latin American or Spanish soccer player and do research on his or her career. Students should then give a report about that player, including action photos or videos and a description of career highlights, awards, championships, and goals.

Pacing Suggestions

Colombia and Venezuela

This mini-lesson works well with the Colombia and Venezuela location of Unit 7.

Link to Unit Vocabulary:

· Have students discuss careers and how they could relate to soccer, using the following terms: **abogado(a), contador(a), diseñador(a) de páginas web, gerente, hombre/mujer de negocios, médico(a), traductor(a), dueño(a).** Have them role-play a situation where staff of a professional soccer team meet to discuss issues, concerns, and upcoming events.

Link to Unit Grammar:

· Have students discuss the tournaments described. Which ones would they attend and why? Have them begin with **Si pudiera asistir...** in order to practice **si** clauses and the imperfect subjunctive.

Long-term Retention

Critical Thinking

Analyze Guide students in a class discussion about soccer and why it is more popular in Latin America and Europe than in the U.S. Do they think soccer will ever achieve football or baseball's popularity as a spectator sport? Why? Why have Americans become more interested in soccer recently? Do students think the trend will continue? Why?

Comparación cultural

Possible Answers

1. En mi comunidad hay equipos escolares y también unos clubes privados.
2. En este país el Superbowl y la Serie Mundial atraen a muchos televidentes.

Objectives

- Make students aware of the variety of fabrics and weavings that are created throughout the Spanish-speaking world.
- Encourage students to make comparisons among the different types of fabrics and weavings shown.

Presentation Strategies
20-minute lesson

- Have students take turns reading the text and photo captions aloud.
- Discuss the Comparación cultural questions in small groups.
- If you can find an example of a **mola,** lace, or indigenous weaving from Latin America, bring it to the class so that students can examine it.

50-minute lesson

- Complete 20-minute lesson.
- Draw two spider diagrams on the board. In the center of one, write the word **algodón.** In the center of the second, write the word **lana.** Call on different students to read portions of the text and photo captions aloud. While they read, students should listen and take notes. As a class, fill in the spider diagrams with words and facts related to **algodón** and **lana.**
- Have students look for examples of **molas,** lacework, or indigenous weavings. They can ask friends, look in thrift stores or ethnic stores, or download examples from the Internet.

STANDARDS

1.2 Understand language
1.3 Present information
2.1 Practices and perspectives
2.2 Products and perspectives
3.2 Acquire information
4.2 Compare cultures

Vocabulario para las telas y los tejidos

el algodón *cotton*
el encaje *lace*
la lana *wool*
el lino *linen*
la seda *silk*
los tejidos *woven materials*
la tela *cloth, fabric*

Telas y tejidos

Las telas y los tejidos del mundo hispano reflejan su diversidad y tienen una larga historia. Las culturas prehispánicas usaban el algodón, fibras de otras plantas y la lana de la llama para hacer los tejidos. Para dar color, usaban tintes *(dyes)* que derivaban de *(came from)* insectos, mariscos *(shellfish)* y plantas. Hacían los tejidos para los ritos culturales, el comercio *(trading)* y también para identificar la posición social, la edad o la región de donde era la persona. Un tejido importante, el encaje, se originó en Europa. En los siglos *(centuries)* XVII y XVIII, el encaje era un lujo *(luxury)* de la clase alta española. Las técnicas del encaje se exportaron a partes de Latinoamérica como Puerto Rico y Argentina. La seda y el lino son los hilos *(threads)* principales para el encaje.

México

De moda Las telas y los tejidos tradicionales están de moda. Esta joven lleva un chal colorido, un tejido tradicional de México.

Guatemala

Ropa tradicional Los tejedores *(weavers)* de Guatemala diseñan tejidos y ropa de colores brillantes y diseños intrincados *(intricate).* Los colores y diseños identifican orígenes culturales y a veces cuentan una historia. Muchos guatemaltecos, como estas mujeres, todavía usan la ropa tradicional.

C12 Tradiciones

Bridging Cultures

Heritage Language Learners

Support What They Know Encourage heritage students to speak about traditional clothing and today's fashion in their family's country or region of origin. Ask them to share the information with the class. Then have students compare and contrast what they know with those presented above. What similarities and differences do they see in contrast to traditional American outfits and today's fashion?

English Learners

Build Background Encourage English-language learners from other cultures to bring in and discuss traditional fabrics and weavings they are familiar with. They should bring examples or photos of the fabrics, as well as provide some historical background regarding their creation and use.

Ecuador

Una tradición prehispánica En los Andes han encontrado evidencia de todas las técnicas conocidas del tejido entre grupos indígenas prehispánicos. Este hombre vende tejidos de lana típicos de los indígenas de Otavalo, Ecuador.

España

El encaje Estas jóvenes españolas llevan encajes tradicionales para una exhibición en Sevilla. Antes los hombres y las mujeres de clase social alta usaban la ropa de encaje, pero ahora lo usan las mujeres o en decoraciones de la casa.

Panamá

La mola La mola, un tejido de los kunas de Panamá, es una serie de sobrepuestos *(overlays)* de cinco o seis capas *(layers)* de tela. Ellos cortan y bordan *(embroider)* los diseños con hilos de colores brillantes.

Comparación cultural

1. ¿Cuáles son algunos de los tejidos o ropa tradicionales de Estados Unidos? ¿Hay grupos que todavía llevan ropa tradicional?
2. Frecuentemente la moda moderna incorpora telas y tejidos tradicionales o «étnicos». Describe artículos de ropa que tienes o que has visto *(you have seen)*, que tienen elementos de telas y tejidos tradicionales.

Tradiciones **C13**

Enrichment

Arts and Crafts

Creativity Have students work in pairs to create a design for a **mola.** They can research more examples on the Internet. Tell them that often **molas** refer to its maker's interests or to current events. Ask them to incorporate daily events or personal preferences in their designs.

Connections

Science Have students do research on plants, insects, shellfish, and animals used by an indigenous culture to create dyes. Have students choose any indigenous culture and answer these questions: What ingredients did they use to make their dyes? What colors did they create? What handicrafts did they make with the dye? Have students share their findings with the class.

Pacing Suggestions
Central America

This mini-lesson links well with the Central America location of Unit 3.
Link to Unit Vocabulary:
· Guide a class discussion about sustainability and why it is important to support local and traditional handicrafts such as weaving, **mola**-making, or other cultural activities. Encourage students to use unit vocabulary such as: **amenazar, informarse, el porvenir, la responsabilidad, fomentar, proteger, valorar, apreciar, desarrollar, la conciencia social,** etc.
Link to Unit Grammar:
· Have students summarize the reading and photo captions, using sentences that contain **por** and **para.** Some sentence prompts include: **Para empezar..., Por muchos siglos...,** and **Las molas están hechas por...**

Communication
Interpersonal Mode

Have students work in small groups to write down what they think are the five most important facts from the text and photo captions. Then compare each group's results to determine which facts were considered important by the majority of students.

Comparación cultural

Possible Answers
1. La ropa tradicional de este país depende de la región, pero incluye vestidos largos para las mujeres. Hay grupos que usan ropa tradicional, como los indígenas, los Amish y ciertos grupos étnicos y religiosos.
2. He visto jeans, suéteres y ponchos que tienen elementos de telas y tejidos tradicionales.

TRADICIONES

Objectives
- Familiarize students with good luck traditions throughout the Spanish-speaking world.
- Encourage students to compare these good luck traditions with their own.

Presentation Strategies
20-minute lesson
- Read aloud the text and photo captions while students listen and follow along.
- Discuss the Comparación cultural questions as a class.
- Initiate a discussion about what people do to ensure good luck. Encourage students to share their practices or those of friends and family with the class.

50-minute lesson
- Complete 20-minute lesson.
- Write a chart with four columns on the board. The column headings should be **Animal, Mineral, Vegetal, Sobrenatural.** As you read the text and photo captions aloud, have students categorize and tally the different practices. (**Animal:** 3, **Mineral:** 2, **Vegetal:** 2, **Sobrenatural:** 1)
- Talk about students' good luck traditions, then follow up by having them interview a Spanish-speaker about his or her practices or do further research online.

✿ STANDARDS
- **1.2** Understand language
- **1.3** Present information
- **2.1** Practices and perspectives
- **3.2** Acquire information
- **4.2** Compare cultures

Vocabulario para la buena suerte

el amuleto *good-luck charm*
atraer *to attract*
la costumbre *custom*
evitar *to avoid*
el gesto *gesture*

¡Buena suerte!

En todas las culturas, hay amuletos, gestos y otras tradiciones para atraer la buena suerte y evitar la mala suerte. Algunas de las tradiciones, como echar *(throwing)* sal detrás del hombro o tocar *(touching)* la madera, son internacionales. Otras tradiciones son regionales. En los Andes, por ejemplo, se dice que los huayruros, un tipo de frijol, traen la buena suerte, y los artesanos crean y venden collares, pulseras y aretes de huayruros. Aunque podemos trazar *(trace)* el origen y la historia de algunas de estas tradiciones, el origen de otras es un misterio.

Guatemala

Muñecas de las preocupaciones Antes de dormirse, algunos niños de Guatemala les cuentan todos sus problemas a sus muñecas de las preocupaciones *(worry dolls)* y las ponen debajo de la almohada *(pillow)*. En la mañana, las muñecas les han quitado *(have taken away)* todas las preocupaciones.

Perú

Los toritos de Pucará Los artesanos y alfareros *(potters)* de Pucará son famosos por sus toritos *(little bulls)*. Para atraer la buena suerte, la gente pone los toritos en el techo *(roof)* de la casa.

C14 Tradiciones

Bridging Cultures

Heritage Language Learners
Support What They Know Encourage heritage learners to discuss which of the good luck traditions mentioned above they are familiar with and which are new to them. Have them mention other practices to bring good luck that they know of or use in their family or culture.

English Learners
Build Background Encourage students from other countries to share good luck traditions and practices. Are some of them similar to ones described in the text? Which are different? Organize a class discussion and have students create Venn diagrams comparing the traditions of two different cultures.

Cultura INTERACTIVA *See these pages come alive!*
ClassZone.com

Bolivia

El Ekeko En la tradición aymara, Ekeko es el dios de la abundancia. Es costumbre darle alasitas, o representaciones en miniatura de un objeto que deseas. Si quieres un coche nuevo, le das al Ekeko una alasita que representa un coche. Cada enero, es costumbre darle alasitas al Ekeko. Lo que le das en miniatura, recibirás de verdad durante el año, según la tradición.

Chile

Los chanchitos En el pueblo de Pomaire, la gente cree que los cerdos traen la buena suerte, especialmente los chanchitos, figuras de cerdos de tres patas *(legs)*. Es una tradición darles chanchitos de cerámica a los amigos para desearles la buena fortuna.

España

Las arras Las arras son trece monedas *(coins)* de oro o plata que, durante una boda *(wedding)* española, el novio *(groom)* le da a su novia *(bride)*. Las arras representan la fortuna futura de la pareja que se casa.

Comparación cultural

1. ¿Qué tradiciones practicas para atraer la buena suerte o evitar la mala suerte? ¿Practicas alguna que se parece a estas tradiciones?
2. Haz una lista de amuletos, gestos y otros actos que son populares en tu comunidad para atraer la buena suerte o evitar la mala suerte. Compara estas costumbres con las del mundo hispano.

Tradiciones **C15**

Enrichment

Arts and Crafts

Art and Fiction Have students work in small groups to create an amulet that is supposed to bring good luck. It can be a version of one of the ones shown here or something completely new. Have students write a fictitious history of the item and why it brings good luck, then create an art display that shows the amulets and their descriptions.

Humor/Creativity

Interview Have students work in pairs to create a mock interview between a real or fictitious celebrity and a television entertainment program reporter. The reporter asks the celebrity about his or her good luck practices and symbols, and the celebrity responds with a series of comical or unusual rituals and objects.

Pacing Suggestions
Peru, Bolivia, and Ecuador

This mini-lesson works well with the Peru, Bolivia, and Ecuador location of Unit 5.
Link to Unit Vocabulary:
· Have students work in small groups, and pool obects from their backpacks or pockets. Each group should choose three items and create a good luck tradition for it. Encourage students to use unit vocabulary such as **agenda electrónica, bolsa, cartera, documento de identidad, gafas de sol,** and **monedero.** Have groups share their new traditions with the class.
Link to Unit Grammar:
· Have students come up with sentences about the use of good luck charms. Have them use expressions such as **para que, con tal que, a fin de que, antes de que,** and **a menos que** with the present subjunctive.

✓ Ongoing Assessment

Quick Check Do a word association activity with the class, by having them name the country related to a word you give them. For example: **toros – Perú, muñecas – Guatemala, oro – España.**

Communication
Interpersonal Mode

Have students define some of the new words by creating sentences or illustrating with clip art or drawings. Then have students read their definitions or show their illustrations and have the rest of the class guess the word.

Comparación cultural

Possible Answers

1. Yo tengo un amuleto que llevo cuando mi equipo de béisbol tiene un partido.
2. En mi comunidad la gente usa amuletos como la pata de conejo para atraer la buena suerte. Esta costumbre es similar a las arras o los chanchitos.

Objectives

- Familiarize students with the tradition of the cowboy in North and South American culture.
- Encourage students to make comparisons among the cowboys from different cultures presented here.

Presentation Strategies
20-minute lesson

- Have students take turns reading the text and photo captions aloud.
- Discuss the Comparación cultural questions in pairs or small groups.

50-minute lesson

- Complete 20-minute lesson.
- Give students five minutes to skim the text and the photo captions. Then write the countries presented on the board. Students should close their books and listen while you read parts of the text aloud. Have them write down which country you are reading about for each selection. Follow up by having students open their books to check their responses.
- Initiate a class discussion about traditional cowboy clothing, as described in the text and shown in the photos. What practical uses can students imagine for the different articles of clothing shown?
- Finish by showing a clip from a Spanish-language movie such as *Doña Bárbara, Allá en el Rancho Grande, La Estancia del Gaucho Cruz* that features cowboys so that students can see the clothing more clearly.

STANDARDS

- **1.2** Understand language
- **1.3** Present information
- **2.1** Practices and perspectives
- **3.2** Acquire information
- **4.2** Compare cultures

VAQUEROS

Muchos países comparten la figura folklórica del vaquero. Los vaqueros llevan una vida solitaria y representan la independencia y la libertad. La geografía, la ropa, la música y la comida de los vaqueros varían de país en país. El vaquero tradicional todavía existe en muchos países, y el folklore del vaquero se celebra en las fiestas y los rodeos. Estas celebraciones incluyen exhibiciones y competencias, y aunque algunos de los competidores son vaqueros de verdad, también hay muchos vaqueros que lo hacen como pasatiempo *(hobby)*.

México

Los charros Los charros, símbolos de lo ideal del carácter nacional, participaron en la lucha por la libertad e independencia mexicana. Este charro muestra su talento con el lazo durante un rodeo, una tradición mexicana.

Los huasos Los huasos de Chile se identifican por los colores de su poncho. En la única competencia del rodeo chileno, dos huasos trabajan juntos para atrapar, sin soga, a un toro contra la pared.

Chile

C16 Tradiciones

Bridging Cultures

Heritage Language Learners

Support What They Know Encourage heritage learners to share what they know about cowboys in the U.S. or in Spanish-speaking cultures. Ask them to bring in books, movies, or CDs that feature cowboys. Have a class discussion about experiences on ranches or in rodeos.

English Learners

Build Background English learners may have a limited or stereotypical view of cowboys. Help them see that working cowboys still exist on ranches and compete in rodeo events. Explain that when North and South America were settled, the vast expanses of land were ideally suited to raising cattle, which is why cowboys are an integral part of the history of the Americas.

Cultura INTERACTIVA
ClassZone.com
See these pages come alive!

Vocabulario para los vaqueros

el (la) competidor(a)
   competitor
el ganado *cattle*
el lazo *lasso*
la soga *rope*
los zahones *chaps*

Perú

El pastor Este pastor peruano vive en los altiplanos *(high plains)* andinos y cuida llamas y alpacas. Su vida solitaria se parece a la de los vaqueros de otros países.

Estados Unidos

El cowboy y el español La Fiesta de los Vaqueros se celebra en febrero en Tucson, Arizona. Muchas palabras del vocabulario del *cowboy*, como *rodeo, lasso* y *bronco*, vienen del español.

Argentina

El gaucho El gaucho es un símbolo folklórico nacional y las fiestas y celebraciones argentinas siempre incluyen desfiles *(parades)* o competencias de gauchos. Estos gauchos de la provincia de Tucumán llevan zahones tradicionales para trabajar.

Comparación cultural

1. Haz una lista de la ropa típica de un *cowboy* de Estados Unidos. Compara esa ropa con la ropa de los diferentes vaqueros de estas fotos.

2. Piensa en las características y la vida del *cowboy* norteamericano, por ejemplo, su independencia, su vida solitaria y la geografía donde vive. ¿Crees que los gauchos, los huasos y los otros vaqueros tienen las mismas características y estilo de vida? ¿Por qué?

Tradiciones   **C17**

United States

This mini-lesson links well with the United States location of Unit 2.

Link to Unit Vocabulary and Grammar:

· Have students work in small groups to plan the production of a short documentary about **vaqueros** for their school television station. They should decide which type of **vaquero** to feature, what information interests their viewers, and how they will promote it. Possible vocabulary includes: **el canal de televisión, el cortometraje, la entrevista, el (la) fotógrafo(a), la gráfica, el público, la publicidad por correo, la subtitulación para sordos, el (la) telespectador(a).** Students should delegate work using **tú** commands and polite requests, along with impersonal expressions with infinitives.

Cultura

Expanded Information

Tell students that just as U.S. movies featured singing cowboys, so did many Mexican films of the same era. Two of the best-known **charros cantores** were Pedro Infante and Jorge Negrete. Mariachi music is associated with the **charros cantores**.

Comparación cultural

Possible Answers

1. La ropa típica de un *cowboy* de Estados Unidos incluye jeans, botas, sombreros, espuelas, camisas y chalecos. Su ropa es diferente a la de los vaqueros de Sudamérica (llevan ponchos y zahones) pero es parecida a la de los charros.

2. Sí, creo que tienen las mismas características y estilo de vida porque todos viven aislados y trabajan con animales (caballos, toros).

Enrichment

Connections

Music Have students bring in songs in English by singing cowboys (Gene Autry, Roy Rogers, Jimmy Wakely, Rex Allen, or Tex Ritter) and in Spanish by Mexican **charros cantores** (Jorge Negrete, Pedro Infante, Vicente Fernández, or Alejandro Fernández). In small groups, ask students to listen and take note of any similarities in the music.

Presentation

Research Have students work in groups to research one of the three South American **vaqueros** mentioned: the **pastor,** the **gaucho,** or the **huaso.** Have them prepare a presentation about their clothing, tools and equipment, customs, and historical background. Encourage students to use posters and other props during their presentation.

Objectives
- Familiarize students with the **quinceañera** celebration as it is practiced in the U.S.
- Show students some of the elements of the celebration.

Presentation Strategies
20-minute lesson
- Have students work in groups to read the text and the photo captions.
- Discuss the Comparación cultural questions as a class.
- Discuss the role that formal celebrations play in our society. Ask students if they like the idea of such celebrations and why.

50-minute lesson
- Complete 20-minute lesson.
- Set up four stations that deal with four different aspects of the text: **Música, Ropa, Tradiciones, Regalos.** Students should go to the station that most interests them. Together students at that station discuss why they chose that topic and create a poster that highlights the key information about it.
- Have students from each corner share their information with the class.
- Follow up by having students debate the pros and cons of celebrations such as the **quinceañera.** Would they themselves like to have a similar celebration?

STANDARDS
- **1.2** Understand language
- **1.3** Present information
- **2.1** Practices and perspectives
- **3.2** Acquire information
- **4.2** Compare cultures

Connections
Music
Have students research mariachi music and find some examples to play for the class. (You may want to refer them to the Level 2 mini-lesson on mariachi music as a good place to begin.)

Quinceañeras

Vocabulario para las quinceañeras

el chambelán *male attendant*
la corona *tiara*
la corte *entourage, attendants*
la dama *female attendant*
hacerse mujer *to become a woman*

La quinceañera celebra la transición de niña a mujer. Estas celebraciones, típicas en los países de habla hispana americanos, ahora se realizan con exuberancia en Estados Unidos. Para la celebración, la muchacha escoge una corte de honor, típicamente de siete damas y siete chambelanes que son parientes y amigos. La celebración puede tener todo el esplendor de una gran boda. Empieza con un servicio religioso. Luego, todos van a la casa de la muchacha o a una sala de baile para la recepción. El primer baile es entre la muchacha y su padre o padrino. Antes de bailar, el padre de la quinceañera la ayuda a quitarse los zapatos de muchacha y ponerse tacones *(high heels)*. Ella también recibe regalos tradicionales de sus padres, como la última muñeca o un anillo o una pulsera.

Kansas

Un día emocionante La madre y la tía de esta joven la ayudan a prepararse para su fiesta de quinceañera. La celebración es un evento familiar y un día emocionante para todos.

Pennsylvania

Las damas y las fotos Esta joven de Pennsylvania y sus damas de honor se preparan para una foto antes de la fiesta de quinceañera.

C18   Tradiciones

Bridging Cultures

Heritage Language Learners
Support What They Know Ask heritage learners if they have attended a **quinceañera** celebration in the U.S. or in another country, or, if they are female, if they had a **quinceañera** celebration. Encourage them to bring photos or other memorabilia to share with the rest of the class.

English Learners
Build Background Ask English learners if they have a similar celebration in their culture. Ask them what occasions in their countries call for a large celebration with formal wear and music. Encourage them to bring photos or other memorabilia to share with the rest of the class.

México

Los mariachis Los mariachis dan una serenata a la quinceañera mexicana la noche antes de su cumpleaños. También cantan en la ceremonia y durante el baile.

Cuba

El vestido El vestido de gala, un elemento importante y personal de esta tradición, generalmente es blanco o de color pastel. Esta joven lleva un vestido azul claro y la corona.

Cultura INTERACTIVA *See these pages come alive!*
ClassZone.com

Texas

El vals Estas quinceañeras gemelas bailan el vals tradicional con sus damas y chambelanes para iniciar el baile de la fiesta.

Comparación cultural

1. ¿Cuáles son algunos cumpleaños especiales en las tradiciones de este país? Describe cómo se celebran. ¿Cuál se parece a la tradición de la quinceañera? Descríbela.

2. Compara la fiesta de quinceañera con otras fiestas tradicionales de este país, por ejemplo una boda o un baile de gala *(prom)*.

Tradiciones **C19**

Pacing Suggestions

United States

This mini-lesson works well with the United States location of Unit 2.

Link to Unit Vocabulary:
· Have student pairs role-play an interview with a **quinceañera** and then write a story about her celebration for the local newspaper. Relevant unit vocabulary includes: **cita, titular, entrevistar, presentar, publicar.**

Link to Unit Grammar:
· Have students work in small groups, imagining they are attending a **quinceañera.** Have them write commands they would likely hear during the celebration, using **tú** commands and specific information from the text. Examples: «Hija, dame los zapatos y ponte estos tacones.» «Papá, por favor, baila este vals conmigo.»

Cultura

About the Photos

Discuss the formal dresses shown in the photos. Are they typical of the clothing and accessories girls in the U.S. would wear to a prom, or that a bride would wear at her wedding? What similarities and differences do students see?

Comparación cultural

Possible Answers

1. Algunos cumpleaños especiales son los dieciséis años, los veintiún años y los sesenta. Se celebran generalmente con una fiesta especial con familia y amigos, con un pastel y regalos. La celebración de *Sweet Sixteen* se parece a la quinceañera, pero no es tan elegante.

2. La fiesta de quinceañera se parece mucho a una boda o un baile de gala, por el vestido, la música, las damas y los chambelanes.

Enrichment

Bulletin Boards

Articles Have students look in local or online Spanish-speaking newspapers for articles about **quinceañeras.** Encourage students to find celebrations both inside and outside the U.S. Have students dowload two articles each and bring them to class to create a bulletin board about **quinceañera** celebrations around the world.

Spanish in the Marketplace

Researching a Web site Have students do a search online using the words **fiesta quinceañera** to find sites that specialize in selling dresses and invitations for **quinceañeras,** renting halls, or hiring musicians to perform at the celebrations. Have students choose a Web site and evaluate it, talking about what it sells, the costs, and the specialties it offers.

Actuaciones callejeras

Objectives
- Familiarize students with the history and kinds of street theater in the Spanish-speaking world.
- Encourage students to make comparisons among these performances.

Presentation Strategies
20-minute lesson
- Have students read the text and photo captions silently.
- Discuss the Comparación cultural questions in small groups.

50-minute lesson
- Complete 20-minute lesson.
- Draw a Venn diagram on the board. Write **Actuaciones informales** in one circle and **Farsas** in the other. Tell students to read the text and photo captions silently while taking notes about items to place in the Venn diagram.
- Have students volunteer entries for the Venn diagram. (Answers: **estatuas vivas, voladores de Papantla** and **Desfile de Llamadas** on the **Actuaciones** side; **güegüense, Baile de la Conquista, actuaciones en celebraciones oficiales, actuaciones de intérpretes, personajes y coreografía de bailes folklóricos** in the overlap; **situaciones absurdas, situaciones cómicas, situaciones crudas, la Edad Media** on the **Farsas** side.)
- As a class, discuss the street performances described. Encourage students compare them with street performances they have seen elsewhere.

STANDARDS
1.2 Understand language
1.3 Present information
2.1 Practices and perspectives
3.2 Acquire information
4.2 Compare cultures

Connections

Literature

Have students research some episodes from Cervantes's *Don Quijote de la Mancha* that use farce, or bring in episodes you can share with the class, such as the windmill scene or the knighting of Don Quijote.

Vocabulario para las actuaciones callejeras

la actuación callejera *street performance*
la comparsa *dance troupe*
el desfile *parade*
entretener *to entertain*
la farsa *farce; comical play*
el (la) intérprete *performer*

Nicaragua

El güegüense El baile del güegüense, una farsa típica de Nicaragua, tiene orígenes precolombinos. Representa la resistencia indígena a los españoles.

Chile

Estatuas vivas Esta estatua humana posa delante de la Catedral de Santiago en la capital de Chile. Las estatuas vivas son comunes en muchas ciudades grandes.

La tradición de la farsa es una forma de arte dramático que data desde *(dates from)* antes de la Edad Media *(Middle Ages)* en Europa. La farsa generalmente contaba situaciones absurdas, cómicas o crudas. Muchas veces eran actuaciones informales, que se presentaban en las calles para llamar la atención de los peatones *(pedestrians)*. En Latinoamérica, la influencia de la farsa se ve en las actuaciones durante celebraciones oficiales, en las actuaciones de intérpretes que trabajan en la calle para entretener y ganar dinero, y en los personajes y la coreografía de los bailes folklóricos. Es natural que las actuaciones callejeras en los países hispanos sean populares porque los hispanos pasan parte de su tiempo libre en las plazas y otras zonas públicas de la ciudad.

C20   Tradiciones

Bridging Cultures

Heritage Language Learners
Support What They Know Ask heritage students to speak about folkloric traditions (dance, farce, or ritual) from their family's country or region of origin or to expand upon the traditions detailed above. Have them share the information with the class. List the traditions on the board and discuss the similarities and differences as a group.

English Learners
Build Background Ask English learners if street performances are common in their countries of origin. What does a typical street performance entail? How is it presented? How is it similar or different from the those discussed in this lesson?

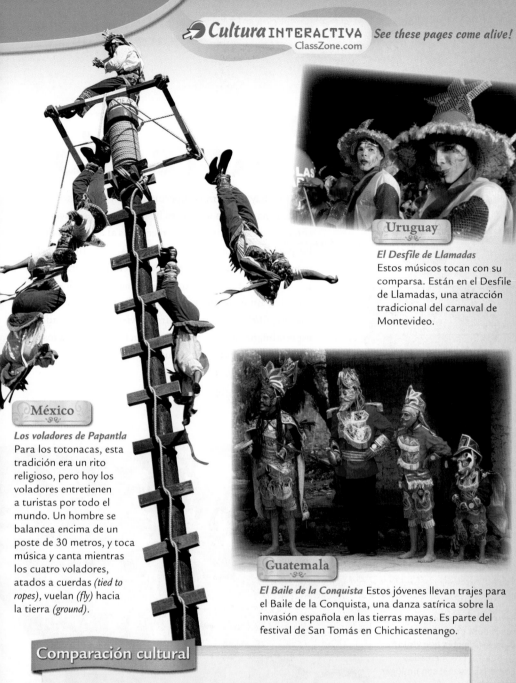

Cultura INTERACTIVA *See these pages come alive!* ClassZone.com

México

Los voladores de Papantla
Para los totonacas, esta tradición era un rito religioso, pero hoy los voladores entretienen a turistas por todo el mundo. Un hombre se balancea encima de un poste de 30 metros, y toca música y canta mientras los cuatro voladores, atados a cuerdas *(tied to ropes)*, vuelan *(fly)* hacia la tierra *(ground)*.

Uruguay

El Desfile de Llamadas
Estos músicos tocan con su comparsa. Están en el Desfile de Llamadas, una atracción tradicional del carnaval de Montevideo.

Guatemala

El Baile de la Conquista Estos jóvenes llevan trajes para el Baile de la Conquista, una danza satírica sobre la invasión española en las tierras mayas. Es parte del festival de San Tomás en Chichicastenango.

Comparación cultural

1. ¿Qué tipos de actuaciones callejeras son comunes en Estados Unidos? ¿Dónde son comunes las estatuas vivas?
2. ¿Durante qué festivales norteamericanos es posible ver comparsas como la Serenata Africana?

Tradiciones **C21**

Enrichment

Role-play

Portraying People and Events Have students choose famous personalities or events from the Spanish-speaking world and portray them without speaking. See if the rest of the class can guess what person is being shown. Afterward, the student should explain in Spanish who or what he or she was representing.

Presentation

Celebrations Have students work in small groups to choose a U.S. celebration that involves parades, such as the Fourth of July, the Rose Bowl, Mardi Gras, etc. Groups should choose one of these parades and write a description of what it includes—floats, musicians, politicians, etc. Have groups present their description to the class, along with a poster.

TRADICIONES

Pacing Suggestions
Argentina, Chile, Uruguay, and Paraguay

This mini-lesson works well with the Argentina, Chile, Uruguay, and Paraguay location of Unit 8.

Link to Unit Vocabulary:
· Have students discuss the elements of farce using the Lesson 2 theater vocabulary. Have them create the plot for a farce satirizing contemporary society, school, politics, or some other current topic.

Link to Unit Grammar:
· Have students react to the text and photos using the indicative v. the subjunctive with conjunctions **(aunque, de manera que, así que, cuando...)** making sure to use the subjunctive and the indicative appropriately.

Communication
Interpersonal Mode

· Have students work in pairs to create an "interest inventory" of the performances shown. Students should rank them from top interest (1) to bottom (5). Have pairs share their rankings with the class and give a reason for their preferences. Tally the results to determine which is the most popular.
· Follow up by having students write a short paragraph describing the most popular performance and comparing it to a popular one in their city, town, state, or region. What elements do they have in common? What differences can be seen?

Comparación cultural

Possible answers

1. Las actuaciones callejeras en Estados Unidos incluyen músicos, payasos, bailarines y estatuas humanas. Las estatuas humanas son comunes en ciudades grandes con muchos turistas.
2. Es posible ver comparsas durante Mardi Gras.

C21

Objectives
- Familiarize students with the role of **mercados** in the Spanish-speaking world.
- Encourage students to analyze the role shopping plays in societies.

Presentation Strategies
20-minute lesson
- Have students read the text and photo captions.
- Discuss the Comparación cultural questions as a class.
- Ask where students like to shop for different kinds of items.

50-minute lesson
- Complete 20-minute lesson.
- Draw a Venn diagram on the board. In one circle write **Mercados.** In the other write **Tiendas.** First have students talk about alternatives to traditional stores, such as farmers' markets, flea markets, garage sales, fruit and vegetable stands, open-air crafts and art fairs, etc. Then have students name various items and write them in the diagram, based on where they prefer to buy them.
- Follow up by discussing the shopping preferences described in the text and photos and comparing them to the class's preferences as shown in the Venn diagram.

STANDARDS
- **1.2** Understand language
- **1.3** Present information
- **2.1** Practices and perspectives
- **2.2** Products and perspectives
- **3.2** Acquire information
- **4.2** Compare cultures

Long-term Retention
Critical Thinking
Have students form small groups to discuss the role that shopping plays in society. Is shopping a necessary activity, a recreational pastime, or both? Does it serve a social function? Where do students like to go to shop? What role does the mall play in their social lives?

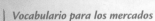

Vocabulario para los mercados

el pueblo *town*
el (la) vendedor(a) *vendor*
el puesto *stand*

Bolivia

Pan de los muertos En este mercado de Bolivia, venden pan de los muertos para las celebraciones de Todos los Santos y del Día de los Muertos en noviembre.

México

Mercado de Ocotlán Esta vendedora prepara frutas para los clientes que visitan su puesto. Los mercados, como las plazas, son un lugar para socializar y a veces para comer.

Los mercados

Hoy hay más y más supermercados y grandes almacenes en los países hispanos, pero todavía son comunes y populares los mercados al aire libre. En los pueblos y en las ciudades pequeñas, generalmente el mercado está cerca del centro. En las ciudades grandes, hay un mercado en casi todas las zonas principales, y a veces hay un mercado muy grande e histórico en el centro. Aunque *(Although)* muchos turistas visitan los mercados, especialmente los de artesanías, muchos residentes los visitan diariamente para comprar productos frescos para la preparación de sus comidas.

C22 Tradiciones

Bridging Cultures

Heritage Language Learners
Writing Skills Have heritage learners interview someone who grew up outside of the U.S. Tell them to ask what kind of markets he or she shopped at and what kinds of items he or she purchased. What were typical things to shop for in that country? Have students follow up by summarizing what they learned during their interview.

English Learners
Build Background Have English learners describe markets in their country of origin. What items are sold there? Where do most people shop? Where are they typically located? What items did the student like to buy there? Encourage students to make cultural comparisions among different kinds of markets.

Cultura INTERACTIVA *See these pages come alive!*
ClassZone.com

España

Mercat de Sant Josep Estas mujeres están en el Mercado de la Boquería, o el Mercat de Sant Josep, el mercado más famoso de Barcelona. En esta sección venden frutas y verduras. En otras secciones venden carnes, pescado y flores.

Ecuador

Mercado de flores Este mercado en Cuenca está en el centro, cerca del Parque de Calderón y la catedral. Aquí venden flores, plantas de jardín y árboles ornamentales los siete días de la semana.

Perú

Flores y artesanías en Lima En este puesto de un mercado de flores en Lima se venden flores secas y artesanías hechas de las flores. Algunos puestos están decorados de una manera muy artística.

Comparación cultural

1. ¿Dónde hay mercados al aire libre en este país? Compara los mercados o los lugares que venden frutas y verduras en tu ciudad con los mercados de Ocotlán y Barcelona.
2. En muchos de los mercados, los precios no son fijos *(fixed)* y los clientes regatean con los vendedores. ¿Dónde puedes regatear en este país?

Tradiciones **C23**

Enrichment

Presentation

Markets Have students choose a large city in the Spanish-speaking world (Mexico City, Buenos Aires, Lima, Madrid, Quito, etc.) and research a major market in that city. Where is it located? Is it open every day? What kinds of products are sold there? Have students put together a presentation about that market and share it with the rest of the class.

Role-play

Class Marketplace Have students bring different kinds of objects to class to "sell" in a marketplace. Items could include second-hand goods, arts and crafts, and food items. Divide the class into two groups—sellers and buyers—and have them role-play transactions at the market, with buyers bargaining for the sellers' goods.

Pacing Suggestions

Mexico

This mini-lesson works well with the Mexico location of Unit 1.

Link to Unit Vocabulary:
· Have students describe what kinds of items they would need to purchase for a camping trip. Where would they be likely to buy them? What food would they bring with them? Where would they be likely to buy it? Encourage students to use Unit 1 vocabulary: **cantimplora, estufa de gas, fósforos, olla, saco de dormir,** etc.

Link to Unit Grammar:
· Have students write one or two paragraphs describing the last time they went to a market such as a farmer's market, a flea market, a crafts fair, etc. Have them review the preterite and imperfect forms and focus on using them correctly.

Communities

Spanish in the Supermarket

Have students investigate the availability of foods from the Spanish-speaking world in supermarkets in their community. What products can they find? Which are found in the "international" section of the supermarket, such as different kinds of canned peppers? Which are found outside of the specialty areas, such as salsa and guacamole?

Comparación cultural

Possible Answers

1. Hay mercados al aire libre en ciudades grandes y también en el campo. En mi ciudad hay un mercado donde venden pescado, frutas y verduras, pero no hay carnes como en Barcelona ni es un lugar para socializar, como Ocotlán.
2. En este país es posible regatear en *flea markets* o *yard sales*.

Vocabulario para las banderas nacionales

la bandera *flag*
el desfile *parade*
el escudo *coat of arms*
la estrella *star*
el significado *meaning*

Banderas nacionales

Las banderas son símbolos importantes de la identidad nacional. A veces los colores tienen significados especiales, por ejemplo, el color verde representa la fertilidad de la tierra *(land)* en las banderas de México y Bolivia. El rojo significa la valentía *(bravery)* en las banderas de Venezuela y Bolivia, pero en las banderas de Puerto Rico y México simboliza la sangre *(blood)* de la gente. El blanco significa la paz *(peace)* en la bandera de Panamá, la libertad en la de Puerto Rico y la pureza *(purity)* en la de México. Algunas banderas incluyen estrellas, escudos y otras imágenes simbólicas.

Nueva York

La hispanidad Estos espectadores del Desfile de la Hispanidad llevan banderas de varios países hispanos: Bolivia (rojo, amarillo y verde), España (rojo y amarillo), Puerto Rico (rojo, blanco y azul) y Ecuador (amarillo, azul y rojo). Se pueden ver los escudos en las banderas españolas y ecuatorianas.

Panamá

Dos estrellas La atleta panameña Eileen Coparropa lleva los colores de su bandera durante los Juegos Panamericanos. El blanco representa la paz, el azul es la pureza y el rojo, la autoridad.

C24   Tradiciones

Cultura INTERACTIVA *See these pages come alive!*
ClassZone.com

Venezuela

La valentía venezolana Durante la Copa Davis en Caracas este aficionado tiene la cara pintada de los colores de la bandera venezolana. El rojo es la valentía y el azul, la independencia de España. Las ocho estrellas representan las siete provincias del país, más Guyana, que originalmente formaba parte de la República de Venezuela. El escudo *(seal)* tiene símbolos que representan las ideas de unión, victoria y libertad.

Puerto Rico

Una bandera caribeña Aníbal Acevedo Vilá lleva la bandera puertorriqueña durante la campaña para gobernador de la isla. El triángulo azul de la bandera representa el cielo, el Caribe y las tres ramas *(branches)* del gobierno.

México

La historia El mexicano Antonio Pérez celebra con sus compañeros después de ganar el campeonato Renault Fórmula 2000. En la bandera de México, la rama de encina *(oak)* representa la fuerza y la rama de laurel, la victoria. El águila *(eagle)* y la serpiente son de la mitología azteca.

Comparación cultural

1. Compara los eventos en que estas personas llevan la bandera de su país. ¿Cuándo llevas la bandera de tu país? ¿En qué eventos públicos usamos las banderas?
2. Compara el significado de los colores y las estrellas de la bandera de Estados Unidos con el significado de los elementos de las banderas de los países hispanos.

Tradiciones **C25**

Enrichment

Arts and Crafts

Art Project Have students use some of the symbolic colors and images discussed to create a flag that symbolizes them or their family. Encourage students to use a wide range of colors and images, each with its own meaning. Then have students share their flag with the rest of the class, describing what each color and image means.

Presentation

Country Research Place the names of Spanish-speaking countries in a box (exclude the countries discussed here). Have each student draw the name of a country and research its flag. Each student should prepare a presentation, including a poster that shows the flag and an explanation of its symbolism. Then display the flags around the classroom.

Pacing Suggestions
Puerto Rico, Cuba, and Dominican Republic

This mini-lesson links well with the Puerto Rico, Cuba, and Dominican Republic location of Unit 4.

Link to Unit Vocabulary:
· Have students form small groups to talk about the colors and symbols that might be appropriate for flags that represent different professions. Have students use Unit 4 vocabulary, such as **astronauta, bombero(a), cartero(a), científico(a), detective, empresario(a), programador(a).** Have groups choose three professions and describe what colors and symbols they would choose for their flags. Have groups share their results with the class and compare them.

Link to Unit Grammar:
· Have students evaluate the flags discussed and shown here. Encourage them to use superlative forms to say which they like best and why. «**Para mí, la bandera de ... es la más interesante porque...**»

Connections
History

Have students choose one of the countries whose flag is shown here and research the fight for independence in that country. Have students write a short report about how that country achieved independence.

Comparación cultural

Possible Answers
1. Llevo la bandera de mi país durante partidos importantes y en los Juegos Olímpicos. Las usamos durante el 4 de julio y eventos politicos.
2. Los colores de la bandera de Estados Unidos no tienen significado, pero los de las banderas latinoamericanas sí. Las estrellas representan los cincuenta estados. Las estrellas de la bandera de Panamá simbolizan los dos partidos políticos, y en Venezuela, las siete provincias del país.

Lesson Overview

Culture at a Glance ❖

Topic & Activity	Essential Question
Gala: un tema importante para Dalí, p. 15	¿Por qué los artistas repiten ciertos temas?

Practice at a Glance ❖

	Objective	Activity & Skill
Vocabulary	People	2: Writing; 12: Speaking
	Places	6: Writing / Speaking
	Activities	1: Speaking; 3: Reading / Writing; 7: Speaking; Repaso 1: Listening
	Food	19: Listening; 20: Reading / Writing; 22: Writing
Grammar	Verbs like **gustar**	1: Speaking; 2: Writing; Repaso 1: Listening
	Present tense of regular verbs	3: Reading / Writing
	Present tense of irregular verbs	4: Speaking / Writing; 5: Reading / Writing
	Present tense of irregular **yo** verbs	6: Writing / Speaking; 7: Speaking; Repaso 2: Writing
	Stem-changing verbs	8: Writing / Reading; 10: Reading / Writing
	The verbs **decir, tener,** and **venir**	9: Speaking
	Saber or **conocer**	11: Reading / Writing; 12: Speaking; Repaso 3: Reading / Writing
	Ser or **estar**	13: Reading / Writing; 14: Reading / Speaking / Writing; Repaso 3: Reading / Writing
	Reflexive verbs	15: Writing; 16: Listening / Speaking; 17: Speaking; Repaso 4: Writing / Speaking
	Unequal comparisons	19: Listening; 20: Reading / Writing; 24: Speaking; 25: Speaking; Repaso 5: Writing / Speaking
	Equal comparisons	21: Reading / Writing; 22: Writing; 24: Speaking; 25: Speaking; Repaso 5: Writing / Speaking
Communication	Talk about yourself and your friends	1: Speaking; 10: Reading / Writing
	Say what you know how to do	7: Speaking; Repaso 2: Writing
	Talk about people and places you know	4: Speaking / Writing; 12: Speaking
	Describe your daily routine	9: Speaking; 16: Listening / Speaking; 18: Speaking; Repaso 4: Writing / Speaking
	Make comparisons	23: Writing; 24: Speaking; 25: Speaking; Repaso 5: Writing / Speaking
	Pronunciation: The letters **b** and **v**	*Pronunciación: Las letras* **b** *y* **v,** p. 5: Listening / Speaking

Student Text Audio Scripts

The following presentations are recorded in the Audio Program for *¡Avancemos!*

¡A responder! TXT CD 1 track 2

1. Le gusta ir de compras.
2. Le gusta el mensajero instantáneo.
3. Le encantan los libros de ciencia ficción.
4. Le gusta la música tecno.
5. Le encanta el arte.
6. No le gusta hacer cola.
7. Le gusta dibujar.
8. No le gusta hacer la tarea.

¡A responder! TXT CD 1 track 5

1. Juanes sabe tocar la guitarra.
2. Juanes mete muchos goles.
3. Beatriz Ferrer-Salat sabe contar cuentos.
4. Beatriz Ferrer-Salat hace ejercicio en un gimnasio.
5. Alberto Medina sabe jugar en equipo.
6. Alberto Medina monta a caballo todos los días.
7. María Amparo Escandón es mexicoamericana.
8. María Amparo Escandón sabe escribir bien.

¡A responder! TXT CD 1 track 7

1. Conoce México.
2. No conoce Sanborns.
3. No conoce a Julia.
4. Conoce una buena librería.
5. Quiere conocer la Casa Azul de Frida Kahlo.
6. Conoce a Julia y a Nicolás.
7. Sabe que la Torre Mayor es el edificio más alto de Latinoamérica.

¡A responder! TXT CD 1 track 9

1. Jimena se despierta y luego escucha la radio.
2. Jimena se lava la cara, se viste y luego va a la escuela.
3. Jimena se lava la cara después de cepillarse los dientes.
4. Jimena juega al tenis después de la escuela.
5. Jimena se ducha (o se baña) antes de hacer la tarea.
6. Jimena se seca después de ducharse o bañarse.
7. Jimena se acuesta alrededor de las diez y media.

16 | Hábitos TXT CD 1 track 10

Hola, me llamo Ramón y soy estudiante. Tengo dos hermanos: Laura y Carlos. Nuestros hábitos son un poco diferentes. Por ejemplo, Laura se levanta a las cinco de la mañana. Siempre se baña por la mañana. Carlos se levanta más tarde—a las 7 de la mañana—y se ducha por la noche. Yo me levanto a las seis, más o menos. Yo me ducho por la tarde. Laura se acuesta primero, luego yo y finalmente Carlos, que se acuesta a las diez de la noche.

¡A responder! TXT CD 1 track 12

1. El restaurante Señor Burrito sirve la comida más rápido que El Chalet.
2. El pollo en La Casa de Leyla es tan sabroso como en Pollos Campo.
3. El chef de El Jardín es mejor que el chef de La Casa de Leyla.
4. El Chalet es menos romántico que Señor Burrito.
5. Las sopas de La Casa de Leyla son menos saladas que las sopas de El Jardín.
6. El ceviche de Café Tropical es tan bueno como el ceviche de Perú.

19 | Arturo y Mariana TXT CD 1 track 13

1. Arturo es mayor que Mariana.
2. Arturo come más que Mariana.
3. El plato de Arturo es menos grande que el plato de Mariana.
4. Arturo pone menos sal que Mariana.
5. Arturo come más rápido que Mariana.
6. A Arturo le gusta el pollo asado más que a Mariana.

Repaso de la lección TXT CD 1 track 14

1 Listen and match descriptions

1. Jorge es una persona seria. No le gusta mucho salir con amigos. Le encanta estar en línea y leer su correo electrónico.
2. A Marcos no le gusta hacer ejercicio solo. Le gusta más jugar en equipo. No le importa qué deporte. Lo que le interesa a Marcos es estar con amigos.
3. A Paula le gusta competir y le encanta ganar. Tiene un caballo rápido y musculoso entonces gana muchos premios.
4. A David le gusta mucho acampar y dar caminatas. Le encantan los animales y no le gusta ir a pescar.

On your desktop

Everything you need to ...

Plan	**Present**	**Assess**
ONE-STOP PLANNER	**POWER PRESENTATIONS**	 **ONLINE ASSESSMENT SYSTEM**
All resources including audio and video	Ready-made PowerPoint™ presentations with 	✓ Create customized tests with Examview Assessment Suite ✓ Individualized Assessment for on-level, modified, pre-AP, and heritage language learners

 **Print**

Plan	Practice
Lesson Plans p. 13 **Best Practices Toolkit**	• *¡Avanza Cómics! Mundos paralelos, Episodio I* **URB 1** • Back-to-School Resources pp. 1–25 • Audio Scripts pp. 79–80

 Unit Transparency Book 1

Culture	Classroom Management
• Atlas Maps UTB 1 pp. 1–6	• Warm Up Transparencies 22–25 • Student Book Answer Transparencies 34–45

Audio and Video

Audio	Video
• Student Book Audio CD 1 Tracks 1–14 • Assessment Audio CD 1 Tracks 1–6 • Heritage Learners Audio CD 3 Tracks 1–6 • *Música del mundo hispano*	• Prologo, *El Gran Desafío* Video DVD 2

Online (ClassZone.com) and Media Resources

Student	Teacher
Available online and on disc: • eEdition (DVD-ROM) and eEdition Interactive Online Student Edition • @Home Tutor (CD-ROM) - featuring Animated Grammar **Available online:** • Conjuguemos.com • Cultura interactiva • Culture Links • WebQuests • Flashcards • Review Games • Self-check Quiz	**One-Stop Planner (available online and on DVD-ROM):** • Interactive Teacher's Edition • All print resources • All audio and video resources • Learning Scenarios • Conversation Cards • Assessment Program • Examview Assessment Suite • Calendar Planner • Rubric Generator **Available on CD-ROM:** • Power Presentations

Differentiated Assessment

On-level	Modified	Pre-AP	Heritage Learners
• Diagnostic Test pp. 1–6 • On-level Preliminary Lesson Test pp. 7–12	• Modified Preliminary Lesson Test pp. 1–6	• Pre-AP Preliminary Lesson Test pp. 1–6	• Heritage Learners Diagnostic Test pp. 1–6 • Heritage Learners Preliminary Test pp. 7–12

	Objectives/Focus	Teach	Practice	Assess/HW Options
DAY 1	**Culture:** Learn about culture in the U.S. **Review:** Talking about yourself and your friends • Warm Up OHT 22 **5 min**	Lesson Opener pp. 0–1 **Mis amigos y yo** pp. 2–5 • Read A–B • Play audio TXT CD 1 track 1 • *¡A responder!* TXT CD 1 track 2 • *Repaso:* verbs like **gustar** • *Repaso:* present tense of regular verbs • *Pronunciación* TXT CD 1 track 3 **25 min**	**Mis amigos y yo** pp. 2–5 • Acts. 1, 2, 3 **15 min**	**Assess:** *Para y piensa* p. 5 **5 min**
DAY 2	**Review:** Say what you know how to do • Warm Up OHT 22 **5 min**	**¿Qué saben hacer?** pp. 6–9 • Read A–D • Play audio TXT CD 1 track 4 • *¡A responder!* TXT CD 1 track 5 • *Repaso:* present tense of irregular verbs • *Repasol:* present tense of irregular **yo** verbs **20 min**	**¿Qué saben hacer?** pp. 6–9 • Acts. 4, 5, 6, 7 **20 min**	**Assess:** *Para y piensa* p. 9 **5 min**
DAY 3	**Review:** Say what you know how to do (cont'd) • Warm Up OHT 23 **5 min**	**¿Qué saben hacer?** pp. 10–11 • *Repaso:* stem-changing verbs • *Repaso:* the verbs **decir, tener,** and **venir** **20 min**	**¿Qué saben hacer?** pp. 10–11 • Acts. 8, 9, 10 **20 min**	**Assess:** *Para y piensa* p. 11 **5 min**
DAY 4	**Review:** Talking about people and places you know in your neighborhood • Warm Up OHT 23 **5 min**	**¿Lo conoces?** pp. 12–15 • Read A–E • Play audio TXT CD 1 track 6 • *¡A responder!* TXT CD 1 track 7 • *Repaso:* **saber** or **conocer** • *Repaso:* **ser** or **estar** **20 min**	**¿Lo conoces?** pp. 12–15 • Acts. 11, 12, 13, 14 **20 min**	**Assess:** *Para y piensa* p. 15 **5 min**
DAY 5	**Review:** What you do to get ready in the morning • Warm Up OHT 24 **5 min**	**Mi rutina diaria** pp. 16–19 • Read A–F • Play audio TXT CD 1 track 8 • *¡A responder!* TXT CD 1 track 9 • *Repaso:* reflexive verbs **25 min**	**Mi rutina diaria** pp. 16–19 • Acts. 15, 17, 18 • Act. 16 TXT CD 1 track 10 **20 min**	**Assess:** *Para y piensa* p. 19 **5 min**
DAY 6	**Review:** Compare foods of your favorite eating spots • Warm Up OHT 25 **5 min**	**Guía de restaurantes** pp. 20–22 • Read a restaurant guide • Play audio TXT CD 1 track 10 • *¡A responder!* TXT CD 1 track 11 • *Repaso:* unequal comparisons **25 min**	**Guía de restaurantes** pp. 20–22 • Act. 19 TXT CD 1 track 13 • Act. 20 **25 min**	**Assess:** *Para y piensa* p. 24 **5 min**
DAY 7	**Review:** Compare foods of your favorite eating spots (cont'd) • Warm Up OHT 25 **5 min**	**Guía de restaurantes** pp. 23–24 • *Repaso:* equal comparisons **20 min**	**Guía de restaurantes** pp. 23–24 • Acts. 22, 23, 24, 25 **20 min**	**Assess:** *Para y piensa* p. 24 **5 min**
DAY 8	**Review:** Lesson review • Warm Up OHT 25 **5 min**	**Repaso de la lección** pp. 26–27 **5 min**	**Repaso de la lección** pp. 26–27 • Act. 1 TXT CD 1 track 16 • Acts. 2, 3, 4, 5, 6 **30 min**	**Assess:** *Repaso de la lección* pp. 30–31 **10 min** **Homework:** *En resumen* p. 25
DAY 9	**Assessment**			**Assess:** Preliminary lesson test **50 min**

Core Pacing Guide — 90 Minute (5 Day) — Lección preliminar

	Objectives/Focus	Teach	Practice	Assess/HW Options
DAY 1	**Culture:** Learn about culture in the U.S. **Review:** Talking about yourself and your friends • Warm Up OHT 22 **5 min**	Lesson Opener pp. 0–1 **Mis amigos y yo** pp. 2–5 • Read A–B • Play audio TXT CD 1 track 1 • *¡A responder!* TXT CD 1 track 2 • *Repaso:* verbs like **gustar** • *Repaso:* present tense of regular verbs • *Pronunciación* TXT CD 1 track 3 **20 min**	Mis amigos y yo pp. 2–5 • Acts. 1, 2, 3 **15 min**	**Assess:** *Para y piensa* p. 5 **5 min**
	Review: Say what you know how to do **5 min**	**¿Qué saben hacer?** pp. 6–9 • Read A–D • Play audio TXT CD 1 track 4 • *¡A responder!* TXT CD 1 track 5 • *Repaso:* present tense of irregular verbs • *Repaso:* present tense of irregular **yo** verbs **20 min**	¿Qué saben hacer? pp. 6–9 • Acts. 4, 5, 6, 7 **15 min**	**Assess:** *Para y piensa* p. 9 **5 min**
DAY 2	**Review:** Say what you know how to do • Warm Up OHT 23 **5 min**	**¿Qué saben hacer?** pp. 10–11 • *Repaso:* stem-changing verbs • *Repaso:* the verbs **decir**, **tener**, and **venir** **20 min**	¿Qué saben hacer? pp. 10–11 • Acts. 8, 9, 10 **15 min**	**Assess:** *Para y piensa* p. 11 **5 min**
	Review: Talking about people and places you know in your neighborhood **5 min**	**¿Lo conoces?** pp. 12–15 • Read A–E • Play audio TXT CD 1 track 6 • *¡A responder!* TXT CD 1 track 7 • *Repaso:* **saber** or **conocer** • *Repaso:* **ser** or **estar** **20 min**	¿Lo conoces? pp. 12–15 • Acts. 11, 12, 13, 14 **15 min**	**Assess:** *Para y piensa* p. 15 **10 min**
DAY 3	**Review:** What you do to get ready in the morning • Warm Up OHT 24 **5 min**	**Mi rutina diaria** pp. 16–19 • Read A–F • Play audio TXT CD 1 track 8 • *¡A responder!* TXT CD 1 track 9 • *Repaso:* reflexive verbs **20 min**	Mi rutina diaria pp. 16–19 • Acts. 15, 17, 18 • Act. 16 TXT CD 1 track 10 **15 min**	**Assess:** *Para y piensa* p. 19 **5 min**
	Review: Compare foods of your favorite eating spots **5 min**	**Guía de restaurantes** pp. 20–22 • Read a restaurant guide • Play audio TXT CD 1 track 10 • *¡A responder!* TXT CD 1 track 11 • *Repaso:* Unequal comparisons **25 min**	Guía de restaurantes pp. 20–22 • Act. 19 TXT CD 1 track 13 • Act. 20 **15 min**	**Assess:** *Para y piensa* p. 24 **5 min**
DAY 4	**Review:** Compare foods of your favorite eating spots • Warm Up OHT 25 **5 min**	**Guía de restaurantes** pp. 23–24 • *Repaso:* equal comparisons **20 min**	Guía de restaurantes pp. 23–24 • Acts. 21, 22, 23, 24, 25 **15 min**	**Assess:** *Para y piensa* p. 24 **5 min**
	Review: Lesson review **5 min**	**Repaso de la lección** pp. 30–31 **5 min**	Repaso de la lección pp. 30–31 • Act. 1 TXT CD 1 track 16 • Acts. 2, 3, 4 **25 min**	**Assess:** *Repaso de la lección* pp. 30–31 **10 min** **Homework:** *En resumen* p. 29
DAY 5	**Review:** Lesson review • Warm Up OHT 25 **5 min**	**Repaso de la lección** pp. 30–31 **5 min**	Repaso de la lección pp. 30–31 • Acts. 5, 6 **20 min**	**Assess:** *Repaso de la lección* pp. 30–31 **10 min**
	Assessment			**Assess:** Preliminary lesson test **50 min**

¡AVANZA! Objectives

· Introduce lesson theme: **Una vida ocupada.**
· **Culture:** sayings

Presentation Strategies

· Have students describe what the teenagers in the photographs are doing.
· Ask students if they have busy lives. Do they think their lives are busier than when their parents were teenagers? Have them list the things that keep them busy.

STANDARD

2.1 Practices and perspectives

Cultura

Exploring the Theme

Ask the following:
1. What are your friends like? What do they like to do?
2. What is something you know how to do well?
3. What are some things you do in a typical day?
4. What is your favorite ethnic food? How would you compare it with other foods?

Warm Up UTB 1 Transparencies 22

Lee las siguientes actividades indica si las hiciste o no durante las vacaciones del verano.

practicar deportes	viajar a otro estado/país
ir a la playa	tomar el sal
pasar tiempo con amigos	trabajar
leer libros	ir al cine/a un concierto
comer en restaurantes	escuchar música
estudiar	

Answers: Answers will vary.

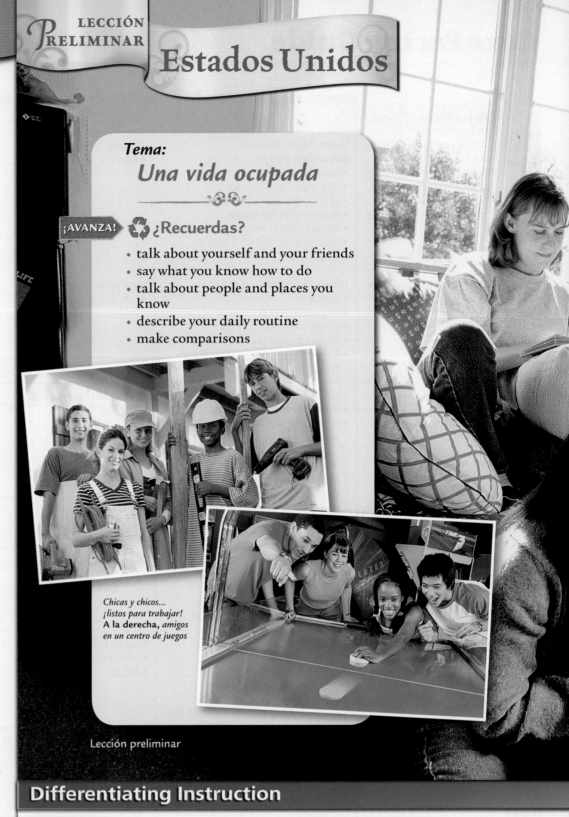

LECCIÓN PRELIMINAR
Estados Unidos

Tema:
Una vida ocupada

¡AVANZA! ♻ **¿Recuerdas?**

· **talk about yourself and your friends**
· **say what you know how to do**
· **talk about people and places you know**
· **describe your daily routine**
· **make comparisons**

Chicas y chicos...
¡listos para trabajar!
A la derecha, *amigos en un centro de juegos*

Lección preliminar

Differentiating Instruction

Heritage Language Learners

Support What They Know Heritage learners are students who have been raised in a Spanish-speaking environment. Their degrees of proficiency vary, but they all have a rich cultural background from which the class can benefit. Provide opportunites for these students to express their knowledge of their own particular culture. Ask students to share Spanish sayings that they know with the class.

English Learners

Build Background English learners, who are not only non-native Spanish speakers but are also new to the United States, benefit from linking concepts to their own background experience. For this lesson, ask them how time with friends is regarded in their culture? How important is friendship?

Online SPANISH CLASSZONE.COM

Featuring...
Cultura INTERACTIVA
Animated Grammar
@HomeTutor

And more...
• Get Help Online
• Interactive Flashcards
• Review Games
• WebQuest
• Conjuguemos.com

Estudiantes preuniversitarias
conversando

Lección preliminar
uno **1**

Online SPANISH CLASSZONE.COM

Best Practices for Internet Use The Internet is a powerful resource for students and teachers. Holt McDougal strives to provide authentic, stable, high-quality URLs and e-mail addresses. References for these are found in teacher materials. While authentic sites are valuable for exposure to real language and culture, they are not under the control of Holt McDougal and may change. Please contact us if you encounter a problem with a site.

Please do not send students to the URLs or e-mail addresses in the *¡Avancemos!* student texts. All URLs and e-mail addresses were invented for the program. Every effort was made to create fictitious URLs and e-mail addresses, but it is possible that sites and e-mail addresses have been created since the date of publication.

Cultura

Expanded Information

Sayings There are hundreds of sayings in Spanish. People use them in everyday language when they want to convey a thought or express a judgment. Here are some common **refranes:**
A caballo regalado no se le mira el diente.
Algo es algo; menos es nada.
De tal palo, tal astilla.
Más vale pájaro en mano que cien volando.
No todo lo que brilla es oro.
Ojos que no ven, corazón que no siente.

✓ Ongoing Assessment

Demonstrating Progress Consider creating student portfolios to document and demonstrate students' progress over a specific period of time. Determine what kinds of work to include (videotapes of skits, written assignments, group projects) and have students select the works to include, explain the contents, and self-evaluate their progress.

Differentiating Instruction

Inclusion

Cumulative Instruction At-risk language learners struggle with language and reading. Put students at ease by telling them that this preliminary lesson is a review of Level 2 and the next lessons will build upon what they already know. You might want to spend some time reviewing Level 2 vocabulary by having students recount a typical day.

Multiple Intelligences

Interpersonal Interpersonal learners have the ability to understand others and know how to interact with them. They learn best through conversations, personal connections, and shared projects. For this lesson, have them work in small groups to imagine what the girls in the photo are saying. Students can role-play the conversations in front of the class.

1

Objectives

· Understand vocabulary: people and activities.
· Check for comprehension.

Core Resource

· Audio Program: TXT CD 1 Tracks 1, 2

Presentation Strategies

· Remind students that the ¡Avanza! sets the goals for this segment and that the Para y piensa is a self-check to see if they have accomplished those goals.
· Ask students what a blog is. Are any of the students bloggers? What would they write about if they had a personal blog?
· After reading pp. 2 and 3, have each student state a fact about Lucía and her friends.

STANDARD

1.2 Understand language

Warm Up   UTB 1 Transparency 22

Poner la conversación siguiente en orden lógico.

_____ ¿Cuál es tu primera clase?
_____ Hola, Germán, ¿cómo estás?
_____ ¡Yo también! Caminemos juntos.
_____ Me siento un poco nervioso porque es el primer día de clases.
_____ Tengo matemáticas a las nueve.

Answers: 3, 1, 5, 2, 4

Connections
Language Arts

Science Fiction is fiction based on real or possible scientific developments oftentimes taking place in the future. A relatively new form of science fiction is cyberpunk, which integrates high tech and pop culture. Ask students if they like science fiction and to explain why or why not.

Mis amigos y yo

¡AVANZA!   **Goal:** Read about Lucía and her friends in her personal web blog. Then practice the review vocabulary by talking about yourself and your friends. *Actividades 1–3*

AUDIO

A Lucía es una chica que tiene un blog. Éste se llama *El mundo de Lucía*.

El mundo de Lucía

07 septiembre
Estoy en una clase avanzada de ciencias y me gusta mucho. Pero mañana vamos a hacer una excursión de dos días al campo y ¡no quiero ir! ☹

10 septiembre
¡Tengo una nueva cámara digital! Me gusta mucho tomar fotos. Aquí hay algunas fotos de la excursión.

Aquí acampamos.

Yo
¿Quién soy? Mi nombre es Lucía. Tengo diecisiete años y soy estudiante. No tengo muchos amigos pero sí tengo dos o tres muy buenos.
Me gusta la música tecno y me encantan los libros de ciencia ficción. Mi actor favorito es Orlando Bloom.
No me gusta hacer la tarea. Tampoco me gusta hacer cola, ni en la cafetería, ni en el cine, ni en ninguna parte. Prefiero estar en casa, navegar por Internet, estar en línea, escribir…

2   Lección preliminar
dos

Differentiating Instruction

Multiple Intelligences

Naturalist Naturalist learners have the ability to observe, understand, and classify patterns in nature. For this lesson, have them do a photo essay about a camping trip they took. They should describe the natural surroundings and wildlife as well as any outdoor activities in which they engaged.

Pre-AP*

Relate Opinions Have Pre-AP students respond to Lucía's blog by saying if they enjoyed reading it, offering suggestions on how to improve it, comparing themselves to one of her friends, or agreeing/disagreeing with her comments.

*Pre-AP is a registered trademark of the College Entrance Examination Board, which was not involved in the production of and does not endorse this product.

B Y aquí continúa el blog de Lucía.

El mundo de Lucía

Atrás Adelante Detener Actualizar Inicio Imprimir Correo

Dirección: http://www.blog.net/lucia/98542

Damos una caminata.

Vamos a pescar.

José Antonio y su teléfono. ¡Le encanta el mensajero instantáneo!

Mis amigos

José Antonio, conocido como «Gato». A él también le gusta crear páginas web. ¿Qué más? Le gusta **dibujar**, ir al cine, escuchar música, salir con amigos y hablar por teléfono. Su **actriz** favorita es Michelle Rodríguez. Ella tiene ojos negros y bonitos como Orlando Bloom.

Alma, inteligente y guapa. Le encanta el arte. Le gusta **visitar los museos** de arte y leer libros de arte. También le encanta ir de compras. ¡**Regatea** muy bien! Su actor favorito: Gael García Bernal.

Enviar comentarios

¡A responder! Escuchar

Vas a escuchar una serie de oraciones. Para cada una, indica la persona a quien se refiere. Si se refiere a Lucía, levanta la mano derecha. Si se refiere a José Antonio, levanta la mano izquierda. Si se refiere a Alma, levanta las dos manos.

@HomeTutor
Interactive Flashcards
ClassZone.com

Lección preliminar
tres **3**

Communities
Spanish on the Internet

The Internet is a wonderful way to practice Spanish beyond the classroom. Students can read online Spanish newspapers, find more information on a cultural or linguistic topic, and chat with Spanish-speaking e-pals. Encourage students to keep a log of the various Spanish sites they visit, always following school's Internet-user guidelines.

Comparisons
English Language Connection

Loan Words Loan words are words adopted by the speakers of one language from a different language. English has loan words from Spanish such as *coyote, taco,* and *armada.* Spanish has words borrowed from English especially computer- and Internet-related. *Blog* is one such loan word. In Spanish, *blog* is pronounced with the Spanish **o**-vowel sound and follows verb conjugations rules: **Bloguee todos los días.**

Differentiating Instruction

Slower-paced Learners

Read Before Listening Provide students with the script before doing ¡A responder! Have them read it carefully and look for the meanings of unfamiliar words. Students can then read along as the audio is played.

Inclusion

Metacognitive Support At-risk language learners often lack metacognitive skills. Teach students to monitor reading comprehension by stopping at the end of each paragraph and asking: What was the main idea? Have them verify their responses by rereading, looking for topic sentences, and relating the information to other parts of the passage.

Answers UTB 1 Transparency 34

¡A responder! Audio Script, TE p. C25B

Students raise their left hand for numbers 2 and 7, their right hand for numbers 3, 4, 6, 8 and both hands for numbers 1 and 5.

LECCIÓN PRELIMINAR

Objectives
· Practice verbs like **gustar**; present tense of regular verbs.
· Review lesson vocabulary in context.
· Pronunication: the letters **b** and **v**.

Core Resource
· Audio Program: TXT CD 1 Track 3

Review Sequence
· **Activity 1:** Transitional practice: **gustar**
· **Activity 2:** Transitional practice: verbs like **gustar**
· **Activity 3:** Controlled practice: present tense of regular verbs

STANDARDS
1.1 Engage in conversation, Act. 1
1.3 Present information, Act. 2

Answers   UTB 1 Transparency 34

Activity 1 Answers will vary.
1. ¿Te gusta tomar fotos?/ Sí, (No, no) me gusta tomar fotos.
2. ¿Te gusta ir a pescar?/Sí, (No, no) me gusta ir a pescar.
3. ¿Te gusta hacer cola?/Sí, (No, no) me gusta hacer cola.
4. ¿Te gusta dar caminatas?/Sí, (No, no) me gusta dar caminatas.
5. ¿Te gusta leer?/Sí, (No, no) me gusta leer.
6. ¿Te gusta escribir?/Sí, (No, no) me gusta escribir.

Activity 2 Answers will vary. Sample answers:
1. A mí me gusta la música tecno.
2. A ti no te gusta regatear.
3. A los maestros les encanta visitar museos.
4. A los estudiantes les interesan los libros de arte.
5. A mí no me interesa visitar museos.
6. A los maestros no les gusta la música tecno.

4

♺ **REPASO** Verbs Like *gustar*

Gustar, encantar and **interesar** are used to talk about what people like, love or are interested in. An **indirect object pronoun (me, te, le, nos, os, les)** always precedes the verb, and the verb endings always agree with the thing that is liked or disliked.

Me gustan las verduras.	**Nos encanta** acampar.
I like vegetables.	*We love to camp.*
¿**Te gusta** el arte?	A Victoria no **le interesan** los museos.
Do you like art?	*Victoria is not interested in museums.*

1 | ¿Te gusta?

Hablar   Pregúntale a tu compañero(a) si le gusta hacer las siguientes actividades.

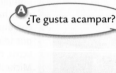

Ⓐ ¿Te gusta acampar?

Ⓑ No, no me gusta acampar.

1.
2.
3.
4.
5.
6.

2 | ¿Qué les gusta?

Escribir   Combina las palabras de cada columna para escribir seis oraciones.

modelo: A mí me encanta regatear.

a mí a ti a los maestros a los estudiantes	encantar (no) gustar (no) interesar	visitar museos regatear los libros de arte la música tecno

Lección preliminar
cuatro

4

Differentiating Instruction

Multiple Intelligences

Logical/Mathematical Logical/ mathematical learners have the ability to reason, calculate, think in a logical manner, and process information. Ask them to present the class' results of Activity 1 as pie charts. What activities do the majority of students dislike?

Pre-AP

Expand and Elaborate Ask students to elaborate their answers to Activity 1. Instead of just saying yes or no, students should explain why they like or dislike the particular activity. Challenge them to provide specific adjectives to describe each activity.

♻ REPASO Present Tense of Regular Verbs

To form the present tense of a regular verb, drop the -ar, -er, or -ir ending and add these endings:

	-ar hablar	-er vender	-ir compartir
yo	hablo	vendo	comparto
tú	hablas	vendes	compartes
usted, él, ella	habla	vende	comparte
nosotros(as)	hablamos	vendemos	compartimos
vosotros(as)	habláis	vendéis	compartís
ustedes, ellos(as)	hablan	venden	comparten

Long-term Retention

Personalize It

Ask students to write a paragraph about what they generally do when on vacation. Have them use Activity 3 as a model and provide them with this list of additional regular verbs: **ayudar, bailar, bucear, deber, comer, invitar, mirar, patinar, quedarse en, regresar.**

---

3 | Las vacaciones de José Antonio

Leer
Escribir

¿Qué hace José Antonio todos los veranos? Completa el párrafo con el tiempo presente de los verbos que están entre paréntesis.

> Todos los veranos, mi familia y yo __1.__ (viajar) a México. Muchas veces nosotros __2.__ (acampar) en la playa. Mi padre __3.__ (correr) por la playa y yo __4.__ (montar) en bicicleta. Mi madre __5.__ (visitar) los mercados y __6.__ (regatear). Ella __7.__ (comprar) collares de plata y luego los __8.__ (vender) en su tienda. Mis hermanas __9.__ (tomar) muchas fotos. A mí me gusta ir a los cibercafés. Allí __10.__ (navegar) por Internet y les __11.__ (escribir) correos electrónicos a mis amigos.

✓ Ongoing Assessment

Dictation After reading and discussing the Pronunciación, dictate the following sentences for students to write: **Beto es boliviano. Él vive en un barrio bonito en Cochabamba. En abril, Beto viajó a Venezuela en avión. Visitó a su amiga Victoria. Beto y Victoria subieron la Sierra Nevada en burro.**

AUDIO

Pronunciación   Las letras b y v

Las letras **b** y **v** generalmente tienen la misma pronunciación. Como letra inicial o antes o después de una consonante, se pronuncian las dos como el sonido *b* de la palabra *boy* en inglés. Entre vocales, la **b** y la **v** tienen un sonido más suave como la *b* de la palabra *able* en inglés.

barrio   sabroso   visitar   avanza

Trabalenguas

Pablito clavó un clavito. ¿Qué clavito clavó Pablito?

✓ Ongoing Assessment

@HomeTutor
More Practice
ClassZone.com

PARA Y PIENSA **Quick Check** The Para y piensa is a quick self-assessment tool in which students can evaluate their understanding of the lesson's topic. In addition to naming two likes and dislikes, have students name two actions that Lucía's classmates do while camping.

PARA Y PIENSA

¿Comprendiste? Nombra dos cosas que a Lucía le gusta hacer y dos actividades que no le gusta hacer.

🖰 **Get Help Online**
ClassZone.com

Differentiating Instruction

Multiple Intelligences

Linguistic/Verbal Linguistic/verbal learners communicate in a number of different ways. Appeal to their love of words by having them make up their own **trabalenguas** with the letters **b** and **v**.

Heritage Language Learners

Increase Accuracy Tell students the letter **b** is always used after **m**, in the blends **bl** and **br**, and in the imperfect of –ar verbs. The letter **v** is used after the letter n, d, and b, and in the names of some numbers and seasons. Have student use the rules to complete these words: **in__ierno, nue__e, __lanco, hom__re, ad__ertir, em__utido, mira__an.**

🗁 Answers UTB 1 Transparency 35

Activity 3
1. viajamos
2. acampamos
3. corre
4. monto
5. visita
6. regatea
7. compra
8. vende
9. toman
10. navego
11. escribo

Para y piensa Answers will vary. Sample answer: A Lucía le gusta navegar por Internet y escuchar música tecno. A ella no le gusta hacer la tarea ni hacer cola.

Warm Up UTB 1 Transparency 22

Llena los espacios en blanco con la forma correcta del verbo.

1. A mí me _____ las fotos. (gustar)
2. A mi amigo le encanta _____ . (pescar)
3. Cuando vas al mercado, ¿_____ ? (regatear)
4. Nosotros siempre _____ música cuando _____ . (escuchar, estudiar)
5. ¿Por qué ustedes nunca _____ ? (compartir)

Answers: 1. gustan 2. pescar 3. regateas 4. escuchamos, estudiamos 5. comparten

6

¿Qué saben hacer?

¡AVANZA! **Goal:** Read about what four famous Spanish speakers know how to do well. Then practice the review vocabulary by naming three things you know how to do. *Actividades 4–10*

AUDIO

Sé tocar la guitarra.

A Juanes

Este joven delgado, con pelo largo, toca la guitarra muy bien. Se llama Juanes y es de Colombia. Juanes también canta y escribe canciones. Con muchos **premios** y éxitos *(hits)*, este carismático artista tiene un futuro musical brillante.

Sé montar a caballo.

B Beatriz Ferrer-Salat

Beatriz Ferrer-Salat es la mejor amazona *(horsewoman)* de España. **Compite** internacionalmente y gana premios. Tiene doce caballos pero compite normalmente con Beauvalais, un caballo rápido y **musculoso.** Beatriz **monta a caballo** y también va al gimnasio para **hacer ejercicio** todos los días.

6 Lección preliminar
seis

Sé meter goles.

C Alberto Medina

Alberto Medina es un jugador de fútbol de México. Es joven pero ya **juega** profesionalmente para el **equipo** Guadalajara y la selección nacional. Medina es muy **rápido**, sabe correr y **¡mete muchos goles!**

Sé escribir.

D María Amparo Escandón

María Amparo Escandón es una escritora y profesora de California. Ella sabe **contar** muy bien las experiencias de los mexicoamericanos. Es bilingüe: escribe novelas y guiones de películas en inglés y en español.

¡A responder! Escuchar

Escucha cada oración. Si es cierta, indícalo con el pulgar hacia arriba *(thumbs up)*. Si es falsa, indícalo con el pulgar hacia abajo *(thumbs down)*.

@HomeTutor
Interactive Flashcards
ClassZone.com

Lección preliminar
siete   **7**

Differentiating Instruction

Heritage Language Learners

Support What They Know Invite students to share what they know about any of the persons featured on pp. 6 and 7. Have them find out additional information by asking family or community members and by researching information on the Internet.

Multiple Intelligences

Kinesthetic Kinesthetic learners process knowledge through bodily sensations and are good with hands-on activities. For this lesson, have them take turns representing the actions. The student who guesses correctly the action (for example, **sabes montar a caballo**) goes next.

Cultura

Expanded Information

Juanes Juan Esteban Aristizábal was born in Medellín, Colombia in 1972. He learned to play the guitar from his father and five brothers. He began his musical career as founder of the Colombian rock group Ekhymosis. In 1998, he moved to Los Angeles and recorded his first solo album. Juanes now lives in Miami and has won several Latin Grammy awards.

Beatriz Ferrer-Salat Born in Barcelona, Spain in 1966, Beatriz Ferrer-Salat started horse training when she was 15 years old. She won two medals at the 2004 Summer Olympics Games: a silver for team dressage and a bronze for individual dressage.

Alberto Medina Alberto Medina was born in Sinaloa, Mexico in 1983. He started playing professional soccer when he was only 17 years old. He plays for the Chivas de Guadalajara, and is known by his fans as "El Venado" for his lightning-quick speed and skillful dribbling.

María Amparo Escandón Born in Mexico, María Amparo Escandón now lives in Los Angeles. She published her first novel, *Esperanza's Box of Saints,* and its Spanish version *Santitos,* in 1990. It has since then been translated into 16 languages and in 1999, became a major Spanish-language film.

Answers UTB 1 Transparency 35

¡A responder! Audio Script, TE p. C25B
Thumbs up for numbers 1, 4, 5, 7, 8 and thumbs down for numbers 2, 3, and 6.

Objectives

· Practice the present tense of irregular verbs and irregular **yo** verbs.
· Review lesson vocabulary in context.

Review Sequence

· **Activity 4:** Controlled practice: **ser**
· **Activity 5:** Controlled practice: **ser, estar, ir**
  Activity 6: Transitional practice: irregular **yo** verbs
· **Activity 7:** Transitional practice: **saber** + infinitive

STANDARDS

1.1 Engage in conversation, Act. 7
1.3 Present information, Act. 4, 6

Communication

Pair Activity

Practice irregular verbs with a game of tic-tac-toe. Student O says an infinitive and subject pronoun. Student X writes the form on a square. If correct, he or she marks an X over the word. If incorrect, student O gives the correct form and marks an O on the square. The winner is the one with 3 Xs or 3 Os in a vertical, horizontal, or diagonal row.

Connections
Geography

Test geography with an adaptation of Jeopardy®. Say that you are from a capital of a Latin American country (**Soy de la capital de Nicaragua**). The first student who gives the correct capital in the form of a question wins a point (**¿Eres de Managua?**).

Answers UTB 1 Transparencies 35–36

Activity 4
1. Yo soy de Puerto Rico.
2. Tú eres de Estados Unidos.
3. Ellas son de México.
4. Nosotros somos de España.

Activity 5
1. es, 2. es, 3. es, 4. va, 5. es, 6. está,
7. están, 8. van

♻REPASO Present Tense of Irregular Verbs

Ser, estar and ir are irregular verbs because they do not follow the pattern of regular verbs.

ser		estar		ir	
soy	somos	estoy	estamos	voy	vamos
eres	sois	estás	estáis	vas	vais
es	son	está	están	va	van

4 ¿De dónde soy?

Hablar
Escribir

Mira los dibujos y di de dónde son las siguientes personas.

modelo: ustedes
Ustedes son de Estados Unidos.

1. yo

2. tú

3. ellas

4. nosotros

5 La familia Núñez

Leer
Escribir

Completa el párrafo sobre la familia Núñez utilizando **ser, estar** o **ir**, según corresponda. Conjuga correctamente cada verbo.

La Sra. Núñez __**1.**__ de Venezuela; el Sr. Núñez __**2.**__ de California. Ella __**3.**__ vendedora y __**4.**__ a Venezuela con frecuencia. El Sr. Núñez también __**5.**__ vendedor. Trabaja para una compañía que __**6.**__ en Madison, Wisconsin. Pablo y María Núñez __**7.**__ ahora en la escuela secundaria. El mes que viene todos __**8.**__ a ir a California para visitar al padre del Sr. Núñez, que vive en Los Ángeles.

Lección preliminar
ocho
8

Differentiating Instruction

Inclusion

Multisensory Input/Output Provide multisensory practice of the present tense by having students listen to either you or an audio of the verb conjugations. Have them repeat the verbs as they listen and read them. They can also repeat the verbs as they write them. Have them write the **yo** forms in one color, the **tú** forms in another color, and so on.

Multiple Intelligences

Musical/Rhythmic Fill six glasses with different levels of water so each glass makes a different note when struck. Tell students that each glass represents a different subject pronoun; tell them which one is which for them to memorize. Then call out an irregular verb, strike a glass, and challenge students to say the corresponding verb form.

REPASO Present Tense of Irregular *yo* Verbs

Some verbs are irregular only in the **yo** form.

	conocer *to know; to meet*	dar *to give*	saber *to know*	ver *to see*
yo	cono**zco**	d**oy**	s**é**	v**eo**
tú	conoces	das	sabes	ves

	hacer *to make; to do*	poner *to put*	salir *to go out; to leave*	traer *to bring*
yo	ha**go**	pon**go**	sal**go**	trai**go**
tú	haces	pones	sales	traes

6 | Yo también

Escribir
Hablar

Di si tú también haces las siguientes actividades.

modelo: Hernán da caminatas.
Yo también doy caminatas. / Yo no doy caminatas.

1. Leonor va al gimnasio.
2. Mónica sabe montar a caballo.
3. Fernando ve mucha televisión.
4. Carlos sale con amigos.
5. Ada trae un diccionario a clase.
6. Jaime siempre está en línea.
7. David hace cola en la cafetería.
8. Patricia pone música para estudiar.
9. Eva conoce a Juanes.

7 | ¿Qué sabes hacer?

Hablar

Pregúntale a tu compañero(a) si sabe hacer las siguientes cosas.

modelo:

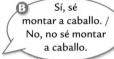

A ¿Sabes montar a caballo?

B Sí, sé montar a caballo. / No, no sé montar a caballo.

1. pescar
2. meter goles
3. tocar la guitarra
4. regatear
5. tomar fotos
6. jugar al béisbol
7. dibujar
8. tocar el piano

 PARA Y PIENSA

¿Comprendiste? Empareja cada sujeto con la terminación correcta.

1. Nosotros
2. Yo
3. Ella
4. Ellos

a. está emocionada.
b. somos estudiantes.
c. van a pescar.
d. salgo para México.

🔵 **Get Help Online**
ClassZone.com

Differentiating Instruction

Pre-AP

Timed Answer Have students recite irregular **yo** forms as fast as they can by playing "hot potato." Start by holding a foam ball or a stuffed sock. Call out an infinitive as you toss the "hot potato" to a student. The student needs to say its **yo** form within two seconds. Then she or he calls out another verb and tosses it to another student.

Slower-paced Learners

Memory Aids Help students remember the irregular **yo** forms by making associations that make sense only to them. They can think of words that sound alike (**conozco Cuzco, veo a Leo**), or connect words with pictures in their heads (for example, associate **doy** with a picture of a boy).

Long-term Retention

Critical Thinking

Synthesis Ask students to work in pairs to come up with written explanations on how the **yo** forms are irregular. For example, "For regular –**er** verbs, you drop the –**er** and add –**o,** but for **ver,** only the –**r** is dropped (or, **-eo** is added instead of –**o**)."

✓ Ongoing Assessment

@HomeTutor
More Practice
ClassZone.com

PARA Y PIENSA **Peer Assessment** Have students work in pairs to complete the Para y piensa. Then check answers orally as a class.

🖨 Answers UTB 1 Transparencies 36–37

Activity 6 Answers will vary.

1. Yo también voy al gimnasio./Yo no voy al gimnasio.
2. Yo también sé montar a caballo./Yo no sé montar a caballo.
3. Yo también veo mucha televisión./Yo no veo mucha televisión.
4. Yo también salgo con amigos./Yo no salgo con amigos.
5. Yo también traigo un diccionario a clase./Yo no traigo un diccionario a clase.
6. Yo también estoy en línea./Yo no estoy en línea.
7. Yo también hago cola en la cafetería./Yo no hago cola en la cafetería.
8. Yo también pongo música para estudiar./Yo no pongo música para estudiar.
9. Yo también conozco a Juanes./Yo no conozco a Juanes.

Activity 7 Answers will vary.

1. ¿Sabes pescar?/Sí, (No, no) sé pescar.
2. ¿Sabes meter goles?/Sí, (No, no) sé meter goles.
3. ¿Sabes tocar la guitarra?/Sí, (No, no) sé tocar la guitarra.
4. ¿Sabes regatear?/Sí, (No, no) sé regatear.
5. ¿Sabes tomar fotos?/Sí, (No, no) sé tomar fotos.
6. ¿Sabes jugar al béisbol?/Sí, (No, no) sé jugar al béisbol.
7. ¿Sabes dibujar?/Sí, (No, no) sé dibujar.
8. ¿Sabes tocar el piano?/Sí, (No, no) sé tocar el piano.

Para y piensa

1. b
2. d
3. a
4. c

Objectives
- Practice the present tense of stem-changing verbs, including **decir, tener,** and **venir.**
- Review lesson vocabulary in context.

Review Sequence
- **Activity 8:** Controlled practice: stem-changing verbs.
- **Activities 9, 10:** Transitional practice: stem-changing verbs.

STANDARDS
1.1 Engage in conversation, Act. 9
1.3 Present information, Act. 10

Warm Up   UTB 1 Transparency 23

Cambia el sujeto en las oraciones siguientes a **yo** y cambia los verbos correspondientes.
1. Augustín no conoce Argentina.
2. Nosotros vamos a la escuela a pie.
3. Belinda sale de la casa muy temprano.
4. Tú eres estudiante.
5. Ustedes hacen la tarea en el autobús.
6. Mis amigos dan una fiesta sorpresa.

Answers: 1. Yo no conozco Argentina. 2. Yo voy a la escuela a pie. 3. Yo salgo de la casa muy temprano. 4. Yo soy estudiante. 5. Yo hago la tarea en el autobús. 6. Yo doy una fiesta sorpresa.

Communication

Humor/Creativity

Share this tongue twister with students to help them remember that **querer** is an e→ie stem-changing verb: **Cómo quieres que te quiera si el que quiero que me quiera no me quiere como quiero que me quiera.**

Answers   UTB 1 Transparency 37

Activity 8
1. empiezan; 2. queremos; 3. quiere;
4. prefiero; 5. puedo; 6. compiten; 7. pierden;
8. vuelve; 9. piensan; 10. contamos

↻ REPASO Stem-changing Verbs

In Spanish, some verbs change their stem vowels when they are conjugated in the present tense. These stem-changing verbs have regular endings, and the stem doesn't change for the **nosotros(as)** or **vosotros(as)** form.

querer *to want*	
qu**ie**ro	queremos
qu**ie**res	queréis
qu**ie**re	qu**ie**ren

poder *to be able, can*	
p**ue**do	podemos
p**ue**des	podéis
p**ue**de	p**ue**den

servir *to serve*	
s**i**rvo	servimos
s**i**rves	servís
s**i**rve	s**i**rven

For a list of other stem-changing verbs, see p. R35.

8 ¡Otra vez a la escuela!

Escribir
Leer

Marta le escribe a su amiga Lucía un correo electrónico sobre los primeros días de clase en su escuela. Completa el texto con el tiempo presente de los verbos que están entre paréntesis.

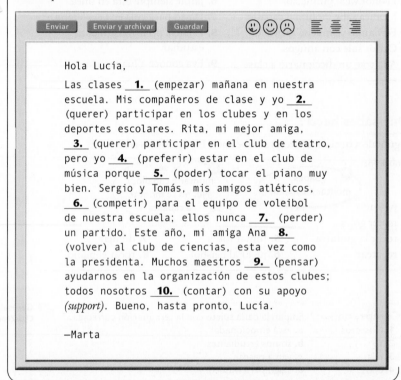

> Enviar · Enviar y archivar · Guardar
>
> Hola Lucía,
>
> Las clases **1.** (empezar) mañana en nuestra escuela. Mis compañeros de clase y yo **2.** (querer) participar en los clubes y en los deportes escolares. Rita, mi mejor amiga, **3.** (querer) participar en el club de teatro, pero yo **4.** (preferir) estar en el club de música porque **5.** (poder) tocar el piano muy bien. Sergio y Tomás, mis amigos atléticos, **6.** (competir) para el equipo de voleibol de nuestra escuela; ellos nunca **7.** (perder) un partido. Este año, mi amiga Ana **8.** (volver) al club de ciencias, esta vez como la presidenta. Muchos maestros **9.** (pensar) ayudarnos en la organización de estos clubes; todos nosotros **10.** (contar) con su apoyo *(support)*. Bueno, hasta pronto, Lucía.
>
> —Marta

Differentiating Instruction

Inclusion

Alphabetic/Phonetic Awareness Play "Slow Motion" to practice the sound sequences of stem-changing verbs. Say a stem-changing verb form very slowly, one syllable at a time (/**em**/, /**pie**/, /**zan**/) and ask students to join the syllables to form a word (**empiezan**).

Slower-paced Learners

Personalize It Ask students to write an e-mail to Lucía telling her about their first week of school. Help them brainstorm a list of verbs before they start writing. Write the verbs on the board or overhead and circle the ones that have stem changes. Encourage students to write at least five sentences.

♻ REPASO The Verbs decir, tener, and venir

Three stem-changing verbs with irregular **yo** forms are **decir, tener,** and **venir**.

	decir (e → i) to say, to tell	tener (e → ie) to have	venir (e → ie) to come
yo	**digo**	**tengo**	**vengo**
tú	**dices**	**tienes**	**vienes**

9 | ¿A qué hora?

Hablar

Pregúntale a tu compañero(a) a qué hora hace las siguientes actividades.

modelo: competir

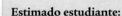

A ¿A qué hora compites?

B Mañana compito a las cuatro de la tarde.

1. almorzar
2. dormir
3. tener que ir a trabajar
4. preferir desayunar
5. venir a la escuela
6. empezar a hacer la tarea
7. volver a casa
8. tener clase de español
9. poder salir de noche
10. servir el almuerzo

10 | Pequeño cuestionario

Leer
Escribir

Una universidad desea conocerte y saber algo más sobre tu vida escolar. Recibes el siguiente cuestionario. Contéstalo.

Estimado estudiante:

Contesta las siguientes preguntas sobre tu vida escolar.
Tu información nos ayuda a conocerte mejor.

1. ¿Cuándo empiezan las clases en tu escuela?
2. Generalmente, ¿cuántas horas duermes?
3. ¿Qué clases tienes este año?
4. ¿Qué cosas (actividades) prefieres hacer?
5. ¿Qué piensas estudiar en el futuro?
6. ¿Quieres visitar nuestra universidad? ¿Cuándo puedes visitarnos?

PARA Y PIENSA

¿Comprendiste? Conjuga los verbos.

🔊 Get Help Online
ClassZone.com

1. Yo (venir).
2. Juan (entender).
3. Ustedes (competir).
4. Tú (contar).
5. Yo (tener).
6. Ellas (decir).

Differentiating Instruction

Pre-AP

Self-correct Have students record themselves as they perform Activity 9 and self-correct. They should assess how clearly they spoke and if they used the correct verb forms. The goal is for students to acquire self-correction as an internal skill and use it whenever they speak.

Multiple Intelligences

Interpersonal Adapt Activity 10 so students work in pairs. Students take turns being the college recruiter and the prospective student. Students asking the questions can use the questions that appear on Activity 10 or make up questions of their own.

✓ Ongoing Assessment

↗ @HomeTutor
More Practice
ClassZone.com

Alternative Strategy Ask students to write a summary of what his or her partner said in Activity 9. Students can exchange papers to make sure what is written is in fact what they said, and that the verbs are both conjugated and spelled correctly.

PARA Y PIENSA

Intervention If students answered more than two items incorrectly, direct them to visit ClassZone.com online for additional practice or have them do verb drills with a partner.

📦 **Answers** UTB 1 Transparencies 37–38

Activity 9 Answers will vary, but students should use the following verb forms:

1. ¿A qué hora almuerzas?/Almuerzo a...
2. ¿A qué hora duermes?/Duermo a...
3. ¿A qué hora tienes que ir a trabajar?/Tengo que ir a trabajar a...
4. ¿A qué hora prefieres desayunar?/Prefiero desayunar a...
5. ¿A qué hora vienes a la escuela?/Vengo a la escuela a...
6. ¿A qué hora empiezas a hacer la tarea?/Empiezo a hacer la tarea a...
7. ¿A qué hora vuelves a casa?/Vuelvo a casa a...
8. ¿A qué hora tienes clase de español?/Tengo clase de español a...
9. ¿A qué hora puedes salir de noche?/Puedo salir de noche a...
10. ¿A qué hora sirves el almuerzo?/Sirvo el almuerzo a...

Para y piensa

1. vengo
2. entiende
3. compiten
4. cuentas
5. tengo
6. dicen

12

Objectives

- Understand vocabulary used to talk about people and places you know.
- Check for comprehension.

Core Resource

- Audio Program: TXT CD 1 Tracks 6, 7

Presentation Strategies

- Write these words on the board: **tíos, museo, joyería, rascacielos, almacén, Frida Kahlo, Robert Rodríguez, librería.** Have students categorize them into people and places.
- Ask five volunteers to read aloud A–E. After each reader, ask a comprehension question with "or," such as: **¿Viven Cecilia y Julia en Tampa o en México? ¿La casa de Frida Kahlo es la Casa de Azulejos o la Casa Azul?**

STANDARD

1.2 Understand language

Warm Up UTB 1 Transparency 23

Escribe cinco oraciones usando palabras de cada columna.

yo	tener	muchos
tú	venir	chistes
mis amigos	competir	el sábado
mi equipo	dormir	mucha tarea
nosotros	decir	en autobús
		ocho horas

Answers: Answers will vary. Possible answers: Yo tengo mucha tarea. Tú dices muchos chistes. Mis amigos vienen en autobús. Mi equipo compite el sábado. Dormimos ocho horas.

Long-term Retention

Recycle

Review with students the vocabulary of places that is recycled in this lesson. Ask them where they would go to do the following activities: **ver arte (museo), comprar una revista (librería), comprar un collar (joyería), comprar medicina (farmacia), ver una película (cine), ver un ballet (teatro), comprar botas (zapatería).** Remind students that many specialized stores end in **-ería.**

¿Lo conoces?

¡AVANZA! Goal: Read these conversations in which friends talk about famous people and places they know. Then practice the review vocabulary by talking about the people and places you know in your neighborhood. **Actividades 11–14**

AUDIO

A Cecilia y Julia son dos amigas que viven en Tampa, Florida. En estos momentos están conversando en un café.

B **Cecilia:** Julia, **estoy muy emocionada.** Mi familia y yo vamos a México. ¿Conoces México?

Julia: Sí. Allí viven mis tíos. Me encanta esa ciudad: los museos, **teatros**, restaurantes, **tiendas, joyerías**...

Cecilia: Es grande y moderno, ¿verdad?

Julia: Sí, es muy grande. Y también muy moderno. Aquí traigo algunas fotos de mi querido México. Deseo enseñártelas. Mira: hay muchos **rascacielos**. La Torre Mayor es **el edificio** más alto de Latinoamérica.

Calle de México

Palacio de Bellas Artes

la Casa de los Azulejos

la Casa Azul, de Frida Kahlo

C **Cecilia:** Tengo que verlo.

Julia: También tienes que ir a Sanborns.

Cecilia: No lo conozco. ¿Qué es?

Julia: Son **almacenes** que tienen **librería, farmacia** y restaurante. El más famoso está en la Casa de los Azulejos, en la calle de Madero.

Cecilia: Está bien. También quiero visitar **el barrio** de Coyoacán. Sabes, allí está la Casa Azul, de Frida Kahlo. Sabes quién es, ¿verdad?

Julia: Sí, conozco muy bien algunas de sus pinturas. Frida Kahlo es mi artista favorita. ¡Qué vida! Tengo un libro sobre su vida que **me hace llorar.**

Lección preliminar
12 doce

Differentiating Instruction

Heritage Language Learners

Increase Accuracy Have native speakers read the parts of Cecilia, Julia, and Nicolás. Tell them to pretend they are recording a book on CD so their pronunciation needs to be neutral Spanish. They should avoid dropping final syllables or consonants, as in **ciudad,** and they should avoid inserting an /n/ before /ch/ or pronounce /ch/ as /sh/, as in **muchos.**

Multiple Intelligences

Visual Learners Ask your artistic students to draw a picture of a town. Have them include the following sites with a caption: **un rascacielos, un teatro, una farmacia, una parada de autobús, una tienda de ropa.** Display their work on the classroom wall or hallway.

D Cecilia y Julia salen del café y caminan porque van a tomar el autobús para ir al cine.

Cecilia: Mira, Julia. Ahí está Nicolás en **la parada de autobús.** Hola, Nico. ¿Qué tal? ¿Conoces a Julia?

Nicolás: No. Mucho gusto, Julia. ¿Adónde van?

Julia: Vamos al cine a ver **una película** de Robert Rodríguez. ¿Sabes quién es?

Nicolás: Sí. Es el joven director mexicoamericano. Conozco sus películas muy bien; algunas **me hacen reír** mucho.

E **Cecilia:** Pues, nosotras vamos a ver su última película; varias personas me dijeron que **les dio miedo.** ¿Quieres venir con nosotras?

Nicolás: **Me encantaría,** pero no puedo. Busco un libro que es un poco difícil de conseguir.

Cecilia: **¡Qué lástima!**

Nicolás: ¿Conocen una buena librería?

Julia: Sí, hay una en la calle North Tampa, cerca de **la zapatería.** Se llama Old Tampa Book Company.

¡A responder! Escuchar

Vas a escuchar una serie de oraciones. Para cada una, indica la persona a quien se refiere. Si se refiere a Cecilia, levanta la mano derecha. Si se refiere a Julia, levanta la mano izquierda. Si se refiere a Nicolás, levanta las dos manos.

@HomeTutor
Interactive Flashcards
ClassZone.com

LECCIÓN PRELIMINAR

Objectives
· Practice **saber** and **conocer, ser** and **estar.**
· Review lesson vocabulary in context.

Review Sequence
· **Activity 11:** Controlled practice: **saber** and **conocer**
· **Activity 12:** Open-ended practice: **saber** and **conocer**
· **Activity 13:** Controlled practice: **ser** and **estar**

STANDARDS
1.1 Engage in conversation, Act. 12, 14
2.2 Products and perspectives, Act. 14
3.1 Knowledge of other disciplines, Act. 14

Communication
Grammar Activity

Have students write in large letters **conocer** on one sheet of paper and **saber** on another. Then state an action (**tocar la guitarra**), piece of information (**tu número de teléfono**), person (**el director**), or place (**Florida**) and have students raise **conocer** or **saber,** whichever one they would use to say they know the thing you stated. Remind them that when talking about people, the personal **a** is used: **Conozco al director.** If you want, have them write **conocer a** on a third sheet and raise that one when you mention a person.

Answers UTB 1 Transparency 38

Activity 11
1. Conocen
2. sabe
3. sé
4. conocer
5. Sabes
6. conozco

Activity 12 Answers will vary.

14

♻ REPASO Saber or conocer

Saber and **conocer** both mean *to know*. Use **saber** to talk about factual information you know and to say you know how to do something.

No **sé** cómo se llama la nueva estudiante.
I don't know what the new student's name is.

Ella **sabe** tocar la guitarra.
She knows how to play the guitar.

Use **conocer** when you want to say that you are familiar with a person, place, or thing and to talk about meeting someone for the first time.

¿**Conoces** Nueva York?
Do you know (are familiar with) New York?

Quiero **conocer** a tu hermano.
I want to meet your brother.

---

11 | Mi amigo Marcos

Leer
Escribir

Completa las oraciones con la forma correcta de **saber** o **conocer.**

1. ¿ _____ ustedes a mi amigo Marcos?
2. Marcos _____ jugar al fútbol muy bien.
3. Yo no _____ a qué hora es el partido.
4. Marcos y yo queremos _____ a los jugadores del equipo Chivas.
5. ¿ _____ tú de dónde son los Chivas?
6. Son de Guadalajara, pero yo no _____ esa ciudad.

---

12 | Personas famosas

Hablar

Piensa en personas famosas. Pregúntales a tus compañeros(as) si las conocen y si saben de dónde son.

modelo:

Lección preliminar
14 catorce

Differentiating Instruction

English Learners
Provide Comprehensible Input Giving clear instructions is vital when addressing students whose native language is not English. Use hand gestures as well as words to explain concepts and tasks. Have helpful students give them examples and if necessary, allow them to use their bilingual dictionaries.

Heritage Language Learners
Writing Skills Have native speakers write a paragraph about the famous person they chose for Activity 12. Tell them to come up with a topic statement that will grab the reader's interest and propose an argument. Then they should include at least three reasons or pieces of evidence that support the opening sentence.

 REPASO Ser or estar

Ser and estar both mean *to be*. Ser is used to indicate origin, to describe personal traits and physical characteristics, and to indicate professions.

> Rafael **es** de Panamá. **Es** alto y simpático. Su padre **es** maestro.
> *Rafael is from Panama. He is tall and nice. His father is a teacher.*

Estar is used to indicate location and to describe conditions, such as how someone feels.

> Carmen **está** en casa; **está** enferma.
> *Carmen is at home; she is sick.*

13 Un político estadounidense

Leer
Escribir

Completa el siguiente párrafo con la forma correcta de **ser** o **estar** para saber más sobre un político estadounidense.

¿Sabes quién __1.__ Mel Martínez? Mel Martínez __2.__ un político del estado de la Florida. Mel __3.__ originalmente de Cuba. Todos los políticos __4.__ personas muy ocupadas. Y Mel no __5.__ excepción: un día él __6.__ en Washington y otro día __7.__ en Miami. Probablemente, él __8.__ emocionado porque su papel en la política __9.__ muy importante.

14 Describe la pintura

Leer
Hablar
Escribir

Comparación cultural

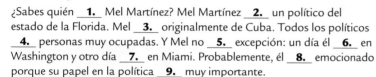

Dalí de espaldas pintando a Gala de espaldas *(1972–73), Salvador Dalí*

Gala: un tema importante para Dalí

¿Por qué los artistas repiten ciertos temas? Salvador Dalí (1904–1989) era un pintor *(painter)* de **España.** Su esposa Gala es un tema frecuente en la obra de Dalí. En esta pintura *(painting)* Dalí y Gala están de espaldas, pero el reflejo *(reflection)* de sus caras se ve en el espejo.

Compara con tu mundo *¿Sobre qué tema te gustaría crear algún dibujo, poema o canción?*

Mira la pintura. Describe a Dalí y a Gala. Indica dónde están ellos y dónde está el reflejo de sus caras.

PARA Y PIENSA

¿Comprendiste? Empareja cada oración con la terminación correcta.

1. No conozco...
2. Soy...
3. Beto está...

a. enojado.
b. Miami.
c. estudiante.

🔊 **Get Help Online** ClassZone.com

Differentiating Instruction

Inclusion

Frequent Review/Repetition The correct usage of **ser** and **estar** needs frequent practice and review in order to be internalized. Provide students with short text passages. Ask them to circle the verbs **ser** and **estar** and to explain why each one was used in that instance.

Heritage Language Learners

Support What They Know Ask students to research an artist from their native country or a local chicano artist. Encourage them to interview art community members about this artist. Ask them to find out what recurring theme appears in this artist's works. Students can share their findings in an oral presentation that includes visuals of the artist's paintings.

Comparación cultural

Essential Question

Suggested Answer Los artistas repiten temas que les interesan, ya sea una persona (como en el caso de Dalí) o una idea.

Expanded Information

Salvador Dalí, born in Figueres, Catalonia, is considered one of the greatest artists of the surrealist movement. His paintings depict imagery and everyday objects in unexpected forms. Dalí's wife, Gala, was a Russian immigrant. She was his muse, companion, and business manager until her death in 1983.

Connections
Art

Surrealism is an art movement based on fantastical imagery from the subconscious. It was founded by André Breton in 1924. Members of the surrealist group included Max Ernst, Rene Magritte, Salvador Dalí, and Joan Miró. Encourage students to look at the works of Dalí and Miró in an art book or website and share their favorite one.

✓ Ongoing Assessment
@HomeTutor More Practice ClassZone.com

PARA Y PIENSA **Peer Assessment** After students have completed the Para y piensa, have them exchange papers to correct each other's work. If there are errors, have them write a sentence explaining why and return the paper to their partner.

📠 **Answers** UTB 1 Transparency 39

Activity 13
1. es; 2. es; 3. es; 4. son; 5. es; 6. está;
7. está; 8. está; 9. es

Activity 14 Answers will vary. Sample answer: Gala está sentada enfrente de un espejo. Dalí está sentado detrás de ella. Él la está pintando. El reflejo de sus caras está en el espejo.

Para y piensa
1. b; 2. c; 3. a

16

¡AVANZA! Objectives

- Understand vocabulary: routine activities.
- Check for comprehension.

Core Resource

- Audio Program: TXT CD 1 Tracks 8, 9

Presentation Strategies

- Have students read the photo captions. Ask them to identify the reflexive verbs. (**me despierto, me lavo, me seco, me acuesto**) Then ask them to brainstorm a list of other actions a person might do during the day.
- Read aloud A–F. While you read, pause after mentioning an action and have students act out it.

❊ STANDARD

1.2 Understand language

⚑ Warm Up   UTB 1 Transparency 24

Escoge el verbo correcto.

1. ¿(Conoces/Sabes) a mi primo Fernando?
2. Fernando (es/está) un artista chicano.
3. Su galería de arte (es/está) en Los Ángeles.
4. Él pinta muy bien y también (conoce/sabe) tomar fotos.
5. Mis tíos (son/están) contentos porque su hijo (es/está) famoso.

Answers: 1. Conoces 2. es 3. está 4. sabe 5. están, es

Communication
Regionalisms

- Some Spanish speakers say **lavarse los dientes** or **lavarse la boca** instead of **cepillarse los dientes.**
- **La ropa de dormir** can be **el pijama** or **la piyama,** depending on the region.

❊ Mi rutina diaria

¡AVANZA! **Goal:** Read about a typical day in the life of Jimena, a sixteen-year old student from Florida. Then practice the review vocabulary by saying what you do to get ready in the morning. *Actividades 15–18*

AUDIO

Jimena

A Mi vida es ocupada, trabajo mucho, no tengo mucho tiempo libre, pero... ¡me encanta mi vida! Me llamo Jimena y soy una persona muy activa. La escuela y los deportes son muy importantes para mí. Saco buenas notas. Corro, hago ejercicio y juego al tenis. También toco el piano y me gusta ayudar en el club de teatro.

B Mi día empieza temprano. **Me despierto** a las seis de la mañana. Escucho la radio por quince minutos y luego **me levanto.**

Me despierto.

C Me lavo la cara y las manos, me cepillo los dientes, me visto y voy a la escuela. Después de la escuela, comparto con mis compañeros y hago la tarea.

Me lavo la cara.

Voy a la escuela.

Hago la tarea.

Differentiating Instruction

Multiple Intelligences

Kinesthetic Have students play charades in small groups with the reading's vocabulary. Have cards with different actions (for example, **despertarse, escuchar la radio, cepillarse los dientes, jugar al tenis, ducharse**). Students take turns picking a card and acting out the action without using words. The student who has the most number of correct guesses wins.

Slower-paced Learners

Personalize It Have students compare Jimena's daily routine with their own, using a Venn diagram. In the intersecting area, they should list all the activities that both they and Jimena do every day at around the same time. In the circle labeled **Yo** they should list the things they do differently. In the circle labeled **Jimena**, students should write what Jimena does that they do not.

D Luego practico el piano, juego al tenis o voy al club de teatro.
¡A veces hago las tres cosas!

Toco el piano.

Juego al tenis.

Voy al club de teatro.

E Ceno en casa y hago más tarea. Cuando termino, escucho música.
Luego **me ducho** (o **me baño**), **me seco**, **me pongo la ropa** de dormir y
me acuesto alrededor de las diez y media.

Me seco.

Me acuesto.

F Muchas veces no tengo tiempo para pasar un rato con mis amigos.
Y muchas veces estoy muy cansada. Pero me gusta mi vida ocupada.

¡A responder! Escuchar

Escucha cada oración. Si es cierta, indícalo con el pulgar hacia arriba.
Si es falsa, indícalo con el pulgar hacia abajo.

@HomeTutor
Interactive Flashcards
ClassZone.com

Differentiating Instruction

Multiple Intelligences

Intrapersonal Intrapersonal learners have the ability to form perceptions about themselves and use the knowledge to function throughout life. Have them reflect on their daily routines. Ask them to divide a sheet into two columns: in the first column, they should write what they do on a typical day; in the second column, they should say what they would like to do differently.

Pre-AP

Draw Conclusions Ask students to reread the first sentence and reflect upon that statement. Why does Jimena love her life even though it is so busy? Have students draw conclusions why. They can discuss it in small groups and then write a paragraph with their ideas.

Answers UTB 1 Transparency 39

¡A responder! Audio Script, TE p. C25B
Thumbs up for numbers 1, 2, 4, 6, 7 and thumbs down for numbers 3 and 5.

17

Objectives
· Practice reflexive verbs.
· Review lesson vocabulary in context.

Core Resource
· Audio Program: TXT CD 1 Track 10

Review Sequence
· **Activity 15:** Controlled practice: reflexive verbs
· **Activity 16:** Controlled practice: listening comprehension
· **Activity 17:** Transitional practice: reflexive verbs and sequence words
· **Activity 18:** Open-ended practice: reflexive verbs

STANDARDS
1.3 Present information, Act. 15, 16, 17, 18
1.1 Engage in conversation, Act. 16, 17

Repaso: Reflexive Verbs

Remind students that with reflexives, parts of the body and clothing are not referred to with possessives (my hands, my shoes), but with the definite article. That is because the reflexive pronoun tells us whose they are: **Me lavo las manos. Te pones los zapatos.**

Answers UTB 1 Transparency 40

Activity 15
1. Daniela va a secarse el pelo./Daniela se va a secar el pelo.
2. Tú vas a cepillarte los dientes/Tú te vas a cepillar los dientes.
3. Los niños van a ponerse los zapatos./Los niños se van a poner los zapatos.
4. Nosotros vamos a lavarnos las manos./Nosotros nos vamos a lavar las manos.
5. Rodrigo va a ponerse la camisa./Rodrigo se va a poner la camisa.
6. Yo voy a vestirme./Yo me voy a vestir.
7. Tú vas a lavarte la cara./Tú te vas a lavar la cara.
8. Eduardo va a ducharse./Eduardo se va a duchar.

Activity 16
1. Laura se levanta a las cinco de la mañana. Ella se baña.
2. Ramón se levanta más temprano.
3. Ramón se ducha por la tarde.
4. Carlos se acuesta a las diez (de la noche).

18

♲ REPASO Reflexive Verbs

Reflexive verbs describe people doing things to or for themselves. In Spanish, all reflexive verbs are expressed with a **reflexive pronoun.**

bañarse *to take a bath*			
yo	**me** baño	nosotros(as)	**nos** bañamos
tú	**te** bañas	vosotros(as)	**os** bañáis
usted, él, ella	**se** baña	ustedes, ellos(as)	**se** bañan

The **reflexive pronoun** always appears before the conjugated **reflexive verb.**

Me lavo las manos antes de comer.
I wash my hands before eating.

When the **reflexive verb** follows a **conjugated verb,** the **reflexive pronoun** can be attached to the infinitive or be placed before the **conjugated verb.**

Los niños no quieren acostar**se.** / Los niños no **se** quieren acostar.
The children don't want to go to bed.

15 | ¿Qué van a hacer?

Escribir

¿Qué van a hacer todos antes de salir de la casa? Usa las palabras para escribir oraciones completas.

modelo: Francisco / bañarse
Francisco va a bañarse. (Francisco se va a bañar.)

1. Daniela / secarse el pelo
2. tú / cepillarse los dientes
3. los niños / ponerse los zapatos
4. nosotros / lavarse las manos
5. Rodrigo / ponerse la camisa
6. yo / vestirse
7. tú / lavarse la cara
8. Eduardo / ducharse

16 | Hábitos

Escuchar Hablar

Escucha la narración de Ramón sobre los hábitos diarios de él y de sus dos hermanos, Laura y Carlos. Luego contesta las preguntas sobre esta narración de Ramón.

1. ¿A qué hora se levanta Laura? ¿Se baña o se ducha?
2. ¿Quién se levanta más temprano: Ramón o Carlos?
3. ¿Cuándo se ducha Ramón?
4. ¿A qué hora se acuesta Carlos?

🎧 **Audio Program**
TXT CD 1 Track 10
Audio Script,
TE p. C25B

Differentiating Instruction

English Learners

Provide Comprehensible Input Show pictures of people shaving and putting on shoes. Explain that the actions are reflexive because the people are both doing and receiving the action. Then show pictures of a barber shaving a client and a salesperson putting on shoes on a client. Explain that the actions are being done by one person to another person so they are not reflexive.

Slower-paced Learners

Sentence Completion Adapt Activity 16 so students complete sentences with one word instead of answering questions with full sentences: **Laura se levanta a las ___. Ella se ___ (baña/ducha).** Make sure students read the questions on p. 18 before listening to the audio. Play the audio a second time for students to verify their sentence completions.

18

17 Un día típico

Hablar

¿Cómo es el día típico de Sergio? Con un(a) compañero(a), mira los dibujos y describe lo que hace Sergio. Usa palabras como **primero, entonces, luego, más tarde, por fin.**

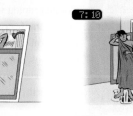

18 ¿Y tú?

**Hablar
Escribir**

Contesta las siguientes preguntas.

1. ¿A qué hora te despiertas los lunes? ¿Y los sábados?
2. ¿Prefieres levantarte tarde o temprano?
3. ¿Te duchas por la mañana o por la noche?
4. ¿Te cepillas los dientes antes o después de bañarte?
5. ¿Te vistes antes o después de desayunar?
6. ¿Te lavas las manos antes de comer?
7. ¿Cuándo te pones sandalias?
8. ¿A qué hora te acuestas los fines de semana?

PARA Y PIENSA

¿Comprendiste? Conjuga los verbos.

 Get Help Online ClassZone.com

1. Yo (ducharse) _____ .
2. Paco (levantarse) _____ .
3. Nosotros (acostarse) _____ .
4. Tú (vestirse) _____ .

Lección preliminar
diecinueve **19**

Differentiating Instruction

Slower-paced Learners

Personalize It Have students draw themselves doing six things throughout a typical day. Ask them to use Activity 17 as a model. They should include a clock and a caption for each drawing.

Multiple Intelligences

Logical/Mathematical Ask students to figure out how many hours they spend every day sleeping, eating, attending school, and watching television. Have them show their findings in a pie chart.

Communication

Grammar Activity

Adapt the game of concentration to practice conjugating reflexive verbs. Start by clapping your hands twice while naming a reflexive verb (**ponerse**), snapping your fingers twice while saying a subject (**tú**), and tapping your lap twice by calling a student's name (**Olivia**). The student then conjugates the verb while clappping (**te pones**), names another reflexive verb while snapping (**vestirse**), says a subject while tapping (**yo**), and points to a student.

Communication

Common Error Alert

Remind students that they do not need to use the pronoun **yo** when answering the questions on Activity 18. The verb forms (**me despierto, prefiero**) already tells who the subject is.

✓ Ongoing Assessment

@HomeTutor
More Practice
ClassZone.com

PARA Y PIENSA **Intervention** If students get item 4 wrong, have them review stem-changing verbs on p. 10.

Answers UTB 1 Transparencies 40–41

Activity 17 Answers may vary. Possible answers: Sergio se despierta a las seis y media y se levanta en cinco minutos. Primero se cepilla los dientes. Luego se ducha. Entonces se seca y se viste. A las tres de la tarde, lava el perro. Más tarde, hace la tarea. Por fin se acuesta a las diez de la noche.

Activity 18 Answers will vary. Sample answers:
1. Los lunes me despierto a las siete y los sábados me despierto a las nueve.
2. Prefiero levantarme tarde.
3. Me ducho por la mañana.
4. Me cepillo los dientes antes de bañarme.
5. Me visto antes de desayunar.
6. Sí, me lavo las manos antes de comer.
7. Me pongo sandalias en verano.
8. Los fines de semana me acuesto a las once.

Para y piensa
1. me ducho
2. se levanta
3. nos acostamos
4. te vistes

LECCIÓN PRELIMINAR

¡AVANZA! Objectives

- Understand vocabulary: restaurants and food.
- Check for comprehension.

Core Resource

- Audio Program: TXT CD 1 Tracks 11, 12

Presentation Strategies

- Discuss with students restaurant food. Ask them, **¿Cuál es su restaurante favorito? ¿Qué comidas les gustan? ¿Prefieren la comida picante o no picante?**
- Have volunteers read the restaurant reviews. Find out to which of the six restaurants students would rather go and why.

STANDARD

1.2 Understand language

Warm Up   UTB 1 Transparency 24

Llena los espacios en blanco con verbos apropiados.

1. Antes de comer, nosotros _____ las manos.
2. Para ir a una fiesta, Raquel _____ un vestido.
3. Después de desayunar, yo _____ los dientes.
4. Se ducha, se lava la cabeza y luego _____ el pelo.
5. Cuando te despiertas, ¿_____ inmediatamente?

Answers: 1. nos lavamos 2. se pone 3. me cepillo 4. se seca 5. te levantas

---

Communication
Role-Playing and Skits

Have students work in small groups to prepare a skit depicting a scene in one of the restaurants on pp. 20 and 21. One student should be the server and the others the clients. The clients can ask questions about the menu or complain about the food. Invite students to present their skits in front of the class. (You can bring a tablecloth and candlestick as props.) Have the class guess at which restaurant the scene take place.

20

Guía de restaurantes

¡AVANZA!   **Goal:** Read the following restaurant guide. Then practice the review vocabulary by comparing the food from two of your favorite eating spots.
Actividades 19–25

AUDIO

Señor Burrito
🍴🍴🍴🍴🍴

Comida rápida y barata. Un buen lugar para **desayunar.** Los huevos **fritos** con tortillas de maíz son deliciosos. Este plato no es tan **picante** como los burritos pero es más **sabroso.**

El Chalet
🍴🍴🍴🍴🍴

Un restaurante romántico y elegante. Tiene su propia **panadería.** Los camareros son **lentos** pero **amables.** Es imposible **cenar** aquí y no probar los ricos **postres** del chef Hildebrand.

El Jardín
🍴🍴🍴🍴🍴

Restaurante con una decoración de buen gusto y un menú excelente. **La sopa** de **verduras,** el pollo al **ajo** y el **pescado** en salsa **agria** son algunas de **las especialidades.**

20   Lección preliminar
veinte

Differentiating Instruction

Multiple Intelligences

Visual Learners Have students create a menu for one of the restaurants on pp. 20 and 21 or of an imaginary restaurant. They can use hand calligraphy or typeset the pages on a computer. Encourage them to include pictures of the food items.

Heritage Language Learners

Support What They Know Invite heritage students to talk about typical foods from their native country. Are there restaurants from their country in the area? If so, which is their favorite? What's on the menu? How many "forks" would they give it? How would they describe the food? Allow students to bring food or a recipe to share with the class.

Café Tropical

🍴🍴🍴🍴🍴

Excelente café para comer **la merienda**. El ceviche —pescado que es **cocido** solamente con limón— compite con los mejores ceviches de Perú. También hay que probar los famosos tostones — (plátanos hervidos y luego fritos), que ya salen con **sal** de la cocina.

La Casa de Leyla

🍴🍴🍴🍴🍴

Este restaurante popular tiene un nuevo chef. ¡Qué lástima! Las sopas ahora son más **saladas** y los jugos más **dulces** que antes. Las **papas** a veces salen un poco **crudas**. Pero los precios son tan buenos como antes.

Pollos Campo

🍴🍴🍴🍴🍴

Hay pocos restaurantes que preparan un **pollo asado** más sabroso que aquí. Este pollo tiene más **pimienta** que otros y la carne está cocida perfectamente. A los adultos les encanta tanto como a los niños.

¡A responder! Escuchar

Escucha cada oración. Si es cierta, indícalo con el pulgar hacia arriba. Si es falsa, indícalo con el pulgar hacia abajo.

@HomeTutor
Interactive Flashcards
ClassZone.com

Cultura

Expanded Information

Burritos, large flour tortillas filled with beans and/or meat and then rolled like a package, originated in the Southwest in the 1920s or 1930s.

Ceviche (sometimes also spelled **cebiche**) is the national dish of Peru, but it is also very popular in the rest of Latin America. Each country prepares it slightly differently, but they all involve seafood (fish, scallops, or shrimp) and lemon or orange juice. The acidity of the juices turns the flesh opaque and firm, just as heat would.

Tostones, twice-fried green plantains, are very popular in Puerto Rico, Cuba, and the Dominican Republic. They are often served with a garlic sauce called **mojo.**

Regionalisms
Communication

· In Central America and in some regions of Colombia, **tostones** are called **patacones**.
· The word **merienda** has several regional variations: **bocadillo, refrigerios, tentempié, refacción.**

Differentiating Instruction

Pre-AP

Relate Opinions Ask students to write a restaurant review similar to the ones on pp. 20 and 21. It can be on their favorite or least favorite restaurant, the latest place they have eaten, or the school cafeteria. Ask them to give their opinions on the ambience, service, food, and prices.

Multiple Intelligences

Linguistic/Verbal Have students create a chain of food with words. They can choose any word related to food (**ceviche**), then follow it by a word that begins with the first word's ending letter (**ensalada**), followed by a word that starts with the second word's ending letter (**ajo**), and so on.

Answers UTB 1 Transparency 41

¡A responder! Audio Script, TE p. C25B
Thumbs up for numbers 1, 3, and 6 and thumbs down for numbers 2, 4, and 5.

Objectives
· Practice unequal and equal comparisons.
· Review lesson vocabulary in context.

Core Resource
· Audio Program: TXT CD 1 Track 13

Review Sequence
· **Activity 19:** Controlled practice: listening comprehension
· **Activity 20:** Controlled practice: unequal comparisons
· **Activities 21, 22:** Controlled practice: equal comparisons
· **Activity 23:** Transitional practice: comparisons.

STANDARDS
1.2 Understand language, Act. 19
1.3 Present information, Act. 20, 21, 22, 23
4.1 Compare languages, Repaso

Long-term Retention
Personalize It

Have students come up with four unequal comparisons between their classmates, teachers, family members, or friends. Students can compare heights, ages, personalities, and abilities.

Answers UTB 1 Transparencies 41–42

Activity 19
1. falso
2. cierto
3. falso
4. falso
5. cierto
6. cierto

Activity 20 Answers will vary. Sample answers:
1. La maestra es mayor que el estudiante.
2. Hay más chicos que chicas en la clase.
3. El té negro es menos agrio que el té verde.
4. A Eva le gusta la merienda más que la cena.
5. El caldo cuesta menos que el gazpacho.

22

REPASO Unequal Comparisons

To compare differences between people and things, Spanish uses these comparatives:

más + **adjective, adverb,** or **noun** + **que**

Estos camareros son **más amables** que aquéllos.
*These waiters are **nicer than** those.*

menos + **adjective, adverb,** or **noun** + **que**

El supermercado tiene **menos verduras** que el mercado.
*The supermarket has **fewer vegetables than** the market.*

To compare differences between actions, use these adverbial phrases:

más que...	Me gusta la comida salada **más que** la comida dulce.
more than . . .	*I like salty foods **more than** sweet foods.*
menos que...	Yo como **menos que** tú.
less than . . .	*I eat **less than** you.*

The following comparative words are irregular.

mayor	**menor**	**mejor**	**peor**
older	*younger*	*better*	*worse*

19 | Arturo y Mariana

Escuchar

Escucha unas comparaciones entre Arturo y Mariana. Para cada una, di si es cierta o falsa, según los dibujos.

Arturo

Mariana

🎧 **Audio Program**
TXT CD 1 Track 13
Audio Script,
TE p. C25B

20 | Haz comparaciones

Leer
Escribir

Escribe comparaciones con la siguiente información.

modelo: La salsa roja es picante, pero la salsa verde es muy picante.
La salsa roja es menos picante que la salsa verde.

1. La maestra tiene 40 años y el estudiante tiene 17 años.
2. Hay 19 chicos y 12 chicas en la clase.
3. El té negro es agrio. El té verde es más agrio.
4. A Eva le gusta la cena pero le encanta la merienda.
5. El caldo cuesta $5 y el gazpacho cuesta $8.

22 Lección preliminar
veintidós

Differentiating Instruction

Slower-paced Learners

Alternative Strategy Change Activity 19 to a reading activity. Give students copies of the audio script so they can see the text instead of listening to it. Encourage them to study the pictures after reading each statement to find clues that support or refute what is stated.

Inclusion

Clear Structure Have students follow these steps in order to complete Activity 20:
1) Determine if the sentence is comparing people and things, or comparing actions.
2) Find the appropriate formula in the Repaso box. 3) Double check if the comparing word is irregular. 4) After writing the sentence, read it aloud and make any necessary changes.

♻ REPASO Equal Comparisons

To compare similarities between people and things, use these phrases:

tan + **adjective** or **adverb** + **como**
as . . . as

La tarta es **tan sabrosa** como el flan.
*The cake is **as tasty as** the custard.*

tanto (a, os, as) + **noun** + **como**
as many/much . . . as

La sopa tiene **tanta pimienta** como sal.
*The soup has **as much pepper as** salt.*

tanto como...
as much . . . as

Cocino **tanto como** tú.
*I cook **as much as** you do.*

21 | Mi amigo y yo

Leer
Escribir

Completa el párrafo con las palabras apropiadas.

Mi amigo Guillermo y yo somos muy parecidos *(alike)*. Guillermo es **1.** alto **2.** yo, **3.** pelirrojo **4.** yo y **5.** cómico **6.** yo. Guillermo tiene **7.** camisetas rojas **8.** yo, lee **9.** libros **10.** yo, y le gusta la comida picante **11.** **12.** a mí.

22 | No eres mejor

Escribir

Rebeca y Sofía tienen, cada una, un restaurante. Rebeca piensa que el suyo *(hers)* es mejor. Vuelve a escribir las oraciones según Sofía, usando comparativos de igualdad.

modelo: Rebeca: Mi restaurante es más elegante que tu restaurante.
Sofía: Mi restaurante es tan elegante como tu restaurante.

1. Mi restaurante tiene más mesas que tu restaurante.
2. Mi menú tiene más postres que tu menú.
3. Mi comida es más sabrosa que tu comida.
4. Mis camareros son más amables que tus camareros.
5. Cocinamos más rápido que ustedes.
6. Somos mejores que ustedes.

23 | Compárate con tu amigo(a)

Escribir

¿Cómo te comparas con tu mejor amigo(a)? Escribe ocho comparaciones.

alto(a)	estudioso(a)	vida ocupada	atlético(a)
mayor	dibujar	dormir	gustar las verduras

modelo: Mi mejor amigo es más alto que yo...

Lección preliminar
veintitrés **23**

Differentiating Instruction

Multiple Intelligences

Intrapersonal Have students compare themselves now to when they were in elementary school. They can begin with, **Ahora yo soy más/menos/tan...** Ask them to draw a conclusion: are they more different or about the same as before?

Multiple Intelligences

Kinesthetic Have students role-play Activity 22. For an extra challenge, have them improvise the following scenario: a son/daughter thinks that his/her sibling is better, gets more things, etc. The parent disagrees and says that they are the same and are treated equally.

 Communication
TPR Activity

Give a comand to a student (**Daniel, camina hacia la puerta.**) Then give the same command to a second student, saying to do it faster, less fast, or as fast (**Rachel, camina hacia la puerta más rápido que Daniel.**) Continue with different commands.

Communication
Common Error Alert

Some students might incorrectly write **más mayor.** Other students might misspell **mayor** as **major.** Have students double-check their sentences for Activity 23 to make sure they wrote **...soy/es mayor que....**

Warm Up UTB 1 Transparency 25

Completa las oraciones siguientes con los comparativos correctos.
1. Los equipos de béisbol tienen _____ jugadores que los equipos de voleibol.
2. La manzana me _____ (gustar más/menos) la pera.
3. Miguel tiene catorce años y yo tengo quince. Miguel es _____ que yo.
4. Yo soy _____ que Miguel.
5. Nueva York tiene _____ (habitantes) que Miami.

Answers: 1. más 2. gusta más/menos que 3. menor 4. mayor 5. más habitantes

Answers UTB 1 Transparency 42

Activity 21
1. tan	**7.** tantas
2. como	**8.** como
3. tan	**9.** tantos
4. como	**10.** como
5. tan	**11.** tanto
6. como	**12.** como

Activity 22
1. Mi restaurante tiene tantas mesas como tu restaurante.
2. Mi menú tiene tantos postres como tu menú.
3. Mi comida es tan sabrosa como tu comida.
4. Mis camareros son tan amables como tus camareros.
5. Cocinamos tan rápido como ustedes.
6. Somos tan buenos como ustedes.

Activity 23 Answers will vary.

Objectives
· Practice unequal and equal comparisons.
· Review lesson vocabulary in context.

Review Sequence
· **Activities 24, 25:** Open-ended practice: comparisons.

 STANDARDS

1.1 Engage in conversation, Act. 24, 25
1.3 Present information, Act. 25

✓ **Ongoing Assessment**

@*HomeTutor*
More Practice
ClassZone.com

Peer Assessment Have students work in pairs to check their answers against the grammar boxes on pp. 22 and 23. Ask: Did they use the correct irregular comparative word? Did they use **que** with **más** and **como** with **tantos**? Does **tantos** agree with the noun it modifies?

 Answers UTB 1 Transparencies 43–44

Activity 24 Answers will vary. Sample answers:
1. La comida mexicana es más picante que la comida italiana.
2. La comida de la cafetería es peor que la comida rápida.
3. En el desayuno como menos que en la cena.
4. Las manzanas son tan dulces como los plátanos.
5. Hay tantos restaurantes como almacenes.

Activity 25 Answers will vary. Sample answers:
1. ¿Es más divertido montar a caballo o montar en bicicleta?/Para mí, montar a caballo es más divertido que montar en bicicleta.
2. ¿... aburrido hacer cola o cortar el césped?/..., es más aburrido hacer cola que cortar el césped.
3. ¿... sabrosa la pizza o el pollo?/..., el pollo es más sabroso que la pizza.
4. ¿... ducharse o bañarse?/..., ducharse es tan bueno como bañarse.
5. ¿... delicioso el helado o el pastel?/..., el helado es menos delicioso que el pastel.

Answers continue on p. 25

24

---

24 **En tu opinión**

Hablar

Combina las palabras para hacer comparaciones. Luego comparte tus opiniones con un(a) compañero(a).

modelo: hay / cafés / panaderías

A Hay tantos cafés como panaderías.

B No. Hay más cafés que panaderías.

1. comida mexicana / picante / comida italiana
2. comida de la cafetería / buena / comida rápida
3. en el desayuno / comer / en la cena
4. las manzanas / dulce / los plátanos
5. hay / restaurantes / almacenes

25 **¿Qué piensas?**

Hablar

Pregúntale a tu compañero(a) qué opina entre las dos cosas. Usa **más... que, menos... que** y **tan... como**.

modelo: interesante

A ¿Es más interesante ir a pescar o tomar fotos?

B Para mí, tomar fotos es más interesante que ir a pescar.

1. divertido
2. aburrido
3. sabroso
4. bueno

5. delicioso
6. saludable
7. fácil
8. caro

PARA Y PIENSA

¿Comprendiste? Completa las comparaciones según la información.

Get Help Online
ClassZone.com

1. Rosa tiene 60 años. — Soy _____ Rosa.
2. Rosa mide 4´10˝. — Soy _____ alta _____ Rosa.
3. Rosa y tú tienen los mismos amigos. — Tengo _____ amigos _____ Rosa.

Lección preliminar
24 veinticuatro

Differentiating Instruction

Heritage Language Learners

Increase Accuracy Have students write down their partners' answers to Activity 25. When they finish, have students work together to correct spelling errors. Ask them to circle the words they are unsure of, especially those spelled with **s** and **c,** and to use the glossary or a dictionary to verify the correct spelling of those words.

Pre-AP

Persuade Adapt Activity 25 so students debate each other. Assign an item to each pair and have students take a different point of view. (For example, one student debates that horseback riding is more fun than cycling and the other that cycling is more fun.) The pairs debate in front of the class for two minutes. If you wish, have the class vote on who was more persuasive.

En resumen
Vocabulario

Animated Grammar
Interactive Flashcards
ClassZone.com

Vocabulario

Talk About Yourself and Your Friends

People and Activities		More Activities	
el actor	actor	acampar	to camp
la actriz	actress	dar una caminata	to hike
la cámara digital	digital camera	dibujar	to draw
la ciencia ficción	science fiction	estar en línea	to be online
el mensajero	instant messaging	hacer una excursión	to go on a day trip
instantáneo		pescar	to fish
		regatear	to bargain
		tomar fotos	to take photos
		visitar un museo	to visit a museum

Talk About Places and People You Know

Places		Emotions	
el almacén	department store	Estoy muy	I am overcome with
el barrio	neighborhood	emocionado(a).	emotion.
el edificio	building	Me encantaría.	I would love to.
la farmacia	pharmacy	Me hace llorar.	It makes me cry.
la joyería	jewelry store	Me hace reír.	It makes me laugh.
la librería	bookstore	Me / te / le da	It scares (me, you,
la panadería	bakery	miedo.	him / her).
la parada	bus stop	¡Qué lástima!	What a shame!
de autobús			
la película	film		
el rascacielos	skyscraper		
el teatro	theater		
la tienda	store		
la zapatería	shoe store		

Make Comparisons

Food		Adjectives	
el ajo	garlic	activo(a)	active
cenar	to have dinner	agrio(a)	sour
desayunar	to have breakfast	amable	kind
la especialidad	specialty	avanzado(a)	advanced
la merienda	afternoon snack	cocido(a)	cooked
la papa	potato	crudo(a)	raw
el pescado	fish	dulce	sweet
la pimienta	pepper	frito(a)	fried
el pollo asado	roasted chicken	hervido(a)	boiled
el postre	dessert	lento(a)	slow
la sal	salt	musculoso(a)	muscular
la sopa	soup	picante	spicy, hot
las verduras	vegetables	rápido(a)	fast
		sabroso(a)	tasty
		salado(a)	salty

What You Know How To Do

competir (i, i)	to compete
contar (ue)	to tell (a story)
hacer ejercicio	to exercise
jugar en equipo	to play on a team
meter un gol	to score a goal
montar a caballo	to ride a horse
el premio	prize, award

Describe Your Daily Routine

acostarse (ue)	to go to bed
bañarse	to take a bath
cepillarse	to brush one's teeth
los dientes	
despertarse (ie)	to wake up
ducharse	to take a shower
lavarse (la cara,	to wash oneself
las manos)	(one's face,
	one's hands)
levantarse	to get up
ponerse la ropa	to put on clothes
secarse	to dry oneself
vestirse (i, i)	to get dressed

Differentiating Instruction

Pre-AP

Timed Answer Have students write the following categories on the top of a piece of paper: **Verbos reflexivos, Edificios, Comidas, En el campo, Adjetivos.** Give students ten minutes to write down as many words under each category as they can. Make sure that the words are related to the category and are spelled correctly.

Inclusion

Metacognitive Support Have students look at all the vocabulary words and make a list of those words they have trouble remembering. Ask them to think of a memory device or use one of these: pairing pictures with words, visualizing the word, physically enacting the word, linking words together into a sentence or story, making a recording and listening to it repeatedly.

¡AVANZA! **Objective**

· Review lesson vocabulary

Online SPANISH CLASSZONE.COM

Interactive Flashcards Students can hear every target vocabulary word pronounced in authentic Spanish. Flashcards have Spanish on one side, and a picture or a translation on the other.

Self-Quiz Students can check their understanding and get instant results with our online multiple-choice quizzes. These quizzes provide immediate feedback, making them a great way to prepare for a quiz or test.

Featuring...

Cultura INTERACTIVA

Animated Grammar

@HomeTutor

And more...

· Get Help Online
· Interactive Flashcards
· Review Games
· WebQuest
· Conjuguemos.com

Communication
Pair Activity

Have students play a game of hangman with the words from this lesson. Students take turns thinking of a word and placing dashes on a paper for each letter of the word. The other student guesses one letter at a time. If the letter appears in the word, the first student writes it on the appropriate dash. If the letter is not in the word, a body part is drawn on the "gallows." The object is to guess the word before the whole body is drawn.

Answers UTB 1 Transparencies 43–44

Answers continued from p. 24

Activity 25

6. ¿... saludable el ejercio o la comida sana?/..., el ejercicio es tan saludable como la comida sana.
7. ¿... fácil barrer o cocinar?/..., barrer es más fácil que cocinar.
8. ¿... caro una computadora o un coche?/... una computadora es menos cara que un coche.

Para y piensa

1. menor que
2. más (menos), que
3. tantos, como

Objective
· Review lesson's grammar and vocabulary.

Core Resource
· Audio Program: TXT CD 1 Track 14

Review Sequence
· **Activity 1:** Controlled practice: listening comprehension, verbs like **gustar**
· **Activity 2:** Transitional practice: present-tense verbs
· **Activity 3:** Controlled practice: **saber** or **conocer**, **ser** or **estar**
· **Activity 4:** Transitional practice: reflexive verbs
· **Activity 5:** Transitional practice: unequal and equal comparisons

STANDARD
1.3 Present information, Act. 2, 4, 5

Warm Up UTB 1 Transparency 25

Usa la información para escribir comparaciones.
1. Melinda tiene 15 años y Maya tiene 17 años.
2. Melinda tiene ocho primas y Maya tiene ocho primas también.
3. Melinda y Maya miden 5'5".
4. Melinda tiene tres perros y Maya tiene un perro.

Possible answers: 1. Melinda es menor que Maya. 2. Melinda tiene tantas primas como Maya. 3. Melinda es tan alta como Maya. 4. Melinda tiene más perros que Maya.

Answers UTB 1 Transparencies 44–45

Activity 1
a. 2; **b.** 1; **c.** 4; **d.** 3

Activity 2 Answers will vary. Sample answers:
1. Sé jugar en equipo. Juego en equipo muchas veces.
2. Sé contar historias. A veces cuento historias.
3. No sé regatear en español. Nunca regateo en español.
4. Sé montar en bicicleta. Casi siempre monto en bicicleta.
5. Sé poner la mesa. Muchas veces pongo la mesa.
6. Sé hacer blogs. A veces hago blogs.
7. No sé pescar. Nunca pesco.
8. Sé usar el mensajero instantáneo. Siempre lo uso.

26

LECCIÓN PRELIMINAR · *Repaso de la lección*

LECCIÓN PRELIMINAR

¡LLEGADA!

@HomeTutor
ClassZone.com

Now you can
· talk about yourself and your friends
· say what you know how to do
· talk about people and places you know
· describe your daily routine
· make comparisons

Using
· verbs like **gustar**
· present tense
· reflexive verbs
· comparisons

To review
· activities pp. 2–3, 6–7
· **gustar** p. 4

AUDIO

1 Listen and match descriptions

Escucha las siguientes descripciones. Escribe el número de la descripción al lado de la foto que corresponde.

a.  **b.**

c.  **d.**

Audio Program
TXT CD 1 Track 1
Audio Script,
TE p. C25B

To review
· regular present-tense verbs p. 5
· irregular present-tense verbs p. 8
· irregular **yo** present-tense verbs p. 9
· stem-changing verbs p. 10
· **decir, tener,** and **venir** p. 11

2 Say what you know how to do

Primero di si sabes hacer la actividad. Luego di con qué frecuencia la haces: **(casi) nunca, a veces, muchas veces, (casi) siempre.**

modelo: tocar el piano
No sé tocar el piano. Nunca toco el piano.

1. jugar en equipo
2. contar historias
3. regatear en español
4. montar en bicicleta
5. poner la mesa
6. hacer blogs
7. pescar
8. usar el mensajero instantáneo

26 Lección preliminar
veintiséis

Differentiating Instruction

Multiple Intelligences

Kinesthetic Encourage students to demonstrate in front of the class something that they know to do. They can dance, juggle, do a sports move, or show a piece of handiwork. Have them find the Spanish word for what they do and practice saying three things about it.

Multiple Intelligences

Linguistic/Verbal Challenge students to create a word game to practice this lesson's vocabulary. They can make a word search, a crossword puzzle, anagrams, or a silly poem with rhyming vocabulary words.

To review
- **saber** or **conocer** p. 14
- **ser** or **estar** p. 15

3 | Talk about people and places you know

Lee el siguiente párrafo sobre El Corte Inglés. Completa las oraciones con el presente del verbo correcto.

¿ __1.__ (Saber / Conocer) tú El Corte Inglés? Todas las personas en España lo __2.__ (saber / conocer) porque __3.__ (ser / estar) un almacén famoso. El Corte Inglés __4.__ (ser / estar) en muchas ciudades de España. Allí la calidad __5.__ (ser / estar) buena y cuando un cliente no __6.__ (ser / estar) contento con el producto, lo puede devolver.

To review
- reflexive verbs p. 18

4 | Describe your daily routine

Combina palabras de cada columna para escribir seis oraciones sobre lo que las personas hacen generalmente.

modelo: Mi hermano se acuesta temprano.

| yo
tú
mi hermano(a)
nosotros | levantarse
acostarse
ducharse
vestirse | tarde
temprano
por la noche
por la mañana |

To review
- unequal comparisons p. 22
- equal comparisons p. 23

5 | Make comparisons

Vas a leer las descripciones de dos chicas: Ana y Raquel. Utiliza las palabras de la lista para hacer cuatro comparaciones.

modelo: Ana dibuja mucho. A Raquel no le gusta dibujar.
Raquel dibuja menos que Ana.

| tarde | más (...) que | tanto tiempo como |
| temprano | menos (...) que | tantas veces como |

Ana
Dibuja mucho.
Se levanta a las 7:30 de la mañana.
Se ducha por la noche.
Le gusta mucho correr.
Se cepilla los dientes cuatro veces al día.

Raquel
No le gusta dibujar.
Se levanta a las 5:30 de la mañana.
Se ducha por la mañana.
Le gusta poco correr.
Se cepilla los dientes cuatro veces al día.

Get Help Online
ClassZone.com

Lección preliminar
veintisiete **27**

Differentiating Instruction

Multiple Intelligences

Naturalist Ask students to make comparisons between two animals. Challenge them to make at least six comparisons. They can compare their sizes, eating habits, how fast they move, how much they sleep, how long they live, and whether if one makes a better pet than the other.

Slower-paced Learners

Sentence Completion Adapt Activity 5 so students fill in the blanks with the phrases from the word box: 1. **Ana se levanta menos** _____ **que Raquel.** 2. **Ana se ducha más** _____ **que Raquel.** 3. **Ana corre** _____ **Raquel.** 4. **Raquel corre** _____ **Ana.** 5. **Ana se cepilla los dientes** _____ **Ana.**

Communication
Reluctant Speakers

Have students write their answers to Activity 2 and then videotape or record themselves at home saying them. They can redo it until they are satisfied with the outcome.

Long-term Retention
Study Tip

Teach students this rhyme to help them remember the difference between **ser** and **estar:** How you feel and where you are, this is when you use **estar.** What you're like and where you're from, then you use the other one.

✓ **Ongoing Assessment**
@HomeTutor
More Practice
ClassZone.com

Intervention and Remediation Have students correct the mistakes they make in these Repaso activities. For each mistake, they should write a sentence explaining why they got it wrong and what the correct answer is.

Answers UTB 1 Transparencies 44–45

Activity 3
1. Conoces
2. conocen
3. es
4. está
5. es
6. está

Activity 4 Answers will vary. Sample answers:
1. Yo me levanto temprano.
2. Tú te vistes por la mañana.
3. Mi hermana se acuesta tarde.
4. Mi hermano se ducha por la mañana.
5. Yo me ducho por la noche.
6. Nosotros nos levantamos temprano.

Activity 5 Answers will vary. Sample answers:
1. Ana se levanta menos temprano que Raquel.
2. Ana se ducha más tarde que Raquel.
3. Ana corre menos que Raquel.
4. Ana se cepilla los dientes tantas veces como Raquel.

Proyectos adicionales

✤ Art Project

¡Vengan a Monterrey! Ask students to create a tourist brochure for the Monterrey tourist board. Tell students that their brochures must include information about the Cola de Caballo, La Mesa Chipinque, el Parque Ecológico de Chipinque, and the Sierra Madre. Bring students to the library so they can research these natural wonders.

1. Bring in examples of tourist brochures that students can use as models and have them study the picture of the tourist brochure on page 33 of their text.

2. Have students research attractions that might be of interest to visitors and have them print out photos of them that they can include in their brochures.

3. Give students poster paper and art supplies to put brochures together after they have selected their photos. Students can also draw illustrations of the attractions if they choose. Encourage students to use vocabulary from the lesson and explain the attractions they chose.

4. Ask for volunteers to talk about their brochures. Students should mention where they got their pictures and information, and explain why they think their brochures would be successful in attracting tourists.

5. Hang the brochures around the classroom.

PACING SUGGESTION: One 90-minute class period at the end of Lección 1.

✤ Bulletin Board

La pirámide de Chichén-Itzá Ask students to look through travel and geography magazines and go online to find images of the famous Mayan pyramid at Chichén Itzá. Have them generate a list of questions to ask and then answer about the pyramid, such as: When was it discovered? Who discovered it? How tall and wide it is? How many steps are there? How many tourists visit it annually? etc. Have students write a caption to go with their image, based on their answers. After you've created the bulletin board, pin up each student's image and caption. Go around the class and ask students to give some details about the images they selected.

PACING SUGGESTION:
One 50-minute class period at the end of Lección 1.

✤ Web Research

La Barranca del Cobre Explain that la Barranca del Cobre (called Copper Canyon in English) is a culturally and historically rich area in Mexico. Pair students up and have each pair research online one of the following themes about la Barranca del Cobre:

- the Tarahumara Indians
- the plants and animals of the area
- the history and exploration of la Barranca del Cobre
- tourism in the region today

Have students take notes on their findings. Hang 4 large pieces of paper around the room. Label each with one of the research themes. Have pairs list one or two things that they have learned on each piece of paper. As a follow-up, hold a class discussion and have students share what they have learned.

PACING SUGGESTION: One 50-minute class period before beginning Lección 2.

Get Help Online
ClassZone.com

✣ Storytelling

En las moñtanas After reviewing the vocabulary from Lección 1, model the following mini-story. Students will later revise, retell, and expand it.

El año pasado mi familia entera, incluso mi **madrina** Isabel, mi **nuera** Beatriz y mi **sobrino** Felipe, hicimos una excursión por la Sierra Madre de México. ¡Caminar por las montañas requiere mucho **equipo**! Tuvimos que comprar **sacos de dormir, una tienda de campaña** y **cantimploras**, pero valió la pena. Desde las montañas pudimos **observar** la **selva** mexicana abajo. En el camino, conocimos a otra gente que estaba **escalando la montaña**. La última noche nos quedamos en **un albergue juvenil** y nos quedamos despiertos para **ver el amanecer**. ¡El viaje fue **agotador**, pero muy divertido!

As you tell the story, be sure to pause so students may fill in words and act out gestures. Students should then write, narrate, and read aloud a longer main story. This new version should include vocabulary from Lección 2. Students can write, illustrate, and act out additional new stories based on this storytelling experience.

PACING SUGGESTION: One 50-minute class period after Lección 2.

✣ Games

Pantomimas Divide the class into two teams, and then into pairs. Have each pair write a short complete sentence using the vocabulary in Lecciones 1 and 2. Collect the sentences and put them in a separate box for each team. One person from each team will pick a sentence from the other team's box. That person will then silently pantomine each word in the sentence. The first team to guess their sentence within a three-minute time period gets one point. Tell the teams that speaking out loud when giving the clues or using English when guessing disqualifies them from that round.

PACING SUGGESTION: 30 minutes of class time at the end of Lección 2.

✣ Recipe

Chocolate oaxaqueño is a specialty of Oaxaca. Besides being used for desserts and hot chocolate, it is also used to make **mole,** a sauce for meat dishes. Though you may not be able to find authentic Oaxacan chocolate, you can still prepare this version with another kind of quality chocolate.

Chocolate oaxaqueño

Ingredientes
225g (una media libra) de chocolate amargo en trozos
2 litros (2 cuartos de galón) de leche
1/4 taza de agua
azúcar y canela a gusto

Instrucciones
Ponga el agua a hervir en una cacerola pequeña. Añada el chocolate y derrítalo a fuego lento, mezclándolo bien. Añada la leche, siga calentando y con una batidora, bata hasta que se forme espuma. Añada azúcar y canela al gusto. Sirva inmediatamente en tazas pequeñas.
Tiempo de preparación: 10 minutos
Tiempo total: 10 minutos

UNIT THEME
In the outdoors

UNIT STANDARDS

COMMUNICATION
· Describe a camping trip
· Talk about what students did with friends
· Talk about nature
· Talk about family vacations
· Discuss activities, skills, and abilities
· Describe a place and its climate

CULTURES
· A family camping in Mexico
· Nature and art
· The parks of Monterrey
· The poetry of Octavio Paz, the influence of nature on poetry
· The ruins of Tulum
· The cliff divers of Acapulco
· Family relationships in the art of María Izquierdo
· The literature of Laura Esquivel, family relationships
· Mexico: Land of contrasts

CONNECTIONS
· Earth Science: Research the life cycle of the monarch butterfly

COMPARISONS
· Camping areas
· The letter **c** with **a, o, u,** and with **e, i;** the letter **z**
· Artists' inspiration
· The influence of geography on recreational activities of a country
· Archaeological sites or museums with ancient artifacts
· Reasons why people participate in extreme sports
· Choosing a portrait subject to convey a theme
· Students' town or city and two different areas of Mexico

COMMUNITIES
· Monarch butterflies and their habitat

UNIDAD

1 México
Nos divertimos al aire libre

Lección 1
Tema: ***Vamos a acampar***

Lección 2
Tema: ***Vamos a la playa***

Ciudad Juárez
BAJA CALIFORNIA
Chihuahua
Océano Pacífico
Golfo de California
Monterrey
Cabo San Lucas
México
Golfo de México
Zempoala
Cancún
Chichén Itzá
Uxmal
Guadalajara · San Miguel de Allende
Bahía de Campeche · PENÍNSULA DE YUCATÁN
México D.F. ★ · Veracruz
Puebla
Acapulco · Oaxaca
Puerto Escondido

«¡*Bienvenidos a México!*
Me llamo Javier y soy del D.F.
Mi amiga se llama Sandra;
es de Veracruz.»

Almanaque cultural

Población: 109.955.400 habitantes

Área: 761.606 millas cuadradas

Capital: México D.F.

Nombre oficial: Estados Unidos Mexicanos

Estados: 31

Moneda: peso mexicano

Comida típica: tamales, ceviche, tacos, enchiladas

Gente famosa: Octavio Paz (escritor), Paulina Rubio (cantante), Gael García Bernal (actor)

Enchiladas

28 veintiocho

Cultural Geography

Setting the Scene
· México tiene diversos climas. ¿En qué clima prefieres estar al aire libre?
· La comida mexicana es muy popular en Estados Unidos. ¿Qué comidas mexicanas hay en esta página? (tamales, enchiladas, tacos, ceviche) ¿Qué otras comidas típicas de México puedes nombrar?

Teaching with Maps
· ¿Qué estados de EE.UU. tienen frontera con México? (Texas, Nuevo México, Arizona, California)
· ¿Es México parte de América del Norte o América Central? (América del Norte)
· Compara la población de la capital (18.660.000 habitantes) con la del país (109.955.400). ¿Aproximadamente qué porcentaje vive en el D.F.? (16%)

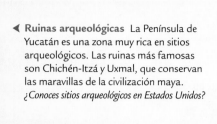

◀ **Ruinas arqueológicas** La Península de Yucatán es una zona muy rica en sitios arqueológicos. Las ruinas más famosas son Chichén-Itzá y Uxmal, que conservan las maravillas de la civilización maya. *¿Conoces sitios arqueológicos en Estados Unidos?*

Pirámide de Chichén-Itzá

Diversión en el agua En las costas de México puedes practicar surf y otros deportes acuáticos, como en Cabo San Lucas y Puerto Escondido, en el Pacífico. En la costa de la Bahía de Campeche hay playas muy famosas, como Cancún. *¿Qué deportes acuáticos se practican en Estados Unidos? ¿En qué ciudad?* ▶

Joven haciendo surfing en Cabo San Lucas

La gran capital El Distrito Federal, o México D.F., tiene más de ocho millones de habitantes, es una zona cosmopolita, donde se concentra la actividad financiera y las principales universidades del país. *¿Cuáles son las ciudades de Estados Unidos con más habitantes?* ▼

Monumento a la Independencia (El Ángel), Paseo de la Reforma, México D.F.

México
veintinueve   **29**

Cultura Interactiva Send your students to www.classzone.com to explore authentic Mexican culture. Tell them to click on Cultura Interactiva to see these pages come alive!

Culture

About the Photos

- The Mayan Pyramid of Kukulkán at Chichén Itzá reveals remnants of a very advanced civilization. **El Castillo** stands almost eighty feet high, and its four sides face directly north, south, east, and west. If you add up the ninety-one steps on each of its sides, along with the platform on top, you get the number of days in a year. The Mayans were known for their study of astronomy.
- **Cabo San Lucas** is popular among tourists for surfing, fishing, snorkeling, and scuba diving as well as golf.
- **Paseo de la Reforma,** the broad, tree-lined boulevard leading away from **El Ángel,** continues for about three miles until it reaches Mexico City's famous Chapultepec Park. The street was designed in the mid-1800s after the Champs-Élysées in Paris.

Expanded Information

- The Uxmal civilization, like that of Chichén Itzá, was dependent on sinkholes, called **cenotes,** that filled with water and made survival possible in the very dry climate.
- **El Monumento a la Independencia,** built in the early 1900s, has become a national symbol of freedom for the Mexican people. In 1957, an earthquake sent **El Ángel** crashing to the ground, but the monument was quickly restored in the center of the traffic circle.

Bridging Cultures

Heritage Language Learners

Support What They Know If there are students of Mexican descent in class, have them point out their city or region of origin. Find out if there are any outdoor activities that are especially popular there. If they are not sure, have the class speculate based on the geography and climate of the region.

Support What They Know Divide a piece of paper into two columns. First, ask students to share what they know about Mexico. Write their responses in the left-hand column. Then ask students to share questions they have about Mexico and record them in the right-hand column. Invite students to choose one question to research and report on.

Lesson Overview

Culture at a Glance

Topic & Activity	Essential Question
Acampando en México, pp. 30–31	¿Hay lugares para acampar en tu región? ¿Cómo son?
La naturaleza y el arte, p. 38	¿En qué se inspiran los artistas?
Monterrey y sus parques, p. 44	¿Cómo influye la geografía de un país en las formas de diversión?
«Hermandad» y «Viento, Agua, Piedra», por Octavio Paz, pp. 48–51	¿Cómo presentan los dos poemas la naturaleza?
Culture review: Nature and geography in Mexico, p. 55	¿Cómo forma la naturaleza una parte de la cultura de México?

Practice at a Glance

	Objective	Activity & Skill
Vocabulary	Prepositions	12: Speaking; 14: Speaking; 15: Speaking; 18: Writing; Repaso 1: Listening
	Camping, hiking and other outdoor activities	1: Speaking / Writing; 2: Speaking; 3: Speaking / Writing; 4: Speaking / Wrting; 5: Speaking; 6: Listening / Writing; 10: Speaking / Writing; 12: Speaking; 14: Speaking / Writing; 18: Writing; 19: Reading, Listening / Speaking
	Travel and nature	9: Writing / Speaking; 11: Writing; 16: Reading / Writing; Repaso inclusivo 4, p. 86
Grammar	Preterite tense of regular verbs	6: Listening / Writing; 7: Writing; 8: Speaking; 9: Writing / Speaking; 19: Reading, Listening / Speaking; 20: Writing; Repaso 2: Writing; Repaso 4: Writing
	Irregular preterite	13: Writing; 14: Speaking / Writing; 15: Speaking; 16: Reading / Writing; 19: Reading, Listening / Speaking; 20: Writing; Repaso 3: Speaking / Writing; Repaso 4: Writing
	Stem-changing verbs in the preterite	14: Speaking / Writing; 17: Listening / Speaking; Repaso 3: Speaking / Writing
Communication	Describe a camping trip	3: Speaking / Writing; 4: Speaking / Writing; 10: Speaking / Writing; 18: Writing; 19: Reading / Listening / Speaking
	Talk about what you did with your friends	12: Speaking; Repaso inclusivo 7, p. 87
	Talk about nature	Repaso 2: Writing
	Pronunciation: The letter **c** with **a, o, u**	*Pronunciación: La letra c con a, o, u*, p. 36: Listening / Speaking
Recycle	Irregular present tense	5: Speaking / Writing
	Stem-changing verbs in the preterite	14: Speaking / Writing

The following presentations are recorded in the Audio Program for *¡Avancemos!*

- **¡A responder!** *p. 33*
- **6: ¿Qué pasó el fin de semana?** *p. 38*
- **19: Integración** *p. 47*
- **Repaso de la lección** *p. 54*
    1: Listen and understand

¡A responder! TXT CD 1 track 16

1. escalar la montaña
2. observar un pájaro
3. seguir el sendero
4. remar el kayac
5. llenar la cantimplora con agua del río
6. beber el agua dulce
7. encender un fósforo
8. cocinar con una olla
9. meterse en la tienda de campaña
10. dormirse en el saco de dormir

6 | ¿Qué pasó el fin de semana?

TXT CD 1 track 19

Mari-Luz: Oye, Juan, ¿cómo lo pasaste el fin de semana en el campo?

Juan: Ay, Mari Luz, fue fenomenal. Lo pasamos muy bien.

Mari-Luz: Es verdad que Marta navegó por rápidos y que Alberto escaló una montaña?

Juan: Sí, y se divirtieron mucho.

Mari-Luz: ¿Qué hicieron Silvia y Ernesto?

Juan: Silvia y Ernesto se perdieron en el bosque pero regresaron a tiempo para comer.

Mari-Luz: ¿Cómo cocinaron ustedes?

Juan: Pues, yo cociné con la estufa de gas y luego Marta y Alberto encendieron una fogata. Después de comer Ernesto limpió la olla en el río y Silvia llenó las cantimploras.

19 | Integración TXT CD 1 track 23

Fuente 2, Un mensaje por teléfono

Hola, llamo del campamento Sol Maya. Recibimos tu reservación pero el sitio que pediste ya está reservado para las fechas que indicaste. Tienes dos opciones: puedes mirar el mapa en la página web y escoger otro sitio o puedes hacer tu visita en otra fecha. Si quieres un sitio con características específicas, explícanos qué tipo de sitio quieres y te haremos una recomendación. Esperamos tu llamada. Gracias.

Repaso de la lección TXT CD 1 track 26

1 Listen and understand

Margarita: Oye, Susana, ¿Tienes planes para este fin de semana?

Susana: ¡Ay, Margarita! No sé... quiero hacer algo al aire libre. ¡No puedo sufrir más el calor de la ciudad! Es agotador...

Margarita: Bueno, ¿por qué no vas al parque?

Susana: Sí... quiero caminar tranquila y observar los pájaros; también puedo remar en el río. ¿Y tú? ¿Qué planes tienes?

Margarita: Mi plan es escalar las montañas. Voy de excursión con dos amigas.

Susana: ¡Qué padre! Unos días fuera de la ciudad es algo ideal.

Margarita: Sí. Llevamos una tienda de campaña y unos sacos de dormir para acampar.

Susana: ¿Y qué piensan comer?

Margarita: Pensamos hacer una fogata y cocinar algo. ¿No quieres venir? Siempre nos divertimos mucho.

Susana: ¿De verdad? Quiero... pero no tengo saco de dormir.

Margarita: No hay problema. Rita, una de mis amigas, te puede conseguir uno. Tiene varios en casa.

Susana: Entonces, ¡sí! ¡Siempre estoy lista para aventuras inolvidables!

On your desktop

Everything you need to ...

Plan	Present	Assess
ONE-STOP PLANNER All resources including audio and video	**POWER PRESENTATIONS** Ready-made PowerPoint™ presentations with **Animated** Grammar	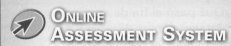**ONLINE ASSESSMENT SYSTEM** ✓ Create customized tests with Examview Assessment Suite ✓ Individualized Assessment for on-level, modified, pre-AP, and heritage language learners

 ## Print

Plan	Present	Practice	Assess
URB 1 • Family Letter p. 105 • Absent Student Copymasters pp. 107–114 **Lesson Plans** p. 21 **Best Practices Toolkit**	**TPRS** pp. 1–7	• *Cuaderno* pp. 1–23 • *Cuaderno para hispanohablantes* pp. 1–23 • *Lecturas para todos* pp. 2–6 • *Lecturas para hispanohablantes* • *¡AvanzaCómics! Mundos paralelos,* Episodio 1 **URB 1** • Practice Games pp. 55–62 • Audio Scripts pp. 83–87 • Map/Culture Activities pp. 95–96 • Fine Art Activities pp. 99–100	**URB 1** • Did you get it? Reteaching and Practice Copymasters pp. 27–36

Unit Transparency Book 1

Culture	Presentation and Practice	Classroom Management
• Atlas Maps 1–6 • Map: Mexico 7 • Fine Art Transparencies 8, 9	• Vocabulary Transparencies 12, 13 • Grammar Presentation Transparencies 16, 17	• Warm Up Transparencies 26–29 • Student Book Answer Transparencies 46–49

Audio and Video

Audio	Video
• Student Book Audio CD 1 Tracks 15–26 • Workbook Audio CD 1 Tracks 1–10 • Heritage Learners Audio CD 1 Tracks 1–4, CD 3 Tracks 7–12 • Assessment Audio CD 1 Tracks 7–12 • *Lecturas para todos* Audio CD 1 Tracks 1–2, CD 3 Tracks 1–5 • *Música del mundo hispano*	• *El Gran Desafío* DVD 2

Online (ClassZone.com) and Media Resources

Student	Teacher
Available online and on disc: • eEdition (DVD-ROM) and eEdition Interactive Online Student Edition • @Home Tutor (CD-ROM) - featuring Animated Grammar **Available online:** • Conjuguemos.com • Cultura interactiva • Culture Links • WebQuests • Flashcards • Review Games • Self-check Quiz	**One-Stop Planner (available online and on DVD-ROM):** • Interactive Teacher's Edition • All print resources • All audio and video resources • Learning Scenarios • Conversation Cards • Assessment Program • Examview Assessment Suite • Rubric Generator • Calendar Planner **Available on CD-ROM:** • Power Presentations

Differentiated Assessment

On-level	Modified	Pre-AP	Heritage Learners
• Vocabulary Recognition Quiz p. 17 • Vocabulary Production Quiz p. 18 • Grammar Quizzes pp. 19–20 • Culture Quiz p. 21 • On-level Lesson Test pp. 22–28	• Modified Lesson Test pp. 11–17	• Pre-AP Lesson Test pp. 11–17	• Heritage Learners Lesson Test pp. 17–23

Core Pacing Guide

	Objectives/Focus	Teach	Practice	Assess/HW Options
DAY 1	**Culture:** learn about Mexican culture **Vocabulary:** outdoor activities and equipment, camping • Warm Up OHT 26 **5 min**	Unit Opener pp. 28–29 Lesson Opener pp. 30–31 **Presentación de vocabulario** pp. 32–33 • Read A–E • Play audio TXT CD 1 track 15 • *¡A responder!* TXT CD 1 track 16 **25 min**	Lesson Opener pp. 30–31 **Práctica de vocabulario** p. 34 • Acts. 1, 2, 3 **15 min**	**Assess:** *Para y piensa* p. 34 **5 min** **Homework:** *Cuaderno* pp. 1–3 @HomeTutor
DAY 2	**Communication:** talk about activities planned for a trip • Warm Up OHT 26 • Check Homework **5 min**	**Vocabulario en contexto** pp. 35–36 • *Contexto 1* TXT CD 1 track 17 • *Pronunciación* TXT CD 1 track 18 **20 min**	**Vocabulario en contexto** pp. 35–36 • Acts. 4, 5 **20 min**	**Assess:** *Para y piensa* p. 36 **5 min** **Homework:** *Cuaderno* pp. 1–3 @HomeTutor
DAY 3	**Grammar:** review conjugation of regular verbs in the preterite • Warm Up OHT 27 • Check Homework **5 min**	**Presentación de gramática** p. 37 • Preterite tense of regular verbs **Práctica de gramática** pp. 38–39 **Culture:** *La naturaleza y el arte* **20 min**	**Práctica de gramática** pp. 38–39 • Act. 6 TXT CD 1 track 19 • Acts. 7, 8, 9 **20 min**	**Assess:** *Para y piensa* p. 39 **5 min** **Homework:** *Cuaderno* pp. 4–6 @HomeTutor
DAY 4	**Communication:** use the preterite to talk about outdoor activities • Warm Up OHT 27 • Check Homework **5 min**	**Gramática en contexto** pp. 40–41 • *Contexto 2* TXT CD 1 track 20 **15 min**	**Gramática en contexto** pp. 40–41 • Acts. 10, 11, 12 **25 min**	**Assess:** *Para y piensa* p. 41 **5 min** **Homework:** *Cuaderno* pp. 4–6 @HomeTutor
DAY 5	**Grammar:** review the forms of irregular verbs in the preterite • Warm Up OHT 28 • Check Homework **5 min**	**Presentación de gramática** p. 42 • Irregular preterites **Práctica de gramática** pp. 43–44 • *Repaso gramatical:* Stem-changing verbs in the preterite **15 min**	**Práctica de gramática** pp. 43–44 • Acts. 13, 14, 15, 16 **25 min**	**Assess:** *Para y piensa* p. 44 **5 min** **Homework:** *Cuaderno* pp. 7–9 @HomeTutor
DAY 6	**Communication:** Culmination: talk about outdoor activities using verbs in the preterite • Warm Up OHT 28 • Check Homework **5 min**	**Todo junto** pp. 45–47 • *Contexto 3* TXT CD 1 track 21 **15 min**	**Todo junto** pp. 45–47 • Act. 17 TXT CD 1 track 21 • Act. 19 TXT CD 1 tracks 22, 23 • Acts. 18, 20 **25 min**	**Assess:** *Para y piensa* p. 47 **5 min** **Homework:** *Cuaderno* pp. 10–11 @HomeTutor
DAY 7	**Reading:** *Hermandad; Viento, agua, piedra* **Connections:** Natural sciences • Warm Up OHT 29 • Check Homework **5 min**	**Lectura literaria** pp. 48–51 • *Hermandad; Viento, agua, piedra* • TXT CD 1 tracks 24, 25 **Conexiones** p. 52 • *Las ciencias naturales* **20 min**	**Lectura literaria** pp. 48–51 • *Hermandad* • *Viento, agua, piedra* **Conexiones** p. 52 • *Proyecto* **20 min**	**Assess:** *Para y piensa* p. 51 **5 min** **Homework:** *Cuaderno* pp. 15–17 @HomeTutor
DAY 8	**Review:** Lesson review • Warm Up OHT 29 • Check Homework **5 min**	**Repaso de la lección** pp. 54–55 **15 min**	**Repaso de la lección** pp. 54–55 • Act. 1 TXT CD 1 track 26 • Acts. 2, 3, 4, 5 **25 min**	**Assess:** *Repaso de la lección* **5 min** pp. 54–55 **Homework:** *En resumen* p. 53; *Cuaderno* pp. 12–14, 18–23 (optional) Review Games Online @HomeTutor
DAY 9	**Assessment**			**Assess:** Lesson 1 test **50 min**

	Objectives/Focus	Teach	Practice	Assess/HW Options
DAY 1	**Culture:** learn about Mexican culture **Vocabulary:** outdoor activities and equipment, camping • Warm Up OHT 26 **5 min**	Unit Opener pp. 28–29 Lesson Opener pp. 30–31 **Presentación de vocabulario** pp. 32–33 • Read A–E • Play audio TXT CD 1 track 15 • *¡A responder!* TXT CD 1 track 16 **25 min**	Lesson Opener pp. 30–31 **Práctica de vocabulario** p. 34 • Acts. 1, 2, 3 **15 min**	**Assess:** *Para y piensa* p. 34　**5 min**
	Communication: talk about activities planned for a trip **5 min**	**Vocabulario en contexto** pp. 35–36 • *Contexto 1* TXT CD 1 track 17 • *Pronunciación* TXT CD 1 track 18 **15 min**	**Vocabulario en contexto** pp. 35–36 • Acts. 4, 5 **15 min**	**Assess:** *Para y piensa* p. 36　**5 min** **Homework:** *Cuaderno* pp. 1–3 @HomeTutor
DAY 2	**Grammar:** review conjugation of regular verbs in the preterite • Warm Up OHT 27 • Check Homework **5 min**	**Presentación de gramática** p. 37 • Preterite tense of regular verbs **Práctica de gramática** pp. 38–39 *Culture: La naturaleza y el arte* **15 min**	**Práctica de gramática** pp. 38–39 • Act. 6 TXT CD 1 track 19 • Acts. 7, 8, 9 **20 min**	**Assess:** *Para y piensa* p. 39　**5 min**
	Communication: practice using the preterite to talk about outdoor activities **5 min**	**Gramática en contexto** pp. 40–41 • *Contexto 2* TXT CD 1 track 20 **15 min**	**Gramática en contexto** pp. 40–41 • Acts. 10, 11, 12 **20 min**	**Assess:** *Para y piensa* p. 41　**5 min** **Homework:** *Cuaderno* pp. 4–6 @HomeTutor
DAY 3	**Grammar:** review the forms of irregular verbs in the preterite • Warm Up OHT 28 • Check Homework **5 min**	**Presentación de gramática** p. 42 • Irregular preterites **Práctica de gramática** pp. 43–44 • *Repaso gramatical:* Stem-changing verbs in the preterite **15 min**	**Práctica de gramática** pp. 43–44 • Acts. 13, 14, 15, 16 **20 min**	**Assess:** *Para y piensa* p. 44　**5 min**
	Communication: Culmination: talk about outdoor activities using verbs in the preterite **5 min**	**Todo junto** pp. 45–47 • *Contexto 3* TXT CD 1 track 21 **15 min**	**Todo junto** pp. 45–47 • Acts. 17, 19 TXT CD 1 tracks 21, 22, 23 • Acts. 18, 20 **20 min**	**Assess:** *Para y piensa* p. 47　**5 min** **Homework:** *Cuaderno* pp. 7–11 @HomeTutor
DAY 4	**Reading:** *Hermandad; Viento, agua, piedra* • Warm Up OHT 29 • Check Homework **5 min**	**Lectura literaria** pp. 48–51 • *Hermandad; Viento, agua, piedra* • TXT CD 1 tracks 24, 25 **15 min**	**Lectura literaria** pp. 48–51 • *Hermandad* • *Viento, agua, piedra* **20 min**	**Assess:** *Para y piensa* p. 51　**5 min**
	Review: Lesson review **5 min**	**Repaso de la lección** pp. 54–55 **15 min**	**Repaso de la lección** pp. 54–55 • Act. 1 TXT CD 1 track 26 • Acts. 2, 3, 4, 5 **20 min**	**Assess:** *Repaso de la lección*　**5 min** pp. 54–55 **Homework:** *En resumen* p. 53; *Cuaderno* pp. 12–23 (optional) Review Games Online @HomeTutor
DAY 5	**Assessment**			**Assess:** Lesson 1 test **45 min**
	Connections: Natural sciences	**Conexiones** p. 52 • *Las ciencias naturales* **20 min**	**Conexiones** p. 52 • *Proyecto* **25 min**	

CULTURA

 Objectives

- Introduce lesson theme: **Vamos a acampar**
- Culture: Compare the nature and geography of Mexico and the U.S.

Presentation Strategy

- Make note of the ¡Avanza! objectives

 STANDARD

2.1 Practices and perspectives

Warm Up UTB 1 Transparency 26

Vocabulario Nombra por lo menos cinco actividades o pasatiempos, usando los siguientes verbos: **montar, dar, jugar, ir, hacer.**

Answers: Answers will vary. Sample answers include: montar a caballo, montar en bicicleta, dar una caminata, jugar en equipo, jugar al fútbol, ir a pescar, ir a acampar, hacer ejercicio.

Comparación cultural

Exploring the Theme

Ask the following:

1. ¿Te gusta acampar? ¿En qué lugares?
2. ¿Qué actividades te gusta hacer cuando vas a acampar?
3. ¿Qué elementos importantes llevas cuando vas a acampar?
4. ¿Qué tipo de clima crees que hace en la foto? ¿Te gusta este clima para acampar?

¿Qué ves? Possible answers include:

- La familia está contenta.
- Llevan jeans, suéteres, zapatos y abrigos. El padre lleva un sombrero.
- Los hijos tienen pelo castaño y son jóvenes y guapos. Los padres tienen pelo rubio y no son muy viejos.
- El padre tiene cuarenta años y la madre tiene treinta y siete años. La hija tiene dieciséis años y el hijo tiene doce años.

UNIDAD **1**

México

Lección **1**

Tema:

Vamos a acampar

¡AVANZA! **In this lesson you will learn to**

- describe a camping trip
- talk about what you did with friends
- talk about nature

using

- preterite tense of regular verbs
- irregular preterites

♻ *¿Recuerdas?*

- irregular present tense
- stem-changing verbs in the preterite

Comparación cultural

In this lesson you will learn about

- nature in Mexico
- geography of Mexico

Compara con tu mundo

Esta familia está acampando. Acaba de preparar su tienda de campaña *(tent)*. *¿Hay lugares para acampar en tu región? ¿Cómo son?*

¿Qué ves?

Mira la foto

¿Cómo está la familia? ¿Contenta? ¿Seria?

¿Qué ropa llevan todos?

¿Cómo son los hijos? ¿Y los padres?

¿Cuántos años crees que tienen?

30 treinta

Differentiating Instruction

Multiple Intelligences

Visual Learners After students view and discuss the photo, ask them to draw or create a collage of their ideal place to go camping. The illustrations should show what the setting is like and what types of activities can be done there.

Pre-AP

Expand and Elaborate Mexico has a varied climate. Have students use the library or Internet to research one of Mexico's regions and the climate and geography found there. Then give students the opportunity to share what they have learned with the rest of the class.

Online SPANISH CLASSZONE.COM

Featuring...
Cultura INTERACTIVA
Animated Grammar
@HomeTutor

And more...
• Get Help Online
• Interactive Flashcards
• Review Games
• WebQuest
• Conjuguemos.com

Online SPANISH CLASSZONE.COM

Get Help Online If students need a little extra help with vocabulary, grammar or a recycled topic, they can download the exact copymaster they need. The *Did you get it?* *Reteaching and Practice* Copymasters provide extensive reteaching and additional practice for every vocabulary and grammar presentation in *¡Avancemos!*, and they are all available online.

Featuring...
Cultura INTERACTIVA
Animated Grammar
@HomeTutor

And more...
• **Get Help Online**
• **Interactive Flashcards**
• **Review Games**
• **WebQuest**
• **Conjuguemos.com**

Una familia acampando en México

México
treinta y uno 31

Using the Photo

Location Information

Mexico The photo shows a family camping in the northern Mexican countryside, where the climate is relatively dry and hot. In areas such as this one, hunting and fishing are popular outdoor activities, while camping along the coast or on the Baja California peninsula usually involves water sports, such as scuba diving and snorkeling.

Expanded Information

Camping is very popular in Mexico, among locals and tourists alike. There is a wide variety of camping experiences available, from no-frills tent campgrounds to RV parks with many modern amenities, such as showers and restrooms. Although there are such RV parks throughout the country, the most well-known are located in the northern states such as Sonora, or the Baja California peninsula.

Differentiating Instruction

Heritage Language Learners

Support What They Know If there are students of Mexican descent in the class, ask them to share what they know about Mexico's geography and climate. In what regions can nature be enjoyed? Where are some places where camping is a popular activity?

Multiple Intelligences

Kinesthetic Assign four students to play the roles of the family in the photo. Have them create a dialog about the weather, what the place is like, and what they want to do there.

Objectives
¡AVANZA!
- Present vocabulary: outdoor activities
- Check for recognition

Core Resource
- Audio Program: TXT CD 1 Tracks 15, 16

Presentation Strategies
- Point out the objectives in the ¡Avanza! section at the beginning of this vocabulary presentation, as well as the summary of skills in the Para y piensa section at the end.
- Play the audio as students read A–E.

STANDARD
1.2 Understand language

TEACHER to TEACHER
Richard Ladd
Ipswich, MA

Tips for Presenting Vocabulary

"When I introduce thematic vocabulary that is related to students' lives, I provide them with a blank Venn diagram as they work in pairs. I have them talk about these word using simple constructions such as whether they do the activity, if they like it, and so on. I then ask them to write the vocabulary word in the appropriate circle on the diagram."

Communication
Role-Playing and Skits

Charades List the following activities on the board: **montar la tienda de campaña, dormir en un saco de dormir, escalar una montaña, encender la fogata, hacer una caminata.** Say and model the phrases. Ask students to act them out with you. Call on volunteers to act out a randomly chosen activity and have the rest of the class name it.

Presentación de VOCABULARIO

¡AVANZA! **Goal:** Learn what activities you can do and the equipment you need to enjoy the outdoors in Mexico. Then talk about outdoor activities and camping. *Actividades 1–3*

A Estos jóvenes están **frente a** un lago y deciden **montar la tienda de campaña** allí para estar más cerca de **la naturaleza.**

B La tienda debe quedar cerrada para **las arañas, serpientes** u otros animales. Deben estar **sin** zapatos **dentro** de la tienda; por eso, antes de **meterse,** deben dejar los zapatos **fuera.**

C Es necesario tener **fósforos** para **encender la fogata** y una **cantimplora,** que siempre deben **llenar** con agua.

D Hay muchas actividades que pueden hacer **al aire libre.** Por ejemplo, pueden **hacer caminatas** por los **senderos del bosque** y mirar **los árboles** y **las flores,** o hacer una **excursión** junto al **río.**

la tienda de campaña
la cantimplora
la fogata

la estufa de gas

las ollas

el saco de dormir

hacer una caminata

escalar montañas

Más vocabulario
agotador *exhausting*
el albergue juvenil *youth hostel*
la camioneta *SUV, truck*
el equipo *equipment*
al extranjero *abroad*
observar *to observe*
la selva *jungle*
Expansión de vocabulario p. R2
Ya sabes p. R2

Differentiating Instruction

Multiple Intelligences

Intrapersonal/Interpersonal Choose five activities from the vocabulary, list them on the board, and have each student reorder them according to his/her own preference. Then have each student find a partner and compare their most and least favorite activities.

Inclusion

Alphabetic/Phonetic Awareness Have students divide a piece of paper into three columns: **Lugares, Acciones,** and **Objetos.** Ask them to list the new vocabulary words on pp. 32-33 in the appropriate column. Demonstrate the phonetic differences between Spanish and English, such as the silent **h** in **hacer** and **ahorrar,** or the pronunciation of the **ll** in **llenar** and **ollas.**

E Antes de encontrar un lugar para acampar deben **conseguir** información sobre **las tarifas.** Muchos lugares **ofrecen descuentos** a los estudiantes y pueden **ahorrar** dinero.

El Sol Mexicano
área para acampar

¡Inolvidable!

El Sol Mexicano es el lugar perfecto para **divertirse**, acampar y tener una experiencia inolvidable.

Pueden ver muchos pájaros y mariposas. Les damos una guía con fotos del lugar y con las direcciones que deben seguir para llegar.

Pueden **utilizar el transporte público;** la parada del autobús está a cinco minutos de aquí.

¡Tarifas especiales para estudiantes!

¡Actividades y deportes!

A muchas personas les gusta **remar** en **el río** y pasar horas en **kayac.**

¡Los más valientes deciden navegar por rápidos!

En los lugares de **agua dulce** hay una variedad de **peces** para las personas que desean **pescar**.

¡Llamen con **anticipación** para hacer reservaciones!

Nuestro teléfono: (888)111-1111

¡A responder! Escuchar

Escucha la lista de actividades. Para cada actividad, haz la mímica que corresponde. *(Mimic the activities as you hear them.)*

@HomeTutor
Interactive Flashcards
ClassZone.com

Lección 1
treinta y tres **33**

33

¡AVANZA! **Objective**
- Practice vocabulary: camping, hiking, other outdoor activities

Core Resource
- *Cuaderno,* pp. 1–3

Practice Sequence
- **Activity 1:** Vocabulary recognition: match camping gear with its purpose
- **Activity 2:** Vocabulary production: express preferences
- **Activity 3:** Vocabulary production: answer questions about travel and the outdoors

STANDARDS
1.1 Engage in conversation, Act. 2
1.3 Present information, Act. 1, 3

✓ Ongoing Assessment
@HomeTutor
More Practice
ClassZone.com

PARA Y PIENSA **Quick Check** These activities are self-checks. If students have trouble completing them, they can practice online. For additional practice, use Reteaching & Practice Copymasters URB 1, pp. 27, 28

 ## Answers UTB 1 Transparency 46

Activity 1
1. dormir
2. cocinar
3. poner líquido
4. encender / cocinar
5. conseguir información
6. encender

Activity 2 Answers will vary.
1. ¿Prefieres un albergue juvenil o una tienda de campaña? ¿Por qué? Prefiero una tienda de campaña para acampar.
2. ¿... una fogata/una estufa de gas? Prefiero una estufa de gas para cocinar.

Activity 3 Answers will vary.
1. Donde yo vivo hay autobuses, taxis y un tren.
2. Trabajo en una tienda para ahorrar dinero.
3. Hago caminatas para divertirme.
4. Me gustan los pájaros y los árboles del bosque.
5. Miro las flores y las mariposas.
6. Sí, porque allí hay personas del extranjero.

Para y piensa Answers will vary.
1. la estufa de gas, la olla, el saco de dormir, la tienda de campaña, la cantimplora
2. escalar montañas, navegar, remar

34

✱ Práctica de VOCABULARIO

1 ¿Para qué es?

Hablar Escribir Escoge uno de los verbos para explicar el uso de los siguientes artículos.

cocinar	poner líquido
dormir	conseguir información
encender	acampar

Expansión: Teacher Edition Only Pida a los estudiantes que piensen en otros verbos que ya saben que correspondan a los 6 artículos enumerados.

> **modelo:** la tienda de campaña: acampar

1. el saco de dormir
2. las ollas
3. la cantimplora
4. la estufa de gas
5. la guía sobre la región
6. los fósforos

2 ¿Por qué prefieres eso?

Hablar Entrevista a un(a) compañero(a) para saber sus preferencias.

> **modelo:** transporte público / automóvil

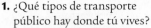

A ¿Prefieres utilizar el transporte público o un automóvil? ¿Por qué?

B Prefiero el transporte público para ahorrar dinero.

1. albergue juvenil / tienda de campaña
2. fogata / estufa de gas
3. frente al río / junto a un árbol
4. remar / pescar
5. usar una guía / perderse en el bosque
6. las arañas / las serpientes
7. escalar montañas / remar en kayac
8. los pájaros / los peces

Expansión Compara tus preferencias con las de tu compañero(a). ¿Ustedes son compatibles para viajar? Escribe un resumen.

3 ¡Preguntas, preguntas!

Hablar Escribir Contesta las siguientes preguntas. Recuerda las palabras que aprendiste.

1. ¿Qué tipos de transporte público hay donde tú vives?
2. ¿Qué haces para ahorrar antes de un viaje?
3. ¿Cómo te diviertes al aire libre?
4. ¿Qué te gusta de la naturaleza?
5. ¿Qué miras cuando caminas por un sendero del bosque?
6. ¿Te parecen interesantes los albergues juveniles? ¿Por qué?

Expansión: Teacher Edition Only Pida a los estudiantes que formen parejas y que se entrevisten entre sí haciendo preguntas como éstas para conocer mejor a sus compañeros.

Más práctica Cuaderno *pp. 1–3* Cuaderno para hispanohablantes *pp. 1–4*

 PARA Y PIENSA **¿Comprendiste?**
1. ¿Qué equipo necesitas para acampar?
2. Menciona tres actividades para hacer al aire libre.

↻ **Get Help Online** ClassZone.com

Differentiating Instruction

Heritage Language Learners

Writing Skills Have native Spanish speakers further develop the ideas they express in Activity 3 by developing one of their answers into a paragraph with an introduction, a body, and a conclusion. If possible, have students form pairs or groups of three for peer editing.

Slower-paced Learners

Sentence Completion Provide sentence starters or sentence stems for students who require more structure in responding to open-ended questions like the ones listed in Activity 3. For example, **Donde yo vivo hay taxis y...** or **No me gustan las serpientes, pero me gustan...**

VOCABULARIO en contexto

¡AVANZA! **Goal:** Learn about the outdoor activities Javier is planning for his trip. Then talk about these activities and who will be doing them. **Actividades 4–5**

♻ **¿Recuerdas?** Irregular present tense p. 8

Contexto 1 *Póster*

ESTRATEGIA Leer

Make a mind-map In the center, write **el viaje.** In attached circles, write key phrases from the reading (**las fechas, el equipo, los compañeros de viaje**). Attach more circles to show as many details as you can.

 AUDIO

Javier Medina preparó un póster para la sección de anuncios del Club Deportivo de su escuela. Busca dos compañeros para hacer una excursión con él y con su padre desde México D.F. hasta la Península de Yucatán este verano.

Club Deportivo
ANUNCIOS

¡Viaje de aventura inolvidable!
¡Tengo camioneta, necesito compañeros (y equipos)!

Excursión por México, este verano

Vamos a visitar:
• la selva de la Península de Yucatán para observar su naturaleza: pájaros y peces exóticos, mariposas raras y flores bonitas
• las ruinas de Chichén Itzá y Uxmal
• un albergue juvenil frente a un parque ecológico con todo tipo de flora y fauna
• el río Pahuatlán para navegar por rápidos en kayac
• los volcanes al sur de la ciudad de México para escalar montañas

Todavía tenemos que decidir:
• las fechas exactas del viaje
• el equipo que tenemos que utilizar durante el viaje y una lista de las cosas que tenemos que conseguir
• el itinerario y los sitios donde podemos acampar en la ruta

Para formar parte del grupo tienes que escribir a 2medina05@mexnex.net con anticipación.
¡Sólo tengo espacio para cuatro personas en total, además del equipo!

¿Te animas?

¡AVANZA! Objective
• Understand vocabulary related to outdoor activities in context.

Core Resource
• Audio Program: TXT CD 1 Track 17

Presentation Strategies
• Encourage students to first look for cognates and then use the context and what they know about adventure clubs to help them comprehend the reading.
• Play the audio while students follow along in the textbook.

 STANDARD
1.2 Understand language

 Warm Up UTB 1 Transparency 26

Palabras revueltas Descifra las palabras subrayadas en cada oración.
1. Hice una gfotaa tferne al río.
2. ¿Vas a seguir el eesndro por el qosueb?
3. Tenemos que mtnoar la antied de campaña.
4. Me gusta idemrtivre al aire ieblr.
5. No hay gaua en la anticplroam.

Answers: 1. fogata, frente; 2. sendero, bosque; 3. montar, tienda; 4. divertirme, libre; 5. agua, cantimplora

Differentiating Instruction

Multiple Intelligences

Visual Learners Ask students to draw the place or item named after each bullet (for example, **la selva** or **el equipo**). Underneath each drawing, have them write the name of the activity that is done at that place or with that item (for example, **observar la naturaleza**).

Inclusion

Frequent Review/Repetition On little strips of paper, write the names of the places, things, and activities mentioned in the poster. Before listening, have students read through the poster. After they listen, have them work in pairs to organize the strips of paper according to the activity that goes with each place or thing.

¡AVANZA! Objectives
- Practice using outdoor vocabulary in context
- Recycle: **tener que**
- Practice pronouncing /k/ spelled *ca, co, cu*

Core Resource
- Audio Program: TXT CD 1 Track 18

Practice Sequence
- **Activity 4:** Contexto 1 comprehension
- **Activity 5:** Vocabulary production: Recycle: **tener que**
- **Pronunciation:** The hard **c** sound

STANDARDS
1.2 Understand language, Act. 4
1.3 Present information, Act. 5
4.1 Compare languages, Pronunciación

✓ Ongoing Assessment

@HomeTutor
More Practice
ClassZone.com

PARA Y PIENSA **Intervention** Have student pairs practice asking each other if they like to do the activities listed in Para y piensa. For additional practice, use Reteaching & Practice Copymasters, URB 1, pp. 27, 29, 36.

Answers UTB 1 Transparency 46

Activity 4
1. Cierto
2. Cierto
3. Falso. Necesita equipo todavía.
4. Cierto
5. Cierto
6. Cierto

Activity 5 Answers will vary. Possible answers:
1. No, no tengo que viajar al extranjero.
2. El profesor tiene que observar a veinte personas.
3. Tienen que llevar mucho equipo.
4. Lorena tiene que remar.
5. Sí, tengo que hacer reservaciones.
6. Tengo que leer la guía para no perderme.

Para y piensa Me gusta escuchar música.
1. sí;   2. no;   3. sí;   4. no

36

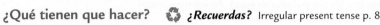
4 Comprensión del póster

Hablar Escribir

Di si las siguientes oraciones sobre la lectura son ciertas o falsas. Si son falsas, corrígelas.

1. Javier quiere hacer un viaje a la selva de la Península de Yucatán.
2. En la camioneta hay espacio para cuatro personas.
3. Javier ya tiene todo el equipo que necesita para hacer un viaje inolvidable.
4. Las personas interesadas deben escribir con anticipación.
5. Los planes incluyen escalar montañas, navegar por rápidos y acampar.
6. Javier debe hacer un itinerario con sitios para montar la tienda de campaña en la ruta.

5 ¿Qué tienen que hacer?   ♻ ¿*Recuerdas*? Irregular present tense p. 8

Hablar Escribir

Contesta las siguientes preguntas con oraciones completas.

> **modelo:** ¿Tienes que ahorrar dinero?
> Sí, tengo que ahorrar dinero.

1. ¿Tienes que viajar al extranjero para estudiar español?
2. ¿A cuántas personas tiene que observar el (la) maestro(a) en la clase de español?
3. ¿Qué tienen que llevar las personas cuando van a acampar al bosque?
4. ¿Qué tiene que hacer Lorena cuando está en un kayac?
5. ¿Tienes que hacer reservaciones para ir a un albergue juvenil?
6. ¿Qué tienes que leer para no perderte en un área para acampar?

Expansión
Con un(a) compañero(a), escribe una lista de cinco cosas que tienen que hacer antes de salir de vacaciones.

Pronunciación   La letra c con a, o, u

AUDIO

La combinación de la **c** con las vocales **a, o, u,** o con una consonante produce el sonido /k/. Su posición en la palabra no afecta nunca la pronunciación.

cargar	conseguir	cuatro	crudo
escalar	saco de dormir	descuento	activo

Trabalenguas
¿Cómo come usted en Como?
Como en Como como en Como come usted.

PARA Y PIENSA **¿Comprendiste?** ¿Cuáles de las siguientes actividades menciona Javier en su póster?
1. navegar por rápidos
2. tomar el transporte público
3. escalar montañas
4. meterse en la tienda de campaña

Get Help Online
ClassZone.com

Multiple Intelligences

Visual Learners Have students choose at least 4 activities mentioned in Activities 4 and 5 and make a collage that represents each activity. The collage can include images as well as illustrative descriptions of the activities themselves. Encourage students to share their collages with the rest of the class.

Multiple Intelligences

Musical/Rhythmic Have students work in pairs to compose a new **trabalenguas** highlighting the /k/ sound. For example: **Carmen consigue cuarenta y cuatro cartones de color chocolate.** Have each pair present their **trabalenguas.** Challenge the class to try and repeat each **trabalenguas.**

Presentación de GRAMÁTICA

¡AVANZA! **Goal:** Review the conjugations of regular verbs in the preterite. Then practice by talking about what happened during a trip or vacation. *Actividades 6–9*

English Grammar Connection: In English, the past tense of a regular verb is formed by simply adding *-ed* to the end of the infinitive form.

to climb *becomes* **I climbed**   **escalar** *becomes* **Yo escalé**

REPASO Preterite Tense of Regular Verbs   **Animated** Grammar ClassZone.com

Use the **preterite** to talk about actions that you or others completed in the past.

Here's how:

Note that -er and -ir verbs have the same endings.

Preterite of Regular Verbs

	escalar	correr	salir
yo	escalé	corrí	salí
tú	escalaste	corriste	saliste
usted, él, ella	escaló	corrió	salió
nosotros(as)	escalamos	corrimos	salimos
vosotros(as)	escalasteis	corristeis	salisteis
ustedes, ellos(as)	escalaron	corrieron	salieron

Escalé una montaña hoy.   **Salimos** de la casa a las cinco de la mañana.
I climbed a mountain today.   *We left the house at five o'clock in the morning.*

Verbs ending in **-car, -gar,** and **-zar** have a spelling change in the **yo** form to preserve pronunciation. All other forms are regular.

Verbs with Spelling Changes in the Preterite yo Form

	(c → qu)	(g → gu)	(z → c)
	practicar	navegar	organizar
yo	practiqué	navegué	organicé
tú	praticaste	navegaste	organizaste

¿Quién **organizó** la excursión?   Yo **organicé** la excursión.
Who organized the trip?   *I organized the trip.*

Más práctica   **Conjuguemos.com**   **@HomeTutor**
Cuaderno *pp. 4–6*   Leveled Practice
Cuaderno para hispanohablantes *pp. 5–7*   ClassZone.com

Lección 1
treinta y siete   **37**

Differentiating Instruction

Heritage Language Learners

Support What They Know Have heritage learners help to create a word bank of key words and phrases that indicate use of the past **(ayer, el año pasado, la semana pasada, anteayer)**. Post the word bank so the whole class can refer to it as necessary, reminding them that these phrases alone are not sufficient to signal the past tense; they should be accompanied by past tense verbs.

Pre-AP

Expand and Elaborate Have students think about any outdoor activities they have recently participated in, or about a recent trip. Encourage them to think of related verbs they already know, such as **tomar fotos, acampar, montar a caballo.** Have them write a short paragraph in the preterite describing what they did.

¡AVANZA! **Objectives**
· Review the regular preterite tense
· Practice using the preterite tense

Core Resource
· *Cuaderno,* pp. 4–6

Presentation Strategies
· Have students read the grammar box to themselves.
· List the verb endings on the board.
· Ask students to copy the endings into their notebooks.

STANDARD
4.1 Compare languages

 Warm Up UTB 1 Transparency 27

Completa el párrafo con el vocabulario de esta lección.

No me gusta _____ . Prefiero quedarme en un _____ juvenil. Las _____ de campaña no son cómodas. Para _____ en la naturaleza tienes que encender una _____ o llevar una _____ de gas. ¡Qué difícil! ¿Por qué no hacemos una _____ al restaurante para cenar?

Answers: acampar; albergue; tiendas; cocinar; fogata; estufa; excursión

Communication
Common Error Alert

Remind students that many verbs in the **nosotros** form look and sound the same in the preterite and in the present tense. **¿Utilizamos todos los fósforos?** could refer to the present (Do we use all the matches?), or the past (Did we use all the matches?). Tell students that to clarify any confusion, they should note the sentence context as well as the tense used in surrounding sentences.

Objectives
- Talk about outdoor activities in the past using the preterite
- **Culture:** Influence of nature on art

Core Resources
- *Cuaderno*, pp. 4–6
- Audio Program: TXT CD 1 Track 19

Practice Sequence
- **Activity 6:** Controlled practice: preterite
- **Activity 7:** Controlled practice: preterite
- **Activity 8:** Transitional practice: questions and answers with preterite
- **Activity 9:** Open-ended practice: expressing past events with regular verbs

STANDARDS
1.1 Engage in conversation, Act. 8, 9
1.2 Understand language, Act. 6, 7
1.3 Present information, Act. 9
2.2 Products and perspectives, CC
4.2 Compare cultures, CC

Comparación cultural

Essential Question

Suggested Answer Los artistas se inspiran en muchas cosas diferentes: la naturaleza, la historia, la religión o la política. Muchas pinturas muestran paisajes o sucesos pasados.

About the Artist

Dr. Atl, as he preferred to be known, did not want to be associated with the great Spanish painter with whom he shared the name Murillo. Dr. Atl preferred to emphasize his identification with Mexicans, and he did so through his art as well as his Nahuatl pseudonym. The subject matter of his semi-abstract drawings and paintings include the Valley of Mexico and Popocatépetl and Iztaccíhuatl, Mexico's legendary volcanoes.

 Answers UTB 1 Transparency 47

Activity 6
1. Alberto escaló una montaña.
2. Ernesto limpió la olla.
3. Marta y Alberto se divirtieron mucho.
4. Silvia llenó las cantimploras.

Answers continue on p. 39.

38

 # Práctica de GRAMÁTICA

Audio Program
TXT CD 1 Track 19
Audio Script, TE
p. 29B

6 ¿Qué pasó el fin de semana?

Escuchar Escribir

Escucha el diálogo y escribe oraciones para decir cómo pasaron el fin de semana. Usa las actividades del banco de frases.

> **modelo: Marta**
> **Marta navegó por rápidos.**

1. Alberto
2. Ernesto
3. Marta y Alberto
4. Silvia

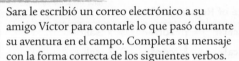

navegar por rápidos
divertirse
escalar una montaña
limpiar la olla
llenar las cantimploras

Expansión
Escoge tres verbos regulares más y escribe lo que tú y tus amigos hicieron durante una aventura al aire libre.

7 ¡Qué divertido!

Escribir

Sara le escribió un correo electrónico a su amigo Víctor para contarle lo que pasó durante su aventura en el campo. Completa su mensaje con la forma correcta de los siguientes verbos.

pasarlo bien	asustarse
quedarse	aprender
descubrir	cocinar
observar	remar

```
Hola Víctor,
Mi hermana y yo viajamos al campo la semana pasada.
¡Pensamos   1.   y fue genial! Yo   2.   mucho sobre la
naturaleza de la zona y   3.   muchos árboles
y mariposas. Silvia   4.   por horas en su kayac. En la
noche, nosotras   5.   cerca del río. ¡Qué ricos son los
peces de agua dulce! Luego   6.   en los sacos de dormir,
al aire libre, fuera de la tienda. Una noche Silvia   7.
una araña en su saco de dormir y   8.   un poco. Fue una
semana agotadora pero inolvidable.
```

Expansión:
Teacher Edition Only
Pídales a los estudiantes que le escriban una respuesta al mensaje de Sara. Anímelos a usar verbos de la Actividad 6 u otros verbos regulares en el pretérito.

Comparación cultural

La naturaleza y el arte

¿En qué se inspiran los artistas? El muralista Gerardo Murillo nació en **México** en 1875. Cambió su nombre a «Dr. Atl», que quiere decir «Doctor Agua» en náhuatl. Dr. Atl se inspiró en la naturaleza de su país para pintar paisajes.

Compara con tu mundo *¿Qué tipo de geografía ves en esta pintura? Menciona lugares así en Estados Unidos.*

Volcán Iztaccíhuatl
(1934), Gerardo Murillo

Differentiating Instruction

Multiple Intelligences

Linguistic/Verbal After teaching about Murillo's *Volcán Iztlaccíhuatl,* have students write a fictional journal entry from Dr. Atl's point of view about the day he began the painting. Ask students to describe a walk that they (as the artist) took. Supply them with a list of regular preterite verbs to include (**caminé, me divertí, escalé, observé, miré, encontré**).

Inclusion

Multisensory Input/Output List **aprender, cocinar, escribir,** and **ver** on the board. Have groups of four split into facing pairs. Each student chooses one verb and gives the preterite form for the pronouns **yo, tú, él/ella, ustedes,** and **nosotros** and points to whom they refer as they say the verb. For instance, a student says **Yo aprendí, tú aprendiste,** etc., while pointing to the person(s).

8 | Las vacaciones pasadas

Hablar

Pregúntale a tu compañero(a) si hizo las actividades que se muestran en las fotos.

modelo: abrazar

A ¿Abrazaste a tu padre?

B Sí, (No, no) abracé a mi padre.

1. buscar

2. sacar

3. llegar

4. navegar

5. utilizar

6. almorzar

7. organizar

8. tocar

9. jugar

Expansión:
Teacher Edition Only
Pídales a parejas que hagan las mismas preguntas sobre las imágenes usando **usted/ustedes** y pídales que respondan por escrito usando los pronombres **yo** o **nosotros.** Anímelos a intercambiar sus respuestas y verificar la ortografía de cada oración.

9 | Cosas en común

Escribir Hablar

Escribe una lista con las diez actividades más interesantes de tus últimas vacaciones. Luego, di qué actividades hicieron tus amigos.

> modelo: Yo visité el parque nacional de Yellowstone y mi amigo Joaquín visitó el parque nacional Glacier.

Expansión:
Teacher Edition Only
Pídales a los estudiantes que intercambien sus papeles con un(a) compañero(a) y que revisen la ortografía de todos los verbos en el pretérito.

Más práctica Cuaderno *pp. 4–6* Cuaderno para hispanohablantes *pp. 5–7*

PARA Y PIENSA

¿Comprendiste? Usa el pretérito para explicar estas actividades:
1. yo / utilizar la estufa de gas
2. los vendedores / ofrecer un descuento
3. nosotros / seguir el sendero
4. yo / pagar la tarifa más barata

Get Help Online ClassZone.com

TPR Activity

Explain to students that you are going to make a series of statements about things you did at one time or another. (**Organicé una gran fiesta. Jugué a la lacrosse. Gané un campeonato.**) Ask them to stand up when they hear you say something that they, too, have done. Be sure to include examples of some things that students are very likely to have done, e.g., **Comí un gran desayuno.**

✓ Ongoing Assessment

@HomeTutor More Practice ClassZone.com

PARA Y PIENSA **Dictation** After students have orally practiced forming the sentences in the Para y piensa, have them close their books and write down the sentences as you dictate them. For additional practice, use Reteaching & Practice Copymasters URB 1 pp. 30, 31.

Answers UTB 1 Transparency 47

Answers continued from p. 38.

Activity 7
1. pasarlo bien
2. aprendí
3. observé
4. remó
5. cocinamos
6. nos quedamos
7. descubrió
8. se asustó

Activity 8 Answers may vary but will include the following verb forms:
1. buscaste/busqué
2. sacaste/saqué
3. llegaste/llegué
4. navegaste/navegué
5. utilizaste/utilicé
6. almorzaste/almorcé
7. organizaste/organicé
8. tocaste/toqué
9. jugaste/jugué

Activity 9 Sentences will vary but should include ten different verbs in the preterite.

Para y piensa
1. Yo utilicé la estufa de gas.
2. Los vendedores ofrecieron un descuento.
3. Nosotros seguimos el sendero.
4. Yo pagué la tarifa más barata.

Differentiating Instruction

Heritage Language Learners

Regional Variations Not all heritage students may be aware of the Castilian **ceceo.** Point out that Spaniards pronounce some words just like Latin Americans: **casa, isla, solo, vasos.** Then contrast the **ceceo** (a /th/ sound) of words like **pez, centavo, organizar,** and **cierto.** Write these words on the board and ask how Spaniards know when to use the /th/ sound. (Only for **ce, ci,** and **z.**)

Multiple Intelligences

Intrapersonal Ask students to think about how often they write e-mails, postcards, or letters to friends. Instruct students to write an e-mail to a friend, talking about what they did on a trip they took. Give them a few model first-person preterite verbs to begin with, such as **caminé, escalé, nadé,** etc. Encourage them to express things that they really enjoyed doing.

¡AVANZA! Objectives
- Develop listening, reading, and writing skills
- Understand and correctly produce the forms of the preterite

Core Resource
- Audio Program: TXT CD 1 Track 20

Presentation Strategies
- Have students scan the e-mails on p. 40 to get a general idea of what they are about before listening to the audio
- Play the audio while students follow along in the textbook.

Practice Sequence
- **Activity 10:** Contexto 2 comprehension
- **Activity 11:** Transitional practice: Use clues to respond to an e-mail
- **Activity 12:** Open-ended practice: Questions and answers with preterite

STANDARDS
1.1 Engage in conversation, Act. 12
1.2 Understand language, Act. 10
1.3 Present information, Act. 11

Warm Up UTB 1 Transparency 27

Menciona cuatro cosas que necesitas para acampar y el verbo que asocias con cada cosa.

Answers will vary: Sample answers: saco de dormir / dormir; fósforos / encender; kayac/ remar; cantimploras / llenar.

✲ GRAMÁTICA en contexto

> **¡AVANZA!** **Goal:** *Show what you know* Notice how Luis, Roberto, and Tomás use the preterite in their emails to Javier. Then practice using the preterite to talk about the outdoor activities they discussed. *Actividades 10–12*

Contexto 2 *Correos electrónicos*

ESTRATEGIA Leer
Use a table to review verb tenses in context Copy and complete this table with verbs from the reading.

Verbo	Tiempo		Frase
	presente	pretérito	
quiero	√		quiero formar parte del grupo

AUDIO Javier Medina busca dos compañeros con equipo de acampar para hacer un viaje a la Península de Yucatán este verano. Tres estudiantes contestaron el anuncio de Javier y escribieron para reservar un sitio en su camioneta.

[Enviar] [Enviar y archivar] [Guardar]

¡Hola, Javier!
¡Leí tu anuncio y quiero formar parte del grupo! No puedo viajar durante el mes de junio, pero sí en julio o agosto. Mi familia y yo viajamos a EE.UU. el verano pasado y acampamos en varios parques. Tengo una tienda de campaña para cuatro personas y cuatro sacos de dormir.
Espero tu respuesta con más información sobre el viaje. ¡Hasta pronto!

Luis Mendoza :-)

Hola,
  Quiero participar en el viaje que describiste en tu anuncio. El problema es que sólo puedo ir durante los meses de junio y julio. Mis amigos y yo acampamos mucho, pero no tengo mucho equipo. Tengo una estufa de gas y unas ollas que usé en el último viaje. También tengo una cantimplora y un kayac. ¿Tenemos espacio para el kayac?

  ¡Gracias!

Roberto Durín

Hola,
  Leí tu anuncio sobre el viaje. ¡Qué padre! El año pasado conseguí una tienda de campaña para dos personas y tres sacos de dormir. También compré una estufa de gas. Pero sólo puedo ir durante el mes de julio.

  ¿Piensas ir a Cancún? Mis amigos y yo organizamos una excursión allí hace dos años y nos divertimos mucho. ¡Es genial! ¡Espero más información!

Tomás Gutiérrez

También se dice

En el correo electrónico, Tomás usa la palabra **padre** para decir que la idea del viaje le gusta mucho y le parece genial.
- **Argentina** bárbaro
- **España** guay
- **Cuba** volao
- **Venezuela** chévere

Differentiating Instruction

Pre-AP

Vary Vocabulary Have students form pairs and write 5 or 6 sentences describing what they did on a recent trip, using the preterite. Encourage them to use action verbs such as **explorar, volar, navegar,** and to avoid general verbs such as **viajar, ir,** or **andar.** Have them exchange papers and ask each other questions such as **¿Te gustó el lugar que visitaste?**, etc.

Inclusion

Alphabetic/Phonetic Awareness Reinforce the spelling change **g → gu** by reviewing the phonetic rule. Explain that the letter **g** makes the /h/ sound when followed by the vowels **e** or **i** and the /g/ sound when followed by **a, o,** or **u.** Ask them to write words as you say them aloud: **gato, Gerardo, navegué, imagina, conseguir,** and **llegué.**

10 Comprensión de los correos electrónicos

Hablar
Escribir

Contesta las siguientes preguntas según la información de los correos electrónicos.

1. ¿Qué tipo de tienda de campaña tiene Tomás?
2. ¿Adónde viajó Tomás con sus amigos hace dos años?
3. ¿Adónde viajó la familia de Luis?
4. ¿Qué quiere llevar Roberto para usar en el agua?
5. ¿En qué mes puede viajar Tomás?
6. ¿Roberto tiene experiencia para acampar?

Expansión:
Teacher Edition Only
Pídales a los estudiantes que escriban una pregunta adicional sobre cada persona y que intercambien sus papeles con un(a) compañero(a) para contestar las preguntas.

11 ¡A escribir!

Escribir

Responde a uno de los correos electrónicos de la página 40. Usa las pistas para organizar tu respuesta:

Pistas: ¿Qué escribió esa persona y qué información adicional quieres? ¿Qué quieres preguntarle a esa persona sobre alguna experiencia que mencionó en su correo electrónico? ¿Tienes alguna pregunta más sobre equipo o fechas? ¿Tienes alguna pregunta sobre personalidad, gustos o preferencias de esa persona?

Expansión
Escribe un correo electrónico a un(a) amigo(a) para invitarlo(la) a un viaje.

12 ¿Cómo te divertiste?

Hablar

Habla con un(a) compañero(a) sobre sus últimas vacaciones. Usa las siguientes pistas:

Pistas: ¿viajar?, ¿conocer lugares?, ¿practicar deportes?, ¿disfrutar de actividades al aire libre?, ¿usar equipo para acampar?, ¿actividades más y menos preferidas?, ¿tarifas caras?

A ¿Viajaste durante las últimas vacaciones?

B Sí, viajé a la casa de mi tía.

Expansión:
Teacher Edition Only
Pídales a parejas que se turnen para dictar y apuntar las respuestas a las preguntas. Pídales que intercambien sus papeles para leer y corregir el trabajo de su compañero(a).

PARA Y PIENSA

¿**Comprendiste?** Escoge el verbo correcto, según la lectura, e indica la conjugación apropiada para cada oración.

1. Tomás _____ una excursión a Cancún hace dos años.
2. Luis y su familia _____ a Estados Unidos el verano pasado.
3. Yo _____ una estufa de gas cuando viajé.

Get Help Online
ClassZone.com

Differentiating Instruction

Heritage Language Learners

Support What They Know Have native speakers add to the list of words given in También se dice. Ask them what other words are used in the region where they or their family members come from. List the terms on a bulletin board and encourage students to use them as they respond to one another in class.

Pre-AP

Draw Conclusions Have students speculate on the personalities, likes, and dislikes of Luis, Roberto, and Tomás based on what they say in their e-mails. They should include the reasoning behind these conclusions. Have them decide on the basis of their findings with whom they would most enjoy traveling.

✓ **Ongoing Assessment**
@HomeTutor
More Practice
ClassZone.com

PARA Y PIENSA

Peer Assessment If a student fails to answer two of the three Para y piensa questions correctly, (s)he should pair up with a student who answered them all correctly, and review Activities 6 and 7 on page 38. For additional practice, use Reteaching & Practice Copymasters URB 1 pp. 30, 32.

Answers UTB 1 Transparencies 47–48

Activity 10
1. Tiene una tienda de campaña para dos personas.
2. Viajó a Cancún.
3. Viajó a Estados Unidos.
4. Quiere llevar un kayac.
5. Tomás puede viajar en julio.
6. Sí, tiene experiencia.

Activity 11 Answers will vary.

Activity 12 Questions and answers will vary but may include the following verbs: viajaste/viajé, conociste/conocí, practicaste/practiqué, disfrutaste/disfruté, usaste/usé.

Para y piensa
1. organizó
2. viajaron
3. usé

Objective

· Practice irregular preterite verbs

Core Resource

· *Cuaderno,* pp. 7–9

Presentation Strategy

· Review the irregular preterite forms with students

STANDARD

4.1 Compare languages

Warm Up UTB 1 Transparency 28

Para cada situación, escoge la expresión que mejor la describe.

¡Bárbaro!	¡Padre!	¡Mal!
¡Chévere!	¡Horrible!	¡Volao!

1. Encendiste una gran fogata para hacer la cena.
2. Una serpiente entró en la tienda de campaña.
3. Unas mariposas te siguieron por el sendero.
4. El kayac se llenó con agua.
5. Te ofrecieron un gran descuento en el albergue juvenil.
6. Hice una excursión por la selva para ver las flores y los pájaros.

Answers will vary, but items 2 and 4 should be negative interjections, and the rest positive.

Long-term Retention

Personalize It

Have students think of words and phrases that they already know and can use to talk about what they did yesterday or last week. Start a master list on the board and encourage students to refer to it to describe activities they recently engaged in.

Presentación de GRAMÁTICA

¡AVANZA! **Goal:** Review the forms of irregular verbs in the preterite. Then practice by talking about outdoor activities in the past. *Actividades 13–16*

English Grammar Connection: Many verbs in English and in Spanish have irregular forms in the past tense.

you **bring** *becomes* you **brought**   tú **traes** *becomes* tú **trajiste**

REPASO **Irregular Preterites**

Animated Grammar
ClassZone.com

The following verbs have **irregular stems** and **irregular endings** in the **preterite**.

Here's how:

i-Stem Verbs		u-Stem Verbs		uv-Stem Verbs		Preterite Endings	
hacer	hic-/hiz-*	haber	hub-	andar	anduv-	-e	-imos
querer	quis-	poder	pud-	estar	estuv-	-iste	-isteis
venir	vin-	poner	pus-	tener	tuv-	-o	-ieron
		saber	sup-				

*The stem of **hacer** is **hiz-** for the **usted/él/ella** form only. *(Ella hizo la tarea.)*

j-Stem Verbs		Preterite Endings	
decir	dij-	-e	-imos
traer	traj-	-iste	-isteis
conducir	conduj-	-o	-eron

Other Irregular Verbs in the Preterite

ser *and* ir	dar	ver
fui	di	vi
fuiste	diste	viste
fue	dio	vio
fuimos	dimos	vimos
fuisteis	disteis	visteis
fueron	dieron	vieron

*The verbs **dar** and **ver** have regular **-er/-ir** preterite endings but with no written accent marks.*

Más práctica
Cuaderno *pp. 7–9*
Cuaderno para hispanohablantes *pp. 8–11*

Conjuguemos.com

@HomeTutor
Leveled Practice
ClassZone.com

Differentiating Instruction

Pre-AP

Vary Vocabulary Have student pairs develop a crossword puzzle with infinitive and preterite forms of irregular verbs. Ask them to write a definition or list a synonym for each answer in the crossword grid and then check the puzzle for accuracy. Have pairs trade puzzles with one another and solve them.

Slower-paced Learners

Peer-study Support Have students make present and past flash cards (**tengo** on one side, **tuve** on the other) and then have them work with a partner, quizzing each other, referring to their books as needed. Once a pair is finished with their own cards, they can trade sets with two other students.

Práctica de GRAMÁTICA

13 | ¿Qué hicieron?

Escribir

Completa las oraciones según el modelo. Usa cada verbo en la forma apropiada del pretérito.

> **modelo:** Irma / andar / por el sendero con tres amigos
> Irma anduvo por el sendero con tres amigos.

1. Javier / ir / a la tienda de deportes
2. Lupita y Marín / hacer / una excursión inolvidable
3. todos / decir / que era hora de comer
4. yo / caminar / al centro comercial
5. tú / traer / la tarjeta de crédito
6. nosotros / tener que / sacar dinero del banco

Expansión:
Teacher Edition Only
Pídales a los estudiantes que conviertan cada oración en una pregunta dirigida a la persona indicada. Por ejemplo: ¿Javier, fuiste a la tienda de deportes?

♻ REPASO gramatical   Stem-changing verbs in the preterite p. R32

Verbs ending in **-ar** and **-er** that have a stem change in the present tense do not have a stem change in the preterite. Verbs ending in **-ir** that have a stem change in the present tense change from o → u or e → i in the forms of **usted/él/ella** and **ustedes/ellos/ellas** in the preterite.

dormir (ue, u)	**divertir** (ie, i)
Nosotros **dormimos** en casa.	Yo **me divertí** mucho.
Ellas **durmieron** al aire libre.	Usted **se divirtió** también.

---

14 | Una excursión al campo

Hablar Escribir

Describe qué hicieron estas personas durante su excursión al campo.

> **modelo:** Ana y Marta se despidieron antes de ir a casa.

Ana y Marta	divertirse	agua para todos
Jorge	dormir	navegar por rápidos
Mis amigos y yo	seguir	con botas
ustedes	despedirse	en el kayac
Tú	conseguir	en el saco de dormir
Silvia	preferir	el sendero
Jaime	vestirse	antes de ir a casa

Expansión:
Teacher Edition Only
Pídales a los estudiantes que ordenen sus oraciones de acuerdo a la actividad más preferida (1), hasta la menos preferida (7).

Differentiating Instruction

Inclusion

Synthetic/Analytic Support Divide students into groups of three. Give each group two bags: one with irregular preterite stems and the other with preterite endings. Have them randomly select a preterite stem and an ending. If the ending does not match the stem, have them pick again until the parts match. Then see how many sentences each group can put together using the verbs.

English Learners

Provide Comprehensible Input Record a number of commercials from the local Spanish TV channel. Choose a few amusing ones (or any that are explicitly related to the lesson vocabulary) to show in class. After viewing each one, elicit from students any sentences that describe what the person (or animal, or product) did in the commercial, using irregular preterite verbs.

Objectives

- Practice using irregular preterite verbs
- Talk about outdoor activities in the past
- Recycle: preterite stem changes

Practice Sequence

- **Activity 13:** Controlled practice: irregular preterite
- **Activity 14:** Transitional practice: irregular preterite

❀ STANDARDS

   1.3 Present information, Act. 13, 14
   4.1 Compare languages, Nota

Nota gramatical

Have students look at page 42. Ask if they notice something "missing" from the irregular preterite verb endings. (The irregular verbs do not have written accents.) Make sure students can hear how the emphasis shifts back to the second-to-last syllable without the written accent. (**Hi**-zo, **pu**-do, es-**tu**-vo, etc.)

Communication
Role-Playing and Skits

Adapt Activity 14 into a game of charades. Divide students of similar proficiency levels into groups of four. Then have each student take a turn acting out one of the sentences he or she has written (with the student as the subject), and ask the rest of the group to guess the sentence.

Answers UTB 1 Transparency 48

Activity 13
1. Javier fue a la tienda de deportes.
2. Lupita y Marín hicieron una excursión inolvidable.
3. Todos dijeron que era hora de comer.
4. Yo caminé al centro comercial.
5. Tú trajiste la tarjeta de crédito.
6. Nosotros tuvimos que sacar dinero del banco.

Activity 14 Answers will vary. Sample answers: Jaime se divirtió en el kayac; Ana y Marta consiguieron agua para todos. Ustedes durmieron en el saco de dormir.

43

¡AVANZA! Objectives
- Practice using the irregular preterite
- **Culture:** Parks near Monterrey

Core Resource
- *Cuaderno*, pp. 7–9

Practice Sequence
- **Activity 15:** Transitional practice with the irregular preterite
- **Activity 16:** Open-ended practice: answer questions

STANDARDS
1.1 Engage in conversation, Act. 15
1.3 Present information, Act. 15
3.1 Knowledge of other disciplines, Act. 16
4.2 Compare cultures, Act. 16

Comparación cultural

Essential Question

Suggested Answer Las actividades dependen de la geografía del lugar. Un lugar con montañas es ideal para escalar montañas o hacer caminatas; si hay ríos, se puede navegar los rápidos. Un lugar sin montañas es mejor para montar en bicicleta o correr.

✓ Ongoing Assessment

@HomeTutor
More Practice
ClassZone.com

PARA Y PIENSA **Quick Check** Before having students do the Para y piensa, review recently taught verbs and the vocabulary associated with them. For additional practice, use Reteaching & Practice Copymasters URB 1, pp. 33, 34.

Answers UTB 1 Transparency 48

Activity 15 Answers will vary but should include the following verb forms:

1. conseguiste/conseguí; **2.** utilizaste/utilicé; **3.** tuviste/tuve; **4.** tuviste/tuve; **5.** tuviste/tuve; **6.** te sentiste/me sentí; **7.** te dijeron/me dijeron

Answers continue on p. 45.

44

---

15 | ¡Qué aventura!

Hablar

Uno(a) de los (las) estudiantes se perdió durante la excursión. Entrevista a ese(a) estudiante para saber algo de sus experiencias.

modelo: ¿cuántos días / estar perdido?

A ¿Cuántos días estuviste perdido(a)?

B Estuve perdido(a) cuatro días.

1. ¿cómo / conseguir comida y agua?
2. ¿qué / utilizar para hacer una fogata?
3. ¿dónde / tener que dormir?
4. ¿tener problemas con algún animal?
5. ¿tener mucho o poco miedo?
6. ¿cómo / sentirse cuando te encontraron?
7. ¿qué / decirte tus amigos(as) cuando te vieron?

Expansión
Escribe un artículo con las respuestas de la entrevista.

16 | A acampar en Chipinque

Leer
Escribir

Comparación cultural

Cascada Cola de Caballo

Monterrey y sus parques

¿Cómo influye la geografía de un país en las formas de diversión? Cerca de la ciudad de Monterrey, en el norte de **México,** hay varios parques ecológicos famosos: El parque Cola de Caballo con su hermosa cascada *(waterfall),* La Mesa Chipinque y el Parque Ecológico de Chipinque, que está en las montañas de La Sierra Madre. La gente siempre utilizó este lugar al aire libre, hizo excursiones y se divirtió sin dañar la naturaleza. Allí se puede montar tiendas de campaña y ayudar a conservar el lugar.

Compara con tu mundo *¿Qué parques ecológicos hay en tu estado? ¿Qué actividades ofrecen? ¿Cómo es el paisaje?*

Contesta las preguntas con oraciones completas.

1. ¿Qué actividades hizo la gente en el Parque de Chipinque?
2. ¿Qué pudieron montar los que quisieron dormir en el parque?
3. ¿Desde cuándo la gente utilizó este lugar?

Más práctica Cuaderno *pp. 7–9* Cuaderno para hispanohablantes *pp. 8–11*

PARA Y PIENSA **¿Comprendiste?** Pregúntales a tus amigos(as) si hicieron lo siguiente. ¡Cuidado con los cambios verbales!
1. tener descuentos en las tarifas
2. poner el equipo en la camioneta
3. dormir bien en el saco de dormir

Get Help Online
ClassZone.com

Differentiating Instruction

Heritage Language Learners

Literacy Skills Have students research Chipinque on the Internet and create a one-page travel brochure. Encourage them to look for data such as attractions, park rules, and guided tours. Have them write a short paragraph about the park. Ask them to include a picture or drawing of something Chipinque is known for and include a caption for the image.

Multiple Intelligences

Naturalist Tell students that Chipinque is also home to a variety of bird and butterfly species. Have them research the topic on the Internet and find out the names of at least three species that are indigenous to the park. Ask them to find pictures of the butterflies or birds, and then draw their own versions of the species, labeling the finished diagrams in both Spanish and English.

✳ Todo junto

¡AVANZA! **Goal:** *Show what you know* Notice the preterite verb forms that Javier and his family use to talk about the emails he received. Then talk about outdoor activities using verbs in the preterite. *Actividades 17–20*

*Resumen **contextos 1 y 2*** Javier Medina recibió tres correos electrónicos como resultado de un póster que puso en su escuela. Cada persona escribió con información sobre el equipo para acampar y la experiencia que tienen para hacer un viaje desde el D.F. hasta la Península de Yucatán este verano.

Contexto 3 *Diálogo*

ESTRATEGIA Escuchar
Analyze the situation with a flow chart List the concerns raised by Javier's mother and father. What do they do to help? What happens as a result?

AUDIO

Ahora, Javier habla con sus padres para escoger a las dos personas ideales para hacer el viaje a Yucatán.

Javier: Mamá, es difícil escoger a las dos personas ideales.

Madre: Claro, pero tienes que enfocarte en el equipo necesario para el viaje. Van a ser cuatro personas, incluido tu papá, y como tú no tienes nada más que la camioneta...

Javier: Papá me puede dar más dinero.

Padre: ¡Ya te di mucho, Javier! ¡Te presté la camioneta y me escogiste como la persona adulta para ir con ustedes!

Javier: ¡Sí, sí, papi, ya lo sé! A ver... Luis dijo que tiene una tienda de campaña para cuatro personas y cuatro sacos de dormir. Tomás dijo que tiene una tienda para dos personas y tres sacos de dormir. Y Roberto... no tiene tienda, pero tiene una estufa de gas, unas ollas, una cantimplora y un kayac.

Madre: Tenemos que considerar las fechas posibles para el viaje. Luis dijo que no puede viajar en junio, y Tomás dijo que sólo puede viajar en julio.

Differentiating Instruction

Pre-AP

Sequence Information By way of review, write fragments from the two previous **Contexto** episodes on sentence strips. Have a volunteer read them aloud one at a time and tape them to the board to be ordered sequentially with the help of the class.

Multiple Intelligences

Logical/Mathematical Have students create a chart with the column heads **Luis, Roberto,** and **Tomás,** and the row heads **Tiene...** and **No tiene...** Have them list the equipment that each boy does and does not have. Have them form complete sentences using the chart (**Roberto no tiene tienda, Luis tiene cuatro sacos de dormir, etc.**)

¡AVANZA! **Objective**
· Integrate lesson content

Core Resource
· Audio Program: TXT CD 1 Track 21

Presentation Strategies
· Review the first two parts of the Contexto aloud
· Play the audio as students read along
· Have students trace Javier's decision process with a flow chart

✡ STANDARD
1.2 Understand language

🔊 Warm Up UTB 1 Transparency 28

Verbos Escoge el verbo correcto para completar cada oración.
1. Yo (quise / hice) la tarea antes de cenar.
2. Carmen no (pudo / puso) encontrar sus libros.
3. ¿Tú no (dijiste / estuviste) «Gracias»?
4. Marta no (supo / condujo) el carro hoy.
5. Nosotras (fuimos / tuvimos) que trabajar anoche.

Answers: 1. hice; 2. pudo; 3. dijiste; 4. condujo; 5. tuvimos

Connections
Social Studies

Have students trace Javier's decision by creating a flow chart similar to this one:
Javier necesita equipo para el viaje.
↓
Cada chico tiene equipo diferente.
↓
Hay fechas en que cada uno no puede viajar.
↓
Hacen una tabla con la información.

🔊 Answers UTB 1 Transparency 48

Answers continued from p. 44.
Activity 16
1. La gente hizo excursiones y se divirtió.
2. Pudieron montar tiendas de campaña.
3. Desde siempre la gente utilizó este lugar.

Para y piensa
1. ¿Tuvieron descuentos en las tarifas?
2. ¿Pusieron el equipo en la camioneta?
3. ¿Durmieron bien en el saco de dormir?

Objective
· Practice using and integrating lesson grammar and vocabulary.

Core Resources
· *Cuaderno*, pp. 10–11
· Audio Program: TXT CD 1 Tracks 21, 22, 23

Practice Sequence
· **Activity 17:** Contexto 3 comprehension
· **Activity 18:** Transitional practice: writing
· **Activity 19:** Open-ended practice: reading, listening, and speaking
· **Activity 20:** Open-ended practice: writing

STANDARDS
1.2 Understand language, Act. 17
1.3 Present information, Act. 18, 19, 20

Long-term Retention
Personalize It

Ask students to think about what kinds of items they might take with them on a camping trip. Encourage them to think about words they have been previously taught for clothing items, accessories, etc., as well as the new vocabulary they have learned. Have them share their lists with the class.

 Answers UTB 1 Transparency 48

Activity 17
1. Padre	4. Javier
2. Madre	5. Padre
3. Madre	6. Javier

Activity 18 Answers will vary.

	Luis	Roberto	Tomás
Equipo	Tienda para 4; 4 sacos de dormir	Estufa de gas, ollas, cantimplora, kayac	Tienda para 2; 3 sacos de dormir; estufa de gas
Fechas	julio, agosto	junio, julio	julio

46

Javier: Y Roberto dijo que sólo puede viajar en junio o julio.

Padre: Ay, ¡basta! Es como un problema de lógica... ¡demasiado agotador para mí!

Madre: Mira, Javier, busqué papel y lápiz, y preparé una tabla comparando todos los datos.

Javier: ¡Mucho mejor! Hiciste la tabla y ahora puedo ver la situación con más detalle.

Padre: Bueno, es demasiado para mí. Nunca me gustó este tipo de problemas. ¡Me voy a ver la tele!

Madre: Bueno, Javier, ¿empezamos a decidir quién viaja?

Javier: ¡Manos a la obra!

17 | Comprensión del diálogo

 Escuchar Hablar

Di a quién describen las siguientes oraciones.

1. Dijo que no le gustan los problemas de lógica.
2. Hizo una tabla para analizar la información.
3. Dijo que lo más importante es pensar en el equipo necesario.
4. Dijo que es difícil escoger a las dos personas ideales.
5. Salió y no participó en la solución del problema.
6. Dijo que alguien puede darle más dinero.

> **Expansión:**
> Teacher Edition Only
> Pídales a tríos de estudiantes que hagan un resumen con sus propias palabras de lo que dijeron Javier, la madre y el padre. Luego pídales que dialoguen basados en esos resúmenes.

18 | ¡A decidir quién viaja!

Escribir

Según el diálogo, haz una tabla como la que hizo la mamá de Javier. Compara el equipo de Luis, Roberto y Tomás, y las fechas en que pueden viajar. Luego, decide quiénes son los candidatos apropiados para el viaje y escribe por qué.

	Luis	Roberto	Tomás
Equipo			
Fechas			

> **Expansión:**
> Teacher Edition Only
> Pídales a los estudiantes que escriban en oraciones completas qué otros equipos ellos piensan que son importantes para este viaje.

Differentiating Instruction

Multiple Intelligences

Musical/Rhythmic List the verbs that have been most difficult for students to master in the preterite. Then divide students into as many groups as you have verbs, and assign each group a verb. Have groups conjugate and chant verbs aloud to the tune of a song (e.g., **dije dijiste dijo dijimos dijeron** set to "The Itsy Bitsy Spider"). Have each group teach their song to the class.

Slower-paced Learners

Read Before Listening Have students read aloud the statements in Activity 17 before listening to the dialogue. Discuss what kind of information they should focus on for each statement. For example, to identify to whom **Dijo que no le gustan los problemas de lógica** refers, students should listen for the words **problemas de lógica**.

19 | Integración

Leer
Escuchar
Hablar

Lee este artículo de una revista sobre un campamento en México. Luego, escucha el mensaje sobre el problema con tu reservación. Decide qué quieres hacer y llama al campamento para explicar tu decisión.

Audio Program
TXT CD 1 Track 23
Audio Script, TE
p. 29B

Fuente 1 Artículo de opinión

Aire y Sol
Correo de lectores

Un campamento inolvidable
por Leandro Mir

El mes pasado fui al campamento Sol Maya, cerca de la reserva natural Agua Azul. Tuvimos que hacer reservaciones con anticipación para conseguir el mejor lugar: un sitio frente al río. Cuando llegamos, montamos la tienda de campaña y encendimos una fogata. Esa noche dormimos muy bien. Al día siguiente hicimos caminatas por el bosque. Un día navegamos por los rápidos en un kayac y el último día utilizamos el transporte público para visitar las ruinas de Uxmal. Son increíbles.

Fuente 2 Un mensaje por teléfono

Escucha y apunta

• ¿Qué problema hay con tu reservación?
• ¿Qué tienes que hacer?

modelo: Hola, llamo porque quise hacer una reservación en su campamento pero me dijeron que no hay lugar. No puedo ir en otra fecha pero ustedes me dijeron que me pueden recomendar otro campamento.

Expansión:
Teacher Edition Only
Pídales a los estudiantes que escriban en una hoja de papel la respuesta del campamento a su decisión.

20 | Una tarjeta postal

Escribir

Escríbele una tarjeta postal a un(a) amigo(a) o pariente y explica qué hiciste en ese lugar durante tus vacaciones. Usa verbos regulares e irregulares.

Pistas: ¿Adónde fuiste? ¿Con quién(es)? ¿Qué hiciste? ¿Qué sorpresa tuviste?

Writing Criteria	Excellent	Good	Needs Work
Content	Your postcard addresses all of the questions.	Your postcard addresses some of the questions.	Your postcard addresses few of the questions.
Communication	Your postcard is organized and easy to follow.	Parts of your postcard are organized and easy to follow.	Your postcard is disorganized and hard to follow.
Accuracy	You make few mistakes in grammar and vocabulary.	You make some mistakes in grammar and vocabulary.	You make many mistakes in grammar and vocabulary.

Expansión:
Teacher Edition Only
Pídales a los estudiantes que escriban una carta de un párrafo con la respuesta de los (las) amigo(a)s o parientes a quiénes ellos mandaron la postal.

Más práctica Cuaderno *pp. 10–11* Cuaderno para hispanohablantes *pp. 12–13*

PARA Y PIENSA

¿Comprendiste? Escribe las siguientes oraciones en el pretérito.
1. Tienes que enfocarte en el equipo necesario.
2. ¡Es como un problema de lógica!
3. El padre le presta la camioneta.

Get Help Online
ClassZone.com

Differentiating Instruction

Pre-AP

Sequence Information Discuss the writing styles used for a postcard versus a more fluid narrative, such as a short story. Have students add more details to their postcards from Activity 20. Then brainstorm transition words (**poco después, luego, pero**) and have students refine their writing by using these words.

English Learners

Build Background Pair English learners with native English speakers and have partners examine a reading selection, listing the cognates that they find before trying to deduce the text's meaning.

Pre-AP Integration

Activity 19 Help students think of ways to resolve the problem with the reservation by having them create a cause and effect chart. They can use their charts to make their decision and organize their explanation.

✓ Ongoing Assessment

Rubric Activity 19 Listening/Speaking

Proficient	Not There Yet
Student identifies the problem with the reservation and explains what he or she plans to do.	Student identifies the problem with the reservation, but doesn't explain what he or she plans to do.

✓ Ongoing Assessment

@HomeTutor
More Practice
ClassZone.com

PARA Y PIENSA **Intervention** If a student is unable to correctly restate all three sentences in the preterite, pair him or her with another student to review regular (p. 37) and irregular (p. 42) forms. For additional practice, use Reteaching & Practice Copymasters URB 1, pp. 33, 35.

Answers UTB 1 Transparencies 48–49

Activity 19 Answers will vary. Sample answer: Buenos días. Me dijeron que hay un problema con mi reservación. No hay sitio en las fechas en que quiero ir a Sol Maya. ¿Qué otro campamento me recomiendan?

Activity 20 Answers will vary. Sample answer:
Querido abuelo:

Estoy en Cancún. Vine con mi amiga Eva y su familia. Ayer fuimos a la playa y comimos en un restaurante de mariscos. Al volver al hotel, ¡vimos que mis padres le mandaron flores a la familia de Eva! ¡Qué sorpresa!

Cuídate,
Ana

Para y piensa
1. Tuviste que enfocarte en el equipo necesario.
2. ¡Fue como un problema de lógica!
3. El padre le prestó la camioneta.

Objectives

· Read and listen to the poetry of Octavio Paz
· Analyze the poem's references to nature
· **Culture:** Octavio Paz, influence of nature on literary works

Core Resource

· Audio Program: TXT CD 1 Track 24

Presentation Strategies

· Use the Para leer strategy to draw attention to cognates
· Point out vocabulary notes
· Examine Nota cultural with students
· Read, listen to, and respond to poems

 STANDARDS

1.2 Understand language
2.2 Products and perspectives
3.1 Knowledge of other disciplines

Warm Up UTB 1 Transparency 29

Pretérito Completa la tarjeta postal con la palabra correcta o el verbo en el pretérito.

bosque	fósforos
cantimplora	llegar
dar	tener

Hola, Julián:
¿Qué tal? _____ anoche al campamento.
No _____ tiempo para comprar los _____,
pero sí tengo la _____ que tú me _____.
El _____ es muy bonito.
Hasta pronto,
Carlos

Answers: :Llegué; tuve; fósforos; cantimplora; diste; bosque.

Culture

About the Poet

Octavio Paz was the first Mexican to receive the Nobel Prize for literature. He is best known for his poems. Along with the landscape of Mexico, he found inspiration in human beings, and was fascinated by the way people can harness love and creativity to overcome solitude.

❖ Lectura literaria

 ¡AVANZA! **Goal:** Read and listen to the poetry of a Mexican author and analyze the references to nature.

Para leer

ESTRATEGIA Leer
Look for cognates Draw a spider map like the one below, and write down at least four cognates that you find in the poems "Hermandad" or "Viento, agua, piedra."

Español	Español
Inglés	Inglés
Cognados	
Español	Español
Inglés	Inglés

Vocabulario para leer

Hermandad

durar mantenerse en un lugar, permanecer
hacia preposición que indica a dónde nos dirigimos
deletrear nombrar las letras que forman una palabra

Viento, agua, piedra

horadar hacer una perforación en un objeto
la copa vaso con pie, que sirve para beber
giros cambios de dirección, cambios de movimiento
vacío que no contiene nada
desvanecerse no existir más, desaparecer, deshacerse

Nota cultural

Sobre el autor **Octavio Paz (1914–1998)**
Obtuvo gran fama con su libro *El laberinto de la soledad,* donde describe la psicología de los mexicanos. En 1990 recibió el premio Nobel de literatura. Al aceptar el premio comentó: «Los españoles encontraron en México no sólo una geografía sino una historia».

Sobre la naturaleza Muchos poetas se inspiran en la naturaleza. México presenta una geografía muy variada: sierras, desierto, costas y bosques. Frecuentemente, los poetas y escritores mexicanos reflejan esta riqueza natural en sus obras, como hizo Octavio Paz en «Viento, agua, piedra».

Differentiating Instruction

English Learners

Provide Comprehensible Input Find large, photographic illustrations that show the varied topography of Mexico and share these with the class as you discuss Sobre la naturaleza. Check the travel section of your local library, or see if the school library has an illustrated atlas that you can borrow.

Slower-paced Learners

Personalize It After students have looked for cognates, previewed new vocabulary, and read through the poem "Hermandad," have them close their eyes and try to visualize a vast, starry sky as they listen to the poem. Have students draw a picture of an environment that makes them feel similarly referring to a line of the poem that conveys that feeling.

Big Dipper, *El Hortelano*

 **Hermandad**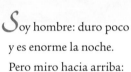
AUDIO

*S*oy hombre: duro poco
y es enorme la noche.
Pero miro hacia arriba:
las estrellas escriben.
5 Sin entender comprendo:
también soy escritura
y en este mismo instante
alguien me deletrea.

✿ A pensar
¿Con qué se compara el narrador del poema?

☑ Reflexiona
¿Qué características tienen el narrador, la noche y las estrellas en el poema? ¿Cómo crees que se siente el narrador?

Lección 1
cuarenta y nueve **49**

Answers

Answers for Activities on pp. 48, 49.

Para leer Answers will vary, but cognates may include:
enorme (enormous)
escriben (inscribe)
comprendo (comprehend)
instante (instant)
dispersa (disperse)
detiene (detain)
copa (cup)
escapa (escape)
murmura (murmur)
inmóvil (immobile)
pasan (pass)

A pensar
El narrador se compara con la escritura.

Reflexiona Answers will vary. Sample answers: El narrador es un hombre que dura poco. La noche es enorme y las estrellas son como personas porque escriben. Creo que el narrador se siente pequeño en el mundo pero siente una relación con la naturaleza.

49

Differentiating Instruction

Heritage Language Learners

Support What They Know Ask native speakers if they know of any famous poets or writers from their countries of origin. Suggest that they bring in a poem or excerpt to share with the class. Have them point out references in the piece that reflect the geography of the region.

Pre-AP

Draw Conclusions Start a class discussion about the title of the poem. Ask what other Spanish word looks like **hermandad.** (**hermano/a.**) What other Spanish words end in **-dad?** (List **-dad** nouns.) Once students have deduced the meaning of the word, have them offer opinions as to why the poem is named as it is. What evidence in the text of the poem supports this conclusion?

¡AVANZA! Objectives

- Read and listen to the poetry of Octavio Paz
- Analyze the poems' references to nature

Core Resource

- Audio Program: TXT CD 1 Track 25

Presentation Strategy

- Read, listen, and respond to the poem

STANDARDS

1.2 Understand language
3.1 Knowledge of other disciplines

Long-term Retention

Critical Thinking

Analyze Point out that in the poem "**Viento, agua, piedra,**" each stanza highlights the back-and-forth shifting of dominance among the three elements named in the title. Point out how in the first verse water dominates rock, wind directs water, and rock diverts the wind, and how the positions are reversed in subsequent verses. Ask students to write down the words that describe how the elements interact.

Culture

Background Information

You may want to share that the poem echoes the simple rhythm of the children's game popular throughout Latin America called **piedra, papel, tijera,** where some of the players are different, but they play the same role: winning some, losing some, according to chance.

✵ Lectura literaria *continuación* ———

Tornado (1941), Mario Carreño

VIENTO, AGUA, PIEDRA
AUDIO

El agua horada la piedra,
el viento dispersa el agua,
la piedra detiene al viento.
Agua, viento, piedra.

Differentiating Instruction

Heritage Language Learners

Support What They Know Ask students to look for and bring into class a poem from their country or region of origin. Before asking students to recite the poem to the rest of the class, have them briefly explain what the poem is about. Encourage them to share other background information about the piece, including when it was written and who wrote it.

Multiple Intelligences

Logical/Mathematical Have students make a chart for the actions of wind, water, and rock in the first three stanzas of the poem.

Elemento	Estrofa 1	Estrofa 2	Estrofa 3
Viento			
Agua			
Piedra			

5 El viento esculpe[1] la piedra,
   la piedra es copa del agua,
   el agua escapa y es viento.
   Piedra, viento, agua.

   El viento en sus giros canta,
10 el agua al andar murmura,
   la piedra inmóvil se calla[2].
   Viento, agua, piedra.

   Uno es otro y es ninguno:
   entre sus nombres vacíos
15 pasan y se desvanecen
   agua, piedra, viento. ❁

---

[1] carves   [2] **se...** stops talking

❁ A pensar
¿Qué acciones se asocian con el agua, el viento y la piedra? ¿Con qué puedes comparar el agua, el viento y la piedra?

 Reflexiona
¿Qué relación hay entre los tres elementos descritos en el poema?

 PARA Y PIENSA

¿Comprendiste?
1. ¿Por qué el autor usa el título «Hermandad»?
2. En el poema «Hermandad», ¿cómo cambia la actitud del narrador desde el principio hasta el final?
3. ¿Por qué cambia el autor el orden de los elementos en el título y en la última línea de cada estrofa de «Viento, agua, piedra»?
4. ¿Qué describe la conclusión del poema «Viento, agua, piedra»?

¿Y tú?
¿Cómo presentan los dos poemas la naturaleza? ¿Estás de acuerdo con el autor?

Lección 1
cincuenta y uno   **51**

Differentiating Instruction

Pre-AP
Persuade After completing the series of questions under Para y piensa, ask students to write a brief paragraph either stating that Paz was writing from an optimistic point of view or from a pessimistic point of view. Make sure they cite examples of the language he uses in the two studied poems.

Inclusion
Frequent Review Revisit the past tense by having the class break into groups of three to rewrite "Viento, agua, piedra" in the preterite. Hand out copies of the poem so that each group can simply cross out the present tense verbs and write in the preterite. Then have the class reread the poem chorally, in the past tense.

Answers

Reflexiona Answers will vary. Sample answer: Los tres elementos son naturales. Actúan con vida.

A pensar Answers will vary. Sample answer: Esculpir, escapar, cantar, andar, murmurar, callarse, pasar, desvanecerse. Se pueden comparar con personas.

Para y piensa Answers will vary. Sample answers:
1. El autor usa el título «Hermandad» porque siente una relación con la naturaleza.
2. Al principio, el autor tiene la actitud de que comparado con la grandeza del cielo de la noche, él es muy pequeño. Al final, después de recibir «un mensaje» de las estrellas, se siente una parte de este universo enorme.
3. El autor cambia el orden de los elementos en el título y en la última línea de cada estrofa para describir los papeles de los elementos en los procesos naturales y para ilustrar que cada elemento de la naturaleza tiene una relación con y depende de los otros.
4. La conclusión del poema «Viento, agua, piedra» describe que los elementos de la naturaleza tienen una calidad transitoria.

51

¡AVANZA! Objective
- Read about the life cycle and migration patterns of Monarch butterflies.

Presentation Strategies
- Ask students if they have ever seen a Monarch butterfly.
- Point out the migration map and ask students to explain what the red and blue arrows mean. Ask them why they think the butterflies migrate north in summer and south in winter.

STANDARD
3.1 Knowledge of other disciplines

Connections

Las ciencias
Monarch butterflies defend themselves against would-be predators on their journey by feeding on a plant called milkweed. The milkweed contains a chemical that is both poisonous and foul tasting when combined with other substances in the butterfly's body. Birds and large insects know to stay away.

Los estudios sociales
Teaching with Maps Display a map of North America and have a student find Ontario, Canada: the area from which the journey to Mexico begins for the butterflies with the longest migration. Then trace the route to Michoacán (near Mexico, D.F.). Have students use the map's key to estimate the distance between the two points. (Approx.1,800 mi., or 2,900 km.) Ask, **¿Dónde empiezan? ¿Dónde terminan?**

Culture
The Mexican government has established a special task force of armed law enforcement officers to eliminate illegal logging taking place in an area set aside as a butterfly reserve. There has been a decline in the number of Monarchs nesting there from one year to the next, and most experts attribute this decline to the deforestation of their habitat.

❖ Conexiones *Las ciencias naturales*

Mariposas migratorias

¿Sabes que la mariposa monarca es el insecto nacional de Estados Unidos? Esta hermosa mariposa anaranjada y negra alegra la naturaleza del país durante el verano. En el otoño, comienza su viaje al sur, para pasar el invierno en los bosques de las montañas de México central. En marzo, los insectos abandonan México y comienzan su viaje de regreso a Estados Unidos.

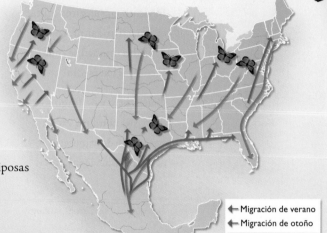

Después de una larga migración, más de 250 millones de mariposas monarcas descansan en grandes colonias de más de 10 mil, que cubren los troncos[1] y las ramas[2] de los árboles. Hay reservas importantes de mariposas monarcas cerca del D.F., en Valle de Bravo y en el estado de Michoacán.

← Migración de verano
← Migración de otoño

El ciclo de vida de una mariposa monarca es bastante[3] corto. Muchos de los insectos que completan la migración a México nacieron[4] durante el viaje y pueden ser los nietos[5] o biznietos[6] de las mariposas que empezaron el viaje en Estados Unidos.

[1] trunks [2] branches [3] quite
[4] were born [5] grandchildren [6] great-grandchildren

Proyecto Investiga el ciclo de vida de las mariposas monarcas en una página web en español. ¿Cuántas etapas *(stages)* tiene? ¿Qué formas toma el insecto durante su ciclo de vida? ¿Cuánto tiempo toma cada etapa, desde el huevo hasta la muerte?

En tu comunidad
¿Hay mariposas monarcas en tu comunidad? ¿Hay muchas o pocas? ¿Qué plantas y flores prefieren?

Haz un análisis del ecosistema donde tú vives y determina hasta qué punto tu comunidad les ofrece a las mariposas monarcas el hábitat que necesitan.

Differentiating Instruction

Slower-paced Learners
Yes/No Questions Stop frequently in the course of reading a text to check for comprehension. If students start to seem lost, ask yes/no questions that draw their attention to the most important points in the passage. Have them go back and reread the section to see if they find the information they're looking for.

Multiple Intelligences
Visual Learners Assign the Proyecto outlined on page 52 as a poster project. Have students choose a medium such as paint, marker drawing, or collage with which to diagram the butterfly's life cycle in full color and with captions in Spanish.

Lección 1

En resumen
Vocabulario y gramática

Animated Grammar
Interactive Flashcards
ClassZone.com

Vocabulario

Describe a Camping Trip					
al aire libre	outdoors	la fogata	campfire	la tienda de campaña	tent
el albergue juvenil	youth hostel	el fósforo	match	el transporte público	public transportation
la camioneta	SUV, truck	la guía	guide		
la cantimplora	water bottle, canteen	el kayac	kayak	hacer una caminata	to take a walk
el descuento	discount	la olla	pot		
el equipo	equipment	el saco de dormir	sleeping bag		
la estufa (de gas)	(gas) stove	la tarifa	fare		

Talk About What You Did with Friends					
ahorrar	to save (money, time)	hacer una excursión	to go on an excursion, guided tour	navegar	to navigate, to sail
conseguir	to get, to find	llenar	to fill up	observar	to observe
divertirse (ie, i)	to enjoy, to have fun	meterse en	to go into	ofrecer	to offer
encender (ie)	to light (a match), to make a fire, to turn on	montar	to put up	remar	to row
		navegar por rápidos	to go whitewater rafting	seguir (i, i)	to follow
escalar montañas	to climb mountains			utilizar	to use

Talk About Nature					
el agua dulce	fresh water	la naturaleza	nature
la araña	spider	el pájaro	bird
el árbol	tree	el pez	fish
el bosque	forest, woods	el río	river
la flor	flower	la selva	jungle
la mariposa	butterfly	el sendero	path
		la serpiente	snake

Other Words and Phrases	
agotador(a)	exhausting
al extranjero	abroad
con anticipación	in advance
dentro	inside
frente a	facing
fuera (de)	outside (of)
inolvidable	unforgettable
junto a	next to
sin	without

Gramática

Nota gramatical: Stem-changing verbs in the preterite *p. 43*

♻ REPASO Preterite Tense of Regular Verbs

Add the following endings to the stems of regular verbs.

-ar **verbs**	
-é	-amos
-aste	-asteis
-ó	-aron

-er/-ir **verbs**	
-í	-imos
-iste	-isteis
-ió	-ieron

Verbs ending in **-car**, **-gar**, and **-zar** have a spelling change in the yo form.

practi**car** → yo practi**qué**
nave**gar** → yo nave**gué**
organi**zar** → yo organi**cé**

♻ REPASO Irregular Preterites

These verbs have **irregular stems** in the **preterite**.

i-Stem	u-Stem	uv-Stem	j-Stem
hacer hic-/hiz-	**haber** hub-	**andar** anduv-	**decir** dij-
querer quis-	**poder** pod-	**estar** estuv-	**traer** traj-
venir vin-	**poner** pus-	**tener** tuv-	**conducir** conduj-
	saber sup-		

• **Ser** and **ir** have the same irregular conjugations.

fui	fuimos
fuiste	fuisteis
fue	fueron

• **Dar** and **ver** have regular -**aer**/-**ir** endings but with no written accent marks.

Lección 1
cincuenta y tres **53**

Long-term Retention

Study Tip

Have students create their own version of the vocab list. Tell them that categorizing the information will help them to remember it, as will the action of writing out the words themselves. They can create charts similar to the ones shown on the page, and use the same word in more than one chart.

Differentiating Instruction

Heritage Language Learners

Support What They Know Have students research information about nature and wildlife in their countries or regions of origin. Ask them to note details about the environment, such as the different types of terrains, names of indigenous plants, animals and their habitats, etc. Encourage students to present the data to the rest of the class in the form of a poster.

Multiple Intelligences

Logical/Mathematical Have students look at all the terms listed under Vocabulario on p. 53 for five minutes, and then have them close their books. Write the four categories of vocabulary on the board. Call out words from the lists on p. 53 at random. Ask students to go to the board and write the word or phrase under the appropriate heading.

Communication
Group Work

Use a foam ball or another object that can be safely tossed across the room. Review vocabulary by having a student call out a word from En resumen and then toss the ball. The student who catches it or is nearest to where it lands has to use the word in a sentence. That student then chooses the next word and throws the ball.

Objective
· Review lesson content.

Core Resources
· *Cuaderno*, pp. 12–23
· Audio Program: TXT CD 1 Track 26

Presentation Strategies
· Have students look at the ¡Llegada! box and give examples of how to use each point.
· Review activities may be completed in class or as homework.

STANDARDS
1.2 Understand language, Act. 1
1.3 Present information, Act. 3, 4
3.1 Knowledge of other disciplines, Act. 5
4.2 Compare cultures, Act. 5

Warm Up   UTB 1 Transparency 29

Escoge la palabra correcta para completar cada oración.
1. Mis amigos (hicieron / fueron) una excursión al campo.
2. Vamos a (llenar / encender) una fogata.
3. El sábado pasado (escalo / escalé) una montaña.
4. Si vas a acampar, necesitas un (saco de dormir / transporte público).
5. ¿Viste una (olla / araña) en la selva?
6. Yo (utilicé / utilizó) el mapa para seguir el sendero.

Answers: 1. hicieron; 2. encender; 3. escalé; 4. saco de dormir; 5. araña; 6. utilicé

Answers   UTB 1 Transparency 49

Activity 1
1. Susana quiere salir de la ciudad porque quiere hacer algo al aire libre (el calor de la ciudad es agotador).
2. Margarita le recomienda el parque a Susana.
3. Margarita va a escalar montañas.
4. Margarita y sus amigas llevan una tienda de campaña y unos sacos de dormir.
5. Margarita y sus amigas piensan hacer una fogata.
6. Susana necesita un saco de dormir.

Answers continue on p. 55.

54

Lección 1

Repaso de la lección

@HomeTutor
ClassZone.com

¡LLEGADA!

Now you can
· describe a camping trip
· talk about what you did with friends
· talk about nature

Using
· preterite tense of regular verbs
· irregular preterite
· stem-changing verbs in the preterite

Audio Program
TXT CD 1 Track 26
Audio Script, TE
p. 29B

To review
· vocabulary pp. 32–33

1 Listen and understand

Escucha a estas personas hablar de sus planes para el fin de semana. Luego, contesta las preguntas que siguen.

1. ¿Por qué quiere Susana salir de la ciudad este fin de semana?
2. ¿Qué sitio le recomienda Margarita a Susana?
3. ¿Qué planes tiene Margarita?
4. ¿Qué llevan Margarita y sus amigas?
5. ¿Qué piensan hacer Margarita y sus amigas para preparar la comida?
6. ¿Qué cosa necesita Susana para poder hacer la excursión?

To review
· preterite of regular verbs p. 37

2 Talk about nature

Usa los verbos entre paréntesis para completar la siguiente conversación sobre una excursión al campo que organizaron Marcos y sus hermanos.

Leo: Oye, Marcos, ¿(pasar) __1.__ unas vacaciones buenas?

Marcos: Sí, ¡estupendas! Mis hermanos y yo (organizar) __2.__ una excursión a las montañas para acampar.

Leo: ¡Qué suerte! ¿(Observar) __3.__ animales interesantes?

Marcos: Sí, yo (ver) __4.__ muchos pájaros exóticos y unas mariposas raras. Mis hermanos y yo (caminar) __5.__ por un sendero donde (descubrir) __6.__ unas flores increíbles.

Leo: ¿Y te (gustar) __7.__ dormir en la tienda de campaña?

Marcos: Sí, más o menos... Un hombre __8.__ (encontrar) una serpiente en el campamento, pero por suerte no (entrar) __9.__ en nuestra tienda.

Leo: ¡Qué susto!

Marcos: ¡Sí! Pero también (aprender) __10.__ mucho sobre la naturaleza.

Differentiating Instruction

Slower-paced Learners

Read Before Listening Preview with students the questions listed in Activity 1 and elicit from them the names of the persons who will be talking. Ask students to reread the questions and circle or underline key words such **por qué**, **qué cosa** or **qué sitio** that indicate what specific information their answers should contain. Remind students to take notes as they listen to the audio.

Inclusion

Multisensory Input/Output After students have completed Activity 2, have them form pairs and check their answers, paying close attention to spelling and accents. Then have them act out the dialogue. Encourage them to use intonation and gestures to reinforce meaning.

To review
- preterite of irregular verbs p. 42
- preterite of stem-changing verbs p. 43

3 Describe a camping trip

Di qué hicieron las siguientes personas durante su excursión al aire libre.

modelo: yo / hacer una excursión al aire libre
Yo hice una excursión al aire libre

1. tú y yo / ir al Campamento Juventud
2. Elena / divertirse al aire libre
3. Javier / leer una guía sobre la Península de Yucatán
4. Marcela y Paula / dormir en una tienda de campaña
5. yo / llegar al albergue juvenil
6. Andrés / traer su perro al campo

To review
- regular and irregular verbs in the preterite pp. 37, 42

4 Talk about what you did with friends

Mira la siguiente lista de quehaceres y escribe oraciones para indicar qué tuvieron que hacer las personas indicadas durante su excursión al aire libre. Sigue el modelo.

modelo: Ricardo
Ricardo hizo la reservación.

yo: pagar al guía, organizar el equipaje
Esteban: conseguir tres sacos de dormir, ir al río por agua
Alicia: organizar el equipaje, llevar a todos en su auto
Ricardo: hacer la reservación, ir al río por agua
todos: montar las dos tiendas de campaña

1. Alicia y yo
2. Esteban y Ricardo
3. Alicia
4. Esteban
5. yo
6. todos

To review
- Comparación cultural pp. 38, 44

5 Nature and geography in Mexico

Comparación cultural

1. ¿Qué temas representó el Dr. Atl en sus pinturas?
2. ¿Por qué Gerardo Murillo se cambió el nombre?
3. ¿Qué hay cerca de la ciudad de Monterrey?
4. ¿Qué puedes hacer en el parque Chipinque?

Más práctica | Cuaderno *pp. 12–23* Cuaderno para hispanohablantes *pp. 14–23*

 **Get Help Online** ClassZone.com

---

Differentiating Instruction

Slower-paced Learners

Peer Study Support Once students have checked their own work in Activity 5, have them trade papers with a partner and find just one item that their partner can improve (either correct an error or add a supporting detail). Then have them trade back and make the indicated change.

Pre-AP

Timed Answer Give students practice writing responses within a time limit. For example, give them one minute to answer each item in Activity 5. This includes time to verify information in the reading. After discussing the question, let students take extra time to improve or polish their answers.

✓ Ongoing Assessment

Intervention and Remediation
If a student has more than one mistake in any of the activities, direct him or her to the indicated review pages, and have him or her locate the information relevant to his/her mistakes. Then have him/her make up one or two additional questions for the activity and give them to a friend to complete, checking the friend's work for accuracy.

Answers UTB 1 Transparency 49

Answers continued from p. 54.

Activity 2
1. pasaste
2. organizamos
3. Observaste
4. vi
5. caminamos
6. descubrimos
7. gustó
8. encontró
9. entró
10. aprendí

Activity 3
1. Tú y yo fuimos al Campamento Juventud.
2. Elena se divirtió al aire libre.
3. Javier leyó una guía sobre la Península de Yucatán.
4. Marcela y Paula durmieron en una tienda de campaña.
5. Yo llegué al albergue juvenil.
6. Andrés trajo su perro al campo.

Activity 4
1. Alicia y yo organizamos el equipaje.
2. Esteban y Ricardo fueron al río por agua.
3. Alicia llevó a todos en su auto.
4. Esteban consiguió tres sacos de dormir.
5. Yo pagué al guía.
6. Todos montamos/montaron las dos tiendas de campaña.

Activity 5
1. El Dr. Atl representó la naturaleza de México en sus pinturas.
2. Gerardo Murillo se cambió el nombre porque quiso un nombre náhuatl.
3. Cerca de la ciudad de Monterrey hay parques ecológicos, como el parque Chipinque.
4. Puedes acampar en el parque Chipinque.

Lesson Overview

Culture at a Glance ❖

Topic & Activity	Essential Question
Las ruinas de Tulum, pp. 56–57	¿Hay un sitio arqueológico o un museo con objetos antiguos en tu región?
Los clavadistas de Acapulco, p. 64	¿Por qué participa la gente en deportes extremos?
En familia, p. 70	¿Cómo representan los artistas los temas que les interesan?
«Como agua para chocolate», por Laura Esquivel, pp. 74–77	¿Cuáles son las expectativas dentro de una familia?
Culture review: Sports, fine art, and family relationships in Mexico, p. 81	¿Qué características deportivas y familiares tiene México?

Practice at a Glance ❖

	Objective	Activity & Skill
Vocabulary	Beach and water activities	1: Speaking / Writing; 2: Speaking / Writing; 12: Speaking; 14: Speaking; 18: Reading / Listening / Speaking; Repaso 1: Listening; Repaso 3: Speaking / Writing
	Family relationships	4: Speaking; 5: Speaking / Writing; 6: Listening / Writing; 8: Speaking / Writing; 10: Speaking / Writing; 16: Reading / Writing; Repaso 1: Listening; Repaso 5: Speaking
	Travel	3: Speaking; 19: Writing; Repaso inclusivo 6, p. 87
Grammar	Imperfect tense	6: Listening / Writing; 7: Writing; 8: Speaking / Writing; 9: Speaking / Writing; 11: Speaking / Writing; Repaso 2: Writing
	Preterite vs. Imperfect	12: Speaking / Writing; 13: Speaking / Writing; 14: Speaking; 15: Writing; 17: Listening, Speaking / Writing; 19: Writing; Repaso 3: Speaking / Writing
	The verbs **saber** and **conocer**	5: Speaking / Writing; Repaso 4: Writing
Communication	Talk about family vacations	7: Writing; 10: Speaking / Writing; 17: Listening, Speaking / Writing; 18: Reading / Listening / Speaking; Repaso inclusivo 3, p. 86
	Discuss skills and abilities	9: Speaking / Writing; 19: Writing; Repaso inclusivo 5, p. 87
	Describe a place and its climate	19: Writing
	Pronunciation: The letter **c** with **e, i** and the letter **z**	*Pronunciación: La letra **c** con **e, i** y la letra **z**,* p. 69: Listening / Speaking
Recycle	**Saber** and **conocer**	5: Speaking / Writing; Repaso 4: Writing
♻	Expressions of emotion	15: Writing

The following presentations are recorded in the Audio Program for *¡Avancemos!*

- **¡A responder!** *p. 59*
- **6: ¿Cómo pasaban las vacaciones?** *p. 64*
- **18: Integración** *p. 73*
- **Repaso de la lección** *p. 80*
  1: Listen and understand
- **Repaso inclusivo** *p. 86*
  1: Escucha, comprende y compara

¡A responder! TXT CD 2 track 2

1. Jugar al voleibol playero.
2. Refrescarse en el agua.
3. Mantener el equilibrio en una tabla de surf.
4. Ponerse el chaleco salvavidas.
5. Remar en la canoa.
6. Recostarse debajo de una sombrilla.
7. Merendar unos sándwiches.
8. Pararse en la orilla para ver la puesta del sol.
9. Recoger caracoles.

6 | ¿Cómo pasaban las vacaciones?

TXT CD 2 track 4

En agosto, mis abuelos hacían un crucero para sus vacaciones mientras el resto de mi familia y yo estábamos en Acapulco al lado del mar. Todos los días íbamos a una playa aislada y muy bonita. Un día típico era así: Mi hermano se refrescaba en el agua. Yo conducía una moto acuática. Mis bisabuelos se quedaban debajo de la sombrilla. Mi cuñada recogía piedras. Mis sobrinos navegaban en velero. Otros parientes jugaban al voleibol playero. Mis padrinos manejaban por la costa en su carro. Al fin del día todos nos reuníamos para la cena. Luego, mis papás veían la puesta del sol.

18 | Integración TXT CD 2 track 9

Fuente 2, Reporte de radio

Buenas tardes. Soy Elena García, aquí con las noticias sociales de Acapulco, donde el actor Eduardo Ríos celebró su cumpleaños junto con su familia. Eduardo dijo que siempre pasaba su cumpleaños en el D.F., pero este año decidió pasar el fin de semana en Acapulco. Dijo que cuando era niño visitó nuestra ciudad por primera vez y le encantó. Aunque ésta es su segunda visita, Eduardo dijo que la playa es tan bella como la recordaba. Y el joven actor no perdió ni un minuto: anduvo en moto acuática, practicó el surf, nadó, recogió caracoles y jugó al voleibol playero con toda su familia. Luego nos dijo que fue una escapada de fin de semana bien padre.

Repaso de la lección TXT CD 2 track 11

1 Listen and understand

Locutor: Hola, señora Ramos. Gracias por estar con nosotros.

Sra. Ramos: Hola, don Fernando. Gracias por invitarme.

Locutor: Para los radioyentes que no saben qué pasó, les contamos que la Sra. Ramos ganó el gran premio que dimos en esta estación de radio: ¡una escapada de fin de semana a Acapulco!

Sra. Ramos: ¡Sí, don Fernando, fue muy divertido!

Locutor: Nuestros radioyentes quieren saber más detalles.

Sra. Ramos: ¡Ay, don Fernando, fue una experiencia inolvidable! Mi esposo y yo lo pasamos de maravilla. Viajamos desde el D.F. en un carro de lujo hasta Acapulco. Allí, nos quedamos en un hotel muy cerca en la playa. El hotel era increíble... había televisores y teléfonos por todas partes, una cama enorme, un jacuzi y una ventana enorme que miraba al mar...

Locutor: ¡Eso sí es vida! ¿Verdad?

Sra. Ramos: Estuvimos allí tres días enteros. Todos los días veíamos el amanecer en la playa, después pedíamos un desayuno americano y después nos recostábamos en la playa. Por las tardes, merendábamos con jugo de coco. Por las noches, comíamos en el comedor del hotel y luego salíamos a bailar.

Locutor: ¡Vaya! Realmente se divirtieron...

Sra. Ramos: Ay, sí... estábamos muy contentos. Todo era perfecto.

Locutor: Muchas gracias por compartir su experiencia, Sra. Ramos... No se olviden, amigos oyentes, sigan escuchando Radio Sol... ¡Ud. puede ser el próximo ganador!

Repaso inclusivo TXT CD 2 track 13

1 Escucha, comprende y compara

Buenas tardes, soy Silvia Molina informando desde la reserva de las mariposas monarcas en Valle de Bravo, a poca distancia de la capital. Esteban Murillo, el director de la reserva me explicó que este invierno la cantidad de mariposas fue menor. Hizo mucho frío el mes pasado y parece que muchas mariposas murieron durante el viaje. La única protección que tienen del frío son los bosques de esta zona pero, lamentablemente, los habitantes de Valle de Bravo cortaron muchos árboles porque ellos también tenían mucho frío y necesitaban madera. Amigos, ¡tenemos que proteger esta reserva y tenemos que proteger las mariposas! La naturaleza es nuestra responsabilidad. El director le pidió dinero al gobierno pero necesita más. Por favor, manda una donación a la Reserva de las Mariposas Monarcas, Valle de Bravo, México. Muchísimas gracias y buenas tardes. Les habló Silvia Molina, hasta mañana.

On your desktop

Everything you need to ...

Plan	Present	Assess
ONE-STOP PLANNER All resources including audio and video	**POWER PRESENTATIONS** Ready-made PowerPoint™ presentations with 	 ✓ Create customized tests with Examview Assessment Suite ✓ Individualized Assessment for on-level, modified, pre-AP, and heritage language learners

Print

Plan	Present	Practice	Assess
URB 1 • Video Scripts p. 78 • Family Involvement Activity p. 106 • Absent Student Copymasters pp. 115–124 **Lesson Plans** p. 29 **Best Practices Toolkit**	**URB 1** • Video Activities pp. 75–76 **TPRS** pp. 8–14	• *Cuaderno* pp. 24–49 • *Cuaderno para hispanohablantes* pp. 24–49 • *Lecturas para todos* pp. 7–13 • *Lecturas para hispanohablantes* • *¡AvanzaCómics! Mundos paralelos*, Episodio 1 **URB 1** • Practice Games pp. 63–70 • Audio Scripts pp. 88–94 • Fine Art Activities pp. 101–102	**URB 1** • Did you get it? Reteaching and Practice Copymasters pp. 37–47

Unit Transparency Book 1

Culture	Presentation and Practice	Classroom Management
• Atlas Maps 1–6 • Map: Mexico 7 • Fine Art Transparencies 10, 11	• Vocabulary Transparencies 14, 15 • Grammar Presentation Transparencies 18, 19 • Situational Transparency and Label Overlay 20, 21 • Situational Student Copymasters pp. 1–2	• Warm Up Transparencies 30–33 • Student Book Answer Transparencies 50–53

Audio and Video

Audio	Video
• Student Book Audio CD 2 Tracks 1–13 • Workbook Audio CD 1 Tracks 11–20 • Heritage Learners Audio CD 1 Tracks 5–8, CD 3, Tracks 13–24 • Assessment Audio CD 1 Tracks 13–24 • *Lecturas para todos* Audio CD 1 Track 3, CD 3, Tracks 1–5 • *Música del mundo hispano*	• *El Gran Desafío* DVD 2

Online (ClassZone.com) and Media Resources

Student	Teacher
Available online and on disc: • eEdition (DVD-ROM) and eEdition Interactive Online Student Edition • @HomeTutor (CD-ROM) - featuring Animated Grammar **Available online:** • Conjuguemos.com • Cultura interactiva • Culture Links • WebQuests • Flashcards • Review Games • Self-check Quiz	**One-Stop Planner (available online and on DVD-ROM):** • Interactive Teacher's Edition • All print resources • All audio and video resources • Learning Scenarios • Conversation Cards • Assessment Program • Examview Assessment Suite • Rubric Generator • Calendar Planner **Available on CD-ROM:** • Power Presentations

Differentiated Assessment

On-level	Modified	Pre-AP	Heritage Learners
• Vocabulary Recognition Quiz p. 34 • Vocabulary Production Quiz p. 35 • Grammar Quizzes pp. 36–37 • Culture Quiz p. 38 • On-level Lesson Test pp. 39–45 • On-level Unit Test pp. 51–57	• Modified Lesson Test pp. 23–29 • Modified Unit Test pp. 35–41	• Pre-AP Lesson Test pp. 23–29 • Pre-AP Unit Test pp. 35–41	• Heritage Learners Lesson Test pp. 29–35 • Heritage Learners Unit Test pp. 41–47

Core Pacing Guide

	Objectives/Focus	Teach	Practice	Assess/HW Options
DAY 1	**Culture:** learn about Mexican culture **Vocabulary:** family, beach activities • Warm Up OHT 30 **5 min**	Lesson Opener pp. 56–57 **Presentación de vocabulario pp. 58–59** • Read A–E • Play audio TXT CD 2 track 1 • *¡A responder!* TXT CD 2 track 2 **25 min**	Lesson Opener pp. 56–57 **Práctica de vocabulario p. 60** • Acts. 1, 2, 3 **15 min**	**Assess:** *Para y piensa* p. 60 **5 min** **Homework:** *Cuaderno* pp. 24–26 @HomeTutor
DAY 2	**Communication:** talk about family and vacation activities • Warm Up OHT 30 • Check Homework **5 min**	**Vocabulario en contexto pp. 61–62** • *Contexto 1* TXT CD 2 track 3 • *Repaso gramatical:* **saber** and **conocer** **20 min**	**Vocabulario en contexto pp. 61–62** • Acts. 4, 5 **20 min**	**Assess:** *Para y piensa* p. 62 **5 min** **Homework:** *Cuaderno* pp. 24–26 @HomeTutor
DAY 3	**Grammar:** imperfect tense • Warm Up OHT 31 • Check Homework **5 min**	**Presentación de gramática p. 63** • Imperfect tense **Práctica de gramática pp. 64–65** **Culture:** *Los clavadistas de Acapulco* **20 min**	**Práctica de gramática pp. 64–65** • Act. 6 TXT CD 2 track 4 • Acts. 7, 8, 9 **20 min**	**Assess:** *Para y piensa* p. 65 **5 min** **Homework:** *Cuaderno* pp. 27–29 @HomeTutor
DAY 4	**Communication:** use preterite and imperfect tenses to talk about past activities • Warm Up OHT 31 • Check Homework **5 min**	**Gramática en contexto pp. 66–67** • *Contexto 2* TXT CD 2 track 5 **15 min**	**Gramática en contexto pp. 66–67** • Acts. 10, 11 **25 min**	**Assess:** *Para y piensa* p. 67 **5 min** **Homework:** *Cuaderno* pp. 27–29 @HomeTutor
DAY 5	**Grammar:** preterite vs. imperfect • Warm Up OHT 32 • Check Homework **5 min**	**Presentación de gramática p. 68** • Preterite vs. imperfect **Práctica de gramática pp. 69–70** • *Pronunciación:* TXT CD 2 track 6 **15 min**	**Práctica de gramática pp. 69–70** • Acts. 12, 13, 14, 15, 16 **25 min**	**Assess:** *Para y piensa* p. 70 **5 min** **Homework:** *Cuaderno* pp. 30–32 @HomeTutor
DAY 6	**Communication:** Culmination: talk about Sandra's family vacation using preterite and imperfect • Warm Up OHT 32 • Check Homework **5 min**	**Todo junto pp. 71-73** • *Contexto 3* TXT CD 2 track 7 **15 min**	**Todo junto pp. 71–73** • Act. 17 TXT CD 2 track 7 • Act. 18 TXT CD 2 tracks 8, 9 • Act. 19 **25 min**	**Assess:** *Para y piensa* p. 73 **5 min** **Homework:** *Cuaderno* pp. 33–34 @HomeTutor
DAY 7	**Reading:** *Como agua para chocolate* **Writing:** *Una experiencia inolvidable* **Review:** Lesson review • Warm Up OHT 33 • Check Homework **5 min**	**Lectura literaria pp. 74–77** *Como agua para chocolate* • TXT CD 2 track 10 **Escritura p. 78** • *Una experiencia inolvidable* **Repaso de la lección pp. 80–81** **15 min**	**Lectura cultural pp. 74–77** • *Como agua para chocolate* **Escritura p. 78** • *Una experiencia inolvidable* **Repaso de la lección pp. 80–81** • Act. 1 TXT CD 2 track 11 • Acts. 2, 3, 4, 5 **25 min**	**Assess:** *Para y piensa* p. 77; *Repaso de la lección* **5 min** **Homework:** *En resumen* p. 79; *Cuaderno* pp. 35–46 Review Games Online @HomeTutor
DAY 8	**Assessment**			**Assess:** Lesson 2 or Unit 1 test **50 min**
DAY 9	**Unit Culmination** **5 min**	**Comparación cultural pp. 82–83** • TXT CD 2 track 12 **El Gran Desafío pp. 84–85** • Show video DVD 2 **Repaso inclusivo pp. 86–87** **15 min**	**Comparación cultural pp. 82–83** **El Gran Desafío pp. 84–85** **Repaso inclusivo pp. 86–87** • Act. 1 TXT CD 2 track 13 • Acts. 2, 3, 4, 5, 6, 7 **25 min**	**Assess:** *Cuaderno* pp. 47–49 **5 min**

	Objectives/Focus	Teach	Practice	Assess/HW Options
DAY 1	**Culture:** learn about Mexican culture **Vocabulary:** family, beach activities • Warm Up OHT 30 **5 min**	Lesson Opener pp. 56–57 **Presentación de vocabulario pp. 58–59** • Read A–E • Play audio TXT CD 2 track 1 • *¡A responder!* TXT CD 2 track 2 **25 min**	Lesson Opener pp. 56–57 **Práctica de vocabulario** p. 60 • Acts. 1, 2, 3 **15 min**	**Assess:** *Para y piensa* p. 60 **5 min**
	Communication: talk about family and vacation activities **5 min**	**Vocabulario en contexto** pp. 61–62 • *Contexto 1* TXT CD 2 track 3 • *Repaso gramatical:* **saber** and **conocer** **15 min**	**Vocabulario en contexto** pp. 61–62 • Acts. 4, 5 **15 min**	**Assess:** *Para y piensa* p. 62 **5 min** **Homework:** *Cuaderno* pp. 24–26 @HomeTutor
DAY 2	**Grammar:** imperfect tense • Warm Up OHT 31 • Check Homework **5 min**	**Presentación de gramática** p. 63 • Imperfect tense **Práctica de gramática** pp. 64–65 *Culture: Los clavadistas de Acapulco* **15 min**	**Práctica de gramática** pp. 64–65 • Act. 6 TXT CD 2 track 4 • Acts. 7, 8, 9 **20 min**	**Assess:** *Para y piensa* p. 65 **5 min**
	Communication: use preterite and imperfect tenses to talk about past activities **5 min**	**Gramática en contexto** pp. 66–67 • *Contexto 2* TXT CD 2 track 5 **15 min**	**Gramática en contexto** pp. 66–67 • Acts. 10, 11 **20 min**	**Assess:** *Para y piensa* p. 67 **5 min** **Homework:** *Cuaderno* pp. 27–29 @HomeTutor
DAY 3	**Grammar:** preterite vs. imperfect • Warm Up OHT 32 • Check Homework **5 min**	**Presentación de gramática** p. 68 • Preterite vs. imperfect **Práctica de gramática** pp. 69–70 • *Pronunciación:* TXT CD 2 track 6 **15 min**	**Práctica de gramática** pp. 69–70 • Acts. 12, 13, 14, 15, 16 **20 min**	**Assess:** *Para y piensa* p. 70 **5 min**
	Communication: Culmination: talk about Sandra's family vacation using preterite and imperfect **5 min**	**Todo junto** pp. 71–73 • *Contexto 2* TXT CD 2 track 7 **15 min**	**Todo junto** pp. 71–73 • Act. 17 TXT CD 2 track 7 • Act. 18 TXT CD 2 tracks 8, 9 • Act. 19 **20 min**	**Assess:** *Para y piensa* p. 73 **5 min** **Homework:** *Cuaderno* pp. 30–34 @HomeTutor
DAY 4	**Reading:** *Como agua para chocolate* **Writing:** *Una experiencia inolvidable* • Warm Up OHT 33 • Check Homework **5 min**	**Lectura literaria** pp. 74–77 • *Como agua para chocolate* • TXT CD 2 track 10 **Escritura** p. 78 • *Una experiencia inolvidable* **15 min**	**Lectura cultural** pp. 74–77 • *Como agua para chocolate* **Escritura** p. 78 • *Una experiencia inolvidable* **20 min**	**Assess:** *Para y piensa* p. 77 **5 min**
	Review: Lesson Review **5 min**	**Repaso de la lección** pp. 80–81 **15 min**	**Repaso de la lección** pp. 80–81 • Act. 1 TXT CD 2 track 11 • Acts. 2, 3, 4, 5 **20 min**	**Assess:** *Repaso de la lección* **5 min** **Homework:** *En resumen* p. 79; *Cuaderno* pp. 35–46 (optional) Review Games Online @HomeTutor
DAY 5	**Assessment**			**Assess:** Lesson 2 or Unit 1 Test **45 min**
	Unit Culmination **5 min**	**Comparación cultural** pp. 82–83 • TXT CD 2 track 12 **El Gran Desafío** pp. 84–85 • Show video DVD 2 **Repaso inclusivo** pp. 86–87 **15 min**	**Comparación cultural** pp. 82–83 **El Gran Desafío** pp. 84–85 **Repaso inclusivo** pp. 86–87 • Act. 1 TXT CD 2 track 13 • Acts. 2, 3, 4, 5, 6, 7 **20 min**	**Assess:** *Cuaderno* pp. 47–49 **5 min**

¡AVANZA! Objectives

- Introduce lesson theme: **Vamos a la playa**
- **Culture:** compare beach activities

Presentation Strategies

- Have students talk about famous beaches around the world; bring photos of famous beaches in Mexico
- Introduce theme of family vacation at the beach
- Have students talk about beach visits with their family: where, when, who
- Have students talk about their favorite beach activities

STANDARD

2.1 Practices and perspectives

 Warm Up UTB 1 Transparency 30

El pretérito Completa el párrafo con la forma correcta del verbo indicado en el pretérito. Ayer mi familia **1.** _____ (ir) a la playa. Yo no **2.** _____ (poder) ir porque **3.** _____ (estar) enferma todo el día. Mis padres **4.** _____ (tomar) fotos. Mi hermana **5.** _____ (conducir) una moto acuática y mis hermanos **6.** _____ (nadar) en el mar.

Answers: 1. fue; 2. pude; 3. estuve; 4. tomaron; 5. conduje; 6. nadaron

Comparación cultural

Exploring the Theme

Ask the following:

1. ¿Cuáles son las playas más populares de Estados Unidos y México?
2. ¿Cómo varía la geografía de una playa a otra?
3. ¿Cuáles crees que son las actividades playeras más comunes en México y en Estados Unidos?

¿Qué ves? Possible answers:

- En la playa hay piedras, árboles y muchas personas.
- Las personas miran el mar, toman fotos, toman el sol y se meten en el agua.
- Las ruinas son grandes y muy viejas. Son de piedra.

UNIDAD 1 México

Lección 2

Tema:

Vamos a la playa

¡AVANZA! **In this lesson you will learn to**

- talk about family vacations
- discuss activities, skills, and abilities
- describe a place and its climate

using

- imperfect tense
- preterite vs. imperfect

♻ *¿Recuerdas?*

- **saber** and **conocer**
- expressions of emotion

Comparación cultural

In this lesson you will learn about

- sports in Mexico
- Mexican fine art and family relationships
- cultural contrasts between two Mexican regions

Compara con tu mundo

Este sitio arqueológico de los mayas está en la costa del mar Caribe. Sus ruinas incluyen un castillo *(castle)* y un templo con pinturas en las paredes. *¿Hay un sitio arqueológico o un museo con objetos antiguos en tu región?*

¿Qué ves?

Mira la foto

¿Qué hay en la playa?

¿Qué hacen las personas?

¿Cómo son las ruinas?

Differentiating Instruction

Multiple Intelligences

Visual Learners After viewing and discussing the opening photo, ask students to illustrate their ideal beach — real or imaginary. They can create a drawing or collage using photos from magazines. Their illustration should include some of their favorite beach activities. Students should share their work with the class, describing what they have illustrated.

Pre-AP

Draw Conclusions Point out the ruins in the photo and ask students to hypothesize about their age, origin, and purpose. They are the ruins of the prosperous Mayan port city of Tulum, which reached its height around 1200 A.D. Ask volunteers to prepare a short illustrated report on Tulum and other important ruin sites in the Yucatán, like Chichén Itzá and Uxmal.

Online SPANISH CLASSZONE.COM

Featuring...
Cultura INTERACTIVA
Animated Grammar
@HomeTutor

And more...
• Get Help Online
• Interactive Flashcards
• Review Games
• WebQuest
• Conjuguemos.com

Playa en la Península de Yucatán, ruinas de Tulum

México
cincuenta y siete **57**

Online SPANISH CLASSZONE.COM

WebQuest Provides step-by-step guidance for your students to help them explore this unit's theme and location online. Students are given a task and a set of pre-approved links to conduct research, answer questions, and submit their findings to the class.

Featuring...
Cultura INTERACTIVA
Animated Grammar
@HomeTutor

And more...
• Get Help Online
• Interactive Flashcards
• Review Games
• WebQuest
• Conjuguemos.com

Using the Photo

Location Information

Tulum, Mexico The photo shows the beach and the ruins of the Mayan port city of Tulum which reached its height around 1200 A.D. and was active until the Spanish conquest. Tulum is a short distance south of the famous resort city of Cancún in the Yucatán peninsula on the east coast of Mexico.

Expanded Information

Cancún is a recently developed and still-growing resort area which includes hotels, restaurants, and shops catering to an international clientele. It is the economic heart of the state.

The Yucatán Peninsula is an area of dense jungle, plantations, and coastal cities like Cancún and the capital, Mérida. Cancún is a fishing community turned modern resort city, while Mérida is a colonial city known for its historic district. There are a number of important ruin sites in the state of Yucatán, including Tulum, Chichen Itzá, and Uxmal. Much of the population of the state is of indigenous heritage, and many people speak the Mayan language in addition to Spanish.

Long-term Retention
Critical Thinking

Predict Have students think about the lesson themes of family and beach vacation. Ask them to predict what types of vocabulary they will learn in the lesson.

Differentiating Instruction

Heritage Language Learners
Support What They Know Ask students to share what they know about Mexican beaches or ruins. They might mention Acapulco, Baja California, Tenochtitlán (Aztec city in the location of current Mexico City) or Teotihuacán (near Mexico City).

Inclusion
Multisensory Input/Output Bring photos or items representative of beach activities and distribute them among the students. Then mention the activity illustrated by each photo or object and write it on the board. The student holding that photo or item must hold it up and repeat the activity.

Objectives
- Present vocabulary of family relationships
- Check for recognition

Core Resource
- Audio Program: TXT CD 2 Tracks 1, 2

Presentation Strategies
- Ask students to say who each character in the photo is, defining the family relationship. For example, **Miguel Ríos es el padre de Ricardo Ríos.**
- Draw your own family tree and ask students to identify the family relationships.

STANDARD
1.2 Understand language

Long-term Retention
Personalize It

Ask students to prepare a personal family tree with names. Have them exchange family trees with a partner and ask each other to identify the relationship of each person listed. For example,
- **¿Quién es Elena Muñoz?**
- **Elena Muñoz es mi abuela.**

Culture

Comparisons

Many Mexican families get together regularly, and the extended family is generally included in these regular reunions. It's not unusual for a large family group to take a vacation together. Ask students to discuss the nature of their family gatherings. When, where, and why do their families get together? Which family members do they see most often? What do they think of going on vacation with their extended family?

58

❧ Presentación de VOCABULARIO

 ¡AVANZA! **Goal:** Learn about the activities of various family members during a reunion in Mexico. Then talk about what you can do at the beach. *Actividades 1–3*

A Hola, me llamo Sandra Zapata y soy de México. Mi familia siempre se reúne una vez al año. La reunión de los parientes puede durar varios días o puede ser una escapada de fin de semana.

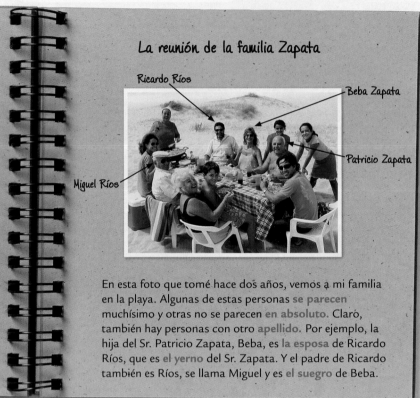

La reunión de la familia Zapata

Ricardo Ríos · Beba Zapata · Patricio Zapata · Miguel Ríos

En esta foto que tomé hace dos años, vemos a mi familia en la playa. Algunas de estas personas se parecen muchísimo y otras no se parecen en absoluto. Claro, también hay personas con otro apellido. Por ejemplo, la hija del Sr. Patricio Zapata, Beba, es la esposa de Ricardo Ríos, que es el yerno del Sr. Zapata. Y el padre de Ricardo también es Ríos, se llama Miguel y es el suegro de Beba.

Más vocabulario

el (la) bebé *baby*	el matrimonio *marriage; married couple*
el (la) bisabuelo(a) *great-grandfather / great-grandmother*	el (la) novio(a) *fiancé / fiancée*
el (la) biznieto(a) *great-grandson / great-granddaughter*	la nuera *daughter-in-law*
el (la) cuñado(a) *brother-in-law / sister-in-law*	el padrino *godfather*
la madrina *godmother*	el (la) sobrino(a) *nephew / niece*
	ver el amanecer *to watch the sunrise*

Expansión de vocabulario p. R3
Ya sabes p. R3

58 Unidad 1 México
cincuenta y ocho

Differentiating Instruction

Multiple Intelligences

Logical/Mathematical Create labels for three or four generations of a family, including last names. Hand out the labels and call students up in sequence to organize themselves into a living "family tree." Start with **los abuelos** and continue through the entire family tree in a logical sequence.

Slower-paced Learners

Yes/No Questions As you show the transparency of the family tree, ask students yes/no questions about the relationships between people. For example, **¿Es Miguel Ríos el tío de Ricardo Ríos?** If the answer is no, ask student to express the correct relationship, for example: **No, Miguel Ríos es el padre de Ricardo Ríos.**

B Muchos viajamos desde distintas partes de México para **juntarnos** en la costa del Pacífico. Algunos llegaron **conduciendo el carro.** Algunos parientes que viven en Estados Unidos llegaron en **casas rodantes.**

C Para **refrescarnos** y **refugiarnos** del calor, todos vamos al agua. Los más jóvenes conducimos **motos acuáticas.** Otros van a remar aunque, a veces, es difícil **mantener** el equilibrio en un bote.

la tabla de surf
el surfista

el velero

el chaleco salvavidas
la canoa

el voleibol playero

D Los abuelitos generalmente **se paran** en **la orilla** para ver a sus **nietos** jugar al voleibol playero en **la arena.** Los niños también se divierten y **recogen caracoles** en una bolsa. Para descansar, es ideal **recostarse** debajo de **una sombrilla.**

E Cuando en la playa hace un **calor agobiante,** podemos **hacer un crucero** para sentir **la brisa** del mar. También es divertido **merendar** en **la cubierta** del barco, pero allí es muy común **marearse.** A la hora de cenar **hace fresco** y todos vamos a un restaurante del **puerto** a comer y ver **la puesta del sol.**

la puesta del sol

¡A responder! Escuchar 🎧

Escucha las siguientes actividades y representa cada una con movimientos.

@HomeTutor
🔊 Interactive Flashcards
ClassZone.com

Lección 2
cincuenta y nueve **59**

TEACHER to TEACHER
Joan Chardkoff
Monroe, LA

Tips for Presenting Vocabulary

"I give students a blank calendar page and ask them to fill in the dates. Every day I give them an expression of the day and ask them to fill in their calendars. At the end of the month, I collect calendars and award extra points if students have the complete calendar filled in legibly. It is an easy way to earn extra credit, while learning some unusual and fun idiomatic expressions."

Communication

Regionalisms

Remind students that there are regional variations for some of the words and phrases in this spread: **juntarse** (varios países) = **reunirse** (varios países); **manejar el carro** (gran parte de Latinoamérica) = **conducir el coche** (España).

Culture

Centigrade/Farenheit

Remind students that most of the Spanish-speaking world expresses the temperature in Centigrade. 40 degrees Centigrade is over 100 degrees Farenheit.

Answers UTB 1 Transparency 50

¡A responder! Audio Script, TE p. 55B
Students act out the following:
1. jugar al voleibol playero (play beach volleyball)
2. refrescarse en el agua (cool off in the water)
3. mantener el equilibrio en una tabla de surf (keep balanced on a surfboard)
4. ponerse el chaleco salvavidas (put on a life jacket)
5. remar en la canoa (paddle in a canoe)
6. recostarse debajo de una sombrilla (lie down under a parasol)
7. merendar unos sándwiches (snack on sandwiches)
8. pararse en la orilla para ver la puesta del sol (stand on the shore to watch the sunset)
9. recoger caracoles (pick up seashells)

Inclusion

Clear Structure Put the headings **nombres, verbos,** and **adjetivos** on the board. Have students place the new vocabulary words on p. 59 under these categories.

Pre-AP

Communicate Preferences Ask students to draft five questions about beach activities. Organize students into pairs and have them take turns asking and answering each other questions. Have students follow up when possible with expansion questions including **dónde, cuándo, con quién(es), por qué, por qué no,** etc.

Objectives
· Practice vocabulary: beach activities
· Talk about what you did at the beach using the preterite tense
· Talk about preferences for a future vacation

Core Resource
· *Cuaderno*, pp. 24–26

Practice Sequence
· **Activity 1:** Vocabulary recognition: beach activities
· **Activity 2:** Vocabulary production: beach activities

STANDARDS
1.3 Present information, Act. 1
1.1 Engage in conversation, Act. 2

✓ **Ongoing Assessment**

@HomeTutor
More Practice
ClassZone.com

PARA Y PIENSA **Quick Check** These activities are self checks. If students have trouble completing them, direct them to get additional practice online or refer them to pp. 58-59. For additional practice, use Reteaching and Practice Copymasters URB 1, pp. 37, 38.

 Answers UTB 1 Transparency 50

Activity 1
1. en la canoa, en el velero
2. en la arena, en la orilla
3. en la arena, bajo la sombrilla, en la orilla, en el velero
4. en la arena, bajo la sombrilla
5. en la canoa, en el velero

Activity 2 Answers will vary. Sample questions:
1. ¿Conduciste motos acuáticas?
2. ¿Miraste la puesta del sol?
3. ¿Jugaste al vóleibol playero?
4. ¿Recogiste caracoles?

Activity 3 Answers will vary. Sample questions:
1. ¿Qué te gustaría hacer en tus próximas vacaciones?
2. ¿Adónde te gustaría ir?
3. ¿Qué te gustaría hacer allí?

Para y piensa Answers will vary. Sample answer: hacer surf y ver el amanecer

60

Práctica de VOCABULARIO

1 Asociaciones

Hablar
Escribir
¿Dónde ocurre lo siguiente *(the following)*? Las respuestas están en el banco de palabras.

modelo: **jugar al voleibol playero**
en la arena

en la arena
bajo la sombrilla
en la orilla
en la canoa
en el velero

1. marearse
2. recoger caracoles
3. recostarse
4. merendar
5. ponerse el chaleco salvavidas

Expansión:
Teacher Edition Only
Pídales a los estudiantes que escriban otras actividades que ellos pueden hacer en los lugares que muestra el banco de palabras.

2 Actividades playeras

Hablar
Usa las fotos del folleto *(brochure)* para hacerle preguntas a un(a) compañero(a) sobre sus actividades en la playa.

A ¿Usaste la tabla de surf?

B Sí, usé muchas veces la tabla de surf.

Hotel **Miramar**
en la costa de Acapulco te ofrece las siguientes atracciones

Para reservas, visita
www.hotelmiramar7.mx
o llama al 951-5-55-55

Expansión:
Teacher Edition Only
Pida a los estudiantes que escriban oraciones descriptivas para incluir en este folleto.

3 ¡De vacaciones!

Hablar
Entrevista a tres compañeros(as) para saber qué les gustaría hacer en sus próximas vacaciones. Hablen sobre el equipo necesario para cada actividad y el lugar ideal.

Expansión
Escribe un resumen de las actividades más populares entre tus compañeros(as).

Más práctica Cuaderno *pp. 24–26* Cuaderno para hispanohablantes *pp. 24–27*

PARA Y PIENSA **¿Comprendiste?** ¿Cuál de estas actividades haces para tener momentos emocionantes en la playa?
1. hacer surf
2. pararse en la orilla
3. merendar
4. ver el amanecer

Get Help Online
ClassZone.com

Differentiating Instruction

Slower-paced Learners

Peer-study Support Pair struggling students with stronger students for Activity 2. Have them work together to generate a written list of questions based on the photos in the brochure. Then they ask each other the questions, using the written list if necessary.

Heritage Language Learners

Increase Accuracy Have students write the dialog of their interview for Activity 3 and then check their spelling for accuracy. Particular attention should be paid to the use of accents and frequently misspelled words.

❋ VOCABULARIO en contexto

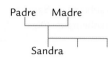

¡AVANZA! **Goal:** Read what Sandra wrote on her web page about her family vacation last year. Then discuss what her family members did on the trip. *Actividades 4–5*

Contexto 1 *Blog*

ESTRATEGIA Leer

Make a family tree Draw Sandra's family tree, including all the family members that appear in the reading. In addition, indicate each person's relationship to one other relative of Sandra's.

```
     Padre   Madre
       └──┬──┘
       ┌──┴──┐
     Sandra
```

AUDIO

Sandra Zapata es una joven mexicana de Veracruz. Ella tiene un blog donde describe sus experiencias. Aquí habla de sus últimas vacaciones con su familia.

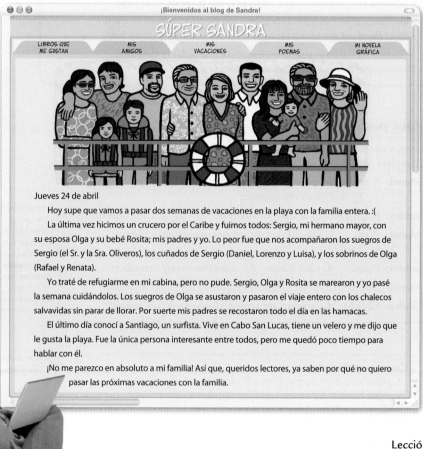

○○○   ¡Bienvenidos al blog de Sandra!

SÚPER SANDRA

| LIBROS QUE ME GUSTAN | MIS AMIGOS | MIS VACACIONES | MIS POEMAS | MI NOVELA GRÁFICA |

Jueves 24 de abril

Hoy supe que vamos a pasar dos semanas de vacaciones en la playa con la familia entera. :(

La última vez hicimos un crucero por el Caribe y fuimos todos: Sergio, mi hermano mayor, con su esposa Olga y su bebé Rosita; mis padres y yo. Lo peor fue que nos acompañaron los suegros de Sergio (el Sr. y la Sra. Oliveros), los cuñados de Sergio (Daniel, Lorenzo y Luisa), y los sobrinos de Olga (Rafael y Renata).

Yo traté de refugiarme en mi cabina, pero no pude. Sergio, Olga y Rosita se marearon y yo pasé la semana cuidándolos. Los suegros de Olga se asustaron y pasaron el viaje entero con los chalecos salvavidas sin parar de llorar. Por suerte mis padres se recostaron todo el día en las hamacas.

El último día conocí a Santiago, un surfista. Vive en Cabo San Lucas, tiene un velero y me dijo que le gusta la playa. Fue la única persona interesante entre todos, pero me quedó poco tiempo para hablar con él.

¡No me parezco en absoluto a mi familia! Así que, queridos lectores, ya saben por qué no quiero pasar las próximas vacaciones con la familia.

Differentiating Instruction

Inclusion

Synthetic/Analytic Support Have students create a list with the names of all the people that Sandra mentions. After each person's name, students write a sentence to explain who they are and/or what happened to them during the vacation. For example, **Sergio: Sergio, el hermano mayor de Sandra, se mareó.**

English Learners

Increase Interaction Ask students to describe a trip or reunion with their extended family. Have them identify each family member by relationship and name, and say something about what each of them did during the trip or reunion.

Unidad 1 Lección 2
VOCABULARIO

¡AVANZA! ▶ **Objective**
- Understand family and vacation vocabulary in context

Core Resource
- Audio Program: TXT CD 2 track 3

Presentation Strategies
- Ask students to describe blogs they are familiar with
- Have students try to identify the family members in the photo based on Sandra's references to them

❋ **STANDARD**
1.2 Understand language

 Warm Up UTB 1 Transparency 30

Vocabulario Escoge la palabra correcta para completar cada oración.
1. Mi madre es la (esposa/cuñada) de mi padre.
2. El padre de mi abuelo es mi (bisabuelo/ suegro).
3. Mi padre tiene una hermana; su hija es la (madrina/sobrina) de mi padre.
4. El esposo de mi hermana es mi (yerno/ cuñado).
5. Yo soy el (biznieto/padrino) de mi bisabuela.
6. Si no te gusta tomar el sol, debes usar una (puesta del sol/sombrilla).
7. En el mar me gusta conducir la (tabla de surf/moto acuática).

Answers: 1. esposa; 2. bisabuelo; 3. sobrina; 4. cuñado; 5. biznieto; 6. sombrilla; 7. moto acuática

Communication
Interpretive Mode

El blog Ask students to keep the following questions in mind as they read Sandra's blog:
1. What is the tone of Sandra's blog? What does she say that supports your conclusion?
2. Where did Sandra and her family go on their last vacation?
3. What happened to Sandra during that vacation?

VOCABULARIO

Objectives

- Check comprehension of the reading
- Practice using vocabulary in context
- **Recycle: saber** and **conocer**

Practice Sequence

- **Activity 4:** Contexto 1 comprehension
- **Activity 5:** Vocabulary production; Recycle: **saber** and **conocer**

STANDARDS

1.2 Understand language, Act. 4, 5
1.3 Present information, Act. 5

 Answers UTB 1 Transparency 50

Activity 4
1. Rafael
2. Rosita
3. Renata
4. Olga
5. Sergio
6. Luisa

Activity 5
1. Conociste
2. conocí
3. supiste
4. supe
5. conoció
6. conocieron

Para y piensa
1. Sergio, Olga y Rosita se marearon.
2. Los suegros de Olga llevaron los chalecos salvavidas durante el viaje entero.
3. Sandra conoció a Santiago, un surfista.

62

---

4 | Comprensión del blog

Hablar | Empareja las personas de las ilustraciones con la relación familiar que aparece abajo.

Sergio   **Rafael**   **Luisa**   **Renata**   **Rosita**   **Olga**

1. el nieto de la Sra. Oliveros
2. la sobrina de Sandra
3. la sobrina de Olga
4. la cuñada de Sandra
5. el hermano de Sandra
6. la cuñada de Sergio

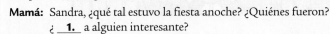
♻ **REPASO** gramatical   The verbs **saber** and **conocer** p. 14

The verbs **saber** (*to know a fact, to know something*) and **conocer** (*to know a person, to be familiar with*) take on a different meaning when used in the preterite. **Saber** in the preterite means *found out* and **conocer** in the preterite means *met*.

Hoy **supe** que vamos a pasar dos semanas de vacaciones en la playa.
*Today **I found out** that we're going to spend two weeks of vacation at the beach.*

El último día del viaje, **conocí** a un surfista que se llama Santiago.
*The last day of the trip, **I met** a surfer named Santiago.*

5 | ¿Qué pasó en la fiesta?

Hablar
Escribir

 Después de una fiesta, la mamá de Sandra le hizo muchas preguntas. Completa su diálogo con la forma correcta de **saber** o **conocer** en el pretérito.

Mamá: Sandra, ¿qué tal estuvo la fiesta anoche? ¿Quiénes fueron? ¿ **1.** a alguien interesante?

Sandra: No, fueron los amigos de siempre. No **2.** a nadie nuevo.

Mamá: Pues, ¿ **3.** algo de las vacaciones que pasaron Elena y su familia?

Sandra: Bueno, **4.** que Elena **5.** a un chico muy simpático.

Mamá: ¿Ah, sí? ¿Un novio? ¿Qué les pareció a los papás de Elena?

Sandra: Ellos lo **6.** y están contentos. ¡Pero es sólo un amigo!

Expansión
Con un(a) compañero(a), escriban una breve historia usando los verbos **saber** y **conocer** con sus diferentes significados.

 PARA Y PIENSA   **¿Comprendiste?**
1. ¿Qué les pasó a Sergio, Olga y Rosita durante las vacaciones?
2. ¿Qué llevaron los suegros de Olga durante el viaje entero?
3. ¿Qué le pasó a Sandra el último día del viaje?

➔ **Get Help Online**
ClassZone.com

Differentiating Instruction

Slower-paced Learners

Personalize It Have students use their family tree illustration to write sentence pairs describing the relationships between their family members. Remind students that each individual has several different relationships and ask students to write as many sentences as they can. For example, **Yo soy la nieta de Silvia. Silvia es mi abuela. Yo soy la hija de Martín. Martín es mi padre.**

Pre-AP

Sequence Information Have students retell the story of Sandra's last vacation. Who went, where did they go, what happened to whom in what sequence?

Presentación de GRAMÁTICA

¡AVANZA! **Goal:** Review the regular and irregular conjugations of verbs in the imperfect tense. Then practice using the imperfect to describe events that occurred in the past. *Actividades 6–9*

English Grammar Connection: In English, you use the simple past tense (*I wanted to surf*) or expressions like *used to* or *always* to describe actions that were ongoing or recurring.

I used to go to the beach in the afternoon.   **Iba** a la playa por la tarde.

REPASO Imperfect Tense

Animated Grammar
ClassZone.com

In Spanish, use the imperfect tense for actions that were ongoing, recurring, or incomplete in the past. How do you conjugate verbs in the imperfect?

Here's how:

Regular Verbs in the Imperfect

	parar	**manten**er	**reun**ir
yo	**par**aba	**manten**ía	**reun**ía
tú	**par**abas	**manten**ías	**reun**ías
usted, él, ella	**par**aba	**manten**ía	**reun**ía
nosotros(as)	**par**ábamos	**manten**íamos	**reun**íamos
vosotros(as)	**par**abais	**manten**íais	**reun**íais
ustedes, ellos(as)	**par**aban	**manten**ían	**reun**ían

Siempre **manten**íamos el carro limpio.   *We always **kept** the car clean.*

Irregular Verbs in the Imperfect

ir	ser	ver
iba	era	veía
ibas	eras	veías
iba	era	veía
íbamos	éramos	veíamos
ibais	erais	veíais
iban	eran	veían

Eran las ocho y **veíamos** la puesta del sol.
It was eight o'clock and we were watching the sunset.

Más práctica
Cuaderno *pp. 27–29*
Cuaderno para hispanohablantes *pp. 28–30*

 Conjuguemos.com

@HomeTutor
Leveled Practice
ClassZone.com

Differentiating Instruction

Slower-paced Learners

Memory Aids Have students make illustrated posters of the uses of the imperfect. Each illustration should be accompanied by a sentence in the imperfect. Hang the posters in your room for the duration of the lesson.

Heritage Language Learners

Increase Accuracy Hold a spelling bee using verbs conjugated in the imperfect. Remind students of the imperfect conjugations that always have an accent, and ask students to pay particular attention to accent placement and visibility.

¡AVANZA! ### Objectives
· Present regular and irregular verbs in the imperfect
· Use the imperfect to describe some ongoing actions in the past

Core Resource
· Cuaderno, pp. 27–29

Presentation Strategies
· Show a picture of yourself engaged in some activity you regularly did in the past. You should look somewhat different than you do now. Model the use of imperfect for description and talking about ongoing actions in the past.
· Ask students questions about their past activities and what they looked like at a particular age.

STANDARD
4.1 Compare languages

Warm Up UTB 1 Transparency 31

Vocabulario Completa el párrafo con las palabras del vocabulario de esta lección. A Julio le encanta estar en la playa. Cuando hace un calor **1.** _____, Julio se mete en el agua para **2.** _____. Cuando hace **3.** _____ o si hay mucha brisa, le gusta **4.** _____ un sándwich en el restaurante al lado de la playa. Por la tarde, Julio y su novia caminan y **5.** _____ caracoles. Antes de ir a casa, ellos siempre ven la **6.** _____.

Answers: 1. agobiante; 2. refrescarse; 3. fresco; 4. merendar; 5. recogen; 6. puesta del sol

Comparisons
English Grammar Connection

Practice using the imperfect in context. Use pictures or set up situations like: "When I was ten years old...".

 Communication
Common Error Alert

Students tend to "forget" the preterite once the imperfect is introduced. Remind them of the differences and model them with clear examples.

Objectives
· Practice using the imperfect
· Compare some extreme sports in Mexico and the U.S.
· **Culture:** Learn about cliff diving and discuss extreme sports

Core Resources
· *Cuaderno*, pp. 27–29
· Audio Program: TXT CD 2 track 4

Practice Sequence
· **Activities 6, 7:** Controlled practice: the imperfect

STANDARDS
1.1 Engage in conversation, Act. 9
1.2 Understand language, Act. 6
1.3 Present information, Act. 8
2.2 Products and perspectives, CC
4.2 Compare cultures, CC

Comparación cultural

Essential Question
Suggested Answer La gente participa en deportes extremos por diferentes razones. A algunas personas les gusta practicar deportes peligrosos. A otras personas les gusta mantenerse en forma y a la vez sentir un poco de miedo. En otros lugares los deportes extremos pueden ser una tradición local.

Background Information
Explain that diving from the 40-meter high La Quebrada cliff in Acapulco began in 1934 as a challenge among fishermen to test each other's bravery. Now the spectacle is held in the day as well as the night, and divers from all walks of life accept the challenge.

Answers UTB 1 Transparencies 50–51

Activity 6
1. Su hermano se refrescaba en el agua.
2. Roberto conducía una moto acuática.
3. Sus bisabuelos se quedaban debajo de la sombrilla.
4. Su cuñada recogía piedras.
5. Sus sobrinos navegaban en velero.
6. Otros parientes jugaban al voleibol playero.

Answers continue on p. 65.

64

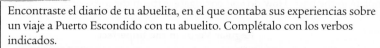
Práctica de GRAMÁTICA

6 **¿Cómo pasaban las vacaciones?**

Escuchar
Escribir

Escucha la narración en que Roberto describe las vacaciones de su familia. Presta atención a las actividades. Escribe oraciones completas.

> **modelo:** sus abuelos
> Sus abuelos hacían un crucero.

1. su hermano
2. Roberto
3. sus bisabuelos
4. su cuñada
5. sus sobrinos
6. otros parientes
7. sus padrinos
8. todos
9. sus papás

Audio Program
TXT CD 2 Track 4
Audio Script, TE
p. 55B

Expansión
Escribe un resumen de lo que hacías en las vacaciones cuando eras niño(a).

7 Un diario

Escribir

Encontraste el diario de tu abuelita, en el que contaba sus experiencias sobre un viaje a Puerto Escondido con tu abuelito. Complétalo con los verbos indicados.

Expansión:
Teacher Edition Only
Pida a los estudiantes que escriban un párrafo para su diario sobre un día interesante, usando este párrafo como modelo.

> Querido diario,
>
> Hoy fue un día muy interesante. Pedro y yo alquilamos un velero para explorar la costa un poco. __1.__ (ser) una mañana hermosa con mucho sol y una brisa muy agradable. Yo, por supuesto, __2.__ (llevar) mi chaleco salvavidas, pero no (tener) __3.__ miedo. ¡Pedro __4.__ (navegar) como un capitán profesional! Siempre __5.__ (ir) despacio. Yo no me mareé en absoluto. En la orilla, nuestros amigos __6.__ (refrescarse) en la olas y se divertían mucho. Después de varias horas, decidimos reunirnos con ellos y volvimos al puerto. Allí __7.__ (haber) mucha gente que __8.__ (pescar) tranquilamente.

Comparación cultural

Los clavadistas de Acapulco
¿Por qué participa la gente en deportes extremos? Acapulco es una de las ciudades turísticas más importantes de la costa del Océano Pacífico de **México**. Entre sus espectáculos más interesantes está el de los famosos clavadistas de La Quebrada. Estos hombres se zambullen *(dive)* desde un acantilado *(cliff)* de más de cien pies de altura. Este deporte extremo es una tradición que empezó en 1934.

Compara con tu mundo *¿Te interesa algún deporte extremo? ¿Por qué?*

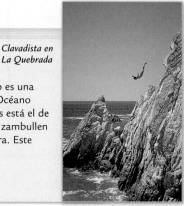
Clavadista en La Quebrada

Differentiating Instruction

Inclusion
Frequent Review/Repetition Have students generate a list of verbs of beach activities and practice making sentences in the imperfect with the subjects listed in Activity 6 before listening to the recording.

Heritage Language Learners
Writing Skills Have students use the text in Activity 7 as a model to write their own diary entry. They should change locations and activities to suit a day that they remember. Students should check their writing carefully for spelling and accent marks.

8 Mucha gente en la playa

Hablar
Escribir

Mira las fotos de un día típico en la playa y describe qué hacía cada persona.

modelo: mi papá y yo
Mi papá y yo navegábamos en un velero estupendo.

Expansión:
Teacher Edition Only
Pídales a los estudiantes que digan otros nueve ejemplos de actividades que ellos y sus familiares pueden hacer en la playa.

1. mis hermanos | **2. mi mamá** | **3. mis amigos**

4. mi abuelito | **5. Silvia y Roberto** | **6. mis tíos**

7. mi hermano y yo | **8. Mauricio** | **9. los niños**

9 Tú y yo

Hablar
Escribir

Compara las actividades que tú hacías cuando estabas de vacaciones el año pasado con las actividades que hacía tu compañero(a).

A ¿Te levantabas tarde o temprano?

¡Uf! Yo me levantaba tarde.

B Me levantaba temprano para ver el amanecer.

Expansión:
Teacher Edition Only
Pídales a las parejas de estudiantes que escriban en un papel las actividades que hicieron en las vacaciones. Pídales que intercambien los papeles y que digan cuáles son las actividades más interesantes.

Más práctica   Cuaderno *pp. 27–29*   Cuaderno para hispanohablantes *pp. 28–30*

PARA Y PIENSA

¿Comprendiste? Contesta con verbos en el imperfecto.
1. ¿Adónde pasaba tu familia las vacaciones cuando eras más joven?
2. ¿Qué hacían? ¿Dónde se quedaban?

Get Help Online
ClassZone.com

Differentiating Instruction

Multiple Intelligences

Kinesthetic Using the photos in Activity 8 as a guide, have individual students and pairs of students take turns acting out the various beach activities pictured. The rest of the class has to guess what activities the actor(s) used to do at the beach.

Pre-AP

Expand and Elaborate Give students the opportunity to create a scrapbook of a recent vacation with their family and/or friends. They should illustrate various activities from the trip and write captions for each photo. Then they should write a short paragraph summarizing the trip as an introduction or conclusion to the scrapbook.

Connections

Geography

Ask students to talk about which of the activities illustrated they can do near their home and which of them they can only do elsewhere. Look at a map of Mexico and locate Cabo San Lucas, Acapulco, Cancún, and other beach resorts. Then look at a map of the U.S. and identify the beach areas that students know. How far do they have to travel?

Communication

TPR Activity

Have students pantomime the various activities in the photos for their classmates to guess.

✓ Ongoing Assessment

@HomeTutor
More Practice
ClassZone.com

PARA Y PIENSA **Quick Check** Have students answer the questions orally in small groups. Then have them write their answers individually to turn in for assessment. For additional practice, use Reteaching and Practice Copymasters URB 1, pp. 40, 41.

Answers UTB 1 Transparencies 50–51

Answers continued from p. 64.
  7. Sus padrinos manejaban por la costa en su carro.
  8. Todos se reunían para la cena.
  9. Sus papás veían la puesta del sol.

Activity 7
1. era	5. iba
2. llevaba	6. se refrescaban
3. tenía	7. había
4. navegaba	8. pescaba

Activity 8 Answers may vary. Sample answers:
1. Mis hermanos paseaban en canoa.
2. Mi mamá leía en el sol.
3. Mis amigos jugaban al voleibol playero.
4. Mi abuelito tomaba fotos.
5. Silvia y Roberto se recostaban debajo de la sombrilla.
6. Mis tíos conducían motos acuáticas.
7. Mi hermano y yo practicábamos con la tabla de surf.
8. Mauricio escuchaba música.
9. Los niños jugaban en la arena.

Activity 9 Answers will vary.

Para y piensa Answers will vary.

GRAMÁTICA en contexto

Contexto 2 *Novela gráfica*

ESTRATEGIA **Leer**
Transform verbs in context Count the phrases containing the imperfect tense in the graphic novel and list these in box A. If the imperfect-tense verb in box A is singular, change the phrase to the corresponding plural form in box B and vice versa.

A   B

AUDIO

Sandra no se divierte cuando va de vacaciones con su familia. Hace un mes, tuvo que pasar otra vez dos semanas de vacaciones con ellos. Como no quería hacer actividades con sus parientes, se divertía dibujando una novela gráfica para su blog.

· Practice the preterite and imperfect in context
· Practice vocabulary for beach activities

Core Resource
· Audio Program: TXT CD 2 track 5

Presentation Strategies
· Review what students remember about the differences between the preterite and imperfect
· Play the audio as students read along
· Have students read each segment of Sandra's graphic novel aloud
· Have students act out each segment of Sandra's graphic novel

Practice Sequence
· **Activity 10:** Contexto 2 comprehension
· **Activity 11:** Transitional practice: imperfect tense

 STANDARDS

1.1 Engage in conversation, Act. 11
1.2 Understand language, Act. 10
1.3 Present information, Contexto 2

Warm Up UTB 1 Transparency 31

Verbos Completa cada oración con el imperfecto del verbo indicado.
1. Nadia e Iván _____ un crucero. (hacer)
2. Mi padrino y yo _____ a la playa. (ir)
3. Tú _____ el amanecer. (ver)
4. Mi familia _____ piedras y caracoles. (recoger)
5. Ustedes _____ debajo de un árbol. (refugiarse)
6. Nosotros _____ en la orilla. (juntarse)
Answers 1. hacían; 2. íbamos; 3. veías; 4. recogía; 5. se refugiaban; 6. nos juntábamos

Differentiating Instruction

Slower-paced Learners

Read Before Listening Have students preview Sandra's **novela gráfica** segment before listening to it. Then have students read aloud, paying particular attention to the activities and the use of the imperfect.

Pre-AP

Sequence Information Before they listen to the audio or read the text, tell pairs of students to look at the pictures on the *Súper Sandra* web page. Have them predict what will happen in the story based on these pictures. After they listen to or read the story, have the pairs compare and contrast their predictions with what happens in the story.

10 Comprensión de la novela gráfica

Hablar
Escribir

Según la novela gráfica de Sandra, ¿quién o quiénes hacían lo siguiente?

1. conducían motos acuáticas
2. recogía caracoles
3. se refrescaban en el agua
4. se recostaba debajo de una sombrilla
5. surfeaba
6. estaba muy aburrida

Expansión:
Teacher Edition Only
Pídales a los estudiantes que digan cuáles de las actividades que hacían los familiares de Sandra les gustan y cuáles no. Pregúnteles por qué.

11 Y entonces...

Hablar
Escribir

Con tus compañero(as), describe las siguientes escenas de la novela gráfica sobre la reunión de Sandra y Santiago en la playa. Luego, completa las oraciones con el imperfecto de los verbos indicados.

¡ **1.** (ser) tan extraño! Súper Sandra **2.** (encontrarse) en una escena completamente romántica y no **3.** (saber) qué decir.

Sandra **4.** (hacer) todo lo que Santiago **5.** (sugerir). La familia de Sandra ya no la **6.** (conocer); ¡ **7.** (estar) transformada!

Durante la cena, Santiago **8.** (hablar) de reunirse el próximo verano, pero Sandra sólo **9.** (escuchar) su voz y no **10.** (oír) sus palabras.

Expansión
Escribe la escena de una novela gráfica con una experiencia de tu vida. Debes tener tres o cuatro cajas con dibujos y usar el imperfecto.

PARA Y PIENSA

¿Comprendiste? Usa la forma correcta del verbo en el imperfecto para describir la escena en la playa:
Sergio y Olga (refrescarse) **1.** con Rosita. La madre de Sandra (recostarse) **2.** . Sandra (observar) **3.** la puesta del sol y (pensar) **4.** en su vida.

Get Help Online
ClassZone.com

Differentiating Instruction

Inclusion

Multisensory Input/Output While you play the audio or read the story aloud, tell students to read along with the *Súper Sandra* **novela gráfica** (p. 66). As they listen to the story a second time, have students act out the story by using facial expressions and gestures to express the actions and emotions of the characters.

Heritage Language Learners

Writing Skills Have students write their own graphic novel segment based on an experience they had during a vacation. They should pay special attention to sequence of events, spelling, and accent placement.

Communication

✓ **Ongoing Assessment**

@HomeTutor
More Practice
ClassZone.com

PARA Y PIENSA

Peer Assessment Have students pair up and review their answers with a partner. Students should look for subject-verb agreement, spelling, and reflexive pronouns (as needed). For additional practice, use Reteaching and Practice Copymasters URB 1, pp. 40, 42.

Answers UTB 1 Transparency 51

Activity 10
1. Los suegros, cuñados y sobrinos de Sergio conducían motos acuáticas.
2. El padre de Sandra recogía caracoles.
3. Sergio, Olga y Rosita (Su hermano, su cuñada y su sobrina) se refrescaban en el agua.
4. Su madre se recostaba debajo de una sombrilla.
5. Santiago surfeaba.
6. Sandra estaba muy aburrida.

Activity 11
1. Era
2. se encontraba
3. sabía
4. hacía
5. sugería
6. conocía
7. estaba
8. hablaba
9. escuchaba
10. oía

Para y piensa
1. se refrescaban
2. se recostaba
3. observaba
4. pensaba

67

Objective

- Review the uses of the preterite tense and the imperfect tense.

Core Resource

- *Cuaderno*, pp. 30–32

Presentation Strategies

- Create a 2-column chart on the board with the headings: *Preterite* and *Imperfect*. Ask students to help you fill in the chart by giving examples of how each tense is used.
- Review preterite and imperfect conjugations.
- Have students label two index cards: **P** and **I**. Read a short paragraph to students that includes both the preterite and the imperfect. Ask students to hold up the card labeled **P** when they hear the preterite and **I** when they hear imperfect.

 STANDARDS

4.1 Compare languages

Warm Up UTB 1 Transparency 32

Escribe una oración para explicar qué hacías de niño(a) durante las vacaciones del verano. Luego escribe otra oración para decir una cosa que hiciste el verano pasado.

Answers will vary. Sample answer: De niña yo nadaba en el lago. El verano pasado yo trabajé en un restaurante.

 # Presentación de GRAMÁTICA

¡AVANZA! **Goal:** Review the differences between the preterite and the imperfect and how each tense is used in Spanish. Then practice by narrating a situation in the past. *Actividades 12–16*

♻️ *¿Recuerdas?* Expressions of emotion p. 12

English Grammar Connection: In English, you can use the simple past tense for actions in the past, whether they were completed or not. To emphasize that an action was in progress, you use the past progressive tense *(Pedro was swimming)*.

♻️ REPASO Preterite vs. Imperfect

Animated Grammar
ClassZone.com

You already know two tenses that refer to the past, the **preterite** and the **imperfect**. How is each tense used?

Here's how:

- Use the **preterite tense** to describe an action or series of actions completed in the past.

Aquel día, Pedro **fue** a la playa y **jugó** al voleibol playero.	*That day, Pedro **went** to the beach and **played** beach volleyball.*

- Use the **imperfect tense** for ongoing actions or states of being in the past without focusing on their beginning or end. Always use the imperfect to say what time it was or what the weather was like in the past.

Elena siempre **iba** a la playa cuando **hacía** buen tiempo.	*Elena always **used to go** to the beach when the weather **was** nice.*

- Sometimes you need the **imperfect** and the **preterite** in the same sentence.

  Use the **imperfect** to tell what was going on in the background. Use the **preterite** for the interrupting action or main event.

Yo **nadaba** cuando Pedro **llegó** a la playa.	*I **was swimming** when Pedro **arrived** at the beach.*

Más práctica
Cuaderno *pp. 30–32*
Cuaderno para hispanohablantes *pp. 31–34*

🐾 **Conjuguemos.com**

@HomeTutor
Leveled Practice
ClassZone.com

Differentiating Instruction

Inclusion

Frequent Review/Repetition Write the following headings on the board: Completed Actions, Ongoing Actions/States, Description, Background Event with Interrupted Action. Then ask each student to write a sentence to serve as an example for each use of the preterite and the imperfect. Have students record their sentences under the appropriate heading.

English Learners

Build Background Ask English learners if their language(s) use multiple past tenses like Spanish and English do. If so, do they work in a similar way?

Práctica de GRAMÁTICA

12 ¿Qué pasó?

Hablar
Escribir

Usa el pretérito y el imperfecto del verbo apropiado para explicar qué pasó durante otra actividad en proceso.

1. Mientras Alberto y Susana _____ su moto acuática, Susana _____ . (conducir, caerse)
2. Karina _____ a buscar la merienda mientras Gustavo _____ la puesta del sol. (ir, observar)
3. Yo todavía _____ la canoa cuando mi sobrino _____ el chaleco salvavidas. (preparar, ponerse)
4. Tú _____ un pájaro cuando nosotros _____ por el sendero. (ver, caminar)
5. Nosotros _____ cinco debajo de la sombrilla cuando tú nos _____ para jugar al voleibol playero. (ser, llamar)
6. José _____ al aire libre pero _____ a llover. (leer, empezar)
7. Felipe _____ en el crucero pero _____ la calma. (marearse, mantener)
8. Carla _____ en la casa rodante cuando _____ con sus padrinos para comer. (estar, juntarse)

Expansión:
Teacher Edition Only
Pídales a los estudiantes que digan, con un ejemplo de su vida diaria, qué les pasó o les dijeron durante una actividad en proceso.

13 ¿Qué verbo?

Hablar
Escribir

Completa las oraciones con el verbo apropiado del banco de palabras. Ten cuidado con el pretérito y el imperfecto.

1. El esposo de Noemí _____ al cine cuando se cayó.
2. María Inés y su madrina _____ con pan y leche.
3. Los señores Quijano _____ con sus hijos, su nuera y su yerno en el restaurante.
4. De repente, _____ la luz.
5. De niño, Matías _____ todos los años a Acapulco.

viajar
merendar
cortar
ir
cenar

Expansión:
Teacher Edition Only
Pídales a los estudiantes que escriban oraciones similares a las oraciones de la actividad. Deben usar el pretérito y el imperfecto de los mismos verbos del banco de palabras.

 Pronunciación **La letra c con e, i y la letra z**

AUDIO

En Latinoamérica la combinación de la **c** con las vocales **e, i** produce el sonido /s/, al igual que la **z**. En cambio, en España **ce, ci** y la **z** se pronuncian como la *th* de la palabra *thin* en inglés. Su posición en la palabra no afecta nunca la pronunciación.

cenar   **ci**nturón   **Z**apata

amane**ce**r   condu**ci**r   bi**z**nieta

Refrán

Come poco y cena temprano si quieres llegar a ser anciano.

Objectives
· Practice the preterite and imperfect in context
· Practice pronunciation of the letters **c** (with **e** and **i**) and **z**

Core Resource
· Audio Program: TXT CD 2 track 6

Practice Sequence
· **Activity 12:** Controlled practice: preterite and imperfect
· **Activity 13:** Transitional practice: preterite and imperfect
· **Pronunciation:** the letter **c** (with **e** and **i**) and the letter **z**.

STANDARDS
1.2 Understand language, Act. 12
4.1 Compare languages, Pronunciación

Communication
Grammar Activity

Divide students into pairs. Ask them to write the story for an episode or scene of a T.V. program or movie they have seen. Remind them to use the imperfect to describe the scene, what people are like, ongoing actions, and background events, and to use the preterite for completed or interrupting actions. Have pairs read their stories to the class to see if they can guess what program or movie the scene is from.

 Answers UTB 1 Transparencies 51–52

Activity 12
1. conducían, se cayó
2. fue, observaba
3. preparaba, se puso
4. viste, caminábamos
5. éramos, llamaste
6. leía, empezó
7. se mareaba, mantuvo
8. estaba, se juntó

Activity 13
1. iba
2. merendaron
3. cenaron
4. cortó
5. viajaba

Differentiating Instruction

Pre-AP

Expand and Elaborate After students have completed and corrected Activity 13, for which they had to decide whether to use the preterite or imperfect, have them rewrite the sentences so that they require the other tense. For example, number 5 could be rewritten as: **El año pasado, Matías fue a Acapulco.**

Slower-paced Learners

Peer-study Support For Activity 12, pair stronger students with weaker students. First, ask them to read through each sentence and for each blank, write a **P** for preterite or **I** for imperfect to indicate what tense they will use. Then have them conjugate and write the verbs. When they have completed the exercise, have them read through the verbs one more time to check for spelling and accents.

Objectives
· Practice the preterite and imperfect in context
· Recycle: expressions of emotion
· **Culture:** the artwork of Miguel Cabrera

Core Resource
· *Cuaderno,* pp. 30–32

Practice Sequence
· **Activity 14:** Transitional practice: preterite and imperfect
· **Activity 15:** Open-ended practice: preterite and imperfect; Recycle: expressions of emotion
· **Activity 16:** Open-ended practice: preterite and imperfect

⚜ STANDARDS
1.1 Engage in conversation, Act. 14
1.3 Present information, Act. 14, 15
2.2 Products and perspectives, Act. 16
3.1 Knowledge of other disciplines, Act. 16

Comparación cultural

Essential Question
Suggested Answer Los artistas representan los temas que les interesan de diferentes maneras. A veces muestran a sus familias y otras personas. A veces representan cosas típicas de su país, o su pasatiempo favorito.

✓ Ongoing Assessment

@HomeTutor
More Practice
ClassZone.com

PARA Y PIENSA **Quick Check** Have students read their answers aloud and ask them to explain why they used the preterite v. the imperfect form and vice versa. For additional practice, use Reteaching & Practice Copymasters URB 1 pp. 43, 44, 47.

 Answers UTB 1 Transparency 52

Activity 14 Answers will vary. Sample answer:
1. ¿Qué hacía tu abuela cuando llegaste a la playa? Mi abuela recogía caracoles en la orilla cuando yo llegué.
2. ¿...hacían los novios...? Los novios remaban en la canoa cuando...
3. ¿...hacía tu bisabuela...? Mi bisabuela navegaba en velero cuando...

Answers continue on p. 71.

70

---

14 | ¿Qué hacían en la playa?

Hablar Pregúntale a tu compañero(a) qué hacían sus parientes cuando él o ella llegó a la playa. Escoge una actividad del banco de palabras para las respuestas.

surfear
navegar en velero
remar en la canoa
leer debajo de una sombrilla
jugar al voleibol playero
recoger caracoles en la orilla

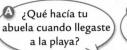

A ¿Qué hacía tu abuela cuando llegaste a la playa?

B Mi abuela leía cuando llegué a la playa.

Expansión
Describe qué hacían los estudiantes y la maestra cuando llegaste a la clase.

1. tu abuela **2.** los novios **3.** tu bisabuela **4.** tu cuñada

---

15 | ¡Pasó esto! ♻ *¿Recuerdas?* Expressions of emotion p. 12

Escribir Escríbele un correo electrónico a un(a) compañero(a) para contarle algo de una excursión con tu familia. Incluye elementos de descripción (imperfecto), algunas actividades que hicieron tú y tu familia (pretérito) y expresiones de emoción con el tiempo verbal apropiado.

  modelo: Estaba muy contento. Hacía calor... comimos en la playa...

Expansión:
Teacher Edition Only
Pídales a los estudiantes que escriban la respuesta que les mandó el (la) compañero(a) a quién le escribieron el correo electrónico.

---

16 | ¿Qué crees?

Leer Escribir

Comparación cultural

De español y mestiza, castiza
Miguel Cabrera (1695–1768)

En familia
¿Cómo representan los artistas los temas que les interesan? Durante el siglo dieciocho, los pintores de Nueva España se dedicaron a representar la diversidad social de aquel entonces. Esta preocupación con el mestizaje entre europeos, indígenas y africanos dio luz a un género artístico: el retrato de castas. Los retratos representaban a un hombre, a su mujer y a los hijos de ellos, todos de diversos grupos étnicos.

Compara con tu mundo *¿A quién elegirías* (would you choose) *para representar en un retrato? ¿Por qué?*

Mira la pintura. ¿Cómo crees que eran estas personas? ¿Qué pensaban? ¿Qué crees que hicieron antes y después de hacerse el retrato?

Más práctica Cuaderno *pp. 30–32* Cuaderno para hispanohablantes *pp. 31–34*

PARA Y PIENSA **¿Comprendiste?** Contesta las siguientes preguntas sobre tus últimas vacaciones con las formas correctas del imperfecto o pretérito.
1. ¿Adónde fuiste? **2.** ¿Qué tiempo hacía cuando llegaste? **3.** ¿Qué hiciste?

🔊 **Get Help Online** ClassZone.com

Differentiating Instruction

Multiple Intelligences

Visual Learners Before Activity 14, ask students to remember a surprise event in their life, such as finding something by chance, or an injury. Have them state the event (e.g. **me caí**), and mark an **X** on a piece of paper. Then have them say what they were doing just before that event (**jugaba al tenis**), and denote that by drawing a line leading up to the **X**.

Inclusion

Clear Structure Before students start to write their e-mails for Activity 15, have them do prewriting activities. First they should choose an excursion. Then have them note three descriptive adjectives, three activities, and three expressions of emotion that they associate with the excursion. Finally, have them use their notes to write complete sentences to incorporate into their e-mails.

✤ Todo junto

¡AVANZA! **Goal:** *Show what you know* Notice how Sandra and her best friend Carmen use the preterite and the imperfect tenses in the following conversation. Then talk about what happened on the vacation Sandra took with her family. *Actividades 17–19*

Resumen contextos 1 y 2 Sandra Zapata escribió acerca de las vacaciones con su familia. Ella hizo una novela gráfica en su blog con sus experiencias.

Contexto 3 *Diálogo*

ESTRATEGIA Escuchar
Cause and effect As you listen, pay attention to the descriptions of Santiago and Jorge to find out what causes Sandra's confusion. In the chart, include Santiago and Jorge's description and what Sandra could share with each of them.

AUDIO

Sandra regresó de sus vacaciones en la playa con su familia. Ahora le cuenta a Carmen lo que pasó durante las vacaciones.

Carmen: Sandra, ¿qué onda? ¿Cómo pasaste las vacaciones?

Sandra: Bueno, las vacaciones empezaron como siempre: todo el mundo estaba en la playa haciendo lo que le gustaba, y yo estaba sola y aburrida.

Carmen: ¡Claro! ¡Como siempre!

Sandra: Era como una película de terror. Estaba muy deprimida y hacía un calor agobiante cuando, sin esperarlo, vi otra vez al chico del crucero.

Carmen: ¿Santiago? ¿El surfista? ¡Qué padre!

Sandra: Sí... qué casualidad, ¿no? Lo interesante es que somos muy diferentes, pero nos gustaba hacer cosas juntos. Hicimos un crucero, caminamos por la arena todos los días, ¡hasta condujimos motos acuáticas!

Carmen: ¿Tú? ¡Imposible! ¡No lo creo!

Sandra: ¡Ni yo! Pero nos divertimos mucho. Yo era una persona completamente diferente. Y mientras hacíamos todas estas cosas, también hablábamos mucho... Creo que lo conozco bien, aunque sólo estuve dos semanas en Baja California.

Carmen: ¿Y qué dijeron tus padres?

También se dice

La expresión **¿qué onda?** es muy común en México para saludar a un amigo.
• **Colombia** **¿quiubo?** (viene de **qué hubo**)
• **España** **¿qué pasa?**
• **Argentina** **¿qué tal?**
• **República Dominicana** **¿y qué?**

Lección 2
setenta y uno **71**

Differentiating Instruction

Inclusion

Metacognitive Read aloud the verbs from the story. Have students put their hands flat on their desks if the verb is in the preterite, and have them walk their fingers across their desks if the verb is in the imperfect.

Pre-AP

Summarize Divide students into groups of three or four. Ask them to divide this scene into three sections, based on the people whom Sandra and Carmen are talking about. Have the groups work together to summarize the activities and feelings mentioned in each section. With whom is Sandra most compatible?

¡AVANZA! ▸ **Objective**
• Integrate lesson content.

Core Resource
• Audio Program: TXT CD 2 track 7

Presentation Strategies
• Ask students what they remember about Contextos 1 and 2.
• Play the audio as students read along.
• Ask for two student volunteers to read the parts of Carmen and Sandra.

✤ **STANDARD**
1.2 Understand language

🔊 **Warm Up** UTB 1 Transparency 32

Verbos Completa las oraciones con la forma correcta del imperfecto o pretérito de los verbos indicados.
1. _____ las cinco de la tarde. (ser)
2. Marcela _____ una moto acuática cuando _____ al agua. (conducir, caerse)
3. Yo _____ un libro mientras mis padres _____ en velero. (leer, navegar)
4. Cuando mi bisabuelo _____ niño, no _____ la televisión. (ser, existir)
5. Ayer _____ mucho calor; entonces mis amigos _____ a la orilla del río y _____ debajo de los árboles. (hacer, ir, recostarse)

Answers: 1. Eran; 2. conducía, se cayó; 3. leía, navegaban; 4. era, existía; 5. hacía; fueron; se recostaron

📋 **Answers** UTB 1 Transparency 52

Answers continued from p. 70.
4. ¿...hacía tu cuñada...? Mi cuñada surfeaba cuando...

Activity 15 Answers will vary. Sample answer: Hice una excursión con mi familia. Fuimos al río cerca de la casa de mis abuelos. Hacía un calor agobiante cuando llegamos, pero yo estaba muy contenta...

Activity 16 Answers will vary. Sample answer: Creo que estas personas eran muy simpáticas. Pensaban en la celebración que tuvo lugar ese día. Antes de hacerse el retrato, creo que se vistieron y se maquillaron. Después de hacerse el retrato, creo que bailaron y celebraron.

Para y piensa Answers will vary. Sample answers:
1. Fui a California.
2. Hacía mucho calor cuando llegué.
3. Fui a la playa y nadé.

Objective

· Practice using and integrating lesson grammar and vocabulary.

Core Resources

· *Cuaderno,* pp. 33–34
· Audio Program: TXT CD 2 Tracks 7, 8, 9

Practice Sequence

· **Activity 17:** Contexto 3 comprehension
· **Activity 18:** Open-ended practice: reading, listening, and speaking
· **Activity 19:** Open-ended practice: writing

STANDARDS

1.2 Understand language, Act. 17
1.3 Present information, Act. 18, 19

 Answers UTB 1 Transparencies 52–53

Answers for Activities on pp. 72, 73.

Activity 17
1. estaba; cierto; 2. hacía; falso; 3. gustaba; cierto; 4. era; cierto; 5. tuvo; cierto; 6. dijo; falso; 7. invitó; falso; 8. se divirtió; cierto; 9. dirigía; cierto; 10. fue; cierto

Activity 18 Answers will vary. Sample answer: Eduardo Ríos celebró su cumpleaños con una escapada de fin de semana en Acapulco. Su familia fue con él. Eduardo decidió ir a Acapulco porque cuando era niño visitó Acapulco y le encantó. Pasó el primer día en la playa: practicó el surf, anduvo en moto acuática, nadó, recogió caracoles y jugó al voleibol playero.

Activity 19 Answers will vary. Sample answer:

Querido diario:

Ayer llegué de mi escapada de fin de semana a Baja California. Fui con mis amigas Teresa y Olivia. Hacía un calor agobiante, pero nosotras nos divertimos mucho en la playa. Por la mañana yo conduje una moto acuática mientras ellas practicaban el surf. Después de almorzar, jugamos al voleibol playero con unos chicos que conocimos en la playa. Ellos eran de Veracruz. Luego, para refrescarme un poco, caminé en la orilla, debajo de unos árboles. Recogí unas piedras bonitas. Por la tarde mis amigas y yo subimos al cuarto del hotel. Nos sentamos en el balcón y vimos la puesta del sol. ¡Fue un fin de semana inolvidable!

Answers continue on p. 73.

72

Sandra: Pues, tuve que presentarlo a la familia entera... ¡qué horror! No puedo ni hablar de eso. ¡Eso sí! Santiago se divirtió con todos.

Carmen: ¿Y conociste a su familia?

Sandra: Sí, sí, todos en la familia Aguirre fueron muy amables. Tienen una casa rodante y me invitaron a hacer un viaje con ellos a Los Ángeles durante todo el mes de agosto.

Carmen: ¡No puedes ir en agosto! Ese mes viene mi primo Jorge a Monterrey y ya te dije que tienes que conocerlo. Es el amigo perfecto para ti: el año pasado dirigió su propia película independiente, y a la vez que hacía la película, escribía una novela gráfica sobre sus experiencias... y una casa editorial la publicó hace dos meses.

Sandra: ¡Ay!, no sé qué hacer. En mi vida nunca pasa nada, y cuando pasa, pasa todo junto. ¡Realmente no sé qué hacer!

Carmen: Bueno, Sandra, recuerda que en realidad no te gusta mucho estar al aire libre ni hacer deportes. El surfista fue un buen amigo para pasar las vacaciones, pero... ¿crees que tú y Santiago son compatibles de verdad?

Sandra: Pues, no lo sé. Santiago fue muy bueno conmigo. Por otro lado, tu primo publicó una novela gráfica. ¡Lo mismo que me interesa a mí!

Carmen: Pues, amiga, tienes que decidirte pronto... ¡ya estamos en julio!

17 | Comprensión del diálogo

Escuchar
Hablar
Escribir

Escoge la opción correcta para completar las oraciones y di si son ciertas o falsas.

1. Al principio de las vacaciones Sandra (estuvo / estaba) aburrida.
2. El día que Sandra vio a Santiago (hizo / hacía) fresco.
3. A Sandra y a Santiago les (gustó / gustaba) hacer cosas juntos.
4. Sandra (fue / era) una persona diferente con Santiago.
5. Sandra (tuvo / tenía) que presentar a Santiago a su familia entera.
6. Sandra le (dijo / decía) a Carmen que el apellido de Santiago es González.
7. La familia Aguirre (invitó / invitaba) a Sandra a una escapada de fin de semana a Los Ángeles.
8. Santiago (se divirtió / se divertía) con los parientes de Sandra.
9. Mientras (dirigió / dirigía) la película, Jorge también escribía una novela gráfica.
10. Santiago (fue / era) muy bueno con Sandra.

Expansión
Piensa en una persona que sea compatible contigo. Escribe una historia breve con actividades que hicieron juntos, usando el pretérito y el imperfecto.

Differentiating Instruction

Slower-paced Learners

Peer-study Support Have students work in pairs to complete Activity 17 and give each pair a photocopy of the reading. Ask them to work together to decide on preterite or imperfect for each sentence, highlighting the parts in the reading that support their answers. Then ask them to decide whether each statement is true or false.

Multiple Intelligences

Linguistic/Verbal After students have read or listened to the Diálogo, have them write a summary of the conversation in their own words. In addition, ask them to give their opinion on what Sandra should do for her vacation in August.

18 Integración

Leer
Escuchar
Hablar

Te gusta mucho la telenovela «Seres queridos». Lee este artículo sobre uno de los actores. Luego escucha las noticias de la radio sobre su visita a la playa. Cuenta las noticias.

Fuente 1 Artículo periodístico

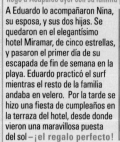 

NOVELAS EN LA PLAYA

El famosísimo actor de la telenovela «Seres queridos», Eduardo Ríos, llegó a Acapulco ayer con su familia para celebrar su cumpleaños.

A Eduardo lo acompañaron Nina, su esposa, y sus dos hijas. Se quedaron en el elegantísimo hotel Miramar, de cinco estrellas, y pasaron el primer día de su escapada de fin de semana en la playa. Eduardo practicó el surf mientras el resto de la familia andaba en velero. Por la tarde se hizo una fiesta de cumpleaños en la terraza del hotel, desde donde vieron una maravillosa puesta del sol —¡el regalo perfecto!

Fuente 2 Reporte de radio

Escucha y apunta
- ¿Por qué decidió Eduardo celebrar su cumpleaños en Acapulco?
- ¿Con quién fue y qué hizo allí?

modelo: Mi actor favorito, Eduardo Ríos, fue a Acapulco a celebrar su cumpleaños. Lo acompañó su esposa. Cuando era niño fue a Acapulco y le encantó, por eso quiso volver.

Audio Program
TXT CD 2 Track 9
Audio Script, TE
p. 55B

---

19 Querido diario...

Escribir

Volviste ayer de un viaje maravilloso. En tu diario, escribe algo sobre tus aventuras, actividades y las personas que conociste. Di lo que hiciste y lo que pasaba mientras hacías esas cosas.

Writing Criteria	Excellent	Good	Needs Work
Content	Your diary entry includes many details about your trip.	Your diary entry includes some details about your trip.	Your diary entry includes few details about your trip.
Communication	Your diary entry is organized and easy to follow.	Parts of your diary entry are organized and easy to follow.	Your diary entry is disorganized and hard to follow.
Accuracy	You make few mistakes in grammar and vocabulary.	You make some mistakes in grammar and vocabulary.	You make many mistakes in grammar and vocabulary.

Más práctica   Cuaderno *pp. 33–34*   Cuaderno para hispanohablantes *pp. 35–36*

PARA Y PIENSA

¿Comprendiste? Escoge la opción correcta.
1. Durante las vacaciones, (fui / iba) a ver a los clavadistas de Acapulco.
2. Liliana (fue / era) joven cuando (hizo / hacía) su primera escapada.
3. Mientras (miré / miraba) el retrato (pensé / pensaba) en mi familia.

Get Help Online
ClassZone.com

Lección 2
setenta y tres **73**

Long-term Retention

Pre-AP Integration

Activity 18 Help students take notes for this activity by having them create a chart with columns labeled: **¿Por qué?**, **¿Con quién?**, and **¿Qué hizo?** They can make notes in the corresponding columns as they read the article and listen to the radio report.

✓ Ongoing Assessment

Rubric Activity 18

Listening/Speaking	
Proficient	**Not There Yet**
Student takes good notes and mentions why and with whom Eduardo went to Acapulco and what he did there.	Student takes few notes and cannot mention why and with whom Eduardo went to Acapulco, and what he did there.

✓ Ongoing Assessment

@HomeTutor
More Practice
ClassZone.com

PARA Y PIENSA Alternative Strategy Have students create personalized sentences using sentence structures similar to those found in the Para y piensa box. Sentences can begin with the phrases: **Durante las vacaciones...**, **Yo era joven cuando...; Mientras...** For additional practice, use Reteaching and Practice Copymasters URB 1, pp. 43, 45.

Answers UTB 1 Transparency 53

Answers continued from p. 72.

Para y piensa
1. fui
2. era, hizo
3. miraba, pensaba

73

Differentiating Instruction

Inclusion

Metacognitive Support Play the audio for Activity 18. Then give students a copy of the Audio Script. Tell them to underline verbs that are in the preterite and circle those in the imperfect. If they need a reminder of the functions of the preterite and the imperfect, have them review the grammar box on page 68.

Pre-AP

Self-correct After students have completed their journal entries for Activity 19, encourage them to read their writing aloud. Remind them to focus on preterite versus imperfect, as well as subject-verb agreement. If something does not sound right, tell students to take a closer look and confirm they have used the correct verb endings.

¡AVANZA! Objectives

- Read and listen to a story excerpt by a Mexican author.
- Culture: learn about life in rural Mexico in 1900
- Analyze the roles of women in the early 1900s

Core Resource

- Audio Program: TXT CD 2 Track 10

Presentation Strategies

- Ask students if they know what daily life was like for their great-grandparents or great-great-grandparents. Did they live in an urban or rural setting? What type of work were the women of the family responsible for?
- Have students look at the verbs in the Vocabulario para leer box. Ask: Do they know how to do any of these things? What chores are they expected to perform at home?

STANDARDS

- **1.2** Understand language
- **2.1** Practices and perspectives
- **2.2** Products and perspectives
- **3.1** Knowledge of other disciplines

 Warm Up UTB 1 Transparency 33

Verbos Escoge el verbo correcto para completar las oraciones.

1. Caminaba por la orilla cuando _____ un caracol.
   a. vi   b. veía
2. El verano pasado anduve en velero, _____ y nadé.
   a. conduje   b. conducía
3. Mientras yo _____, Beto observaba la puesta del sol.
   a. leí   b. leía
4. _____ las tres y media cuando llegamos a casa.
   a. Fueron   b. Eran

Answers: 1. a; 2. a; 3. b; 4. b

✾ Lectura literaria

¡AVANZA! **Goal:** Read and listen to the excerpt of a story by a Mexican author and analyze the roles of women in the early 1900's.

Para leer

ESTRATEGIA Leer y escribir
Read more effectively with a honeycomb story map As you read, complete a honeycomb story map like the one below. Using your honeycomb map for guidance, summarize the story and your reflections in a paragraph.

```
            Lugar
                        Punto crítico
        Personajes
                        Reflexión
            Problema
```

Vocabulario para leer

el chorizo	*tipo de salchicha*
moler	*deshacer granos u otros elementos sólidos para hacerlos polvo*
planchar	*sacar las arrugas de la ropa con una plancha*
bordar	*adornar una tela o ropa con dibujos hechos con hilo*
coser	*unir dos pedazos de tela con hilo y aguja*

Nota cultural

Sobre la autora **Laura Esquivel (1951–)**
Nació en México D.F. Empezó su carrera literaria como guionista *(scriptwriter)*. Obtuvo el reconocimiento mundial con su primera novela, *Como agua para chocolate*, que cuenta la historia de una familia mexicana de principios de 1900. También se filmó una película basada en la novela.

Sobre la vida familiar en 1900 En el año 1900 había muchos ranchos pequeños en las áreas rurales de México. Toda la familia compartía los quehaceres; tenían que cuidar los animales y las cosechas *(harvests)*, limpiar la casa y preparar la comida. Los ranchos funcionaban como una comunidad.

Differentiating Instruction

Multiple Intelligences

Visual Learners Bring in objects or photos to represent the terms featured in the Vocabulario para leer. Possible items include: an iron (for **planchar**), a mortar and pestle (for **moler**), and embroidered fabrics (for **bordar**).

Inclusion

Clear Structure Before the students read or listen to the story, have them study the pictures on pp. 75–77. See if they can infer information about the story such as whether it takes place now or in the past, how the characters are related, and what kind of work they do.

COMO AGUA PARA

Chocolate
AUDIO

En el rancho de Mamá Elena la preparación del chorizo era todo un rito. Con un día de anticipación se tenían que empezar a pelar ajos, limpiar chiles y a moler especias. Todas las mujeres de la familia tenían que participar: Mamá Elena, sus hijas Gertrudis, Rosaura y Tita, Nacha
5 la cocinera y Chencha la sirvienta. Se sentaban por las tardes en la mesa del comedor y entre pláticas y bromas [1] el tiempo se iba volando hasta que empezaba a oscurecer. Entonces Mamá Elena decía:

　—Por hoy ya terminamos con esto. ❈

　Dicen que a buen entendedor pocas palabras [2], así que después
10 de escuchar esta frase todas sabían qué era lo que tenían que hacer. Primero recogían la mesa y después se repartían las labores: una metía a las gallinas [3], otra sacaba agua del pozo [4] y la dejaba lista para utilizarla en el desayuno y otra se encargaba de la leña [5] para la estufa. Ese día ni se planchaba ni se bordaba ni se cosía ropa. Después todas se
15 iban a sus recámaras [6] a leer, rezar [7] y dormir. Una de esas tardes, antes de que Mamá Elena dijera que ya se podían levantar de la mesa, Tita, que entonces contaba con [8] quince años, le anunció con voz temblorosa que Pedro Muzquiz quería venir a hablar con ella...

　—¿Y de qué me tiene que venir a hablar ese señor?

20　Dijo Mamá Elena luego de un silencio interminable que encogió el alma de Tita.

　Con voz apenas perceptible respondió:

　—Yo no sé. ❈

---

[1] **pláticas...** chatting and joking
[2] **a buen...** a popular refrain meaning "one who understands well needs few words"
[3] hens　　[4] well　　[5] firewood　　[6] bedrooms　　[7] to pray
[8] **contaba...** was

 **Reflexiona**

　¿Qué le dice Tita a su madre? ¿Cómo reacciona Mamá Elena?

❈ A pensar
¿Puedes decir el significado de las palabras **pelar** y **especias** a partir del contexto, en el momento en que preparan el chorizo?

❈ A pensar
¿Cómo crees que Tita se siente con la reacción de su madre ante el pedido de Pedro? ¿Puedes deducir el significado de **encogió el alma** y **voz apenas perceptible**? Recuerda que aunque tu deducción no sea exacta, aún puedes comprender la idea general a partir del contexto.

Differentiating Instruction

Heritage Language Learners

Support What They Know Have students ask a grandparent or another older relative or neighbor about what life was like growing up in another country years ago. If they grew up on a farm or a ranch, did they have similar chores or rituals to those in the story? What other types of responsibilities did they have?

Slower-paced Learners

Personalize It Direct students' attention to lines 1–3 and 11–14 in the reading. Ask for volunteers to identify and read aloud the chores that the women used to do. Ask if any students have done any of these household tasks. Then ask students to tell what their favorite and least favorite chores would be if they lived on Mamá Elena's ranch.

Objective
· Continue reading an excerpt by a Mexican author.

Presentation Strategies
· Check for comprehension.
· Have students answer reading comprehension questions.

STANDARDS
1.2 Understand language
3.1 Knowledge of other disciplines

Escena de la película Como agua para chocolate, *de Alfonso Arau*

✤ Lectura literaria *continuación*

     Mamá Elena le lanzó [9] una mirada que para Tita encerraba [10] todos
25 los años de represión que habían flotado sobre la familia y dijo:

     —Pues más vale [11] que le informes que si es para pedir tu mano, no
lo haga. Perdería su tiempo y me haría perder [12] el mío. Sabes muy bien
que por ser la más chica de las mujeres a ti te corresponde cuidarme
hasta el día de mi muerte.

30   Dicho esto, Mamá Elena se puso lentamente de pie, guardó sus
lentes dentro del delantal [13] y a manera de orden final repitió:

     —¡Por hoy, hemos terminado con esto!

---

[9] threw (like a lance)   [10] contained   [11] **más...** it's better
[12] **me...** would make me   [13] apron

 **Reflexiona**

     Según la madre, ¿qué tiene que hacer Tita con su vida?

Differentiating Instruction

Slower-paced Learners

Yes/No Questions Have students read once through the text on p. 76. Then ask them yes/no questions to check comprehension, such as: **¿Pedro Muzquiz quiere casarse con Tita, o no? ¿Puede casarse Tita?** After they answer **sí** or **no,** have students point out where in the text they find the information.

Pre-AP

Persuade Expand the ¿Y tú? activity by having a class debate. One side can take Mamá Elena's point of view that Tita must follow the family tradition of the youngest daughter's caring for her mother, while the other side can argue that Tita should be able to decide for herself what her future should be.

Answers
Reflexiona
Answers will vary. Sample answer:
Tita tiene que cuidar a su madre hasta que se muera.

Tita sabía que dentro de las normas de comunicación de la casa no estaba incluido el diálogo, pero aun así, por primera vez en su vida

35 intentó protestar a un mandato [14] de su madre.

—Pero es que yo opino que...

—¡Tú no opinas nada y se acabó! Nunca, por generaciones, nadie en mi familia ha protestado ante esta costumbre y no va a ser una de mis hijas quien lo haga.

40 Tita bajó la cabeza y con la misma fuerza con que sus lágrimas cayeron sobre la mesa, así cayó sobre ella su destino. Y desde ese momento supieron ella y la mesa que no podían modificar ni tantito la dirección de estas fuerzas desconocidas que las obligaban, a la una, a compartir con Tita su sino [15], recibiendo sus amargas [16]

45 lágrimas desde el momento en que nació, y a la otra a asumir esta absurda determinación. ❊

---

[14] command   [15] fate   [16] bitter

❊ **A pensar**
¿Qué crees que significa la palabra **asumir**? Luego, usa el diccionario para ver cuál es la definición apropiada en este caso.

PARA Y PIENSA

¿Comprendiste?
1. ¿Dónde vivían Tita y su familia?
2. ¿Quiénes participaban en la preparación del chorizo?
3. ¿Qué otras actividades eran parte de la vida diaria de las mujeres?
4. ¿Quién era Pedro Muzquiz?
5. ¿Cómo era la relación entre Mamá Elena y sus hijas?

¿Y tú?
¿Qué opinas tú de la costumbre familiar que Tita necesita seguir?

Lección 2
setenta y siete   **77**

Answers

A pensar

Answers will vary. Sample answer:

Creo que **asumir** quiere decir *to assume*.

Para y piensa

¿Comprendiste?

Answers will vary. Sample answers:
1. Tita y su familia vivían en el rancho de Mamá Elena.
2. Todas las mujeres de la familia participaban en la preparación del chorizo.
3. Las mujeres de la casa recogían la mesa, sacaban el agua del pozo, se encargaban de la leña, planchaban, bordaban y cosían. También leían, rezaban y dormían.
4. Pedro Muzquiz era el señor que quería venir a hablar con Mamá Elena para pedir la mano de Tita.
5. Mamá Elena era muy estricta con sus hijas. Sus hijas tenían que hacer todo lo que ella decía. Ellas no podían opinar ni protestar.

¿Y tú?

Answers will vary. Sample answer:

Creo que la costumbre familiar que Tita tiene que seguir es mala porque ella no puede escoger qué quiere hacer con su vida.

Differentiating Instruction

English Learners

Increase Interaction Put students into pairs and have them work together to answer the ¿Comprendiste? questions on p. 77. Circulate around the room, encouraging less proficient students and answering any questions they have. Go over the answers with the class, making sure to call on the less proficient students who know the answers.

Multiple Intelligences

Interpersonal Have students read through the story twice silently. The first time, instruct them to read the story for meaning. The second time, tell them to read for emotion. Then have volunteers take turns reading lines aloud, emphasizing the emotional tone.

78

Objectives

- List unforgettable life experiences.
- Use the preterite and imperfect to write a composition about an unforgettable experience and its effect.
- Peer edit compositions.

Presentation Strategies

- Read the Escritura page aloud in class. Write a few personal experiences on the board, and then circle the most unforgettable and tell students why this is so and how it affected you.
- Help students fill in the chart on p. 78 to organize their ideas.

 STANDARD

1.3 Present information

 # Escritura

Una experiencia inolvidable

Escribe sobre una experiencia inolvidable y cómo te afectó personalmente. Para hacerlo, usa la siguiente secuencia de estrategias.

① Prepárate para escribir

ESTRATEGIA Haz una lista Toma algunos minutos para hacer una lista de experiencias inolvidables de tu vida. Escribe todas las ideas que se te ocurran. Haz un círculo alrededor de la experiencia más inolvidable.

② Escribe

ESTRATEGIA Usa una tabla como ayuda para escribir un borrador *(draft)*
Crea una tabla como la de abajo y contesta las preguntas de cada columna. Usando las respuestas, escribe un primer borrador de tres a cinco párrafos describiendo tu experiencia y cómo te afectó personalmente. Incluye una introducción y una conclusión.

Información descriptiva (usa el imperfecto)	Acciones específicas (usa el pretérito)	Cómo me afectó la experiencia (usa formas apropiadas)
• ¿Cómo era el día? • ¿Qué tiempo hacía? • ¿Cómo eran las personas que estaban presentes?	• ¿Qué hiciste? • ¿Qué hicieron las otras personas? • ¿Qué pasó?	• ¿Cómo me sentía? • ¿Qué aprendí? • ¿Qué descubrí?

③ Revisa tu composición

Lee el borrador de tu compañero(a). Subraya *(underline)* todos los verbos, y para cada verbo conjugado haz lo siguiente:

- Decide si es correcto su uso del imperfecto o del pretérito.
- Decide si es correcta la conjugación del verbo.
- Haz un círculo alrededor de los verbos con errores.
- Escribe las correcciones.

Usando toda la información, revisa tu composición hasta que esté correcta.

> "Mi familia y yo <u>navegábamos</u> por rápidos por primera vez. <u>Nos divertíamos</u> mucho cuando, de repente, el guía se <u>caía</u> al agua. _{cayó} Mi hermana y yo <u>empezaron</u> a gritar pero mis _{empezamos} padres <u>seguían remando</u> sin observar que el guía <u>estaba</u> en el río. Yo me <u>sentí</u>..."

Differentiating Instruction

Inclusion

Multisensory Input/Output Have pairs talk through the strategy and brainstorm answers to the questions. After brainstorming ideas orally, they should complete their charts individually. Then ask students to peer edit each other's charts before writing their compositions.

Pre-AP

Timed Answer Have students use the table they created for the writing activity as the basis for a speaking activity. As they look at only the table, not at the composition, allow them two minutes to describe their incredible experience to you.

Lección 2

En resumen
Vocabulario y gramática

Animated Grammar
Interactive Flashcards
ClassZone.com

Vocabulario

Talk About Family Vacations

Family relationships

el apellido	last name	el (la) esposo(a)	husband; wife; spouse	la nuera	daughter-in-law
el (la) bebé	baby, infant	la madrina	godmother	el padrino	godfather
el (la) bisabuelo(a)	great-grandfather / great-grandmother	el matrimonio	marriage; married couple	el pariente	relative
				el (la) sobrino(a)	nephew / niece
el (la) biznieto(a)	great-grandson / great-granddaughter	el (la) nieto(a)	grandson / granddaughter	el (la) suegro(a)	father-in-law / mother-in-law
el (la) cuñado(a)	brother-in-law / sister-in-law	el (la) novio(a)	boyfriend / girlfriend fiancé / fiancée	el yerno	son-in-law

Describe a Place and its Climate

la arena	sand	la orilla	shore
la brisa	breeze	el puerto	port
el calor agobiante	stifling heat	la sombrilla	parasol
el caracol	shell	ver el amanecer	to watch the sunrise
hacer fresco	to be cool (weather)	ver la puesta del sol	to watch the sunset

Trips and Transportation

el carro	car
la casa rodante	RV
conducir	to drive
la cubierta	deck (of boat)
la escapada	getaway
hacer un crucero	to go on a cruise

Discuss Activities, Skills and Abilities

la canoa	canoe	en absoluto	not at all	parecerse a (alguien)	to look like (someone), to be like (someone)
el chaleco salvavidas	life jacket	juntarse	to get together with	recoger	to pick up
la moto acuática	personal watercraft	mantener (el equilibrio)	to keep (one's balance)	recostarse	to lie down
el (la) surfista	surfer	marearse	to get seasick / to become dizzy	refrescarse	to cool down
la tabla de surf	surfboard			refugiarse	to take refuge from
el velero	sailboat	merendar	to have a snack	reunirse	to get together, to meet
el voleibol playero	beach volleyball	pararse	to stand up		

Gramática

Nota gramatical: The verbs **saber** and **conocer** p. 62

 REPASO Imperfect Tense

Add the following endings to the stems of **regular verbs**.

-ar verbs		-er/-ir verbs	
-aba	-ábamos	-ía	-íamos
-abas	-abais	-ías	-íais
-aba	-aban	-ía	-ían

Irregular Verbs

ir:	iba	ibas	iba	íbamos	ibais	iban
ser:	era	eras	era	éramos	erais	eran
ver:	veía	veías	veía	veíamos	veíais	veían

REPASO Preterite vs. Imperfect

Use the **preterite tense** for:
· actions completed in the past
· actions that interrupt
· the main event

Use the **imperfect tense** to describe:
· the time or weather
· ongoing actions or states of being
· background information

Lección 2
setenta y nueve **79**

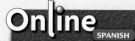
Communication
Pair Work

Ask students to group vocabulary into categories and invent sentences using as many new words as they can in each. Have them say the sentences orally and then write them. For example: **Mis padrinos conducen su casa rodante a la orilla para refugiarse del calor.**

Long-term Retention
Personalize It

Remind students to use personal contexts to try to remember vocabulary. Have them write sentences using vocabulary to describe family outings and personal experiences at the beach.

Differentiating Instruction

English Learners

Provide Comprehensible Input Have students create visual flashcards for the vocabulary on p. 79. On one side they should put the Spanish word, while on the other they can draw pictures or paste photos cut from magazines of the people, items, or actions.

Inclusion

Frequent Review/Repetition Have pairs take turns asking each other how to say the vocabulary words in Spanish. (Only the person asking the question may look at the book.) For example: **¿Cómo se dice daughter-in-law en español?** If students cannot answer, have them write the word in their notebooks and return to it for further review.

Lección 2

Repaso de la lección

Objective

· Review lesson grammar and vocabulary

Core Resources

· *Cuaderno,* pp. 35–46
· Audio Program: TXT CD 2 Track 11

Presentation Strategies

· Point out the bulleted items under the ¡Llegada! banner. For each bullet, ask for a volunteer to give you an example sentence.
· Before doing Activity 4, remind students of the differents of **saber** and **conocer** in the preterite by giving them personal examples from your life.

 STANDARDS

1.2 Understand language, Act. 1
2.2 Products and perspectives, Act. 5

 Warm Up UTB 1 Transparency 23

Vocabulario Completa las oraciones con la forma correcta de las palabras de la lista.

amanecer	hacer un crucero	refugiarse
chaleco salvavidas	pararte	casa rodante

1. Si hace mucho calor, es bueno _____ debajo de una sombrilla.
2. A mis abuelos no les gustaba quedarse en un hotel. Preferían dormir en su _____.
3. Si no sabes nadar bien, es necesario usar un _____.
4. Mis sobrinos siempre se marean. Por eso no les voy a invitar a _____.
5. No debes _____ en la canoa porque puedes perder el equilibrio.
6. A mi cuñado le gusta levantarse muy temprano para ver el _____.

Answers: 1. refugiarse; 2. casa rodante; 3. chaleco salvavidas; 4. hacer un crucero; 5. pararte; 6. amanecer

See Activity answers on p. 81.

80

¡LLEGADA!

@HomeTutor
ClassZone.com

Now you can	**Using**
· talk about family vacations	· imperfect
· discuss activities, skills, and abilities	· preterite vs. imperfect
· describe a place and its climate	· **saber** and **conocer**

To review
· vocabulary pp. 58–59

AUDIO

1 Listen and understand

Escucha a una radioyente que habla con un locutor de radio sobre una escapada de fin de semana que ella ganó en un concurso. Luego, completa las oraciones siguientes con las palabras que faltan.

1. La Sra. Ramos ganó una _____ a Acapulco.
2. Los Sres. Ramos viajaron en _____ hasta Acapulco.
3. Todos los días los Sres. Ramos _____ en la playa.
4. Por las tardes, _____ con jugo de coco.
5. Después del desayuno, se _____ en la playa.
6. La Sra. Ramos y su _____ tuvieron una experiencia inolvidable.

🎧 **Audio Program**
TXT CD 2 Track 11
Audio Script, TE p. 55B

To review
· imperfect p. 63

2 Describe a place and its climate

Completa la siguiente descripción de un día en la playa.

```
Abuelito,
¿Qué le puedo decir de mi día en la playa? (Ser)  1.
un día estupendo. (Hacer)  2.  un calor agobiante y el
sol (brillar)  3. . (Haber)  4.  mucha gente en la
playa. Algunas personas (recostarse)  5.  en la arena y
otros (caminar)  6.  por la orilla. Mis amigos y yo
(conducir)  7.  motos acuáticas mientras tú (pasear)
 8.  en velero. Pero, de repente, empezó a llover y
todos se fueron. Mis amigos y yo (estar)  9.  muy
aburridos porque ya (hacer)  10.  fresco y no (poder)
 11.  estar en la playa. (Ser)  12.  las seis y volvimos
al hotel. Ya son las once y tengo sueño.
```

Differentiating Instruction

Slower-paced Learners

Read Before Listening Before students listen to the audio for Activity 1, have them read through the sentences. Discuss what kind of information they should be listening for and ask them to guess some words that would fit into each blank.

Inclusion

Cumulative Instruction Before students start Activities 2, 3, and 4, review the material by asking them when they would use the preterite or the imperfect, and when they would use **saber** or **conocer**. Note their responses on the board.

3 Talk about family vacations

To review
• preterite vs. imperfect p. 68

Di qué hacían las personas indicadas cuando algo inesperado ocurrió.
Sigue el modelo y usa el banco de palabras.

modelo: Laura y Gerardo / nadar en la piscina / empezar a llover
Laura y Gerardo nadaban en la piscina cuando empezó a llover.

1. yo
2. Marcos y Anita
3. tú
4. Hernando
5. nosotros

refrescarse en el agua	nadar en la piscina
empezar a llover	llegar sus amigos
encontrar unas llaves	pasear en velero
conducir una moto acuática	tener un accidente
marearse	ver la puesta del sol

4 Discuss activities, skills, and abilities

To review
• saber and conocer p. 62

Completa las siguientes oraciones con la forma correcta de **saber** o **conocer** en el pretérito o el imperfecto.

1. La semana pasada tú y yo _____ que Marcos puede navegar un velero.
2. Ayer Paula _____ al padrino de César.
3. Aunque yo _____ la ciudad bien, no pude encontrar el hotel.
4. Mi bisabuelo _____ manejar la casa rodante.
5. Tú _____ a un surfista profesional en la playa.
6. Mis padres _____ nadar.

5 Sports, fine art, and family relationships in Mexico

To review
• Comparación cultural pp. 64, 70

Comparación cultural

1. ¿En qué ciudad mexicana se encuentran los clavadistas de La Quebrada?
2. ¿En qué año empezó este deporte en México?
3. En el retrato de la página 70, ¿quiénes son los miembros de la familia? ¿Qué profesión tiene el hombre? ¿Cómo lo sabes?
4. ¿De qué preocupación social surgió el género artístico de los retratos de castas?

Más práctica Cuaderno *pp. 35–46* Cuaderno para hispanohablantes *pp. 37–46*

 **Get Help Online** ClassZone.com

Lección 2
ochenta y uno **81**

Differentiating Instruction

Pre-AP

Use Transitions Instead of doing Activity 3 as individual items, have students use the subjects and the word bank to create an original story. They should write the story in the past tense, using the imperfect and the preterite. They should also use transitional phrases such as **entonces** and **por eso** to connect phrases and to make the story flow smoothly.

Heritage Language Learners

Writing Skills Have students write an e-mail to a friend or relative about a day that they spent at the beach or doing some other outdoor activity. Have them use the preterite and the imperfect and as much of the lesson vocabulary as possible. Have them add sequencing words to polish their writing.

Long-term Retention

Personalize It

Have students form groups of three. Ask them to tell each other about a time when they or someone they know was doing something, when something unexpected happened. Have them write down the sentences and then share them with the class.

 Answers UTB 1 Transparency 53

Answers for Activities on pp. 80, 81.

Activity 1
1. escapada
2. carro
3. veían el amanecer
4. merendaban
5. recostaban
6. esposo

Activity 2
1. Era
2. Hacía
3. brillaba
4. Había
5. se recostaban
6. caminaban
7. conducíamos
8. paseabas
9. estábamos
10. hacía
11. podíamos
12. Eran

Activity 3 Answers will vary. Sample answers:
1. Yo paseaba en velero cuando me mareé.
2. Marcos y Anita conducían una moto acuática cuando tuvieron un accidente.
3. Tú nadabas en la piscina cuando empezó a llover.
4. Hernando se refrescaba en el agua cuando llegaron sus amigos.
5. Nosotros veíamos la puesta del sol cuando encontramos unas llaves.

Activity 4
1. supimos
2. conoció
3. conocía
4. sabía
5. conociste
6. sabían

Activity 5 Answers will vary. Sample answers:
1. Los clavadistas de La Quebrada se encuentran en Acapulco.
2. Este deporte empezó en México en 1934.
3. Son el padre, la madre y la hija. El padre debe ser zapatero porque se ven muchos zapatos en el retrato.
4. Surgió de la preocupación con el mestizaje.

COMPARACIÓN CULTURAL

Objectives
- Read two students' descriptions of their hometowns and the regions in which they live.
- Compare students' hometown and region with those described.
- Students write a description of their hometown and region.

Core Resources
- *Cuaderno*, pp. 47–49
- Audio Program: TXT CD 2, Track 12

Presentation Strategies
- Have students read the title and captions and look at the photos on pp. 82 and 83. Ask them what they think they will read in the text and have them list their responses on the board. After reading the text, go back to the list and have students indicate which responses were correct.
- Have students listen to the audio as they follow along in their text.
- Have volunteers read the two accounts. Encourage all students to identify which student lives in an area most like their own.

STANDARDS
- **1.2** Understand language
- **1.3** Present information
- **3.1** Knowledge of other disciplines
- **4.2** Compare cultures

✓ Ongoing Assessment

Quick Check Have students respond **cierto** or **falso** based on the readings.
1. El Tecnológico de Monterrey está en una escuela preparatoria. **(falso)**
2. El parque Chipinque está en las montañas. **(cierto)**
3. El museo de Frida Kahlo está en Coyoacán. **(cierto)**
4. Tenochtitlán está cerca del D.F. **(falso)**
5. Carlos Fuentes vive en Monterrey. **(falso)**

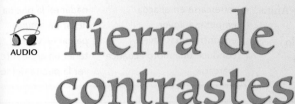

Comparación cultural

Tierra de contrastes

AUDIO

Lectura y escritura

⟳ **WebQuest** ClassZone.com

1. **Leer** Juan y Diana son de zonas muy diferentes de México. Lee la descripción de las dos regiones.

2. **Escribir** Después de leer lo que dicen Juan y Diana, escribe una composición sobre la región donde tú vives.

> **ESTRATEGIA Escribir**
> **Gather and organize cultural information** Gather cultural information using the Internet or the library. Organize the information using a chart showing region name, location, and comments/details.
>
> | Nombre de la región | Lugar | Comentarios / Detalles |
> |---|---|---|
> | | | |

Paso 1 Usa la información de tu tabla para ayudarte a escribir. Escribe tu introducción en el primer párrafo.

Paso 2 Escribe un párrafo sobre cada característica que quieres explicar.

Paso 3 Escribe un párrafo como una conclusión con tus comentarios. Luego revisa la gramática y la ortografía.

Compara con tu mundo
Usa el párrafo que escribiste y compara tu ciudad o región con las regiones donde viven Juan y Diana. ¿Son parecidas? ¿Son diferentes? Explica.

Cuaderno pp. 47–49 *Cuaderno para hispanohablantes pp. 47–49*

Differentiating Instruction

Slower-paced Learners

Yes/No Questions While reading the sample paragraphs, stop to check for comprehension by asking yes/no questions such as: ¿El Cerro de la Silla es una montaña? (Sí); ¿Hay universidades en Monterrey? (Sí); ¿Los mayas establecieron Tenochtitlán? (No); ¿Las pirámides son precolombinas? (Sí)

Multiple Intelligences

Logical/Mathematical: Have students create a visual map with words and drawings about their area. Then have them do the same for another region where they have lived or visited. Once they complete their maps, ask questions to help them describe and compare the two regions.

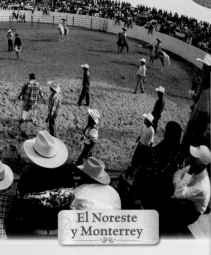

El Noreste y Monterrey

Juan

Me llamo Juan Aguilar y vivo en Monterrey, en el noreste de México. Ésta es una zona agrícola y hay muchos ranchos. A mi ciudad le dicen «la ciudad de las montañas» porque aquí las montañas tienen formas muy interesantes. Algunos ejemplos son el Cerro de la Silla, y la Sierra Madre (donde está el parque ecológico Chipinque). La ciudad también tiene museos y dos universidades muy importantes: la Universidad de Monterrey y el Tecnológico de Monterrey, donde yo estudio. La ciudad es moderna pero también puedes escuchar música ranchera e ir a rodeos con toda la familia.

Diana

Me llamo Diana Figueras y mis iniciales son iguales a las de mi ciudad: el D.F. (Distrito Federal). El D.F. es la capital de México y una de las ciudades más grandes del mundo. Tiene más de ocho millones de habitantes.

Yo vivo cerca de la Plaza Hidalgo, en el barrio de Coyoacán. Es famosa por sus artesanos. Aquí está el museo de Frida Kahlo.

En el valle de México vivieron grupos indígenas importantes. Los aztecas establecieron la primera ciudad, Tenochtitlán, en 1325. Esta ciudad, hoy es el D.F.

Aquí hay muchas pirámides y templos de la época precolombina. Además, es tierra de escritores y artistas muy importantes, como Carlos Fuentes (escritor) y Cantinflas (actor). El centro de la ciudad está lleno de vida.

El Distrito Federal

Plaza de la Conchita, Coyoacán, México, D.F.

México
ochenta y tres **83**

Differentiating Instruction

Heritage Language Learners

Support What They Know Have students write a brief description of a region from their native country. Then have them read the description to the class, reminding them to read slowly and clearly. Encourage the class to ask questions in English or Spanish about the native speakers' description.

Pre-AP

Circumlocution Have students practice describing different regions. Name a famous city or area and have students describe it. Encourage them to use circumlocution to explain things they don't know how to say in Spanish.

Comparación cultural

Exploring the Traditions

Like the U.S. cowboy, the Mexican **charro** is closely associated with cattle, rodeos (**charreadas**), and a solitary life. The Mexican **charros** were very active in the wars of independence and in the fight for liberty and revolution and have become a national symbol of bravery, independence, and pride. They are mentioned in Mexico's national anthem, celebrated on **el Día del Charro** (September 14), and given a place of importance in the **Día de la Independencia** parade. Although many of today's **charros** no longer work on the range among the cattle, they entertain with their skill and daring in **charreadas**.

Communication
Group Work

Have students work in groups of 3 to 5 to complete the chart describing their region. This can be done in class or as homework. Have each group draw and present their chart to the class, either on the board or on poster boards. Compare the charts.

✓ Ongoing Assessment

Rubric Lectura y escritura

Writing Criteria	Very Good	Proficient	Not There Yet
Content	Paragraphs contain a lot of information.	Paragraphs contain some information.	Paragraphs lack information.
Communication	Paragraphs are organized and easy to follow.	Paragraphs are fairly well organized and easy to follow.	Paragraphs are disorganized and hard to follow.
Accuracy	Paragraphs have few mistakes in vocabulary and grammar.	Paragraphs have some mistakes in vocabulary and grammar.	Paragraphs have many mistakes in vocabulary and grammar.

Objective
· Introduce the first challenge of this second, and final, round of the Desafío.

Core Resource
· El Gran Desafío Video: DVD 2

Presentation Strategies
· **Previewing** Have students look at the photos and comment on where this challenge might be taking place. What significance might the tools, pens, and life jacket have? What reality shows that students have seen took place in the countryside? Then ask a volunteer to read the **desafío** summary on p. 84 aloud. Elicit answers to the **Antes del video** questions. Ask students to support their answers with details.
· **Viewing** Review the **Toma apuntes** questions on p. 85. Encourage students to copy the questions in their notebooks or on a piece of paper, leaving space for the notes they'll write. Play the video, then allow students time to review their notes.
· **Post-viewing** Play the video again. Have volunteers read each of the **Después del video** questions and elicit answers from the class. Encourage students to say if they agree or disagree with any given answer.

STANDARDS
1.2 Understand Language
3.2 Acquire information
5.2 Life-long learners

Video Summary
@**HomeTutor**
VideoPlus
ClassZone.com

The group convenes in a camping park for their first mission. Professor Dávila begins by asking them what their opinions are of the park. Marco tries to be funny, with embarrassing results. The professor then empties the contents of three bags and announces the challenge: put together a tent and let Professor Dávila evaluate it. The first team to finish with the professor's approval wins. Although María and Luis successfully put up their tent first, it collapses, and José and Carmen win this first challenge.

UNIDAD **1**

EL GRAN DESAFÍO INTERNACIONAL

EL DESAFÍO
VIDEO DVD

En este primer desafío, después de observar la naturaleza y decir lo que piensan, cada equipo debe conseguir las partes necesarias para montar una tienda de campaña. El equipo más rápido gana el desafío.

Antes del video
1. ¿Dónde está Marco?
¿Qué crees que está haciendo?

2. ¿Qué están haciendo Carmen y José? ¿Crees que encuentran las partes que necesitan?

3. Describe lo que ves en esta foto. ¿Qué crees que va a pasar?

Unidad 1
ochenta y cuatro

Differentiating Instruction

Multiple Intelligences
Naturalist Direct students to form pairs and take turns describing a place outdoors they thought was beautiful: a park, a beach, the mountains, etc. Ask them to recall as many physical details as possible. Then have them ask each other questions to elicit more precise information, such as **¿Qué animales viste?**

Heritage Language Learners
Regional Variations Before watching the video, ask students to listen for words or expressions not commonly used in their country of origin. Instruct them to write these words down along with any different terms they know that express the same things. Then have them share these with the class.

El profesor explica el desafío.

Mira el video: Toma apuntes

- Escribe las diferentes cosas que observó Luis.
- ¿Qué opina Marco sobre el parque? ¿Qué prefiere hacer él?
- ¿Qué le da el profesor a Marco?
- Describe lo que hacen Luis y María.
- ¿Qué equipo monta la tienda de campaña primero?
- ¿Qué equipo se divirtió más en este desafío?

Después del video

1. ¿Qué equipo ganó este primer desafío? Describe a los ganadores.
2. En tu opinión, ¿qué pasó con la tienda de campaña de Luis y María?
3. ¿Crees que el profesor es muy estricto? Explica tu respuesta.
4. ¿Cómo es Marco?

@HomeTutor VideoPlus
ClassZone.com

El Gran Desafío
ochenta y cinco **85**

Communication
Group Work

Divide students into groups of three and have them discuss how Professor Dávila handled Marco. Have they ever been in a situation in which one member of a group acted like Marco? What other responses to Marco might Professor Dávila have had?

Connections
Geography

In pairs, students should research what campgrounds there are in the vicinity of Mexico City. Have them choose one they would like to visit, and write a description of its attractions.

Differentiating Instruction

Inclusion

Clear Structure Have students create a chart in which they can track information about each mission of the **desafío.** Their column headings should include: Team / Names / Challenge / + / – / Winners. Fill in the first two columns of the first row: 1 / Marco, Ana. Explain that the + and – columns are for notes about what each team member does well (+) and not so well (–).

Pre-AP

Summarize Have students work in pairs to write a news report summarizing what happened in this **desafío.** Then have them, acting as a newscaster, present the report to the class.

Answers

Después del video Answers will vary.
Sample answers:
1. El equipo de José y Carmen ganó el desafío. Ellos discutieron un poco, pero al final trabajaron en equipo. José es un poco sarcástico, mientras Carmen es callada.
2. Marco la hizo caer cuando trató de meterse en la foto de María y Luis.
3. Sí, creo que el profesor es estricto, porque no dejó ganar Luis y María cuando se cayó su tienda de campaña, aunque la terminaron primero.
4. Marco no es muy serio y prefiere travesear que trabajar.

85

Objective
· Cumulative review

Core Resource
· Audio Program: TXT CD 2 Track 13

Review Options
· **Activity 1:** Transitional practice: listening comprehension
· **Activity 2:** Open-ended practice: speaking
· **Activity 3:** Open-ended practice: speaking
· **Activity 4:** Open-ended practice: writing
· **Activity 5:** Open-ended practice: speaking
· **Activity 6:** Open-ended practice: speaking and writing
· **Activity 7:** Open-ended practice: reading and writing

 STANDARDS

1.1 Engage in conversation, Act. 5, 6
1.2 Understand language, Act. 1
1.3 Present information, Act. 2, 3, 4, 7

UNIDAD
1

Repaso inclusivo
♻ Options for Review

1 | Escucha, comprende y compara

Escuchar
Hablar

Escucha este reportaje sobre un problema medioambiental y contesta las preguntas.

1. ¿Qué lugar visitó Silvia?
2. ¿Con quién habló?
3. ¿Qué pasó con las mariposas monarcas? ¿Por qué?
4. ¿Qué ocurrió en el bosque?
5. ¿Qué pidió el director de la reserva?

> 🎧 **Audio Program**
> TXT CD 2 Track 13
> Audio Script, TE
> p. 55B

2 | Da una presentación oral

Hablar

Muchos artistas mexicanos exploran los temas de la naturaleza, la familia y la revolución mexicana. Investiga a un artista en particular y prepara una presentación oral sobre sus obras, temas y técnicas. Otra opción es investigar uno de los temas en la obra de varios artistas mexicanos. Trae ejemplos para ilustrar tu presentación. La presentación debe durar por lo menos cinco minutos.

3 | Realiza una dramatización

Hablar

La novela gráfica de Sandra se va a convertir en una telenovela. Con un(a) compañero(a) presenta un episodio de la vida-novela de Súper Sandra. La dramatización debe durar por lo menos cinco minutos.

4 | Escribe un folleto

Escribir

Escribe un folleto (brochure) promocionando un viaje estudiantil a una reserva ecológica o a una de las playas famosas de México. Incluye información sobre las fechas y la duración del viaje, medio de transporte, alojamiento, actividades, equipo necesario, costos y los contactos para más información. No olvides ilustrar tu folleto con fotos apropiadas.

Differentiating Instruction

English Learners

Increase Interaction For Activity 3, be sure to provide ample time for pairs of students to write and rehearse the dramatization of the *Súper Sandra* story. Have the pairs convert the story into script form, including formatting the dialog and giving directions to the actors. Circulate among the students as they are rehearsing so you can help individual students improve their pronunciation and expression.

Multiple Intelligences

Naturalist Have your class visit the Web sites of nature preserves in Spanish-speaking countries to find out what ecological challenges exist there. Tell individuals to pick a preserve and to report back to the class on what work has been done there to help preserve animals and the environment.

Answers

Activity 1
Answers may vary. Sample answers:
1. Silvia visitó una reserva de mariposas monarcas.
2. Habló con el director de la reserva (Esteban Murillo).
3. Muchas mariposas monarcas murieron durante el viaje porque hizo mucho frío el mes pasado.
4. En el bosque cortaron muchos árboles.
5. El director le pidió dinero al gobierno.

Activities 2–7 Answers will vary.

5 | Ve a una entrevista

Hablar

Tienes una entrevista con el (la) director(a) de un albergue estudiantil, cerca de una reserva ecológica, un lugar para acampar o una playa. Tú vas a ser el (la) entrevistado(a) y un(a) compañero(a) va a ser el (la) director(a). El (La) director(a) busca un(a) asistente de actividades y te hace preguntas sobre tus conocimientos y experiencias. Contesta sus preguntas relatando las actividades que te gustan y lo que sabes hacer, además de tu experiencia en el pasado con ese tipo de actividades. La entrevista debe durar por lo menos cuatro minutos. Recuerda usar el pretérito y el imperfecto correctamente.

6 | Presenta un informe

Hablar
Escribir

Eres un(a) reportero(a) de la revista popular *Gente de hoy* y acabas de entrevistar a un(a) mexicano(a) famoso(a) durante sus vacaciones en el campo o en la playa. Escribe tu reportaje basado en cómo contestó esa persona seis preguntas que le hiciste. Incluye una foto de la persona en tu informe.

7 | Escribe un correo electrónico

Leer
Escribir

Escribiste un correo electrónico a Sandra después de leer la novela gráfica en su blog y recibiste esta respuesta de ella. Cuéntale una experiencia de tu vida que ella pueda convertir en una novela gráfica.

> Hola,
>
> Gracias por tu interés en mi novela gráfica. La escribí después de las vacaciones familiares en una playa de México. Yo pasé unos días muy aburridos, pero por suerte conocí a un amigo simpático e interesante. Al final, hice muchas cosas nuevas con él y me divertí muchísimo. Esas fueron las mejores vacaciones de mi vida. Creo que las experiencias de tu vida te pueden dar muchas ideas para escribir. ¿Te ocurrió algo interesante con tu familia o tus amigos? ¡Dime qué pasó! Te puedo ayudar a convertir tus experiencias verdaderas en una novela gráfica.
>
> Tu amiga, Sandra

Integrated Performance Assessment Rubric Oral Activities 2, 3, 5, 6 Written Activities 4, 7

Very Good	Proficient	Not There Yet
Student thoroughly develops all requirements of the task.	Student develops most requirements of the task.	Student does not develop the requirements of the task.
Student demonstrates excellent control of verb forms.	Student demonstrates good-to-fair control of verb forms.	Student demonstrates poor control of verb forms.
Good variety of appropriate vocabulary.	Adequate variety of appropriate vocabulary.	Vocabulary is not appropriate.
Pronunciation is excellent to very good.	Pronunciation is good to fair.	Pronunciation is poor.

Differentiating Instruction

Slower-paced Learners

Peer-study Support For Activity 6, pair weaker students with stronger ones. Instruct them to structure their questions as follows: 1 and 2 about what the weather was like and what time/day the person got there, 3 and 4 about what the place was like and how s/he felt, and 5 and 6 about what the person did and with whom.

Heritage Language Learners

Support What They Know For Activity 6, have students prepare an interview and report about someone famous from their home country, and about a place that person visited in their home country. Encourage them to include many descriptive details in their report.

Proyectos adicionales

❈ Art Project

Muralismo East Los Angeles' Mexican–American community is known worldwide for its murals. These large paintings, often found on the exterior of buildings, represent important people and events that have helped shape the city's history. The murals found in particular neighborhoods can tell us a lot about the local culture. Show students photographs of some murals in East Los Angeles such as the ones on Estrada Court and Olympic Boulevard.

1. First, have students research East Los Angeles' murals, concentrating on the types of events and people the artists have chosen to illustrate and what they tell us about the Mexican–American community and the issues that are important to the members of that community.

2. Next, have students choose three people or events portrayed in these murals to present in their own mural. Students should be prepared to explain the images portrayed in their mural and their importance to the Mexican–American community in East Los Angeles.

3. Have students present their murals to the class.

Hang student murals around the classroom.

PACING SUGGESTION: One class period for research and one class period for drawing at the end of Lección 2. Alternately, students can complete research in class and complete their drawings as an ongoing homework assignment.

❈ Web Research

Fundación Gloria Estefan After reviewing the passage about rock superstar Carlos Santana's *Fundación Milagro* on page 124, explain that another Hispanic American pop music idol, Gloria Estefan, has also set up a foundation to help those in need. Pair students up and have them research the Gloria Estefan Foundation online. Guide students' research by having them answer these questions:

- What inspired Gloria Estefan to start the foundation?
- What is the goal of the Gloria Estefan foundation?
- What are some examples of the work that the foundation carries out?
- Who has the work of the foundation benefited and how?

Have students take notes on their findings. Hold a class discussion, using the research questions as a guide. As a follow-up, ask students to share information about a charity or foundation in which they are particularly interested and explain its goals and why its work is important.

Search Key Words: "Gloria Estefan," "Gloria Estefan Foundation," "Gloria Estefan and charity," "Gloria Estefan helps others"

PACING SUGGESTION: One 50-minute class period at the end of Lección 1.

❈ Bulletin Board

¡Buscamos voluntarios! Many community organizations and institutions rely on volunteers. Places such as hospitals, nursing homes and food banks have many opportunities available for those who have an interest in doing work to benefit those in need. Have students investigate volunteer opportunities within their own communities and create informational posters, such as the one on page 92. Make sure students describe the duties of volunteers and provide contact information. Encourage them to use vocabulary from the unit as well as commands to encourage volunteers to help out!

PACING SUGGESTION: One 50-minute class period at the end of Lección 1.

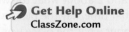
Get Help Online
ClassZone.com

❋ Storytelling

Ellos quieren ayudar...

After reviewing the vocabulary from Lección 1, model a mini-story. Later, students will revise, retell, and expand it.

Ayer estaba tomando fotos para **el periódico** y vi a un grupo de estudiantes **voluntarios.** Ellos dijeron que estaban cansados de ver **la basura tirada** por el suelo en los barrios donde hay **pobreza.** Los voluntarios dijeron que **prestar** un poco de su tiempo para limpiar la basura es su **prioridad.** Me pidieron hacerles **una entrevista** para el periódico. Dije que no podía hacerla, pero que ¡me encantaría sacarles fotos!

As you tell the story, be sure to pause so that students may fill in words and act out gestures. Students should then write, narrate, and read aloud a longer main story. This new version should include vocabulary from the *Expansión de vocabulario* on page R4 and Lección 2. Students can write, illustrate, or act out additional new stories based on this storytelling experience.

PACING SUGGESTION: One 50-minute class period at the end of Lección 2.

❋ Careers

Medios de información en español
Spanish-language media has taken off in the United States over the past decade. As the Spanish-speaking population of the United States continues to grow, there is a higher demand for media produced in Spanish. Radio stations broadcasting in Spanish and television stations offering news and entertainment for a Spanish-speaking audience continue to become more widely available. A growing number of newspapers and magazines are being published in Spanish as well. Have students research career opportunities in television, radio, publishing and advertising. What kinds of jobs are available? What skills and education are required? What jobs seem interesting to them and why? Conduct a class discussion based on students' findings.

PACING SUGGESTION: One 90-minute class period for research and discussion sometime during Lección 2. Alternately, students could conduct research for homework.

❋ Recipe

Churros, sweet fried snacks similar to doughnuts, but with a long, thin shape are popular in Spain, Latin America, and the U.S. If students are making this recipe at home, tell them to make sure they have adult supervision, as the oil is extremely hot.

Churros

Ingredientes
aceite para freír
1 taza de agua
6 cucharadas de mantequilla
1/8 cucharadita de sal
1 taza de harina
3 huevos
1/4 cucharadita de canela
1 taza de azúcar en polvo

Instrucciones
Eche una pulgada de aceite en una cacerola grande y caliéntela hasta 370° F. En una cacerola pequeña, eche el agua y caliéntela hasta que hierva. Añada la mantequilla y la sal y, cuando se derrita, eche la harina y aparte la cacerola del fuego. Mézclela bien hasta que tenga una consistencia suave. Bata los huevos, uno por uno. Cuando la mezcla esté suave, añada la canela y remuévala bien. Ponga la mezcla en una bolsa de plástico, ciérrela y corte un agujero pequeño en la punta. Exprima la mezcla para que salga del agujero sobre la cacerola de aceite caliente para hacer la forma de churros. Fría los churros hasta que estén tostados, dándoles una vuelta de vez en cuando. Escurra el aceite sobrante y ponga los churros en una toalla de papel. Eche encima el azúcar en polvo y ¡ya están listos para servir! Receta para 6–8 personas
Tiempo de preparación: 30 minutos
Tiempo total: 60 minutos

UNIT THEME
It's time to help!

UNIT STANDARDS
COMMUNICATION
- Describe volunteer activities
- Organize people to do a project
- Persuade or influence others
- Make requests and recommendations
- Express opinions
- Talk about media and the community

CULTURES
- Hands On Miami Day
- El Museo del Barrio in New York City
- The art of Pablo O'Higgins
- Short story: *En la Ocho y la Doce*
- Organizing volunteer programs
- Carlos Santana and charitable work
- Spanish-language newspapers in the U.S.
- Short story: *Las mañanitas*
- Musical styles and influences

CONNECTIONS
- History: César Chávez and the César Chávez Day of Service and Learning

COMPARISONS
- Community volunteer opportunities
- Museums that preserve and reflect different cultures
- Artists in the community
- Charity involvement of celebrities
- Spanish-language publications in the U.S.
- The Spanish **d** and the English *tt* and *th*
- Popular and traditional music of a region

COMMUNITIES
- Leaders in the community and special events

UNIDAD **2** Estados Unidos
¡Es hora de ayudar!

Lección 1
Tema: **¡Todos para uno y uno para todos!**

Lección 2
Tema: **¿Cómo nos organizamos?**

Estados Unidos

Nueva York
Chicago
Filadelfia
Salt Lake City
San José
Denver
Los Ángeles
Albuquerque
Phoenix
Alaska
Yuma
San Diego
Tucson
Dallas
El Paso
Houston
San Antonio
Islas Hawai
Miami
Golfo de México
México
Océano Atlántico
Océano Pacífico

«¿Cómo estás?
Yo soy Irma, de Los Ángeles, y Roberto es de Nueva York.»

Almanaque cultural
Número de hispanos por estado:

CA	11.500.000	IL	1.560.000
TX	7.078.000	AZ	1.412.000
NY	2.890.000	NJ	1.160.000
FL	2.860.000	NM	790.000

Comidas: influencia mexicana (burritos, jaitas), influencia caribeña (puerco, yuca y moros).

Gente famosa: Jennifer López (actriz/cantante), Roberto Fernández (escritor), Sandra Cisneros (escritora), Óscar de la Hoya (boxeador)

Burritos

88 ochenta y ocho

Cultural Geography

Setting the Scene
- ¿Te gustaría ayudar en la comunidad? (Sí, me gustaría. [No, no me gustaría.])
- ¿Qué haces para ayudar a otras personas? (*Sample answer:* Yo corto el césped para mi abuela.)
- ¿Qué profesiones ayudan a otras personas? (Hay muchos: los maestros, los doctores, los policías, etc.)

Teaching with Maps
- ¿En qué continente está? (Norteamérica)
- ¿Cuántos países hay en total in Norteamérica? ¿Cómo se llaman? (Tres; Estados Unidos, Canadá y México.)
- ¿Qué estados tienen fronteras con México? (California, Arizona, Nuevo México, Texas)

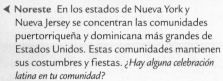

Festival puertorriqueño en Nueva York

◀ **Noreste** En los estados de Nueva York y Nueva Jersey se concentran las comunidades puertorriqueña y dominicana más grandes de Estados Unidos. Estas comunidades mantienen sus costumbres y fiestas. *¿Hay alguna celebración latina en tu comunidad?*

Misión de Santa Bárbara

Costa Oeste El estado de California tiene una zona agrícola muy importante y es muy famoso por sus viñedos *(vineyards)*. También es conocido por las misiones establecidas por los españoles. Además, en la ciudad de Los Ángeles está la industria del espectáculo más grande del mundo: Hollywood. *¿Qué se cultiva en tu estado? ¿Qué industria hay?* ▶

Jóvenes hispanas observando murales en Chicago

◀ **Estados centrales** En la ciudad de Chicago, Illinois, la población mexicana contribuye a la riqueza cultural. La música, pinturas y comida distinguen a Chicago como una ciudad especial. *¿Conoces ejemplos de contribución cultural latina en tu ciudad o estado?*

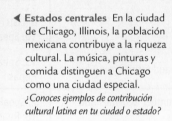

Estados Unidos
ochenta y nueve **89**

Bridging Cultures

Heritage Language Learners

Support What They Know Ask the class if they are familiar with the famous people listed p. 88. Encourage heritage learners to contribute more names, in any category, to a list of **gente famosa hispana de EE.UU.** Be prepared with two or three extras if there are no volunteers (e.g., América Ferrera: **actriz**; Ellen Ochoa: **astronauta**).

Support What They Know Ask heritage learners if they have participated in any celebrations in the community that are related to their culture or country of origin. What was the celebration like and what did it commemorate? Which holidays do they celebrate in the community, and how are those celebrations similar or different from their native countries?

Cultura Interactiva Send your students to www.classzone.com to explore authentic American culture. Tell them to click Cultura interactiva to see these pages come alive!

Culture

About the Photos

Noreste The Puerto Rican Day Parade in New York City is probably the largest single-day celebration of Puerto Ricans anywhere in the world. The parade features a variety of floats along with singing and dancing to **salsa, bomba,** and **plena** music. The parade participants demonstrate proud patriotic spirit as they march along New York City's Fifth Avenue. Held on the second Sunday in June since 1958, this event now boasts 100,000 marchers and 3 million spectators.

Costa Oeste Founded in 1786, the **misión de Santa Bárbara** is one of a chain of twenty-one self-contained and defended communities established by Spanish religious orders along the coast of what is now California to convert the native population to Christianity. The missions are now frequented by tourists, historians, and the faithful. The stone and adobe structures are examples of Spanish colonial architecture. The missions have also been featured in some Hollywood movies such as Alfred Hitchcock's *Vertigo*.

Estados centrales Historically a grouping of ethnic enclaves, the "windy city" of Chicago is located on the southwestern shore of Lake Michigan. People of Mexican descent make up a significant portion of its population. The wall paintings here are representative of the Chicano Mural Movement. Artists paint walls with designs ranging from ancient Mexican civilizations and famous people from Mexican history to local celebrities, popular culture, or surreal images. A representation of the Aztec Calendar Stone appears in the upper right of the photo.

Culture at a Glance ❖

Topic & Activity	Essential Question
Trabajando de voluntarios en Miami, pp. 90–91	¿Qué trabajos crees que se pueden hacer en tu comunidad en un día como ése?
El Museo del Barrio, p. 98	¿Por qué es importante conservar las diferentes culturas que tiene un país?
Pablo O'Higgins, p. 104	¿Qué papel juegan los artistas dentro de la comunidad?
«En la Ocho y la Doce», por Roberto G. Fernández, pp. 108–111	¿Cómo afecta la inmigración la cultura de una región?
Culture review: Museums of Latin art, artists, and the community, p. 115	¿Qué relación tiene el arte con una comunidad?

Practice at a Glance ❖

	Objective	Activity & Skill
Vocabulary	Volunteer activities and opportunities	1: Listening; 2: Speaking / Writing; 3: Speaking; 7: Speaking / Writing; 17: Listening / Speaking / Writing; Repaso 3: Speaking
	Doing a project	4: Writing / Speaking; 5: Speaking; 8: Speaking; 9: Writing; 14: Speaking; Repaso 2: Writing
	Advertising	11: Writing; 12: Speaking; Repaso 1: Listening
Grammar	Polite requests	5: Speaking; Repaso 5: Speaking / Writing
	Tú commands	6: Listening / Writing; 7: Speaking / Writing; 8: Speaking; 9: Writing; 10: Speaking / Writing; 11: Writing; Repaso 2: Writing
	Other command forms	13: Speaking / Writing; 14: Speaking; 15: Writing; 16: Reading / Writing; Repaso 2: Writing; Repaso 3: Speaking
Communication	Describe volunteer activities and opportunities	2: Speaking / Writing; 3: Speaking; 7: Speaking / Writing; 18: Reading / Listening / Speaking;
	Organize people to do a project	4: Writing / Speaking; 5: Speaking; 8: Speaking; 9: Writing; 14: Speaking; 19: Writing
	Persuade or influence others	8: Speaking; 9: Writing; 11: Writing; 13: Speaking / Writing; 14: Speaking; 15: Writing; 16: Reading / Writing; Repaso 4: Speaking / Writing
	Pronunciation: The **ch** sound	*Pronunciación: El sonido **ch**, p. 101: Listening / Speaking*
Recycle	Irregular preterite	2: Speaking / Writing
	Family relationships	6: Listening / Writing
	Camping trip	8: Speaking
	Beach activities	13: Speaking / Writing
	Ir a + infinitive	14: Speaking

The following presentations are recorded in the Audio Program for *¡Avancemos!*

- **¡A responder!** *p. 93*
- **1: ¡Mucho que hacer!** *p. 94*
- **6: ¡Los deberes!** *p. 98*
- **18: Integración** *p. 107*
- **Repaso de la lección** *p. 114*
  1: Listen and understand

¡A responder! TXT CD 3 track 2

1. Francisco fue al comedor de beneficencia para servir comida.
2. Elena pasaba los sábados trabajando de voluntaria en el hospital.
3. Algunos jóvenes dejaban sus latas y papeles en el suelo. No reciclaban nada.
4. Mostramos nuestra creatividad en el diseño de un letrero sobre la importancia de reciclar.
5. Juan no le prestó su lápiz a Lourdes para el examen.
6. Carmen escribió un artículo sobre los nuevos proyectos de acción social en la comunidad.
7. Andrés solicitó la cooperación de sus amigos en una campaña para ayudar a la gente sin hogar.
8. Alfredo juntó fondos para el hogar de ancianos, pero gastó todo el dinero cuando se compró dulces.

1 ¡Mucho que hacer! TXT CD 3 track 3

Buenas tardes, habla la coordinadora de la campaña. Antes que nada, muchas gracias por tu ayuda. Hay mucho trabajo pero entre todos podemos hacerlo todo. Malena es la encargada de solicitar la colaboración del hospital. A Tomás le gusta la publicidad, por eso es la persona ideal para contactar la emisora de radio y poner un anuncio en el periódico. También puedes recoger los letreros de la agencia de publicidad. Marcos es el encargado de ponerlos por toda la comunidad. Mi tarea es depositar los cheques bien temprano, y Alberto se encarga de organizar a los demás voluntarios para el evento del domingo en el comedor de beneficencia. ¡Nos vemos allí! Hasta el domingo.

6 ¡Los deberes! TXT CD 3 track 5

Hola, corazón, ¿cómo estás? Aquí en South Beach lo estamos pasando muy bien pero quería recordarte algunas cosas. Primero, no gastes todo el dinero que te dejé. Por favor, préstale cien dólares a mi cuñada. Ella va a llamarte hoy. Necesita el dinero para una campaña de beneficencia que organizó. Si tú tienes tiempo, por favor, colabora. Por la tarde visita a tu bisabuela en el hogar de ancianos. Lleva el periódico y algunas revistas para leer con ella. ¡Sé bueno! Ya sabes que le gusta mucho verte. ¡Ah!, hablando del periódico, por favor, pon un anuncio en el periódico para vender la moto acuática. Pide un precio justo. Bueno, mi amor, tu padre y yo volvemos el viernes. Por favor, no salgas el viernes por la noche, ven con tu novia a recogernos al aeropuerto. Llegamos a las nueve y media. Gracias y hasta el viernes.

18 Integración TXT CD 3 track 10

Fuente 2, Discurso

Hola, soy Jaime Lagos y quiero solicitar su cooperación como voluntarios en nuestra comunidad. Hay oportunidades para todos. Colaboren en los proyectos sociales de todo tipo: contra la pobreza, para apoyar a la gente sin hogar, a los hogares de ancianos. Lo más importante: ¡Junten fondos! El dinero ayuda a comprar materiales y a poner anuncios en la radio y la televisión. Establezcan las prioridades. ¿Qué debemos hacer primero? Organicen campañas de publicidad y soliciten voluntarios. Eso es lo que yo estoy haciendo ahora. Los invito a participar. Vengan a nuestra reunión el próximo sábado a las 3 de la tarde y traigan ideas. Cumplamos con nuestras responsabilidades. Juntos, hagamos una diferencia.

Repaso de la lección TXT CD 3 track 12

1 Listen and understand

Gracias por la oportunidad de compartir con ustedes mis leyes de oro para los voluntarios. Deben usarlas siempre.
1. No gastes dinero sin pedir permiso.
2. Recicla todos los materiales que ya no usas.
3. Participa en proyectos de acción social en tu comunidad.
4. No delegues lo que tú mismo puedes hacer.
5. Cumple siempre con tus obligaciones.
6. No solicites fondos por teléfono después de las nueve de la noche.

On your desktop

Everything you need to ...

Plan
ONE-STOP PLANNER

All resources including audio and video

Present
POWER PRESENTATIONS

Ready-made PowerPoint™ presentations with

Animated Grammar

Assess

ONLINE ASSESSMENT SYSTEM

✓ Create customized tests with Examview Assessment Suite

✓ Individualized Assessment for on-level, modified, pre-AP, and heritage language learners

Print

Plan	Present	Practice	Assess
URB 2 • Family Letter p. 75 • Absent Student Copymasters pp. 77–84 **Lesson Plans** p. 39 **Best Practices Toolkit**	**URB 2** • TPRS pp. 15–21	• *Cuaderno* pp. 50–72 • *Cuaderno para hispanohablantes* pp. 50–72 • *Lecturas para todos* pp. 14–20 • *Lecturas para hispanohablantes* • *¡AvanzaCómics! Mundos paralelos*, Episodio 1 **URB 2** • Practice Games pp. 31–38 • Audio Scripts pp. 55–59 • Map/Culture Activities pp. 67–68 • Fine Art Activities pp. 70–71	**URB 2** • Did you get it? Reteaching and Practice Copymasters pp. 1–12

Unit Transparency Book 2

Culture	Presentation and Practice	Classroom Management
• Atlas Maps UTB 1, 1–6 • Map: United States 1 • Fine Art Transparencies 2, 3	• Vocabulary Transparencies 6, 7 • Grammar Presentation Transparencies 10, 11	• Warm Up Transparencies 16–19 • Student Book Answer Transparencies 24–27

Audio and Video

Audio	Video
• Student Book Audio CD 3 Tracks 1–12 • Workbook Audio CD 1 Tracks 21–30 • Assessment Audio CD 1 Tracks 25–30 • Heritage Learners Audio CD 1 Tracks 9–12, CD 3 Tracks 25–30 • *Lecturas para todos* Audio CD 1 Track 4, CD 3 Tracks 1–5 • *Música del mundo hispano*	• *El Gran Desafío* DVD 2

Online (ClassZone.com) and Media Resources

Student	Teacher
Available online and on disc: • eEdition (DVD-ROM) and eEdition Interactive Online Student Edition • @HomeTutor (CD-ROM) - featuring Animated Grammar **Available online:** • Conjuguemos.com • Cultura interactiva • Culture Links • WebQuests • Flashcards • Review Games • Self-check Quiz	**One-Stop Planner (available online and on DVD-ROM):** • Interactive Teacher's Edition • All print resources • All audio and video resources • Learning Scenarios • Conversation Cards • Assessment Program • Examview Assessment Suite • Calendar Planner • Rubric Generator **Available on CD-ROM:** • Power Presentations

✓ Differentiated Assessment

On-level	Modified	Pre-AP	Heritage Learners
• Vocabulary Recognition Quiz p. 63 • Vocabulary Production Quiz p. 64 • Grammar Quizzes pp. 65–66 • Culture Quizzes p. 67 • On-level Lesson Test pp. 68–74	• Modified Lesson Test pp. 47–53	• Pre-AP Lesson Test pp. 47–53	• Heritage Learners Lesson Test pp. 53–59

Core Pacing Guide

	Objectives/Focus	Teach	Practice	Assess/HW Options
DAY 1	**Culture:** Learn about Hispanic culture in the U.S. **Vocabulary:** words associated with volunteering and community outreach • Warm Up OHT 16 **5 min**	Unit Opener pp. 88–89 Lesson Opener pp. 90–91 **Presentación de vocabulario** pp. 92–93 • Read A–E • Play audio TXT CD 3 track 1 • **¡A responder!** TXT CD 3 track 2 **25 min**	Lesson Opener pp. 90–91 **Práctica de vocabulario** p. 94 • Act. 1 TXT CD 3 track 3 • Acts. 2, 3 **15 min**	**Assess:** *Para y piensa* p. 94 **5 min** **Homework:** *Cuaderno* pp. 50–52 @HomeTutor
DAY 2	**Communication:** use courteous language to persuade others • Warm Up OHT 16 • Check Homework **5 min**	**Vocabulario en contexto** pp. 95–96 • *Contexto 1* TXT CD 3 track 4 • **Repaso gramatical:** Polite requests **20 min**	**Vocabulario en contexto** pp. 95–96 • Acts. 4, 5 **20 min**	**Assess:** *Para y piensa* p. 96 **5 min** **Homework:** *Cuaderno* pp. 50–52 @HomeTutor
DAY 3	**Grammar:** review **tú** commands • Warm Up OHT 17 • Check Homework **5 min**	**Presentación de gramática** p. 97 • **Tú** commands **Práctica de gramática** pp. 98–99 **Culture:** *El Museo del Barrio* **20 min**	**Práctica de gramática** pp. 98–99 • Act. 6 TXT CD 3 track 5 • Acts. 7, 8, 9 **20 min**	**Assess:** *Para y piensa* p. 99 **5 min** **Homework:** *Cuaderno* pp. 53–55 @HomeTutor
DAY 4	**Communication:** use commands to give suggestions to peers • Warm Up OHT 17 • Check Homework **5 min**	**Gramática en contexto** pp. 100–101 • *Contexto 2* TXT CD 3 track 6 • *Pronunciación* TXT CD 3 track 7 **15 min**	**Gramática en contexto** pp. 100–101 • Acts. 10, 11, 12 **25 min**	**Assess:** *Para y piensa* p. 101 **5 min** **Homework:** *Cuaderno* pp. 53–55 @HomeTutor
DAY 5	**Grammar:** review command forms: **usted, ustedes, nosotros** • Warm Up OHT 18 • Check Homework **5 min**	**Presentación de gramática** p. 102 • Other command forms **Práctica de gramática** pp. 103–104 **15 min**	**Práctica de gramática** pp. 103–104 • Acts. 13, 14, 15, 16 **25 min**	**Assess:** *Para y piensa* p. 104 **5 min** **Homework:** *Cuaderno* pp. 56–58 @HomeTutor
DAY 6	**Communication:** Culmination: use command forms to explain how to do something • Warm Up OHT 18 • Check Homework **5 min**	**Todo junto** pp. 105–107 • *Contexto 3* TXT CD 3 track 8 **15 min**	**Todo junto** pp. 105–107 • Act. 17 TXT CD 3 track 8 • Act. 18 TXT CD 3 tracks 9, 10 • Act. 19 **25 min**	**Assess:** *Para y piensa* p. 107 **5 min** **Homework:** *Cuaderno* pp. 59–60 @HomeTutor
DAY 7	**Reading:** *En la Ocho y la Doce* **Connections:** History • Check Homework **5 min**	**Lectura literaria** pp. 108–111 • *En la Ocho y la Doce* • TXT CD 3 track 11 **Conexiones** p. 112 • *La historia* **20 min**	**Lectura literaria** pp. 108–111 • *En la Ocho y la Doce* **Conexiones** p. 112 • *Proyecto* **20 min**	**Assess:** *Para y piensa* p. 111 **5 min** **Homework:** *Cuaderno* pp. 64–66 @HomeTutor
DAY 8	**Review:** Lesson review • Warm Up OHT 19 • Check Homework **5 min**	**Repaso de la lección** pp. 114–115 **15 min**	**Repaso de la lección** pp. 114–115 • Act. 1 TXT CD 3 track 12 • Acts. 2, 3, 4, 5 **25 min**	**Assess:** *Repaso de la lección* **5 min** **Homework:** *En resumen* p. 113; *Cuaderno* pp. 61–63; 67–72 (optional) Review Games Online @HomeTutor
DAY 9	**Assessment**			**Assess:** Lesson 1 test **50 min**

	Objectives/Focus	Teach	Practice	Assess/HW Options
DAY 1	**Culture:** Learn about Hispanic culture in the U.S. **Vocabulary:** words associated with volunteering and community outreach • Warm Up OHT 16 — **5 min**	Unit Opener pp. 88–89 Lesson Opener pp. 90–91 **Presentación de vocabulario** pp. 92–93 • Read A–E • Play audio TXT CD 3 track 1 • *¡A responder!* TXT CD 3 track 2 — **20 min**	Lesson Opener pp. 90–91 **Práctica de vocabulario** p. 94 • Act. 1 TXT CD 3 track 3 • Acts. 2, 3 — **15 min**	**Assess:** *Para y piensa* p. 94 **5 min**
	Communication: use courteous language to persuade others — **5 min**	**Vocabulario en contexto** pp. 95–96 • *Contexto 1* TXT CD 3 track 4 • **Repaso gramatical:** Polite requests — **20 min**	**Vocabulario en contexto** pp. 95–96 • Acts. 4, 5 — **15 min**	**Assess:** *Para y piensa* p. 96 **5 min** **Homework:** *Cuaderno* pp. 50–52 @HomeTutor
DAY 2	**Grammar:** review **tú** commands • Warm Up OHT 17 • Check Homework — **5 min**	**Presentación de gramática** p. 97 • **Tú** commands **Práctica de gramática** pp. 98–99 Culture: *El Museo del Barrio* — **15 min**	**Práctica de gramática** pp. 98–99 • Act. 6 TXT CD 3 track 5 • Acts. 7, 8, 9 — **20 min**	**Assess:** *Para y piensa* p. 99 **5 min**
	Communication: use commands to give suggestions to peers — **5 min**	**Gramática en contexto** pp. 100–101 • *Contexto 2* TXT CD 3 track 6 • *Pronunciación* TXT CD 3 track 7 — **15 min**	**Gramática en contexto** pp. 100-101 • Acts. 10, 11, 12 — **20 min**	**Assess:** *Para y piensa* p. 101 **5 min** **Homework:** *Cuaderno* pp. 53–55 @HomeTutor
DAY 3	**Grammar:** review command forms: **usted, ustedes, nosotros** • Warm Up OHT 18 • Check Homework **5 min**	**Presentación de gramática** p. 102 • Other command forms **Práctica de gramática** pp. 103–104 — **15 min**	**Práctica de gramática** pp. 103-104 • Acts. 13, 14, 15, 16 — **20 min**	**Assess:** *Para y piensa* p. 104 **5 min**
	Communication: Culmination: use command forms to explain how to do something — **5 min**	**Todo junto** pp. 105–107 • *Contexto 3* TXT CD 3 track 8 — **15 min**	**Todo junto** pp. 105–107 • Act. 17 TXT CD 3 track 8 • Act. 18 TXT CD 3 tracks 9, 10 • Act. 19 — **20 min**	**Assess:** *Para y piensa* p. 107 **5 min** **Homework:** *Cuaderno* pp. 56–60 @HomeTutor
DAY 4	**Reading:** *En la Ocho y la Doce* • Warm Up OHT 19 • Check Homework — **5 min**	**Lectura literaria** pp. 108–111 • *En la Ocho y la Doce* • TXT CD 3 track 11 — **15 min**	**Lectura literaria** pp. 108–111 • *En la Ocho y la Doce* — **20 min**	**Assess:** *Para y piensa* p. 111 **5 min**
	Review: Lesson Review — **5 min**	**Repaso de la lección** pp. 114–115 — **15 min**	**Repaso de la lección** pp. 114–115 • Act. 1 TXT CD 3 track 12 • Acts. 2, 3, 4, 5 — **20 min**	**Assess:** *Repaso de la lección* **5 min** **Homework:** *En resumen* p. 113; *Cuaderno* pp. 61–72 (optional) Review Games Online @HomeTutor
DAY 5	**Assessment**			**Assess:** Lesson 1 test **45 min**
	Connections: History — **5 min**	**Conexiones** p. 112 • *La historia* — **20 min**	**Conexiones** p. 112 • *Proyecto* — **20 min**	

¡AVANZA! Objectives
- Introduce the lesson theme: **¡Todos para uno y uno para todos!**
- **Culture:** Community activities

Presentation Strategies
- Ask students to comment on the Lesson title **¡Todos para uno y uno para todos!** Why is it an appropriate title for this lesson?
- Point out that the people in the photo are part of a volunteer group called Hands On Miami. This group works with the elderly, the disadvantaged, and the homeless. Ask students if they know of any volunteer organizations and how these organizations benefit their communities.

STANDARD
2.1 Practices and perspectives

Warm Up UTB 2 Transparency 16

Verbos irregulares en el pretérito: Completa los espacios en blanco con la forma apropiada del verbo entre paréntesis en el pretérito.
1. José _____ (buscar) los libros.
2. Yo _____ (buscar) los libros ayer.
3. Los mexicanos _____ (jugar) al fútbol en el parque la semana pasada.
4. Yo no _____ (jugar) al fútbol en el parque.
5. Nosotros _____ (llegar) tarde anteayer.
6. Yo _____ (llegar) tarde anoche.

Answers: 1. buscó 2. busqué 3. jugaron 4. jugué 5. llegamos 6. llegué

Comparación cultural

Exploring the Theme
Ask the following:
1. ¿Hay en esta escuela oportunidades para participar en actividades voluntarias? ¿Cuáles?
2. ¿En qué tipos de actividades voluntarias participaste tú o alguien que conoces?
3. ¿Te interesa trabajar de voluntario? ¿En qué tipo de organización y por qué?

¿Qué ves? Possible answers:
- Sonríen para la foto.
- Forman un equipo porque tienen uniforme.
- Pueden ayudar a su escuela o comunidad.

90

UNIDAD 2
Estados Unidos

Lección 1

Tema:
¡Todos para uno y uno para todos!

¡AVANZA! In this lesson you will learn to
- describe volunteer activities
- organize people to do a project
- persuade or influence others

using
- **tú** commands
- **usted(es), nosotros** commands
- polite requests

¿Recuerdas?
- irregular preterite
- family relationships
- camping and beach activities

Comparación cultural

In this lesson you will learn about
- museums of Latin art
- artists and the community

Compara con tu mundo
Estos jóvenes están en Miami, Florida. Participan en *Hands On Miami Day,* un día en que se hacen trabajos comunitarios. *¿Qué trabajos crees que se pueden hacer en tu comunidad en un día como ése?*

¿Qué ves?
Mira la foto
¿Qué hacen los jóvenes de la foto?

¿Crees que forman un equipo? ¿Por qué?

¿A quién(es) piensas que ayudan?

90 noventa

Differentiating Instruction

Pre-AP

Draw Conclusions Have students examine the people in the photo and create mini-character sketches for two to three of them, within the context of the volunteer project day in Miami. (Model: **El hombre con anteojos se llama Steve. Es delgado porque hace mucho ejercicio y corre todos los días.**)

English Learners

Build Background Ask students who are from other countries if they know of volunteer groups in their native countries. Did they or their family and friends participate in any volunteer activities before they came to the U.S.? What types of volunteer activities would interest them now?

Online SPANISH CLASSZONE.COM

Featuring...
Cultura INTERACTIVA
Animated Grammar
@HomeTutor

And more...
• Get Help Online
• Interactive Flashcards
• Review Games
• WebQuest
• Conjuguemos.com

Jóvenes durante el Hands On Miami Day,
Miami, Florida

Estados Unidos
noventa y uno   **91**

Online SPANISH CLASSZONE.COM

Animated Grammar This entertaining animated tutor helps students learn Spanish grammar in a fun and lively way. Verbs are conjugated before students' eyes, and direct and indirect object pronouns pop into place! Animated characters walk students through every explanation, adding a special zing to Spanish grammar that students won't forget!

Featuring...
Cultura INTERACTIVA
Animated Grammar
@HomeTutor

And more...
• Get Help Online
• Interactive Flashcards
• Review Games
• WebQuest
• Conjuguemos.com

Using the Photo

Location Information

Miami, Florida Based on their t-shirts, many of these young volunteers seem to be from Florida International University (FIU), one of many institutions of higher learning in the area. The buildings in the background reflect Miami's cosmopolitan development and the palm trees show the tropical climate of this vibrant center of pan-American business, travel and the arts on the far southeastern coast of the state.

Expanded Information

Population Florida is part of the Sunbelt, an area of highest US population growth. South Florida, defined for decades by waves of immigrating Cubans, is becoming increasingly diverse, with Central and South Americans taking up residence in record numbers. Latinos make up 17 percent of Florida's population, and in Miami-Dade, the latest census shows Latinos as 57 percent of the county's population. You will definitely hear Spanish more than English if you visit!

Differentiating Instruction

Slower-Paced Learners

Yes/No Questions Ensure comprehension and retention with a few yes/no questions about the cultures presented in the openers. Correct answers should be repeated by reliable students or teacher. Example: **Los chicos de la foto esperan el autobus. ¿Sí o no?** (¡No! Los chicos de la foto NO esperan el autobús; hacen trabajo voluntario.)

Multiple Intelligences

Visual Learners Have student pairs examine the photo. Ask them to come up with as many sentences as they can to describe what they see in the photo. For example: **Hay cuatro personas que llevan anteojos; tres personas llevan gorra; tienen camiseta azul; están contentas.**

¡AVANZA! Objectives

- Present vocabulary: volunteer work, organizing community service.
- Check for recognition.

Core Resource

- Audio Program: TXT CD 3 tracks 1, 2

Presentation Strategy

- Pause the audio to ask comprehension questions periodically.

 STANDARD

1.2 Understand language

Communication

Common Error Alert

- Remind students that that verbs like **buscar** do not take prepositions as do their English equivalents (e.g., "to look for").
- If students ask why **esperar** sometimes is followed by **a,** remind them that the personal **a** is there to indicate that the object of the verb is a person rather than a thing, and is not translated. Example: **Espero las noticias.** vs. **Espero a mis amigos.**

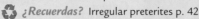

❋ Presentación de VOCABULARIO

¡AVANZA! **Goal:** Learn about activities based on volunteer work. Then talk about ways that volunteers can help in their own communities. *Actividades 1–3*

♻ *¿Recuerdas?* Irregular preterites p. 42

A Una forma de ayudar es **trabajar de voluntario. Los voluntarios** deben **organizar** actividades en equipo o individualmente para **colaborar** con la comunidad. **La cooperación** es muy importante para **cumplir** con los objetivos.

BUSCAMOS VOLUNTARIOS PARA TRABAJAR EN...

...EL HOGAR DE ANCIANOS
Necesitamos personas para **colaborar** en proyectos de acción social para **recaudar fondos.**

...EL HOSPITAL
Puedes **elegir** una tarea para hacer: puedes leer **los artículos de los periódicos** y **revistas** a los pacientes o colaborar en **el diseño de los letreros** y pósteres.

...EL COMEDOR DE BENEFICENCIA
Necesitamos hacer un **presupuesto** para la comida y un plan para **gastar** bien el dinero.

NUESTRO TELÉFONO ES: 1-800-VOLUNTA

Más vocabulario

contar con los demás *to count on others*	**el lema** *motto*	**prestar** *to lend*
delegar *to delegate*	**las noticias** *news*	**la prioridad** *priority*
el envase *container*	**la pobreza** *poverty*	**tirar basura** *to litter*
juntar fundos *to fundraise*		*Expansión de vocabulario* p. R4
		Ya sabes p. R4

Differentiating Instruction

Inclusion

Alphabetic/Phonetic Awareness Have students add new vocabulary words to the alphabetically arranged section of their notebooks. Remind students to organize their lists with the first letter of the vocabulary term, not by the letter of the definite or indefinite article.

Multiple Intelligences

Intrapersonal From the three volunteer opportunities shown in the poster on p. 92, ask students to choose the one that would suit them best. Have students make a list of personal qualities and/or skills needed for that position. Have students share their list with the class.

B Los voluntarios limpian los parques y las calles. También recogen la basura y **reciclan las latas** y otros **artículos** de papel o plástico.

C **La publicidad** es muy importante. Los grupos voluntarios presentan su **campaña** poniendo **anuncios** en **la prensa**, en **las emisoras de radio** o en **los canales de televisión**. **Las agencias de publicidad** trabajan con mucha **creatividad**.

el guante de trabajo

el lema

la lata

la bolsa de plástico

las revistas

los periódicos

D Las campañas son para **solicitar** dinero para comprar comida para **la gente sin hogar**, medicinas o artículos para limpiar la ciudad. Las personas mandan **cheques** para apoyar estas campañas.

E **La planificación** es muy importante en los trabajos voluntarios, porque así los voluntarios saben **de antemano** qué van a hacer.

¡A responder! Escuchar

Vas a escuchar ocho oraciones. Si la oración describe un ejemplo de ayudar a otros, indícalo con el dedo pulgar hacia arriba. Si la oración no describe un ejemplo de ayudar a otros, indícalo con el dedo pulgar hacia abajo.

@HomeTutor
Interactive Flashcards
ClassZone.com

Lección 1
noventa y tres **93**

Long-term Retention
Critical Thinking

Categorize Ask students to select one phrase in paragraphs A through E as the main idea. They can write the phrases in their notebooks. Then, have them share their choices with a partner. Are they the same or different? Have each pair come to a consensus on the main ideas.

Pre-AP

Persuade In pairs, have students write two to three reasons why volunteering is important to their community and their country. Then have them report to another pair of students their reasons to spend time volunteering. Ask the pairs if any of the reasons given convinced them to volunteer.

Heritage Language Learners

Support What They Know Ask students to name local TV channels, radio stations, and newspapers aimed at Latino populations. Have they seen volunteer jobs posted? What kinds are most prevalent? In what other locations might volunteer opportunities be posted (church, social club) for Spanish speakers?

Answers UTB 2 Transparency 24

¡A responder! Audio Script, TE p. 89B
Thumbs up for 1, 2, 4, 6, 7; thumbs down for 3, 5, 8.

Objectives
- Practice using vocabulary: community organizing and volunteer work.
- Recycle: Irregular preterite

Core Resources
- *Cuaderno,* pp. 50–52
- Audio Program: TXT CD 3 track 3

Practice Sequence
- **Activity 1:** Vocabulary recognition: listening comprehension
- **Activity 2:** Vocabulary production: the preterite and lesson vocabulary; Recycle: Irregular preterite
- **Activity 3:** Vocabulary production: volunteer activities and interviews

 STANDARDS

1.1 Engage in conversation, Act. 3
1.2 Understand language, Act. 1
1.3 Present information, Act. 2

✓ **Ongoing Assessment**

@HomeTutor
More Practice
ClassZone.com

PARA Y PIENSA **Intervention** If students cannot form at least one full sentence in the Para y piensa, have them review the vocabulary on pp. 92–93. For additional practice, use Reteaching & Practice Copymasters URB 2, pp. 1, 2, 10.

 Answers UTB 2 Transparency 24

Activity 1 2, 3, 4, 6

Activity 2 Answers will vary. Sample answers:
1. pusieron
2. hizo
3. consiguió
4. hice
5. tuvimos
6. dijiste

Activity 3 Answers will vary.

Para y piensa Answers will vary.
Sample answers:
1. Los/las voluntarios/as organizan campañas para solicitar dinero.
2. Los periódicos y la televisión son útiles.
3. Puedo recoger y reciclar las latas.

94

❈ Práctica de VOCABULARIO

1 ¡Mucho que hacer!

Escuchar

Audio Program
TXT CD 3 track 3
Audio Script, TE p. 89B

Escucha este mensaje telefónico que te dejó la coordinadora de una campaña para ayudar a la gente sin hogar. ¿Qué se menciona en la lista de organización?

1. solicitar la cooperación de la prensa
2. depositar los cheques
3. contactar la emisora de radio
4. recoger los letreros
5. hacer un diseño para los letreros
6. solicitar la colaboración del hospital
7. organizar a los voluntarios
8. llamar a la agencia de publicidad

2 Trabajos voluntarios ¿*Recuerdas?* Irregular preterite p. 42

Hablar
Escribir

Usa el pretérito para expresar qué hicieron estas personas como voluntarios.

modelo: Milton / juntar fondos para el hogar de ancianos
Milton juntó fondos para el hogar de ancianos.

1. Alicia y Ana / poner un anuncio para reciclar latas y plástico en la comunidad
2. Jorge / hacer un presupuesto para el comedor de beneficencia
3. Elena / conseguir un cheque para pagar el anuncio en el canal de televisión
4. yo / hacer un letrero con mucha creatividad
5. Martín y yo / tener que establecer las prioridades
6. tú / decir que la campaña contra la pobreza era buena

Expansión:
Teacher Edition Only
Utiliza verbos en el pretérito para escribir oraciones con las siguientes palabras: noticias, basura, artículo, presupuesto.

3 ¡A cambiar el mundo!

Hablar

Tus compañeros(as) hicieron trabajos voluntarios. Entrevístalos para saber más. ¿Dónde trabajaron? ¿Qué actividades hicieron en cada lugar? ¿Cuánto tiempo trabajaron? ¿Qué medio de comunicación usaron para anunciar su campaña?

Expansión
Escribe un ensayo breve para resumir los trabajos voluntarios de tus compañeros.

Más práctica   Cuaderno *pp. 50–52*   Cuaderno para hispanohablantes *pp. 50–53*

 PARA Y PIENSA

¿Comprendiste? Contesta con oraciones completas.
1. ¿Qué eventos especiales organizan los (las) voluntarios(as)?
2. ¿Qué medios de comunicación son útiles para las campañas?
3. ¿Qué puedes recoger y reciclar en tu comunidad?

Get Help Online
ClassZone.com

Differentiating Instruction

Multiple Intelligences

Visual Learners Students may choose two to four volunteer activities listed in Activity 1 and 2 to depict in a poster. Have them label each activity in Spanish. Display around the classroom for vocabulary reinforcement.

Slower-paced Learners

Read Before Listening Have the students listen to the audio for Activity 1 with their books closed. Then, before listening for a second time, have students read the directions and the items for which they are listening. Ask them if there are any items they don't understand. Finally, play the audio again while the students do Activity 1.

❋ VOCABULARIO en contexto

¡AVANZA! **Goal:** Notice how the following letters make suggestions and inspire volunteer participation. Then practice persuading others to do things using language that is courteous. *Actividades 4–5*

Contexto 1 *Cartas*

ESTRATEGIA Leer
Remember phrases by grouping them Following the example, group key phrases from the reading into four categories. Include as many appropriate phrases as possible in each category.

(Para empezar la carta) (Para terminar la carta) (Sobre el concurso) (Sobre acción social)

AUDIO

Un canal de televisión local de Los Ángeles organizó un concurso para crear un anuncio de publicidad en español para un proyecto de acción social. El gran premio es la oportunidad de filmar el anuncio en cooperación con el canal. Ahora los empleados del canal tienen que elegir al ganador del concurso entre uno de estos tres candidatos.

Estimados señores:

Soy una estudiante de Los Ángeles. Mis amigos y yo vimos que hay muchos parques llenos de basura. Queremos limpiar los parques y reciclar el papel, el vidrio, las latas y los envases de plástico que se encuentran allí.

No tenemos un presupuesto para promover y organizar un proyecto como éste, pero podemos contar con otros estudiantes para recoger basura y reciclarla.

Nuestro lema es «Las latas son una lata... nuestros parques no son basureros».

Espero recibir noticias de ustedes,

Irma Rodríguez
Irma Rodríguez

Señores del canal:

Soy voluntaria en un hogar de ancianos y mi obligación es juntar fondos para organizar actividades para los ancianos.
Quiero promover el centro con un anuncio publicitario. Mi lema es «Los ancianos y los jóvenes representan nuestro pasado y futuro».
Mis compañeros y yo pensábamos trabajar con una agencia de publicidad para hacer la campaña, pero si ganamos el concurso vamos a ahorrar mucho dinero. Gracias por su consideración.

Muy atentamente,

Dorotea Cisneros
Dorotea Cisneros

Señores:

Quiero hacer un anuncio publicitario para un comedor de beneficencia.

En el área metropolitana hay mucha pobreza y también mucha gente sin hogar. Quiero promover los proyectos del comedor y también atraer a voluntarios nuevos.

Mi lema para el anuncio es «Cuenta con nosotros para combatir el hambre». ¿Necesito algo más para completar mi propuesta?

En espera de sus noticias,

Ernesto Vargas
Ernesto Vargas

También se dice

Ser una lata es una expresión popular en México y significa «ser muy molesto». Un sinónimo de **molesto** es **latoso.**
· **Argentina** ser un plomo
· **Ecuador** ser molestoso
· **España** ser pesado
· **Cuba** ser una bomba

Lección 1
noventa y cinco **95**

¡AVANZA! **Objective**
· Recognize and understand vocabulary in context.

Core Resource
· Audio Program: TXT CD 3 track 4

Presentation Strategies
· Ask students for the names of the characters they met in the unit opener.
· Play the audio while students read along in their texts.

 STANDARD
1.2 Understand language

Warm Up UTB 2 Transparency 16

Trabajos voluntarios ¿Cuál de estas frases está relacionada con trabajos voluntarios?
1. organizar a las personas
2. contactar la emisora de radio
3. prestarle dinero a tu amigo
4. donar una bolsa de ropa
5. tirar la basura en la casa
6. solicitar la cooperación de los compañeros de clase
Answers: 1; 2; 4; 6

Long-term Retention
 Recycle

Have students look for examples of preterite and imperfect verb forms in the letters. Ask students to write forms of the preterite in blue ink and imperfect verb forms in red ink in their notebooks.

Differentiating Instruction

Multiple Intelligences

Logical/Mathematical Help students make a chart for the three letters sent to the TV station. The simple chart should include four columns:
· brief project goal (**meta**)
· project motto (**lema**)
· salutation (**saludo**)
· closing (**el cierre**)

Inclusion

Multisensory Input/Output Create a "game" using the key words from the **cartas** to the station. Organize students into groups of three. Call out a keyword from one of the proposals. Then have students repeat the key word and the name of the corresponding letter writer. Finally, have the group say the **lema** in unison.

Objective

· Produce vocabulary in context: community service, persuasion, polite requests.

Practice Sequence

· **Activity 4:** Contexto 1 comprehension
· **Activity 5:** Vocabulary production: persuasion and polite requests

 STANDARDS

1.1 Engage in conversation, Act. 5
1.2 Understand language, Act. 4
2.1 Practices and perspectives, Nota

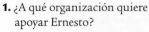

✓ **Ongoing Assessment**

@HomeTutor
More Practice
ClassZone.com

PARA Y PIENSA **Peer Assessment** After students have completed the Para y piensa, have them work in pairs to check each other's work and correct any errors. For additional practice, use Reteaching & Practice Copymasters URB 2, pp. 1, 3.

Answers UTB 2 Transparency 24

Activity 4

1. Ernesto quiere apoyar un comedor de beneficencia.
2. Ernesto quiere atraer a voluntarios nuevos.
3. Dorotea trabaja en un hogar de ancianos.
4. El tema principal del lema de Ernesto es combatir el hambre.
5. Dorotea junta fondos para organizar actividades para los ancianos.
6. Irma y sus compañeros quieren limpiar los parques...
7. No tienen un presupuesto para promover y organizar su proyecto. -O- Vio que hay muchos parques llenos de basura.
8. Ernesto observa que hay mucha pobreza y mucha gente sin hogar.

Activity 5 Answers will vary. Sample answers:

A. Señor, ¿podría Ud. ayudar a recaudar fondos para abrir un comedor de beneficencia en el centro?
B. Con mucho gusto. ¿Cuándo puedo empezar?

Para y piensa Answers will vary. Examples:

1. Profesora, ¿podría dar menos tarea? Hoy es viernes.
2. Papi, no quiero llegar tarde a la escuela. ¿Podrías comprarme un carro?

96

---

4 **Comprensión de las cartas**

Escribir Hablar

Responde correctamente a las siguientes preguntas.

1. ¿A qué organización quiere apoyar Ernesto?
2. ¿A quiénes quiere atraer Ernesto?
3. ¿Dónde trabaja Dorotea?
4. ¿Cuál es el tema principal del lema de Ernesto?
5. ¿Para qué junta fondos Dorotea?
6. ¿Qué quieren hacer Irma y sus compañeros?
7. ¿Qué problema encontró Irma?
8. ¿Qué observa Ernesto en el área metropolitana?

Expansión:
Teacher Edition Only
Pídales a los estudiantes que escriban una carta sobre un proyecto de acción social y que inventen un lema.

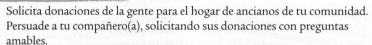 **REPASO gramatical**

Polite Requests Many Spanish-speakers avoid direct commands and look for a way of making their suggestions more courteous. Here is one way to make indirect requests.

podrías/podría/podríais/podrían + verb infinitive

¿Podrías aprobar el plan? *Could/Would you approve the plan?*

5 **¿Podría colaborar?**

Hablar

Solicita donaciones de la gente para el hogar de ancianos de tu comunidad. Persuade a tu compañero(a), solicitando sus donaciones con preguntas amables.

modelo: unas latas de comida

A ¿Podrías donar unas latas de comida para el hogar de ancianos?

B Con mucho gusto. ¿Cuántas quieres?

1. recaudar fondos
2. donar una bolsa de ropa
3. comprar unos libros
4. colaborar con nuestra campaña
5. contribuir con un cheque
6. unir los esfuerzos de todos
7. saber el presupuesto para la campaña
8. recoger los envases de plástico

Expansión
Escoge un lugar de tu comunidad (una oficina, un centro comercial, etc.) y escribe cinco preguntas para persuadirlos de que ayuden en tu campaña.

PARA Y PIENSA

¿Comprendiste? ¿Qué puedes decir para...

1. convencer a tu profesor(a) de que no debe dar tarea?
2. convencer a tus padres de que deben comprarte un carro?
3. solicitar la ayuda de un amigo en la planificación de un proyecto?

Get Help Online
ClassZone.com

Differentiating Instruction

Heritage Language Learners

Support What They Know Distribute copies of television listings of Spanish-language programs. Ask students if they are familiar with any of the programs listed. Have they seen these programs? If so, can they give a brief description of a popular sit-com or drama?

Multiple Intelligences

Kinesthetic Do Activity 5 in pairs, and have questioner and answerer stand up and sit down in turn. Model and ask students to exaggerate facial expressions when making polite requests (**Podría Ud.** + inf.?) and gracious agreement (**Con mucho gusto, voy a** + inf...).

Presentación de GRAMÁTICA

¡AVANZA! **Goal:** Review affirmative and negative commands used with **tú.** Then practice by telling others what to do or not to do. *Actividades 6–9*

♻ *¿Recuerdas?* Family relationships pp. 58–59, Camping trip pp. 32–33

English Grammar Connection: In English, command forms are the same as the infinitive, but without *to.* Simply add *don't* to make them negative. In Spanish, the **tú** command has an affirmative form and a negative form.

Be good.   **Sé** bueno.   **Don't be** rude.   **No seas** mal educado.

♻REPASO   Tú Commands

Animated Grammar ClassZone.com

To tell someone to do or not to do something, use command forms. How do you form the **affirmative tú command?**

Here's how: Regular **affirmative tú commands** are the same as the **usted/él/ella** form in the present tense.

Present Tense: Juan **recoge** y **recicla** las latas.
*Juan **collects** and **recycles** the cans.*

Affirmative tú Command: Juan, ¡**recoge** y **recicla** las latas, por favor!
*Juan, **collect** and **recycle** the cans, please!*

The following verbs are **irregular** in the **affirmative tú command** form.

decir	hacer	ir	poner	salir	ser	tener	venir
di	haz	ve	pon	sal	sé	ten	ven

¡**Ve** a la tienda!   ***Go** to the store!*   ¡**Di** la verdad!   ***Tell** the truth!*

You form **negative tú commands** by changing the **yo** form of the present tense.

-ar verbs   -o *changes to* → -es
-er, -ir verbs   -o *changes to* → -as

Yo **gast**o mucho dinero.   ¡No **gastes** demasiado dinero!

The following verbs are **irregular.**

dar	estar	ir	ser
no des	no estés	no vayas	no seas

No **estés** triste.   ***Don't be** sad.*

Más práctica
Cuaderno *pp. 53–55*
Cuaderno para hispanohablantes *pp. 54–56*

🔊 **Conjuguemos.com**

@HomeTutor
Leveled Practice
ClassZone.com

Differentiating Instruction

English Learners

Provide Comprehensible Input Remind students that to form commands in English, "you" is the implied subject. It is not necessary to distinguish between informal and formal commands because this construction doesn't exist in English.

Multiple Intelligences

Linguistic/Verbal Model several commands for students to follow. For example, ¡**Ve a la ventana!** Then ask students to generate a list of five possible commands on their own. Invite volunteers to share their commands with the class.

¡AVANZA! **Objectives**
- Present and review affirmative and negative **tú** commands.
- Instruct or tell others what to do.

Core Resource
- *Cuaderno,* pp. 53–55

Presentation Strategies
- Ask students what they know about using **tú** in Spanish.
- Ask students for examples of **tú** commands they hear regularly in the classroom. (**Ven, Escribe, Di...**)

 STANDARD
4.1 Compare languages

📦 **Warm Up** UTB 2 Transparency 17

Presente Completa los espacios en blanco con el presente del verbo entre paréntesis.
1. Irma _____ las latas en el parque. (recoger)
2. Ernesto _____ la cooperación de la prensa. (solicitar)
3. Dorotea ____ una respuesta del canal de televisión local. (esperar)
4. Yo _____ que ahorrar dinero. (tener)
5. Yo no _____ ejercicio todas las mañanas. (hacer)
6. ¿Dónde _____ (yo) la bolsa de ropa para donar? (poner)

Answers: 1. recoge; 2. solicita; 3. espera; 4. tengo; 5. hago; 6. pongo

Comparisons
English Grammar Connection

- Remind all students, not just English learners, that Don't = Do not. Examples: English [Do] open the door; Don't open the window; Spanish **Abre la puerta, No abras la puerta.**

Objectives

- Practice using positive and negative **tú** commands.
- Recycle: Family relationships
- **Culture:** Museums of Latin Art: El Museo del Barrio

Core Resources

- *Cuaderno*, pp. 53–55
- Audio Program: TXT CD 3, Track 5

Practice Sequence

- **Activity 6:** Controlled practice: **tú** commands; Recycle: family relationships
- **Activity 7:** Transitional practice: **tú** commands
- **Activity 8:** Transitional practice: **tú** commands; Recycle: camping trip vocabulary
- **Activity 9:** Open-ended practice: positive and negative **tú** commands

STANDARDS

1.1 Engage in conversation, Act. 8
1.2 Understand language, Act. 6
1.3 Present information, Act. 8, 9
2.1 Practices and perspectives, CC
2.2 Products and perspectives, CC
4.2 Compare cultures, CC

Comparación cultural

Essential Question

Suggested Answer Cada país tiene una identidad. Conservar su cultura es importante para que esa identidad esté presente dentro o fuera del país.

Expanded Information

El Museo del Barrio has become New York's leading Latino cultural institution. Its mission is to represent the diversity of art and culture in all of the Caribbean and Latin America. Public programs have also been developed to address the educational needs of diverse populations—seniors, adults, adolescents, public school students, and very young visitors.

See Activity answers on p. 99.

98

✲ Práctica de GRAMÁTICA

🎧 **Audio Program**
TXT CD 3 Track 5
Audio Script, TE
p. 89B

6 **¡Los deberes!** ♻ *¿Recuerdas?* Family relationships pp. 58–59

Escuchar Escribir

Tus papás están de vacaciones en la playa pero tu mamá te llamó por teléfono con algunas instrucciones. Escucha su mensaje telefónico y apunta los mandatos que usa tu mamá para decirte qué tienes que hacer y no hacer.

> **modelo:** ¡No gastes todo el dinero!

Expansión:
Teacher Edition Only
Pídales a los estudiantes que anoten las sugerencias de la mamá en una hoja aparte. Y que respondan a ella con oraciones completas.

7 **¡Quiero ayudar!**

Hablar Escribir

Un(a) amigo(a) te pidió sugerencias para ayudar en la comunidad. Haz mandatos con los siguientes verbos para recomendar actividades.

> **modelo:** _____ (trabajar) de voluntario(a) en el hospital
> Trabaja de voluntario(a) en el hospital.

1. _____ (prestar) tus guantes de trabajo para limpiar el parque.
2. _____ (leer) el periódico en el hogar de ancianos.
3. _____ (apoyar) la campaña de reciclaje.
4. _____ (conseguir) la cooperación de una revista.
5. _____ (colaborar) en la planificación de la campaña.
6. ¡No _____ (esperar) cambiar el mundo en un solo día!
7. No _____ (olvidar) a la gente sin hogar.

Expansión
Tu amigo(a) quiere instrucciones para usar los medios de comunicación. Dale cuatro recomendaciones más relacionadas con ese tema.

Comparación cultural

Museo del Barrio

El Museo del Barrio

¿Por qué es importante conservar las diferentes culturas que tiene un país? El Museo del Barrio está en la ciudad de Nueva York. Los artistas y activistas de **Puerto Rico** lo fundaron en 1969. Ahora, muchos años más tarde, es el museo de Nueva York que mejor conserva, refleja y apoya las culturas y las tradiciones de las comunidades caribeñas y latinas en esta ciudad.

El museo organiza exposiciones y programas muy interesantes. Su prioridad es mostrar la creatividad de los latinoamericanos. Por eso, podemos decir que es un ejemplo importante del intercambio cultural entre las comunidades de **Estados Unidos.**

Compara con tu mundo *¿Hay influencias de la cultura latina en tu ciudad? Descríbelas. ¿Hay un museo en tu ciudad? ¿Qué muestra?*

Differentiating Instruction

Pre-AP

Expand and Elaborate Have students create their own "infomercials" on how-to do something. For example, demonstrate how to separate items for recycling; how to brush one's teeth; and so on. Specify a minimum number of **tú** commands (five to six), and include both positive and negative forms.

Inclusion

Cumulative Instruction Build on what students already know by reviewing camping vocabulary. Allow students to check their notebook vocabulary lists, if they wish, to help match appropriate commands with objects.

8 Organiza el campamento ♻ ¿Recuerdas? Camping trip pp. 32-33

Hablar

Con un(a) compañero(a), túrnense *(take turns)* para decirles a las personas siguientes qué deben hacer para organizar el campamento. Usen mandatos afirmativos y negativos.

modelo: Jaime, no busques las partes de la tienda ahora.
Saca el equipo del carro.

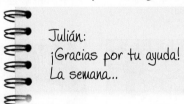

Ana	buscar	estufa de gas
Jaime	recoger	partes de la tienda
Ramón	cerrar	sacos de dormir
Ernesto	sacar	a nosotros
Carmen y Ramón	traer	cantimplora
Ernesto y Carmen	ayudar	latas de refresco
Carmen y Jaime	contar	equipo
Ana, Ramón y Jaime	guardar	tienda de campaña
Todos	organizar	puerta del carro
	montar	mochilas
	descansar	

Expansión:
Teacher Edition Only
Pídales a los estudiantes que escriban cinco oraciones con mandatos para decirle al grupo lo que tiene que hacer al terminar el campamento, antes de volver a casa.

9 ¡Gracias por tu ayuda!

Escribir

Organizaste una campaña en un comedor de beneficencia. Escríbele una nota a un(a) compañero(a) que te quiere ayudar la semana que tú no puedes ir. Dile qué tiene que hacer y qué no debe hacer. Usa por lo menos cuatro mandatos afirmativos y cuatro negativos en tu nota.

Julián:
¡Gracias por tu ayuda!
La semana...

Expansión
Escribe la nota que te dejó tu compañero(a) después de su semana de voluntario. ¿Qué hizo? ¿Qué mandatos incluye en su nota para tu regreso al trabajo de voluntario(a)?

Más práctica Cuaderno *pp. 53-55* Cuaderno para hispanohablantes *pp. 54-56*

PARA Y PIENSA

¿Comprendiste? ¿Qué debe hacer y qué no debe hacer un(a) nuevo(a) estudiante en tu escuela? Escribe tres mandatos afirmativos y tres mandatos negativos para darle consejos.

🖥 **Get Help Online** ClassZone.com

Differentiating Instruction

Heritage Language Learners

Support What They Know Ask the class if they have been to an art museum or gallery in the past year. Have they ever seen exhibits about the Spanish world? Ask them to brainstorm places other than museums (community centers, restaurants, schools, streets, and so on) where art might be on display for public viewing.

Inclusion

Clear Structure Encourage students to go through the steps necessary for writing a list of ideas, brainstorming, graphic organizers or outlines, and a first draft. Encourage them to follow these steps when completing Activity 9.

PARA Y PIENSA **Peer Assessment** Have students exchange papers for the Para y piensa. Allow them to correct each other's errors. For additional practice, use Reteaching & Practice Copymasters URB 2, pp. 4, 5, 11.

Answers UTB 2 Transparencies 24-25

Answers for Activities on p. 98.

Activity 6
1. Préstale cien dólares a mi cuñada.
2. Colabora.
3. Visita a tu bisabuela.
4. Lleva el periódico y algunas revistas.
5. ¡Sé bueno!
6. Pon un anuncio.
7. Pide un precio justo.
8. No salgas el viernes por la noche.
9. Ven con tu novia al aeropuerto.

Activity 7 Answers will vary. Sample answers:
1. Presta 2. Lee 3. Apoya
4. Consigue 5. Colabora 6. No esperes
7. No olvides

Activity 8 Sample answer: Ana, trae el equipo.

Activity 9 Sample answer: Julián: Busca la comida en el supermercado. No pagues demasiado. Pide una contribución, etc.

¡AVANZA! Objectives

- Recognize commands in context.
- Interpret commands for a public service announcement on television.
- Produce positive and negative commands.
- Pronunciation: The sound **ch**

Core Resource

- Audio Program: TXT CD 3 tracks 6, 7

Presentation Strategies

- Make sure all students understand the context of the storyboard: elicit the fact that it is the outcome of Irma's letter to the television station.
- Ask students to copy the strategy chart into their notebooks. Encourage them to scan the reading and list the commands in the correct columns. Check their answers.

Practice Sequence

- **Activity 10:** Contexto 2 comprehension
- **Activity 11:** Transitional practice: **tú** commands
- **Activity 12:** Open-ended practice: lesson vocabulary and **tú** commands

STANDARDS

1.2 Understand language, Act. 10
1.3 Present information, Act. 11, 12
4.1 Compare languages, Pronunciación

Warm Up UTB 2 Transparency 17

Mandatos Escribe el mandato de cada verbo en la forma **tú**.

1. Darío, ¡ _____ la verdad! (decir)
2. Irma, _____ la carta, por favor. (escribir)
3. Jaime, ¡no _____ las bolsas de plástico todavía! (traer)
4. Ernesto, ¡ _____ al comedor de beneficencia mañana! (venir)
5. Mi hijo, no _____ triste. (estar)
6. Carmen, ¡ _____ los letreros en la mesa, por favor! (poner)

Answers: 1. di; 2. escribe; 3. traigas;
4. ven; 5. estés; 6. pon

100

¡AVANZA! **Goal:** Notice how commands are used in the following proposal for a public service announcement to be aired on television. Then practice using commands to give suggestions to peers. *Actividades 10–12*

Contexto 2 *Bosquejo*

ESTRATEGIA Leer
Use a chart to compare commands
As you read, make a list of the commands you find, placing them into two columns. Notice the forms used for each.

Afirmativos	Negativos

AUDIO

Un canal local de Los Ángeles organizó un concurso para apoyar un proyecto de acción social en la comunidad. El gran premio es la oportunidad de filmar un anuncio de publicidad. Irma Rodríguez ganó el concurso e hizo un bosquejo *(story board)* del anuncio.

Nuestros parques no son basureros...

Tenemos que organizarnos para mantenerlos limpios. ¡Usa un poco de tu tiempo para ayudarnos! ¡Haz un esfuerzo y mejora tu comunidad!

Recuerda esta fecha: sábado 7 de abril. Ven al parque que está frente al canal. ¡No lo olvides! Prepárate para limpiar el parque y reciclar.

¡Lleva tus guantes de trabajo y colabora con la limpieza! Invita a tus amigos a recoger latas y envases de plástico.

¡Ven a ayudarnos! ¡Recoge y recicla para limpiar nuestros espacios públicos!

Recuerda: ¡Las latas son una lata... nuestros parques no son basureros!

100 Unidad 2 Estados Unidos
cien

Differentiating Instruction

Slower-Paced Learners

Read Before Listening Allow students to read the script of Irma's storyboard before listening to the recording. Ask them to identify all the **tú** commands they can find, then encourage them to listen for those commands in the audio.

Multiple Intelligences

Visual Learners Expand on Activity 11 by having students draw, on large posterboard, one picture representing each command they choose. No words should be written on their pictures. Their classmates will try to guess which commands are illustrated in each picture.

10 | Comprensión del bosquejo

Hablar
Escribir

Completa los siguientes mandatos al telespectador *(TV viewer)*, según la información del anuncio.

1. _____ tu tiempo.
2. _____ un esfuerzo.
3. _____ la fecha.
4. No _____ la fecha.
5. _____ los guantes.
6. _____ con la limpieza.
7. _____ a tus amigos.
8. _____ latas y envases de plástico.
9. No te _____ .
10. _____ : «Las latas son una lata.»

Expansión:
Teacher Edition Only
Pídales a los estudiantes que escriban cinco mandatos el día que limpian el parque.

11 | ¡Colabora!

Escribir

Con un(a) compañero(a) ayuda a Irma a diseñar un póster para promocionar su evento. Usa ideas de su anuncio como inspiración, ¡pero no las copies directamente! Debes incluir al menos cuatro mandatos. Explica por qué la gente tiene que participar en el evento.

Expansión
Prepara otro póster para Irma. Esta vez, usa algunas ideas propias.

12 | Una campaña

Hablar

Tú y tus compañeros(as) deben crear su propio anuncio promocionando un proyecto de acción social en su comunidad. Primero, hablen de los programas que consideran importantes. Luego preparen una campaña para presentar en la clase. Usen vocabulario y verbos apropiados en forma de mandato.

Expansión:
Teacher Edition Only
Pídales a parejas de estudiantes que escriban una campaña para mejorar la escuela. Deben usar verbos en forma de mandato.

Pronunciación   El sonido ch

AUDIO

La combinación **ch** se pronuncia exactamente como la **ch** de la palabra *choose* en inglés. Su posición en una palabra no afecta nunca la pronunciación de la **ch**.

chapotear	cheque
chaleco	ducharse

Trabalenguas

Pancha plancha con cuatro planchas.
¿Con cuántas planchas Pancha plancha?

PARA Y PIENSA

¿Comprendiste? Utiliza tres mandatos afirmativos y tres mandatos negativos para dar sugerencias a un(a) compañero(a) que quiere ayudar en la comunidad escolar.

Get Help Online
ClassZone.com

Communication
Pair Work

Once students have finished Activity 10, ask them to form questions based on the commands. For example *Usa* **un poco de tu tiempo.** *Pregunta:* **¿Qué debo** *usar?* Students should create one question per command. Encourage them to use the following model for their commands: **¿Qué debo** + infinitive.

Comparisons
English Language Connection

Explain to students that until very recently, **ch** had been treated as a separate letter of the alphabet. It appeared between the letters **c** and **d**. However, in 1994, it was agreed to adopt the universal Latin alphabetical order, in which the **ch** as well as the **ll** are no longer considered independent letters. Today, these two letters are alphabetized in the places which correspond to them within the letter **C** (between -cg- and -ci-) and within the letter **L** (between -lk- and -lm-), respectively.

✓ Ongoing Assessment

@HomeTutor
More Practice
ClassZone.com

PARA Y PIENSA   **Quick Check** Check students' answer to the Para y piensa by asking them to read their commands aloud.

For additional practice, use Reteaching & Practice Copymasters URB 2, pp. 4, 6.

Differentiating Instruction

Inclusion

Alphabetic/Phonetic Awareness Working in pairs, have students list four to six more words with "ch" as initial or internal sound. Have them practice saying the words aloud in groups or to themselves. Walk around the room to monitor pronunciation if students are saying the words to themselves.

Pre-AP

Timed Answer Have students write down as many sentences as they can to describe their "acción social" project, as in Activity 12. Set a time limit of three minutes. Then, ask them to write down as many **tú** command sentences as they can to promote the project, within a second three-minute time limit. Then share with partners.

Answers UTB 2 Transparency 25

Activity 10
1. Usa 2. Haz 3. Recuerda 4. olvides
5. Lleva 6. Colabora 7. Invita 8. Recoge
9. olvides 10. Recuerda

Activity 11 Answers will vary. Look for at least 4 correct and relevant commands

Activity 12 Answers will vary. Look for correct verb commands and understanding of context; expect more originality.

Para y piensa Answers will vary.
Sample answer.
¡Ayuda en la cafetería! ¡Limpia las ventanas!

101

Objective
· Review other command forms (**usted, ustedes,** and **nosotros**); use commands to persuade and influence others.

Core Resource
· *Cuaderno,* pp. 56–58

Presentation Strategy
· Ask students what they remember about using the **yo** form of the present tense to form some **tú** commands.

STANDARD
4.1 Compare languages

Warm Up UTB 2 Transparency 18

¿Informal o formal? Completa con la forma de **tú, usted** o **nosotros,** en el presente o el pretérito según el contexto.

1. Hola, Señora Rodríguez, ¿cómo _____ ? (estar)
2. Juan, ¿por qué no _____ ayer en el partido? (jugar)
3. Damas y caballeros, hoy _____ a ayudar la campaña. (ir)
4. Niños, ¿no _____ recoger más basura en el parque ahora? (querer)
5. Estimado señor director: ¿ _____ en la ciudad o en el campo? (vivir)
6. Elena, cuando me _____ ayer, estaba en la escuela. (llamar)

Answers: 1. está (usted); 2. jugaste; 3. van; 4. quieren; 5. vive (usted); 6. llamaste.

❋ Presentación de GRAMÁTICA

Goal: Review **usted, ustedes,** and **nosotros** command forms. Then practice by persuading or influencing others. *Actividades 13–16*

♻ *¿Recuerdas?* Beach activities pp. 58–59, **ir a** + infinitive p. R33

English Grammar Connection: In English, **commands** almost always stay the same, whether they are given to one or more people. When you include yourself in a group, you simply add the word *let's* in front of the verb.

	¡**Para!** *(tú)*		
Stop!	¡**Pare!** *(usted)*	**Let's stop** here!	¡**Paremos** aquí!
	¡**Paren!** *(ustedes)*		

♻ REPASO Other Command Forms

Animated Grammar ClassZone.com

To use affirmative and negative **commands** for **usted, ustedes,** and **nosotros,** start with the **yo** form of the present tense.

Here's how: For regular verbs, drop the -**o,** and add the command ending.

		Command Forms		
Infinitive	**Present Indicative**	**Usted**	**Ustedes**	**Nosotros**
ti**rar**	yo ti**ro**	¡(No) ti**re**!	¡(No) ti**ren**!	¡(No) ti**remos**!
ha**cer**	yo ha**go**	¡(No) ha**ga**!	¡(No) ha**gan**!	¡(No) ha**gamos**!
ele**gir**	yo eli**jo**	¡(No) eli**ja**!	¡(No) eli**jan**!	¡(No) eli**jamos**!

Profesora, ¡**elija** a un representante!   ¡No ti**remos** basura en el parque!
Professor, ***choose*** *a representative!*   ***Let's not litter*** *in the park!*

· To say *let's go,* use **vamos.**
· To say *let's not go,* use **no vay**amos.

Verbs ending in **-car, -gar,** and **-zar** require a spelling change (c→qu, g→gu, z→c) in **usted, ustedes,** and **nosotros** command forms.

organi**zar**   Representantes, ¡**organi**cen sus papeles antes de salir!
Representatives, ***organize*** *your papers before leaving!*

Más práctica
Cuaderno *pp. 56–58*
Cuaderno para hispanohablantes *pp. 57–60*

🔊 **Conjuguemos.com**   **@HomeTutor** Leveled Practice ClassZone.com

Differentiating Instruction

Inclusion

Clear Structure Take students step-by-step through the formation of commands by starting with the infinitive. Point out that command forms depend on both the infinitive ending and the present-tense **yo** form.

English Language Learners

Build Background Ask English learners if they use different forms of commands for people in their home country.

Práctica de GRAMÁTICA

13 | **En la playa** ♻ **¿Recuerdas?** Beach activities pp. 58–59

Hablar
Escribir

Un grupo de niños está en la playa para hacer actividades. Tú les das mandatos para decirles qué tienen que hacer.

modelo: ¡Levanten las manos!

1. recoger **2.** mantener **3.** refrescarse

4. jugar **5.** recostarse **6.** pararse

Expansión:
Teacher Edition Only
Pídales a los estudiantes que describan las escenas de la playa en detalle, reciclando vocabulario, pp. 58–59.

---

14 | **¡Vamos a comenzar!** ♻ **¿Recuerdas?** ir a + infinitive p. R33

Hablar

Tú y un(a) compañero(a) quieren colaborar en un proyecto para su comunidad. Usen los mandatos **nosotros** o la expresión **vamos a** para expresar sus sugerencias.

modelo: trabajar de voluntarios en el hospital /
trabajar de voluntarios en el hogar de ancianos

A ¡Trabajemos de voluntarios en el hospital!

B No, ¡vamos a trabajar de voluntarios en el hogar de ancianos!

1. escribir el lema / elegir más voluntarios
2. comprar bolsas de plástico / escribir el artículo para el periódico
3. dar la noticia en todo el barrio / hacer publicidad en la radio
4. llamar al coordinador / delegar la tarea
5. contar con los demás / buscar soluciones de antemano
6. trabajar de voluntario en dos proyectos / cumplir con un proyecto primero

Expansión
Prepara un cartel invitando al público a participar en un proyecto. Usa cinco ejemplos de mandatos en la forma de **nosotros** y **vamos a.**

Differentiating Instruction

Heritage Language Learners

Regional Variations Remind students that the **vosotros** form is only used in Spain to denote the *informal plural* (the plural of **tú**), and that **ustedes** is used for the second-person plural for everyone in all other Spanish-speaking countries. Add, however, that students will see the **vosotros** form in texts generated from Spain.

Multiple Intelligences

Kinesthetic Practice using the correct **usted** commands by having a volunteer call out commands to a small group of students and then to a single student. Finally, have the student call out a command to the teacher.

Objectives
· Practice using commands
· Recycle: beach activities, **ir a** + infinitive

Practice Sequence
· **Activity 13**: Controlled practice: **ustedes** commands from given infinitives; Recycle: beach activities
· **Activity 14**: Transitional practice: **nosotros** commands; Recycle: **ir a** + infinitive

 ## STANDARDS
1.1 Engage in conversation, Act. 14
1.3 Present information, Act. 13

✓ **Ongoing Assessment**

Dictation Ask students to listen, then copy down these sentences. Ask for volunteers to write their sentences on the board to check for spelling. Have the class read the sentences aloud as a group.
· **Pancho come chocolate.**
· **Hay muchas chicas en Chicago.**
· **Me gustan los churros con chocolate.**

Long-term Retention
Recycle

Students may relapse into conjugating both verbs in the construction **ir a** + infinitive. Remind them that, in Spanish at least, "When two verbs go walking/The first one does the talking!"

 Answers UTB 2 Transparency 25

Activity 13 Answers will vary slightly.
1. Recojan caracoles.
2. Mantengan el equilibrio.
3. Refrésquense en el agua.
4. Jueguen al voleibol playero.
5. Recuéstense en la arena.
6. Párense en la orilla.

Activity 14 Answers will vary.
1. escribamos/vamos a elegir
2. compremos/vamos a escribir
3. demos/vamos a hacer
4. llamemos/vamos a delegar
5. contemos/vamos a buscar
6. trabajemos/vamos a cumplir

¡AVANZA! Objectives

- Practice using formal **usted** commands.
- **Culture:** Learn about artists in their communities: Pablo O'Higgins

Core Resource

- *Cuaderno,* pp. 56–58

Practice Sequence

- **Activity 15:** Open-ended practice: **usted** commands.
- **Activity 16:** Open-ended practice: formal commands.

STANDARDS

1.3 Present information, Act. 15, 16
2.2 Products and perspectives, Act. 16

Comparación cultural

Essential Question

Suggested Answer Los artistas representan la realidad y las necesidades de su comunidad.

About the Artist

Pablo O'Higgins gained knowledge of modern Mexican art when he was appointed the primary assistant to Diego Rivera, a well-known Mexican artist noted for his murals. O'Higgins founded the **Taller de Gráfica Popular** or TGP, which combined political activism with art-making.

✓ Ongoing Assessment

@HomeTutor
More Practice
ClassZone.com

Peer Assessment Pair strong students with not-so-strong students to generate answers for the Para y piensa. For additional practice use Reteaching & Practice Copymasters, URB 2 pp. 7, 8, 12.

104

---

15 | **¡Organicémonos!**

Escribir | Organizas una campaña para ayudar a la gente sin hogar. Tienes que decirle al (a la) director(a) de la escuela lo que tiene que hacer. Escribe un correo electrónico con las instrucciones. Usa mandatos en la forma de **usted.**

```
Sr./Sra. Director(a),
Tenemos mucho que hacer para organizar nuestra campaña.
1) Por favor, prepare el anuncio para la prensa.
2) ...
```

Expansión:
Teacher Edition Only
Escribe la misma carta, esta vez a un(a) amigo(a). Usa mandatos informales.

16 | **Los artistas y la comunidad**

Leer
Escribir | **Comparación cultural**

Pablo O'Higgins

¿Qué papel juegan los artistas dentro de la comunidad? Antes del comienzo del siglo XX la mayoría de los artistas pintaban solamente la vida de los ricos. Pero, entre los años 1910 y 1950 esto se hizo más democrático, cuando muchos artistas se dedicaron a la representación de la vida y las ocupaciones de la gente común. Entre ellos está Pablo O'Higgins. O'Higgins nació en Salt Lake City, **Estados Unidos,** en 1904 y su nombre original era Paul Higgins. Fue a **México** a estudiar con los muralistas mexicanos y trabajó con Diego Rivera por cuatro años. El movimiento del muralismo mexicano pintó a la clase obrera *(working class).*

The Market
(c. 1940), Pablo O'Higgins

Compara con tu mundo *¿Hay artistas en tu comunidad? ¿Qué temas usan? ¿Crees que los artistas tienen la obligación de tratar de mejorar la vida en su comunidad? ¿Por qué?*

Piensa en un tema para pintar un mural. Puede ser un tema sobre tu comunidad. Luego, escribe un párrafo corto para dar instrucciones a los artistas. Usa por lo menos cinco mandatos formales en tu párrafo.

Más práctica | Cuaderno *pp. 56–58* Cuaderno para hispanohablantes *pp. 57–60*

 PARA Y PIENSA

¿Comprendiste? Tus compañeros(as) voluntarios(as) necesitan tu ayuda para organizar sus tareas en el comedor de beneficencia. Diles qué tienen que hacer. Usa la forma apropiada del mandato.

Get Help Online
ClassZone.com

1. Jorge y Luis: poner los platos en las mesas
2. Sr. Ramos: encender la estufa
3. Martín y Rosa: preparar la comida

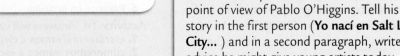

Differentiating Instruction

Pre-AP

Expand and Elaborate Ask students to rewrite the Comparación cultural from the point of view of Pablo O'Higgins. Tell his story in the first person (**Yo nací en Salt Lake City...**) and in a second paragraph, write advice he might give young artists today, using command forms (e.g., **No pinten solamente la vida de los ricos**).

Slower-Paced Learners

Yes/No Questions Ask simple yes/no questions to see if students truly grasped the content of the O'Higgins passage. **¿Fue Pablo O'Higgins a México para estudiar música? No. ¿Fue a trabajar con los pintores mexicanos? Sí.**

✿ Todo junto

¡AVANZA! **Goal: _Show what you know_** Notice how Irma uses command forms to give instructions in the following dialogue. Then practice by explaining how to do something. **_Actividades 17–19_**

Resumen _contextos 1 y 2_ Irma ganó un concurso con una propuesta publicitaria para televisión. El objetivo de su anuncio es invitar a voluntarios a limpiar un parque de Los Ángeles.

Contexto 3 _Diálogo_

ESTRATEGIA Escuchar
Use what you know to sharpen the focus
Before listening, examine the photo and consider what you already know about environmental clean-up and recycling. While listening several times, use these clues, plus the speakers' voice intonation, to bring the meaning into focus.

AUDIO

Muchos voluntarios vinieron para ayudar con la limpieza de un parque de Los Ángeles. Irma tiene que decirles qué deben hacer. Irma habla con el grupo y también con su amigo Darío, que está ayudando con la organización del evento.

Irma: Tenemos mucho que hacer, pero no se preocupen, podemos completar todo si nos organizamos bien.

Darío: Mira, Irma, los Sres. Ramírez trajeron estas bolsas de plástico.

Irma: ¡Qué bien! Sr. y Sra. Ramírez, si no les molesta, repartan las bolsas entre los voluntarios.

Sra. Ramírez: Claro, Irma. No dudes en decirnos si hay otra cosa que podemos hacer.

Irma: Gracias, Sra. Ramírez. Si no tenemos suficientes bolsas, vaya a comprar más a la tienda, por favor. Sr. Ramírez, tome el dinero de la campaña, está allí. A ver... Darío, ¿podrías formar un grupo de personas para recoger artículos de vidrio y papel, cerca del lago? Pónganlos aquí en estas bolsas. ¡No olviden usar los guantes de trabajo!

Darío: No hay problema. ¡Vamos!

Lección 1
ciento cinco **105**

Differentiating Instruction

Pre-AP

Draw Conclusions Ask students to "look deeper" into the characters' motivations. Invent mini-bios for them (Model: **Darío es un compañero de clase de Irma. Son amigos desde el quinto grado.**), speculating about reasons for each one's participation in the clean-up project, their need to lead or follow, their attention to popular culture.

Inclusion

Read Before Listening Make sure students have the opportunity to preview the dialog before listening. Have them make lists of speakers' names and commands in advance, to aid comprehension and retention.

¡AVANZA! **Objective**
· Integrate lesson content.

Core Resource
· Audio Program: TXT CD 3 track 8

Presentation Strategies
· Call students' attention to the listening strategy and list what they already know on the board for reference.
· Have individual students read aloud the parts of Irma and Esteban on p. 106, after they've heard the audio once. Ask students, **¿Por qué está tan entusiasmada Irma?**
· Read as a class, pausing periodically for comprehension checks.

 STANDARD
1.2 Understand language

 Warm Up UTB 2 Transparency 18

Artistas ¿Qué terminos están relacionados con los artistas de la comunidad?
1. muralistas
2. comedor de beneficencia
3. pintar
4. comprometido/a
5. las latas son una lata
Answers: 1; 3; 4

 Answers UTB 2 Transparency 26

Answers for Activities on p. 104.
Activity 15 Answers will vary. Sample answers:
   2. También haga un presupuesto para el proyecto.
   3. Y finalmente, por favor elija un lema para la campaña.

Activity 16 Answers will vary. Sample answer: Por favor, pinten situaciones de la vida diaria. Usen colores alegres.

Para y piensa If students get more than one wrong, send them to review the lesson online.
   1. Pongan los platos en la mesa.
   2. Encienda la estufa.
   3. Preparen la comida.

105

TODO JUNTO

Objective
· Practice using and integrating lesson grammar and vocabulary in context

Core Resources
· *Cuaderno*, pp. 59–60
· Audio Program: TXT CD 3 tracks 8, 9, 10

Practice Sequence
· **Activity 17:** Contexto 3 comprehension
· **Activity 18:** Open-ended practice: reading, listening, and speaking
· **Activity 19:** Open-ended practice: writing

STANDARDS
1.2 Understand language, Act. 17
1.3 Present information, Act. 18, 19

Communities
Using Spanish as a Volunteer

Instruct students to work in groups of three to write a proposal for cleaning the grounds of your school's campus. Ask them to include in their proposal who will do what tasks and encourage them to use as much lesson vocabulary as possible. Then have them present their proposals to the class.

Irma: Esteban, ¿nos puedes ayudar a reciclar los envases de plástico y las latas? Escoge a cinco voluntarios para recoger esos materiales y luego pónganlos aquí. Pero, no los mezclen con el vidrio.

Esteban: ¡Enseguida, Irma! A ver... ustedes, por favor, ¿por qué no vienen conmigo? Vamos a empezar aquí, junto a estos árboles.

Darío: ¡Irma, Irma, no te imaginas qué pasó!

Irma: ¿Qué pasó? ¡Dime!

Darío: ¡Adivina quiénes acaban de llegar!

Irma: ¿Quién? ¿Quiénes? ¡Cuéntame! ¡Me muero de curiosidad!

Darío: Oye, ya sabes que están filmando una película muy cerca de aquí...

Irma: Sí, sí..., ¡no me hagas esperar ni un segundo más! Dime qué pasa.

Darío: Bueno, las estrellas de la película vinieron para ayudar con el proyecto de limpieza... ¡Salma Hayek, Antonio Banderas, Benicio del Toro, Gael García Bernal y Penélope Cruz!

Irma: ¡No me digas! Darío, llama al canal de televisión. ¡Y a los periódicos! ¡Y a la radio! ¡Tenemos una oportunidad increíble para hacer la publicidad de nuestra campaña!

Darío: ¡De acuerdo! Préstame tu celular. ¡Ya llamo a todos!

17 | Comprensión del diálogo

Escuchar
Hablar
Escribir

Según el diálogo, di qué actividad(es) asocias con quién(es).

| Irma | Los señores Ramírez | Darío | Esteban |

1. dijo a todos lo que tenían que hacer
2. formó un grupo para reciclar cosas
3. pidió el teléfono celular
4. recogió artículos de papel y vidrio
5. repartió las bolsas de plástico
6. trabajó cerca del lago
7. trajeron bolsas de plástico
8. vio a unas estrellas de cine

Expansión:
Teacher Edition On
Pídales a los estudiantes que transformen cada actividad en el pretérito a un mandato.

Differentiating Instruction

Heritage Language Learners

Increase Accuracy Have students work in groups of three to create their own short dialogue, describing their plans for a recycling campaign. Encourage them to use the Diálogo as a model. Ask for volunteers to act out their scene for the class.

Multiple Intelligences

Musical/Rhythmic Have students create a song or rap using the **folleto** from Activity 18. Ask students to emphasize the command words with clear pronunciation, sharp rhythm, and/or body movements. (Example: CO-la-Bo-ra en el CO-me-DOR...)

 Answers UTB 2 Transparency 26

Activity 17
1. Irma
2. Esteban
3. Darío
4. Darío
5. Los señores Ramírez
6. Darío
7. Los señores Ramírez
8. Darío

18 Integración

Leer Escuchar Hablar

Lee el folleto solicitando voluntarios para la comunidad. Luego escucha el discurso de Jaime en el parque. Después di cuáles son las oportunidades para voluntarios que hay en la comunidad. Usa palabras para persuadir a la gente a trabajar como voluntario(a).

Fuente 1 Folleto

¡Tu comunidad te necesita!

Tu colaboración puede cambiar la vida de muchas personas. Organiza actividades en el hogar de ancianos. Colabora en el comedor de beneficencia. Ayuda en el hospital. No olvides que tú puedes hacer una gran diferencia en la vida de los demás. Llama a Acción Social, el centro de voluntarios de la comunidad.

1-800-CCENTRO
www.accionsocial.org
¡La comunidad cuenta contigo!

Fuente 2 Discurso

Escucha y apunta

- ¿Qué pide Jaime Lagos en su discurso?
- ¿Qué oportunidades para voluntarios hay en esa comunidad?

modelo: Jaime Lagos busca gente para trabajar en la comunidad. Se puede trabajar en hogares de ancianos y juntar fondos.

Audio Program
TXT CD 3 tracks 9, 10. Audio Script, TE p. 89B

Expansión: Teacher Edition Only
Pídales a los estudiantes que escriban una carta a Jaime para entrar en su grupo de voluntarios. Deben escribir sobre qué quieren hacer para ayudar y de qué tiempo disponen para ello.

19 ¡Un evento memorable!

Escribir

Escribe un artículo sobre una campaña para limpiar un parque. Utiliza expresiones para dar órdenes y las siguientes pistas *(hints)* para escribirlo.

Pistas: lugar, día, describir el lugar antes y después de limpiarlo, da nombres de los que participaron, las tareas de cada cual y los materiales que utilizaron.

Writing Criteria	Excellent	Good	Needs Work
Content	You include all of the important information and quote several commands.	You include some of the important information and quote some commands.	You include little information and quote few commands.
Communication	Your article is organized and easy to follow.	Parts of your article are organized and easy to follow.	Your article is disorganized and hard to follow.
Accuracy	You make few mistakes in grammar and vocabulary.	You make some mistakes in grammar and vocabulary.	You make many mistakes in grammar and vocabulary.

Expansión: Teacher Edition Only
Pídales a los estudiantes que escriban una versión cómica del artículo, sobre un suceso donde todo salió mal.

Más práctica Cuaderno *pp. 59–60* Cuaderno para hispanohablantes *pp. 61–62*

PARA Y PIENSA

¿Comprendiste? Da instrucciones a un(a) compañero(a) para explicar cómo hacer algo, por ejemplo: llegar a tu casa, estudiar para un examen, preparar una comida o jugar a algún deporte. Usa la forma **tú** de los mandatos e incluye dos mandatos negativos.

Get Help Online
ClassZone.com

Long-term Retention

Pre-AP Integration

Activity 18 Help students take notes for this activity. They should create a chart with two columns: one column should have **Acción Social** as a head, and the other **Jaime Lagos.** Have them note the volunteer opportunities mentioned by each source, then compare the two columns.

✓ Ongoing Assessment

Rubric Activity 18

Listening / Speaking

Proficient	Not There Yet
Student takes detailed notes and lists most or all of the volunteer opportunities mentioned.	Student takes few notes and lists only some of the volunteer opportunities mentioned.

✓ Ongoing Assessment

@HomeTutor More Practice ClassZone.com

PARA Y PIENSA **Quick Check** Review command forms by inviting those students who did not get a chance to present their "infomercials" to the class to do so. This can also work as an expansion of the Para y piensa, with more students working in small groups. For additional practice, use Reteaching & Practice Copymasters URB 2, pp. 7, 9.

Differentiating Instruction

English Learners

Build Background Ask students about how people help each other in their home countries or communities. **¿Qué hacen? ¿Cuándo?** Have whole class brainstorm types of organized volunteering in the U.S. to build background: church groups; school committees; City Year; etc.

Inclusion

Clear Structure Encourage students to tackle the writing project step by step: List useful verbs and nouns to start, and then make sentences in sequential order.

Answers UTB 2 Transparency 26

Activity 18 Answers vary. See model.

Activity 19 Answers will vary. See rubric for scoring.

Para y piensa Answers vary. Look for correct forms of **tú** commands; both negative and positive forms; level of fluency giving instructions.

¡AVANZA! Objectives

- Read a short story about the Cuban-American community of Miami, Florida
- Listen to regional accents.

Core Resource

- Audio Program: TXT CD 3 track 11

Presentation Strategies

- Have students use the Para leer strategy to help with comprehension.
- Ask students to open their books to p. 109. List the **Vocabulario para leer** on the board. Have students scan the reading for the terms. Ask if they can provide definitions for the terms by using context clues from the reading.
- Read story with students, pausing to assess comprehension periodically.

 ### STANDARDS

1.2 Understand language
2.1 Practices and perspectives
2.2 Products and perspectives
5.1 Spanish in the community

 ### Warm Up UTB 2 Transparency 18

Mandatos Completa el siguiente anuncio de una campaña de un representante de tu ciudad. Utiliza expresiones de mandato positivas y negativas.

Nuestra ciudad debe estar limpia. ¡_____ (recoger) las latas! ¡_____ (no ensuciar) los parques! Tenemos que trabajar juntos. ¡_____ (reciclar) la basura!
Por eso les decimos a todos:
¡_____(no elegir) un mal representante!
¡_____(votar) por el mejor!

Culture

About the Author

Roberto G. Fernández was part of the Cuban migration of the early 1960s. **En la Ocho y la Doce** is a collection of fictional stories that frequently use Spanish-English code-switching in dialog. Code-switching is defined as the switching from one's native language into one's adopted language within a conversation. Fernández is noted for incorporating this style of speech into his writing.

108

Lectura literaria

¡AVANZA! **Goal:** Read the following story and notice how two different cultures have become intertwined in the characters' lives.

Para leer

ESTRATEGIA Leer
Play the Circle Game to enhance understanding Copy the diagram below, taking notes about the main theme and the interrelated story parts: (a) people; (b) setting; (c) events, actions, or changes; and (d) reasons for events, actions, or changes.

Vocabulario para leer

el tilo	*té que se prepara con las hojas aromáticas de un árbol*
la nevera	*aparato electrodoméstico que sirve para refrigerar alimentos*
el pavo	*animal que se come tradicionalmente el Día de Acción de Gracias*
el chisme	*noticia que se dice de boca en boca; puede ser verdadera o falsa*
la ciudadanía	*derechos que adquieren las personas al ser ciudadanos de un país*

Nota cultural

Sobre el autor **Roberto G. Fernández (1955–)**
Nació en Cuba y a la edad de ocho años se trasladó *(he moved)* a Miami. Entre sus libros figuran *Holy Radishes* y *En la Ocho y la Doce,* donde presenta los conflictos culturales de los cubanoamericanos.

Sobre la migración Entre los años 1959 y 1963, muchos cubanos emigraron a Estados Unidos. Hoy hay más de un millón de cubanoamericanos en Estados Unidos. Miami todavía tiene la mayor población, pero también hay grupos grandes en las ciudades de Nueva York, Los Ángeles y Chicago.

Differentiating Instruction

Multiple Intelligences

Interpersonal Emphasize that this piece was written for the Spanish-speaking audience. Ask students to think about whether some people might find the depiction of Cuban-American "desperate housewives" offensive. Discuss as a whole class: Can stereotypes be humorous? Why or why not?

Inclusion

Multisensory Input/Output Copy the diagram on p. 108 onto the board. Ask a volunteer to read the story aloud. Stop and ask comprehension questions periodically (using the terms in the diagram as a guide). As a class, fill in the diagram before moving onto the ¿Comprendiste? questions.

En la Ocho y la Doce
AUDIO

—¡Oye, ábreme, es Barbarita!

—¿Qué está pasando?

—Perdone, Ramiro, ¿Tita se encuentra?

—Pase, pase, que sale en seguida. Está en el baño. No tenga
5   pena. Siéntese que se ve agitada.

—Pero mujer, ¿qué te ocurre que oía la gritería[1] desde el
traspatio[2]?

—Ay, Tita, he pasado el susto más grande de toda mi vida, ni
siquiera cuando a Many le explotó la cocinita de kerosén en los
10   cayos[3] pasé más susto.

—Te voy a hacer una taza de tilo para que te calmes un poco.
Estás muy pálida.

—No te molestes.

—Tú estate tranquila aquí sentada que yo vengo en menos de
15   tres minutos. ¡El micronda nuevo que me compré es una maravilla!
Ponte a hojear una revista mientras regreso que eso calma mucho
los nervios. ❈

....

—Ay, Tita, estaba yo repasando el comienzo de la constitución,
¿te dije que me voy a hacer *American citizen*?, y en ese momento
20   cuando estaba diciendo en voz alta *We the people...*

---

[1] shouting   [2] backyard   [3] The Florida Keys

❈ **A pensar**
¿Cuál crees que es el escenario de esta historia? ¿Una tienda? ¿Una casa? ¿Una oficina? ¿Qué pistas del contexto usaste para determinar el lugar?

Culture

Expanded information

Although Miami is relatively new compared to other U.S. cities, you can walk from downtown with all of its high-rise buildings right into old-time Cuba. **En la Ocho y la Doce** takes its title from the crossroads of the enclave known as "Little Havana," Eighth Street (or **Calle Ocho**) between 12th and 27th Avenues. Stores, parks, and windows on the street from which you can order extra-strong, pre-sugared cafecitos in tiny paper cups for pocket change all reflect the homeland of the inhabitants (lately many residents hail from Nicaragua and Honduras as well).

· The Little Havana **Paseo de las Estrellas** (Walk of the Stars) is reminiscent of Hollywood's Walk of Fame, except that the stars are all Latin American actors, writers, artists, and musicians.

· **Viernes culturales** are held on the last Friday of each month. **Viernes culturales** resemble block parties with music, dance, poetry, visual arts, and theater.

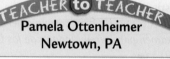

TEACHER to TEACHER
Pamela Ottenheimer
Newtown, PA

Tips for Presenting Reading Activities

*"After completing **lecturas,** I divide my class into three teacher-selected groups (X, Y, and Z), differentiating tasks by level of rigor, time required, or recent student performance. I assign each group about one-third of the day's activities to complete in the same amount of time. During the second half of class, I restructure the groups of three—each composed of an X, Y, and Z student. The groups work together to help each other complete all activities. The first group to complete all activities, serves as the next day's "exercise review professors" and receives an award."*

Answers

A pensar El escenario de esta historia es la casa de Tita, amiga de Barbarita; las pistas del contexto incluyen
· el tono es muy informal
· la esposa de Ramiro está en el baño;
· Ramiro menciona que va a prepararle a Barbarita una taza de té especial en su «micronda».

Differentiating Instruction

Multiple Intelligences

Naturalist Call students' attention to the **taza de tilo** that Tita offers Barbarita. Ask students if they can describe the contents of this beverage? (*It's Linden or lime tree infusion/an herbal tea.*) Ask students if they know of any other types of herbal teas. List some on the board and make students find the translation in a dictionary.

Slower-paced Learners

Read Before Listening Have students take turns reading in small groups. Each group should choose a leader who will pose the question **¿Qué pasó?** at every section break. Have a group reporter write down the answers to these questions. As you circulate around the room, observe these summaries in order to correct misconceptions.

¡AVANZA! **Objective**

· Read, listen, and analyze.

Core Resource

· Audio Program TXT CD 3 track 11

STANDARDS

1.2 Understand language

4.1 Compare languages

Long-term Retention

Critical Thinking

Analyze As you pause periodically in the story, ask both yes/no and more complex questions to ensure comprehension. Sample questions include:

1. **¿En su opinión, cuál es la relación entre Barbarita y Tita?** (*Son amigas y probablemente vecinas. Barbarita parece dominante.*)

2. **¿Por qué estaba leyendo Barbarita la constitución estadounidense?** (*Ella necesita conocerla bien porque quiere tomar el examen para ser ciudadana de los EEUU, l. 19*)

3. **¿Qué cree Barbarita primero de lo que ve sobre la nevera?** (*Ve un bulto, y cree que es un melón. l. 29*)

4. **¿Qué ve cuando está más cerca?** (*Dice que ve un hombre transparente que se llama «San Guiven».*)

5. **¿Qué es lo que tiene bajo el brazo?** (*Tiene un pavo, el «bulto» que vio antes.*)

Answers

¡A pensar! "We the people," the first words of the U.S. Constitution; "constitution."

110

✦ Lectura literaria *continuación*

—Güi di pipol, ¿qué es eso?

—¡Por eso te vuelvo a decir que tienes que volverte normal igual que yo! Tita, así empieza la constitución, en inglés se dice constituchon. Oye, Tita, es que no me dejas
25 acabarte el cuento[4] y me va a dar más estrés. ✦

—Sigue, sigue, que no te interrumpo más.

—Y estaba repasando el preámbulo a la constituchon y...

... Y de pronto veo algo sobre la nevera y como soy miope[5] pues na' ma' veía un bulto[6] y me figuré que era un melón que
30 Many había comprado del frutero que pasa por aquí a las tres, el marido de la lavandera, y seguí practicando el *We the People,* pero me entró sed y cuando voy a abrir la puerta de la nevera para sacar el litro de Diet Coke pasé el susto de la vida. Había un hombre transparente sentado arriba de la nevera con un pavo bajo el brazo.
35 Me asusté mucho, me sentí como cucaracha en fiesta de gallinas[7], y con el susto le dije en inglés, «¿Gua du yu guan?» El hombre me respondió: «Soy San Guiven».

Entonces yo le dije: «¿San Guiven, el de la novela?»[...] Y él me respondió: «Tranquilícese que eso es sólo en la novela. Yo soy San
40 Guiven de verdad. Vengo pa' que me empieces una colecta[8] y me

---

[4] **acabarte...** to finish the story for you

[5] nearsighted   [6] **na'...** I only saw a thing

[7] **como...** *fig.* afraid (*lit.* feeling like a roach in a party of chickens)

[8] fundraiser, collection

✦ A pensar
Tita dice algunas frases en inglés con un acento muy fuerte. ¿Qué frase en inglés suena como «Güi di pipol»? ¿Y «constituchon»?

Differentiating Instruction

Multiple Intelligences

Linguistic/Verbal Write the following on the board: **como cucaracha en fiesta de gallinas.** After ensuring that all students understand both the literal (like a cockroach at the chickens' ball) and the figurative meanings of expression (afraid and out-of-place), elicit other expressions that express a feeling in a similar way ("stuck out like a sore thumb").

Heritage Language Learners

Regional Variations Ask students if they use any words differently from those in the story. For example, **la nevera** is *refrigerator* in Colombia, but in Guatemala, it's commonly referred to as **la refrigeradora.**

hagas un santuario⁹». Entonces sí que me turbé¹⁰, tú sabes bien Tita que no es todos los días que a uno se le aparece un santo. Y ya algo más tranquila le dije: «¿Tú sabes cómo termina la novela?» Él me dijo con la cabeza que sí, y siguió hablándome: ❀

 **Reflexiona**

¿Por qué Barbarita se asustó tanto?

45   «Ve al pantry y saca una lata de arándanos». «¿Arándanos?» le pregunté yo y él tan atento me contestó: «Así se les dice a los *cranberries* en *Spanish*». Imagínate la pena que pasé con el santo, yo casi una maestra y no sabía decir *cranberries* en español. Y continuó: «Sácale los arándanos y limpia bien la lata. Ésta será la primera

50   lata para la colecta. Quiero que esta lata esté en el punto más alto del santuario una vez se construya». Y en seguida dijo «Mi fiesta debe ser celebrada siempre el último jueves de noviembre, *the last Thursday in November*».

       —¿Di las serdei in nobemver?

55   —¡Ay Tita! ¿Cuándo vas a aprender inglés? Eso es el último jueves de noviembre. Él lo repitió en inglés pa' asegurarse que su fiesta fuera bilingüe.[...] Entonces como mismito¹¹ vino se desapareció, tú sabes, Tita, se esfumó¹², pero dejó el pavo que tenía bajo el brazo.

60   Esto te lo digo a ti porque sé que no vas a ir a nadie con el chisme y pa' que me ayudes a hacer más latas pa' la colecta. Yo sé que el santo dijo una lata, pero con una lata no se puede. Toma más tiempo y con lo de la ciudadanía y el trabajo de tícher assistan no tengo el tiempo ni pa' arrascarme el ombligo. ❀

---

⁹ sanctuary   ¹⁰ **me...** I got nervous   ¹¹ **como...** just like
¹² he vanished

PARA Y PIENSA

¿Comprendiste?

1. ¿Por qué fue Barbarita a ver a Tita?
2. ¿Qué le dio Tita a Barbarita para calmarla?
3. ¿Qué estaba haciendo Barbarita cuando San Guiven apareció?
4. ¿Qué traía San Guiven y qué le mandó hacer a Barbarita?
5. ¿Aceptó Barbarita la misión? ¿Qué piensa hacer?

¿Y tú?

¿Conoces a alguien que hable como los personajes de este relato? ¿Puedes dar ejemplos de algunas frases o palabras?

 A pensar

«San Guiven» es la pronunciación incorrecta de *Thanksgiving*. «La novela» *(soap opera)* se refiere a un programa de televisión que menciona esta celebración y que las dos mujeres ven todos los días. ¿Cuál crees que es la confusión de Barbarita y Tita?

A pensar

Busca todos los mandatos que aparecen en esta página.

Communication
Regionalisms

Point out to the class the words used in the story for *turkey* and *refrigerator*: **el pavo** and **la nevera**. Ask students if they know of other words for these things. (Examples include: **guajalote** – Mexico; **el frigorífico, la refrigeradora**.)

Comparisons
English Grammar Connection

Ask students to come up with a letter-by-letter key to the words that Tita tries to say in English. For example, **serdei**: *s* = *th*; **er** = *ur*; **ei** = *ay*.

Answers

Reflexiona

Se asustó porque vio a un hombre sentado en la nevera.

¡A pensar!

Line 44 Piensan que la aparición es un santo que se escapó de la novela.

Line 64 Ve, saca, imagínate, sácale, limpia

Para y piensa ¿Comprendiste?
1. Fue para contarle lo que pasó y para pedir ayuda con la colecta.
2. Le dio una taza de tilo.
3. Barbarita estaba leyendo la constitución para su examen de ciudadanía.
4. «San Guiven» traía un pavo y mandó que Barbarita le hiciera un santuario. [Barbarita tenía que construirle un santuario.]
5. Sí, Barbarita aceptó la misión. Piensa hacer más latas con la ayuda de Tita, para coleccionar bastante.

¿Y tú? Answers will vary.

Differentiating Instruction

English Learners

Provide Comprehensible Input Ensure that everyone understands the allusions to the U.S. holiday of Thanksgiving, when cranberry sauce is traditionally served with a turkey dinner.

Pre-AP

Draw Conclusions Ask students to point out the humor in the story that does NOT have to do with mispronunciations. What might the tale really be about? Hint: There is a clue in the final paragraph! (i.e., Barbarita may be cleverly using superstition to get her friend to help collect money.)

Objectives
· Learn about the Latino leader César Chávez.
· Make connections with history.

Presentation Strategies
· Read the article with students, pausing after each paragraph to assess comprehension.
· Share expanded information with students; allow for Q & A in Spanish.
· Have students read in small groups, with a heritage or pre-AP learner assigned to each who will report each paragraph's main idea.

STANDARDS

2.1 Practices and perspectives
2.2 Products and perspectives
3.1 Knowledge of other disciplines
4.2 Compare cultures
5.1 Spanish in the community

Communities
Spanish in Public Service

If there are Spanish-speaking communities in your area, have students find a Spanish-language phone directory or directory of services from municipal sources. Students then can identify and select places to which they would want to donate their time. In areas without large Latino communities, ask if any student's parents or family friends have used world languages in volunteer work at home or abroad.

Culture

Expanded Information
Chávez was joined by activist Dolores Huerta in the creation of the farmworkers' union. Due to their continuing efforts, laws were passed to protect the rights of farmworkers, including better education for children. In 1994, Helen Chávez accepted the Medal of Freedom, the highest civilian honor in the U.S., on behalf of her late husband.

112

Conexiones *La historia*

Un líder latino

Uno de los líderes latinos más influyentes del siglo XX es César Chávez. Nació en 1927 cerca de Yuma, Arizona. Hijo de padres mexicanos, desde niño experimentó la dificultad de seguir una vida migratoria, pasando de una ciudad a otra en busca de trabajo.

Desde muy joven trabajó en las cosechas de uvas *(grapes)*, damascos *(apricots)* y aceitunas *(olives)*. Chávez decía que la cosecha más difícil era la de aceitunas: «Son tan pequeñas que nunca llenas los cubos *(buckets)*».

Chávez simpatizaba con los trabajadores migratorios y decidió ayudarlos. En 1962 creó la National Farm Workers Association, que luego se transformó en la United Farm Workers Union. Usó tácticas no violentas como manifestaciones, huelgas *(strikes)* y ayunos *(fasts)* para conseguir leyes a favor de los trabajadores del campo.

Después de una vida de sacrificios y esfuerzos en nombre de los trabajadores migratorios, Chávez murió en su casa, cerca de Yuma. Ahora, para conmemorar sus esfuerzos, se celebra el *César Chávez Day of Service and Learning* en siete estados (Arizona, California, Colorado, Missouri, Nuevo México, Texas, Utah) y muchas ciudades de Estados Unidos.

Proyecto En la biblioteca o en Internet, investiga las celebraciones del *César Chávez Day of Service and Learning.* ¿Qué actividades se organizan? ¿Hay diferencias entre las celebraciones de un estado y otro?

Investiga sobre otro(a) líder latino(a) en Estados Unidos. ¿Qué causa social apoya? ¿Qué quiere hacer para mejorar su comunidad?

En tu comunidad

¿Se celebra el *César Chávez Day of Service and Learning* en tu estado o ciudad? ¿Hay comunidades de latinos en tu estado o ciudad? ¿Hay líderes latinos importantes en tu comunidad? ¿Hay otras celebraciones que se asocian con líderes de tu comunidad?

Differentiating Instruction

Slower-paced Learners

Yes/No Questions Ask yes/no questions to assess comprehension of the Chávez reading. (model: **¿Fue César Chávez un líder del siglo XIX? No, del siglo XX.**)

Inclusion

Synthetic/Analytic Support Have students look at paragraph three and write in their notebooks any words they don't know the meanings of. Then ask them to look up their definitions. Now ask students to paraphrase that paragraph in their own words in Spanish.

Lección 1

En resumen
Vocabulario y gramática

Animated Grammar
Interactive Flashcards
ClassZone.com

Vocabulario

Describe Volunteer Activities			
los ancianos	the elderly	el hogar de ancianos	nursing home
la bolsa de plástico	plastic bag	el hospital	hospital
el comedor de beneficencia	soup kitchen	la lata	metal can
el envase	container	la pobreza	poverty
la gente sin hogar	the homeless	el proyecto de acción social	social action project
los guantes de trabajo	work gloves	el (la) voluntario(a)	volunteer

Organize People to do a Project			
apoyar	to support	juntar fondos	to fundraise
el cheque	check	organizar	to organize
colaborar	to collaborate	la planificación	planning
contar con los demás	to count on others	prestar	to lend
		el presupuesto	budget
la cooperación	cooperation	la prioridad	priority
cumplir	to fulfill, to carry out	recaudar fondos	to raise funds
de antemano	beforehand	reciclar	to recycle
delegar	to delegate	solicitar	to ask for, to request
elegir (i)	to choose	tirar basura	to litter
gastar	to spend	trabajar de voluntario	to volunteer

Persuade or Influence Others	
la agencia de publicidad	ad agency
el anuncio	announcement, ad
el artículo	article
la campaña	campaign
el canal de televisión	T.V. channel
la creatividad	creativity
el diseño	design
la emisora (de radio)	radio station
el lema	motto
el letrero	sign, poster
las noticias	news
el periódico	newspaper
la prensa	press
la publicidad	publicity
la revista	magazine

Gramática

Nota gramatical: Polite requests *p. 96*

♲ REPASO Tú Commands

Regular **affirmative tú commands** are the same as the **usted/él/ella** form in the present tense.
The following verbs are **irregular:**

decir: di	hacer: haz	ir: ve	poner: pon
salir: sal	ser: sé	tener: ten	venir: ven

You form **negative tú commands** by changing the **yo** form of the present tense.

For **-ar** verbs: -o *changes to* -es.
For **-er/-ir** verbs: -o *changes to* -as.

The following verbs are **irregular:**

dar: no des	estar: no estés
ir: no vayas	ser: no seas

♲ REPASO Other Command Forms

Command Forms

Usted	Ustedes	Nosotros
¡(No) **tire**!	¡(No) **tiren**!	¡(No) **tiremos**!
¡(No) **haga**!	¡(No) **hagan**!	¡(No) **hagamos**!
¡(No) **elija**!	¡(No) **elijan**!	¡(No) **elijamos**!

To say *let's go,* use **vamos.**
To say *let's not go,* use **no vayamos.**

Verbs ending in **-car, -gar,** and **-zar** require a spelling change (c→qu, g→gu, z→c) in **usted, ustedes,** and **nosotros** command forms.

Objective

· Review vocabulary and grammar.

Online SPANISH **CLASSZONE.COM**

Interactive Flashcards Students can hear every target vocabulary word pronounced in authentic Spanish. Flashcards have Spanish on one side, and a picture or a translation on the other.

Review Games Matching, concentration, hangman, and word search are just a sampling of the fun, interactive games students can play to review for the test.

Featuring...
Cultura INTERACTIVA
Animated Grammar
@HomeTutor

And more...
· **Get Help Online**
· **Interactive Flashcards**
· **Review Games**
· **WebQuest**
· **Conjuguemos.com**

Communication

Pair Work

In pairs, have students review vocabulary by forming **yo** sentences that use at least two items from the lists. Ask them to think about what they might say in a real volunteer situation. Then volunteers can put their sentences together to make a role-play skit. Examples: **Yo quiero colaborar en el proyecto de reciclar los envases de plástico.**

Differentiating Instruction

English Learners

Provide Comprehensible Input Suggest that English Learners keep a trilingual vocab log in a special notebook section, with Spanish, English, and their native language.

Multiple Intelligences

Musical/Rhythmic In a small group, have selected students compose a rhythmic chant to help memorize irregular command forms, switching between affirmative & negative commands. (Model: **Di —No digas!...¡Ven —No vengas!**)

¡AVANZA! Objective
· Review lesson grammar and vocabulary.

Core Resources
· *Cuaderno*, pp. 61–72
· Audio Program: TXT CD 3 track 12

Presentation Strategy
· Direct students' attention to the ¡Llegada!

STANDARDS
1.2 Understand language, Act. 1
1.3 Present information, Act. 3, 4
2.2 Products and perspectives, Act. 5

Warm Up   UTB 2 Transparency 19

Mandatos Completa con el mandato correcto.
1. Carlos, _____ a ayudar con las actividades de los ancianos. (ir)
2. Señor Rodríguez, _____ las bolsas, por favor. (traer)
3. Chicos, ¡no _____ basura! (tirar)
4. Esteban, _____ un proyecto de acción social. (elegir)

Answers: 1. ve; 2. traiga; 3. tiren; 4. elige

✓ Ongoing Assessment

Peer Assessment Have students exchange papers to correct each other. Point out that it is easier to see others' mistakes than our own.

Answers   UTB 2 Transparency 27

Activity 1
1. No
2. Sí
3. Sí
4. No
5. Sí
6. No

Activity 2
1. elijamos
2. lea
3. lleven
4. organiza; olvides
5. se olvide; Consulte; inventen
6. gastes; deposita

114

LECCIÓN 1

Repaso de la lección

¡LLEGADA!

@HomeTutor
ClassZone.com

Now you can
· describe volunteer activities
· organize people to do a project
· persuade or influence others

Using
· **tú** commands
· other command forms
· polite requests

🎧 **Audio Program**
TXT CD 3 Track 12
Audio Script, TE p. 89B

To review
· **tú** commands p. 97
· vocabulary pp. 92–93

1 Listen and understand

Una estudiante de una escuela secundaria escribió un artículo para el periódico estudiantil sobre las leyes de oro *(golden rules)* para los voluntarios. Escucha mientras ella las lee e indica si dice lo siguiente o no.

1. Gastar dinero sin pedir permiso. _____
2. Reciclar todos los materiales que ya no usas. _____
3. Participar en proyectos de acción social en tu comunidad. _____
4. Delegar lo que tú mismo puedes hacer. _____
5. Cumplir con tus obligaciones. _____
6. Solicitar fondos por teléfono después de las nueve de la noche. _____

To review
· **tú** commands p. 97
· **usted, ustedes,** and **nosotros** commands p. 102

2 Organize people to do a project

Oscar organiza un proyecto para apoyar un comedor de beneficencia de su comunidad. Completa los mandatos que Oscar les da a varios voluntarios.

1. Susana, _____ (elegir / nosotros) a dos voluntarios más para calcular el presupuesto.
2. Sra. Ramos, _____ (leer) el anuncio para ver si hay errores.
3. Miguel y Manuel, _____ (llevar) estos letreros a la escuela, por favor.
4. Luis, _____ (organizar) un grupo para juntar fondos. No (olvidar) _____ pedir donaciones en la emisora de radio.
5. Sr. Menéndez, ¡no _____ (olvidarse)! Necesitamos un lema para la campaña de publicidad. _____ (consultar) con los otros voluntarios para pedir sus opiniones. Luego, entre todos, _____ (inventar) un lema.
6. Marilú, no _____ (gastar) más dinero por el momento. Primero _____ (depositar) este cheque en el banco, por favor.

Differentiating Instruction

Pre-AP

Relate Opinions Have students use Activity 3, p. 115 to launch an exploration about which volunteer activities they would prefer to do. Alternatively, which activities do they feel are most and least beneficial to society? Ask them to prepare notes and report orally to the group or the whole class.

Heritage Language Learners

Support What They Know Activity 2 practices the use of many different command forms. Ask students the contexts in which they would use **tú, usted, ustedes,** and **nosotros** commands in their country of origin. Allow them to share any similarities or differences.

3 Describe volunteer activities and opportunities

To review
• commands with the form **vamos a** + infinitive p. 103

Mira las siguientes escenas y di qué mandato usa cada persona para decir a todos lo que tienen que hacer. Usa la forma **vamos a** y el vocabulario apropiado.

1. Olivia   **2.** Elena y Enrique   **3.** Guillermo   **4.** Alberto y Ana

4 Persuade or influence others

To review
• polite requests p. 96

Irma escribió un correo electrónico para enviárselo a un grupo de voluntarios. Ahora quiere hacerlo un poco más cortés *(polite)*. Escribe de nuevo las siguientes oraciones según el modelo.

modelo: ¡Ayuda con el proyecto!
¿Podrías ayudar con el proyecto?

1. ¡Da tu ropa vieja a la gente sin hogar!
2. ¡Colaboren con la campaña!
3. ¡Junten fondos para el comedor de beneficencia!
4. ¡Solicita donaciones de dinero!
5. ¡Elige más voluntarios!
6. ¡Recicle artículos de vidrio, plástico y papel!

5 Museums of Latin art, artists, and the community

To review
• Comparación cultural pp. 98, 104

Comparación cultural

Contesta las siguientes preguntas sobre la cultura en el mundo hispano de Estados Unidos.

1. ¿Qué actividades organiza el Museo del Barrio?
2. ¿Cuándo y quiénes lo fundaron?
3. ¿Dónde nació Pablo O'Higgins?
4. ¿Por qué el muralismo mexicano fue un estilo de pintura más democrático?

Más práctica Cuaderno *pp. 61–72* Cuaderno para hispanohablantes *pp. 63–72*

Get Help Online
ClassZone.com

Lección 1
ciento quince **115**

Differentiating Instruction

Inclusion

Synthetic/Analytic Support Review the formation of command forms, especially the spelling change (in the **yo** form of the present indicative) that takes place with irregular verbs. Remind students of the process: take the **yo**; drop the **–o**; add the opposite ending. Example: **HACER/yo hago/¡haga usted!, hagan ustedes; no hagas (tú)**

Multiple Intelligences

Logical/Mathematical Encourage students to re-create charts and other graphic organizers in the margins of review activities and tests. They may copy or adapt methods from throughout the lesson. Ask them to share with the class any additional mnemonic aids they have modified or invented, and write them on the board.

✓ Ongoing Assessment   **@HomeTutor** More Practice ClassZone.com

Intervention and Remediation
Two or more mistakes in any of these activities are an indication that a student should revisit the indicated review pages in the PE. If he or she still has questions about why his/her answers were incorrect, have him/her check with a classmate and online.

Long-term Retention

Recycle

Review/Repetition Use the board or flip chart to review the various command-forming processes for **tú, usted, ustedes,** and **nosotros.** Have students pay special attention to the verbs ending in **–car, –gar,** and **–zar,** which require a spelling change (*c* to *qu; g* to *gu; z* to *c*). Remind them that the correct spelling simply represents the normal pronunciation: otherwise, the letter's sound becomes "soft" before **e** or **i.**

Answers UTB 2 Transparency 27

Activity 3
1. Vamos a reciclar.
2. Vamos a servir en el comedor de beneficencia.
3. Vamos a tirar la basura.
4. Vamos a solicitar fondos.

Activity 4 Answers may vary slightly.
1. ¿Podrías donar tu ropa vieja?
2. ¿A ustedes les gustaría colaborar con la campaña?
3. ¿Podrían ustedes juntar fondos?
4. ¿A ti te gustaría solicitar donaciones?
5. ¿Podrías elegir más voluntarios?
6. ¿No podrías reciclar artículos de vidrio...?

Activity 5 Answers will vary:
1. El Museo del Barrio organiza exposiciones y programas sobre las tradiciones caribeñas y latinas de la ciudad de Nueva York.
2. El Museo fue fundado por los artistas y activistas de Puerto Rico en 1969.
3. O'Higins nació en Salt Lake City, EEUU.
4. El muralismo mexicano fue un estilo de pintura más democrático porque representó la vida y la historia de la gente común, no solamente a los ricos.

Culture at a Glance ❖

Topic & Activity	Essential Question
Haciendo trabajos voluntarios en Nueva York, pp. 116–117	¿Trabajaste de voluntario(a) alguna vez? ¿Qué hiciste?
Concierto para todos, p. 124	¿Por qué son importantes las donaciones de los artistas famosos?
Periódicos estadounidenses en español, p. 130	¿Por qué son importantes los periódicos en español en Estados Unidos?
«Las Mañanitas», por Sandra Cisneros, pp. 134–137	¿Cómo se celebran los cumpleaños en diferentes países?
Culture review: Celebrities who raise money; Spanish newspapers, p. 141	¿Qué influencias tiene la cultura latina en Estados Unidos?

Practice at a Glance ❖

	Objective	Activity & Skill
Vocabulary	Newspapers	1: Writing; 4: Speaking / Writing; 6: Reading / Writing; 16: Reading / Speaking / Writing; Repaso 1: Listening
	Television	2: Reading / Speaking / Writing; 3: Writing; 5: Speaking / Writing; 7: Speaking; Repaso Inclusivo 3: Speaking
	Community	9: Speaking / Writing; 11: Writing; 12: Speaking; 15: Speaking / Writing; 17: Listening / Speaking / Writing; 18: Reading / Listening / Speaking; 19: Writing; Repaso Inclusivo 1: Listening / Speaking
Grammar	Impersonal constructions with **se**	5: Speaking / Writing; Repaso 2: Writing
	Pronouns with commands	6: Reading / Writing; 7: Speaking; 8: Reading / Writing; 9: Speaking / Writing; 10: Speaking, Writing; 11: Writing; 12: Speaking; 19: Writing; Repaso 3: Speaking / Writing; Repaso Inclusivo 4: Writing
	Impersonal expressions + infinitive	13: Listening / Speaking; 14: Speaking; 15: Speaking / Writing; 16: Reading / Speaking / Writing; 18: Reading / Listening / Speaking; 19: Writing; Repaso 4: Speaking / Writing; Repaso Inclusivo 4: Writing
Communication	Make requests and recommendations	7: Speaking; 8: Reading / Writing; 11: Writing; 18: Reading / Listening / Speaking; Repaso 3: Speaking / Writing; Repaso Inclusivo 4: Writing
	Express opinions	14: Speaking; 15: Speaking / Writing; 16 Reading / Speaking / Writing; 19: Writing; Repaso 4: Speaking / Writing; Repaso Inclusivo 4: Writing
	Talk about media and the community	3: Writing; 5: Speaking / Writing; 9: Speaking / Writing; 12: Speaking; Repaso Inclusivo 2: Speaking; Repaso Inclusivo 3: Speaking; Repaso Inclusivo 5: Speaking / Writing; Repaso Inclusivo 6: Writing; Repaso Inclusivo 7: Writing
	Pronunciation: The letter **d**	*Pronunciación: La letra d,* p. 129: Listening / Speaking
Recycle	Preterite vs. imperfect	3: Writing
	Beach activities	8: Reading / Writing
♻	Volunteer activities	14: Speaking

The following presentations are recorded in the Audio Program for *¡Avancemos!*

- ¡A responder! *p. 119*
- 13: ¡Es importante! *p. 129*
- 18: Integración *p. 133*
- Repaso de la lección *p. 140*
    - 1: Listen and understand
- Repaso inclusivo *p. 146*
    - 1: Escucha, comprende y decide

¡A responder! TXT CD 4 track 2

1. En un debate siempre necesitas un mínimo de dos perspectivas.
2. Un noticiero no debe expresar opiniones.
3. El uso de volantes gasta mucho papel.
4. Los dibujos animados no expresan opiniones.
5. Los reporteros siempre deben verificar las citas que usan.
6. Los reporteros no deben usar un grabador en una entrevista sin decirlo.
7. Todos deben hacer obras caritativas a beneficio de personas que tienen menos.
8. En un proceso democrático, los profesores deben decidir las fechas limites con la ayuda de los estudiantes.

13 | ¡Es importante! TXT CD 4 track 5

Soy Sonia Márquez y quiero pedirles a todos su colaboración en las obras caritativas de nuestra comunidad. ¡Juntos podemos hacer la diferencia! Donen su tiempo en trabajos voluntarios. Colaboren con dinero si pueden. Patrocinen eventos como la teletón y las campañas contra la pobreza. Es importante ver el noticiero para saber los problemas que hay. También es importante ver nuestros cortometrajes con mucha información. Es necesario participar y hay muchas oportunidades. Su tiempo, energía y creatividad son muy valiosos. Lean los volantes con instrucciones que trajimos a la reunión. Es posible hacer grandes cambios en nuestra comunidad si trabajamos juntos. Hay que ponerse de acuerdo. Juntos somos una comunidad.

18 | Integración TXT CD 4 track 9

Fuente 2, Llamada telefónica

Hola. Llamo de la organización «Comunidad Limpia» para avisarte de un pequeño cambio en el plan para tu grupo. Tú y tus amigos no deben ir al Parque Paloma porque se registraron por teléfono. Por favor, vayan directamente al parque San Francisco a las 8:30. Decidimos usar tu grupo para recoger artículos para reciclar latas, envases y bolsas de plástico. Por favor, lleven guantes de trabajo y sombreros. Nosotros vamos a llevar las bolsas y recipientes para reciclaje al parque. Si tienes preguntas, llámanos. Si no, nos vemos el sábado en el parque. Gracias por tu colaboración.

Repaso de la lección TXT CD 4 track 11

1 Listen and understand

Natalia: Hola, me llamo Natalia Díaz y quiero ser la nueva editora del periódico escolar. Tengo muchas ideas para mejorar la calidad del periódico y atraer a nuevos lectores. ¡Escúchenme bien! Primero, creo que es necesario incluir más fotos con los artículos. También es necesario tener más de un fotógrafo, así podemos sacar fotos de muchos eventos que ocurren al mismo tiempo. Otra cosa... es importante incluir citas de personas importantes. Además, creo que debemos añadir una sección de anuncios clasificados. Finalmente, ¡tenemos que tener un traductor para que todo el periódico sea en español! Si me eligen como editora, voy a buscar a tres editores más para ayudar con la preparación de los artículos.

Francisco: Hola, gracias por su atención. Me llamo Francisco Álvarez y tengo muchas ideas para el periódico escolar. Quiero escribir titulares como éstos: directos y en letras grandes. Piénsenlo bien... el nuevo diseño ayuda a identificar mejor los artículos importantes. ¡Y eso es importante para atraer más gente! También quiero incluir más gráficas para proveer datos fáciles de entender. Es necesario añadir una columna de consejos con cosas útiles para los lectores. Y finalmente, quiero solicitar más cartas al editor. Siempre es buena idea saber qué piensan sus lectores, así que quiero dedicar una página entera a las cartas de los lectores. Por último, sólo falta decir: ¡voten por mí y no se preocupen por nada más!

Repaso inclusivo TXT CD 4 track 13

1 Escucha, comprende y decide

El centro recreativo de nuestra comunidad es para todos pero contamos con tu colaboración para apoyar las actividades que se ofrecen y crear programas nuevos. Hay varios programas infantiles pero siempre se necesitan más voluntarios para jugar con los niños, leer con ellos y ayudarles con sus tareas. Para los adolescentes hay una clase de fotografía y varios programas de deportes pero buscamos voluntarios para colaborar y organizar programas nuevos. Los ancianos gozan mucho de sus actividades en el centro pero necesitamos donaciones de periódicos y revistas y algunos voluntarios para leérselos. ¿Cómo puedes contribuir? Pues, llámanos al 800-111-0000 y te lo explicamos.

On your desktop

Everything you need to ...

Plan	Present	Assess
ONE-STOP PLANNER	**POWER PRESENTATIONS**	 **ONLINE ASSESSMENT SYSTEM**
All resources including audio and video	Ready-made PowerPoint™ presentations with 	✓ Create customized tests with Examview Assessment Suite
		✓ Individualized Assessment for on-level, modified, pre-AP, and heritage language learners

 Print

Plan	Present	Practice	Assess
URB 2	**URB 2**	• *Cuaderno* pp. 73–98	**URB 2**
• Video Script p. 54	• Video Activities pp. 51–52	• *Cuaderno para hispanohablantes* pp. 73–98	• Did you get it? Reteaching and Practice Copymasters pp. 13–24
• Family Involvement Activity p. 76	• TPRS pp. 22–28	• *Lecturas para todos* pp. 21–27	
• Absent Student Copymasters pp. 85–95		• *Lecturas para hispanohablantes*	
Lesson Plans p. 47		• *¡AvanzaCómics! Mundos paralelos*, Episodio 1	
Best Practices Toolkit		**URB 2**	
		• Practice Games pp. 39–46	
		• Audio Scripts pp. 60–66	
		• Fine Art Activities pp. 72–73	

 Unit Transparency Book 2

Culture	Presentation and Practice	Classroom Management
• Atlas Maps UTB 1, 1–6	• Vocabulary Transparencies 8, 9	• Warm Up Transparencies 20–23
• Fine Art Transparencies 4, 5	• Grammar Presentation Transparencies 12, 13	• Student Book Answer Transparencies 28–31
	• Situational Transparencies and label overlay 14, 15	
	• Situational Student Copymasters pp. 1–2	

Audio and Video

Audio	Video
• Student Book Audio CD 4 Tracks 1–13 • Workbook Audio CD 1 Tracks 31–40 • Assessment Audio CD 1 Tracks 31–42 • Heritage Learners Audio CD 1 Tracks 13–16, CD 3 Tracks 31–42 • *Lecturas para todos* Audio CD 1 Track 5, CD 3 Tracks 1–5 • *Música del mundo hispano*	• *El Gran Desafío* Video DVD 2

Online (ClassZone.com) and Media Resources

Student	Teacher
Available online and on disc: • eEdition (DVD-ROM) and eEdition Interactive Online Student Edition • @HomeTutor (CD-ROM) - featuring Animated Grammar **Available online:** • Conjuguemos.com • Cultura Interactiva • Culture Links • WebQuests • Flashcards • Review Games • Self-check Quiz	**One-Stop Planner (available online and on DVD-ROM):** • Interactive Teacher's Edition • All print resources • All audio and video resources • Learning Scenarios • Conversation Cards • Assessment Program • Examview Assessment Suite • Calendar Planner • Rubric Generator **Available on CD-ROM:** • Power Presentations

Differentiated Assessment

On-level	Modified	Pre-AP	Heritage Learners
• Vocabulary Recognition Quiz p. 80 • Vocabulary Production Quiz p. 81 • Grammar Quizzes pp. 82–83 • Culture Quiz p. 84 • On-level Lesson Test pp. 85–91 • On-level Unit Test pp. 97–103	• Modified Lesson Test pp. 59–65 • Modified Unit Test pp. 71–77	• Pre-AP Lesson Test pp. 59–65 • Pre-AP Unit Test pp. 71–77	• Heritage Learners Lesson Test pp. 65–71 • Heritage Learners Unit Test pp. 77–83

	Objectives/Focus	Teach	Practice	Assess/HW Options
DAY 1	**Culture:** learn about Hispanic culture in the U.S. **Vocabulary:** media and communications, sources of information • Warm Up OHT 20 **5 min**	Lesson Opener pp. 116–117 **Presentación de vocabulario** pp. 118–119 • Read A–C • Play audio TXT CD 4 track 1 • *¡A responder!* TXT CD 4 track 2 **25 min**	Lesson Opener pp. 116–117 **Práctica de vocabulario** p. 120 • Acts. 1, 2, 3 **15 min**	**Assess:** *Para y piensa* p. 120 **5 min** **Homework:** *Cuaderno* pp. 73–75 @HomeTutor
DAY 2	**Communication:** discuss fundraising events, newspaper sections • Warm Up OHT 20 • Check Homework **5 min**	**Vocabulario en contexto** pp. 121–122 • *Contexto 1* TXT CD 4 track 3 • *Repaso gramatical:* Impersonal constructions with **se** **20 min**	**Vocabulario en contexto** pp. 121–122 • Acts. 4, 5 **20 min**	**Assess:** *Para y piensa* p. 122 **5 min** **Homework:** *Cuaderno* pp. 73–75 @HomeTutor
DAY 3	**Grammar:** review pronouns with command forms • Warm Up OHT 21 • Check Homework **5 min**	**Presentación de gramática** p. 123 • Pronouns with commands **Práctica de gramática** pp. 124–125 Culture: *Concierto para todos* **20 min**	**Práctica de gramática** pp. 124–125 • Acts. 6, 7, 8, 9 **20 min**	**Assess:** *Para y piensa* p. 125 **5 min** **Homework:** *Cuaderno* pp. 76–78 @HomeTutor
DAY 4	**Communication:** make suggestions using object pronouns with commands • Warm Up OHT 21 • Check Homework **5 min**	**Gramática en contexto** pp. 126–127 • *Contexto 2* TXT CD 4 track 4 **20 min**	**Gramática en contexto** pp. 126–127 • Acts. 10, 11, 12 **20 min**	**Assess:** *Para y piensa* p. 127 **5 min** **Homework:** *Cuaderno* pp. 76–78 @HomeTutor
DAY 5	**Grammar:** review impersonal expressions combined with infinitives •Warm Up OHT 22 • Check Homework **5 min**	**Presentación de gramática** p. 128 • Impersonal expressions with infinitives **Práctica de gramática** pp. 129–130 • *Pronunciación:* TXT CD 4 track 6 **15 min**	**Práctica de gramática** pp. 129–130 • Act. 13 TXT CD 4 track 5 • Acts. 14, 15, 16 **25 min**	**Assess:** *Para y piensa* p. 130 **5 min** **Homework:** *Cuaderno* pp. 79–81 @HomeTutor
DAY 6	**Communication:** Culmination: Use commands and impersonal expressions to discuss a fundraising telethon • Warm Up OHT 22 • Check Homework **5 min**	**Todo junto** pp. 131–133 • *Contexto 3* TXT CD 4 track 7 **20 min**	**Todo junto** pp. 131–133 • Act. 17 TXT CD 4 track 7 • Act. 18 TXT CD 4 tracks 8, 9 • Act. 19 **20 min**	**Assess:** *Para y piensa* p. 133 **5 min** **Homework:** *Cuaderno* pp. 82–83 @HomeTutor
DAY 7	**Reading:** *Las mañanitas* **Writing:** *La importancia del trabajo voluntario* **Review:** Lesson Review • Warm Up OHT 23 • Check Homework **5 min**	**Lectura literaria** pp. 134–137 • *Las mañanitas* • TXT CD 4 track 10 **Escritura** p. 138 • *La importancia del trabajo voluntario* **Repaso de la lección** pp. 140–141 **15 min**	**Lectura literaria** pp. 134–137 • *Las mañanitas* **Escritura** p. 138 • *La importancia del trabajo voluntario* **Repaso de la lección** pp. 140–141 • Act. 1 TXT CD 4 track 11 • Acts. 2, 3, 4, 5 **25 min**	**Assess:** *Para y piensa* p. 137 **5 min** *Repaso de la lección* **Homework:** *En resumen* p. 139; *Cuaderno* pp. 84–95 (optional) Review Games Online @HomeTutor
DAY 8	**Assessment**			**Assess:** Lesson 2 or Unit 2 test **50 min**
DAY 9	**Unit Culmination** **5 min**	**Comparación cultural** pp. 142–143 • TXT CD 4 track 12 **El Gran Desafío** pp. 144–145 • Show video DVD 2 **Repaso inclusivo** pp. 146–147 **15 min**	**Comparación cultural** pp. 142–143 **El Gran Desafío** pp. 144–145 **Repaso inclusivo** pp. 146–147 • Act. 1 TXT CD 4 track 13 • Acts. 2, 3, 4, 5, 6, 7 **25 min**	**Assess:** *Cuaderno* pp. 96–98 **5 min**

	Objectives/Focus	Teach	Practice	Assess/HW Options
DAY 1	**Culture:** learn about Hispanic culture in the U.S. **Vocabulary:** media and communications, sources of information • Warm Up OHT 20 **5 min**	Lesson Opener pp. 116–117 **Presentación de vocabulario** pp. 118–119 • Read A–C • Play audio TXT CD 4 track 1 • *¡A responder!* TXT CD 4 track 2 **25 min**	Lesson Opener pp. 116–117 **Práctica de vocabulario** p. 120 • Acts. 1, 2, 3 **15 min**	**Assess:** *Para y piensa* p. 120 **5 min**
	Communication: discuss fundraising events, newspaper sections **5 min**	**Vocabulario en contexto** pp. 121–122 • *Contexto 1* TXT CD 4 track 3 • *Repaso gramatical:* Impersonal constructions with **se** **15 min**	**Vocabulario en contexto** pp. 121–122 • Acts. 4, 5 **15 min**	**Assess:** *Para y piensa* p. 122 **5 min** **Homework:** *Cuaderno* pp. 73–75 @HomeTutor
DAY 2	**Grammar:** review pronouns with command forms • Warm Up OHT 21 • Check Homework **5 min**	**Presentación de gramática** p. 123 • Pronouns with commands **Práctica de gramática** pp. 124–125 **Culture:** *Concierto para todos* **15 min**	**Práctica de gramática** pp. 124–125 • Acts. 6, 7, 8, 9 **20 min**	**Assess:** *Para y piensa* p. 125 **5 min**
	Communication: make suggestions using object pronouns with commands **5 min**	**Gramática en contexto** pp. 126–127 • *Contexto 2* TXT CD 4 track 4 **15 min**	**Gramática en contexto** pp. 126–127 • Acts. 10, 11, 12 **20 min**	**Assess:** *Para y piensa* p. 127 **5 min** **Homework:** *Cuaderno* pp. 76–78 @HomeTutor
DAY 3	**Grammar:** review impersonal expressions combined with infinitives • Warm Up OHT 22 • Check Homework **5 min**	**Presentación de gramática** p. 128 • Impersonal expressions with infinitives **Práctica de gramática** pp. 129–130 • *Pronunciación:* TXT CD 4 track 6 **15 min**	**Práctica de gramática** pp. 129–130 • Act. 13 TXT CD 4 track 5 • Acts. 14, 15, 16 **20 min**	**Assess:** *Para y piensa* p. 130 **5 min**
	Communication: Culmination: Use commands and impersonal expressions to discuss a fundraising telethon **5 min**	**Todo junto** pp. 131–133 • *Contexto 3* TXT CD 4 track 7 **15 min**	**Todo junto** pp. 131–133 • Act. 17 TXT CD 4 track 7 • Act. 18 TXT CD 4 tracks 8, 9 • Act. 19 **20 min**	**Assess:** *Para y piensa* p. 133 **5 min** **Homework:** *Cuaderno* pp. 79–83 @HomeTutor
DAY 4	**Reading:** *Las mañanitas* **Writing:** *La importancia del trabajo voluntario* • Warm Up OHT 23 • Check Homework **5 min**	**Lectura literaria** pp. 134–137 • *Las mañanitas* • TXT CD 4 track 10 **Escritura** p. 138 • *La importancia del trabajo voluntario* pp. 140–141 **15 min**	**Lectura literaria** pp. 134–137 • *Las mañanitas* **Escritura** p. 138 • *La importancia del trabajo voluntario* **20 min**	**Assess:** *Para y piensa* p. 137 **5 min**
	Review: Lesson review **5 min**	**Repaso de la lección** pp. 140–141 **15 min**	**Repaso de la lección** pp. 140–141 • Act. 1 TXT CD 4 track 11 • Acts. 2, 3, 4, 5 **20 min**	**Assess:** *Repaso de la lección* **5 min** **Homework:** *En resumen* p. 139; *Cuaderno* pp. 84–95 (optional) Review Games Online @HomeTutor
DAY 5	**Assessment**			**Assess:** Lesson 2 or Unit 2 Test **45 min**
	Unit Culmination **5 min**	**Comparación cultural** pp. 142–143 • TXT CD 4 track 12 **El Gran Desafío** pp. 144-145 • Show video DVD 2 **Repaso inclusivo** pp. 146-147 **15 min**	**Comparación cultural** pp. 142–143 **El Gran Desafío** pp. 144–145 **Repaso inclusivo** pp. 146–147 • Act. 1 TXT CD 4 track 13 • Acts. 2, 3, 4, 5, 6, 7 **20 min**	**Assess:** *Cuaderno* pp. 96–98 **5 min**

Objectives

- Introduce lesson theme: **¿Cómo nos organizamos?**
- **Culture:** Learn about celebrities who raise money, Spanish newspapers in the United States, and types of music in the United States.

Presentation Strategies

- Ask students if they have done any volunteer work.
- Ask students what kind of volunteer work they have done.

 STANDARD

2.1 Practices and perspectives

Warm Up UTB 2 Transparency 20

Mandatos Cambia los verbos a mandatos en forma de **tú.**

1. hacer: _____
2. decir: _____
3. hablar: _____
4. comer: _____
5. tener: _____
6. salir: _____

Answers: 1. haz; 2. di; 3. habla; 4. come; 5. ten; 6. sal

Comparación cultural

Exploring the Theme

Ask the following:

1. ¿Cómo es tu comunidad?
2. ¿Qué tipo de trabajo voluntario necesita tu comunidad?
3. ¿Cómo puedes ayudar a la sociedad?
4. ¿Cómo se puede organizar un proyecto de acción social?

¿Qué ves? Possible answers include:

- Los estudiantes de la foto pintan un cartel y se inscriben para un trabajo voluntario.
- Ellos llevan ropa casual como sudaderas, camisas, vaqueros y zapatos deportivos.
- En la foto, hay muchos edificios altos y urbanos.
- Hace buen tiempo. Está nublado.

UNIDAD 2

Estados Unidos

Lección 2

Tema:

¿Cómo nos organizamos?

¡AVANZA! **In this lesson you will learn to**

- make requests and recommendations
- express opinions
- talk about media and the community

using

- pronouns with commands
- impersonal expressions + infinitive
- impersonal constructions with **se**

♻ *¿Recuerdas?*

- preterite vs. imperfect
- beach activities
- volunteer activities

Comparación cultural

In this lesson you will learn about

- celebrities who raise money
- Spanish newspapers in the United States
- different types of music in the United States

Compara con tu mundo

Estos estudiantes de Nueva York están organizando un grupo de voluntarios para colaborar en proyectos de acción social. Preparan letreros mientras un adulto da información sobre los proyectos. *¿Trabajaste de voluntario alguna vez? ¿Qué hiciste?*

¿Qué ves?

Mira la foto

¿Qué hacen los estudiantes?

¿Qué ropa llevan?

¿Qué tipos de edificios ves?

¿Qué tiempo hace?

Differentiating Instruction

Pre-AP

Expand and Elaborate Ask students to answer the question about volunteer work in the Compara con tu mundo section. Then instruct students to elaborate on their answers by adding the following information: where they volunteered; why they chose to volunteer; who benefited from their work.

Slower-paced Learners

Personalize It Engage students in a discussion about what kind of volunteer work they would like to do for their community. Ask students to articulate their talents and how they personally could better society. Based on their talents and ideas, ask students to outline a social service project for their community.

Online SPANISH CLASSZONE.COM

Featuring...
Cultura INTERACTIVA
Animated Grammar
@HomeTutor

And more...
- Get Help Online
- Interactive Flashcards
- Review Games
- WebQuest
- Conjuguemos.com

GOOD CALL.

FOR SPACE IN THIS AREA
JUSTIN

¡COLABORA

MESA DE VOLUNTARIOS

Jóvenes haciendo trabajos voluntarios, ciudad de Nueva York

Estados Unidos
ciento diecisiete **117**

Differentiating Instruction

Heritage Language Learners

Support What They Know Ask heritage speakers to discuss volunteer opportunities in their country of origin. Tell students to ask a family member or research on the Internet if they are not sure and report back to the class. Encourage students to name specific organizations and specify what kind of work a person could do there.

Multiple Intelligences

Visual Learners Instruct students to create a poster that advertises volunteer opportunities in their community. The poster can consist of magazine cut-outs, illustrations, computer graphics, and photographs. The poster should also contain four to five lines that explain what volunteers can do to help and some commands.

Online SPANISH CLASSZONE.COM

WebQuest Provides step-by-step guidance for your students to help them explore this unit's theme and location online. Students are given a task and a set of pre-approved links to conduct research, answer questions, and submit their findings to the class.

Featuring...
Cultura INTERACTIVA
Animated Grammar
@HomeTutor

And more...
- Get Help Online
- Interactive Flashcards
- Review Games
- WebQuest
- Conjuguemos.com

Using the Photo

Location Information

Volunteer Work As the photo indicates, many students get involved in volunteer work in New York. The students in the photograph are helping by advertising their cause and signing other students up to participate. The students are in an urban setting where there are a variety of social service projects in need of volunteers.

Expanded Information

New York City In New York, there are countless organizations in which a person could donate his or her time. Here are the names of just a few such organizations: Citymeals-On-Wheels, Coalition for the Homeless, Red Cross, Salvation Army, and Volunteers of America. Some of these non-profit organizations would not survive without the generous help of volunteers.

Communication
Interpersonal Mode

Ask students to find a partner. Have partners discuss what they see in the photo. Also encourage pairs to speculate on what kind of volunteer work the students are doing.

¡AVANZA! Objectives

- Present media-related and fundraising vocabulary.
- Check for recognition.

Core Resource

- Audio Program: TXT CD 4 tracks 1, 2

Presentation Strategies

- Point out the objectives in the ¡Avanza! section at the beginning of this vocabulary presentation.
- Present media related vocabulary to the class.
- Play the audio as students read A–C.

STANDARD

1.2 Understand language

Communication

TPR Activity

List the following words on the board: **la cita, la entrevista, el debate, el grabador, el público,** y **el noticiero.** Model each word for the class. Call on volunteers to act out a randomly chosen word and have the rest of the class guess.

Comparisons
English Language Connection

Look for cognates in the new vocabulary or make other sorts of word associations to remember new words. For example, **editora** and **fotógrafa** are obvious cognates with *editor* and *photographer*. **Escritor** can be associated with *scribe*, and **periódico** may remind you of *periodical*.

❖Presentación de VOCABULARIO

¡AVANZA! **Goal:** Learn about the different media that are used to communicate information. Then practice the vocabulary you learned to talk about various aspects of newspapers and television. *Actividades 1–3*

♻ *¿Recuerdas?* Preterite vs. imperfect p. 68

AUDIO

A Hola, me llamo Roberto y trabajo en el periódico de mi escuela. Aquí ves mi escritorio. Quiero **explicarles** mi trabajo. Junto con un **fotógrafo, entrevisto** a la gente, **investigo cuestiones** importantes y **presento** las noticias en mis **artículos de opinión** con fotos excelentes. También escribo **reseñas** de libros y **describo** exposiciones de pintura. Pero lo que más me gusta es tener **un debate** con otra persona sobre un tema en que **no estamos de acuerdo.**

la gráfica

el grabador

los volantes

B El periódico se **publica** y se **distribuye** cada día. Por eso tengo **una fecha límite** para terminar los textos. Luego, **el editor** escribe **los titulares** y un **artículo de opinión** que se llama «**La columna** del editor», que es uno de los favoritos del **público.**

Más vocabulario

el acceso *access*	**la entrevista** *interview*
el anuncio clasificado *classified ad*	**el largometraje** *feature, full-length movie*
el anuncio personal *personal ad*	**el noticiero** *news broadcast*
la cita *quote*	**otorgar** *to grant*
el cortometraje *short documentary*	**la publicidad por correo** *mailing*
los dibujos animados *cartoons*	*Expansión de vocabulario* p. R5
	Ya sabes p. R5

Differentiating Instruction

Inclusion

Alphabetic/Phonetic Awareness Ask students to write a list of all the words related to communication that they can find in the reading. Model the pronunciation of each word or ask a heritage speaker to do it. When you encounter a cognate, such as **debate,** demonstrate the difference in pronunciation in English and Spanish.

Pre-AP

Relate Opinions After reading and examining the vocabulary on p. 118, ask students to explain what they think is the most effective way to distribute information and ideas to the public. Tell students to limit their opinions to media terms that are introduced on the page.

C Ayer escribí este **anuncio** para el periódico.

¡LA TELETÓN BUSCA AYUDA!

La teletón «Nuestras Comunidades», patrocinada por la compañía Aguasana, se emite el próximo día 8 por el Canal 14.

Estamos buscando personas para:

- **contestar** las **llamadas** de los **telespectadores**
- **traducir** los anuncios al español y al portugués
- hacer la **subtitulación** para **sordos**

Nuestro **patrocinador**, Aguasana, va a pagar a los interesados en esta tarea.

20.000
15.000
10.000
5.000
1.000
500

3506 184 12

Esta teletón **recauda fondos** de las **donaciones** a **beneficio** de la comunidad, para hacer **obras caritativas** y **apoyar** los **programas educativos** de nuestra ciudad.

**Los interesados pueden llamar al 1-800-AYUDA.
¡Gracias por tu ayuda!**

¡A responder! Escuchar

Vas a escuchar ocho oraciones. Si estás de acuerdo con la opinión expresada en la oración indícalo con el dedo pulgar hacia arriba. Si no estás de acuerdo, indícalo con el dedo pulgar hacia abajo.

@HomeTutor
Interactive Flashcards
ClassZone.com

Lección 2
ciento diecinueve **119**

Communication

Interpretive Mode

If students seem overwhelmed by the new vocabulary, remind them that at this stage their goal is only to recognize it. Encourage them to use the pictures on the page to bridge gaps in comprehension.

✓ Ongoing Assessment

Dictation Have students listen to the ¡A responder! audio a second time. This time, instead of giving a thumbs up or thumbs down, ask students to write out the sentences. Then instruct students to check spelling in their textbooks.

English Learners

Increase Interaction Pair English learners with students who are good at communicating with gestures. Have the pairs read the vocabulary presentation together and try to discern what the new vocabulary words mean. One can help the other understand words they do not know through gestures and circumlocution.

Heritage Language Learners

Literacy Skills Ask heritage speakers to read the advertisement on p. 119. Then instruct those students to paraphrase the advertisement in simple terms for the benefit of the class. For example, they could emphasize the cognates in the text, and rewrite phrases that they think may be difficult for a non-native speaker.

Answers UTB 2 Transparency 28

¡A responder! Audio Script, TE p. 115B
Thumbs up: 1, 2, 3, 5, 6, 7, 8
Thumbs down: 4

Objectives
· Practice vocabulary: media-related terms.
· Recycle: preterite vs. imperfect.

Core Resource
· *Cuaderno*, pp. 73–75

Practice Sequence
· **Activity 1**: Vocabulary recognition: Match vocabulary terms with definitions
· **Activity 2**: Vocabulary production: Answer questions about what is on television
· **Activity 3**: Vocabulary production: past tense; Recycle preterite vs. imperfect

STANDARDS
1.2 Understand language, Act. 1, 2
1.3 Present information, Act. 3

✓ Ongoing Assessment

@HomeTutor
More Practice
ClassZone.com

PARA Y PIENSA **Peer Assessment** Have students share their answers with a partner. Encourage them to correct any errors they might find. For additional practice, use Reteaching & Practice Copymasters, URB 2 pp. 13, 14, 22.

Answers UTB 2 Transparency 28

Activity 1
1. d. la cita
2. b. el artículo de opinión
3. a. el anuncio clasificado
4. c. la carta al editor
5. e. la columna de consejos
6. f. la reseña

Activity 2
1. Es un programa sobre la lengua española.
2. El programa de entrevistas se titula *Cara a cara*.
3. Los largometrajes de esta noche son *Zorro*, y *¿Vamos a bailar?*
4. Los niños son los telespectadores de *El perro Fermín*.
5. *Zorro*, *¿Vamos a bailar?*, *El perro Fermín*, *Su mundo mejor*, *La historia del español*, y *Hoy a las diez* son accesibles a las personas sordas.

Activity 3 Answers will vary.

Para y piensa Answers will vary. Sample answer: Para mí, las partes más importantes de un periódico son los artículos de opinión, las reseñas de libros...

❈ Práctica de VOCABULARIO

1 | Las partes del periódico

Escribir

Empareja las columnas para identificar las partes de un periódico.

modelo: el título de un artículo: el titular

1. las palabras exactas que dijo alguien
2. el artículo que expresa un punto de vista
3. el anuncio para vender o anunciar algo
4. el comentario sobre algún artículo
5. las recomendaciones
6. el resumen

a. el anuncio clasificado
b. el artículo de opinión
c. la carta al editor
d. la cita
e. la columna de consejos
f. la reseña

Expansión:
Teacher Edition Only
Pídales a los estudiantes que escriban definiciones para las palabras **grabador, fotógrafo y dibujo animado.**

2 | ¿Qué hay en la tele?

Leer
Hablar
Escribir

Lee la guía de programas para hoy y luego contesta las preguntas.

Miércoles	8:00 p.m.	9:00 p.m.	10:00 p.m.
Canal de Acceso Público	*Zorro*, película con Antonio Banderas y Catherine Zeta Jones (con subtitulación). Teletón a beneficio del comedor de beneficencia.		*Su mundo mejor*, programa que solicita donaciones y otorga dinero a obras caritativas (con subtitulación)
Canal 13	*Cara a cara*, con los actores Miguel Ramírez y Sonia Palacios comentando su nueva película.	*¿Vamos a bailar?*, película con Jennifer López y Richard Gere (con subtitulación).	
Canal 15	*El perro Fermín*, dibujos animados (con subtitulación).	*La historia del español*, nacimiento y expansión del idioma (con subtitulación).	*Hoy a las diez*, noticiero (con subtitulación).

1. ¿Qué tipo de programa es *La historia del español*?
2. ¿Cómo se titula el programa de entrevistas?
3. ¿Cuáles son los largometrajes de esta noche?
4. ¿Quiénes son los telespectadores de *El perro Fermín*?
5. ¿Qué programas son accesibles a las personas sordas *(deaf)*?

Expansión
Escoge dos programas de la guía que tú quieres ver. Explica por qué.

3 | ¿Qué vieron en la tele? ♻ **¿Recuerdas?** Preterite vs. imperfect p. 68

Escribir

Con tu compañero(a) escribe qué programas vieron en la tele el fin de semana. ¿Qué tipo de programas eran? ¿A qué hora los vieron? ¿Que hacían sus familiares mientras veían la tele? Usen el pretérito y el imperfecto.

Expansión:
Teacher Edition Only
Pídales a los estudiantes que escriban sobre qué tipo de programas de televisión prefieren y por qué.

Más práctica Cuaderno *pp. 73–75* Cuaderno para hispanohablantes *pp. 73–76*

PARA Y PIENSA **¿Comprendiste?** Para ti, ¿cuáles son las partes más importantes de un periódico?

Get Help Online
ClassZone.com

Differentiating Instruction

Pre-AP

Circumlocution As an extension of Activity 1, have students work in groups to write a list of eight to ten words related to media. Tell students to take turns describing one of the words to the group. They may use words, phrases, or complete sentences. For example: **A los niños les gusta este tipo de programa.** Answer: **dibujos animados**

Inclusion

Multisensory Input/Output Present all new vocabulary on pp. 118–119 orally and on an overhead. Ask students to repeat words and phrases after you. Have them write the terms in their notebooks. Instruct students to draw a line down the middle of their vocabulary page and to write the definitions in English.

✳ VOCABULARIO en contexto

¡AVANZA! **Goal:** Notice the vocabulary that is used to discuss a telethon in the following selections from a school newspaper. Then discuss the event and identify different parts of the newspaper. *Actividades 4–5*

Contexto 1 *Periódico escolar*

ESTRATEGIA **Leer**

Find numerical expressions As you read the newspaper clippings below, pay attention to different kinds of numerical expressions. In a diagram like the one to the right, group them all into three categories: a) *para las fechas,* b) *para las personas,* and c) *para el dinero.*

para las fechas
13 de Marzo

para las personas → Usar los números ← para el dinero

AUDIO

Roberto vive en la ciudad de Nueva York y es un reportero nuevo del periódico de su escuela, *El Nuevo Vocero.* Su primer artículo es sobre la teletón anual a beneficio de la agencia social Nuestras Comunidades. Para escribir sobre el evento, Roberto mira los archivos de la teletón del año pasado.

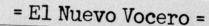

= El Nuevo Vocero =

13 de Marzo

¡Este año la teletón junta más de $13.000 para Nuestras Comunidades!

«Sin los fondos que este evento nos otorga, es imposible proveer nuestros proyectos sociales. Es muy grande el entusiasmo de los estudiantes y de la comunidad.»

12 de Febrero

Teletón anual

La fecha es el 10 de marzo a las siete de la tarde. Nuestras Comunidades es una agencia social local que organiza proyectos a beneficio de nuestra comunidad, como jardines comunales, la limpieza de los parques y donaciones de dinero.

El año pasado juntamos más de $10.000. Este año, la meta es $12.000. Invitamos a todos los comerciantes a patrocinar este evento. Ya conseguimos setenta y tres patrocinadores con donaciones de $100 cada uno. Recuerden que la fecha límite para donar es el 9 de marzo.

Contamos con la colaboración de todos. ¡Siempre se puede más!

Pablo Morales
Presidente, Comité Teletón

Mercedes Huerta, presidenta de Nuestras Comunidades, le agradece a Pablo Morales los Fondos recaudados por el teletón, que contó con más de 15.000 telespectadores. Más de 600 personas contribuyeron a esta campana para solicitar fondos.

COMITÉ TELETÓN ¡Siempre se puede!

Lección 2
ciento veintiuno **121**

Differentiating Instruction

Inclusion

Cumulative Instruction Review large numbers in Spanish with the class. Begin by asking students to say aloud the numbers in the newspaper clippings. Then call out more large numbers for students to say aloud. After that, write large numbers on a board or overhead and ask students to try writing the numbers out in Spanish in their notebooks.

Slower-paced Learners

Read Before Listening Read the newspaper clippings with students before listening to the audio. Pause frequently while you read to check for comprehension. Generate a list of difficult vocabulary words on the board or overhead and review them with students. Then play the audio two or three times as students read along.

¡AVANZA! **Objective**

· Understand vocabulary related to newspapers and fundraising.

Core Resource

· Audio Program: TXT CD 4 track 3

Presentation Strategies

· Scan the newspaper clipping for numerical expressions.
· Play the audio.

✿ **STANDARD**

1.2 Understand language

🔲 **Warm Up** UTB 2 Transparency 20

Letras desordenadas Ordena las letras para ver las palabras relacionadas con los medios de comunicación.

1. le oascec
2. le unaionc csacidafoil
3. le cinuaon nralseop
4. le ratílcuo ed oipnión
5. al cait
6. al aoumcnl

Answers: 1. el acceso; 2. el anuncio clasificado; 3. el anuncio personal; 4. el artículo de opinión; 5. la cita; 6. la columna

VOCABULARIO

Objectives
· Practice expressing opinions in context.
· Review using the impersonal **se**.

Practice Sequence
· **Activity 4:** Contexto 1: comprehension
· **Activity 5:** Vocabulary production: using impersonal constuctions with **se**

STANDARDS
1.1 Engage in conversation, Act. 5
1.2 Understand language, Act. 4

✓ Ongoing Assessment
@HomeTutor
More Practice
ClassZone.com

PARA Y PIENSA **Quick Check** Before students identify the parts of a newspaper, ask them to define each of the phrases listed in Para y Piensa.

For additional practice, use Reteaching & Practice Copymasters URB 2, pp. 13, 15.

Answers UTB 2 Transparency 28

Activity 4
1. e. total del dinero donado este año
2. a. número de telespectadores este año
3. b. número de patrocinadores que ya donaron este año
4. f. total del dinero donado el año pasado
5. c. meta para las donaciones este año
6. d. feche límite para donar

Activity 5
1. Se hace la teletón el 10 de marzo este ano.
2. Se dan volantes para anunciar la teletón.
3. El año pasado se distribuyeron los fondos a la comunidad.
4. Con las donaciones se apoyan proyectos a beneficio de la comunidad.
5. Se espera recaudar $12.000 este ano.
6. Se limpian parques y se hacen jardines comunales con el dinero
7. Se hacen los debates para discutir dos lados de un tema.
8. Se hace publicidad por correo para anunciar a más personas.

Para y piensa
1. sí	4. no
2. sí	5. sí
3. sí	6. sí

122

---

4 | Comprensión del periódico escolar

Hablar Escribir Empareja los números de la izquierda y los datos a la derecha, según la información de la lectura.

1. $13.142
2. más de 15.000
3. más de 600
4. más de $10.000
5. $12.000
6. 9 de marzo

a. número de telespectadores este año
b. número de patrocinadores que ya donaron este año
c. meta para las donaciones este año
d. fecha límite para las donaciones de los patrocinadores
e. total del dinero donado este año
f. total del dinero donado el año pasado

Expansión:
Teacher Edition Only
Pídales a los estudiantes que describan qué se hace durante una donación de sangre.

♻ REPASO gramatical

Impersonal Constructions with se You can use the pronoun se in order to avoid specifying the person who is doing the action of the verb. If an infinitive or a singular noun follows the verb, you use the **usted/él/ella** form. If a plural noun follows the verb, you use the **ustedes/ellos/ellas** form.

Se **habla** español aquí.
Spanish is spoken here.

Se **publican** todas las entrevistas.
All the interviews are published.

5 | ¿Qué se hace en la teletón?

Hablar Escribir Con un(a) compañero(a), túrnense *(take turns)* para contestar las siguientes preguntas sobre una teletón. Usen la construcción impersonal con **se**.

1. ¿Cuándo se hace la teletón este año?
2. ¿Para qué se dan volantes?
3. ¿Cómo se distribuyeron los fondos el año pasado?
4. ¿Qué programas se apoyan con las donaciones?
5. ¿Cuánto dinero se espera recaudar este año?
6. ¿Qué se hace con el dinero que otorgan los patrocinadores?
7. ¿Para qué se hacen los debates?
8. ¿Para qué se hace publicidad por correo?

A ¿Por qué se hace la teletón?

B Se hace la teletón para juntar dinero.

Expansión:
Teacher Edition Only
Pídales a los estudiantes que usen expresiones con *se* en cinco oraciones relacionadas con su escuela.

PARA Y PIENSA **¿Comprendiste?** Di cuáles de las siguientes partes de un periódico se ven en la lectura.

1. _____ titular
2. _____ cita
3. _____ gráfica
4. _____ columna de consejos
5. _____ carta al editor
6. _____ foto

Get Help Online
ClassZone.com

Differentiating Instruction

Multiple Intelligences

Logical/Mathematical Have students make a chart with three columns. They can add as many rows as necessary. Instruct students to compare what happens during a telethon with two other volunteer events like the ones they studied in Lesson 1. Then invite volunteers to share their charts with the class.

Pre-AP

Self-correct Tell students to work on Activity 5 in pairs. Encourage them to stop and correct themselves when they think they have made a mistake. Instruct students to write a quick note when they make an error.

✤ Presentación de GRAMÁTICA

¡AVANZA! **Goal:** Review the use of pronouns with command forms. Then practice by giving commands that include pronouns. *Actividades 6–9*

♻ *¿Recuerdas?* Beach activities pp. 58–59

English Grammar Connection: You often use **object pronouns** with commands to direct the action of the **verb** at someone or something. In English, you always place pronouns *after* the command.

┌ after   ┌ attaches   ┌ after ┌ before
Give me that!   **¡Dame** eso!   **Don't read it!**   **¡No lo leas!**

♻ REPASO Pronouns with Commands

Animated Grammar
ClassZone.com

In Spanish, the placement of **object pronouns** depends on whether a command is affirmative or negative.

Here's how: In **affirmative commands** you *attach* **object pronouns** to the end of the **verb**. In **negative commands,** they go *before* the **verb** and after **no.**

affirmative: Julia, **describe** tu comunidad. → **Descríbela.**

negative: **No** me digas la respuesta. → **No** me la digas.
                                                              before ↑

Remember: If both **object pronouns** begin with the letter **L,** change the **indirect object pronoun** to **se.**

Enrique, **explícale** tu punto de vista a Raquel. → **Explícaselo.**

When using the command form of a **reflexive verb** with an object pronoun, the **reflexive pronoun** comes before the **object pronoun.**

                                    ┌ before
¡Ponte las botas! → **¡Póntelas!**
                                                    ┌ before
¡No te pongas las botas! → **¡No** te las pongas!

With the **nosotros** command, drop the **-s** of the ending before adding the **reflexive pronoun nos.**
                           ┌ drop   ┌ attaches
¡Organicemos una reunión!   **¡Organicémonos!**
Let's organize a meeting!   *Let's get organized!*

Más práctica
Cuaderno *pp. 76–78*
Cuaderno para hispanohablantes *pp. 77–79*

@HomeTutor
Leveled Practice
ClassZone.com

· Review commands with pronouns.
· Practice giving commands.

Core Resource
· *Cuaderno,* pp. 76–78

Presentation Strategy
· Have students read and take notes on the use of pronouns with commands.

STANDARD
4.1 Compare languages

Warm Up UTB 2 Transparency 21

Frases impersonales Convierte las siguientes oraciones en frases impersonales usando **se.**
1. Marta come mucha pizza en ese restaurante.
2. Yo hablo francés.
3. Los jóvenes bailan en ese club.
4. La cruz roja apoya a los enfermos.
5. La tiende vende pan.

Answers: 1. se come mucha pizza en este restaurante.; 2. se habla; 3. se baila; 4. se apoya; 5. se vende

Communication
Common Error Alert

Explain to students that object pronouns are attached to the ending of affirmative commands, and a written accent is added when it is necessary to maintain stress on the same syllable of the stem. For example:
Háblame. Ciérrala. Dímelo.

Differentiating Instruction

Inclusion

Frequent Review/Repetition Tell students to make a list of ten verbs in the affirmative command form. Instruct students to write the negative form of the same commands. Then ask students to add an object pronoun to each command (**lo, los, la, las**). Remind students to pay attention to accents and the placement of the object pronouns.

English Learners

Increase Interaction Give students ample opportunity for clarification and practice. One way to determine what English learners need help with is to have all students in the class write one to two questions at the end of class about the day's lesson and pass them in. Address the students' questions during the next class by providing concrete examples.

Objectives

¡AVANZA!

- Practice using pronouns with commands and giving commands.
- Recycle: beach vocabulary
- **Culture:** Volunteer work of famous artists

Core Resource

- *Cuaderno,* pp. 76–78

Practice Sequence

- **Activity 6:** Controlled practice: commands with pronouns
- **Activity 7:** Transitional practice: commands with pronouns
- **Activity 8:** Open-ended practice: commands; Recycle: beach vocabulary
- **Activity 9:** Open-ended practice: telethon advertisement

STANDARDS

1.1 Engage in conversation, Act. 7, 8

1.2 Understand language, Act. 6

1.3 Present information, Act. 8, 9

2.1 Practices and perspectives, CC

Comparación cultural

Essential Question

Suggested Answer Los artistas son conocidos por todo el mundo. Cuando donan dinero para ayudar, toda la gente sabe que existen problemas serios.

About the Artist

Carlos Santana donates the proceeds of his concerts to the Milagro Foundation that he and his wife founded in 1998 to help support non-profit organizations that serve underprivileged youth worldwide.

See Activity answers on p. 125.

124

✤ Práctica de GRAMÁTICA

6 | **Instrucciones editoriales**

Leer
Escribir

Lee la siguiente nota que escribió el editor del periódico escolar. Escribe los mandatos con pronombre. Indica a qué o a quiénes se refiere el pronombre.

> Chicos y chicas,
> Tengo trabajo esta tarde y no puedo ayudarlos con la próxima edición. Hagan lo siguiente. En primer lugar, tenemos que presentar la información correcta; léanla dos veces. Contesten las cartas al editor y pónganlas en un documento electrónico. Finalmente, lean el artículo de Sharon sobre el acceso a la educación y tradúzcanlo al español. Si tienen preguntas, escríbanme un mensaje. ¡Gracias!

Expansión
Descubriste que hay que hacer otros trabajos antes de la próxima edición. Diles a tus compañeros lo que tienen que hacer. Usa al menos cinco mandatos.

7 | **Preparemos el programa**

Hablar

Tu compañero(a) y tú están preparando un programa nuevo para el canal de televisión que tiene su comunidad. Contesta las preguntas de tu compañero(a) usando mandatos para decirle qué debe hacer.

A ¿Debo darle la carta al director?

B Sí, dásela. (No, no se la des.)

modelo: dar la carta al director

1. llamar al fotógrafo
2. pedir la gráfica a Margarita
3. poner el anuncio personal
4. incluir una cita
5. prestar el grabador a los reporteros
6. explicarte la cuestión

Comparación cultural

Concierto para todos

¿Por qué son importantes las donaciones de los artistas famosos? Carlos Santana es uno de los más grandes guitarristas del rock. Carlos Santana toca la guitarra con el corazón, y sus raíces latinas se sienten en canciones como «Oye como va» y «Smooth». Carlos Santana nació en **México** y conoció la música a los siete años, por su padre José, que era un mariachi violinista. Él combina la técnica que aprendió de su padre con el sonido de los grandes músicos de **Estados Unidos** que oía desde niño en la radio. En 1998, Carlos Santana creó la Fundación Milagro. Su prioridad es organizar, apoyar y patrocinar campañas para donar dinero y otorgar fondos a beneficio de los niños y jóvenes pobres.

Carlos Santana

Compara con tu mundo *Menciona otros artistas que donan fondos para ayudar a los demás. Explica tu respuesta con ejemplos concretos.*

Differentiating Instruction

Slower-paced Learners

Peer-study Support Pair native speakers with non-native speakers when working on Activities 6–9. When they have completed all the activities, suggest that they go over their answers with another pair. Encourage students to ask for help if they are unsure about something.

Pre-AP

Summarize Ask students to read the paragraph about Carlos Santana by themselves. Using their own words, instruct students to write a brief summary that reflects what they learned about the famous musician. The summary should include what they most admire about the musician. Ask volunteers to read their summary to the class.

8 ¡A la playa! ¿Recuerdas? Beach activities pp. 58–59

Leer
Escribir

Julia piensa pasar una semana en la playa. Como sabe que el año pasado tú fuiste a Cancún, te mandó un correo electrónico para pedirte sugerencias. Léelo y contéstalo usando al menos ocho mandatos con pronombres. Puedes agregar más sugerencias.

> ¡Hola! ¡Salimos para Cancún en dos semanas y no sé qué llevar ni qué hacer allí! Tú fuiste el año pasado con tu familia, ¿verdad? ¿Podrías darme algunas sugerencias? ¿Debo llevar una sombrilla? ¿Es muy agobiante el calor? ¿Debo usar bloqueador de sol? ¿Qué actividades recomiendas? ¿Crees que debo practicar voleibol playero? ¿Me recomiendas comer en el puerto? ¿Te compro un regalo? ¿Te escribo una postal?
>
> Gracias. ¡Contéstame pronto!
>
> Julia

Expansión
Julia te pide más sugerencias sobre la moto acuática y el amanecer en la playa. Escribe sus preguntas y contéstalas con mandatos con pronombres.

modelo: Querida Julia:
¡No te preocupes! Vas a pasarlo muy bien en Cancún.
La sombrilla, sí, llévala.

9 ¡Nuestra teletón!

Hablar
Escribir

Tus compañeros(as) y tú están organizando una teletón para juntar fondos para una obra caritativa. Primero, escojan una obra caritativa e inventen un lema. Después, elaboren sus ideas para anunciar la campaña y la teletón. Finalmente, creen un anuncio para la teletón y escríbanlo. Incluyan la siguiente información en su anuncio:

Pistas: el lema, fecha límite de la teletón, a beneficio de… fondos para… , donar, patrocinadores, el público, entrevistar, punto de vista, (no) estar de acuerdo

Expansión:
Pídeles a los estudiantes que lean sus lemas a la clase. Conceda puntos de crédito extra para el lema más creativo.

Más práctica Cuaderno *pp. 76–78* Cuaderno para hispanohablantes *pp. 77–79*

 PARA Y PIENSA

¿Comprendiste? Contesta las siguientes preguntas de tu(s) compañeros(as) con mandatos afirmativos y negativos con pronombres.
1. ¿Tengo que describir la obra caritativa en mi artículo?
2. ¿Necesitamos publicar las cartas al editor?
3. ¿Cuándo debo organizar los anuncios clasificados?
4. ¿Te envío las cartas?

Get Help Online ClassZone.com

Communication
TPR Activity

List several commands on separate slips of paper. Call on volunteers to act out a random command listed on the slip of paper they selected and have the rest of the class guess.

✓ Ongoing Assessment

@HomeTutor More Practice ClassZone.com

 PARA Y PIENSA

Peer Assessment After students have answered the questions in the Para y piensa aloud, have them write down the answers and pair up with a partner. Tell partners to check each other's answers for grammatical accuracy. For additional practice, use Reteaching & Practice Copymasters URB 2, pp. 16, 17, 23.

Answers UTB 2 Transparency 29

Answers for Activities on p. 124, 125.

Activity 6
1. léanla; la=información
2. pónganlas; las=cartas
3. tradúzcanlo; lo=artículo
4. escríbanme; me=editor

Activity 7
1. A. ¿Debo llamar al fotógrafo?
   B. Sí, llámalo.
2. A. ¿Debo pedir la gráfica a Margarita?
   B. No, no se la pidas.
3. A. ¿Debo poner el anuncio personal?
   B. Sí, ponlo.
4. A. ¿Debo incluir una cita?
   B. Sí, inclúyela.
5. A. ¿Debo prestar el grabador a los reporteros?
   B. No, no se lo prestes.
6. A. ¿Debo explicarte la cuestión?
   B. Sí, explícamela.

Activity 8 Answers will vary but be sure that students use at least eight commands with pronouns in their emails.

Activity 9 Answers will vary but be sure that students provide the following information about their telethon in the advertisement: name of the organization, motto, date, who the telethon benefits, and sponsors.

Para y piensa
1. Sí, descríbela. No, no la describas.
2. Sí, publíquenselas. No, no se las publiquen.
3. Organízalos mañana. No los organices hoy.
4. Sí, envíamelas. No, no me las envíes.

125

Differentiating Instruction

Multiple Intelligences

Kinesthetic Play «Simón dice» with the class using commands. Try to include object pronouns in the phrases. For example you could say, **Simón dice bailen el tango. Báilenlo.** Instruct students to repeat a command until you give them a negative command.

Slower-paced Learners

Personalize It As an extension of Activity 8, instruct students to write a letter or email to a friend about a trip they have taken. The letter should include recommendations about what his or her friend should do during the trip. Tell students to use several commands in the letter.

- Develop listening, reading, speaking, and writing skills.
- Practice using object pronouns with commands.
- Practice making suggestions to others using commands.

Core Resource

- Audio Program: TXT CD 4 track 4

Presentation Strategies

- Have students scan the reading on p. 126 for various types of commands.
- Play the audio.

Practice Sequence

- **Activity 10:** Contexto 2 comprehension
- **Activities 11, 12:** Open-ended practice: commands.

STANDARDS

1.1 Engage in conversation, Act. 12
1.2 Understand language, Act. 10
1.3 Present information, Act. 11

Warm Up UTB 2 Transparency 21

Acentos en mandatos Pon el acento en la letra correcta de cada mandato.

1. Pontelo.
2. Dimelo.
3. Abrelo.
4. Hablame.
5. Cierrala.
6. Comelo.
7. Daselos.
8. Estudienlos.

Answers: 1. Póntelo; 2. Dímelo; 3. Ábrelo; 4. Háblame; 5. Ciérrala; 6. Cómelo; 7. Dáselos; 8. Estúdienlos

GRAMÁTICA en contexto

¡AVANZA! **Goal:** Notice how pronouns are used with commands in the following selection from the annual report of a social services agency. Then practice using object pronouns with commands to make suggestions to others. *Actividades 10–12*

Contexto 2 *Informe*

ESTRATEGIA Leer
Use a diagram for commands While reading the annual report, find each verb that is in the command (imperative) form and copy it in the top box. Then write the entire sentence that contains the verb in the lower box. Review your work and reflect: Are these commands formal or informal? Are any commands from irregular verbs? If so, which ones?

Mandato
díganos

↓

Oración completa
Por favor, dígannos cuáles de los programas les gustan más y por qué.

AUDIO

La agencia social Nuestras Comunidades recibió las donaciones de una teletón anual organizada por los estudiantes de la escuela local.

Nuestras Comunidades

Carmen Delgado
«Nos encanta cultivar vegetales para preparar platos sanos y deliciosos. Los vegetales son importantes, ¡no los olvides! ¡Cómelos todos los días!»

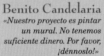
Benito Candelaria
«Nuestro proyecto es pintar un mural. No tenemos suficiente dinero. Por favor, ¡dénnoslo!»

Lorenzo Rivas
«Acompáñenos para limpiar los parques. Y recuerde: la basura es una lata. No la tire en los parques.»

INFORME ANUAL

Distribución de donaciones para nuestros programas

Donaciones recibidas 2005: $23.492,00

Estimados patrocinadores:

En la última teletón recibimos un número récord de donaciones. En este informe presentamos cómo distribuimos el dinero entre nuestros programas. Estúdienlos con atención.

Por favor, dígannos cuáles de los programas les gustan más. Siempre tenemos en cuenta los comentarios de nuestros patrocinadores.

Atentamente,

Mercedes Huerta

Mercedes Huerta
Presidenta, Nuestras Comunidades

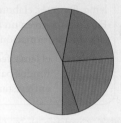

25% proyecto jardín comunal
5% proyecto mural escolar
40% centro recreativo
10% limpieza de parques
20% programa de lectura

Differentiating Instruction

Multiple Intelligences

Logical/Mathematical Instruct students to create a graphic that represents the percentage of money that was distributed to each of the five programs on p.126. Tell students to make a graphic that is different from the one that is presented in the text. Encourage students to use color to make their graphs more vivid and clear.

Slower-paced Learners

Yes/No Questions Read the report about **Nuestras Comunidades** as a class. Ask students several yes/no questions to check for comprehension. **¿Recibió un cuarenta por ciento de donaciones el centro recreativo? (Sí.) ¿Mercedes Huerta escribe esta carta a Carmen Delgado? (No. Les escribe a los patrocinadores.)** If students answer incorrectly, carefully review the report.

10 Comprensión del informe

Hablar Escribir

Di a quién o a qué cosa se refieren los siguientes pronombres. Busca las respuestas en el informe. Sigue el modelo.

modelo: dígan**nos**
las personas que trabajan para Nuestras Comunidades

1. estúdien**los**
2. no **los** olvides
3. dén**nos**lo
4. acompáñe**nos**
5. no **la** tire
6. cóme**los**

11 ¡Elige uno!

Escribir

Con tu compañero(a) considera los cinco programas que apoya Nuestras Comunidades. Decidan cuál quieren apoyar y por qué. Luego, preparen un anuncio breve para emitir por radio o publicar en el periódico solicitando la colaboración de más voluntarios. Usen al menos cinco mandatos con pronombres.

modelo: La lectura
Imagina un mundo sin la lectura! No hay periódicos, no hay revistas, no hay letreros, no hay libros, no hay Internet... Ayúdanos en la organización Pro-lectura. Llámanos al 800-PRO-LEER.

Expansión
Piensa en una actividad que quieres hacer con tu compañero(a). Prepara las instrucciones con mandatos con pronombres para explicar a tu compañero(a) cómo hacer esa actividad.

12 ¡A pintar!

Hablar

Tus compañeros(as) y tú están colaborando en un mural para embellecer *(beautify)* su comunidad. Usen mandatos con o sin pronombres.

pintar	borrar	darse prisa	investigar
dibujar	cambiar	dar	elegir
poner	quitar	describir	organizar

modelo: Arturo, pinta un árbol cerca de las flores pero no le pongas hojas verdes. Dale hojas de muchos colores.

Expansión:
Pídales a los grupos que colaboren en un proyecto para embellecer el aula usando mandatos.

PARA Y PIENSA

¿Comprendiste? Escribe la forma correcta del mandato y agrégale el pronombre correspondiente.

Get Help Online
ClassZone.com

1. (ustedes) decir / a nosotros
2. (ustedes) dar / dinero / a nosotros
3. (tú) no olvidar / los vegetales
4. (usted) no traducir / el anuncio

Differentiating Instruction

Inclusion

Clear Structure Work with students to create a graphic organizer in their notebooks. The organizer should display rules and examples of all types of commands and object pronouns. Include the rule about accents with commands and pronouns as well as several examples. Refer students to the organizer throughout the lesson.

Pre-AP

Vary Vocabulary Ask advanced students to work in pairs to write a dialogue. Tell students to write a scenario in which an older brother or sister is bossing around a younger brother or sister. Instruct students to use commands and object pronouns. Then have pairs act out the dialogue for the class.

✓ **Ongoing Assessment**
@HomeTutor
More Practice
ClassZone.com

PARA Y PIENSA **Peer Assessment** If students fail to write one of the four Para y piensa commands correctly, pair them up with a student who wrote them all correctly, and review Activities 6 and 7 on p. 124.

For additional practice, use Reteaching & Practice Copymasters URB 2, pp. 16, 18.

Answers UTB 2 Transparency 29

Activity 10
1. como distribuyeron el dinero entre los programas
2. los vegetales
3. las personas del proyecto del mural escolar
4. las personas del proyecto de la limpieza de parques
5. la basura
6. los vegetales

Activity 11 Answers will vary but be sure that students write an advertisement about one of the programs using at least five commands with pronouns. See model.

Activity 12 Answers will vary but be sure students use commands and pronouns to specify how they want the mural to be done. See model.

Para y piensa
1. Dígannos.
2. Dénnoslo.
3. No los olvides.
4. No lo traduzca.

- Review impersonal expressions with infinitives.
- Practice making suggestions or requests.

Core Resource
- *Cuaderno,* pp. 79–81

Presentation Strategies
- Review the use of impersonal expressions with infinitives.
- Discuss the use of impersonal expressions with infinitives to make requests.

STANDARD
4.1 Compare languages

Warm Up UTB 2 Transparency 22

Mandatos con pronombres Escribe la forma correcta del mandato con el pronombre correspondiente.

1. (tú) comer/la fruta _____ .
2. (tú) dejar/la llave _____ .
3. (ustedes) hacer/ el ensayo _____ .
4. (ustedes) decir/ a mi _____ .
5. (tú) no escribir/ a ella _____ .

Answers: 1. cómela; 2. déjala;
3. háganlo; 4. díganme; 5. no le escribas

Communication

Humor/Creativity

Ask students to write two to three silly recommendations to someone who is starting at a new school. Remind students to use impersonal expressions with infinitives. Then encourage students to read their recommendations aloud and have the class vote on the funniest recommendation.

 # Presentación de GRAMÁTICA

¡AVANZA! **Goal:** Review the use of impersonal expressions with infinitives. Then practice making suggestions or requests. *Actividades 13–16*

¿Recuerdas? Volunteer activities pp. 92–93

English Grammar Connection: In English, as in Spanish, you can use **impersonal expressions** with **infinitives** to state an opinion or to make indirect or subtle suggestions.

It's important to tell the truth.   **Es importante** decir la verdad.

REPASO Impersonal Expressions + Infinitive   **Animated** Grammar
ClassZone.com

To state an opinion, or to suggest that something should be done without indicating who should do it, use an **impersonal expression** plus an **infinitive**.

Here's how: **Impersonal expressions** combine the **usted/él/ella** form of the verb **ser** and an **adjective**. The verb **ser** can be in any tense.

Form of ser		Adjective
		bueno
		difícil
		fácil
Es		importante
Fue	**+**	imposible
Era		interesante
Va a ser		malo
		mejor
		necesario
		posible

Add the **infinitive** to state your opinion.

Es malo presentar información falsa.	*It's bad to present false information.*
Fue bueno entrevistar al director.	*It was good to interview the director.*
Era interesante escuchar las entrevistas.	*It was interesting to listen to the interviews.*
Va a ser difícil cancelar la teletón.	*It's going to be difficult to cancel the telethon.*

Más práctica
Cuaderno *pp. 79–81*
Cuaderno para hispanohablantes *pp. 80–83*

@HomeTutor
Leveled Practice
ClassZone.com

Differentiating Instruction

Heritage Language Learners

Writing Skills Ask heritage speakers to write ten recommendations to someone who is going to their countries of origin. Tell students to use impersonal expressions with infinitives to make the recommendations. The advice could include what people should or should not eat, places to stay, sights that are important to see, etc.

Inclusion

Multisensory Input/Output Make or have the students make cards with the forms of **ser** and the adjectives from the grammar box on p.128, and with the vocabulary from lessons 1 and 2. Break the class into groups of three. Have one student say a sentence in Spanish while the other two must form the sentence by rearranging the cards.

✳ Práctica de GRAMÁTICA

13 | ¡Es importante!

Escuchar Hablar

Escucha este anuncio sobre una reunión para donar tiempo a las obras caritativas. Luego, decide si las siguientes frases son ciertas o falsas.

1. Es bueno colaborar.
2. Es importante ver el noticiero.
3. Es malo patrocinar una teletón.
4. No es posible hacer cambios.
5. No es necesario trabajar juntos.
6. Es útil ver los cortometrajes de la campaña.
7. No es importante ser creativos.
8. Es imposible leer los volantes.

🎧 Audio Program
TXT CD 4 Track 5
Audio Script, TE p. 115B

Expansión:
Teacher Edition Only
Pídales a los estudiantes que hablen sobre una obra caritativa en que les gustaría participar. Pregúnteles por qué.

14 | ¿Qué dices? ♻ ¿Recuerdas? Volunteer activities pp. 92–93

Hablar

Tu compañero(a) y tú ven las siguientes escenas y quieren hacer comentarios usando expresiones impersonales. ¿Qué pueden decir en cada situación?

modelo: Es importante ayudar a los demás.

1.
2.
3.

4.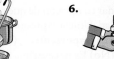
5.
6.

Expansión:
Teacher Edition Only
Pídales a los estudiantes que escriban dos comentarios sobre lo que no es bueno hacer.

Pronunciación — La letra d

AUDIO

La letra **d** tiene dos sonidos en español. Al principio de una palabra o después de una consonante, es como la *tt* de la palabra *better* en inglés. Al fin de una palabra o entre dos vocales, es como la *th* en la palabra *father*.

describir	editor	donar	comunidad

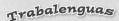
Trabalenguas

Dos alcaldes, David Machado y Daniela Amador, danzan el fandango el sábado.

Objectives
· Practice using impersonal expressions with infinitives.
· Practice making suggestions and observations.
· Recycle: Volunteer activities.
· **Pronunciation:** The letter **d**

Core Resource
· Audio Program: TXT CD 4 tracks 5, 6

Practice Sequence
· **Activity 13:** Controlled practice: listening comprehension
· **Activity 14:** Transitional practice: impersonal expressions; Recycle: volunteer activities.

✿ STANDARDS
1.1 Engage in conversation, Act. 14
1.2 Understand language, Act. 13
1.3 Present information, Act. 14
4.1 Compare languages, Pronunciación

Communication
⚠ Common Error Alert

Remind students that when a sentence has an impersonal expression, only the first verb should be conjugated. For example: Es difícil **escribir** una novela. **Not** Es difícil **escribe** una novela.

📦 Answers UTB 2 Transparency 29

Activity 13

1. cierto	5. falso
2. cierto	6. cierto
3. falso	7. falso
4. falso	8. falso

Activity 14 Answers will vary.
1. Es bueno visitar a los enfermos.
2. Es necesario reciclar.
3. Es importante hacer donaciones.
4. Es interesante leer las noticias.
5. Es bueno trabajar en un comedor de beneficencia.
6. Es importante donar libros.

129

Differentiating Instruction

Heritage Language Learners

Increase Accuracy Bilingual students may pronounce **d** as it sounds in English. Remind students that the Spanish **d** has two separate sounds, hard and soft. Instruct students to write a **trabalenguas** that contains several words with the letter **d**. Read the tongue-twisters as a class. Ask volunteers to read the tongue-twister as quickly as they can.

Pre-AP

Relate Opinions As an extension of Activity 14, ask advanced students to offer opinions about what they think people should do to improve society. Tell students to talk about issues that are not addressed in the illustrations of the activity. Remind them to use impersonal phrases with infinitives.

Objectives
- Practice using impersonal expressions with infinitives.
- **Culture:** Spanish language newspapers in the United States

Core Resource
- *Cuaderno,* pp. 79–81

Practice Sequence
- **Activities 15, 16:** Open-ended practice: impersonal expressions

⊗ STANDARDS
1.1 Engage in conversation, Act. 15
2.2 Products and perspectives, Act. 16
3.2 Acquire information, Act. 16
5.1 Spanish in the community, Act. 16

Comparación cultural

Essential Question

Suggested Answer La población hispana en Estados Unidos es muy grande. Es importante tener periódicos en su idioma.

Background Information

Instruct students to look up one of the newspapers mentioned in the **Comparación cultural** *(La Prensa, La Raza, La Opinión)* on the Internet. Tell students to read an interesting article from one of the newspapers. Then ask students to give the class a summary of the article and explain why they found it interesting.

✓ Ongoing Assessment

@HomeTutor
More Practice
ClassZone.com

Quick Check Before having students do the Para y piensa, review commands and impersonal phrases. If a student is unable to complete all three sentences correctly, direct him or her to p. 128 for review.

For additional practice, use Reteaching & Practice Copymasters URB 2, pp. 19, 20, 24.

See Activity answers on p. 131.

130

---

15 Unos letreros

Hablar
Escribir

Tu compañero(a) y tú quieren promocionar la acción social en su comunidad. Hablen de varias obras caritativas y proyectos sociales que creen importantes. Luego, escriban un bosquejo de tres letreros para promocionar sus proyectos. Usen expresiones impersonales.

> **modelo:** ¡Es importante reciclar todo lo posible!

Expansión
Preparen uno de los letreros con todos los detalles posibles para presentar en clase y poner en la escuela.

---

16 Es interesante leer...

Leer
Hablar
Escribir

Comparación cultural

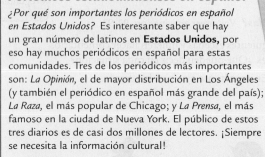

Periódicos estadounidenses en español

¿Por qué son importantes los periódicos en español en Estados Unidos? Es interesante saber que hay un gran número de latinos en **Estados Unidos,** por eso hay muchos periódicos en español para estas comunidades. Tres de los periódicos más importantes son: *La Opinión,* el de mayor distribución en Los Ángeles (y también el periódico en español más grande del país); *La Raza,* el más popular de Chicago; y *La Prensa,* el más famoso en la ciudad de Nueva York. El público de estos tres diarios es de casi dos millones de lectores. ¡Siempre se necesita la información cultural!

Periódicos estadounidenses en español

Compara con tu mundo *¿Qué periódicos en español hay en tu comunidad, ciudad o estado? ¿Salen cada día o cada semana? ¿Se publica(n) en inglés también? ¿Qué tipo de artículos tienen?*

Escribe un párrafo para dar tu opinión de qué temas debe presentar un periódico de tu comunidad. Utiliza expresiones impersonales con el verbo en infinitivo: **(No) Es importante... , (No) Es interesante... , (No) Es buena idea... , (No) Es necesario...**

Expansión:
Teacher Edition Only
Usa expresiones impersonales para escribir un párrafo con tu opinión sobre la televisión en español en Estados Unidos.

Más práctica Cuaderno *pp. 79–81* Cuaderno para hispanohablantes *pp. 80–83*

PARA Y PIENSA

¿Comprendiste? Cambia los mandatos a una expresión impersonal. Utiliza expresiones como: *Es una buena idea...*
1. Apoya la teletón.
2. Escribe una carta al editor.
3. Incluyan subtitulación para sordos en los programas.

Get Help Online
ClassZone.com

Differentiating Instruction

English Learners

Build Background Ask English learners to scan the Comparación cultural for words that are unfamiliar. Make a list of the words on the board. Discuss the meanings of the words and provide examples of their uses. Then ask the students to read the passage.

Heritage Language Learners

Support What They Know Ask heritage speakers if they or anyone in their family read a Spanish-language newspaper. Ask its name. Then instruct heritage learners to name and describe a newspaper that is popular in their countries of origin. Tell them to compare that newspaper with a Spanish-language newspaper in the United States.

Todo junto

¡AVANZA! **Goal:** ***Show what you know*** Listen to the following interview with Roberto and others who are participating in this year's telethon to benefit a social services agency. Focus on the commands and impersonal expressions that are used in the conversation. ***Actividades 17–19***

Resumen contextos 1 y 2 Roberto trabaja para el periódico escolar. Tiene que escribir un artículo sobre una teletón anual y revisó los archivos de la teletón del año pasado para estar bien informado.

Contexto 3 *Diálogo*

ESTRATEGIA **Escuchar**
Predict, listen, and compare What topics do you think Sra. Huerta and Sr. Sandoval will mention during the interview? Write down your predictions and then list the topics *actually* discussed. Compare the two lists. Which predictions were correct? Were there any surprises?

AUDIO

Ahora Roberto va a hacerle una entrevista a la Sra. Huerta, presidenta de la agencia social Nuestras Comunidades, y al Sr. Sandoval, un patrocinador importante que va a organizar un concurso *(contest)*.

Roberto: Sra. Huerta, pienso que usted está muy contenta con las donaciones que estamos recibiendo esta noche, ¿no?

Sra. Huerta: ¡Sí, Roberto! Como sabes, este año nuestra meta es juntar \$15.000. Nuestros patrocinadores y el público ya donaron \$11.400. ¡Es emocionante ver la generosidad de todos!

Roberto: ¡De acuerdo! ¿Y cómo se llama el señor que la acompaña esta noche?

Sra. Huerta: Permíteme presentarte al Sr. Sandoval, el presidente de la corporación Imagen. Sr. Sandoval, él es Roberto Torres, el reportero del periódico escolar.

Roberto: Un placer, Sr. Sandoval.

Sr. Sandoval: El gusto es mío, Roberto... Tengo un anuncio para el público y los telespectadores. Eh... ¿hay un fotógrafo aquí? ¿Sí? Llámalo, por favor... Y es importante tener presentes a todos los reporteros. Y trae también unas cámaras de video... y...

¡AVANZA! Objective
- Integrate lesson content.

Core Resource
- Audio Program: TXT CD 4 track 7

Presentation Strategies
- Review the first two parts of the Contexto aloud.
- Play the audio as students read along.
- Have students listen to see if their predictions about the interview were correct.

STANDARD
1.2 Understand language

Warm Up UTB 2 Transparency 22

Periódicos en español Completa las oraciones con palabras de la tabla.

La Prensa	Estados Unidos	*La Raza*
periódicos	*La Opinión*	

1. _____ es un periódico famoso en Nueva York.
2. Hay muchos _____ en español para comunidades latinas.
3. _____ es un periódico popular en Chicago.
4. Hay un gran número de latinos en _____.
5. _____ es el periódico en español más grande del país.

Answers: 1. *La Prensa;* 2. periódicos; 3. *La Raza;* 4. Estados Unidos; 5. *La Opinión*

Differentiating Instruction

Heritage Language Learners
Support What They Know Have native speakers look at the list of expressions given in También se dice. Ask what other phrases are used in the region where they or their family members come from to mean "cartoons." Write the terms on an ongoing list on the bulletin board.

Slower-paced Learners
Read Before Listening Assign students the roles of Roberto, señora Huerta, and señor Sandoval and have them read the dialog aloud. Pause after every few paragraphs and ask simple comprehension questions. Ask students to point to the place in the dialog where they found the answer.

Answers UTB 2 Transparencies 28–31

Answers for Activities on p. 130.

Activity 15 Answers will vary but be sure students use impersonal expressions to discuss charitable work and social projects that they think are important.

Activity 16 Answers will vary.

Para y piensa Answers may vary slightly.
1. Fue bueno apoyar la teletón.
2. Es importante escribir una carta al editor.
3. Es necesario incluir subtitulación para sordos en los programas.

Objective
· Practice using and intergrating grammar and vocabulary.

Core Resources
· *Cuaderno*, pp. 82–83
· Audio Program: TXT CD 4 tracks 3, 4, 7, 8, 9

Practice Sequence
· **Activity 17:** Contexto 3 comprehension
· **Activity 18:** Transitional practice: reading, listening, and speaking
· **Activity 19:** Open-ended practice: writing

 STANDARDS
1.2 Understand language, Act. 17
1.3 Present information, Act. 19

TEACHER to TEACHER
William Frank
Derry, NH

Tips for Presenting Dialogues

"When I have a class that needs a bit more direction for a listening activity, I take a CD-based dialogue from the text, transcribe it, and turn it into a cloze activity. I hand out a copy of the dialogue to each student and then play it two or three times to keep students engaged."

Communication
Interpretive Mode

Diálogo Read aloud the dialogue from Contexto 3 as students listen. Then ask three students to read the segment aloud a few times. Assign roles to different students from the dialog. Encourage the other students to be thinking of questions they may have about the reading.

 Answers UTB 2 Transparency 30

Activity 17
1. Roberto
2. Sra. Huerta
3. Sr. Sandoval
4. Sr. Sandoval
5. Sr. Sandoval
6. Sra. Huerta
7. Sr. Sandoval y Roberto
8. Sr. Sandoval y Sra. Huerta

132

Un momento después...

Sr. Sandoval: Señores y señoras, creo que es necesario hacer algo por nuestra comunidad. Por eso voy a patrocinar un nuevo programa educativo.

Sra. Huerta: ¡Qué sorpresa! ¡Muchísimas gracias, Sr. Sandoval!

Sr. Sandoval: Creemos que es una buena idea crear un programa a beneficio de nuestros vecinos. Por eso hoy donamos $10.000.

Sra. Huerta: ¿Y cómo se va a decidir el enfoque del programa?

Sr. Sandoval: Con un concurso. El público envía sus propuestas para el enfoque del programa; luego, un comité especial elige la mejor. El 1° de julio es la fecha límite para recibir las propuestas.

Sra. Huerta: ¡Fabuloso, Sr. Sandoval!

Sr. Sandoval: ¡Y eso no es todo! Nuestra empresa tiene dinero para producir un cortometraje para el público adulto y una tira de dibujos animados para los niños. ¡Y todo se traduce! El inglés y el español sirven para unir a nuestras comunidades.

Sra. Huerta: Estoy muy emocionada. Muchas gracias de nuevo.

Sr. Sandoval: ¡Un placer, señora! A ver, Roberto, ¿tienes todos los datos necesarios para escribir el artículo? Y no te olvides de mi foto.

Roberto: ¡Sí, sí, Sr. Sandoval! Pero, discúlpenme, por favor... ¡tengo mucho que escribir!

También se dice
Los niños llaman a los dibujos animados de maneras diferentes y divertidas:
·**México** caricaturas
·**Argentina** dibujitos
·**Colombia** monitos
·**Cuba** y **República Dominicana** muñequitos

17 | Comprensión del diálogo

Escuchar
Hablar
Escribir

¿Con quién(es) asocias las siguientes frases? ¿Roberto, la señora Huerta o el señor Sandoval?

modelo: Está muy satisfecha con las donaciones: Sra. Huerta

1. Es reportero para el periódico escolar.
2. Trabaja en la organización Nuestras Comunidades.
3. Quiere patrocinar un nuevo programa educativo.
4. Va a organizar un concurso para decidir el enfoque del nuevo programa.
5. Se preocupa por la publicidad.
6. Está muy emocionada por la donación.
7. Colaboran para anunciar el concurso.
8. Quieren hacer cosas a beneficio de la comunidad.

Expansión:
Teacher Edition Only
Pídales a los estudiantes que describan cada persona en el diálogo en dos frases.

Unidad 2 Estados Unidos
132 ciento treinta y dos

Differentiating Instruction

Pre-AP
Summarize Instruct students to summarize aloud what is discussed in Contexto 3. The summary should include who is speaking and what their role is in the text, how Sra. Huerta feels, and what Sr. Sandoval wants. Also ask students to discuss how Sr. Sandoval feels about publicity.

Multiple Intelligences
Linguistic/Verbal Tell students to find and make a list of commands with object pronouns in Contexto 3. Instruct students to determine who or what the pronoun is referring to. Then have students change affirmative commands into negative commands and negative commands into affirmative commands.

18 | Integración

Leer
Escuchar
Hablar

Lee el anuncio para limpiar tu comunidad que hay en el tablero del parque. Escucha la llamada telefónica que te hace la organización para informarte de algunos cambios. Explica cuáles son los cambios para participar en el evento.

 Audio Program
TXT CD 4 tracks 8, 9, Audio Script, TE p. 115B

Fuente 1 Tablero de anuncios

Vamos a limpiar con Comunidad Limpia

Es muy importante mantener limpia nuestra comunidad. Tú puedes ayudar el sábado 14 de octubre.

¡No te pierdas esta gran oportunidad de colaborar con otros voluntarios y limpiar los parques y otros lugares públicos!

Preséntate el sábado a las 8 a.m. en el Parque Paloma para conocer a otros voluntarios y recoger las bolsas de basura.

Llámanos al 555-1111 si quieres colaborar o pedir un lugar en particular para limpiar.

¡Contamos contigo! Comunidad Limpia

Fuente 2 Llamada telefónica

Escucha y apunta
- ¿Dónde va a trabajar el grupo ahora? ¿Dónde pensaba trabajar antes?
- ¿Qué deben llevar y qué van a hacer los miembros del grupo? ¿Qué otros cambios hay?

modelo: El grupo va a trabajar en el parque San Francisco. Tienen que llevar guantes de trabajo al parque.

Expansión:
Teacher Edition Only
Pídales a los estudiantes que identifiquen las expresiones impersonales en el anuncio y en la llamada telefónica.

19 | Un artículo de opinión

Escribir

Elige una organización real o imaginaria que apoyas. Escribe un artículo de opinión para el periódico. Di por qué crees que es una buena organización y por qué crees que otras personas deben apoyarla con dinero y actividades. Usa por lo menos tres mandatos con pronombres y tres expresiones impersonales.

Writing Criteria	Excellent	Good	Needs Work
Content	Your argument includes several persuasive reasons for supporting the organization.	Your argument includes some persuasive reasons for supporting the organization.	Your argument includes few persuasive reasons for supporting the organization.
Communication	Your argument is organized and easy to follow.	Parts of your argument are organized and easy to follow.	Your argument is disorganized and hard to follow.
Accuracy	You make few mistakes in grammar and vocabulary.	You make some mistakes in grammar and vocabulary.	You make many mistakes in grammar and vocabulary.

Expansión:
Teacher Edition Only
Pídales a los estudiantes que comparen su organización con la organización de un(a) compañero(a).

Más práctica Cuaderno *pp. 82–83* Cuaderno para hispanohablantes *pp. 84–85*

PARA Y PIENSA

¿Comprendiste? Convierte los mandatos en expresiones impersonales y las expresiones impersonales en mandatos con **ustedes**.
1. Trae unas cámaras de video.　　2. Es emocionante ver la generosidad de todos.

Get Help Online ClassZone.com

Lección 2
ciento treinta y tres **133**

Differentiating Instruction

Pre-AP

Determine Cause and Effect Ask students cause and effect questions about social organizations and society. For example: *What causes our parks to become dirty? What is the effect of malnutrition? What causes people to want to help others in need? What effect does generosity have on society?*

Multiple Intelligences

Visual Learners Encourage students to make a visual to accompany the information in their editorials for Activity 19. The visual can include posters, collages, or videos that demonstrate activities that define the charity. Then ask each student to share his or her visual with the class as he or she reads the editorial.

Long-term Retention

Pre-AP Integration

Activity 18 Help students take notes for this activity. In their notebooks, have students label one column **Cambios** and the other **Explicación**. They can take notes in the appropriate columns as they read the **Tablero de anuncios** or listen to the audio.

✓ **Ongoing Assessment**

Rubric Activity 18

Listening / Speaking

Proficient	Not There Yet
Students take good notes and explain all changes in detail.	Students take few notes and offer few explanations.

✓ **Ongoing Assessment**

 @HomeTutor More Practice ClassZone.com

PARA Y PIENSA
Intervention If students are unable to correctly write both sentences, pair them with another student to review impersonal expressions with infinitives (p. 128) and commands with pronouns (p. 123).

For additional practice, use Reteaching & Practice Copymasters URB 2, pp. 19, 21.

Answers UTB 2 Transparency 30

Activity 18 Answers will vary. See model.
Activity 19 Editorials will vary. Make sure that each editorial is persuasive. Be sure that students use at least three commands with pronouns and three impersonal expressions.
Para y piensa Answers will vary.
　1. Es buena idea traer unas cámaras de video.
　2. ¡Vean la generosidad de todos!

133

¡AVANZA! Objectives

- Read an excerpt from a novel by Sandra Cisneros.
- Analyze the relationships in the story.
- **Culture:** Las mañanitas

Core Resource

- Audio Program: TXT CD 4 track 10

Presentation Strategies

- Use the Para leer strategy.
- Point out vocabulary notes.
- Examine Nota cultural with students
- Read the excerpt of the story and respond to questions.

STANDARDS

1.2 Understand language
2.1 Practices and perspectives
2.2 Products and perspectives

Warm Up   UTB 2 Transparency 23

Acción social Escribe diez palabras relacionadas con una organización de ayuda social.

Answers: Answers will vary. Sample answers: 1. donaciones; 2. patrocinadores; 3. generosidad; 4. el público; 5. telespectadores; 6. la comunidad; 7. teletón; 8. el dinero; 9. publicidad; 10. colaborar

Culture

About the Author

Sandra Cisneros graduated from Chicago's Loyola University. She attended the University of Iowa Writers' Workshop as a graduate student. There she developed what was to be the theme of most of her writing, her unique experiences as a Latino woman in a largely alien culture.

See Para leer answers on p. 135.

134

✳ Lectura literaria

¡AVANZA! **Goal:** Read and understand the following passage about the Mexican tradition of singing *Las mañanitas* to celebrate someone's birthday. Then discuss this tradition and compare it to the traditions of your family.

Para leer 📖

ESTRATEGIA Leer

Track the relationships To understand "Las mañanitas" more fully, consider the feelings and attitudes that the characters hold toward each other. Using a table like the one shown, describe the relationship between each pair (Column B), describe any changes in the relationship during the story (Column C), and briefly list evidence supporting your descriptions in B and C (Column D).

A Relación familiar		B Descripción	C Cambios de actitud	D Evidencias [frases o contexto]
Narradora ← → Abuela				
Madre ← → Abuela				
Padre ← → Abuela				

Vocabulario para leer

enojona	*que se enoja fácilmente*
desfilar	*pasar un grupo de gente delante de alguien*
la recámara	*lugar de la casa donde se duerme*
regañar	*retar a alguien y decirle lo que no debe hacer*
dar vergüenza	*sentirse incómodo ante una situación*
felicitar	*saludar a alguien por un motivo especial, como un cumpleaños*

Nota cultural

Sobre la autora **Sandra Cisneros (1954–)**
Nació en Chicago y ahora vive en San Antonio, Texas. Su familia es de origen mexicano. Ella escribe poesía y ficción, y recibió muchos premios literarios. Entre sus libros más famosos están *La casa en Mango Street* y *Caramelo*. Algunas de sus obras se tradujeron a más de doce idiomas.

Sobre las canciones populares «Las mañanitas» es una canción tradicional que se canta para celebrar los cumpleaños. Es una costumbre mexicana muy típica pero también es popular en otros países de habla hispana. En algunos casos, la letra *(lyrics)* varía y se pueden agregar *(add)* algunos versos.

134 Unidad 2 Estados Unidos
ciento treinta y cuatro

Differentiating Instruction

Multiple Intelligences

Musical/Rhythmic Read the Nota cultural about *Las mañanitas.* Ask students to expand on the history of the song. Then instruct students to find the lyrics and a recording of the song on the Internet. Remind students that the lyrics to the song sometimes vary. For extra credit, have students practice the song and sing it to the class.

Inclusion

Metacognitive Support Before the students start reading the story, remind them that they should try to figure out words from context, rather than looking up all the words they don't know. At the end of each page, have them stop and write down a short summary of the page. Afterward, have pairs of students go over the summaries to make sure that they understood the story.

FELICIDADES. M'IJO

Las mañanitas
AUDIO

Como lo obligaron a despertarse temprano todos los días de su infancia, papá tiene un sueño atroz[1]. No hay cosa que le guste más que despertarse tarde. Especialmente en su cumpleaños.

5 Y así, todos los demás ya están vestidos y listos para saludar la mañana de su nacimiento con una canción. —*Despierta, mi bien, despierta...* Pero esto quiere decir todos. La abuela enojona, el abuelito, la tía Güera y la prima Antonieta Araceli, la niña Oralia, exhausta por tener que cocinar y limpiar para dieciocho personas más de lo normal, y hasta Amparo la lavandera y su hermosa hija, Candelaria.

10 Además de cualquier otro a quien puedan forzar a presentar sus respetos —los primos, las tías y tíos, mis seis hermanos— todos desfilan por nuestra recámara mientras todavía estamos dormidos bajo las sábanas, parpadeando[2] con los ojos legañosos[3], el aliento agrio[4], el pelo chueco[5] como escobas: mi mamá, mi papá y yo, porque, olvidé contarte,
15 yo también duermo en su cuarto cuando estamos en México, a veces en el catre con ruedas[6] enfrente de ellos y a veces en la misma cama.

---

[1] **tiene...** He is terribly tired   [2] blinking   [3] **con...** with sleep in our eyes
[4] **aliento...** sour breath   [5] crooked   [6] **catre...** cot on wheels

✔ Reflexiona

¿Qué día ocurre esta historia?

Differentiating Instruction

Heritage Language Learners

Literacy Skills Ask heritage speakers to read the excerpt from *Las mañanitas* aloud in class. Assign the parts of Narradora, Abuela, Madre, and Padre. Ask students to scan the excerpt before reading and to highlight their parts to avoid confusion when they read in front of the class. Ask heritage speakers to show the characters' emotions as they read.

Pre-AP

Sequence Information Instruct students to explain the order of events in *Las mañanitas.* In addition to describing the events of the story, students should discuss the characters and their feelings and personalities.

Communication
Regionalisms

Explain to the class that the word **m'ijo** is a contraction for **mi hijo** and is very common in spoken Spanish. Ask heritage speakers if they have heard this contraction and if they can name other contractions that are popular in their countries of origin.

Answers

Answers for Para leer on p. 134.
Para leer Answers will vary:

A Relación familiar	B Descripción	C Cambios de actitud	D Evidencias [frases o contexto]
Narradora-Abuela	La narradora no entiende a su abuela.	La narradora tiene vergüenza cuando la abuela le pregunta por qué no duerme sola.	"Da vergüenza que te canten y te griten antes del desayuno cuando todavía estás en tu camiseta con olanes..."
Madre-Abuela	La abuela le molesta a la madre.	La madre está furiosa con la abuela cuando entra en su cuarto con toda la familia.	La madre dice "Despierta a todo el barrio más y más temprano. ¿Qué cree? ¿Qué me ve la cara de taruga o qué?
Padre-Abuela	Los dos tienen una relación cariñosa.	El padre se divierte con las acciones de su madre.	El padre sonríe porque la situación le parece divertida.

Reflexiona
El día del cumpleaños del papá.

Objectives
· Read an excerpt of a novel by Sandra Cisneros.
· Analyze the relationships in the story.

Core Resource
· Audio Program: TXT CD 4 track 10

STANDARDS
1.2 Understand language
4.2 Compare cultures

Communication
TPR Activity

Randomly read a few isolated phrases from the story to the class. As you read each phrase, ask all students in the class to act out the emotion and actions of the character who is speaking. For example, if you read **Me veo horrible, dice, cepillándose el pelo con furia,** students should look upset and pretend to brush their hair.

Answers

A pensar
La narradora siente vergüenza porque la abuela la regaña enfrente de toda la familia. La mamá siente pena porque el padre tiene una barba y lleva una camiseta con hoyos. También, la madre tiene pelo desordenado.

Reflexiona
Casi todos se sienten incómodos.

136

 # Lectura literaria *continuación* ────────

—Parecen rancheros —nos regaña la abuela después de que se acaba la canción del cumpleaños—. Sinvergüenza[7] —me dice—. ¿No crees que ya estás grandecita como para dormir sola?

20 Pero ¿a quién le gusta dormir solo? ¿A quién se le ocurriría[8] dormir solo a menos que tuviera que hacerlo[9], chico o grande?

Da vergüenza que te canten y te griten antes del desayuno cuando todavía estás en tu camiseta con olanes[10] y tus calzones[11] floreados. ¿A mamá también le da pena? Estamos clavados[12] a la
25 cama, sin poder levantarnos hasta que todos hayan felicitado a papá por su cumpleaños. ❋

¡Felicidades! ¡*Happinesses!*

—Sí, gracias—dice papá pestañeando[13]. *Trae la barba gris sin rasurar[14], su camiseta ya no es tan blanca,* piensa mamá, *y ¿por qué tuvo*
30 *que ponerse ésa con el hoyo[15]?*

—¿Adivina qué te guardé nada más para ti, m'ijo? ¡La nata[16] de hoy! ¿Prefieres vestirte y bajar a desayunar, o te traigo una charola[17]?

—Gracias, mamá. Me voy a vestir. Gracias a todos. Gracias,
35 muchas gracias.

Luego, después de lo que parece un largo rato mientras la abuela asiente[18] y supervisa los buenos deseos de todo el mundo, todos salen en fila.

Mamá se levanta de un brinco[19] y se ve en el espejo del tocador.

40 —Me veo horrible, dice, cepillándose el pelo con furia.

Sí se ve horrible, el pelo parado como si se estuviera incendiando[20], pero nadie le dice, —Ay, no, no te ves horrible para nada, y esto sólo hace que se sienta peor.

> ❋ **A pensar**
> Aquí aparecen las palabras **vergüenza** y **pena.** ¿Por qué siente vergüenza la narradora? ¿Por qué la mamá puede sentir pena?

---

[7] shameless	[8] **A...** Who would think about
[9] **a menos...** unless he(she) had to	[10] frilly [11] underwear
[12] nailed	[13] blinking [14] **sin...** unshaven
[15] hole	[16] cream [17] bowl [18] agrees
[19] **de...** she jumps	[20] burning

✓ Reflexiona

En general, ¿cómo se siente la gente que vive en la casa después de recibir la visita?

Differentiating Instruction

Multiple Intelligences

Visual Learners Instruct students to make a comic strip that illustrates the events of *Las mañanitas.* Tell students that they should try to reflect the characters' emotions (amused, angry) as best as they can. Students do not have to write captions but should be able to explain in their own words what is happening in the drawings.

Inclusion

Multisensory Input/Output Use a variety of strategies to help students understand *Las mañanitas.* Ask students to scan the story and make a list of any expressions that they do not understand. Have students share those phrases with the class and convey the meaning with gestures, simple explanations, or drawings.

Apúrate y vístete —me dice de esa manera que me hace
45 obedecerla sin preguntar por qué.

—¡Tu mamá! Te apuesto a que se cree muy chistosa cuando
entra todos los años sin tocar siquiera. Despierta a todo el barrio
más y más temprano. ¿Qué cree? ¿Que me ve la cara de taruga[21]
o qué? ✿

50 Papá no hace caso de las quejas de mamá. Papá ríe esa risa que
siempre ríe cuando el mundo le parece divertido. Esa risa como las
chicharras[22], una risa como la letra «k».

---

[21] **Que...** Does she think I'm a blockhead?   [22] cicadas

✿ **A pensar**
¿Es la primera vez que
esta visita ocurre? ¿A
quién definen las
palabras **chistosa** y
taruga en este párrafo?
¿Por qué?

PARA Y PIENSA

¿Comprendiste?

1. ¿Son muchas o pocas las personas que felicitan al papá?

2. ¿Qué diferencia hay entre el aspecto de las personas que llegan
a la casa y el aspecto de la narradora y sus padres?

3. ¿Cómo reaccionan la narradora y sus padres ante la visita?

4. ¿Cuál es el papel (role) de la abuela en la celebración?

5. ¿Qué relación crees que hay entre la narradora y la abuela, la
mamá y la abuela y el papá y la abuela?

¿Y tú?

¿Cómo se celebran los cumpleaños en tu familia? ¿Tienen alguna
tradición especial? ¿Cómo preferirías (would you prefer) celebrar tu
cumpleaños?

Lección 2
ciento treinta y siete **137**

Differentiating Instruction

Heritage Language Learners

Support What They Know Ask heritage
learners about family traditions related to
birthday parties, weddings, or funerals. Have
students explain if their traditions reflect their
culture, culture in the United States, or both.
Involve the rest of the class by creating a chart
that compares how various students in the
class celebrate these important events.

Slower-paced Learners

Sentence Completion Help students
answer comprehension questions by posting
the question and an incomplete answer on an
overhead. Clarify the meaning of each
question. Guide students to the place in the
text where they will most likely find the
answer. Then ask students to complete each
sentence. Go over the answers as a class.

Answers UTB 2 Transparency 30

A pensar
No es la primera vez que esta sorpresa ocurre.
La palabra **chistosa** refiere a la abuela. El padre
cree que la abuela es chistosa cuando entra su
cuarto cada año sin tocar la puerta. La palabra
taruga refiere a la madre. La madre dice que la
abuela piensa que es tonta.

Para y piensa Answers will vary.
¿Comprendiste?

1. Son muchas las personas que felicitan al
papá la mañana de su cumpleaños.

2. Cuando todos desfilan por la recámara
para presentar sus respetos al papá, la
narradora y sus papás están bajo las
sábanas y todavía no se han vestido. Todos
los demás ya están vestidos.

3. Papá no quiere despertarse. Mamá tiene
vergüenza porque dice que se ve horrible.
La narradora se siente atrapada; que no
puede levantarse hasta que todos hayan
felicitado a papá.

4. El papel de la abuela en la celebración es
supervisar los buenos deseos de todo el
mundo.

5. La narradora describe a la abuela como
enojona y dice que la regaña por estar en el
mismo cuarto de sus padres. La relación
entre la mamá y la abuela parece difícil. Se
queja de ella, pero papá no le hace caso.
Sin embargo, es obvio que la abuela le
quiere mucho a su hijo y a su familia.

¿Y tú? Answers will vary. Sample answers:
En mi familia, tenemos una fiesta con toda la
familia, pastel y regalos. Preferiría celebrar mi
cumpleaños en una isla tropical con mis
amigos.

137

¡AVANZA! **Objective**

· Write a short composition about the importance of volunteer work.

Presentation Strategies

· Before starting the class, ask students their opinions about volunteering.
· Next, work with students to create a list of positive aspects of volunteer work and a list of reasons why people might not like to volunteer.
· Remind students of the steps involved in the writing process: brainstorming, writing, and revising. Point out that they have completed the first step of the process and can now move on to writing their compositions.

STANDARD

1.3 Present information

✓ Ongoing Assessment

Peer Assessment Before students turn in their compositions, have them exchange papers for peer editing. Have them check for an effective introduction and conclusion. Ask them to circle errors in subject-verb agreement and underline errors in usage. Encourage them to note any other errors they might find (e.g., overall sense) in the margins with suggestions for corrections. Return the compositions to their owner and have students revise their work.

Escritura

La importancia del trabajo voluntario

Escribe un discurso para promover el trabajo voluntario entre los estudiantes de tu escuela. Usa la siguiente secuencia de estrategias para organizar tus ideas.

❶ Prepárate para escribir

ESTRATEGIA **Selecciona trabajos voluntarios** Haz una lista de trabajos voluntarios en los que quieres participar. Luego haz otra lista con trabajos voluntarios que no te gustan.

❷ Escribe

ESTRATEGIA **Establece un punto de vista** Para establecer un punto de vista es bueno estudiar los aspectos del tema y ver si son positivos o negativos. Luego, se escogen las mejores razones para convencer al público. De la lista que hiciste, escoge un trabajo que te gusta y uno que no te gusta. Completa una tabla como la siguiente con los aspectos positivos y negativos de cada trabajo. Luego escribe un ensayo para persuadir a la gente de que participe en los dos trabajos. Plantea la importancia del trabajo voluntario. Incluye los elementos positivos y convence a la gente para superar los aspectos negativos.

Aspectos del trabajo voluntario	Positivo	Negativo
Se trabaja gratis.	Se contribuye con trabajo y tiempo.	A veces la gente no toma sus obligaciones en serio porque no recibe dinero.

❸ Revisa tu composición

Lee el borrador de tu compañero(a).

· Comprueba que use suficientes mandatos en la forma correcta de **ustedes** y expresiones impersonales con infinitivo para pedir, recomendar o sugerir. Subraya lo correcto y corrige si es necesario.

· ¿Están claros la opinión y los lados positivos que presenta?

· ¿Hay una introducción y una conclusión interesantes?

Después de las correcciones, revisa tu ensayo.

> ¡Trabajen de voluntarios en el hospital! Miren el lado positivo: podemos ayudar a mucha gente que está enferma. ¿El lado negativo? Sí, es triste estar enfermo y muchos días en el hospital, pero es importante ayudar a la gente que está sola.

Differentiating Instruction

Pre-AP

Communicate Preferences Ask students to revisit their compositions. Then ask them to state their preferences for or against volunteering by summarizing their writing selection in two to three sentences. Have students present their summaries to the class and take a vote on which preferences were the most convincing.

Slower-paced Learners

Personalize It Before students start writing, have them brainstorm about the needs of actual organizations in their town or state with which they have done volunteer work or for which they would be interested in doing volunteer work. They can then write their persuasive essays based on their own knowledge and experience.

Lección 2

En resumen
Vocabulario y gramática

Animated Grammar
Interactive Flashcards
ClassZone.com

Vocabulario

Talk About the Media

el acceso	access	el noticiero	news broadcast
el anuncio clasificado	classified ad	la publicidad por correo	mailing
el anuncio personal	personal ad	el público	audience
el artículo de opinión	editorial	la reseña	review
la cita	quote	la subtitulación para sordos	closed captioning for the hearing-impaired
la columna	column	el (la) telespectador(a)	TV viewer
el cortometraje	short documentary	la teletón	telethon
la cuestión	issue, question	el titular	headline
los dibujos animados	cartoons		
el (la) editor(a)	editor	**Actions**	
la entrevista	interview	distribuir	to distribute
la fecha límite	deadline	emitir	to broadcast
el (la) fotógrafo(a)	photographer	entrevistar	to interview
el grabador	tape recorder	investigar	to investigate
la gráfica	graphic	presentar	to present
el largometraje	feature, full-length movie	publicar	to publish
		traducir	to translate

Express Opinions

el debate	debate
describir	to describe
estar / no estar de acuerdo con	to agree / disagree with
explicar	to explain

Talk About the Community

a beneficio de	to the benefit of
donar	to donate
la obra caritativa	charitable work
otorgar	to grant
el (la) patrocinador(a)	sponsor
patrocinar	to sponsor
el programa educativo	educational program
los volantes	flyers

Gramática

Nota gramatical: Impersonal constructions with **se** *p. 122*

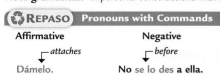 **REPASO** Pronouns with Commands

Affirmative	**Negative**
┌*attaches*	┌*before*
Dámelo.	**No** se lo des **a ella.**

If both object pronouns begin with the letter **L,** change the le or les to se.

The reflexive pronoun always comes before the object pronoun.

┌*before*	┌*before*
¡Póntelas!	¡**No** te las pongas!

With the **nosotros** command, drop the **-s** of the ending before adding the **reflexive pronoun** nos.

¡Organicemos una reunión!   ¡Organicémonos!

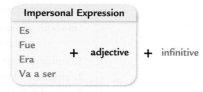 **REPASO** Impersonal Expressions + Infinitive

To state an opinion, or to suggest that something should be done, use an **impersonal expression** plus an **infinitive.**

Impersonal Expression		
Es		
Fue	**+ adjective +** infinitive
Era		
Va a ser		

Es malo presentar información falsa.
It's bad to present false information.

 SPANISH CLASSZONE.COM

Objective
· Review lesson vocabulary and grammar

Interactive Flashcards Students can hear every target vocabulary word pronounced in authentic Spanish. Flashcards have Spanish on one side, and a picture or a translation on the other.

Featuring...
 Cultura INTERACTIVA
 Animated Grammar
@HomeTutor

And more...
· **Get Help Online**
· **Interactive Flashcards**
· **Review Games**
· **WebQuest**
· **Conjuguemos.com**

Communication
Pair Work

Divide students into pairs and have them work together to create a crossword puzzle. Students may create the puzzle by hand with graph paper or on a computer. Instruct students to use at least fifteen to twenty words in the puzzle. Have pairs switch puzzles with another pair and complete each other's puzzle.

Long-term Retention
Critical Thinking

Synthesize Provide students with a worksheet that has several command phrases with pronouns. Write the words in the phrases out of order. Then tell students to rearrange the words correctly. Remind them to use accents when necessary. For example: **me da lo = Dámelo.**

Differentiating Instruction

Pre-AP

Circumlocution Put students into groups of three. Tell students to take turns describing one of the vocabulary words from the list on p. 139 to the group. They may use words, phrases, or complete sentences. For example: **Un artículo en el periódico.** Answer: **columna**

Multiple Intelligences

Interpersonal Have students discuss the necessity for volunteer work in small groups. Remind students to use vocabulary from the lesson and impersonal expressions with infinitives. Circulate the classroom as students have their discussions, interjecting only when a student is having difficulty expressing him or herself.

139

¡AVANZA! **Objective**
· Review lesson grammar and vocabulary.

Core Resources
· *Cuaderno*, pp. 84–95
· Audio Program: TXT CD 4 track 11

Presentation Strategy
· Direct students' attention to the ¡Llegada!

STANDARDS
1.2 Understand language, Act. 1
1.3 Present information, Act. 2, 3, 4, 5
2.1 Practices and perspectives, Act. 5
3.2 Acquire information, Act. 5
4.2 Compare cultures, Act. 5
5.1 Spanish in the community, Act. 5

Warm Up   UTB 2 Transparency 23

Ordena las palabras Escribe las palabras de cada oración en el orden correcto.
1. lo se des no: _____
2. malo comer demasiado es: _____
3. español habla se: _____
4. los ponte zapatos: _____
5. digas no me: _____
6. interesante escuchar era entrevistas las: _____

Answers: 1. No se lo des; 2. Es malo comer demasiado; 3. Se habla español; 4. Ponte los zapatos; 5. No me digas; 6. Era interesante escuchar las entrevistas.

✓ Ongoing Assessment

Peer Assessment Have students work individually and then pair up with a partner after each activity to check their answers.

Answers   UTB 2 Transparency 31

Activity 1
1. Francisco, 2. Natalia, 3. Ninguno,
4. Natalia, 5. Francisco, 6. Francisco,
7. Natalia, 8. Francisco

Activity 2 Answers will vary. Sample answers:
1. ¿Se traducen los anuncios escritos en inglés al español?
2. ¿Se venden los anuncios clasificados a un precio muy bajo?
3. ¿Se consideran necesarias las columnas de consejos para la comunidad?
4. ¿Se explican las noticias al detalle?
5. ¿Se investigan las historias interesantes?
6. ¿Se emplean los escritores y fotógrafos hispanohablantes?

140

Lección 2
Repaso de la lección

@HomeTutor
ClassZone.com

¡LLEGADA!

Now you can
· make requests and recommendations
· express opinions
· talk about media and the community

Using
· pronouns with commands
· impersonal expressions + infinitive
· impersonal constructions with **se**

🎧 **Audio Program**
TXT CD 4 track 11
Audio Script, TE p. 115B

To review
· vocabulary pp. 118–119

AUDIO

1 Listen and understand

Dos estudiantes son candidatos para el puesto de editor del periódico escolar. Hoy dan discursos para presentar sus ideas para atraer a más lectores al periódico. Escucha los dos discursos y luego indica a quién se refiere cada una de las siguientes oraciones, ¿a Natalia o a Francisco?

1. Dijo que es necesario usar titulares grandes.
2. Dijo que quiere tener un traductor.
3. Dijo que quiere publicar el periódico dos veces por semana.
4. Dijo que es necesario incluir citas de personas importantes.
5. Dijo que es importante tener más gráficas.
6. Dijo que es una buena idea dedicar una página entera a las cartas al editor.
7. Dijo que quiere añadir una sección de anuncios clasificados.
8. Dijo que quiere añadir una columna de consejos.

To review
· impersonal constructions with **se** p. 122

2 Talk about media and the community

Escribe las preguntas según el modelo.

modelo: revista / publicar / español
¿Se publica la revista en español?

1. anuncios escritos en inglés / traducir / al español
2. anuncios clasificados / vender / a un precio muy bajo
3. columnas de consejos / considerar necesarias / para la comunidad
4. las noticias / explicar / al detalle
5. historias / investigar / interesantes
6. escritores y fotógrafos / emplear / hispanohablantes

Differentiating Instruction

Slower-paced Learners

Read Before Listening Hand out photocopies of the script for Activity 1 (TE p. 115B). Ask students to read the script on their own and highlight any parts that they do not understand. Review trouble spots as a class. Then ask students to put away the script, listen to the audio, and answer the questions.

Inclusion

Cumulative Instruction Review impersonal expressions with struggling learners. Provide examples that use infinitives and the impersonal **se**. At the end of each sentence, ask a volunteer to identify the impersonal phrase and explain if it contains an infinitive or the word **se**.

To review
• pronouns with commands p. 123

3 Make requests and recommendations

Varias personas opinan sobre la tele-educación. Completa sus comentarios con el mandato correcto y sustituye las palabras subrayadas (*underlined*) con pronombres. Sigue el modelo.

> **modelo:** «Me gusta este <u>proyecto</u>.» (apoyar / Ud.)
> Apóyelo.

1. «Necesitamos investigar las <u>finanzas</u> antes de apoyar el proyecto.» (analizar / ustedes)
2. «Es importante tener una <u>fecha límite</u>.» (fijar / usted)
3. «Queremos hacer <u>entrevistas</u> a los empleados.» (hacer / ustedes a ellos)
4. «Es mucho <u>dinero</u> para un solo proyecto.» (no gastar / ustedes)
5. «Necesito saber más sobre el <u>proyecto</u>.» (describir / usted a mí)
6. «No me gustó el <u>programa piloto</u>.» (no emitir / ustedes)

To review
• impersonal expressions with infinitives p. 128

4 Express opinions

Responde a las siguientes opiniones. Usa las expresiones impersonales que aparecen entre paréntesis.

> **modelo:** No presentan programas educativos en este canal. ((No) Es importante)
> Es importante presentar programas educativos en este canal.

1. No hay anuncios traducidos al español. ((No) Es mala idea)
2. Queremos publicar muchas cartas al editor. ((No) Es interesante)
3. El artículo no incluye varios puntos de vista. ((No) Es buena idea)
4. En general, la tele-educación no cuenta con muchos patrocinadores. ((No) Es necesario)

To review
• **Comparación cultural** pp. 124, 130

5 Celebrities who raise money; Spanish newspapers

Comparación cultural

Escribe un párrafo sobre cada uno de los temas que aparecen a continuación. Sigue las pistas en cada caso.

1. ¿Quién es Carlos Santana?
2. ¿Qué hace la Fundación Milagro?
3. ¿Cuáles son los tres periódicos en español más grandes de Estados Unidos?
4. ¿Cuánto público tienen estos periódicos?

Más práctica Cuaderno *pp. 84–95* Cuaderno para hispanohablantes *pp. 86–95*

 **Get Help Online** ClassZone.com

---

Differentiating Instruction

Inclusion

Synthetic/Analytic Support Break Activity 3 into parts. First, do an example on the board. Then, have students decide to whom the command is being given. If there is an indirect object, add it to the end of the command. Next, have students select the right direct object to use by determining the gender and number of the underlined noun(s). If necessary, add an accent.

Pre-AP

Timed Answer Provide students with many opportunities to practice the content of the lesson. Ask culture questions from Activity 5 or make up your own questions. Give students five to fifteen seconds to respond to you, depending on their proficiency and the difficulty of the question.

Unidad 2 Lección 2
REPASO DE LA LECCIÓN

✓ **Ongoing Assessment**

@HomeTutor More Practice ClassZone.com

Intervention/Remediation If students have more than one mistake in any of the activities, direct them to the indicated review pages in the PE. Have them locate the information relevant to their mistakes. For additional help, direct students online to www.ClassZone.com.

Answers UTB 2 Transparency 31

Activity 3
1. Analícenlas.
2. Fíjela.
3. Háganselas.
4. No lo gasten.
5. Descríbamelo.
6. No lo emitan.

Activity 4 Answers will vary.
1. No es mala idea tener anuncios traducidos al español.
2. Es interesante publicar cartas al editor.
3. Es buena idea incluir varios puntos de vista en el artículo.
4. Es necesario contar con muchos patrocinadores la tele-educación.

Activity 5 Paragraphs will vary but be sure students include the following information:
1. Carlos Santana nació en México y es uno de los más grandes guitarristas del rock.
2. La Fundación Milagro organiza, apoya, y patrocina campañas para donar dinero a beneficio de los jóvenes pobres.
3. Los tres periódicos en español más grandes de Estados Unidos son *La Opinión*, *La Raza*, y *La Prensa*.
4. Los periódicos tienen un público de dos millones de lectores.

Objectives
- Read two students' accounts about music traditions in their areas and their musical preferences.
- Students write a description of the music in their area.
- Compare the music in the students' area and their musical preferences to those described by the two students.

Core Resources
- *Cuaderno,* pp. 96–98
- Audio Program: TXT CD 4, Track 12

Presentation Strategies
- Ask students to read the title on p. 142. Then work as a class to brainstorm and list on the board different categories of information this title could be used for. After reading the text, go back to the list on the board and circle the information included in this reading.
- Have students listen to the audio as they follow along in their text.
- Have volunteers read the two accounts. Encourage students to identify music styles that they like that are mentioned in the descriptions.

STANDARDS
1.3 Present information
2.2 Products and perspectives
4.2 Compare cultures

✓ Ongoing Assessment

Quick Check Have students respond **cierto** or **falso** based on the descriptions.
1. A muchos mexicanos les gusta la música ranchera. **(cierto)**
2. Akwid es el hermano de Mariana. **(falso)**
3. La música salsa es originalmente de la República Dominicana. **(falso)**
4. El reggaetón es una combinación de reggae y salsa. **(falso)**

142

AUDIO

Comparación cultural

Culturas musicales

Lectura y escritura

WebQuest
ClassZone.com

① **Leer** Lee sobre la música que se escucha en los estados donde viven Rolando y Mariana.

② **Escribir** Escribe una composición sobre la música que se escucha en la región donde tú vives.

> **ESTRATEGIA Escribir**
> **Use shapes as a reminder** Use different shapes to remind yourself of what to include in your composition: circle = introduction, squares = type of music, and triangle = conclusion.
>
> ○ □ □ △

Paso 1 Escoge los tipos de música que se escucha en tu región.

Paso 2 Haz un diagrama como el que se muestra. En el círculo escribe una oración como introducción. En cada cuadrado escribe un tipo de música. En el triángulo escribe una conclusión breve.

Paso 3 Usa lo que escribiste en el diagrama para escribir un ensayo completo con más detalles sobre la música de tu región. Luego revisa la gramática y la ortografía.

Compara con tu mundo
Usa el ensayo que escribiste y compara la música de tu ciudad o región con la que escuchan Rolando y Mariana. ¿Escuchan la misma música? ¿Hay elementos comunes? ¿Tienen influencias diferentes?

Cuaderno *pp. 96–98*   Cuaderno para hispanohablantes *pp. 96–98*

142 Unidad 2
ciento cuarenta y dos

Differentiating Instruction

Multiple Intelligences

Visual Learners Have students create a music map by labeling countries or areas with corresponding music forms. Encourage them to use symbols and images to represent different music styles. Provide a list of genres: **el bolero, la bomba, el calipso, el cha-cha-chá, la cumbia, el flamenco, el huayno, el merengue, la música andina, la plena, la ranchera, el son, el tango, el tejano, el vallenato**

Pre-AP

Communicate Preferences Ask volunteers to prepare and present a description of the music they like. Encourage them to support their presentations with audio and visual examples.

Mariana

Me llamo Mariana Villegas, vivo en Los Ángeles. Esta zona tiene una tradición musical muy grande. Aquí se escucha mucha música ranchera porque hay muchos mexicanos. Pero aquí también se crea una música menos tradicional, el hip-hop latino con raíces mexicanas. A mí me gusta el grupo Akwid, formado por los hermanos Sergio y Francisco Gómez, que emigraron desde México y crecieron en Los Ángeles. Son unos raperos que cantan en español, con trompetas y otros instrumentos de banda mexicana. Su disco *Proyecto Akwid* ganó un disco de platino.

California

Rolando

Florida

Hola. Me llamo Rolando Bravo y vivo en Miami, la capital de la música latina.

Aquí se oye todo tipo de música: salsa (con origen en Cuba y Nueva York), el merengue (de la República Dominicana y Cuba), el dance remix (como la nueva música de Thalía y Shakira) y el reggaetón, una nueva forma caribeña que combina el reggae, el rap y el hip-hop. Tenemos muchas canciones en español y muchas otras en español e inglés al mismo tiempo. En Miami hay muchos productores de música latina y muchos jóvenes que llegan allí para hacerse famosos.

Estados Unidos
ciento cuarenta y tres **143**

Comparación cultural

Exploring the Theme

Many of the Caribbean music styles that continue to be popular today have traditions that date back hundreds of years. There are a variety of musical art forms that originated in the Caribbean, for example, **el son, el merengue, la cumbia,** and **el mambo.** Hispanic musicians compose new songs within these genres but continue to perform old songs as well. Performances of traditional music can draw as many young people as older people. Today's musicians also fuse different styles to come up with new sounds, like **merenrap** and Texican rock and roll.

Long-term Retention
Personalize It

Have students brainstorm as a class to list things they know about Hispanic music. They should include different genres of music like salsa and flamenco, as well as specific Hispanic artists.

✓ Ongoing Assessment

Rubric Lectura y escritura

Writing Criteria	Very Good	Proficient	Not There Yet
Content	Essay contains at least four points about music in the area.	Essay contains two to three points about music in the area.	Essay contains one or no points about music in the area.
Communication	Essay is well organized and easy to follow.	Essay is fairly well organized and easy to follow.	Essay is disorganized and hard to follow.
Accuracy	Essay has very few mistakes in vocabulary and grammar.	Essay has some mistakes in vocabulary and grammar.	Essay has many mistakes in vocabulary and grammar.

Differentiating Instruction

English Learners

Build Background List music vocabulary on the board including words such as: **la letra** (lyrics), **los pasos** (dance steps), **el ritmo** (rhythm, beat), **el tambor** (drum). Instead of giving the English translation, pantomime or use circumlocution to explain the meaning. Remember that English learners may not necessarily understand English-Spanish cognates.

Multiple Intelligences

Linguistic/Verbal Have students provide detailed information on each style of music mentioned in the descriptions. For musical genres, like **merengue**, that are also a dance, have them describe the steps and/or history.

Objective

· Introduce the second mission of the Desafío.

Core Resource

· El Gran Desafío Video: DVD 2

Presentation Strategies

· **Previewing** Ask what the contestants seem to be doing in each photo. What role might the band have in the challenge? Has Marco learned how to be serious? Ask a volunteer to read the **desafío** summary on p. 144 aloud. Elicit answers to the **Antes del video** questions. Ask students to support their answers with details.

· **Viewing** Review the **Toma apuntes** questions on p. 145. Encourage students to copy the questions in their notebooks or on a piece of paper, leaving space for notes. Play the video, then allow students time to review their notes.

· **Post-viewing** Play the video again. Have volunteers read each of the **Después del video** questions and elicit answers from the class. Ask if they agree or disagree with any answer.

STANDARDS

1.2 Understand language
3.2 Acquire information
5.2 Life-long learners

Video Summary

@HomeTutor
VideoPlus
ClassZone.com

The professor announces that one member of each group is going to sing with a mariachi band. Each group has to create a publicity poster promoting the singer. The teams make their posters, decide who will sing, and then go off to practice. The next day, the group convenes in the town square with the mariachi band. Professor Dávila introduces the representatives from three non-profit groups. The winning team is to donate their prize to one of these groups. Luis performs first and does well until he forgets the words. Carmen jumps in, but sings off-key. Marco goes last, singing with confidence. Marco and Ana win this challenge.

▶| ||

UNIDAD 2

EL DESAFÍO

VIDEO DVD

En el desafío de hoy cada equipo debe prepararse para cantar, pero primero tienen que hacer unos anuncios de publicidad para presentar a sus equipos a los invitados. Sólo una persona de cada equipo tiene que cantar.

Antes del video

1. Describe el letrero de Luis y María. ¿Qué colores ves?

2. ¿Qué está haciendo Marco? ¿Crees que su actuación es buena o mala? ¿Por qué?

3. ¿Quiénes son estas personas? ¿Qué equipo crees que va a ganar este desafío?

Unidad 2
144 ciento cuarenta y cuatro

Differentiating Instruction

Multiple Intelligences

Visual Learners Ask students to imagine that they will be competing in this challenge and have them work in pairs to design their own publicity poster. Posters should include graphics and text; specify the name, date, time, and place of the event; and highlight the names and interesting information about the performer. Then have them share their posters with the class.

Heritage Language Learners

Support What They Know Ask students to talk about the traditional music styles from their country of origin. Have them talk about what instruments are used in those styles. Which are the same as mariachi and which are different? Encourage them to bring in recordings of that music if they have any.

Practicando la canción

Mira el video: Toma apuntes

- ¿Qué dibuja Marco?
- ¿Qué piensa Luis sobre los colores que está usando María?
- ¿Con quién habla Ana por teléfono?
- Describe el letrero de Carmen y José.
- ¿A quién le va a donar el premio el equipo ganador?
- Describe cómo canta Carmen.
- ¿A quién se le olvida parte de la canción?

Después del video

1. Lee tus predicciones. ¿Sabías quién iba a ganar el desafío?
2. En tu opinión, ¿cuál fue el mejor anuncio? ¿Por qué?
3. Compara la actuación de Luis y Marco.
4. Piensa cómo es Marco. En tu opinión, ¿fue buena idea elegirlo para cantar?

@HomeTutor VideoPlus
ClassZone.com

El Gran Desafío
ciento cuarenta y cinco **145**

Communication
Group Work

Have students form groups of three and discuss what non-profit organizations they would choose to receive the **desafío** prize and why. Ask them to think of what other sponsors, other than a university, they might like to line up to contribute to the prize.

Communication
Interpersonal Mode

Have students, in pairs, take turns describing María. Do they know anyone like her? How is that person similar or dissimilar to María?

Differentiating Instruction

Pre-AP

Persuade Have students, in pairs, take turns persuading each other why José and Carmen should have won, then why María and Luis should have won. Encourage them to first present a reasonable argument, and then present one that is over-the-top, bearing little resemblance to reality.

Multiple Intelligences

Kinesthetic Have students work in pairs to analyze what each singer could have done to improve their performances in terms of its physical presentation. Then have them act out what each singer should have done.

Answers

Después del video Answers will vary.
Sample answers:

1. (Sí, / No, no) sabía que Marco y Ana iban a ganar el desafío.
2. En mi opinión, el mejor anuncio fue el anuncio de José y Carmen porque era muy gráfico.
3. Luis cantó muy bien, pero entonces tuvo problemas con su voz. Marco también cantó muy bien, y fue muy divertido.
4. En mi opinión, sí fue buena idea elegirlo para cantar, porque es muy cómico.

145

Objective
· Cumulative review.

Core Resource
· Audio Program: TXT CD 4 track 13

Review Options
· **Activity 1:** Open-ended practice: listening and speaking
· **Activity 2:** Open-ended practice: speaking
· **Activity 3:** Open-ended practice: speaking
· **Activity 4:** Open-ended practice: writing
· **Activity 5:** Open-ended practice: speaking and writing
· **Activity 6:** Open-ended practice: writing
· **Activity 7:** Open-ended practice: writing

STANDARDS
1.1 Engage in conversation, Act. 2, 3, 5
1.2 Understand language, Act. 1
1.3 Present information, Act. 1, 3, 4, 6, 7
3.1 Knowledge of other disciplines, Act. 7

Communication
Group Work

Activity 3 Inform groups that the class will vote on which program they think is the best after each group presents their ideas. (Groups may not vote for themselves.) The group with the most votes will receive extra credit.

Long-term Retention
Recycle

Review with students the preterite and imperfect tenses. Then ask students to construct a few sentences about their own past using those tenses.

See Activity answers on p. 147.

146

> 🎧 **Audio Program**
> TXT CD 4 track 13
> Audio Script, TE p. 115B

1 | Escucha, comprende y decide

Escuchar
Hablar

Escucha el anuncio sobre una organización que necesita apoyo. Después, habla con tu compañero(a) para decidir si quieren colaborar o no. Tengan en cuenta cómo pueden mejorar los programas. Expliquen sus razones a la clase.

2 | Pregunta, contesta y escribe

Hablar

Hazle diez preguntas a un(a) compañero(a) sobre las cosas interesantes que pasaron la semana pasada. Luego, cambien de papel: tu compañero(a) te hace diez preguntas y tú contestas. Usen las formas apropiadas del pretérito y el imperfecto en las preguntas y las respuestas.

modelo:

A ¿Qué te hizo reír?

B El programa de TV me hizo reír.

3 | ¡Un programa nuevo!

Hablar

Tus compañeros(as) y tú son parte de un comité que recomienda nueva programación para el canal de televisión de su comunidad. En particular, ustedes van a considerar la programación para los jóvenes entre quince y diecisiete años. Juntos, analicen los programas que hay en la tele y decidan qué falta. Diseñen un programa nuevo para llenar ese vacío *(gap)* y presenten sus ideas al comité (la clase).

Pistas: Considere lo siguiente:
tipo de programa
tipo de público
por qué creen que es necesario
por qué creen que va a ser exitoso
a qué hora y por qué
cuántas veces por semana
patrocinadores posibles
otras recomendaciones específicas

Differentiating Instruction

Inclusion

Metacognitive Support Put students into small groups. Have each group design a short lesson plan to review one of the following: preterite tense, imperfect tense, commands, or impersonal expressions. The plan should include a description of the grammar and a brief activity (written or oral) to practice the structure.

Heritage Language Learners

Support What They Know Ask heritage speakers to take a leadership role as the class completes activities for the Repaso inclusivo. Encourage students to approach heritage speakers for help pertaining to vocabulary, structure, and pronunciation.

4 ¡Qué hacer y dónde!

Escribir

Tú escribes una columna de consejos para el periódico estudiantil y recibes varias cartas de estudiantes que preguntan qué hacer y qué no hacer en un viaje para acampar. Escribe una columna dándoles consejos específicos. Incluye información sobre adónde ir (o no ir), qué llevar (y no llevar), qué hacer (y no hacer). Usa mandatos y expresiones impersonales para dar tus consejos.

5 Haz una entrevista

Hablar Escribir

La televisión o radio de tu escuela o comunidad va a ofrecer una serie de programas sobre la inmigración y tú vas a hacer una de las entrevistas con un(a) inmigrante. Primero, prepara una lista de preguntas para aprender cuándo, de dónde, cómo, con quién(es) y por qué esa persona decidió venir a tu comunidad. Haz la entrevista y toma apuntes para recordar lo que contesta tu compañero(a). No te olvides de preguntar sobre sus experiencias e impresiones en los primeros meses y cómo cambió su vida.

6 Escribe un artículo

Escribir

Escribe un artículo para el periódico estudiantil sobre la llegada de un inmigrante a tu comunidad. Puedes usar los apuntes de la actividad anterior (5.) o puedes entrevistar a otra persona sobre sus experiencias antes de escribir tu artículo. ¡Si hay estudiantes inmigrantes en tu escuela puedes entrevistar a uno(a) de ellos(as)!

7 Informa sobre la ciudadanía

Escribir

Investiga los requisitos que tienen que cumplir los inmigrantes que quieren hacerse ciudadanos de Estados Unidos. Luego, escribe un artículo informativo sobre lo que aprendiste. Ten en cuenta algunos detalles de la lectura *En la Ocho y la Doce*.

Inmigrantes celebrando la ceremonia de ciudadanía estadounidense

Integrated Performance Assessment
Rubric Oral Activities 2, 3, 5
Written Activities 4, 5, 6, 7

Student thoroughly develops all requirements of the task.	Student develops most requirements of the task.	Student does not develop the requirements of the task.
Student demonstrates excellent control of verb forms.	Student demonstrates good-to-fair control of verb forms.	Student demonstrates poor control of verb forms.
Good variety of appropriate vocabulary.	Adequate variety of appropriate vocabulary.	Vocabulary is not appropriate.
Pronunciation is excellent to very good.	Pronunciation is good to fair.	Pronunciation is poor.

Differentiating Instruction

Pre-AP

Relate Opinions Ask students to comment on what they think about the requirements for immigrants to become citizens in Activity 7. Do they think the requirements are fair? Are they too easy? Are the requirements too rigid? Tell students to support their opinions with thoughtful comments.

Slower-paced Learners

Peer-study Support For group or pair activities, be sure to put a variety of proficiencies in each group. Allow high-proficiency students to assist lower proficiency students, but insist that all students in the group participate. For speaking activities, make it clear that all students in the group are to have equal speaking parts.

Answers

Answers for Activities on p. 146, 147.

Activity 1 Answers will vary. Sample answer: Vamos a colaborar para apoyar al centro recreativo de nuestra comunidad. Tienen muchos programas para voluntarios, pero para nosotros es importante recaudar fondos para lose ancianos…

Activities 2–7 Answers will vary. **147**

Proyectos adicionales

❖ Bulletin Board

Protegemos nuestro medio ambiente

Divide the students into groups of three or four. Using the vocabulary from Lección 1, have students make posters about the environment. The posters should illustrate one or more problems concerning the environment and suggest one or more ways that we can make a positive difference. Students can use images they find on the Internet or in magazines, or their own original artwork. Before displaying them in the classroom, have a spokesperson from each group briefly describe the ideas behind their poster.

> **PACING SUGGESTION:** One 50-minute class period at the end of Lección 1.

❖ Web Research

La industria del café

Tell students that coffee is Central America's most valuable export, but that certain methods of growing coffee plants have come under increasing criticism from environmental and social awareness groups. Guide students' research into coffee growing by having them answer these questions:

- What does shade-grown coffee refer to? How is it different from sun-grown coffee?
- How does sun-grown coffee hurt the environment? How does shade-grown coffee help the environment?
- What steps have Central American nations taken toward growing coffee in ways that are better for the environment? What are some organizations that monitor coffee growing practices? What criteria do they use to judge whether or not coffee is grown in an environmentally friendly way?

Have students research these topics and conduct a class discussion based on their findings.

Search Key Words: "environmentally friendly coffee," "sustainable coffee farming," "low-impact coffee farming"

> **PACING SUGGESTION:** One 90-minute class at the end of Lección 1.

❖ Careers

El ecoturismo

Ecotourism is a form of tourism that attempts to help the environment by educating tourists about natural areas. Profits from the ecotourism industry are sometimes used to help save vulnerable ecosystems. Some popular kinds of ecotourism in Spanish-speaking countries include taking tourists to see exotic animals and to visit rain forests. What types of jobs are available in ecotourism? What skills would a person interested in a career in ecotourism need? What questions would you ask an employer about working in ecotourism? What jobs seem interesting to them and why? Conduct a class discussion using these questions as a guide.

> **PACING SUGGESTION:** One 50-minute class period at the end of Lección 2.

> **Get Help Online**
> ClassZone.com

❈ Games

Dibujorama

Write the new vocabulary words from Lección 1 on index cards and place them in a box. Divide the class into two teams. One person picks a card from the box and reads it. Then, set a timer for 30 seconds, or use a watch. That person must then draw on the board something that would elicit the word chosen. No speaking, writing or gestures allowed. Students on that team must guess what the word is before the time is up or they lose their turn. If they guess correctly, they earn a point and go again.

PACING SUGGESTION: 30 minutes of class time at the end of Lección 1.

❈ Storytelling

¿Qué va a pasar con el canal? After reviewing the vocabulary from Lecciones 1 and 2, model a mini-story. Later, students will revise, retell, and expand it.

El canal de Panamá presenta temas **complejos. El clima** de Panamá está cambiando. Hay **deforestación** alrededor del canal. Esto causa **erosión,** que lleva al **derrumbe** de la tierra y causa **inundaciones.** Estos eventos **dañan** el canal. **Por un lado,** el gobierno de Panamá es **responsable** de mantener el canal. Pero, **por el otro lado,** el canal tiene importancia para todo el mundo. Barcos de muchos países pasan por el canal para pasar de un océano al otro. **Es imprescindible** que todos **se encarguen de la mejora** de las condiciones que existen en el canal.

As you tell the story, be sure to pause so that students may fill in words and act out gestures. Students should then write, narrate, and read aloud a longer main story. This new version should include vocabulary from Lección 2. Students can write, illustrate, and act out additional new stories based on this storytelling experience.

PACING SUGGESTION: One 50-minute class period at the end of Lección 2.

❈ Recipe

Pupusas are very popular in El Salvador. They are similar to tortillas, but thicker. They are usually served with **curtido,** a pickled cabbage relish.

Pupusas

Ingredientes

4 tazas de harina de maíz
una taza y media de agua tibia
2 cucharaditas de sal
4 cucharadas de manteca
2 cucharaditas de levadura en polvo
media libra de queso muenster en tiras

Instrucciones

En un tazón, mezcle la harina, la sal, y la levadura en polvo. Con una batidora, añada la manteca y mézclelo todo. Saque la mezcla de la batidora y métala en una bandeja. Trabaje la masa con las manos, agregando el agua tibia hasta que esté suave. Luego amásela unas 15 a 20 veces más. Deje la masa reposar durante 10 minutos. Haga bolitas de masa del tamaño de un huevo y luego estire cada bolita en forma de un crepe de 6 pulgadas de diámetro. Ponga un poco de queso en cada crepe y amase el crepe para que el queso se mezcle. Ponga cada crepe en una sartén caliente sin aceite. Cocínelo de 3 a 5 minutos por cada lado o hasta que esté dorado. Eche más queso por encima. Sirva con ensalada de col y zanahoria rallada.

Receta para 4 a 6 personas

Tiempo de preparación: 15 minutos

Tiempo total: 30 minutos

UNIT THEME
Our planet's future

UNIT STANDARDS

COMMUNICATION
· Discuss the impact of technology
· Express environmental concerns and possibilities
· Make predictions and discuss causes and effects
· Discuss obligations and responsibilities
· Present and support an opinion
· Express a point of view and make recommendations

CULTURES
· Costa Rica's rainforest
· Lakes in Nicaragua
· Endangered species in Central America
· *La mejor edad,* by Carlos Balaguer
· **Molinos de viento** in Tilarán, Costa Rica
· The Panama Canal
· The art of José Antonio Velásquez
· A Mayan legend

CONNECTIONS
· Social Studies: Patriotic symbols of a Central American country or city
· Social Studies: Patriotic symbols in the community

COMPARISONS
· Class field trips
· Lakes in Nicaragua and the U.S.
· The letter **g** with **a, e, i, o, u, l, r**
· Protecting endangered species
· Windmills
· Constructions important to the economy
· Artists' representations of the world that surrounds them
· Protecting nature

COMMUNITIES
· Patriotic symbols of the United States

Centroamérica
El futuro de nuestro planeta

México

Honduras

Guatemala
· Sololá ★
Tegucigalpa ★

★ San Salvador

Nicaragua

Guatemala

Managua ★

El Salvador

Mar Caribe

Costa Rica

Panamá

· Tilarán
Limón
Puntarenas   San José
★ Panamá

Océano Pacífico

Lección 1
Tema: **¿Cómo será el futuro?**

Lección 2
Tema: **Por un futuro mejor**

«**¡Saludos!**
Soy Mario, de Panamá.
Ella es Liliana, de Honduras.»

Almanaque cultural

Clima: Frío en las tierras altas. Cálido y húmedo en las tierras bajas

Geografía: Volcán Tajumulco (Guatemala, pico más alto de Centroamérica, 4.220 m); bosques tropicales y playas

Idiomas indígenas (mayas): garífuna, xinca, mam, kaqchiquel, akateco, quiché

Comidas: pupusas, tamales, gallo pinto, tortillas, ceviche

Gente famosa: Rubén Darío (poeta; Nicaragua); Claribel Alegría (escritora; El Salvador); Ricardo Arjona (cantante; Guatemala), Gabriela Núñez (política; Honduras)

Pupusa

148 ciento cuarenta y ocho

Cultural Geography

Setting the Scene
· ¿Hay mucha contaminación en la ciudad donde vives?
· ¿Por qué las selvas y los ríos pueden estar en peligro?
· ¿Qué podemos hacer para cuidar el planeta?

Teaching with Maps
· ¿Cuántos países hay en Centroamérica? (seis)
· ¿Cuál es la población indígena principal de Centroamérica? (maya)
· ¿Qué país está dividido en dos partes? (Panamá)

*Joven vendiendo ropa maya
en el mercado de Sololá, Guatemala*

◀ **Artesanías indígenas** Las artesanías indígenas de Centroamérica tienen una combinación de hermosos colores. En los mercados al aire libre puedes encontrar ropa hecha por los mayas, los indígenas de la región. *¿Qué tipo de artesanías hay en tu ciudad o estado?*

Arqueología Centroamérica es uno de los lugares preferidos por los arqueólogos de todo el mundo. Aquí descubrieron ruinas, sitios y artefactos de la civilización maya. En el año 2000 descubrieron un palacio maya. *¿Qué ruinas hay cerca de tu ciudad?* ▶

*Arqueólogos estudiando imágenes de
ceremonias de los reyes mayas*

Ciudades llenas de vida Las estructuras modernas también forman parte de Centroamérica. Sus ciudades capitales tienen edificios grandes y son centros de actividad industrial y cultural. La ciudad de Panamá tiene uno de los puertos más importantes de Latinoamérica. *¿Qué estructuras modernas hay en tu ciudad?* ▼

Avenidas Balboa y Paitilla, ciudad de Panamá

Centroamérica
ciento cuarenta y nueve **149**

⌐Cultura INTERACTIVA
ClassZone.com

Cultura Interactiva Send your students to www.ClassZone.com to explore authentic Central American culture. Tell them to click on Cultura Interactiva to see these pages come alive!

Culture

About the Photos

Artesanías Although a variety of handicrafts may be found in Central America, probably the most well-known are **las molas,** traditionally made by indigenous Kuna women in Panama. **Molas** are fabric panels, usually sewn onto blouses and worn by Kuna women. The panels have cutouts of geometric figures which reveal the layers of contrasting colors.

Ciudad de Panamá Panama City lies on the Pacific coast of Panama. On the northeastern fringe of the city a platform offers visitors a good view of the Panama Canal, and the city's most famous feature. Stretching 80 kilometers (49 miles) from Panama City to Colón (on the Atlantic side), the canal is considered an engineering marvel and one of the most significant waterways on Earth. Every year over 14,000 pass through its complex series of locks.

Expanded Information

Archaeology Central America possesses a wealth of areas of great archaeological interest. There are thousands of archaeological sites, many of them yet to be unearthed. However, the evidence available suggests that Central America has been densely populated during thousands of years. The different cultures and civilizations that have inhabited the region left behind architecture, sculpture, ceramics, murals, and other artifacts that reveal a window to the past.

Bridging Cultures

English Learners

Build Background Have students from other countries answer the questions that follow each section on page 149 in relation to their home countries.

Heritage Language Learners

Support What They Know Invite students to share with the class what they know about handicrafts from their heritage country. Encourage them to ask their families about such crafts, and if possible, to bring in an example from home and talk about its history and by whom it is made.

149

Culture at a Glance ❖

Topic & Activity	Essential Question
Excursión en un bosque tropical, pp. 150–151	¿Qué impacto tendrá el medio ambiente en el futuro?
El Lago de Nicaragua, p. 156	¿Cómo cambian las formas geográficas con los años?
Especies en peligro, p. 164	¿Por qué es importante proteger las especies en peligro de extinción?
«La mejor edad», por Carlos Balaguer, pp. 168–171	¿Qué beneficios tiene cada edad de la vida?
Culture review: Environmental concerns and official symbols, p. 175	¿Cómo forman las características naturales una parte de la identidad de una región?

Practice at a Glance ❖

	Objective	Activity & Skill
Vocabulary	Technology and the future	9: Speaking; 10: Reading / Speaking; 12: Speaking / Writing; 18: Reading / Listening / Speaking
	The environment	1: Speaking / Writing; 2: Speaking / Writing; 3: Speaking; 4: Reading / Speaking / Writing; 5: Speaking / Writing; 18: Reading / Listening / Speaking; 19: Writing; Repaso 1: Listening
	Social responsibilities	11: Speaking / Writing; 17: Listening / Writing; 19: Writing; Repaso 2: Writing
Grammar	Future tense	6: Listening / Writing; 7: Writing; 8: Speaking; 9: Speaking; 10: Reading / Speaking; 11: Speaking / Writing; 12: Speaking / Writing; 18: Reading / Listening / Speaking; Repaso 2: Writing; Repaso 4: Writing
	The prepositions **por** and **para**	13: Reading / Writing; 14: Writing; 15: Speaking; 16: Writing; Repaso 3: Writing
Communication	Discuss the impact of technology	12: Speaking / Writing; 18: Reading / Listening / Speaking
	Express environmental concerns and possibilities	2: Speaking / Writing; 3: Speaking; 16: Writing; 18: Reading / Listening / Speaking; 19: Writing
	Make predictions about the future and discuss causes and effects	5: Speaking / Writing; 7: Writing; 8: Speaking; 9: Speaking; 18: Reading / Listening / Speaking; 19: Writing; Repaso 4: Writing
	Pronunciation: The letter **g** with **a, o, u, L**, or **r**	*Pronunciación: La letra **g** con **a, o, u, L** o **r**, p. 163:* Listening / Speaking
Recycle	**Ustedes** commands	2: Speaking / Writing
	Ir a + infinitive	5: Speaking / Writing
	Media vocabulary	6: Listening / Writing

The following presentations are recorded in the Audio Program for *¡Avancemos!*

- **¡A responder!** *p. 153*
- **6: ¡A organizarnos!** *p. 158*
- **18: Integración** *p. 167*
- **Repaso de la lección** *p. 174*
  1: Listen and understand

¡A responder! TXT CD 5 track 2

1. la biodiversidad
2. la contaminación
3. recursos naturales
4. el aire puro
5. la deforestación
6. el efecto invernadero
7. la innovación
8. el petróleo
9. la sequía
10. el smog

6 ¡A organizarnos! TXT CD 5 track 4

Señores y señoras, sólo tenemos tres días para preparar la próxima edición. Jorge, por favor, tendrás que sacar las fotos para el artículo sobre la teletón esta tarde. Marta, cuando tengas las fotos, escribirás el artículo sobre la teletón, mañana, ¿verdad? Silvia y Martín investigarán los detalles para el artículo sobre los voluntarios en el centro de rehabilitación, hoy y mañana. Necesitamos el artículo completo para el martes, así que no pierdan tiempo. Arturo, ¿pudieras completar la columna de consejos para el miércoles? Alicia está enferma y no podrá hacerla. Bueno, ya está todo. ¡A trabajar!

18 Integración TXT CD 5 track 9

Fuente 2, Anuncio por la radio

¡El momento de reemplazar su viejo carro ya llegó! *Verde,* el nuevo carro ecológico, combina lo mejor de las tecnologías actuales con unas innovaciones extraordinarias. El carro *Verde* utiliza solamente energía solar para andar. Compre el carro *Verde* y no contribuirá al efecto invernadero, no contaminará el aire, no consumirá los recursos no renovables como el petróleo. Es un carro completamente limpio. Piense en el porvenir y proteja el medio ambiente... ahora. Tenemos precios especiales para todos. Hacemos esto por usted y por el medio ambiente. Cambie su viejo carro por el nuevo carro *Verde* hoy mismo.

Repaso de la lección TXT CD 5 track 11

1 Listen and understand

¡Si no cambiamos el presente, en el futuro tendremos que cambiar nuestra forma de vida! La agencia AlertAmbiental está dedicada a la protección del medio ambiente: de nuestro aire, nuestra agua y nuestro planeta. Si no protegemos nuestros recursos naturales, en el futuro no tendremos agua limpia, no habrá árboles ni plantas y desaparecerán muchas especies que ya están en peligro de extinción. Sufriremos frecuentes desastres naturales como las inundaciones, las sequías y la desertificación. Viviremos protegidos del medio ambiente a causa de la contaminación del aire y del agua. Y no podremos viajar largas distancias porque ya no habrá petróleo u otras formas de energía no renovables.

No es una visión optimista... pero podemos cambiarla. Aquí, en AlertAmbiental, vamos a seguir luchando para proteger los recursos naturales, los bosques, los animales y la capa de ozono. Vamos a trabajar para disminuir el efecto invernadero y mantener la biodiversidad del planeta. Pero necesitamos su ayuda. ¿Por qué no se une a nosotros? Sólo tenemos un planeta. ¡Vamos a cuidarlo juntos!

On your desktop

Everything you need to ...

Plan

ONE-STOP PLANNER

All resources including audio and video

Present

POWER PRESENTATIONS

Ready-made PowerPoint™ presentations with

Assess

ONLINE ASSESSMENT SYSTEM

✓ Create customized tests with the Examview Assessment Suite

✓ Individualized Assessment for on-level, modified, pre-AP, and heritage language learners

Print

Plan	Present	Practice	Assess
URB 3 • Family Letter p. 75 • Absent Student Copymasters pp. 77–84 **Lesson Plans** p. 57 **Best Practices Toolkit**	**TPRS** pp. 29–35	• *Cuaderno* pp. 99–121 • *Cuaderno para hispanohablantes* pp. 99–121 • *Lecturas para todos* pp. 136–141 • *Lecturas para hispanohablantes* • *¡AvanzaCómics! Mundos paralelos Episodio 2* **URB 3** • Practice Games pp. 31–38 • Audio Scripts pp. 55–59 • Map/Culture Activities pp. 67–68 • Fine Art Activities pp. 70–71	**URB 3** • Did you get it? Reteaching and Practice Copymasters pp. 1–12

Unit Transparency Book 3

Culture	Presentation and Practice	Classroom Management
• Atlas Maps UTB 1, 1–6 • Map: Central America 1 • Fine Art Transparencies 2, 3	• Vocabulary Transparencies 6, 7 • Grammar Presentation Transparencies 10, 11	• Warm Up Transparencies 16–19 • Student Book Answer Transparencies 24–27

Audio and Video

Audio	Video
• Student Book Audio CD 5 Tracks 1–11 • Workbook Audio CD 2 Tracks 1–10 • Heritage Learners Audio CD 1 Tracks 17–20, CD 4 Tracks 1–6 • Assessment Audio CD 2 Tracks 1–6 • *Lecturas para todos* Audio CD 1 Track 6, CD 3 Tracks 1–5 • *Música del mundo hispano*	• *El Gran Desafío* DVD 2

 ## Online (ClassZone.com) and Media Resources

Student	Teacher
Available online and on disc: • eEdition (DVD-ROM) and eEdition Interactive Online Student Edition • @HomeTutor (CD-ROM) - featuring Animated Grammar **Available online:** • Conjuguemos.com • Cultura interactiva • Culture Links • WebQuests • Flashcards • Review Games • Self-check Quiz	**One-Stop Planner (available online and on DVD-ROM):** • Interactive Teacher's Edition • All print resources • All audio and video resources • Learning Scenarios • Conversation Cards • Assessment Program • Examview Assessment Suite • Calendar Planner • Rubric Generator **Available on CD-ROM:** • Power Presentations

✓ Differentiated Assessment

On-level	Modified	Pre-AP	Heritage Learners
• Vocabulary Recognition Quiz p. 109 • Vocabulary Production Quiz p. 110 • Grammar Quizzes pp. 111–112 • Culture Quiz p. 113 • On-level Lesson Test pp. 114–120	• Modified Lesson Test pp. 83–89	• Pre-AP Lesson Test pp. 83–89	• Heritage Learners Lesson Test pp. 89–95

Core Pacing Guide

	Objectives/Focus	Teach	Practice	Assess/HW Options
DAY 1	**Culture:** Learn about Central American culture **Vocabulary:** Future technological developments; the environment; social resposibilities • Warm Up OHT 16 **5 min**	Unit Opener pp. 148–149 Lesson Opener pp. 150–151 **Presentación de vocabulario pp. 152–153** • Read the annual report • Play audio TXT CD 5 track 1 • ¡A responder! TXT CD 5 track 2 **25 min**	Lesson Opener pp. 150–151 **Práctica de vocabulario p. 154** • Acts. 1, 2, 3 **15 min**	**Assess:** Para y piensa p. 154 **5 min** **Homework:** Cuaderno pp. 99–101 @HomeTutor
DAY 2	**Communication:** Discuss technological impact; express environmental concerns and possibilities • Warm Up OHT 16 • Check Homework **5 min**	**Vocabulario en contexto pp. 155–156** • Contexto 1 TXT CD 5 track 3 **Culture:** El Lago de Nicaragua **20 min**	**Vocabulario en contexto pp. 155–156** • Acts. 4, 5 **20 min**	**Assess:** Para y piensa p. 156 **5 min** **Homework:** Cuaderno pp. 99–101 @HomeTutor
DAY 3	**Grammar:** Future tense • Warm Up OHT 17 • Check Homework **5 min**	**Presentación de gramática p. 157** • Future tense **Práctica de gramática pp. 158–159** **20 min**	**Práctica de gramática pp. 158–159** • Act. 6 TXT CD 5 track 4 • Acts. 7, 8, 9 **20 min**	**Assess:** Para y piensa p. 159 **5 min** **Homework:** Cuaderno pp. 102–104 @HomeTutor
DAY 4	**Communication:** Express environmental concerns and possibilities; make predictions and discuss causes and effects • Warm Up OHT 17 • Check Homework **5 min**	**Gramática en contexto pp. 160–161** • Contexto 2 TXT CD 5 track 5 **15 min**	**Gramática en contexto pp. 160–161** • Acts. 10, 11, 12 **25 min**	**Assess:** Para y piensa p. 161 **5 min** **Homework:** Cuaderno pp. 102–104 @HomeTutor
DAY 5	**Grammar:** **Por** and **para** •Warm Up OHT 18 • Check Homework **5 min**	**Presentación de gramática p. 162** • **Por** and **para** **Práctica de gramática pp. 163–164** • Pronunciación TXT CD 5 track 6 **15 min**	**Práctica de gramática pp. 163–164** • Acts. 13, 14, 15, 16 **25 min**	**Assess:** Para y piensa p. 164 **5 min** **Homework:** Cuaderno pp. 105–107 @HomeTutor
DAY 6	**Communication:** Culmination: Express environmental concerns and possibilities using **por** and **para** • Warm Up OHT 18 • Check Homework **5 min**	**Todo junto pp. 165–167** • Contexto 3 TXT CD 5 track 7 **20 min**	**Todo junto pp. 165–167** • Acts. 17 TXT CD 5 track 7 • Acts. 18 TXT CD 5 tracks 8, 9 • Act. 19 **20 min**	**Assess:** Para y piensa p. 167 **5 min** **Homework:** Cuaderno pp. 108–109 @HomeTutor
DAY 7	**Reading:** La mejor edad **Connections:** Social Studies • Warm Up OHT 19 • Check Homework **5 min**	**Lectura literaria pp. 168–171** • La mejor edad • TXT CD 5 track 10 **Conexiones p. 172** • Los estudios sociales **20 min**	**Lectura literaria pp. 168–171** • La mejor edad **Conexiones p. 172** • Proyecto **20 min**	**Assess:** Para y piensa **5 min** p. 171 **Homework:** Cuaderno pp. 113–115 @HomeTutor
DAY 8	**Review:** Lesson review • Warm Up OHT 19 • Check Homework **5 min**	**Repaso de la lección pp. 174–175** **15 min**	**Repaso de la lección pp. 174–175** • Act. 1 TXT CD 5 track 11 • Acts. 2, 3, 4, 5 **25 min**	**Assess:** Repaso de la lección **5 min** pp. 174–175 **Homework:** En resumen p. 173; Cuaderno pp. 110–112, 116–121 (optional) Review Games Online @HomeTutor
DAY 9	**Assessment**			**Assess:** Lesson 1 test **50 min**

	Objectives/Focus	Teach	Practice	Assess/HW Options
DAY 1	**Culture:** Learn about Central American culture **Vocabulary:** Future technological developments; the environment; social resposibilies • Warm Up OHT 16 **5 min**	Unit Opener pp. 148–149 Lesson Opener pp. 150–151 **Presentación de vocabulario** pp. 152–153 • Read the annual report • Play audio TXT CD 5 track 1 • *¡A responder!* TXT CD 5 track 2 **25 min**	Lesson Opener pp. 150–151 **Práctica de vocabulario** p. 154 • Acts. 1, 2 **15 min**	**Assess:** *Para y piensa* p. 154 **5 min**
	Communication: Discuss technological impact; express environmental concerns and possibilities **5 min**	**Vocabulario en contexto** pp. 155–156 • *Contexto 1* TXT CD 5 track 3 *Culture: El Lago de Nicaragua* **15 min**	**Vocabulario en contexto** pp. 155–156 • Acts. 4, 5 **15 min**	**Assess:** *Para y piensa* p. 156 **5 min** **Homework:** *Cuaderno* pp. 99–101 @HomeTutor
DAY 2	**Grammar:** Future tense • Warm Up OHT 17 • Check Homework **5 min**	**Presentación de gramática** p. 157 • Future tense **Práctica de gramática** pp. 158–159 **15 min**	**Práctica de gramática** pp. 158–159 • Act. 6 TXT CD 5 track 4 • Acts. 7, 8, 9 **20 min**	**Assess:** *Para y piensa* p. 159 **5 min**
	Communication: Express environmental concerns and possibilities; make predictions and discuss causes and effects **5 min**	**Gramática en contexto** pp. 160–161 • *Contexto 2* TXT CD 5 track 5 **15 min**	**Gramática en contexto** pp. 160–161 • Acts. 10, 11, 12 **20 min**	**Assess:** *Para y piensa* p. 161 **5 min** **Homework:** *Cuaderno* pp. 102–104 @HomeTutor
DAY 3	**Grammar: Por** and **para** • Warm Up OHT 18 • Check Homework **5 min**	**Presentación de gramática** p. 162 • **Por** and **para** **Práctica de gramática** pp. 163–164 • *Pronunciación* TXT CD 5 track 6 **15 min**	**Práctica de gramática** pp. 163–164 • Acts. 13, 14, 15, 16 **20 min**	**Assess:** *Para y piensa* p. 164 **5 min**
	Communication: Culmination: Express environmental concerns and possibilities using **por** and **para** **5 min**	**Todo junto** pp. 165–167 • *Contexto 3* TXT CD 5 track 7 **15 min**	**Todo junto** pp. 165–167 • Acts. 17, 18 TXT CD 5 track 7 • Acts. 18, 18 TXT CD 5 tracks 8, 9 • Act. 19 **20 min**	**Assess:** *Para y piensa* p. 167 **5 min** **Homework:** *Cuaderno* pp. 105–109 @HomeTutor
DAY 4	**Reading:** *La mejor edad* • Warm Up OHT 19 • Check Homework **5 min**	**Lectura literaria** pp. 168–171 • *La mejor edad* • TXT CD 5 track 10 **15 min**	**Lectura literaria** pp. 168–171 • *La mejor edad* **20 min**	**Assess:** *Para y piensa* p. 171 **5 min**
	Review: Lesson review **5 min**	**Repaso de la lección** pp. 174–175 **15 min**	**Repaso de la lección** pp. 174–175 • Act. 1 TXT CD 5 track 11 • Acts. 2, 3, 4, 5 **20 min**	**Assess:** *Repaso de la lección* **5 min** pp. 174–175 **Homework:** *En resumen* p. 173; *Cuaderno* pp. 110, 121 (optional) Review Games Online @HomeTutor
DAY 5	**Assessment**			**Assess:** Lesson test **45 min**
	Connections: Social studies **5 min**	**Conexiones** p. 172 • *Los estudios sociales* **20 min**	**Conexiones** p. 172 • *Proyecto* **20 min**	

Objectives
· Introduce lesson theme: **¿Cómo será el futuro?**
· **Culture:** Explore lakes in Nicaragua and talk about Central American endangered species

Presentation Strategies
· Have students talk about class trips they have taken.
· Predict as a class subtopics that might be included in the lesson.

STANDARD
2.2 Products and perspectives

Warm Up UTB 3 Transparency 16

Voluntarios Une cada acción con el elemento apropiado para realizarla.
1. visitar el hogar de ancianos
2. juntar fondos para la gente sin hogar
3. limpiar el comedor de beneficencia
4. recoger basura en el parque para reciclar las latas
5. organizar una teletón caritativa
a. videocámara, amigos talentosos
b. guantes de trabajo, agua y jabón
c. un letrero, publicidad por correo
d. bolsas de plástico
e. carro, sonrisa

Answers: 1. e; 2. c; 3. b; 4. d; 5. a

Comparación cultural

Exploring the Theme

Ask the following:
1. ¿Qué pueden aprender los estudiantes durante una excursión al bosque tropical?
2. ¿Por qué hay especies en peligro? ¿Puedes nombrar algunas?

¿Qué ves? Possible answers:
· Hay catorce personas en la foto.
· Llevan camisetas y pantalones. Algunos llevan gorras o sombreros.
· Llevan mochilas para la excursión.
· Sí, la excursión les interesa. Se nota que todos están prestando atención al guía.

150

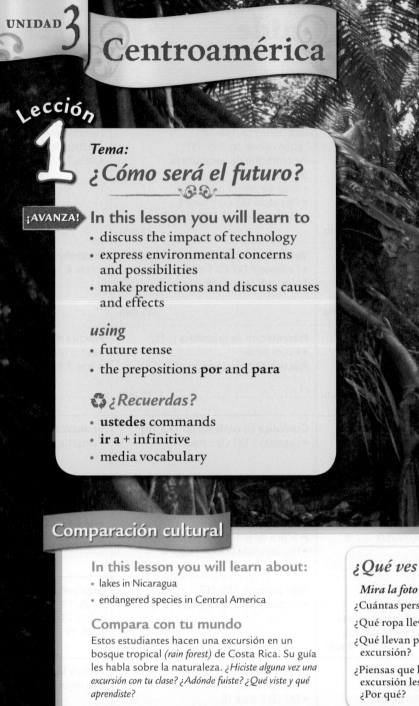

UNIDAD **3**
Centroamérica

Lección
1

Tema:
¿Cómo será el futuro?

¡AVANZA! ## In this lesson you will learn to
· discuss the impact of technology
· express environmental concerns and possibilities
· make predictions and discuss causes and effects

using
· future tense
· the prepositions **por** and **para**

♻ *¿Recuerdas?*
· **ustedes** commands
· **ir a** + infinitive
· media vocabulary

Comparación cultural

In this lesson you will learn about:
· lakes in Nicaragua
· endangered species in Central America

Compara con tu mundo
Estos estudiantes hacen una excursión en un bosque tropical *(rain forest)* de Costa Rica. Su guía les habla sobre la naturaleza. *¿Hiciste alguna vez una excursión con tu clase? ¿Adónde fuiste? ¿Qué viste y qué aprendiste?*

¿Qué ves?
Mira la foto
¿Cuántas personas ves?
¿Qué ropa llevan?
¿Qué llevan para su excursión?
¿Piensas que la excursión les interesa? ¿Por qué?

150 ciento cincuenta

Differentiating Instruction

Multiple Intelligences

Kinesthetic Review **ustedes** commands with a quick game of **Oigan y hagan** (a.k.a. **Simón dice**). Give students a series of commands in the **ustedes** form (**levántense, siéntense, tóquense la nariz,** etc.), at a gradually increasing speed. Students follow your instructions and help you watch for other people who are "out" once they make a mistake.

English Learners

Build Background Ask students from other cultures if there are plants in their places of origin that are used to alleviate sicknesses. Have them share how it would be administered (as an infusion or tea, a rub of some sort, etc.).

Featuring...
Cultura INTERACTIVA
Animated Grammar
@HomeTutor

And more...
• Get Help Online
• Interactive Flashcards
• Review Games
• WebQuest
• Conjuguemos.com

Excursión en un bosque tropical
Costa Rica

Centroamérica
ciento cincuenta y uno **151**

Online SPANISH CLASSZONE.COM

WebQuest Provides step-by-step guidance for your students to help them explore this unit's theme and location online. Students are given a task and a set of pre-approved links to conduct research, answer questions, and submit their findings to the class.

Featuring...
Cultura INTERACTIVA
Animated Grammar
@HomeTutor

And more...
• Get Help Online
• Interactive Flashcards
• Review Games
• WebQuest
• Conjuguemos.com

Using the Photo

Location Information

Rainforest About one quarter of the land surface of Costa Rica is protected by the government as wildlife preserves and/or national parks.

Expanded Information

Wildlife One of the continent's largest virgin rainforests lies within the La Amistad/ Talamanca region of Costa Rica. The giant anteater resides here, among other endangered species such as the resplendent quetzal.

Long-term Retention

Recycle

Use **ir a** + infinitive to ask several students what they are going to do during lunch or after school. Then have each student ask the person sitting next to them, and wrap up the activity by asking a few students about their neighbors' plans.

Differentiating Instruction

Heritage Language Learners

Support What They Know Ask whether there is a jungle region in the country of origin of any of your native speakers. Find out whether any of them have ever visited the jungle or learned about it from the news or another source. Have them share their impressions with the class.

Multiple Intelligences

Intrapersonal Have students tell three things that they would hope to see if they took a trip to a Central American rainforest.

151

¡AVANZA! **Objectives**

- Present vocabulary: issues that affect the environment.
- Check for recognition.

Core Resource

- Audio Program: TXT CD 5 Tracks 1, 2

Presentation Strategies

- Have students look at pp. 152–153 and have them repeat each vocabulary word after you.
- Have all students read along in their texts as you read aloud.
- Play the audio.

 ## STANDARD

1.2 Understand language

 Warm Up UTB 3 Transparency 16

Mandatos Completa las oraciones con mandatos en la forma de **ustedes.**

| comer | olvidarse | estudiar |
| llegar | hacer | |

1. _____ la tarea temprano.
2. No _____ de la práctica de fútbol después de las clases.
3. _____ a tiempo, por favor.
4. _____ un buen desayuno con mucha proteína.
5. Siempre _____ para los exámenes con anticipación.

Answers: 1. Hagan; 2. se olviden; 3. Lleguen; 4. Coman; 5. estudien

Communication

Common Error Alert

When not looking at their books, students may use the phrase **aire limpio** (instead of **puro**) due to English interference. Remind them that although Spanish speakers understand **limpio, puro** is preferable.

152

✤ Presentación de VOCABULARIO

 ¡AVANZA! **Goal:** Learn about issues that affect the environment. Then practice the vocabulary that you have learned to discuss these issues and possible solutions. **Actividades 1–3**

♻ **¿Recuerdas?** **Ustedes** commands p. 102

🎧 **AUDIO**

Soluciones Nuevas | **REPORTE ANUAL**

Porque un nuevo **porvenir** es posible... ¡para todos!

Nuestra empresa ve el futuro con optimismo. Por eso, trabajamos en **el desarrollo** de **inventos** nuevos y soluciones para los problemas más urgentes del **medio ambiente**:

el aire puro

- Conservar **el aire puro.**

- **Fomentar** el uso de **los recursos naturales** para reemplazar los recursos no renovables, como **el petróleo.**

Hacemos **investigaciones** para **proteger** a las **especies en peligro de extinción** y **mejorar la biodiversidad** en general.

los recursos naturales

las especies en peligro de extinción

¡**T**rabajamos en **la transformación** de este **planeta** en un lugar limpio y bello! ¡Queremos **respirar** y vivir mejor! Por eso pensamos que nuestra **responsabilidad** es **desarrollar innovaciones** para **proteger la capa de ozono** y **disminuir** los **riesgos** de la **contaminación.**

152 Unidad 3 Centroamérica
ciento cincuenta y dos

Differentiating Instruction

Pre-AP

Circumlocution After students have practiced the new vocabulary, act as if you don't understand one of the terms. For instance, **No entiendo lo que significa *recursos naturales.* ¿Me pueden ayudar?** Have students explain by giving examples or descriptions in Spanish (**cosas de la naturaleza que utilizas**). Then have them repeat the process in pairs.

Inclusion

Alphabetic/Phonetic Awareness Have students point out all the nouns that end in **-ción: innovación, extinción, contaminación, deforestación, erosión, inundación.** Ask what similar noun ending(s) exist in English (*-tion, -sion*). Remind students that in Spanish nouns ending in **-ción** are feminine and require an accent in the singular form.

En Soluciones Nuevas **valoramos** mucho todas nuestras investigaciones. En esta página, puedes **informarte** de cómo usamos nuestros fondos.

Trabajamos para eliminar...

el smog, el efecto invernadero y la contaminación

la sequía

la deforestación y la erosión del suelo

las inundaciones

Más vocabulario

el basurero *garbage container*		**destruir** *to destroy*	
el clima *climate*		**extinguirse** *to become extinct*	
el derrumbe *landslide*		**reutilizar** *to reuse*	
el temblor *earthquake*		**volar** *to fly*	
amenazar *to threaten*		**votar** *to vote*	
apreciar *to appreciate*		**complejos** *complex*	
dañar *to harm*		**responsable** *responsible*	

Expansión de vocabulario p. R6
Ya sabes p. R6

¡A responder! Escuchar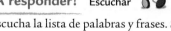

Escucha la lista de palabras y frases. Si es algo que quieres tener en el futuro indícalo con el dedo pulgar hacia arriba. Si es algo que no quieres tener en el futuro indícalo con el dedo pulgar hacia abajo.

@*HomeTutor*
Interactive Flashcards
ClassZone.com

Lección 1
ciento cincuenta y tres **153**

Slower-paced Learners

Yes/No Questions As necessary, simplify comprehension questions such as **¿Cuál es un ejemplo de un recurso natural?** to something like **¿Es el aire puro un recurso natural?** This will keep you from having to call on the same students over and over. If the same students always respond, be sure you are allowing sufficient time for other students to raise their hands.

Multiple Intelligences

Naturalist Ask **¿Cuál es la diferencia entre el tiempo y el clima?** Explain (or ask a science-minded student to explain) that **el tiempo** describes the weather at any given time, while **el clima** refers to the weather conditions that typically characterize a given place, according to the season.

Communication
TPR Activity

Have students mimic your hand motions as they read the labels on the pie chart. For **el smog** and **el efecto invernadero,** mime coughing while you fan yourself. For **la deforestación,** chop down a tree. For **la sequía,** show the sun above and plants withering to the ground. For **las inundaciones,** show rain falling and the waters rising.

Connections
Geography

Have students indicate on a world map or globe, areas of the world where environmental problems are (or have been recently) most serious. They may indicate Los Angeles or another city for **el smog,** the Amazon Rainforest for **la deforestación,** or Louisiana for **las inundaciones.**

Answers UTB 3 Transparency 24

¡A responder! Audio Script, TE p. 149B
Thumbs up: 1, 3, 4, 7, 8
Thumbs down: 2, 5, 6, 9, 10

Objective
· Practice vocabulary: issues affecting the environment.

Core Resource
· *Cuaderno,* pp. 99–101

Practice Sequence
· **Activity 1:** Vocabulary recognition: matching vocabulary terms
· **Activity 2:** Vocabulary production: **ustedes** commands
· **Activity 3:** Vocabulary production: answer questions

STANDARDS
1.1 Engage in conversation, Act. 3
1.2 Understand language, Act. 2
1.3 Present information, Act. 1
3.1 Knowledge of other disciplines, Act. 1, 3

✓ **Ongoing Assessment**

@HomeTutor
More Practice
ClassZone.com

Intervention If students are unable to successfully complete an activity, have them review pp. 152–153. For additional practice, use Reteaching & Practice Copymasters URB 3 pp. 1, 2, 10.

Answers UTB 3 Transparency 24

Activity 1
1. ¿Qué es el petróleo?; **2.** ¿Qué es la erosión?; **3.** ¿Qué es la sequía?; **4.** ¿Qué es el aire puro?; **5.** ¿Qué es la inundación?

Activity 2
1. Protejan; **2.** Desarrollen; **3.** Infórmense; **4.** dañen; **5.** Voten; **6.** Usen

Activity 3 Answers will vary. Format should be as follows:
1. ¿Te preocupa el smog?
  Sí, tenemos que conducir menos.
2. ¿Te preocupa la erosión?
  Sí, debemos proteger el suelo...

Para y piensa Answers will vary. Sample answers:
1. Las sustancias químicas en el aire por el uso del petróleo, por ejemplo, y el daño a la capa de ozono causan el smog y la contaminación.
2. Debemos usar recursos naturales, como el viento, para no gastar los recursos no renovables.

154

※ Práctica de VOCABULARIO

1 | ¿Qué es?

Hablar
Escribir

Haz las preguntas usando las palabras de la lista.

  modelo: todas las especies diferentes de un lugar
  ¿Qué es la biodiversidad?

1. un recurso natural
2. ocurre cuando el suelo no está protegido por plantas
3. cuando no llueve
4. lo que todos queremos respirar
5. cuando llueve demasiado

la biodiversidad
la sequía
el petróleo
la erosión
la inundación
el aire puro

Expansión:
Teacher Edition Only
Pídales a los estudiantes que piensen en por lo menos tres palabras opuestas de las de la lista.

2 | Una campaña ecológica ♻ *¿Recuerdas?* Ustedes commands p. 102

Hablar
Escribir

Usa mandatos en la forma de **ustedes** para una campaña sobre el medio ambiente. Utiliza verbos de la lista.

  modelo: ¡No dañen el medio ambiente!

1. ¡ _____ las especies en peligro de extinción!
2. ¡ _____ nuevas técnicas para un porvenir seguro!
3. ¡ _____ sobre los riesgos de la deforestación!
4. ¡No _____ la biodiversidad!
5. ¡ _____ por los candidatos que valoran el medio ambiente!
6. ¡ _____ los basureros!

dañar
votar
informarse
usar
desarrollar
proteger
disminuir

Expansión:
Teacher Edition Only
Pídales a los estudiantes que dirijan los mandatos a un(a) compañero(a), usando la forma de tú.

3 | Me preocupa...

Hablar

Pregúntale a un(a) compañero(a) si los siguientes problemas le preocupan y qué recomienda para mejorarlos.

  modelo: deforestación

1. el smog
2. la erosión
3. la contaminación
4. las inundaciones   **5.** los derrumbes   **6.** el efecto invernadero

Ⓐ ¿Te preocupa la deforestación?

Ⓑ Sí, es muy importante proteger nuestros bosques y...

Expansión
Escribe un correo electrónico donde expresas tus ideas sobre un problema del medio ambiente en tu comunidad.

Más práctica Cuaderno *pp. 99–101* Cuaderno para hispanohablantes *pp. 99–102*

PARA Y PIENSA

¿**Comprendiste?** Contesta con oraciones completas.
1. ¿Qué causa el smog y la contaminación?
2. ¿Qué podemos hacer para resolver los problemas?

Get Help Online
ClassZone.com

154 Unidad 3 Centroamérica
ciento cincuenta y cuatro

Differentiating Instruction

Pre-AP

Determine Cause and Effect Have students express a causal connection between two or more environmental concerns. For example, **Es necesario proteger la capa de ozono porque su destrucción puede causar el efecto invernadero, que cambia el clima y causa una multitud de problemas medioambientales.**

English Learners

Increase Interaction After completing Activity 2, have students pair with a classmate and respond to each command, indicating either that they already comply with it (**Ya estoy bien informada.**), or that they cannot comply (**Sólo tengo diecisiete años; no puedo votar.**).

VOCABULARIO en contexto

¡AVANZA! **Goal:** Review the words that Nicolás uses in his science project. Then identify and discuss the environmental problems that he mentions. *Actividades 4–5*

♻ *¿Recuerdas?* **ir a** + infinitive p. R33

Contexto 1 *Informe escolar*

ESTRATEGIA Leer
Use a problem chart On a chart, summarize the three environmental problems that Nicolás mentions. Explain why these problems are important.

Problema 1	Problema 2	Problema 3

AUDIO

Nicolás, un estudiante panameño, hizo una investigación sobre los problemas del medio ambiente. El profesor escribió sus comentarios en rojo.

Nicolás García - Grado 11
Ciencias Naturales
Profesor Ludueña
4 de Abril

B
¡Buen trabajo, Nicolás!

EL PORVENIR DEPENDE DEL PRESENTE

El uso de cuatro litros de gasolina produce nueve kilogramos de dióxido de carbono (CO_2). Durante los últimos diez años la cantidad de emisiones de CO_2 en Panamá aumentó en más del 86 por ciento. Si vamos a conservar el petróleo, es necesario comprar coches pequeños que no usan tanta gasolina.

No te olvides de los recursos renovables.

A consecuencia de la deforestación y la destrucción de los hábitats naturales, hay muchas especies en peligro de extinción. En Panamá hay más de veinte especies de pájaros en peligro de extinción. Estas prácticas también contribuyen a la erosión del suelo y a los derrumbes.

También tenemos 192 especies de plantas en peligro de extinción.

Algunos científicos creen que la destrucción de la capa de ozono crea el efecto invernadero, y, como resultado, vamos a tener más sequías e inundaciones. La Organización de las Naciones Unidas estima que, en el futuro, el 50 por ciento de la población mundial va a correr el riesgo de sufrir condiciones climáticas extremas.

Las estadísticas de la ONU se refieren al año 2025.

Differentiating Instruction

Multiple Intelligences

Visual Learners Have students choose one of the three problems summarized by Nicolás (CO_2 emissions, species extinction, and the greenhouse effect) and present it in poster form, with color illustrations and a series of captions explaining the causes and effects of the problem.

Multiple Intelligences

Logical/Mathematical Have student pairs use Nicolás' equation to compute how much CO_2 is released by a car using 20 liters of gas daily. (45 kg) Write the following: 1 kg = 2.2 lbs; 3.785 liters = 1 gal. Have students convert to gallons and pounds. They should find that 5.284 gallons of gas releases 99 pounds of CO_2. Discuss their findings from an environmental perspective.

¡AVANZA! **Objective**
· Understand vocabulary related to environmental concerns, in context.

Core Resource
· Audio Program: TXT CD 5 Track 3

Presentation Strategies
· Have small groups read through the selection aloud.
· Apply the problem-chart strategy to enhance comprehension.

STANDARD
1.2 Understand language

Warm Up UTB 3 Transparency 16

Vocabulario Muestra interés en los asuntos del medio ambiente, respondiendo a titulares positivos con **¡Qué bueno!** y titulares negativos con **¡Qué lástima!**
1. Las compañías encuentran maneras de disminuir las emisiones de los carros.
2. Inundaciones amenazan a destruir varios pueblos costales.
3. Nuevos inventos usan recursos no renovables.
4. Es posible reemplazar la capa de ozono.
5. La deforestación daña las especies en peligro de extinción.

Answers: 1. ¡Qué bueno!; 2. ¡Qué lástima!; 3. ¡Qué lástima!; 4. ¡Qué bueno!; 5. ¡Qué lástima!

Connections
Science

Talk about the relationship between droughts and floods. If possible, do an experiment with healthy, fertile soil at the bottom of an empty bowl, and dry, packed dirt at the bottom of another. Have students predict what will happen to each when a liter of water is poured onto it. Then let them carry out the experiment and apply the conclusion to climatic conditions.

Objectives

- Practice using vocabulary to express environmental concerns.
- Recycle: **ir a** + infinitive
- **Culture:** Lake Nicaragua

Practice Sequence

- **Activity 4:** Contexto 1 comprehension
- **Activity 5:** Vocabulary production: predictions; Recycle: **ir a** + infinitive

STANDARDS

1.2 Understand language, Act. 4
1.3 Present information, Act. 5
2.1 Practices and perspectives, CC
3.1 Knowledge of other disciplines, CC
4.2 Compare cultures, CC

Comparación cultural

Essential Question

Suggested Answer Las formas geográficas cambian con los años a causa de erupciones volcánicas, derrumbes y temblores.

Expanded Information

Sharks The Lake Nicaragua shark is the only freshwater shark in the world. A type of bull shark, it can grow to more than three meters long. These sharks tend to be unpredictable. The tuna and swordfish have also adapted to the fresh water of Lake Nicaragua.

✓ Ongoing Assessment

PARA Y PIENSA **Alternate Strategy** Have students propose that one of the items listed in the Para y Piensa box does not belong in the same category as the others, and explain their reasoning. There are no wrong answers as long as students support their proposal. For additional practice, use Reteaching & Practice Copymasters, URB 3 pp. 1, 3, 11.

See Activity Answers on p. 157.

---

4 | Comprensión del informe escolar

Leer
Hablar
Escribir

Contesta las preguntas según el informe de Nicolás.

1. ¿Cuántos kilogramos de dióxido de carbono (CO_2) producen cuatro litros de gasolina?
2. ¿Cómo cambiaron las emisiones de CO_2 durante los últimos diez años?
3. Menciona tres consecuencias de la deforestación.
4. ¿Qué porcentaje de la población del mundo va a estar en riesgo de sufrir condiciones climáticas extremas en el año 2025?
5. ¿Cuál puede ser la causa de los problemas con el clima?

Expansión:
Teacher Edition Only
Pídales a los estudiantes que digan si cada oración se refiere al problema 1, 2 ó 3 de la tabla que hicieron en la página 155.

5 | ¿Cómo ves el futuro? *¿Recuerdas?* **ir a** + infinitive p. R33

Hablar
Escribir

Haz predicciones sobre el futuro usando la construcción **ir + a + infinitivo.**

modelo: La contaminación va a destruir la capa de ozono.

destruir
desarrollar
respirar
disminuir
mejorar

los recursos naturales
las especies en peligro de extinción
la contaminación
la capa de ozono
el aire puro

Expansión
Escribe un párrafo sobre la contaminación y sus efectos en el futuro.

Comparación cultural

El Lago de Nicaragua

¿Cómo cambian las formas geográficas con los años?
El Lago de **Nicaragua** es el lago más grande de Centroamérica, con un área de 4.791 millas cuadradas. Antes era parte del Mar Caribe, pero cuando subió el nivel *(level)* de la tierra, se formó el lago. Con los años, el agua salada del lago se transformó y ahora es agua dulce. Las especies de peces que viven allí se adaptaron, para poder vivir en el nuevo ambiente. Por eso, en el Lago de Nicaragua es posible encontrar tiburones *(sharks)*.

El Lago de Nicaragua

Compara con tu mundo *¿Sabes cuáles son los lagos más grandes de Estados Unidos? ¿Dónde están? ¿Sabes cuál es el lago más grande? ¿Hay un lago en tu región?*

PARA Y PIENSA **¿Comprendiste?** Di cuál de los siguientes problemas del medio ambiente se menciona en el trabajo de Nicolás.

los temblores   el smog   las inundaciones   los derrumbes

Differentiating Instruction

Inclusion

Cumulative Instruction Remind students that they have already learned terms related to the environment. As a class, brainstorm terms from Level 2, Unit 8 (reviewing meanings as necessary), and list them on the board. Have students combine the recycled words with new vocabulary in sentences, either in writing, or aloud, with a partner.

Pre-AP

Expand and Elaborate Have students research a conflict between a group that wishes to preserve a particular animal, and an opposing group that sees those efforts as a threat to their livelihood (for example: commercial fishermen and environmentalists). Have them share their feelings with the class.

Presentación de GRAMÁTICA

¡AVANZA! **Goal:** Learn about the formation of the future tense. Then practice using these forms to talk about what will happen in the future. **Actividades 6–9**

♻ **¿Recuerdas?** Media vocabulary pp. 92–93

English Grammar Connection: The future tense indicates that something will happen in the future. You form the future tense in English with the word *will* before an infinitive, minus the word *to*: We **will** play.

Future Tense

 Animated Grammar
ClassZone.com

You have already learned how to refer to future events by using **ir** + **a** + infinitive. Spanish verbs can also be conjugated in the **future tense.**

Here's how: You add endings directly to the infinitive to form the **future tense** of regular verbs.

Infinitive		Future Endings	
jugar		-é	-emos
proteger	+	-ás	-éis
traducir		-á	-án

All verbs have the same endings in the future tense.

Él **traducirá** el informe para mañana.
*He **will translate** the report for tomorrow.*

Protegeremos a nuestros niños.
*We **will protect** our children.*

Some verbs are irregular in the **future tense.** You change their stems before adding the regular future tense endings.

Irregular Future Stems

Infinitive	Stem	Infinitive	Stem	Infinitive	Stem
haber	habr-	poner	pondr-	decir	dir-
poder	podr-	salir	saldr-	hacer	har-
querer	querr-	tener	tendr-		
saber	sabr-	venir	vendr-		

You can also use the **future tense** to wonder or make a guess about something.

¿Qué **hará** Carlos hoy?
I wonder what Carlos is doing today.

Jugará al tenis con Emiliano.
He's probably playing tennis with Emiliano.

Más práctica
Cuaderno pp. 102–104
Cuaderno para hispanohablantes pp. 103–105

 Conjuguemos.com

@HomeTutor
Leveled Practice
ClassZone.com

Differentiating Instruction

Inclusion

Synthetic/Analytic Support Write each future-tense ending on a piece of card stock and set them on the chalk ledge. Then write infinitives on the board. Make a simple statement in the future tense. Have a volunteer go to the board and hold the ending you used up to the end of the corresponding infinitive. Start with regular verbs then add in irregular verbs.

Heritage Language Learners

Support What They Know Have heritage learners help to create a word bank of key words and phrases that signal use of the future. (**mañana, pasado mañana, la semana/el año que viene**) Post the word bank on the wall so the whole class can refer to it as necessary. Remind them to use the future tense or **ir a** + infinitive when they see a word from the word bank.

¡AVANZA! **Objective**
· Present the future tense.

Core Resource
· *Cuaderno*, pp. 102–104

Presentation Strategies
· Have students read and take notes on the regular and irregular future forms.
· Use each verb in a sentence, having students repeat after you.
· Explain the use of the future to express probability, and give examples.

STANDARD
4.1 Compare languages

Warm Up UTB 3 Transparency 17

¿Cierto o falso? Di si las oraciones siguientes son **ciertas** o **falsas.** Corrige las falsas.
1. Cuatro litros de gasolina producen nueve kilos de oxígeno.
2. En diez años, las emisiones de CO_2 han disminuido 86% en Panamá.
3. En Panamá, hay más de veinte especies de pájaros en peligro de extinción.
4. La erosión del suelo y los derrumbes causan la deforestación.
5. La destrucción de la capa de ozono puede crear problemas con el clima.

Answers: 1. Falso. Cuatro litros de gasolina producen nueve kilos de CO_2.; 2. Falso. En diez años, las emisiones de CO_2 han aumentado 86% en Panamá.; 3. Cierto; 4. Falso. La deforestación causa la erosión del suelo y los derrumbes.; 5. Cierto.

 Answers UTB 3 Transparencies 24

Activity Answers from p. 156.
Activity 4
1. 9 kilos de CO_2.
2. Aumentaron en más del 86 por ciento.
3. Las especies en peligro de extinción, la erosión del suelo, los derrumbes.
4. Cincuenta por ciento.
5. Destrucción de la capa de ozono.

Activity 5 Answers will vary. Sample answers:
1. Tú vas a disminuir la contaminación.
2. Nosotros vamos a respirar aire puro.
3. El gobierno va a destruir la capa de ozono.
4. Yo voy a desarrollar un proyecto sobre las especies en peligro de extinción.
5. La industria va a mejorar su protección de los recursos naturales.

Para y piensa
los temblores: no   las inundaciones: sí
el smog: no   los derrumbes: sí

157

Objectives

· Practice using the future tense.
· Recycle: media vocabulary.
· Practice making predictions.

Core Resources

· *Cuaderno,* pp. 102–104
· Audio Program: TXT CD 5 Track 4

Practice Sequence

· **Activity 6:** Controlled practice: the future tense; Recycle: media vocabulary
· **Activity 7:** Transitional practice: the future tense
· **Activity 8:** Transitional practice: the future tense to express probability
· **Activity 9:** Open-ended practice: asking and answering questions about the future

STANDARDS

1.1 Engage in conversation, Act. 8, 9
1.2 Understand language, Act. 6
1.3 Present information, Act. 6, 7

TEACHER to TEACHER

Dael Chapman
Amherst, MA

Tips for Presenting Grammar

"After my students have learned the future tense, I give each student a slip of paper on which to write a fortune for a classmate with at least three verbs in the future. I ask them to fold the paper twice and I collect them in a bowl, and then redistribute them. My students enjoy reading their fortunes aloud and sharing them with the class."

Answers UTB 3 Transparency 25

Activity 6

1. Marta
2. escribirá el artículo
3. investigarán los detalles
4. hoy y mañana
5. Arturo
6. para el miércoles

Activity 7 Answers will vary. Sample answers:

1. Elena dará sangre para las víctimas.
2. Alfredo y Rosa tocarán el saxofón en un grupo de jazz.
3. Raquel tomará fotos en sus viajes.
4. Todos nosotros compartiremos responsabilidad por el planeta.
5. Yo desarrollaré una manera de reemplazar los recursos naturales.
6. Tú votarás para mejorar el aire.

158

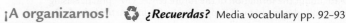

✾ Práctica de GRAMÁTICA

6 **¡A organizarnos!** ♻ **¿Recuerdas?** Media vocabulary pp. 92–93

Escuchar
Escribir

Escucha al editor de un periódico semanal de Costa Rica explicar qué tendrán que hacer los empleados para la próxima edición. Luego, completa una tabla, como la siguiente, con el plan de trabajo.

🎧 **Audio Program**
TXT CD 5 Track 4
Audio Script, TE p. 149B.

¿Quién?	¿Qué?	¿Para cuándo?
Jorge	sacará fotos	para esta tarde
<1>	<2>	para mañana
Silvia y Martín	<3>	<4>
<5>	completará la columna de consejos	<6>

7 **El anuario**

Escribir

Escribe una predicción para acompañar cada foto del anuario *(yearbook)*.

modelo: Raúl y Carolina
Raúl y Carolina inventarán una solución para eliminar la contaminación.

1. Elena

2. Alfredo y Rosa

3. Raquel

4. todos nosotros

5. yo

6. tú

Expansión:
Teacher Edition Only
Pídales a los estudiantes que digan lo que cada persona NO hará. (Elena no tendrá miedo de dar sangre.)

Differentiating Instruction

Pre-AP

Communicate Preferences Have students use the future tense to ask a few students which of the listed tasks they prefer in Activity 6. Then have all students ask the person next to them: **¿Qué harás tú?** Once all students have answered, have them circulate, repeating the question until they have a team in which no roles are duplicated.

Slower-paced Learners

Peer-study Support For Activity 9, pair students who need extra help with those who have mastered the future tense. The stronger student can ask the questions first so the weaker one gets a chance to practice the tense before he/she has to create questions.

8 No sé exactamente

Hablar

Tu compañero te hace muchas preguntas el día de una excursión escolar. Tú no estás seguro(a). Contéstale con el futuro de probabilidad *(for making guesses)*.

modelo: dónde / estar / Ricardo (en casa)

A ¿Dónde estará Ricardo?

B No sé exactamente. Estará en casa.

1. adónde / ir / nosotros / de excursión (algún museo)
2. cómo / llegar / allí (en autobús o en tren)
3. cuándo / venir / el autobús (en unos cinco minutos)
4. qué hora / ser (las ocho o las ocho y media)
5. cuántos años / tener / esa señora (unos sesenta años)
6. quién / ser / ella (nuestra guía)
7. dónde / comer / todos (en la cafetería)
8. dónde / estar / mi boleto (en tu bolsillo)
9. qué / tener que hacer / nosotros / para mañana (escribir algo)
10. cuándo / salir / nosotros (el jueves o el viernes)

> **Expansión:**
> **Teacher Edition Only**
> Pídales a los estudiantes que propongan otra opción para cada respuesta. Por ejemplo **Estará en el parque con los amigos.**

9 ¿Cómo será tu futuro?

Hablar

Pregúntale a un(a) compañero(a) cómo será su futuro. Haz diez preguntas con los verbos de la lista.

inventar	amenazar	saber	poder
tener	investigar	hacer	reutilizar
fomentar	ser	vivir	apreciar
reciclar	querer	ir	haber

A ¿Inventarán coches grandes, pero más eficientes?

B Sí, los inventarán.

> **Expansión**
> Escribe cinco predicciones sobre los cambios en el mundo dentro de veinte años.

Más práctica Cuaderno *pp. 102–104* Cuaderno para hispanohablantes *pp. 103–105*

PARA Y PIENSA

¿Comprendiste? Cambia las siguientes oraciones del presente al futuro para decir qué hará tu familia en un día libre.

Get Help Online
ClassZone.com

1. Mis abuelos descansan en la playa.
2. Yo voy al museo con mi hermana.
3. Nosotros volvemos a las seis.
4. Mi madre quiere cenar a las siete.

Differentiating Instruction

Multiple Intelligences

Linguistic/Verbal Some students may be troubled by contextual ambiguity, which can make it difficult to tell when the future tense is being used to indicate probability. (See Activity 8, items 1-3, 7, 9, 10.) Contrast those situations with examples in which the probability function is clearer (items 4-6, 8).

Inclusion

Metacognitive Support Remind students to note irregular verbs as they complete the activities on the page. List irregular verbs on the board. Have students scan the verbs used in each activity before they begin. Have them list the irregular verbs in their notebooks so they remember to alter the stems when conjugating them.

Long-term Retention

Personalize It

Explain to students that you are going to make a series of statements about socially responsible things you plan to do in the future. (**Me informaré sobre las especies en peligro de extinción. Reutilizaré las bolsas de plástico del supermercado. Reemplazaré las ventanas viejas en mi casa para conservar energía.**) Ask students to stand up when they hear you say something that they are interested in and can agree to do also.

✓ Ongoing Assessment

@HomeTutor
More Practice
ClassZone.com

PARA Y PIENSA **Peer Assessment** Have students read their answers aloud to their partner, making sure the verbs have been changed to the future tense. For additional practice, use Reteaching & Practice Copymasters URB 3 pp. 4, 5, 12.

Answers UTB 3 Transparency 25

Activity 8
1. ¿Adónde iremos de excursión?
   No sé. Iremos a algún museo.
2. ¿Cómo llegaremos allí?
   No sé. Llegaremos en autobús o en tren.
3. ¿Cuándo vendrá el autobús?
   No sé. Vendrá en unos cinco minutos.
4. ¿Qué hora será?
   No sé. Serán las ocho o las ocho y media.
5. ¿Cuántos años tendrá esa señora?
   No sé. Tendrá unos sesenta años.
6. ¿Quién será ella?
   No sé. Será nuestra guía.
7. ¿Dónde comeremos/comerán todos?
   No sé. Comeremos/Comerán en la cafetería.
8. ¿Dónde estará mi boleto?
   No sé. Estará en tu bolsillo.
9. ¿Qué tendremos que hacer para mañana?
   No sé. Tendremos que escribir algo.
10. ¿Cuándo saldremos?
    No sé. Saldremos el jueves o el viernes.

Activity 9 Questions and answers will vary but should include ten different verbs in the future. For example:

–¿Harás algo interesante para ganarte la vida?

–Sí, haré algo interesante. Seré científica y haré investigaciones biológicas.

Para y piensa
1. Mis abuelos descansarán en la playa.
2. Yo iré al museo con mi hermana.
3. Nosotros volveremos a las seis.
4. Mi madre querrá cenar a las siete.

159

¡AVANZA! Objective

· Practice using grammar in context.

Core Resource

· Audio Program: TXT CD 5 Track 5

Presentation Strategies

· Have students scan the journal entry to get a main idea before listening to the audio.
· Play the audio.

Practice Sequence

· **Activity 10:** Contexto 2: reading comprehension
· **Activity 11:** Transitional practice: future tense
· **Activity 12:** Open-ended practice: future tense

STANDARDS

1.1 Engage in conversation, Act. 12
1.2 Understand language, Act. 10
1.3 Present information, Act. 11, 12

Warm Up UTB 3 Transparency 17

Del pasado al futuro Convierte cada una de las oraciones al futuro, cambiando los verbos y la frase **el verano pasado** a **el verano que viene.** (Pista: todos los verbos son irregulares en el futuro.)

1. El verano pasado quise hacer un viaje a Centroamérica.
2. No tuve bastante dinero para hacer un viaje así.
3. El verano pasado no pude ir a ningún lugar.
4. Sin embargo, hubo oportunidades interesantes aquí en nuestro pueblo.
5. El verano pasado mis amigos y yo hicimos muchos proyectos en la comunidad.

Answers: 1. El verano que viene querré hacer un viaje a Centroamérica.; 2. No tendré bastante dinero para hacer un viaje así.; 3. El verano que viene no podré ir a ningún lugar.; 4. Sin embargo, habrá oportunidades interesantes aquí en nuestro pueblo.; 5. El verano que viene mis amigos y yo haremos muchos proyectos en la comunidad.

160

�֍ GRAMÁTICA en contexto

¡AVANZA! ▶ **Goal:** Note how Nicolás uses the future tense in his journal entry. Then use what you have learned to talk about the future. *Actividades 10–12*

Contexto 2 *Cuaderno personal*

ESTRATEGIA Leer
Analyze the dream Nicolás is having a nightmare! Analyze what Nicolás sees in the dream and what "Nicolás 2050" tells him. Then write down Nicolás' response (feelings, words).

Analizar el sueño	
Lo que Nicolás ve	
Lo que «Nicolás 2050» dice	
Cómo responde Nicolás	

AUDIO

Nicolás escribió un trabajo para la clase sobre los problemas del medio ambiente en Panamá y en el mundo. Al día siguiente describió en su cuaderno personal un sueño extraño que tuvo.

¡LO QUE VENDRÁ!

Soñé que conocí a un chico del futuro que se llamaba Nicolás 2050. Era exactamente igual que yo, pero vivía en el año 2050. Inmediatamente le pregunté, "¿Cómo será el futuro? ¿Estaré contento? ¿Qué pasará?"

Nicolás 2050 me dijo: "En el futuro vivirás en una ciudad protegida del medio ambiente. La ciudad será muy compleja y estará dentro de un globo de vidrio. La contaminación será tan fuerte que no podrás salir al aire libre y la capa de ozono no te protegerá del sol. Las innovaciones tecnológicas solucionarán algunos de los problemas, pero no habrá árboles, ni flores, ni plantas. Los recursos no renovables no existirán."

"¡No puede ser!" le dije con horror. "¿No tendremos nada bueno en el futuro?" "Claro, hombre," me dijo. "Tendrás un auto especial. ¡Los autos volarán! Usarán la energía solar y no necesitarán gasolina. Y, para divertirte, podrás ir al cine y ver cualquier película que quieras..." "¡Ay, pero todo será aún peor...!" le dije. Y de repente, me desperté.

Ahora sé que tengo que hacer algo para cambiar el futuro... No viviré en un mundo sin aire puro, sin árboles... ¡Qué horror! Los autos que usan energía solar son interesantes... Mañana empezaré a investigar más sobre las energías alternativas.

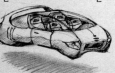

También se dice

Nicolás utiliza la expresión **¡Qué horror!** para expresar sorpresa y emoción intensa.

· **Centroamérica y el Caribe ¡Alabao!** (forma informal de «alabado»)
· **España ¡Qué barbaridad!**
· **Colombia ¡Caramba!**

160 Unidad 3 Centroamérica
ciento sesenta

Differentiating Instruction

Heritage Language Learners

Increase Accuracy Have native speakers flag all of the lines of text containing question marks and exclamation points. Ask them to explain the difference between **¿Qué pasará?** and **¡Qué horror!** Encourage students pay attention to inflection while they read the selection aloud in small groups. Circulate and listen.

Multiple Intelligences

Visual Learners Have students do storyboards to illustrate Nicolás's dream. They can put captions under each picture along with a short description of the story's action.

10 | Comprensión del cuaderno personal

Leer
Hablar

Completa las siguientes oraciones con el futuro de los verbos de la lista.

1. Nicolás _____ en una ciudad compleja.
2. Los autos que vuelan _____ a los autos comunes.
3. Las innovaciones _____ algunos problemas.
4. La capa de ozono _____ muy pequeña.
5. Los recursos no renovables no _____ .

> ser
> existir
> solucionar
> reemplazar
> vivir

Expansión:
Teacher Edition Only
Pídales a los estudiantes que escriban otras cinco oraciones utilizando el futuro de los siguientes verbos: **fomentar, respirar, proteger, valorar, destruir.**

11 | Consecuencias

Hablar
Escribir

Ayuda a Nicolás a analizar las consecuencias de los problemas del futuro.

modelo: nosotros / luchar / contra la destrucción
Nosotros lucharemos contra la destrucción.

Expansión:
Teacher Edition Only
Pida a los estudiantes que escriban tres frases más, utilizando los verbos *haber, salir* y *hacer.*

1. la gente / buscar / transformación

2. todos / apreciar / inventos

3. tú / aceptar / responsabilidad

4. nosotros / valorar / aire puro

5. yo / no dañar / suelo

6. gobiernos / proteger / especies

Expansión
Escribe una carta al editor de tu periódico local y expresa las posibles consecuencias de algunos problemas del medio ambiente en tu comunidad.

12 | Inventos ecológicos

Hablar
Escribir

Con tus compañeros(as), identifiquen un problema ecológico e inventen algo para mejorar el problema. Preparen un anuncio de prensa *(press release)* para presentar su invento. Usen el futuro. Presenten su invento en clase.

Expansión:
Teacher Edition Only
Pida a los estudiantes que incluyan unas advertencias sobre cómo la gente NO debe usar el invento.

PARA Y PIENSA

¿Comprendiste? Según «Nicolás 2050», ¿qué será diferente en el futuro? Contesta con tres oraciones completas usando verbos en el futuro.

Get Help Online
ClassZone.com

GRAMÁTICA

Communication

Humor/Creativity

Have pairs of students work together to write a letter inviting someone to join them inside a glass bubble like the one described by Nicolás. Suggest using the structure **Si vienes...** followed by the future tense, to explain some of the benefits of living in a closed environment.

✓ Ongoing Assessment

@HomeTutor
More Practice
ClassZone.com

PARA Y PIENSA

Quick Check Have students write the three sentences in their notebooks. Have them underline the future tense verbs used in each sentence. For additional practice, use Reteaching & Practice Copymasters URB 3 pp. 4, 6.

Answers UTB 3 Transparency 26

Activity 10
1. vivirá
2. reemplazarán
3. solucionarán
4. será
5. existirán

Activity 11 Answers may vary slightly.
1. La gente buscará una transformación del transporte.
2. Todos apreciarán los inventos, como los robots.
3. Tú aceptarás la responsabilidad de cuidar el medio ambiente.
4. Nosotros valoraremos el aire puro.
5. Yo no dañaré el suelo.
6. Los gobiernos protegerán las especies en peligro de extinción.

Activity 12 Answers will vary but should use the future tense. Sample answer:

El lavaplatos Aguasolo limpiará los platos con tanta potencia que no será necesario añadir detergente y así contaminar el agua...

Para y piensa Answers will vary. Sample answer:

Viviremos en una ciudad protegida contra el medio ambiente. Las ciudades estarán dentro de un globo de vidrio. La contaminación será tan fuerte que no podremos salir al aire libre...

Differentiating Instruction

Inclusion

Frequent Review/Repetition Give a photocopy of Nicolás's notebook to students. Have them underline verbs that are in the preterite, circle verbs that are in the imperfect, and put a triangle around verbs that are in the future. (The triangle "points" to the future.) They should note that the narration of the dream is in the past, but much of the dialogue is in the future.

Pre-AP

Support Ideas with Details Have students include some explanation of the technology as well as the functionality of their inventions in Activity 12. Allow them to use dictionaries to find the technical descriptors they may need, such a **satélite** or **tecnología digital.**

Objective
· Present the uses of **por** and **para**.

Core Resource
· *Cuaderno,* pp. 105–107

Presentation Strategies
· Ask students in what contexts they have heard or used the words **por** and **para** before.
· Have students take notes as you present the bulleted uses of the prepositions, focusing on examples.

STANDARD
4.1 Compare languages

Warm Up UTB 3 Transparency 18

Contexto 2 Pon en orden las oraciones siguientes, usando el orden de la narración en el página 160.
  a. Nicolás exclamó «¡Qué horror!»
  b. Nicolás 2050 explicó que la gente tendrá que vivir en un globo de vidrio.
  c. Preguntó «¿Qué pasará en el futuro?»
  d. Nicolás soñó que tuvo la oportunidad de conocerse a sí mismo en el año 2050.
  e. El muchacho del futuro explicó que los autos volarán en el año 2050.

Answers: 1. d; 2. c; 3. b; 4. e; 5. a

Comparisons
English Grammar Connection

Explain that often one word in a given language will be replaced by more than one word in another language. For example, ask students if they remember how to say *watch* and *clock* in Spanish (Spanish speakers use only one word to express both items: **reloj**). Just as Spanish speakers learn when to use the word *clock* and when to use *watch*, students will learn, with practice, when to use **por** and when to use **para**.

❈ Presentación de GRAMÁTICA

¡AVANZA! **Goal:** Learn about the proper uses of the prepositions **por** and **para**. Then practice using them in a variety of contexts. *Actividades 13–16*

English Grammar Connection: In English, the preposition *for* can indicate exchange (*We already paid **for** our food*) or destination (*I'm leaving **for** school*). Spanish has two prepositions to express these ideas: **por** and **para**.

Por **and** Para

Animated Grammar
ClassZone.com

The prepositions **por** and **para** have distinct uses in Spanish. How do you know which one to use?

Here's how:

Use **por** to indicate. . .

· the idea of **passing through**	El tren pasa **por** Panamá.
· **general** rather than specific **location**	¿Hay un basurero **por** aquí?
· **how long** something lasts	Vivimos en San Salvador **por** muchos años.
· the **cause** of something	No tenemos agua **por** la sequía.
· an **exchange**	Cada día pagamos más **por** el petróleo.
· doing something **in place of** or instead of someone else	Estoy muy enfermo hoy. ¿Puedes trabajar **por** mí?
· a **means** of completing an action	Hablamos **por** teléfono.

Use **para** to indicate. . .

· **for whom** something is done	Damos una fiesta **para** mamá.
· **destination**	María sale **para** Panamá mañana.
· the **recipient** of an item	Este regalo es **para** la abuelita.
· the **purpose** of an action	Leemos el periódico **para** informarnos.
· an **opinion**	**Para** mí, la innovación es importante.
· a **comparison** or contrast	Miguel es alto **para** tener dos años.
· a **deadline**	Hay que terminar la tarea **para** mañana.

Más práctica
  Cuaderno *pp. 105–107*
  Cuaderno para hispanohablantes *pp. 106–109*

@HomeTutor
Leveled Practice
ClassZone.com

Differentiating Instruction

Multiple Intelligences

Logical/Mathematical As students take notes, have them number the reasons for using **por** and **para,** so that they can refer back to them easily when completing activities on p. 163.

Multiple Intelligences

Kinesthetic Form students into a circle and stand in the center. Toss a sponge ball to a student, saying (**Andrés**), **para ti,** or **Es para** (**Andrés**). If he catches the ball, he tosses it back, saying **Para usted, maestro(a).** If the ball is intercepted, say **Está cortado por** (**Ana**). Ana then takes your place. Also change the central thrower if he or she forgets to say to whom the ball is going.

Práctica de GRAMÁTICA

13 | Un viaje ecológico

Leer
Escribir

Usa **por** o **para** y completa la carta que Anita le escribió a su amiga describiendo el viaje que va a hacer con su clase de ecología.

> Querida Julia,
>
> Mi clase de ecología hará un viaje **1.** varias regiones de Costa Rica. Saldremos **2.** San José el viernes y nos quedaremos **3.** dos semanas. Visitaremos seis parques nacionales y reservas ecológicas. **4.** ser un país pequeño, Costa Rica tiene muchísima variedad natural y el gobierno se preocupa mucho **5.** el medio ambiente. Pasaremos **6.** los parques a pie, **7.** ver más. Llevaré una cámara digital **8.** sacar fotos. Después del viaje, te las mandaré **9.** correo electrónico. Tendré que pagar mucho **10.** el viaje, pero será inolvidable. Bueno, Julia, te escribiré más la semana que viene.
>
> —Anita

Expansión:
Teacher Edition Only
Pídales a los estudiantes que mencionen la razón por la que han escogido **por** o **para** como respuesta en cada número, refiriéndose a la página 162.

14 | Lo haremos

Escribir

Escribe oraciones completas en el futuro. Usa **por** o **para**.

modelo: nosotros / lavar coches / juntar fondos
Nosotros lavaremos coches para juntar fondos.

1. Marcela / desarrollar un invento / disminuir la erosión
2. nosotros / leer el periódico / informarse
3. yo / hacer las investigaciones / Internet
4. tú / no poder acercarse a las tortugas / tocarlas
5. Edelmiro y Rinaldo / regresar mañana / la noche
6. Muchos animales / extinguirse / la contaminación

Expansión
Escribe cinco actividades que hiciste la semana pasada. Usa **por** o **para**.

Pronunciación **La letra g con a, o, u, L, o r**

AUDIO

Delante de las vocales **a, o, u,** y las consonantes **L** y **r,** la letra **g** tiene un sonido duro como la g de la palabra *go* en inglés. Su posición en una palabra no afecta la pronunciación.

tortuga   riesgo   gustar   peligro   globo

Trabalenguas

Si su gusto no gusta del gusto que gusta mi gusto,
qué disgusto se lleva mi gusto al saber que su gusto
no gusta del gusto que gusta mi gusto.

Differentiating Instruction

Heritage Language Learners

Standard Spanish Many Spanish speakers shorten the word **para** to a single syllable (**pa'**). Tell students that in formal situations, such as in a job interview, it is important to use the standard form. Have heritage students read through their answers to Activities 13 and 14 in a small group paying attention to their pronunciation of **para.**

English Learners

Increase Interaction Have students hold a slip of paper in front of their mouth and exaggerate saying the /g/ sound in *again, gotten,* and *gush.* Ask if they see the same burst with **agua, gato,** and **gorra.** If newer speakers of English have trouble producing the aspirated /g/ in English, have them work with a partner who can pronounce it correctly.

Objectives
· Practice using **por** and **para.**
· Practice pronouncing the hard /g/ sound in Spanish.

Core Resource
· Audio Program: TXT CD 5 Track 6

Practice Sequence
· **Activity 13:** Controlled practice: **por** and **para**
· **Activity 14:** Transitional practice: **por** and **para**
· **Pronunciation:** Recognize and produce the hard /g/ in a tongue twister

 STANDARDS
1.2 Understand language, Act. 13
1.3 Present information, Act. 14
4.1 Compare languages, Pronunciacion

Communication
 Common Error Alert

Although English and Spanish have similar constructions to communicate purpose, Spanish follows **para** with an infinitive (**El bolígrafo es para escribir, no para combatir**) while English uses a present participle (These boots were made for *walking*...). Remind students that the only time they will use the **-ndo** ending is with the verb **estar.**

Answers UTB 3 Transparency 26

Activity 13
1. por	**6.** por
2. para	**7.** para
3. por	**8.** para
4. Para	**9.** por
5. por	**10.** por

Activity 14
1. Marcela desarrollará un invento para disminuir la erosión.
2. Nosotros leeremos el periódico para informarnos.
3. Yo haré las investigaciones por Internet.
4. Tú no podrás acercarte a las tortugas para tocarlas.
5. Edelmiro y Rinaldo regresarán mañana por la noche.
6. Muchos animales se extinguirán por la contaminación.

Objectives
· Practice using **por** and **para**.
· Culture: Endangered species

Core Resource
· *Cuaderno*, pp. 105–107

Practice Sequence
· **Activity 15:** Transitional practice: **por** and **para**
· **Activity 16:** Open-ended practice: **por** and **para**

STANDARDS
1.1 Engage in conversation, Act. 15
1.3 Present information, Act. 15
2.1 Practices and perspectives, Act. 16
3.1 Knowledge of other disciplines, Act. 16

Comparación cultural

Essential Question
Suggested Answer Es importante porque sin ellas, el ecosistema cambia para siempre.

Expanded Information
Panama has teamed up with neighboring Colombia to protect humpback whales in its waters, which were recently discovered to be a mating ground.

✓ Ongoing Assessment
@HomeTutor
More Practice
ClassZone.com

Peer Assessment After students have completed the Para y piensa, have them go over their answers in pairs, checking the reason for their choices on p. 162. For additional practice, use Reteaching & Practice Copymasters URB 3 pp. 7, 8.

164

Answers UTB 3 Transparency 26

Activity 15 Answers will vary. Samples:
1. Para la mayoría de los estudiantes, la comida de la cafetería no es saludable.
2. Reemplazaremos las comidas fritas por ensaladas, porque son más saludables.
3. Para nosotros es importante comer mejor porque necesitamos mucha energía.
4. Podremos usar la cafetería por siete horas.
5. Serán para las personas que comen allí.
6. Haremos los cambios para el año que viene.

See Activity Answers on p. 165.

164

---

15 Una campaña para todos

Hablar Con un(a) compañero(a), habla de ideas para mejorar la cafetería de tu escuela. Discutan estas preguntas y luego presenten sus ideas a la clase.

A ¿Por qué mejoraremos la cafetería?

B La mejoraremos porque queremos comer mejor.

1. Para la gente de la escuela, ¿cómo es la comida de nuestra cafetería ahora?
2. ¿Qué comidas reemplazaremos por otras? ¿Por qué?
3. Para nosotros, ¿por qué es importante comer mejor?
4. ¿Por cuántas horas podremos usar la cafetería durante el día?
5. ¿Para quiénes serán los cambios que sugerimos?
6. ¿Para cuándo haremos los cambios?

Expansión
Escribe un breve anuncio con tus ideas para mejorar la cafetería. Usa verbos en el futuro y las preposiciones **por** y **para**.

16 ¿Qué pasará?

Escribir

Comparación cultural

Especies en peligro
¿Por qué es importante proteger las especies en peligro de extinción? Las selvas de **Centroamérica,** con su gran variedad de flora y fauna, son un ecosistema maravilloso. Pero, si no paramos la deforestación y la contaminación, estos problemas van a terminar con su existencia. Cuando una especie se extingue, esto daña el equilibrio biológico. Por ejemplo, si desaparecen las tortugas, las algas *(algae)* que ellas comen van a aumentar *(increase)* y pueden contaminar el agua. También los jaguares (que comen tortugas) comerán más venados *(deer)* u otros animales de la zona.

Una tortuga en peligro de extinción

Compara con tu mundo *Menciona dos animales típicos de Estados Unidos. ¿Qué crees que puede pasar si se extinguen?*

Menciona una especie en peligro de extinción de Estados Unidos. Escribe un párrafo para decir qué crees que pasará con esa especie y qué va a pasar si se extingue. Utiliza las preposiciones **por** y **para** en expresiones como: **para mí..., por muchos años..., por eso...**

Más práctica   Cuaderno *pp. 105–107*   Cuaderno para hispanohablantes *pp. 106–109*

PARA Y PIENSA

¿Comprendiste? Completa las siguientes frases con **por** o **para**.
1. El desarrollo excesivo no es bueno _____ el medio ambiente.
2. En nuestro viaje, pasamos _____ zonas de mucha erosión.
3. Quiero ir a Honduras _____ el buen tiempo y _____ ver Copán.

Get Help Online
ClassZone.com

Differentiating Instruction

Slower-paced Learners
Peer-study Support Have all students tally the number of times they hear/read the future tense in the dialogue on p. 165. Pair up students and have one person point out the future-tense verb in the script, while the other keeps count of the total, nodding or shaking their head to agree or disagree. Afterwards, partners should discuss any verbs with which they disagreed.

Multiple Intelligences
Musical/Rhythmic Have musically gifted students work together to compose a song to remember the uses of **por** and **para.** The lyrics should tell a story and employ all of the uses of **por** and **para.** that are found in the grammar box on p. 162. They can then teach the song to the rest of the class.

✦ Todo junto

¡AVANZA! **Goal:** *Show what you know* Listen to the conversation that Nicolás has with the school guidance counselor. Notice how he expresses concern about the future and how he uses the prepositions **por** and **para**. *Actividades 17–19*

Resumen **contextos 1 y 2** Nicolás es un estudiante panameño que escribió un informe sobre los problemas del medio ambiente. Esa misma noche, tuvo un sueño sobre los efectos de esos problemas.

Contexto 3 *Diálogo*

ESTRATEGIA Escuchar
Create a dialogue map Make a "dialogue map" of the conversation between Nicolás and Sr. Zamora. Try not to write down every word. Instead, write the main things they say to each other.

AUDIO

Nicolás decide hablar con el consejero de su escuela sobre proyectos sociales en Centroamérica, donde él puede trabajar de voluntario.

Nicolás: Hola, Sr. Zamora. ¿Será posible hablar con usted sobre mis planes para el verano? Puedo regresar más tarde si está ocupado.

Sr. Zamora: No, no. Está bien, Nicolás. Siéntate. Dime, ¿en qué estás pensando?

Nicolás: Quiero saber más sobre los programas de acción social en Centroamérica... Tuve un sueño horrible sobre el futuro y decidí que quiero hacer todo lo que pueda para mejorar la situación mundial. Quiero hacerlo por las generaciones del porvenir.

Sr. Zamora: Buena idea, Nicolás. ¿En qué tipo de proyecto quieres trabajar?

Lección 1
ciento sesenta y cinco **165**

Differentiating Instruction

Inclusion

Frequent Review/Repetition Give students a photocopy of the Diálogo. After they have listened to the audio, have them highlight all the occurrences of **por** and **para.** Put a table on the board with the heads **por, para,** and **¿Por qué?.** Then have volunteers write the complete sentences in which they were found. Then have the class point out why one or the other was used.

Pre-AP

Draw Conclusions Before students have a chance to read or listen to the text, review Contextos 1 and 2 and have students make predictions about how the story might conclude. Write all the options suggested on the board and have students vote on which seems to them most likely.

¡AVANZA! **Objective**
· Integrate lesson grammar and vocabulary.

Core Resource
· Audio Program: TXT CD 5 Track 7

Presentation Strategies
· Review the first two parts of the Contexto aloud.
· Play the audio as students take notes to create a dialogue map.
· Have students reread the dialogue in pairs, pausing for comprehension checks.

 STANDARD
1.2 Understand language

Warm Up UTB 3 Transparency 18

Por o para Completa las oraciones siguientes con **por** o **para**.
1. Nicolás escribió un informe _____ su maestra de ciencias naturales.
2. Lo escribió en marzo _____ el 4 de abril.
3. Hizo investigaciones sobre el medio ambiente _____ Internet.
4. Luego, Nicolás pensó en los problemas del medio ambiente _____ varios días.
5. Un sueño le hizo querer hacer cambios _____ mejorar el futuro del planeta.

Answers: 1. para; 2. para; 3. por; 4. por; 5. para

 Communication
Pair Work

Have students pair with a partner to read the dialogue aloud, pausing to answer the following questions:
1. ¿Para qué visita Nicolás a su consejero?
2. ¿Por qué tiene interés en un programa de acción social?

 Answers UTB 3 Transparency 26

Activity Answers from p. 164.
Activity 16 Answers will vary.
Para y piensa
1. para
2. por
3. por, para

165

Objective

· Practice using and integrating lesson grammar and vocabulary.

Core Resources

· *Cuaderno*, pp. 108–109
· Audio Program: TXT CD 5 Tracks 7, 8, 9

Practice Sequence

· **Activity 17:** Contexto 3: listening and reading comprehension
· **Activity 18:** Open-ended practice: reading, listening, speaking
· **Activity 19:** Open-ended practice: writing

 STANDARDS

1.2 Understand language, Act. 17
1.3 Present information, Act. 17, 18, 19
3.1 Knowledge of other disciplines, Act. 18

Long-term Retention
Critical Thinking

Have students apply what they have learned about each of the options mentioned by Mr. Zamora, by designing a personality test to facilitate Nicolás's decision. Have students work in groups of three to write questions and an answer key whose results relate directly to the service projects in question. For example: **¿Tienes interés en la agricultura?** The answer key would indicate: **Sí = Debe ir a Nicaragua. No = No debe ir a Nicaragua.**

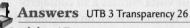 **Answers** UTB 3 Transparency 26

Activity 17 Answers will vary slightly.

Lugar	Tipo de programa
Nicaragua	Apoya la energía renovable y mejora las prácticas agrícolas.
Por toda Centroamérica	Trabaja en los pueblos para implementar el uso de cocinas solares.
Costa Rica/ Tilarán	Enseña a los cafeteros a usar la energía solar para la producción.
Panamá	Trabaja para eliminar la deforestación.

166

Nicolás: Tal vez algo relacionado con la energía solar. Sé que no tendremos suficiente petróleo para los vehículos en el futuro. Necesitaremos más innovaciones tecnológicas para solucionar el problema.

Sr. Zamora: Bueno, ése es un buen objetivo. A ver, aquí tengo información sobre un programa en Nicaragua que apoya la energía renovable y mejora las prácticas agrícolas en el país... También hay otro programa que tiene proyectos por toda Centroamérica, trabajando en los pueblos para implementar el uso de cocinas solares.

Nicolás: Los dos programas parecen muy buenos. Tendré que hablar con mis padres y pensar más en las posibilidades, pero en unos días podré decidir.

Sr. Zamora: Otro programa, en Costa Rica, construyó un sitio en Tilarán, donde los productores de café pueden usar la energía solar para ayudar con la producción. Aquí, en Panamá, hay un grupo que trabaja para eliminar la deforestación, que causa problemas con los niveles del agua en el Canal de Panamá.

Nicolás: ¡Cuántos programas interesantes! ¿Cómo escogeré el mejor?

Sr. Zamora: Bueno, Nicolás, tendrás que pensarlo bien y decidir si viajarás por varios lugares o si te quedarás aquí, en Panamá, este verano. ¿Qué te parece?

Nicolás: ¡Me parece que tengo cuatro opciones muy interesantes! Voy a pensarlo bien y haré otra cita con usted para hablar más.

Sr. Zamora: Bien, Nicolás. Toma estos papeles con información. Tenlos por cinco días. Muéstraselos a tus padres, habla con ellos durante el fin de semana y regresa a verme la semana que viene. Esperaré tu visita y ¡buena suerte con tu decisión!

17 | **Comprensión del diálogo**

Escuchar
Escribir

Completa una tabla como la que sigue con la información sobre los programas que mencionó el Sr. Zamora.

Lugar	Tipo de programa
Nicaragua	
Por toda Centroamérica	
Costa Rica / Tilarán	
Panamá	

Expansión
¿Qué programa quieres elegir tú? Escribe un informe breve explicando por qué.

Differentiating Instruction

Heritage Language Learners

Support What They Know Have students of Central American heritage share what they know about agriculture in Nicaragua and/or the rest of Central America. What are the most important crops? Do they know anything about the techniques used by farmers? If possible, have them ask a parent or relative for first-hand information on the topic.

Pre-AP

Expand and Elaborate If students finish assigned activities early, allow them to use the Internet to research how a solar kitchen works. If possible, have them print a diagram or other illustration and later help to explain it to the rest of the class.

18 | Integración

Leer
Escuchar
Hablar

Lee el artículo sobre cambios medioambientales. Luego escucha el anuncio de un nuevo vehículo ecológico, que pasan por la radio. Después, explica cómo será nuestro planeta en el año 2025 si todos usamos el nuevo vehículo.

🎧 **Audio Program**
TXT CD 5 Tracks
8, 9
Audio Script, TE
p. 149B.

Fuente 1 | Revista científica

AMBIENTE EN PELIGRO
Nuestro planeta tendrá muchos problemas medioambientales en el futuro. Para el año 2025 la destrucción de la capa de ozono será un problema enorme. La contaminación del aire y la deforestación causarán daños irreparables en el medio ambiente. Habrá más especies de plantas y animales en peligro de extinción. Tenemos que actuar ahora para disminuir el efecto invernadero e implementar cambios para asegurar el porvenir del planeta. Debemos hacerlo para nosotros y para las generaciones del futuro.

Fuente 2 | Anuncio por la radio

Escucha y apunta
· ¿Cuándo se puede comprar el nuevo carro?
· ¿Qué efectos se verán en el futuro?

modelo: El nuevo carro Verde se puede comprar hoy mismo. Si todos usamos ese carro, en el año 2015 no habrá contaminación y los animales y plantas no estarán en peligro...

Expansión:
Teacher Edition Only
Pídales a los estudiantes que hablen de cómo será nuestro planeta en el año 2025 si no usamos el nuevo vehículo.

19 | Un programa interesante

Escribir

Escribe un ensayo corto con las soluciones ideales para evitar un riesgo para el medio ambiente. Debes incluir una introducción para describir el problema y sus posibles efectos en el futuro, un párrafo con posibles soluciones y una conclusión para describir los beneficios de esas soluciones.

Writing Criteria	Excellent	Good	Needs Work
Content	Your essay proposes several solutions and clearly explains their benefits.	Your essay proposes some solutions and somewhat clearly explains their benefits.	Your essay proposes few solutions and does not clearly explain their benefits.
Communication	Your argument is organized and easy to follow.	Parts of your argument are organized and easy to follow.	Your argument is disorganized and hard to follow.
Accuracy	You make few mistakes in grammar and vocabulary.	You make some mistakes in grammar and vocabulary.	You make many mistakes in grammar and vocabulary.

Expansión:
Teacher Edition Only
Pídales a los estudiantes que incluyan un análisis de costos que aproxime cuánto le costará al gobierno, a una compañía o al individuo implementar sus soluciones.

Más práctica Cuaderno *pp. 108–109* Cuaderno para hispanohablantes *pp. 110–111*

PARA Y PIENSA

¿Comprendiste? Según la lectura, contesta cada pregunta.
1. ¿Por qué a Nicolás le interesa un proyecto relacionado con la energía solar?
2. ¿Para qué usan la energía solar en Tilarán, Costa Rica?

🖱 **Get Help Online**
ClassZone.com

Differentiating Instruction

Slower-paced Students

Personalize It After completing Activity 18, have students give their own opinions about how helpful the advertised car would be in resolving the problems discussed. Have them share the reasons why they would or would not buy the car for themselves.

English Learners

Increase Interaction Pair students for peer editing of Activity 19 essays. Have pairs take five minutes to go over the rubric for the activity, allowing partners to answer questions such as what it means to "stick to the topic."

Long-term Retention

Pre-AP

Activity 18 Help students take notes for this activity. They should write the heading **El Año 2025** in their notebooks along with a list of numbers 1 through 3. Have students list three consequences if everyone uses a new ecologically sound vehicle.

✓ Ongoing Assessment

Rubric Activity 18
Listening/Speaking

Proficient	Not There Yet
Student takes detailed notes and lists all three consequences.	Student takes few notes and lists fewer than three consequences.

✓ Ongoing Assessment

@HomeTutor
More Practice
ClassZone.com

PARA Y PIENSA

Peer Assessment Have students work in small groups to develop a list of alternative energy resources other than oil or gas. For additional practice, use Reteaching & Practice Copymasters, URB 3 pp. 7, 9.

Answers UTB 3 Transparencies 26–27

Activity 18 Answers will vary. See model.

Activity 19 Answers will vary. Sample answer: Las posibilidades del futuro en el campo de la tecnología son sin límites. Si no usamos estas avanzas para proteger el medio ambiente, el daño que resultará tampoco tendrá límites. Hay una conexión innegable entre la deforestación y...

Para y piensa
1. A Nicolás le interesa un proyecto relacionado con la energía solar porque sabe que no tendremos suficiente petróleo para los vehículos en el futuro...
2. Usan la energía solar en Tilarán, Costa Rica para ayudar con la producción del café.

167

¡AVANZA! Objectives

- Read an essay written by Salvadoran author Carlos Balaguer.
- Analyze the author's perspective on the stages of life.
- **Culture:** Carlos Balaguer

Core Resource

- Audio Program: TXT CD 5 Track 10

Presentation Strategies

- Use the Para leer strategy to help students anticipate themes in the essay.
- Point out vocabulary notes.
- Examine Nota cultural with students.
- Read and respond to essay.

STANDARDS

1.2 Understand language
2.2 Products and perspectives
3.1 Knowledge of other disciplines

 ## Warm Up UTB 3 Transparency 19

Contexto 3 Escribe **cierto** o **falso** según la información presentada en Contexto 3. Corrige las oraciones falsas.

1. El programa en Nicaragua quiere mejorar las prácticas industriales del país.
2. Una manera de usar la energía renovable es utilizar una cocina solar.
3. En Costa Rica, están usando energía solar para secar los granos de maíz.
4. Hay un grupo en Panamá que trabaja para eliminar la erosión.
5. La deforestación está resultando en problemas para el Canal de Panamá.

Answers: 1. Falso: El programa en Nicaragua quiere mejorar las prácticas agrícolas del país.; 2. Cierto.; 3. Falso: En Costa Rica, están usando energía solar para ayudar con la producción de café.; 4. Falso: Hay un grupo en Panamá que trabaja para eliminar la deforestación.; 5. Cierto.

168

Lectura literaria

¡AVANZA! **Goal:** Notice how the author characterizes and describes the stages of life in the following story. Then discuss your interpretations of the text as well as your own opinions about which stage is the best.

Para leer

ESTRATEGIA Leer

Anticipate content through organizational clues The author of the following selection gives wonderful organizational clues to lead us through the essay. These clues relate to age. On a separate sheet of paper, draw pictures of the different ages mentioned in the reading. Next to the corresponding picture, summarize what people of each age think about "the best age."

Los ancianos tenemos
experiencia.

Vocabulario para leer

gozo *sensación de placer y alegría*
desdicha *tristeza, mala suerte*
devenir *lo que ocurre en el futuro*

vejez *edad de los ancianos*
esplendor *momento en que algo llega a la perfección*

Nota cultural

Sobre el autor **Carlos Balaguer (1952–)**

Nació en San Salvador, El Salvador. De joven empezó a escribir poemas y decidió irse a vivir al campo. Allí descubrió su fascinación por la naturaleza, un tema que se manifiesta en muchas de sus obras. Estudió psicología en la Universidad Católica (UCA) y empezó a escribir para el periódico *El Diario de Hoy* de San Salvador. Entre sus obras figuran ensayos, novelas, leyendas y fábulas.

Differentiating Instruction

English Learners

Build Background Talk about cultural perspectives on old age, and ask students to to describe how older people are regarded in the United States. Have students from other cultures share how age is regarded in their places of origin.

Multiple Intelligences

Intrapersonal Have all students write a journal entry in which they predict what life will be like when they are senior citizens. Remind them to watch for irregular verbs when using the future tense.

Feria, (2006), Graciela Genovés

La mejor edad
AUDIO

El hombre puede hacer de su vida gozo o desdicha; puede crear su paraíso o, si lo quiere, su infierno. De la elección de su corazón depende su alegría. ❀

5　Si de pronto, al estar en un lugar rodeado[1] de muchas personas, empezáramos a preguntar a cada quién cuál es la mejor edad[2] de la vida, cada cual diría[3] su propia respuesta.

　Para un niño, la mejor edad de la vida será la de ser niño, porque así podría[4] comer caramelos[5], jugar, cazar[6] estrellas y mariposas. En los caballos de nube[7] de su imaginación estará el
10　trote[8] de sus ilusiones por el anchuroso[9] universo de la ilusión.

---

[1] surrounded	[2] age	[3] **cada...** everyone would say	[4] could
[5] candies	[6] to hunt	[7] **En...** In the clouds shaped like horses	
[8] trot	[9] wide		

❀ **A pensar**
¿Quién es el responsable de la alegría o la tristeza de una persona?

Lección 1
ciento sesenta y nueve **169**

Differentiating Instruction

Slower-paced Learners

Peer-study Support Have students do an initial reading of this page aloud with a partner, looking for cognates and familiar words. At the end of each paragraph, have them write what they think the meaning is in their notebooks. Then ask them to find eight to ten cognates in the passage. Discuss findings as a class.

Heritage Language Learners

Literacy Skills After reading the first three paragraphs, ask native speakers to summarize the main idea of each one (**El hombre elige la tristeza o la alegría; todos tienen su propia idea de la que es la mejor edad; al niño le gusta ser niño.**) Then have students predict what the rest of the essay might say.

Critical Thinking

Analyze Have students speculate on the relative ages of the figures in the painting. Ask them to note general appearance and other contextual observations to support their hypotheses. Have them write out their conclusions, using as much descriptive vocabulary as they can, and share them with a classmate.

Culture

About the Author

Carlos Balaguer writes lyrical prose full of introspective philosophy. "La mejor edad" appeared in the editorial section of *El Diario de Hoy* in June, 1999. One of Balaguer's recurrent themes is the responsibility of the individual to create his or her own happiness. A piece entitled "Superemos el error" begins **Sólo es libre y conquistador aquel que vence sobre su mismo dolor, sobre su misma vanidad, sobre su propia oscuridad, sobre su mismo destino.**

Answers

A pensar **La persona misma es responsable por su propia alegría o tristeza.**

¡AVANZA! Objectives

- Read an essay written by Salvadoran author Carlos Balaguer.
- Analyze the essay's references to age and stages of life.

Core Resource

- Audio Program: TXT CD 5 Track 10

Presentation Strategy

- Ask students to answer comprehension questions.

STANDARDS

1.2 Understand language
1.3 Present information

Connections

Science

In this essay, Balaguer characterizes youth as possessing a sense of excitement and opportunity. Researchers have determined that basic behavioral changes take place in adolescents of several different species, including humans and rats. These "universal" behaviors include:

- An increase in time spent with peers and a decrease in time spent with family
- Increased risk-taking and exploration
- An increase in conflicts with authority, including parents

Discuss these points with the class.

Long-term Retention

Critical Thinking

Have students relate research findings on adolescent behavior to Balaguer's statements on this page. Discuss whether the **luces, encantos e ilusiones** he mentions are because youth is the best time of life, or merely a result of biological processes.

Answers

A pensar Answers will vary. Sample answer: El joven ya puede tomar muchas decisiones por sí mismo, y busca una independencia de la familia. En la juventud la vida cambia como resultado de las oportunidades que se presentan al lendividuo.

Reflexiona Answers will vary. Sample answer: Creo que el autor opina que todas las edades son especiales.

170

❊ Lectura literaria *continuación*

Calle del Cabañal, Valencia (1902), Joaquín Sorolla Bastida

Para otros, la mejor edad de la vida será la juventud, pues en ella la naturaleza expresará su fuerza, esperanza y encanto [10]. La belleza de la juventud está en lo que promete [11]. Sus rosas y sus luces; sus encantos y sus ilusiones. En la juventud, es cuando los caminos se
15 abren al hombre, que trata de conquistar su devenir, su ideal. ❊

---

[10] enchantment   [11] **está...** is in what it promises

> ❊ **A pensar**
> ¿Cómo cambia la vida en la juventud?

 Reflexiona

¿Cuál crees que es la posición del autor con respecto a las diferentes edades?

Differentiating Instruction

Inclusion

Frequent Review/Repetition Discuss the use of **para** in the first sentence on this page, determining its function according to the meanings listed on p. 162. (In this case, **para** denotes an opinion.)

Slower-paced Learners

Sentence Completion Point out the use of the future tense throughout the selection. Have students discuss the reason behind its use. Most of the essay is a prediction of what people will say if asked: **¿Cuál es la mejor edad?** Have students make up sentences following this pattern: **Si** (present tense) **entonces** (future tense). **Si me escuchas, entonces te lo diré.**

Para un anciano, en cambio, la alegría de la vida ya no estará únicamente en sus emociones de lucha, sino en la contemplación de la naturaleza; la paz del guerrero [12] después
20 de la victoria de vivir... La mejor edad de la vida para el viejo, estará en la paz de la naturaleza y en su sensación de eternidad y de grandeza [13]. La sabiduría [14] de la vejez, otro de sus encantos, será un fuerte motivo de hacer de la vejez, si se
25 quiere, la mejor edad de la vida... ❋

En fin, y si continuamos más allá, veríamos [15] que para el derrotista [16] no existen mejores edades de la vida y que, para el árbol, cada edad de su vida tiene su propio esplendor,
30 su verdor [17], su floración [18] y sus frutos... cuando no el oro de su otoño [19].

---

[12] warrior, soldier   [13] greatness
[14] wisdom   [15] we would see
[16] defeatist   [17] greenness   [18] flowering
[19] **cuando...** even the gold of its autumn

> ❋ **A pensar**
> ¿Qué tienen los ancianos que les permite considerar la vejez como la mejor edad?

PARA Y PIENSA

¿Comprendiste?
1. ¿Cuáles son las tres edades que menciona el autor?
2. ¿Cuáles son las características de cada edad según el autor?
3. Según el autor, ¿de qué depende la felicidad del ser humano?
4. En tu opinión, ¿qué significa la conclusión del ensayo?

¿Y tú?
En tu opinión, ¿cuál es la mejor edad?

Differentiating Instruction

Multiple Intelligences

Intrapersonal Have students write a journal entry in which they talk about what their favorite part of their life has been so far and why. Remind them to use the past tense when describing their past. Also, have them include what they think they will be doing at later stages of life, using the future tense.

Heritage Language Learners

Writing Skills Have students give examples of metaphors used throughout the reading selection. Then have them use two of the following vocabulary words figuratively to express their thoughts about the various stages of life: **erosión, inundación, sequía, temblor.**

Answers

A pensar Los ancianos tienen paz y sabiduría, lo que les permite disfrutar la vejez como la mejor edad de la vida.

Para y piensa Answers will vary. Sample answers:

¿Comprendiste?
1. Las tres edades que menciona el autor son la niñez, la juventud y la vejez.
2. Según el autor, los niños pueden comer caramelos, jugar y cazar estrellas y mariposas. La juventud es un tiempo lleno de imaginación, sueños y descubrimiento. La juventud es un tiempo de promesa; de oportunidades y eventos que determinan el devenir. La vejez es un tiempo de reflexionar sobre la vida; de contemplar las experiencias y de tener la sabiduría que sólo pertenece a los ancianos.
3. Según el autor, la felicidad de una persona depende de su actitud. Balaguer dice que el hombre puede hacer de su vida lo que quiera; que su alegría depende de la elección de su corazón.
4. Para mí, la conclusión del ensayo significa que todas las partes de la vida son especiales; que cada edad tiene sus propios encantos.

¿Y tú? Answers will vary. Sample answer: En mi opinión, la mejor edad es la juventud porque es un tiempo de descubrimiento.

171

Objective
· Read about the patriotic symbols of Central American countries.

Presentation Strategies
· Give students two minutes to scan/preview the text.
· Have students read along as you (or a series of student volunteers) read the selection aloud.

⊗ STANDARDS
1.2 Understand language
2.2 Products and perspectives
4.2 Compare cultures
1.3 Present information
3.1 Knowledge of other disciplines

Connections
Lenguaje

Ask if anyone knows the origin of the word *dollar*. (It is a mutation of the German word **thaler,** which in Germany referred to a large, silver coin.) The term was generalized in the New World to refer to many types of coins, including the Spanish currency commonly seen in the Americas. The first U.S. dollar was coined in 1794.

Communities
Symbols

The **quetzal** can be found from southern Mexico throughout Central America, and as far south as Bolivia. Ask students if there are symbols in their communities or cities. Have them compare symbols they have found with symbols from Spanish countries. Encourage them to research symbols online and report their findings to the class.

Answers

En tu comunidad Algunos de los símbolos nacionales de Estados Unidos son la Estatua de la libertad y la bandera. El águila calva es el pájaro nacional, y se ve en el escudo nacional.

172

⚙ Conexiones *Los estudios sociales*

Los símbolos patrióticos

La importancia del quetzal Los países de Centroamérica comparten un símbolo importante: el pájaro quetzal. El quetzal figura en la mitología indígena como imagen del dios Quetzalcóatl, la serpiente emplumada *(feathered)*. Además, este pájaro representa la libertad, porque según las leyendas, no puede vivir en cautiverio *(captivity)*. En la actualidad el quetzal es el símbolo de un medio ambiente sano y hay reservas para su protección. Guatemala adoptó el quetzal como símbolo nacional y su imagen aparece en la bandera *(flag)*, en el escudo *(seal)* y en la moneda *(currency)*, que también se llama «quetzal».

Un poema a la libertad

El siguiente poema patriótico guatemalteco expresa la importancia del quetzal como símbolo de libertad y de la patria.

Poema a la Bandera
Autor anónimo

Yo tengo una Bandera
Bandera bicolor,
Que indica que sigamos
la senda del honor.
Mi Bandera y mi Escudo
con su bello quetzal
simbolizan la patria,
Guatemala inmortal.

⊗ Proyecto Escoge un país o ciudad de Centroamérica y haz una investigación sobre sus símbolos patrióticos. Prepara un informe sobre la importancia actual y el significado histórico de los símbolos. Explica por qué los símbolos representan bien a la gente de esa región.

En tu comunidad

¿Cuáles son los símbolos principales de Estados Unidos?

¿Hay un pájaro nacional? ¿Qué otros símbolos nacionales existen y dónde se ven?

172 Unidad 3 Centroamérica
ciento setenta y dos

Differentiating Instruction

English Learners

Build Background Discuss these lyrics from the Guatemalan national anthem. Ask international students whether their country of origin has a national anthem, and if possible, supply a translation of the lyrics.
Libre al viento tu hermosa bandera
a vencer o a morir llamará;
que tu pueblo con ánima fiera
antes muerto que esclavo será.

Multiple Intelligences

Visual Learners Show the class a color photograph or illustration of the **quetzal**. Discuss its distinctive appearance: long, blue-green tail feathers from above (white from below); gold-green head and breast, blue back, red belly. Have students do a full-color illustration of the **quetzal** or the national bird of another Spanish-speaking country.

Lección 1

En resumen
Vocabulario y gramática

Animated Grammar
Interactive Flashcards
ClassZone.com

Vocabulario

Express Environmental Concerns and Possibilities

el aire puro	clean air
el basurero	garbage container
la biodiversidad	biodiversity
la capa de ozono	ozone layer
el clima	climate
la contaminación	pollution, contamination
la deforestación	deforestation
el derrumbe	landslide
el efecto invernadero	greenhouse effect
la erosión	erosion
las especies en peligro de extinción	endangered species
la inundación	flood
el medio ambiente	environment
no renovable	nonrenewable
el petróleo	oil

el planeta	planet
el recurso natural	natural resource
la responsabilidad	responsibility
el riesgo	risk
la sequía	drought
el smog	smog
el suelo	ground, soil
el temblor	earthquake

Actions

dañar	to harm
destruir	to destroy
disminuir	to diminish, to decrease
fomentar	to foment, to support
proteger	to protect
respirar	to breathe
reutilizar	to reuse
valorar	to value

Impact of Technology

apreciar	to appreciate
complejo(a)	complex
desarrollar	to develop
el desarrollo	development
la innovación	innovation
el invento	invention
la investigación	research
mejorar	to improve
reemplazar	to replace

Make Predictions

amenazar	to threaten
extinguirse	to become extinct
informarse	to keep informed
el porvenir	future
responsable	responsible
la transformación	transformation
volar	to fly
votar	to vote

Online SPANISH CLASSZONE.COM

Interactive Flashcards Students can hear every target vocabulary word pronounced in authentic Spanish. Flashcards have Spanish on one side, and a picture or a translation on the other.

Featuring...

Cultura INTERACTIVA

Animated Grammar

@HomeTutor

And more...
· Get Help Online
· Interactive Flashcards
· Review Games
· WebQuest
· Conjuguemos.com

Gramática

Future Tense

Future Endings

Infinitive +		
	-é	-emos
	-ás	-éis
	-á	-án

Irregular Future Stems

Infinitive	Stem	Infinitive	Stem
haber	habr-	salir	saldr-
poder	podr-	tener	tendr-
querer	querr-	venir	vendr-
saber	sabr-	decir	dir-
poner	pondr-	hacer	har-

You can also use the future tense to wonder or make a guess about something.

Por and Para

Use **por** to indicate . . .
· passing through
· general location
· how long
· cause
· exchange
· in place of
· means

Use **para** to indicate . . .
· for whom
· destination
· recipient
· purpose
· opinion
· comparison
· deadline

Communication
Pair Work

Have students work with a partner to make up sentences using **por** and **para** for each of the functions listed in the lower right hand corner of the page, using random order. Then have them blank out the **por** or **para** in each sentence with black marker and trade papers with another pair of students to supply the missing preposition.

Long-term Retention
Study Tip

Have students rearrange the lesson summary into categories, depending on the structure of the word or phrase: **-ar** verbs, **-er** verbs and **-ir** verbs, nouns ending in **-ción**, nouns ending in **-o**, etc.

Lección 1
ciento setenta y tres **173**

Differentiating Instruction

Pre-AP

Circumlocution Divide the class into two teams. Have students take turns giving verbal clues to their teams to get them to guess a given vocabulary term. For example, to make her team guess **el petróleo,** a student might say **Es un recurso natural que sale de la tierra.**

Multiple Intelligences

Musical/Rhythmic Have groups of students use verbs in the future to make up a song. They can set their lyrics to a familiar tune, or they can create a rap. For example: **Yo viviré en Venezuela después de estudiar en la escuela...**

REPASO DE LA LECCIÓN

Objective

· Review lesson grammar and vocabulary.

Core Resources

· *Cuaderno*, pp. 110–121
· Audio Program: TXT CD 5 Track 11

Presentation Strategies

· Instruct students to look at the points presented under the ¡Llegada! banner. Ask them if they have questions about anything mentioned there.
· Ask students to describe the photos in Activity 2.
· Have students write four sentences; two using **para** and two using **por**.

STANDARDS

1.2 Understand language, Act. 1
1.3 Present information, Act. 2, 3, 4
2.2 Products and perspectives, Act. 5
3.1 Knowledge of other disciplines, Act. 5
4.2 Compare cultures, Act. 5

Warm Up UTB 3 Transparency 19

Protejamos Di qué palabras están relacionadas con la protección del medio ambiente.
1. capa de ozono
2. extinción
3. smog
4. aire puro
5. responsabilidad
Answers: 1, 4, 5

✓ Ongoing Assessment

Quick Check Have students write a sentence in the present or past tense and trade papers with another student, to rewrite the sentence in the future.

Answers UTB 3 Transparencies 24–27

Activity 1
 1. Falso. Si no cambiamos el presente, tendremos que cambiar la forma de vida.
 2. Cierto; **3.** Cierto; **4.** Falso. Habrá frecuentes desastres naturales.; **5.** Falso. Va a disminuir el efecto invernadero.; **6.** Cierto.

See Activity Answers on p. 175.

174

Repaso de la lección

¡LLEGADA!

@HomeTutor
ClassZone.com

Now you can
· discuss the impact of technology
· express environmental concerns and possibilities
· make predictions and discuss causes and effects

Using
· future tense
· **por** and **para**

🎧 **Audio Program**
TXT CD 5 Track 11
Audio Script, TE
p. 149B.

To review
· vocabulary pp. 152–153

1 Listen and understand

🎧 AUDIO

Escucha el siguiente anuncio publicitario y di si los siguientes comentarios son ciertos o falsos. Si son falsos, corrígelos según la información del anuncio.

 1. En el futuro no será necesario cambiar nuestra forma de vida.
 2. AlertAmbiental va a proteger el medio ambiente.
 3. Si no protegemos nuestros recursos naturales, no habrá agua limpia.
 4. En el futuro tampoco habrá inundaciones ni sequías.
 5. AlertAmbiental va a trabajar para aumentar el efecto invernadero.
 6. AlertAmbiental cuidará el planeta.

To review
· future tense p. 157

2 Express environmental concerns and possibilities

Mira las fotos y escribe oraciones para indicar qué hará cada persona para mejorar el medio ambiente.

 1. Carlos / querer un vehículo económico
 2. Mónica y Rafaela / reemplazar los árboles cortados
 3. Luisa y Beatriz / informarse sobre el medio ambiente

 4. ellos / proteger el agua
 5. nosotros / votar por el candidato «verde»
 6. yo / fomentar el reciclaje

Differentiating Instruction

Inclusion

Synthetic/Analytic Support After reviewing Activity 2, say the infinitive form of each of the verbs and have the class respond by saying the conjugated, future form used in the activity (**querer; querrá**). This will reinforce the use of consistent endings and accentuation of future-tense verbs.

Heritage Language Learners

Increase Accuracy Use the audio recording for Activity 1 as the basis for a dictation. Remind students to pay attention to accent marks. Have students exchange papers for correction.

3 | Discuss the impact of technology

To review
• **por** and **para**
p. 162

Completa el siguiente párrafo con **por** o **para**, según el contexto.

Mis amigos, Lorenzo y Teresa, siempre tratan de conservar los recursos naturales. El año pasado, hicieron una investigación __1.__ buscar información sobre inventos nuevos, desarrollados __2.__ proteger el medio ambiente. Estudiaron __3.__ un año __4.__ saber más sobre la contaminación. __5.__ mí, la tecnología y el desarrollo son importantes, pero también tenemos que cuidar los recursos. Debemos viajar __6.__ carretera en autos económicos __7.__ gastar menos gasolina y __8.__ ahorrar dinero.

4 | Make predictions and discuss causes and effects

To review
• future tense p. 157

Haz predicciones sobre el futuro, usando los verbos y la información dada.

modelo: nosotros / tener aire y agua puros / eliminar la contaminación
En el futuro tendremos aire y agua puros porque eliminaremos la contaminación.

1. las especies en peligro de extinción / no extinguirse / valorar la biodiversidad
2. los vehículos / no usar petróleo / reemplazarlo con recursos renovables
3. yo / informarse / todos tener la responsabilidad de ayudar
4. la capa de ozono / no estar en peligro / haber menos contaminación
5. mis amigos y yo / hacer una campaña / querer disminuir la deforestación
6. En las ciudades / disminuir el smog / desarrollar los recursos renovables

5 | Environmental concerns and official symbols

To review
• **Comparación cultural**
pp. 156, 164

Comparación cultural

1. ¿Cómo es el agua del Lago de Nicaragua? ¿Por qué?
2. Explica por qué los tiburones pueden vivir en el lago.
3. ¿Qué amenaza a las especies en las selvas centroamericanas?
4. ¿Qué pasará si se extinguen las tortugas?

Más práctica Cuaderno *pp. 110–121* Cuaderno para hispanohablantes *pp. 112–121*

 Get Help Online
ClassZone.com

Lección 1
ciento setenta y cinco **175**

✓ **Ongoing Assessment**
@HomeTutor
More Practice
ClassZone.com

Intervention and Remediation If students make more than one mistake in any of the activities, have them review the indicated pages in the text as well as doing extra practice activities available at ClassZone.com.

Answers UTB 3 Transparencies 24–27

Activity Answers from p. 174.

Activity 2
1. Carlos querrá un vehículo económico.
2. Mónica y Rafaela reemplazarán los árboles cortados.
3. Luisa y Beatriz se informarán sobre el medio ambiente.
4. Ellos protegerán el agua.
5. Nosotros votaremos por el candidato «verde».
6. Yo fomentaré el reciclaje.

Activity 3
1. para	4. para	7. para
2. para	5. Para	8. para
3. por	6. por	

Activity 4
1. Las especies en peligro de extinción no se extinguirán porque valoraremos la biodiversidad.
2. Los vehículos no usarán petróleo porque lo reemplazaremos con recursos renovables.
3. Yo me informaré porque todos tendremos la responsabilidad de ayudar.
4. La capa de ozono no estará en peligro porque habrá menos contaminación.
5. Mis amigos y yo haremos una campaña porque querremos disminuir la deforestación.
6. En las ciudades disminuiremos el smog porque desarrollaremos los recursos renovables.

Activity 5 Answers may vary slightly.
1. El agua del Lago de Nicaragua es agua dulce, porque subió el nivel de la tierra.
2. Los tiburones pueden vivir en el lago porque se adaptaron al agua dulce.
3. La deforestación y la contaminación amenazan a las especies en las selvas centroamericanas.
4. Si se extinguen las tortugas, las algas que comen pueden aumentar y contaminar el agua. También los jaguares, que comen las tortugas, comerán a otros animales de la selva.

Differentiating Instruction

Pre-AP

Expand and Elaborate When students are working on Activity 2, have them invent two more descriptions beyond the given prompt for each picture. Have them share their ideas with another student.

Slower-paced Learners

Personalize It Have students choose three of the following verbs to use in sentences describing what they will do in the future to protect the environment: **poder, poner, salir, tener, venir, decir, hacer.** Have them share their resolutions with a classmate.

Culture at a Glance ❊

Topic & Activity	Essential Question
Molinos de viento en Costa Rica, pp. 176–177	¿Qué fuentes de energía renovable existen?
El canal y Panamá, p. 184	¿Cómo se beneficia un país de su posición geográfica?
El arte ingenuo, p. 190	¿Cómo representan los artistas el mundo que los rodea?
La tristeza del maya, pp. 194–197	¿Qué revelan las leyendas sobre un pueblo?
Culture review: Technology and art, p. 201	¿Puede avanzar una región sin perder su cultura?

Practice at a Glance ❊

	Objective	Activity & Skill
Vocabulary	Progress	1: Speaking / Writing; 3: Speaking; 4: Speaking / Writing; 17: Listening / Writing; 18: Reading / Listening / Speaking
	Social awareness	2: Speaking / Writing; 6: Speaking / Writing; 9: Speaking; 10: Reading / Writing; 11: Speaking / Writing; 12: Speaking / Writing; Repaso 1: Listening; Repaso inclusivo 2: Speaking / Writing
	Opinions	5: Speaking / Writing; 8: Speaking / Writing; 16: Reading / Writing
Grammar	Present subjunctive of regular verbs	6: Speaking / Writing; 7: Listening / Writing; 8: Speaking / Writing; 9: Speaking; 10: Reading / Writing; 11: Speaking / Writing; 18: Reading / Listening / Speaking; Repaso 2: Writing; Repaso inclusivo 6: Speaking / Writing
	More subjunctive verb forms	12: Speaking / Writing; 13: Speaking; 14: Speaking / Writing; 15: Speaking / Writing; 16: Reading / Writing; 19: Writing; Repaso 3: Writing; Repaso inclusivo 6: Speaking / Writing
Communication	Discuss obligations and responsibilities	11: Speaking / Writing; Repaso inclusivo 3: Speaking / Writing; Repaso inclusivo 4: Speaking / Writing;
	Present and support an opinion	5: Speaking / Writing; 8: Speaking / Writing; Repaso 4: Speaking / Writing
	Express a point of view and make recommendations	3: Speaking; 9: Speaking; 13: Speaking; 15: Speaking / Writing; 19: Writing; Repaso inclusivo 6: Speaking / Writing
	Pronunciation: The letter **g** with **e, i**	*Pronunciación: La letra **g** con **e, i**,* p. 187: Listening / Speaking
Recycle	**Ustedes** commands	2: Speaking / Writing
	Impersonal expressions	7: Listening / Writing
♻	Future tense	13: Speaking

The following presentations are recorded in the Audio Program for *¡Avancemos!*

- **¡A responder!** *p. 179*
- **7: La ecóloga** *p. 184*
- **18: Integración** *p. 193*
- **Repaso de la lección** *p. 200*
  - **1: Listen and understand**
- **Repaso inclusivo** *p. 206*
  - **1: Escucha, comprende y contesta**

¡A responder! TXT CD 6 track 2

1. la irresponsabilidad
2. persistir
3. un producto novedoso
4. la mejora
5. el fracaso
6. cometer errores
7. superar obstáculos
8. solucionar problemas
9. invertir bien
10. prosperar

7 | La ecóloga TXT CD 6 track 4

Señores y señoras, Cristina de Ávila aquí, reportando desde la capital con una triste noticia: ya no respiramos aire puro. Es una verdadera lástima que el smog amenace la salud de todos nosotros. El riesgo es muy grande y es una pena que el gobierno no apoye el desarrollo de nuevas soluciones. Lamentablemente, la contaminación del aire también daña el agua, el suelo y amenaza el medio ambiente en su totalidad. Señoras y señores, todos tenemos que aceptar la responsabilidad de contaminar menos, de respetar el medio ambiente y proteger el planeta y la biodiversidad. ¡Si colaboramos todos, encontraremos las soluciones!

18 | Integración TXT CD 6 track 9

Fuente 2, Congreso de inventores
Buenas tardes. Me llamo Gustavo Campos. Soy inventor y creo que es importante que en este Congreso para jovenes inventores tomemos conciencia de que los inventores de hoy tenemos un compromiso con la sociedad. El futuro está en nuestras manos. Por eso es mejor que pensemos más en solucionar los problemas de la gente que en la posibilidad de comercializar un nuevo producto para ganar mucho dinero. Es una pena que muchos inventores sólo piensen en prosperar económicamente con sus inventos. En mi opinión es imprescindible que un invento sea práctico y adaptable a muchos lugares y circunstancias. También es bueno que sea económico para satisfacer las necesidades de personas con pocos recursos económicos. Mejorar la vida de todos es el compromiso de todo inventor con conciencia social.

Repaso de la lección TXT CD 6 track 11

1 Listen and understand

Locutor: Hola, está con nosotros la científica Dra. Inés Delgado, una especialista en cuestiones medioambientales. Su proyecto más reciente es la fabricación de un nuevo sistema de filtración para los ríos y lagos. Llamen con sus preguntas para la Dra. Delgado.... Bueno, ya tenemos la primera llamada.

Radio Oyente 1: Buenos días, Dra. Delgado.

Dra. Delgado: Buenos días.

Radio Oyente 1: Quisiera saber qué, en su opinión, es el peor problema medioambiental que tenemos en este momento.

Dra. Delgado: Bueno, a mi parecer, es la contaminación de nuestros recursos naturales. Por un lado, la capa de ozono está disminuyendo. Por otro lado, los ríos y lagos están más contaminados que nunca. Según los expertos, si no hacemos algo ahora, en el futuro no habrá agua potable ni aire puro. Es imprescindible que trabajemos para cambiar la situación ahora y que no esperemos ni un momento más...

Locutor: Gracias, tenemos otra llamada.

Radio Oyente 2: Hola, Dra. Delgado. Ya leí un artículo sobre su sistema de filtración. Estoy de acuerdo con la necesidad de limpiar los ríos y los lagos, ¿pero, no es mejor que eliminemos la contaminación antes de emprender un proyecto de limpieza tan grande?

Dra. Delgado: En mi opinión, no. Es preferible que nos encarguemos de las dos cosas a la vez.

Radio Oyente 2: Pero es imposible que hagamos esto sin gastar un montón de dinero.

Dra. Delgado: Sí, pero creo que no se puede poner un precio al valor del agua pura. Ojalá en el futuro sea más barato hacer proyectos como éste, pero por el momento, no podemos esperar.

Repaso inclusivo TXT CD 6 track 13

1 Escucha, comprende y contesta

Buenas tardes señoras y señores. Raúl González reportando desde Copán, Honduras, con las últimas noticias sobre las terribles inundaciones que están transformando esta zona. Después de tres semanas de lluvias fuertes el agua continúa subiendo y está causando inundaciones desastrosas en esta importante zona agrícola. Además, las inundaciones provocaron dos derrumbes, uno en el famoso complejo arqueológico de Copán, que amenaza una de las pirámides principales y, el otro, en la reserva biológica donde el riesgo de erosión es grande. El sufrimiento de los ciudadanos es grande, pero es posible que la situación mejore pronto, ya que el pronóstico para los próximos días es que hará sol y no lloverá. Aun así, es mejor que las personas con planes de visitar esta zona se informen antes de emprender su viaje. Es imprescindible que lleven agua y comida, porque los servicios están contaminados por las inundaciones.

On your desktop

Everything you need to ...

Plan	Present	Assess
ONE-STOP PLANNER	**POWER PRESENTATIONS**	 **ONLINE ASSESSMENT SYSTEM**
All resources including audio and video	Ready-made PowerPoint™ presentations with 	✓ Create customized tests with Examview Assessment Suite ✓ Individualized Assessment for on-level, modified, pre-AP, and heritage language learners

 ## Print

Plan	Present	Practice	Assess
URB 3 • Video Scripts p. 54 • Family Involvement Activity p. 76 • Absent Student Copymasters pp. 85–95 **Lesson Plans** p. 65 **Best Practices Toolkit**	**URB 3** • Video Activities pp. 51–52 **TPRS** pp. 36–42	• *Cuaderno* pp. 122–147 • *Cuaderno para hispanohablantes* pp. 122–147 • *Lecturas para todos* pp. 142–147 • *Lecturas para hispanohablantes* • *¡AvanzaCómics! Mundos paralelos Episodio 2* **URB 3** • Practice Games pp. 39–46 • Audio Scripts pp. 60–66 • Fine Art Activities pp. 72–73	**URB 3** • Did you get it? Reteaching and Practice Copymasters pp. 13–24

 ## Unit Transparency Book 3

Culture	Presentation and Practice	Classroom Management
• Atlas Maps UTB 1, 1–6 • Fine Art Transparencies 4, 5	• Vocabulary Transparencies 8, 9 • Grammar Presentation Transparencies 12, 13 • Situational Transparencies and label overlay 14, 15 • Situational Student Copymasters pp. 1–2	• Warm Up Transparencies 20–23 • Student Book Answer Transparencies 28–31

Audio and Video

Audio	Video
• Student Book Audio CD 6 Tracks 1–13 • Workbook Audio CD 2 Tracks 11–20 • Heritage Learners Audio CD 1 Tracks 21–24, CD 4 Tracks 7–18 • Assessment Audio CD 2 Tracks 7–18 • *Lecturas para todos* Audio CD 1 Track 7, CD 3 Tracks 1–5 • *Música del mundo hispano*	• *El Gran Desafío* DVD 2

Online (ClassZone.com) and Media Resources

Student	Teacher
Available online and on disc: • eEdition (DVD-ROM) and eEdition Interactive Online Student Edition • @HomeTutor (CD-ROM) - featuring Animated Grammar **Available online:** • Conjuguemos.com • Cultura interactiva • Culture Links • WebQuests • Flashcards • Review Games • Self-check Quiz	**One-Stop Planner (available online and on DVD-ROM):** • Interactive Teacher's Edition • All print resources • All audio and video resources • Learning Scenarios • Conversation Cards • Assessment Program • Examview Assessment Suite • Calendar Planner • Rubric Generator **Available on CD-ROM:** • Power Presentations

Differential Assessment

On-level	Modified	Pre-AP	Heritage Learners
• Vocabulary Recognition Quiz p. 126 • Vocabulary Production Quiz p. 127 • Grammar Quizzes pp. 128–129 • Culture Quiz p. 130 • On-level Lesson Test pp. 131–137 • On-level Unit Test pp. 143–149	• Modified Lesson Test pp. 95–101 • Modified Unit Test pp. 107–113	• Pre-AP Lesson Test pp. 95–101 • Pre-AP Unit Test pp. 107–113	• Heritage Learners Lesson Test pp. 101–107 • Heritage Learners Unit Test pp. 113–119

Core Pacing Guide

50 Minute (9 Day)

	Objectives/Focus	Teach	Practice	Assess/HW Options
DAY 1	**Culture:** learn about Central American culture **Vocabulary:** government, society, and business • Warm Up OHT 20 **5 min**	Lesson Opener pp. 176–177 **Presentación de vocabulario** pp. 178–179 • Read A–D • Play audio TXT CD 6 track 1 • ¡A responder! TXT CD 6 track 2 **25 min**	Lesson Opener pp. 176–177 **Práctica de vocabulario** p. 180 • Acts. 1, 2, 3 **15 min**	**Assess:** Para y piensa p. 180 5 min **Homework:** Cuaderno pp. 122–124 @HomeTutor
DAY 2	**Communication:** use persuasive language to identify a product's benefits • Warm Up OHT 20 • Check Homework **5 min**	**Vocabulario en contexto** pp. 181–182 • Contexto 1 TXT CD 6 track 3 **20 min**	**Vocabulario en contexto** pp. 181–182 • Acts. 4, 5 **20 min**	**Assess:** Para y piensa p. 182 5 min **Homework:** Cuaderno pp. 122–124 @HomeTutor
DAY 3	**Grammar:** present subjunctive of regular verbs • Warm Up OHT 21 • Check Homework **5 min**	**Presentación de gramática** p.183 • Present subjunctive of regular verbs **Práctica de gramática** pp. 184–185 Culture: El canal y Panamá **20 min**	**Práctica de gramática** pp. 184–185 • Act. 6 • Act. 7 TXT CD 6 track 4 • Acts. 8, 9 **20 min**	**Assess:** Para y piensa p. 185 5 min **Homework:** Cuaderno pp. 125–127 @HomeTutor
DAY 4	**Communication:** talk about innovative products using the subjunctive • Warm Up OHT 21 • Check Homework **5 min**	**Gramática en contexto** pp. 186–187 • Contexto 2 TXT CD 6 track 5 • Pronunciación TXT CD 6 track 6 **15 min**	**Gramática en contexto** pp. 186–187 • Acts. 10, 11 **25 min**	**Assess:** Para y piensa p. 187 5 min **Homework:** Cuaderno pp. 125–127 @HomeTutor
DAY 5	**Grammar:** subjunctive of irregular and stem-changing verbs • Warm Up OHT 22 • Check Homework **5 min**	**Presentación de gramática** p. 188 • More subjunctive verb forms **Práctica de gramática** pp. 189–190 **15 min**	**Práctica de gramática** pp. 189–190 • Acts. 12, 13, 14, 15, 16 **25 min**	**Assess:** Para y piensa p. 190 5 min **Homework:** Cuaderno pp. 128–130 @HomeTutor
DAY 6	**Communication:** Culmination: use persuasive language to present and form opinions • Warm Up OHT 22 • Check Homework **5 min**	**Todo junto** pp. 191–193 • Contexto 3 TXT CD 6 track 7 **15 min**	**Todo junto** pp. 191–193 • Acts. 17 TXT CD 6 track 7 • Acts. 18 TXT CD 6 tracks 8, 9 • Act. 19 **25 min**	**Assess:** Para y piensa p. 193 5 min **Homework:** Cuaderno pp. 131–132 @HomeTutor
DAY 7	**Reading:** La tristeza del maya **Writing:** La necesidad de apoyar un invento **Review:** Lesson review • Warm Up OHT 23 • Check Homework **5 min**	**Lectura literaria** pp. 194–197 • La tristeza del maya • TXT CD 6 track 10 **Escritura** p. 198 • La necesidad de apoyar un invento **Repaso de la lección** pp. 200–201 **15 min**	**Lectura literaria** pp. 194–197 • La tristeza del maya **Escritura** p. 198 • La necesidad de apoyar un invento **Repaso de la lección** pp. 200–201 • Act. 1 TXT CD 6 track 11 • Acts. 2, 3, 4, 5 **25 min**	**Assess:** Para y piensa 5 min p. 197; Repaso de la lección **Homework:** En resumen p. 199; Cuaderno pp. 133–144 (optional) Review Games Online @HomeTutor
DAY 8	**Assessment**			**Assess:** Lesson 2 or Unit 3 test 50 min
DAY 9	**Unit Culmination** **5 min**	**Comparación cultural** pp. 202–203 • TXT CD 6 track 12 **El Gran Desafío** pp. 204–205 • Show video DVD 2 **Repaso inclusivo** pp. 206–207 **15 min**	**Comparación cultural** pp. 202–203 **El Gran Desafío** pp. 204–205 **Repaso inclusivo** pp. 206–207 • Act. 1 TXT CD 6 track 13 • Acts. 2, 3, 4, 5, 6, 7 **25 min**	**Assess:** Cuaderno pp. 145–147 5 min

Core Pacing Guide 90 Minute (5 Day)

Unidad 3 Lección 2

	Objectives/Focus	Teach	Practice	Assess/HW Options
DAY 1	**Culture:** learn about Central American culture **Vocabulary:** government, society, and business • Warm Up OHT 20 **5 min**	Lesson Opener pp. 176–177 **Presentación de vocabulario** pp. 178–179 • Read A–D • Play audio TXT CD 6 track 1 • *¡A responder!* TXT CD 6 track 2 **15 min**	Lesson Opener pp. 176–177 **Práctica de vocabulario** p. 180 • Acts. 1, 2, 3 **20 min**	**Assess:** *Para y piensa* p. 180 **5 min**
	Communication: use persuasive language to identify a product's benefits **5 min**	**Vocabulario en contexto** pp. 181–182 • *Contexto 1* TXT CD 6 track 3 **15 min**	**Vocabulario en contexto** pp. 181–182 • Acts. 4, 5 **20 min**	**Assess:** *Para y piensa* p. 182 **5 min** **Homework:** *Cuaderno* pp. 122–124 @HomeTutor
DAY 2	**Grammar:** present subjunctive of regular verbs • Warm Up OHT 21 • Check Homework **5 min**	**Presentación de gramática** p.183 • Present subjunctive of regular verbs **Práctica de gramática** pp. 184–185 **Culture:** *El canal y Panamá* **15 min**	**Práctica de gramática** pp. 184–185 • Act. 6 • Act. 7 TXT CD 6 track 4 • Acts. 8, 9 **20 min**	**Assess:** *Para y piensa* p. 185 **5 min**
	Communication: talk about innovative products using the subjunctive **5 min**	**Gramática en contexto** pp. 186–187 • *Contexto 2* TXT CD 6 track 5 • *Pronunciación* TXT CD 6 track 6 **15 min**	**Gramática en contexto** pp. 186–187 • Acts. 10, 11 **20 min**	**Assess:** *Para y piensa* p. 187 **5 min** **Homework:** *Cuaderno* pp. 125–127 @HomeTutor
DAY 3	**Grammar:** subjunctive of irregular and stem-changing verbs • Warm Up OHT 22 • Check Homework **5 min**	**Presentación de gramática** p. 188 • More subjunctive verb forms **Práctica de gramática** pp. 189–190 **15 min**	**Práctica de gramática** pp. 189–190 • Acts. 12, 13, 14, 15, 16 **20 min**	**Assess:** *Para y piensa* p. 190 **5 min**
	Communication: Culmination: use persuasive language to present and form opinions • Warm Up OHT 22 • Check Homework **5 min**	**Todo junto** pp. 191–193 • *Contexto 3* TXT CD 6 track 7 **15 min**	**Todo junto** pp. 191–193 • Acts. 17 TXT CD 6 track 7, • Acts. 18 TXT CD 6 tracks, 8, 9 • Act. 19 **20 min**	**Assess:** *Para y piensa* p. 193 **5 min** **Homework:** *Cuaderno* pp. 128–132 @HomeTutor
DAY 4	**Reading:** *La tristeza del maya* **Writing:** *La necesidad de apoyar un invento* • Warm Up OHT 23 • Check Homework **5 min**	**Lectura literaria** pp. 194–197 • *La tristeza del maya* • TXT CD 6 track 10 **Escritura** p. 198 • *La necesidad de apoyar un invento* **15 min**	**Lectura literaria** pp. 194–197 • *La tristeza del maya* **Escritura** p. 198 • *La necesidad de apoyar un invento* **20 min**	**Assess:** *Para y piensa* **5 min** p. 197
	Review: Lesson review **5 min**	**Repaso de la lección** pp. 200–201 **15 min**	**Repaso de la lección** pp. 200–201 • Act. 1 TXT CD 6 track 11 • Acts. 2, 3, 4, 5 **20 min**	**Assess:** *Repaso de la lección* **5 min** **Homework:** *En resumen* p. 199; *Cuaderno* pp. 133, 144 Review Games Online @HomeTutor
DAY 5	**Assessment**			**Assess:** Lesson 2 or Unit 3 test **45 min**
	Unit Culmination **5 min**	**Comparación cultural** pp. 202–203 • TXT CD 6 track 12 **El Gran Desafío** pp. 204–205 • View video DVD 2 **Repaso inclusivo** pp. 206–207 **15 min**	**Comparación cultural** pp. 202–203 **El Gran Desafío** pp. 204–205 **Repaso inclusivo** pp. 206–207 • Act. 1 TXT CD 6 track 13 • Acts. 2, 3, 4, 5, 6, 7 **20 min**	**Assess:** *Cuaderno* **5 min** pp. 145–147

Objectives

- Introduce lesson theme: **Por un futuro mejor**
- **Culture:** technology's impact on Panama and native art throughout Central America

Presentation Strategies

- Predict as a class subtopics that might be included in the lesson, rephrasing students' suggestions in the future tense.
- Give all instructions as **ustedes** commands.

STANDARD

2.1 Practices and perspectives

Warm Up   UTB 3 Transparency 20

Por o para Completa las oraciones con **por** o **para**.

1. _____ mí es difícil decidir cuál es el proyecto más importante.

2. Este letrero es _____ el equipo de publicidad.

3. ¿La feria de ecología está _____ aquí?

4. Y, ¿_____ cuánto tiempo dura?

5. Lo hacemos _____ mejorar el estado del planeta, _____ todos.

Answers: 1. Para; 2. para; 3. por; 4. por; 5. para, para

Comparación cultural

Exploring the Theme

Ask the following:

1. ¿Qué sabes de los cambios que ocurrieron en Panamá en los cien últimos años?

2. ¿Cómo crees que es el arte indígena de Centroamérica?

3. ¿Cómo crees que un molino de viento ayuda a conservar la energía?

4. ¿En qué país sacaron esta foto? ¿Te sorprende? ¿Por qué?

¿Qué ves? Possible answers:

- Puedo ver cuatro molinos.
- El paisaje es bastante plano. No hay edificios ni personas; casi no hay árboles.
- Será temprano por la mañana o tal vez serán las cuatro o las cinco de la tarde.

176

UNIDAD 3
Centroamérica

Lección 2

Tema:
Por un futuro mejor

¡AVANZA! **In this lesson you will learn to**

- discuss obligations and responsibilities
- present and support an opinion
- express a point of view and make recommendations

using

- present subjunctive of regular verbs
- more subjunctive verb forms

 ¿Recuerdas?

- **ustedes** commands
- impersonal expressions
- future tense

Comparación cultural

In this lesson you will learn about

- the Panama Canal
- native art in Central America
- ways to protect the environment in Central America

Compara con tu mundo

Estos molinos de viento *(windmills)* son una fuente *(source)* de electricidad para la región. El viento es un ejemplo de energía renovable. *¿Viste molinos de viento en Estados Unidos? ¿Dónde? Si no los viste, ¿dónde crees que hay?*

¿Qué ves?

Mira la foto

¿Cuántos molinos puedes ver?

¿Cómo es el paisaje?

¿Qué hora del día crees que es?

176   ciento setenta y seis

Differentiating Instruction

Slower-paced Learners

Sentence Completion Write an impersonal expression on the board (**Es importante...**) and ask students to add similar expressions. Then have students use the expressions as sentence starters (**Es importante reciclar.**) Or add a subject (**Es importante que los** *NY Yankees...*). Do not focus on use of the subjunctive or indicative yet. Simply restate their sentences correctly.

Multiple Intelligences

Kinesthetic Instruct students to mime the activities you mention as you give **ustedes** commands: **Naden en las playas de Guatemala; suban a los volcanes de Nicaragua; anden por los bosques tropicales de Costa Rica; vayan en barco por el Canal de Panamá.** Then let students pair up to write similar command(s) for the class.

Online SPANISH CLASSZONE.COM

Featuring...
Cultura INTERACTIVA
Animated Grammar
@HomeTutor

And more...
• Get Help Online
• Interactive Flashcards
• Review Games
• WebQuest
• Conjuguemos.com

Online SPANISH CLASSZONE.COM

WebQuest Provides step-by-step guidance for your students to help them explore this unit's theme and location online. Students are given a task and a set of pre-approved links to conduct research, answer questions, and submit their findings to the class.

Featuring...
Cultura INTERACTIVA
Animated Grammar
@HomeTutor

And more...
• Get Help Online
• Interactive Flashcards
• Review Games
• WebQuest
• Conjuguemos.com

Using the Photo

Location Information

Tejona Wind Generation Facility The Tejona wind generation facility pictured here was a $7.8 million project, completed in 2002. Its 30 turbines, each 130 feet tall with blades 68 feet long, are capable of consistently producing a combined output of 20 megawatts of electricity, depending on weather conditions.

Expanded Information

Costa Rica is Latin America's leader in the generation of energy from renewable sources. The country now requires no petroleum to meet its energy needs, and has recently begun to export energy. Its primary electricity source is actually water-generated, but wind-generated electricity is gaining momentum, since the Costa Rican climate and topography lend themselves to harnessing it.

Molinos de viento
Tilarán, Costa Rica

Centroamérica
ciento setenta y siete **177**

Connections

Math

One megawatt of electricity will provide power for approximately 1,000 homes. Figure out as a class how many megawatts are needed for your town, county, or state.

Differentiating Instruction

Heritage Language Learners

Literacy Skills Talk about don Quijote, the famous character from Miguel de Cervantes's epic novel. Have students take a look at Chapter 8 of Volume 1, where don Quijote fights windmills. Warn students that the Spanish will be challenging, since the book was written 400 years ago, but they should identify main ideas.

Multiple Intelligences

Naturalist Have students give examples of renewable energy sources other than wind: sunlight, water, heat within the earth (geothermal energy). Ask which they think is probably the least difficult or expensive to harness in their geographical area, and why.

¡AVANZA! Objectives

- Present vocabulary: government, society, and business.
- Check for recognition

Core Resource

- Audio Program: TXT CD 6 Tracks 1, 2

Presentation Strategies

- Have students read along in their texts as you read aloud.
- Ask yes/no questions to verify comprehension.
- Play the audio.

STANDARD

1.2 Understand language

Comparisons

English Language Connection

Have students think of English expressions similar to Liliana's motto: **Es imprescindible persistir, emprender y progresar** (e.g., *You gotta keep on keepin' on*).

Long-term Retention

Recycle

Start a list of adjectives to describe Liliana. Have students add to it as they find out more.

✿ Presentación de VOCABULARIO

¡AVANZA! **Goal:** Learn new vocabulary relating to government, society, and business. Then practice the vocabulary to talk about ways of achieving success. *Actividades 1–3*

♻ *¿Recuerdas?* **Ustedes** commands p. 102

AUDIO

A Liliana ganó el premio «Ciudadana Modelo» de su comunidad por su **conciencia social** y porque **lucha** cada día contra **la irresponsabilidad** y por **la mejora de la sociedad**.

B Liliana es un ejemplo para todos. Ella siempre quiere **solucionar** problemas de su ciudad y de los ciudadanos. «Operación Barrio» tiene muchas responsabilidades: desde plantar árboles y limpiar la ciudad, hasta ayudar a las personas pobres con sus **sufrimientos**. La organización ayuda a las personas a **superar obstáculos** y a **seguir adelante** con sus vidas.

C Además, **se encarga de advertir** a los más jóvenes de los **errores** que pueden **cometer** y cómo evitar **fracasos** en el futuro. Liliana siempre dice en las reuniones: «Es imprescindible persistir, emprender y progresar».

Más vocabulario

la advertencia *warning*	**penalizar** *to penalize*
la política *politics*	**respetar** *to respect*
el principio *principle*	**es raro que...** *it is strange that . . .*
la unidad *unity*	**por el otro lado...** *on the other hand . . .*
criticar *to criticize*	**por un lado...** *on one hand . . .*
insistir *to insist*	*Expansión de vocabulario* p. R7
	Ya sabes p. R7

Differentiating Instruction

Slower-paced Learners

Yes/No Questions Go over the meaning of **conciencia social** with students. Then write a series of activities on the board (i.e., **reciclar, limpiar los parques, comprar videojuegos**). As you point to each, ask: **¿Muestra la conciencia social?**

Pre-AP

Vary Vocabulary Challenge students to use each of the terms from Más vocabulario in sentences as they role-play a student council meeting in groups of four.

D Ahora, Liliana tiene una idea para un invento que quiere desarrollar para mejorar su comunidad. Ella buscó información sobre cómo se debe introducir un producto nuevo al público.

Un **producto novedoso** es el resultado de una idea nueva.

La Oficina de **Patentes** evalúa el producto y lo registra.

Liliana hace un **compromiso** con una compañía que **invierte** para **comercializar** el producto.

¡El producto **satisface** al público y todos **prosperan**!

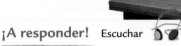

¡A responder! Escuchar

Escucha la lista de palabras y frases. Si es algo que puede ayudar a hacer un negocio, indícalo con el dedo pulgar hacia arriba. Si es algo que es un obstáculo para hacer un negocio, indícalo con el dedo pulgar hacia abajo.

@HomeTutor
Interactive Flashcards
ClassZone.com

Lección 2
ciento setenta y nueve **179**

Differentiating Instruction

Inclusion

Alphabetic/Phonetic Awareness Remind students of the increased danger of incorrect pronunciation with cognates. Take the time to have them repeat cognates from this page after you, reminding them that written accents always receive vocal emphasis (**evalúa**) and that there is no /sh/ sound in Spanish (**comercializar**).

Multiple Intelligences

Visual Learners Have students make a flow chart summarizing an inventor's tasks once he or she wants to market his or her invention.

179

Objectives
- Practice using vocabulary: government, society, and business.
- Recycle: commands

Core Resource
- *Cuaderno*, pp. 122–124

Practice Sequence
- **Activity 1:** Vocabulary recognition: the process of invention
- **Activity 2:** Vocabulary recognition: **ustedes** commands; Recycle: commands
- **Activity 3:** Vocabulary production: describing your own invention

STANDARDS
1.1 Engage in conversation, Act. 3
1.2 Understand language, Act. 1, 2
1.3 Present information, Act. 3

✓ Ongoing Assessment
@HomeTutor More Practice ClassZone.com

PARA Y PIENSA

Intervention If students have difficulties with the verbs given in the Para y piensa, have them review pp. 178–179. For additional practice, use Reteaching & Practice Copymasters URB 3, pp. 13, 14, 22.

Answers UTB 3 Transparency 28

Activity 1
1. emprender; 2.superar; 3.fracasos
4. persistir; 5.evaluar; 6.solucionar
7. comercializar; 8.una patente

Activity 2
1. Inviertan
2. Sigan adelante
3. Respeten
4. Prosperen
5. Luchen

Activity 3 Answers will vary. Sample answers:
El profidiomas es un programa informático que satisface las necesidades de estudiantes de múltiples idiomas. Antes los estudiantes tenían que buscar expresiones en diccionarios; ahora necesitarán un solo programa.

Para y piensa Answers will vary. Sample answer:
Para prosperar, una persona o un negocio debe invertir su tiempo y su dinero en una manera responsable. Tiene que respetar la ley y también los valores de la sociedad.

180

✖ Práctica de VOCABULARIO

1 | Los inventos

Hablar Escribir

Usa palabras de la lista para completar el párrafo sobre el proceso de inventar.

Siempre es una aventura __1.__ la invención de un producto novedoso. Pero no es fácil __2.__ los obstáculos. Si hay __3.__ , no importa, tienes que __4.__ . Es mejor __5.__ los problemas y tratar de __6.__ los. Si luego piensas __7.__ tu nuevo producto, es preferible sacar __8.__ para proteger tu idea.

> persistir
> fracasos
> emprender
> comercializar
> solucionar
> evaluar
> una patente
> superar

Expansión:
Teacher Edition Only
Pídales a los estudiantes que añadan al párrafo, usando los verbos **satisfacer** y **prosperar**.

2 | Una campaña política   ♻ ¿Recuerdas? Ustedes Commands p. 102

Hablar Escribir

Elige el verbo apropiado y escribe el mandato en la forma de **ustedes** para inventar lemas para una campaña política.

modelo: (solucionar / comercializar)

¡Solucionen los problemas económicos con JAIME!

1. (invertir / advertir) ¡ _____ en la sociedad! ¡Voten por Silvia!
2. (seguir adelante / satisfacer) ¡ _____ ! ¡Avancen con Darío!
3. (evaluar / respetar) ¡ _____ los valores de los ciudadanos y ciudadanas!
4. (prosperar / criticar) ¡ _____ con Walter y su plan de negocios!
5. (penalizar / luchar) ¡ _____ contra el sufrimiento con Regina!

Expansión:
Teacher Edition Only
Pídales a los estudiantes que usen tres palabras no elegidas para crear nuevos lemas. Por ejemplo: **Adviertan a la competencia: ¡Silvia lo ganará!**

3 | Un producto nuevo

Hablar

Con tu compañero(a), resuman las características de un producto nuevo para presentar a los directores de su compañía. Consideren lo siguiente: ¿Qué tipo de producto es? ¿Qué necesidad satisface? ¿Qué mejora ofrece? ¿Cómo piensan comercializarlo?

Expansión
Preparen un anuncio de su producto para una campaña de publicidad.

Más práctica   Cuaderno *pp. 122–124*   Cuaderno para hispanohablantes *pp. 122–125*

PARA Y PIENSA

¿Comprendiste? ¿Qué debe hacer una persona o un negocio para prosperar? Usa las siguientes palabras en tu respuesta: invertir, respetar, persistir, solucionar.

Get Help Online ClassZone.com

Differentiating Instruction

Heritage Language Learners

Support What They Know When students are generating product ideas for Activity 3, remind them that products that already exist in one language/culture might be useful to another cultural group. For example, a set of reusable party banners could be adapted to a Latino market by including culture-specific holidays (such as **el Día de los Muertos**).

Pre-AP

Persuade Have student pairs present their products from Activity 3 two at a time to the board of directors (the rest of the class), as the board takes notes and evaluates. After hearing the presentations, have the board decide which idea is **más novedoso** and **más atractivo al público**.

✾VOCABULARIO en contexto

¡AVANZA! **Goal:** In her notes describing a new product, learn the words that Liliana uses to make her ideas convincing. Then identify and talk about the benefits her product offers. *Actividades 4–5*

Contexto 1 *Folleto técnico*

ESTRATEGIA Leer

Analyze benefits with a pyramid chart In the bottom part of the pyramid, write the name of Liliana's invention and a short description of it. In the rest of the pyramid write four benefits in order of importance, with the most important benefit (N°1) at the very top.

N°1
N°2
N°3
N°4
Nombre y descripción del invento

AUDIO

Liliana Estrella, una estudiante hondureña, tuvo la idea de inventar un aparato que ayude a los que practican deportes y sufren de asma, como ella. Por eso, escribió unas notas y dibujó un posible invento.

Este aparato novedoso, combina las funciones de un reproductor de MP3 con un monitor del aire. Soluciona los problemas de los atletas con problemas respiratorios (alergias, asma) que quieren practicar deportes al aire libre. Evalúa la calidad del aire a cada momento y le avisa al atleta cuando hay contaminación o un nivel de polen alto. Así, el atleta no cometerá el error de seguir haciendo ejercicio.

MejorAire

El monitor es fácil de leer e interpretar. Indica cuando el atleta debe seguir adelante y le advierte cuando debe volver a casa.

El aparato está disponible en dos versiones: para las altitudes normales y para las altitudes extremas.

La variedad de funciones elimina la necesidad de llevar dos aparatos cuando se emprende una excursión larga.

Satisface las necesidades de los atletas con una máquina ligera y pequeña.

¿Es posible comercializarlo? ¡Tal vez necesito sacar una patente! Por un lado, es buena idea. Por el otro, ¡puede ser caro!

Lección 2
ciento ochenta y uno **181**

¡AVANZA! **Objective**
· Understand vocabulary related to product promotion and business in context.

Core Resource
· Audio Program: TXT CD 6 Track 3

Presentation Strategies
· Have small groups read through the selection aloud.
· Apply the pyramid chart strategy to aid comprehension.

STANDARD
1.2 Understand language

Warm Up UTB 3 Transparency 20

Vocabulario Empareja cada palabra o frase con lo opuesto.

1. tener éxito   a. volver atrás
2. luchar   b. un daño
3. problemas   c. soluciones
4. seguir adelante   d. fracasar
5. una mejora   e. superar

Answers: 1. d; 2. e; 3. c; 4. a; 5. b

Differentiating Instruction

English Learners

Build Background Before students start the reading, play a 20 questions game to find out about the invention. Have students prepare questions to ask the inventor, Liliana Estrella. (Ask for a volunteer to play the role of Liliana.) They could ask about who might use the invention, what it is for, and so forth.

Multiple Intelligences

Logical/Mathematical Have students return to their inventions they created for Activity 3. Have them list four benefits of the invention. Then, using the pyramid chart on p. 181 as a model, ask them to create one for the new invention. Remind them that the most important benefit will appear at the top. Have them share their work with the class.

Objectives
· Practice using business vocabulary in context.
· Practice expressing points of view.

Practice Sequence
· **Activity 4:** Contexto 1 comprehension
· **Activity 5:** Vocabulary production: **por un lado** and **por el otro lado,** express opinions

STANDARDS
1.2 Understand language, Act. 4
1.3 Present information, Act. 5

Communication
Common Error Alert

Draw students' attention to the fact that **patente** is feminine.

@HomeTutor
More Practice
ClassZone.com

✓ Ongoing Assessment

PARA Y PIENSA **Alternate Strategy** Have students evaluate technological products currently on the market for their age group, using the criteria suggested under Para y piensa. (For example, **El reproductor de MP3 de X compañía no satisface las necesidades de los jóvenes porque es demasiado grande.**) For additional practice, use Reteaching & Practice Copymasters URB 3 pp. 13, 15.

Answers UTB 3 Transparency 28

Activity 4
1. novedoso
2. Soluciona
3. evalúa
4. advierte
5. comercializar
6. patente
7. cometerá un error
8. satisface

Activity 5 Answers will vary. Sample answer:
1. Por un lado, los estudiantes conocen los puntos fuertes y débiles de sus escuelas, pero por el otro lado, es imposible que no muestren prejuicios en sus opiniones.

Para y piensa Answers will vary. Sample answer: Un producto nuevo debe ser novedoso; algo único. Debe satisfacer a las necesidades específicas del público y debe ayudar a los clientes a solucionar un problema.

182

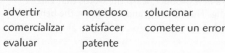
4 Comprensión del folleto técnico

Hablar Escribir

Usa palabras de la lista para completar las siguientes oraciones.

advertir	novedoso	solucionar
comercializar	satisfacer	cometer un error
evaluar	patente	

1. El MejorAire es un aparato _____ .
2. _____ los problemas de los atletas con asma.
3. El aparato _____ la calidad del aire.
4. Le _____ al atleta cuando el aire está contaminado.
5. Liliana piensa _____ su invento.
6. Liliana se pregunta si debe sacar una _____ para el invento.
7. El atleta no _____ si el aire está contaminado.
8. El MejorAire _____ las necesidades de los atletas.

Expansión:
Teacher Edition Only
Pídales a los estudiantes que enfaticen cuatro de las oraciones que ya escribieron con frases negativas. Por ejemplo: El Mejor Aire es un aparato novedoso. No hay ningún producto parecido.

5 ¿Qué opinas?

Hablar Escribir

Expresa tus opiniones y contesta las siguientes preguntas usando las expresiones **por un lado** y **por el otro lado.**

modelo: ¿Crees que es una buena idea tener clases en el verano?
Por un lado es importante seguir aprendiendo, pero, por el otro lado, es necesario tener tiempo libre.

1. ¿Deben los estudiantes poder evaluar sus escuelas?
2. ¿Deben comercializar productos no saludables en la televisión?
3. ¿Debemos penalizar a las personas que contaminan el medio ambiente?
4. En tu opinión, ¿es el gobierno responsable por el sufrimiento de los ciudadanos sin hogar?
5. Para una compañía, ¿es mejor satisfacer a los inversionistas (*investors*) o tener una conciencia social?

Expansión
Escribe un párrafo sobre la pregunta que te interesa más.

PARA Y PIENSA
¿Comprendiste? Usa las siguientes palabras para describir las cualidades que un producto nuevo debe tener: **satisfacer, solucionar, novedoso.**

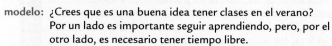
Get Help Online
ClassZone.com

Differentiating Instruction

Pre-AP

Relate Opinions Have students use the phrases **en mi opinión...** and **no estoy de acuerdo con...** to clarify their own standpoint on the issues they discuss in Activity 5.

Multiple Intelligences

Logical/Mathematical If there is an issue in Activity 5 about which students seem to have a genuine difference of opinion, make a chart on the board with **Argumentos para...** on one side and **Argumentos en contra de...** on the other. List the different points that students bring up, and try to be unbiased as you mediate the debate.

✿ Presentación de GRAMÁTICA

¡AVANZA! **Goal:** Learn about the formation of the present subjunctive for regular verbs. Then use the subjunctive to discuss your opinions. *Actividades 6–9*

♻ *¿Recuerdas?* Impersonal expressions p. 128

English Grammar Connection: Some impersonal expressions show uncertainty that something will happen. In both English and Spanish, such expressions are followed by verbs in the **subjunctive.**

It's important that he **leave.**   Es importante que él **salga.**

Present Subjunctive of Regular Verbs

Animated Grammar ClassZone.com

The **present subjunctive** is formed in the same way as most command forms.

Here's how: Start with the present tense **yo** form. Drop the **-o** and add **-e** to **-ar** verbs and **-a** to **-er/-ir** verbs.

		hablar	**ten**er	**escrib**ir
These forms are the same.	yo	**habl**e	**teng**a	**escrib**a
	tú	**habl**es	**teng**as	**escrib**as
	usted, él, ella	**habl**e	**teng**a	**escrib**a
	nosotros(as)	**habl**emos	**teng**amos	**escrib**amos
	vosotros(as)	**habl**éis	**teng**áis	**escrib**áis
	ustedes, ellos(as)	**habl**en	**teng**an	**escrib**an

Es imprescindible que **habl**es claramente.   *It is imperative that **you speak** clearly.*

You have to change the spelling of some verbs to maintain proper pronunciation.

becomes

criti**c**ar	criti**qu**e
investi**g**ar	investi**gu**e
penali**z**ar	penali**c**e
prote**g**er	prote**j**a
extin**gu**ir	extin**g**a

Es raro que un músico **critiqu**e su música.
*It's strange that a musician **criticize** his own music.*

Es necesario que él **protej**a a los ciudadanos.
*It's necessary that he **protect** the citizens.*

Más práctica
Cuaderno *pp. 125–127*
Cuaderno para hispanohablantes *pp. 126–128*

 Conjuguemos.com

@HomeTutor
Leveled Practice
ClassZone.com

Lección 2
ciento ochenta y tres **183**

¡AVANZA! ► **Objective**
· Present the subjunctive of regular verbs.

Core Resource
· *Cuaderno,* pp. 125–127

Presentation Strategies
· Ask students to scan the grammar box. Ask them if they noticed anything in particular about forming the subjunctive that reminds them of another verb tense.
· Have students repeat as you use the subjunctive in a variety of sentences.

 STANDARD
4.1 Compare languages

📦 **Warm Up** UTB 3 Transparency 21

Medio ambiente Di cuáles de estos productos novedosos pueden ayudar al medio ambiente y cuáles no.
1. Una vitamina para que los árboles tengan más hojas.
2. Un hotel en medio del bosque tropical.
3. Ropa de invierno con piel de tigre.
4. Una capa de ozono instantánea.
5. Flores que se transforman en plástico.
Answers: 1. sí, **2.** no, **3.** no, **4.** sí, **5.** no

Comparisons
English Grammar Connection

Students should note that although the word *that* can be omitted in the English subjunctive (It's important [that] he come), the **que** in the Spanish construction is obligatory (**Es importante que él venga**).

Differentiating Instruction

Inclusion

Cumulative Instruction Remind students that, in addition to using "opposite" endings in command forms, they have actually used the subjunctive before (Level 2, Unit 6). Ask if they remember the expression **Ojalá que...** and have them help you finish a few sentences using it. (**Ojalá que no tengamos tarea la noche del baile.**)

English Learners

Build Background In the native language(s) of some students, there may be no subjunctive. These students may also lack the English proficiency to get assistance from the English Grammar Connection. For these students, focus more on examples than explanation. Use repetition and yes/no questions to increase their skill level.

Objectives
- Practice using the subjunctive with impersonal expressions.
- Recycle: Impersonal expressions
- **Culture:** The Panama Canal

Core Resources
- *Cuaderno,* pp. 125–127
- Audio Program: TXT CD 6 Track 4

Practice Sequence
- **Activity 6:** Controlled practice: subjunctive, impersonal expressions
- **Activity 7:** Transitional practice: subjunctive; Recycle: impersonal expressions
- **Activity 8:** Transitional practice: subjunctive, opinions
- **Activity 9:** Open-ended practice: subjunctive

STANDARDS
- **1.1** Engage in conversation, Act. 9
- **1.2** Understand language, Act. 7
- **1.3** Present information, Acts. 7, 8
- **2.2** Products and perspectives, CC
- **4.2** Compare cultures, CC

Comparación cultural

Essential Question
Suggested Answer La posición de un país lo ayuda para hacer negocios con los países que están cerca.

Background Information
The United States completed construction on the Panama Canal in 1914, and maintained its hold on the vital passageway until the end of the century. The forty-mile wide series of manmade lakes and locks can transport a ship from one ocean to the other in eight to ten hours.

Answers UTB 3 Transparency 28

Activity 6
1. Es una lástima que ellos no superen los obstáculos.
2. Es mejor que tú te encargues de tus problemas.

See Activity answers on p. 185.

184

✺ Práctica de GRAMÁTICA

6 | Es importante...

Hablar
Escribir

Completa cada oración con la forma correcta del verbo.

> **modelo:** Es importante que todos nosotros (respetar) las leyes.
> Es importante que todos nosotros respetemos las leyes.

1. Es una lástima que ellos no (superar) los obstáculos.
2. Es mejor que tú te (encargar) de tus problemas.
3. Es una buena idea que yo (conseguir) una patente.
4. Es una pena que unos negocios (insistir) en tener precios altos.
5. Es necesario que nosotros (leer) las advertencias públicas.

Expansión
Escribe cinco oraciones más con información original que se relacione con tu escuela o comunidad.

7 | La ecóloga ♺ ¿Recuerdas? Impersonal expressions p. 128

Escuchar
Escribir

Escucha lo que dice la ecóloga sobre el medio ambiente. Completa las oraciones con las expresiones impersonales y el subjuntivo para dar tu opinión.

> **modelo:** Es triste que...
> Es triste que no respiremos aire puro.

1. Es una lástima que...
2. Es raro que...
3. Es lamentable que...
4. Es mejor que...
5. Es importante que...
6. Es imprescindible que...

🎧 Audio Program
TXT CD 6 Track 4
Audio Script, TE p. 175B

Expansión:
Teacher Edition Only
Pídales a los estudiantes que escriban tres frases negativas usando las expresiones dadas.

Comparación cultural

El canal y Panamá
¿Cómo se beneficia un país de su posición geográfica?
El Canal de Panamá conecta a los océanos Atlántico y Pacífico. Es importante que todos sepan que es uno de los logros más grandes de la ingeniería mundial. ¡La tierra y las piedras excavadas *(excavated)* en el Canal eran suficientes para construir una réplica de la Gran Muralla China, desde San Francisco hasta Nueva York! Como resultado de la construcción del canal, la historia y las costumbres de **Panamá** cambiaron para siempre. Antes, era un país pequeño y poco conocido, y ahora es uno de los centros de tráfico de mercancías *(merchandise)* más grandes del mundo. Además, los trabajadores chinos que participaron en su construcción formaron una de las minorías más importantes de la población panameña actual.

Un barco de carga en el Canal de Panamá

Compara con tu mundo *¿Conoces alguna construcción importante cerca de tu comunidad que ayuda al comercio? ¿Cómo ayudan estas construcciones a tu comunidad?*

Differentiating Instruction

Pre-AP
Support Ideas with Details As advanced students share their answers in Activity 7, challenge them to back up their statements by answering **¿Por qué?**

English Learners
Build Background Have students from other countries answer the Compara con tu mundo questions using information about their home countries.

8 ¿Qué opinas?

Hablar Escribir

Usa expresiones impersonales y el subjuntivo para expresar tu opinión sobre las situaciones en las fotos.

(no) es bueno que...	(no) es peligroso que...
(no) es importante que...	(no) es posible que...
(no) es malo que...	(no) es raro que...

modelo: No es raro que los periódicos digan la verdad.

1.
2.
3.

4.
5.
6.

Expansión
Expresa tu opinión sobre las fotos. Usa el subjuntivo y dos expresiones impersonales más.

9 Los expertos

Hablar

Según los expertos, es necesario que hagamos ciertas cosas para proteger el medio ambiente. ¿Por qué es necesario que hagamos estas cosas? Habla con un(a) compañero(a) sobre estos temas. Usen el subjuntivo.

modelo: valorar la innovación

1. disminuir la contaminación
2. hacer investigaciones
3. usar recursos naturales
4. proteger las especies en peligro de extinción

A ¿Por qué es necesario que valoremos la innovación?

B Es necesario que valoremos la innovación para solucionar problemas nuevos.

Expansión:
Teacher Edition Only
Pídales a los estudiantes que escriban una sinopsis de las respuestas de su compañero(a).

Más práctica Cuaderno *pp. 125–127* Cuaderno para hispanohablantes *pp. 126–128*

PARA Y PIENSA

¿Comprendiste? Termina las siguientes frases con el subjuntivo para expresar tus opiniones:

1. Es mejor que...   2. Es importante que...   3. Es raro que...

Get Help Online ClassZone.com

Lección 2
ciento ochenta y cinco **185**

Differentiating Instruction

Heritage Language Learners

Increase Accuracy Focus on the spelling changes that the subjunctive necessitates, even when doing oral work, as in Activity 9. Ask: **¿Cómo se deletrea *disminuyamos*?** Have students dictate the spelling (in Spanish) to you or a classmate to write on the board.

Slower-paced Learners

Memory Aids Remind the class of a chant to recall subjunctive construction. Take the **yo** form, drop the **-o;** add the opposite ending. Have students repeat it with you multiple times at various times during class.

Personalize It

Have students talk about what they consider to be the most important social goal for their generation. Make a list on the board of sentences beginning with **Lo más importante es...** Then have students copy down the list and survey their classmates, asking **¿Para ti, cuál es la meta más importante?** After gathering data from the whole class, have students work together to summarize the data with sentences, such as: **Para cuatro personas, lo más importante es que...**

✓ Ongoing Assessment

@HomeTutor More Practice ClassZone.com

PARA Y PIENSA **Quick Check** Write three different impersonal expressions on the board and have the class offer possible answers before assigning the Para y piensa. For additional practice, use Reteaching & Practice Copymasters URB 3 pp. 16, 17, 23.

Answers UTB 3 Transparencies 28–29

Answers for Activities on p. 184.
  3. Es una buena idea que yo consiga una patente.
  4. Es una pena que unos negocios insistan en tener precios altos.
  5. Es necesario que nosotros leamos las advertencias públicas.

Activity 7 Answers will vary. Sample answer:
  1. Es una lástima que muchos animales estén en peligro de extinción.

Activity 8 Answers will vary. Sample answer:
  1. No es bueno que ella coma enfrente del televisor.
  2. Es importante que ayudemos a los ancianos.
  3. Es peligroso que conduzcamos rápido.
  4. Es raro que tiren la basura en la calle.
  5. Es posible que las fábricas tengan mucha responsabilidad por la contaminación.
  6. Es malo que yo no limpie el campo.

Activity 9 Answers will vary. Sample answers:
  1. ¿Por qué es necesario que disminuyamos la contaminación? Es necesario que disminuyamos la contaminación para mejorar la salud de la gente y la biodiversidad.

Para y piensa Answers will vary. Sample answers:
  1. Es mejor que una compañía tenga una conciencia social a que sólo quiera satisfacer a los inversionistas.
  2. Es importante que protejamos nuestros recursos naturales.
  3. Es raro que no todas las personas cuiden el medio ambiente.

¡AVANZA! Objective

· Understand the subjunctive in context.

Core Resource

· Audio Program: TXT CD 6 Tracks 5, 6

Presentation Strategies

· Have students skim the advertisement and talk about its probable purpose.
· Play the audio and complete the exercises

Practice Sequence

· **Activity 10:** Contexto 2: comprehension
· **Activity 11:** Open-ended practice: impersonal expressions
· **Pronunciation:** The letter **g** with **e** and **i**

STANDARDS

1.1 Engage in conversation, Act. 11
1.2 Understand language, Act. 10
1.3 Present information, Act. 11
4.1 Compare languages, Pronunciación

Warm Up UTB 3 Transparency 21

Ordena las letras de la palabra subrayada en cada oración.

1. Es probable que alguna gente qreiitcu las ideas novedosas.

2. Es necesario que los ciudadanos ypneao a los políticos en los asuntos de conciencia social.

3. Es importante que nosotros slauevmoe nuestros motivos cuando votamos.

4. Es raro que esta compañía no rrosppee mucho con los inventos que comercializó el año pasado.

5. Es imprescindible que psusormee los fracasos en la vida.

Answers: 1. critique; 2. apoyen; 3. evaluemos; 4. prospere; 5. superemos

---

✦ GRAMÁTICA en contexto

¡AVANZA! **Goal:** Notice how the advertisement below uses the subjunctive with impersonal expressions. Then practice by talking about innovative products. *Actividades 10–11*

Contexto 2 *Anuncio*

ESTRATEGIA Leer

Different uses of the subjunctive In a hierarchy chart like the one to the right, write three different uses of the subjunctive and give examples of each. Start with phrases in this reading where the subjunctive is used to express an opinion.

Usos del subjuntivo

AUDIO

Liliana inventó un aparato que evalúa la calidad del aire. Al día siguiente, vio este anuncio en un periódico local.

Se buscan jóvenes inventores

En enero se realiza el Primer Congreso Hondureño de Inventores Jóvenes. Todos los estudiantes de escuela secundaria pueden participar. Deben enviar la información necesaria antes del 10 de diciembre.

Es necesario que los inventos...

· solucionen un problema medioambiental que afecta a la población hondureña.
· despierten la conciencia social sobre el problema y respeten la filosofía de la conservación ecológica.

Además es importante que...

· el invento se base en una idea novedosa y útil.
· cada participante envíe sus datos y una foto o dibujo del invento.

IMPORTANTE: Es preferible que el maestro o la maestra del joven inventor escriba una carta de recomendación.

Los estudiantes que quieran participar deben mandar sus datos y fotos a:
Centro Educativo de la Comunidad
Caja Postal 999
Tegucigalpa, 111

Differentiating Instruction

Slower-paced Learners

Yes/No Questions Before students read Contexto 2, review with them what the MejorAire claims to do, and how it works (see p. 181). Next, check comprehension of the bulleted points listed in the **anuncio** by asking whether Liliana's invention meets each standard. **¿El MejorAire se basa en una idea novedosa?**

Pre-AP

Persuade Have students pretend that they are Liliana's friends. She is not sure whether she should enter the competition mentioned in the article on p. 186. They should write her an e-mail telling her why she should participate and what steps she has to take to do so.

10 Comprensión del anuncio

Leer
Escribir

Completa las oraciones con el verbo en la forma correcta.

1. Es imprescindible que los estudiantes _____ la información necesaria.
2. Es necesario que _____ a la dirección indicada.
3. Es mejor que el invento _____ una filosofía ecológica.
4. Es importante que los maestros _____ a los estudiantes.
5. Es necesario que el invento _____ novedoso y útil.

ser
escribir
respetar
apoyar
enviar

Expansión:
Teacher Edition Only
Pídales a los estudiantes que usen los siguientes verbos en tres de las frases dadas: **mandar, obtener, ayudar.**

11 Un invento novedoso

Hablar
Escribir

Con tus compañeros(as), identifiquen un problema y piensen en un invento para solucionarlo.

Paso 1 Preparen una explicación usando expresiones impersonales.

> modelo:
> **Problema:** el smog
> **Soluciones posibles:** una máscara, filtros nasales
> **Invento y explicación:** Es imprescindible que resolvamos el problema del smog. Es recomendable llevar máscaras...

Paso 2 Preparen un anuncio de televisión para promocionar el invento. Incluyan por lo menos cinco ejemplos de expresiones impersonales con el subjuntivo.

Expansión
Considera con tus compañeros(as), los inventos de los demás grupos. ¿Qué recomendaciones pueden dar a los demás grupos para mejorar su invento?

Pronunciación 🎧 AUDIO **La letra g con e, i**

Delante de las vocales **e, i,** la **g** tiene un sonido suave como la *h* de la palabra *hello* en inglés. Recuerda que la **g** tiene un sonido duro en combinación con **a, o, u** y **r.**

generación   prote**ge**r   **gi**gante   ló**gi**co

Refrán
Genio y fi**gu**ra hasta la sepultura.

PARA Y PIENSA

¿**Comprendiste?** Completa las oraciones con verbos en el subjuntivo.
1. Es preferible que los inventos... un problema y... la conciencia social.
2. Es necesario que cada participante... una solicitud y... una foto.

🔵 **Get Help Online** ClassZone.com

Lección 2
ciento ochenta y siete **187**

✓ **Ongoing Assessment**

PARA Y PIENSA

Dictation Dictate to students the following sentence and then check their answers. **Es lógico que el gerente general sea generoso cuando la gente se queja de que la comida está congelada.**

✓ **Ongoing Assessment** @HomeTutor More Practice ClassZone.com

PARA Y PIENSA

Peer Assessment Once students have written their sentences for the Para y piensa, have them exchange their papers with a classmate and correct each other's work. For additional practice, use Reteaching & Practice Copymasters URB 3 pp. 16, 18.

📦 **Answers** UTB3 Transparency 29

Activity 10
1. completen
2. necesiten
3. respete
4. apoyen
5. usen

Activity 11 Explanations and advertisements will vary. Each should address the solution of a stated problem. Advertisements should use the subjunctive with impersonal expressions in at least five instances.

Para y piensa
1. Es preferible que los inventos solucionen un problema y despierten la conciencia social.
2. Es necesario que cada participante llene una solicitud y mande una foto.

187

Differentiating Instruction

Heritage Language Learners

Support What They Know Ask if students have heard the saying quoted under Pronunciación (**Genio y figura hasta la sepultura.**) Discuss what it means, pointing out cognates. Accept varying interpretations, encouraging ideas having to do with the persistence of thought and behavior patterns. Explain that the phrase comes from *Don Quixote.*

English Learners

Provide Comprehensible Input If English learners have trouble determining the Spanish *g* sound, remind them that it is similar to the English *g*: voiced and unvoiced. When deciding between the two, remind students of the following rule. When *g* is followed by an *a, o,* or *u*, the *g* is voiced as in *gain, gone,* or *gun.* When the *g* is followed by an *e* or an *i* as in *gin* and *gem,* it is unvoiced.

Objective

· Present irregular forms of the subjunctive.

Core Resource

· *Cuaderno*, pp. 128–130

Presentation Strategies

· Ask students what endings are used for regular verbs in the subjunctive. Try to elicit the endings for **-ar, -er,** and **-ir** verbs.
· Read and have students repeat sample sentences

 STANDARD

4.1 Compare languages

🔨 **Warm Up**   UTB 3 Transparency 22

Subjunctivo Completa las oraciones con el subjuntivo del verbo indicado.

1. Es imposible que Enrique _____ (venir) a la fiesta.

2. Es imprescindible que yo le _____ (saludar) desde lejos.

3. Por un lado, no es malo que él nos _____ (ver) como siempre somos.

4. Por el otro lado, es necesario que nosotros _____ (vestirse) muy bien.

5. Es mejor que tú no lo _____ (distraer) de mí, por favor.

Answers: 1. venga; 2. salude; 3. vea; 4. nos vistamos; 5. distraigas

---

Long-term Retention

Connect to Previous Learning

Remind students that, with the exception of **haya,** they have used all of these forms in the context of **usted/ustedes** commands.

 # Presentación de GRAMÁTICA

¡AVANZA! **Goal:** Learn about the subjunctive of irregular and stem-changing verbs. Then talk about your hopes and opinions. *Actividades 12–16*

♻ *¿Recuerdas?* Future tense p. 157

English Grammar Connection: In English, the subjunctive is the same as the infinitive without *to* (*It's important that you* **be** *here*), or the simple past (*I wish I* **were** *older*). In Spanish, verbs are conjugated to form the subjunctive.

More Subjunctive Verb Forms

Animated Grammar
ClassZone.com

Some verbs are irregular in the **subjunctive.** How are they conjugated?

Here's how:

The subjunctive of **haber** is haya.

dar	estar	ir	saber	ser
dé	esté	vaya	sepa	sea
des	estés	vayas	sepas	seas
dé	esté	vaya	sepa	sea
demos	estemos	vayamos	sepamos	seamos
deis	estéis	vayáis	sepáis	seáis
den	estén	vayan	sepan	sean

Verbs ending in **-ar** and **-er** have the same stem changes as in the present indicative.

cerrar (e → ie)
Es importante que **cierres** la puerta.
It's important that you close the door.

volver (o → ue)
Es bueno que yo **vuelva** pronto.
It's good that I am returning soon.

The stem changes for **-ir** verbs follow the same pattern as in the present indicative for all forms except **nosotros** and **vosotros,** where they change e → i or o → u.

divertirse (e → ie, i)
Es imprescindible que **se diviertan.**
It's important that they have fun.

dormir (o → ue, u)
Es necesario que todos **durmamos** aquí.
It's necessary that we all sleep here.

Verbs that change e → i in the present indicative have the same stem change in all forms of the present subjunctive.

pedir (e → i)
Es mejor que tú **pidas** primero y que nosotros **pidamos** después de ti.
It is best that you order first and that we order after you.

Más práctica
Cuaderno pp. 128–130
Cuaderno para hispanohablantes pp. 129–132

🔊 **Conjuguemos.com**

@HomeTutor
Leveled Practice
ClassZone.com

Differentiating Instruction

Inclusion

Frequent Review/Repetition For many students, explanations of stem changes only add to their confusion. Write out conjugation charts for **-ir** stem-changing verbs. Have students say the conjugations aloud, preceding each verb with **que. (Es probable que yo duerma, que tú duermas, que él duerma, que nosotros durmamos, que ellos duerman, en el segundo piso.)**

Pre-AP

Communicate Preferences End class by inviting students to make recommendations regarding the following day's class, promising that if it is at all possible, you will comply with at least one of the requests made with a verb discussed today. For example: **Es mejor que la maestra no nos dé mucha tarea.** Try to find a way to make good on your promise!

❋ Práctica de GRAMÁTICA

12 La acción social

Hablar
Escribir

Tu clase va a emprender una serie de eventos para fomentar la acción social en tu comunidad. Completa las ideas con el subjuntivo de los verbos de la lista.

> invertir
> encargarse
> ser
> hacer
> saber
> estar

modelo: Es importante que nosotros <u>invirtamos</u> tiempo suficiente en la planificación.

1. No es bueno que yo _____ todo.

2. Es necesario que la política de un país _____ defender el aire puro.

3. Es mejor que todos nosotros _____ unidos porque la unidad es una fuerza positiva.

4. Es importante que la sociedad _____ de proteger el medio ambiente.

5. Es imprescindible que la sociedad _____ los principios para cuidar el medio ambiente.

Expansión
Piensa en una campaña de acción social para tu comunidad. Usa expresiones impersonales para explicar los cambios que recomiendas.

13 Unos consejos ♻ *¿Recuerdas?* Future tense p. 157

Hablar

Usa una expresión impersonal como «es mejor» o «es raro» para darle consejos a tu compañero(a). Él (Ella) debe responder usando el futuro. Túrnense.

modelo: ir

A Es malo que tú no vayas a las reuniones.

B Es verdad. Iré a la próxima reunión.

Expansión:
Teacher Edition Only
Pídales a los estudiantes que comuniquen las mismas ideas más directamente, utilizando un mandato en la forma de *usted* en cada número.

1. dormir   **3.** saber   **5.** invertir   **7.** criticar
2. ser   **4.** pedir   **6.** dar   **8.** haber

14 Un viaje a Honduras

Hablar
Escribir

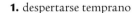

Mónica va a viajar a Tegucigalpa, Honduras, para visitar a sus abuelos. ¿Qué consejos le da su abuelita?

modelo: hacer las reservaciones
Es importante que hagas las reservaciones por teléfono.

1. despertarse temprano   **4.** saber el número del vuelo
2. cerrar bien las maletas   **5.** ser cortés
3. llevar tu pasaporte   **6.** buscarme en el aeropuerto

Differentiating Instruction

Slower-paced Learners

Sentence Completion For students who may have trouble starting Activity 13, provide a list of impersonal expressions with which to start their statements. They could then write down the subjunctive **tú** form of all of the verbs before coming up with full sentences.

Multiple Intelligences

Visual Learners Have students make flashcards with the infinitives of the verbs from p. 188 on one side, and their subjunctive conjugations on the other. Then have them use the cards to practice with a partner, with one student holding the card and stating a subject, and the other conjugating the verb accordingly.

Objectives

- Practice using irregular forms of the subjunctive.
- Recycle: future tense

Practice Sequence
- **Activity 12:** Controlled practice: the subjunctive
- **Activity 13:** Transitional practice: impersonal expressions and giving advice; Recycle: future tense
- **Activity 14:** Transitional practice: impersonal expressions with the subjunctive

❊ STANDARDS
1.1 Engage in conversation, Act. 14
1.2 Understand language, Act. 13
1.3 Present information, Act. 15

  Communication
Common Error Alert

Often students want to put an *n* on the end of the word **haya** when it refers to plural objects. Remind them that just as **hay** means "there is" and "there are", **haya** also expresses both singular and plural.

 Answers UTB 3 Transparency 29

Activity 12
1. haga; **2.** sea; **3.** estemos; **4.** se encargue; **5.** sepa

Activity 13 Answers will vary. Advice should use the subjunctive and responses should use the future. For example:
1. Es mejor que no duermas en clase. Tienes razón. No dormiré en clase.

Activity 14 Impersonal expressions will vary.
1. Es... que te despiertes temprano.
2. Es... que cierres bien las maletas.
3. Es... que lleves tu pasaporte.
4. Es... que sepas el número del vuelo.
5. Es... que seas cortés.
6. Es... que me busques en el aeropuerto.

189

Objectives
· Practice using irregular verbs in the subjunctive.
· **Culture:** How artists represent the world around them.

Core Resource
· *Cuaderno,* pp. 128–130

Practice Sequence
· **Activity 15:** Open-ended practice: the subjunctive
· **Activity 16:** Open-ended practice: impersonal expressions

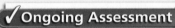
STANDARDS
1.3 Present information, Act. 15
2.2 Products and perspectives, Act. 16
3.1 Knowledge of other disciplines, Act. 16
4.2 Compare cultures, Act. 16

✓ Ongoing Assessment

@HomeTutor
More Practice
ClassZone.com

Peer Assessment Have students work in pairs to complete the activity in the Para y piensa box. For additional practice, use Reteaching & Practice Copymasters URB 3 pp. 19, 20, 24.

---

15 | Un futuro próspero

Hablar
Escribir

Prepara un discurso breve para que los inversionistas te den dinero para un invento. Usa un mínimo de cinco expresiones impersonales con el subjuntivo. Presenta tu discurso en clase.

> **modelo:** Señoras y señores, gracias por su apoyo. Ahora es muy importante que sigamos adelante. Es imprescindible que emprendamos proyectos novedosos para progresar. Espero que estén listos para terminar con la irresponsabilidad.

Expansión
Prepara tres preguntas con expresiones impersonales para saber más sobre los proyectos.

16 | Es interesante que...

Leer
Escribir

Comparación cultural

Vista de San Antonio de Oriente (1957), José Antonio Velásquez

El arte ingenuo
¿Cómo representan los artistas el mundo que los rodea? El pintor José Antonio Velásquez (1906–1983) nació en **Honduras.** Él pintó sus cuadros pensando en cómo pintaban los hombres primitivos y en cómo pintan los niños. Este género de pintura se llama arte ingenuo o primitivista.

Velásquez fue minucioso *(detail-oriented)* en sus obras, ¡pintaba las tejas *(tiles)* de las casas una por una! ¡Es increíble que sus cuadros tengan tantos detalles! Un dato interesante es que en sus cuadros las personas siempre están haciendo algo.

Compara con tu mundo *Describe con detalles la calle donde vives. Utiliza el estilo de José Antonio Velásquez.*

Escribe tres opiniones sobre el cuadro de José Antonio Velásquez. Utiliza algunas de las siguientes expresiones: **es necesario que, es importante que, es interesante que, es increíble que...**

Más práctica Cuaderno *pp. 128–130* Cuaderno para hispanohablantes *pp. 129–132*

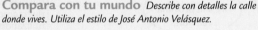

PARA Y PIENSA

¿Comprendiste? Escribe oraciones con el subjuntivo utilizando los elementos siguientes:
1. Es increíble / haber
2. Es difícil / ir
3. Es mejor / invertir
4. Es imprescindible / advertir

Get Help Online
ClassZone.com

Differentiating Instruction

Pre-AP
Vary Vocabulary Have students talk about ways that they are or are not **minucioso(a)** in different areas of life (**con los trabajos académicos, los quehaceres, el arte, la organización de sus cosas, el horario,** etc.).

Slower-paced Learners
Personalize It Have students share their opinions on **arte ingenuo**, or Velásquez's painting in particular. Have them begin their statements with **Para mí...** or present a more multifaceted analysis using **Por un lado...** and **Por el otro lado....**

Answers UTB 3 Transparency 29

Activity 15 Presentations will vary but should include five impersonal expressions used with the subjunctive.

Activity 16 Answers will vary. Sample answer:
1. Es interesante que pinte con tanto detalle.

Para y piensa Answers will vary. Sample answers:
1. Es increíble que haya un canal tan largo.
2. Es difícil que vayas a la playa en el invierno.
3. Es mejor que usted invierta dinero en compañías responsables.
4. Es imprescindible que los doctores nos adviertan comer comidas nutritivas.

❋ Todo junto

¡AVANZA! **Goal: Show what you know** Listen to the following conversation between Liliana and her friend Ernestina. Focus on the language they use to present and support their opinions. *Actividades 17–19*

Resumen contextos 1 y 2 Liliana Estrella, una estudiante hondureña que sufre de asma, inventó un aparato novedoso que evalúa la calidad del aire. Luego, vio el anuncio para un congreso de inventores jóvenes. ¡Es la oportunidad perfecta para mostrar su invento!

Contexto 3 *Diálogo*

ESTRATEGIA Escuchar
Make a cost-benefit comparison
As you listen, make a list of the costs and potential benefits to help you come to a decision. Which seems to "weigh" the most: the costs or the benefits?

AUDIO

Liliana llenó una solicitud y la invitaron a participar en un congreso para inventores jóvenes hondureños. Va a mostrar su invento, el MejorAire, que es un aparato que combina las funciones de un reproductor de MP3 con un monitor del aire y está diseñado para los deportistas que tienen problemas respiratorios. Ahora, Liliana habla con su amiga Ernestina en la sala de exhibiciones del congreso.

Liliana: ¡Es increíble que tantas personas quieran hablar conmigo sobre el MejorAire!

Ernestina: ¡De veras! Ojalá que alguien te ofrezca la oportunidad de comercializarlo.

Liliana: ¿No te lo dije? ¡La directora de una compañía de ropa y equipos atléticos dijo que quiere comprar los derechos del MejorAire!

Ernestina: ¡Es lógico! Tu invento puede ser muy útil. Pero, ¿no es mejor que hables con otras compañías antes de aceptar su oferta? Es importante que busques más información antes de comprometerte.

También se dice

Para afirmar lo que se dice, muchas veces se usa la expresión: **¡Es lógico!**
• Centroamérica **¡Pues claro!**
• El Caribe **¡Se cae de la mata!**
• Argentina **¡Obvio!**

Lección 2
ciento noventa y uno **191**

Differentiating Instruction

Inclusion

Alphabetic/Phonetic Awareness Have students count the number of times that they hear the subjunctive used in each line of the dialogue. Watch to see how well they hear it. If necessary, replay the audio. Go over clues that indicate subjunctive use: impersonal expressions, the word **que** (although neither of these factors alone is sufficient) and "opposite" sounding endings.

Heritage Language Learners

Writing Skills Have students suggest words and phrases other than **por un lado/por el otro lado** that they can use to present two-sided arguments: **sin embargo, pero, mientras tanto, no obstante.** Have students use these phrases to link costs and benefits (see Estrategia) on their lists.

¡AVANZA! **Objective**
• Integrate lesson content.

Core Resource
• Audio Program: TXT CD 6 Track 7

Presentation Strategies
• Review the first two parts of the Contexto aloud.
• Play the audio as students take notes.
• Have students reread the dialogue in pairs, pausing for comprehension checks.

STANDARD
1.2 Understand language

🔊 **Warm Up** UTB 3 Transparency 22

¿Cierto o falso? Di si las oraciones son ciertas o falsas según lo que sabes sobre Liliana. Corrige las falsas.
1. El MejorAire es para los atletas que sufren de problemas circulatorios.
2. La máquina le alerta al atleta cuando hay mucha contaminación en el aire.
3. Es un aparato pequeño y ligero.
4. Liliana vio un anuncio para un congreso de inventores costarricenses.
5. Es mejor que un profesor de Liliana le saque una foto.

Answers: 1. Falso: El MejorAire es para los atletas que sufren de problemas respiratorios.; 2. Cierto.; 3. Cierto.; 4. Liliana vio un anuncio para un congreso de inventores hondureños.; 5. Es mejor que un profesor de Liliana le escriba una recomendación.

 Communication
Pair Work

Have students apply the strategy (cost-benefit comparison) to the question of whether to go to college directly after high school or to wait, exploring jobs that require a college education. Have students use at least three impersonal expressions with the subjunctive in their comparisons. After they have completed the two lists, have them discuss their observations, using **por un lado...** and **por el otro lado...**

191

Objective
· Practice integrating and using lesson grammar and vocabulary in context

Core Resources
· *Cuaderno*, pp. 131–132
· Audio Program: TXT CD 6 Tracks 7, 8, 9

Practice Sequence
· **Activity 17:** Contexto 3 comprehension
· **Activity 18:** Open-ended practice: reading, listening, and speaking
· **Activity 19:** Open-ended practice: writing

 STANDARDS
1.2 Understand language, Act. 17
1.3 Present information, Act. 17, 18, 19

Communication
Role-Playing and Skits

Have students reenact Liliana's conversation with the woman who offered to buy the rights to her invention on the spot. Encourage them to use creativity in interpreting the situation, as long as what they write does not contradict what Liliana says to Ernesto.

 Answers UTB 3 Transparency 30

Activity 17
1. La directora de una compañía le ofreció 150.000 lempiras en efectivo a Liliana por los derechos de su idea.
2. Ernestina dice que Liliana debe sacar una patente para proteger su idea.
3. Es necesario que Liliana tome una decisión hoy si quiere venderle la idea a la señora.
4. Para sacar una patente, Liliana tiene que consultar con un abogado.
5. Liliana le agradeció a Ernestina por sus consejos.
6. Liliana debe pensarlo más antes de tomar su decisión porque no sabe mucho sobre el valor de su idea o las leyes de patentes.

192

Liliana: Tal vez tienes razón. Pero la señora me dijo que es necesario que yo tome una decisión hoy mismo. No va a esperar hasta la semana que viene.

Ernestina: Liliana, si dijo eso, no sé. No tengo confianza en esa señora. No quiero criticar, pero, ¿no es un poco raro que ella te pida actuar con tanta prisa? Tal vez es preferible que investigues la posibilidad de sacar una patente para proteger tu idea. Es necesario que consultes con un abogado.

Liliana: ¡Pero las patentes salen muy caras! El costo total puede llegar a las 100.000 lempiras. La señora me ofreció 150.000 lempiras en efectivo si firmo un contrato con ella hoy mismo.

Ernestina: No sé, Liliana... Es mucho dinero, pero ojalá que no cometas un error. ¿No es posible que primero saques una patente y luego vendas los derechos por más dinero?

Liliana: Ay, ¿qué hago? Es lógico que un abogado puede ayudarme con la decisión, pero también puede ser caro y yo no conozco a ninguno.

Ernestina: Tienes razón. Creo que es importante que lo pienses bien y que busques la ayuda de otros antes de tomar tu decisión. Tú no debes encargarte de todos los detalles, sola.

Liliana: Gracias, Ernestina. Respeto mucho tu opinión. Consideraré tu advertencia antes de seguir adelante.

---

17 | Comprensión del diálogo

Escuchar
Escribir

Contesta las preguntas.
1. ¿Qué le ofreció la directora de una compañía a Liliana?
2. Según Ernestina, ¿qué debe hacer Liliana?
3. ¿Cuándo es necesario que Liliana tome su decisión?
4. ¿Qué tiene que hacer Liliana para sacar una patente?
5. ¿Cómo reaccionó Liliana con el comentario de Ernestina?
6. ¿Por qué debe Liliana pensarlo más antes de tomar su decisión?

Expansión
¿Cuál es tu opinión sobre el invento de Liliana? ¿Qué piensas de la señora que le hizo la oferta? ¿Qué debe hacer Liliana?

Differentiating Instruction

Pre-AP
Summarize Have students summarize the dialogue between Ernestina and Liliana, stating at the beginning the problem that Liliana has, and at the end, the plan she has to solve it.

Multiple Intelligences
Logical/Mathematical Have students use the Internet to find out the exchange rate between the U.S. dollar and the Honduran lempira. Then have them do the math to figure out approximately what amount in dollars Liliana was offered for her idea.

18 | Integración

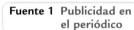

Leer
Escuchar
Hablar

Lee el anuncio de un horno *(oven)* solar en un periódico. Escucha los comentarios de un inventor durante un congreso para inventores. Explica de qué manera el horno solar que viste cumple con las ideas del inventor.

🎧 **Audio Program**
TXT CD 6 Tracks 8, 9
Audio Script, TE p. 175B

Fuente 1 Publicidad en el periódico

¿Es necesario que cambiemos la forma de cocinar? ¡Sí!

¡Presentamos el producto más novedoso del año!

HornoSol

Es económico, portátil y fácil de usar. Sólo necesita la energía del sol.

HornoSol satisface las necesidades de los cocineros de todo el mundo – en la ciudad y en el campo.

HornoSol, la tecnología sigue adelante.

Advertencia: Este producto depende de la energía solar para funcionar. No funciona sin el sol.

Es importante que ahorremos energía... Y **HornoSol** nos ayudará.

Fuente 2 Congreso de inventores

Escucha y apunta
• ¿Cuáles son las responsabilidades de los inventores hoy?
• ¿Qué características deben tener los inventos con conciencia social?

modelo: Es necesario que los inventos sean económicos y prácticos. El **HornoSol** que vi en el anuncio es un buen ejemplo porque...

Expansión:
Teacher Edition Only
Pídales a los estudiantes que hablen sobre las ventajas de otro invento que utiliza la energía renovable. Por ejemplo, los molinos de viento o los paneles solares.

19 | ¡A escribir!

Escribir

Efraín inventó un carro que vuela y tiene que decidir si quiere vender su nuevo invento a unos inversionistas o comercializarlo él mismo. Él te pide consejos. Contéstale utilizando cinco expresiones impersonales con el subjuntivo.

Writing Criteria	Excellent	Good	Needs Work
Content	Your response includes five clear suggestions using impersonal expressions.	Your response includes somewhat clear suggestions using impersonal expressions.	Your response includes few clear suggestions using impersonal expressions.
Communication	Your message is organized and easy to follow.	Parts of your message are organized and easy to follow.	Your message is disorganized and hard to follow.
Accuracy	You make few mistakes in grammar and vocabulary.	You make some mistakes in grammar and vocabulary.	You make many mistakes in grammar and vocabulary.

Expansión:
Teacher Edition Only
Pídales a los estudiantes que escriban un párrafo corto que describa cómo es el carro.

Más práctica Cuaderno *pp. 131–132* Cuaderno para hispanohablantes *pp. 133–134*

PARA Y PIENSA

¿Comprendiste? Presenta y defiende tu opinión sobre estas ideas.

👆 **Get Help Online** ClassZone.com

1. MejorAire es un invento novedoso.
2. Liliana debe aceptar la oferta.
3. Liliana debe sacar una patente.
4. Liliana necesita un abogado.

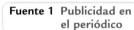

Lección 2
ciento noventa y tres   **193**

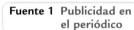

💾 **Answers** UTB 3 Transparency 30

Activity 18 Answers will vary. See model.

Activity 19 Answers will vary. Sample answer:

Es importante que protejamos tu invento. Es necesario que saques una patente antes de compartir la idea. Así, los inversionistas podrán ayudarte a comercializar el producto....

Para y piensa Answers will vary. Sample answers:

1. Yo creo que MejorAire sí es un invento novedoso porque nunca he visto un aparato así.
2. Yo creo que Liliana no debe aceptar la oferta de la señora. Liliana necesita proteger su idea. Es imprescindible que busque ayuda antes de tomar una decisión.
3. Es muy importante que Liliana saque una patente. Es mejor que proteja su idea antes de vender los derechos.
4. Es necesario que Liliana consulte con un abogado por dos razones. Necesita su ayuda para sacar una patente y comercializar su invento.

Differentiating Instruction

Pre-AP

Relate Opinions As the students listen to the audio for Activity 18, have them take notes on what Gustavo Campos thinks a good invention should be. Then have them write about a real product that they think is a bad invention based on Sr. Campos's criteria. They should describe the product, tell for what it is used, and state why they think it is a bad invention.

Slower-paced Learners

Personalize It Allow students to write about one of their own inventions in Activity 19, instead of Efraín's flying car. (They can refer back to Activities 11 and 15.) If they choose this option, they should take the role of someone else (a teacher, or Liliana) giving advice to them. Have them write their advice as an informal e-mail.

193

¡AVANZA! Objectives
- Read a Mayan fable.
- Analyze the story's perspective on humankind and nature.
- **Culture:** the Mayan civilization

Core Resource
- Audio Program: TXT CD 6 Track 10

Presentation Strategies
- Use the Para leer strategy to aid in dialogue comprehension.
- Point out vocabulary notes.
- Examine Nota cultural with students.
- Read and respond to the fable.

STANDARDS
1.2 Understand language
2.2 Products and perspectives
3.1 Knowledge of other disciplines

Warm Up   UTB3 Transparency 23

Contexto 3 Según lo que leíste, di quién dijo lo siguiente. ¿Liliana o Ernestina?
1. ¡La directora de una compañía quiere comprar los derechos del MejorAire!
2. Es importante que busques más información antes de comprometerte.
3. ¿No es un poco raro que ella te pida actuar con tanta prisa?
4. Ay, ¿qué hago?
5. Tú no debes encargarte de todos los detalles sola.
Answers: 1. Liliana; 2. Ernestina; 3. Ernestina; 4. Liliana; 5. Ernestina

Culture

Expanded Information
The discovered writings referred to under **Nota cultural** are calendars and astronomical, historical, and genealogical information. Hieroglyphs represent concepts and words. These inscriptions have been discovered on artifacts of stone, wood, and clay, and even books made of bark paper.

Lectura literaria

¡AVANZA! **Goal:** Read the following Guatemalan fable about mankind's relationship to the natural world. Then consider why this relationship is important.

Para leer

ESTRATEGIA Leer
Use dialogue clues from punctuation and wording To understand a written dialogue in Spanish, find clues in the markers before each segment of dialogue. Dialogue in Spanish is either preceded by an extended hyphen (—) or is enclosed in brackets (<<...>>) instead of the English form of quotation marks (" . . . "). You can also find clues in words such as **dijo**. Such words tell you who is saying the first line. You might find it useful to write on a sheet of paper the sequence of speakers as they shift from one to the next and back. See the example below.

> **Texto original**
> El maya dijo:
> —Quiero ser feliz.
> La lechuza respondió:
> —¿Quién sabe lo que es la felicidad?...
>
> *El maya: Quiero ser feliz.*
> *La lechuza: ¿Quién sabe lo que es la felicidad?...*

Vocabulario para leer

la lechuza *owl*	**el zorro** *fox*
el zopilote *vulture*	**la ardilla** *squirrel*
el venado *deer*	**la chachalaca** *chachalaca (a type of guan, a bird with a distinctive call)*
el ruiseñor *nightingale*	

Nota cultural

Sobre la civilización maya La civilización maya existió entre 2600 a.C. y 1511 d.C. en lo que hoy son Guatemala, Honduras, El Salvador, Belice y la parte este de México. Tenían una civilización muy avanzada; entre sus contribuciones culturales podemos contar con un calendario y un sistema de jeroglíficos que los científicos todavía no pueden descifrar *(decipher)* por completo.

Sobre las leyendas Los mayas tenían mucho respeto por el medio ambiente y todo lo que éste incluía: los pájaros, los reptiles, los insectos y las plantas. «La tristeza del maya» es una leyenda que muestra este amor por la naturaleza.

Differentiating Instruction

Multiple Intelligences

Visual Learners Have students make and label a set of pictures on folded card stock, representing each of the animal characters in the fable, as well as the maya. After reading through the fable, as well as the strategy, have students sit in a semi-circle and take parts reading the characters' lines. You may or may not choose to have a narrator.

Heritage Language Learners

Support What They Know Ask native speakers how they would say *owl* in Spanish. Explain that Spanish has a more specific set of vocabulary for the many species that English qualifies under the general term *owl*. In fact, **lechuza, búho, mochuelo, cárabo,** and **autillo** are all names for different types of owls.

Guerreros con máscaras *(c. 750–900 d.C.), pintura maya*

La tristeza del maya  AUDIO

Un día los animales se acercaron a un maya y le dijeron:

—Es una pena que estés triste. Pídenos lo que quieras y lo tendrás.

El maya dijo:

5 —Quiero ser feliz.

La lechuza respondió:

—¿Quién sabe lo que es la felicidad? Pídenos cosas más humanas. ❊

—Bueno —añadió el hombre—, es importante que tenga

10 buena vista [1].

El zopilote le dijo:

—Tendrás la mía.

—Es mejor que sea fuerte.

❊ **A pensar**
¿Por qué no pueden los animales dar la felicidad al maya?

---
[1] sight

✔ **Reflexiona**

¿Quién dice «Es mejor que sea fuerte»?

Lección 2
ciento noventa y cinco **195**

Differentiating Instruction

Pre-AP

Communicate Preferences The author and date of origin of this fable are unknown. Note that the painting at the top of the page is well over 1000 years old and cannot be traced to a specific artist. Ask students if their interpretation of art is affected when they don't have information about its creator. Does it make the piece more or less interesting to them? Why?

Multiple Intelligences

Intrapersonal Have students discuss the comment made by the barn owl, directing the maya to ask for things **más humanas que la felicidad.** Does he mean that happiness is something that all humans lack? Why might he say that? Have them cite references from the text in their discussion.

Social Studies

In the ancient Mayan city of San Bartolo, located in northeastern Guatemala, archeologists have recently made a discovery that revolutionized thinking about the early Mayan civilization. In December of 2005, the final wall of a room-sized mural dating back to 100 B.C. was unearthed. Not only does its sophisticated painting and writing challenge what archeologists believed about what they call the pre-classic period of Mayan history (that no such developed art/writing existed so early), but the mural's depiction of royalty suggests that archeologists were about 700 years late in dating the civilization's organization under a king. This evidence is supported by the additional recent discovery of a royal tomb, about a mile away.

Answers

A pensar Según la lechuza, no pueden darle felicidad al maya porque la felicidad no es una cosa humana.

Reflexiona El maya dice «Es mejor que sea fuerte».

195

Objectives
- Read a Mayan fable.
- Analyze the fable's references to nature.

Core Resource
- Audio Program: TXT CD 6 Track 10

Presentation Strategy
- Read and respond to the fable.

 STANDARDS
1.2 Understand language
1.3 Present information

Connections

Art

It's not surprising that animals are central figures in ancient Mayan art, since they were essential to the culture at every level. Mayans domesticated turkeys and dogs, and lived in an area inhabited by fox, owls, jaguars, rabbits, fish, birds, deer, and ducks. While these animals were hunted as food, they were also revered. One of the major most important Mayan gods Kulkucán, exhibited the characteristics of a fish, a lizard, and a vulture.

✓ Ongoing Assessment

Quick Check Ask students what strength each of the animals in the story is noted for. (For example: **el zopilote: buena vista.**)

Answers

Reflexiona Los animales quieren ayudar al maya; le prometen dar todo lo que pide.

196

❈ Lectura literaria *continuación*

Procesión de animales (c. 750–900 d.C.), pintura maya

El jaguar le dijo:

15   —Serás fuerte como yo.

—Quiero caminar sin cansarme.

El venado le dijo:

—Te daré mis piernas.

—Quiero adivinar[2] la llegada de las lluvias.

20   El ruiseñor le dijo:

—Te avisaré con mi canto.

—Es preferible que sea astuto[3].

---

[2] guess
[3] clever

 Reflexiona

¿Cómo reaccionan los animales ante los deseos del maya?

Differentiating Instruction

Inclusion

Metacognitive Support Give students a photocopied version of the text and have them read through the entire story, highlighting uses of the future tense in one color. Then have them go through it again, highlighting the subjunctive in a second color. Discuss how the two tenses are used (future to make promises/subjunctive to say what is good, important, or sad.)

Multiple Intelligences

Linguistic/Verbal Note the opposites in the story that give it a sense of balance: **acercarse/alejarse; triste/feliz; pedir/dar.** Have students work in pairs or small groups to make a list of as many opposites as they can, taking at least one word of each pair from the text.

Figura haciendo una ofrenda al Dios Itzamná
(c. 750–900 d.C.) Pintura en una vasija maya

El zorro le dijo:

—Te enseñaré a serlo.

25 —Quiero trepar⁴ a los árboles.

La ardilla le dijo:

—Te daré mis uñas⁵. ❈

—Será bueno que conozca las plantas medicinales.

La serpiente le dijo:

30 —¡Ah, ésa es cosa mía porque yo conozco todas las plantas!
Te las marcaré en el campo.

Y al oír esto último, el maya se alejó⁶.

Entonces la lechuza les dijo a los animales:

—El hombre ahora sabe más cosas y puede hacer más cosas,
35 pero siempre estará triste. ❈

Y la chachalaca se puso a gritar:

—¡Pobres animales! ¡Pobres animales! Ojalá el hombre aprenda
a pedir menos y dar más. Sólo así encontrará su felicidad.

---

⁴ climb
⁵ nails
⁶ **se...** he left

❈ A pensar
¿Crees que la naturaleza puede solucionar los problemas del hombre? Da ejemplos.

❈ A pensar
¿Por qué crees que los animales piensan que el hombre siempre estará triste?

PARA Y PIENSA

¿Comprendiste?

1. ¿En dónde crees que tiene lugar el diálogo?
2. Explica la relación entre lo que quiere el hombre y el regalo que le da cada animal.
3. ¿Por qué crees que la chachalaca gritó «Pobres animales» al final?
4. ¿Por qué el hombre pide tantas cosas?
5. La chachalaca cree que el hombre sólo encontrará su felicidad si aprende a pedir menos y dar más. ¿Estás de acuerdo o no? Explica tus razones.

¿Y tú?

En tu opinión, ¿qué puede el maya aprender de los animales? ¿Qué cualidad debe pedir el maya para ser feliz?

Lección 2
ciento noventa y siete **197**

Differentiating Instruction

English Learners

Build Background Have students share stories that feature indigenous animals from their region, that teach about learning to appreciate what you have, or in which humans gain wisdom from animals.

Multiple Intelligences

Naturalist Find out if any of your students has heard of the **curassow,** or specifically the **chachalaca** variety. It is a popular game bird found between Southern Texas and Nicaragua. One distinctive behavior of the **chachalaca** is that the flocks call chorally, in a regular rhythm, from the treetops at dawn and dusk. Ask students how they think the **chachalaca** might have derived its name.

✓ **Ongoing Assessment**

Alternative Strategy After discussing the A pensar questions, have students work in groups to rewrite *La tristeza del maya* in a modern-day setting. Encourage them to be creative in altering the characters as well as the abilities or other "gifts" sought by the main character, while maintaining a similar moral or lesson. Have groups perform their adaptations for the class.

Answers

A pensar

· Answers will vary. Sample answers:
No creo que la naturaleza pueda solucionar los problemas del hombre. La naturaleza y el hombre no se llevan bien—los huracanes destruyen los hogares de los hombres. El hombre contamina el aire y el agua.
· Los animales piensan que el hombre siempre estará triste porque no sabe dar, sino sólo pedir.

Para y piensa Answers will vary. Sample answers:

¿Comprendiste?

1. Creo que el diálogo se desarrolla en un bosque.
2. El hombre quiere buena vista así que el zopilote le dará la suya. Quiere ser fuerte y el jaguar le dice al hombre que será tan fuerte como él. Quiere caminar sin cansarse, y el venado le ofrece sus piernas. Quiere adivinar la llegada de las lluvias y por eso el ruiseñor le dice al hombre que le avisará con su canto. Desea ser astuto y el zorro le enseñará a serlo. El hombre quiere trepar a los árboles, por eso la ardilla le dará sus uñas. El hombre quiere conocer las plantas medicinales y la serpiente las marcará en el campo para él.
3. La chachalaca gritó «Pobres animales» al final porque quiere que los animales sepan que aunque los animales le dieron al hombre cosas, él siempre estará triste.
4. El hombre pide tantas cosas porque quiere encontrar la felicidad.
5. Sí, estoy de acuerdo. Una persona nunca estará contenta si sólo quiere lo que tiene otras personas.

¿Y tú? Answers will vary.

197

ESCRITURA

 Objective

- Write a business proposal to an investor.

Presentation Strategies
- Read the Escritura page aloud to the class. Ask students if there is something that can benefit their community, either the people, the environment, or transportation.
- As a class, generate a list of phrases that are useful when trying to persuade someone to support an idea or invention.
- Allow students Internet access to support their invention with research.

❀ STANDARD
1.3 Present information

✓ Ongoing Assessment

Peer Assessment Before students turn in their proposals, have them exchange papers for peer editing. Ask them to look for the following: all of the information from the writing strategy activity is in the proposal, each opinion is supported by facts and examples, and the subjunctive is used correctly with impersonal expressions.

 **Escritura**
La necesidad de apoyar un invento

Escribe una propuesta para un(a) inversionista local, pidiéndole dinero para apoyar un invento que puede beneficiar a toda la comunidad. Usa la siguiente secuencia de estrategias para organizar tus ideas.

❶ Prepárate para escribir
ESTRATEGIA **Selecciona un invento** Piensa en un invento que pueda ser útil para la comunidad. Piensa en algo que pueda ayudar a las personas, al medio ambiente o al tránsito.

❷ Escribe
ESTRATEGIA **Apoya tus opiniones con datos y ejemplos** Quieres que tu opinión sea persuasiva para que algunas personas den el dinero para el invento. Dibuja dos flechas como las siguientes. En el medio escribe tu opinión sobre el invento. En las flechas escribe datos, como qué elementos tiene y para qué sirve, y ejemplos de cómo se puede usar.

Luego escribe un breve discurso para persuadir al inversionista de que su dinero servirá para algo importante para la comunidad. Incluye tu opinión y las características de tu invento. Cada párrafo debe tener una oración principal con tu opinión, seguida de oraciones que la apoyen con datos y ejemplos.

Datos

Opinión
_____
_____
_____

Ejemplos

❸ Revisa tu composición
Lee el borrador de tu compañero(a).
- ¿Están claros la explicación y los beneficios del invento?
- ¿Está clara la opinión del inventor?
- ¿Usó el (la) escritor(a) el subjuntivo y las expresiones impersonales con precisión?
- ¿Hay una oración principal en cada párrafo?
- ¿Son precisas las oraciones que dan información adicional?
- ¿Es realmente persuasivo el discurso para conseguir dinero del inversionista?

Revisa tu composición incorporando las correcciones y sugerencias de tu compañero(a) que te parezcan apropiadas.

> El nuevo invento Puro Aire es importante para que nuestra comunidad está ~~está~~ *esté* saludable. Con este pequeño invento el aire estará siempre limpio.
> Es importante que ~~sabemos~~ *sepamos* usar este invento. Es muy fácil, sólo hay que presionar esta tecla.
> Su compañía puede donar dinero para producir este invento. Ayudará a la comunidad y será muy famosa entre toda la gente.

Differentiating Instruction

Inclusion
Clear Structure As an alternative to the strategy in step 2, hand out index cards to each student. Have them write each opinion (with supporting information and examples) on a separate card. Then have them number the cards according to where the information will appear in their proposal.

Heritage Language Learners
Writing Skills Pair native speakers together as peer editors and coach them in ways that raise the register of the language that they use in writing. For example, encourage them to choose specific adjectives to describe their invention. Also remind them to connect shorter statements with appropriate conjunctions.

Lección 2

En resumen

Vocabulario y gramática

Animated Grammar

Interactive Flashcards
ClassZone.com

Vocabulario

Discuss Obligations and Responsibilities

Social Awareness

el (la) ciudadano(a)	citizen	penalizar	to penalize
el compromiso	commitment	la política	politics
la conciencia social	social awareness	el principio	principle
encargarse de	to take charge of, to make oneself responsible for	respetar	to respect
		satisfacer	to satisfy
la irresponsabilidad	irresponsibility	la sociedad	society
		la unidad	unity

Inventions

comercializar	to market
invertir(ie, i)	to invest
novedoso(a)	novel, original
la patente	patent
el producto	product

Mistakes and Persistence

advertir (ie)	to warn	progresar	to progress
cometer	to make (a mistake)	prosperar	to prosper
emprender	to undertake	seguir adelante	to continue on, to carry on
el error	mistake, error		
insistir	to insist	solucionar	to solve
luchar	to struggle	superar	to overcome
persistir	to persist		

Other Words

la advertencia	warning
el fracaso	failure
la mejora	improvement
el obstáculo	obstacle
el sufrimiento	suffering

Present and Support an Opinion

criticar	to criticize	es raro que...	it is strange that . . .	por un lado...	on one hand . . .
es imprescindible que...	it is indispensable / imperative that . . .	evaluar	to evaluate	por el otro lado...	on the other hand . . .

Gramática

Present Subjunctive of Regular Verbs

hablar	tener	escribir
hable	tenga	escriba
hables	tengas	escribas
hable	tenga	escriba
hablemos	tengamos	escribamos
habléis	tengáis	escribáis
hablen	tengan	escriban

Spelling Changes

becomes

criticar	critique
investigar	investigue
penalizar	penalice
proteger	proteja
extinguir	extinga

More Subjunctive Verb Forms

Irregular Subjunctive Forms

dar	estar	ir	saber	ser
dé	esté	vaya	sepa	sea
des	estés	vayas	sepas	seas
dé	esté	vaya	sepa	sea
demos	estemos	vayamos	sepamos	seamos
deis	estéis	vayáis	sepáis	seáis
den	estén	vayan	sepan	sean

The subjunctive of **haber** is haya.

- Verbs ending in -ar and -er change e → ie or o → ue in all forms except **nosotros** and **vosotros**.
- Verbs ending in -ir that change e → ie or o → ue have a different change (e → i or o → u) in the **nosotros** and **vosotros** forms.
- Verbs that change e → i have the same stem change in all forms.

Lección 2
ciento noventa y nueve **199**

Differentiating Instruction

Slower-paced Learners

Memory Aids Sometimes students are the best source for mnemonic devices. Survey the class to find out what each person considers to be the most challenging word or phrase to spell or to use correctly. List them on the board. Review the list and have the class share any tricks or strategies they use to remember the word or phrase.

Pre-AP

Persuade Have students make up sentences using the subjunctive with an impersonal expression and at least two vocabulary items, to persuade a friend to join their study group. For example: **Es imprescindible que persistamos juntos para no fracasar en el examen. Es mejor que hagas un compromiso al grupo para seguir adelante hasta el examen.**

TEACHER to TEACHER

Meryl Jacobson
Kingston, MA

Tips for Review

"**Charla eternal** I give each student an index card. I assign each student one question from a set or from several sets of textbook questions. Students copy the question on one side of the index card and produce a generic response on the other side. I check their cards for accuracy and then have students intermingle. Each student finds another to whom he or she asks the question. The student answering the question becomes the asker. After both questions are asked and answered, students exchange cards and find a different student with whom to speak."

Long-term Retention

Study Tip

If students study by reciting verb forms out of context, encourage them to at least precede each subjunctive form with the word **que** (**que yo tenga, que tú tengas...**) Explain that this will help them remember that the form is not the regular present (indicative) tense. Tell them it will also help them remember to use the **que** when employing the form in a sentence.

Objective

· Review lesson grammar and vocabulary.

Core Resources

· *Cuaderno, pp. 133–144*
· Audio Program: TXT CD 6 Track 11

Presentation Strategies

· Draw students' attention to the accomplishments listed under the ¡Llegada! banner.
· Assign review activities as class work or as homework.

STANDARDS

1.2 Understand language, Act. 1, 4
1.3 Present information, Act. 3
2.1 Practices and perspectives, Act. 5
2.2 Products and perspectives, Act. 5

Warm Up UTB 3 Transparency 23

Subjuntivo Completa las oraciones con el verbo apropiado de la lista, en el subjuntivo.

dar	estar	ir
saber	ser	haber

1. Es necesario que tú _____ mi número.
2. No es verdad que _____ carros volantes.
3. Es importante que ustedes _____ callados.
4. Es posible que yo _____ a la ciudad solo.
5. Es probable que nosotros _____ los únicos amigos de ella en la fiesta.
6. No es bueno que usted le _____ dinero.

Answers: 1. sepas; 2. haya; 3. estén;
4. vaya; 5. seamos; 6. dé

✓ Ongoing Assessment

Quick Check Have students write three sentences using impersonal expressions and the subjunctive to give advice to a friend who will be new to the school next fall.

Answers UTB Transparencies 30–31

Activity 1
1. responsabilidad; 2. trabajen; 3. sepa;
4. reduzca; 5. persistir; 6. sean

Activity 2
1. participe; 2. compartan; 3. respeten;
4. resolvamos; 5. superemos; 6. emprenda;
7. solucionen

200

Repaso de la lección

¡LLEGADA!

@HomeTutor
ClassZone.com

Now you can
· discuss obligations and responsibilities
· present and support an opinion
· express a point of view and make recommendations

Using
· present subjunctive of regular verbs
· more subjunctive verb forms
· impersonal expressions

🎧 **Audio Program**
TXT CD 6 Track 11
Audio Script, TE
p. 175B

To review
· vocabulary pp. 178–179
· present subjunctive of regular verbs p. 183
· more subjunctive verb forms p. 188

AUDIO

1 **Listen and understand**

Escucha el siguiente segmento de un programa de radio donde participan el locutor, la Dra. Delgado y dos radioyentes. Luego, completa las siguientes oraciones con las palabras que faltan.

1. La Dra. Delgado dice que el peor problema medioambiental que tenemos es la _____ .
2. Según la doctora, es imprescindible que todos _____ para cambiar la situación.
3. Un oyente le pide que no _____ mucho dinero.
4. La doctora dice que es preferible que nos _____ de dos cosas.
5. La doctora dice que ojalá los proyectos _____ más baratos en el futuro.

To review
· present subjunctive of regular verbs p. 183

2 **Discuss obligations and responsibilities**

Luis y Virginia sueñan con la idea de crear una compañía perfecta. Completa sus descripciones de esta compañía con las formas correctas de los verbos indicados.

En la compañía ideal, es necesario que cada empleado **1.** (participar) en las decisiones más importantes. Es imprescindible que todos **2.** (compartir) los mismos valores. Es preferible que todos **3.** (respetar) a los demás, sin tener prejuicios. Es lógico que, juntos, nosotros **4.** (resolver) los problemas y que **5.** (superar) los obstáculos que se presenten. No es preferible que un empleado **6.** (emprender) algo sin la ayuda de los demás: es mejor que todos **7.** (solucionar), juntos, los problemas.

Differentiating Instruction

Inclusion

Metacognitive Support If some of your students tend to lose focus during listening activities, let them know ahead of time that you will hold up fingers to indicate what item number refers to what they are hearing. Your assistance will help them to know when to skip items and leave them for a second hearing, or when to refocus their attention.

Pre-AP

Expand and Elaborate Solicit details from students about the type of company they would start in Activity 2. Ask about the product(s) or service(s) that they would offer. Give them time to come up with a slogan using an impersonal expression, and share it with the person next to them.

To review
- more subjunctive verb forms p. 188

3 Express a point of view and make recommendations

Gonzalo inventó un aparato que recicla el calor *(heat)* del horno y lo usa para calentar *(to heat)* agua. Ahora todo el mundo le da consejos sobre cómo comercializar el aparato.

1. es lógico / tú sacar una patente
2. es imprescindible / el aparato ser barato
3. es preferible / los científicos analizar el invento
4. es importante / nosotros hacer una campaña de publicidad
5. es necesario / el invento satisfacer al público

To review
- expressions for giving opinions p. 178

4 Present and support an opinion

Mirta y Francisco son amigos pero nunca tienen la misma opinión. Completa su conversación con palabras de la lista.

creo que	por un lado
en mi opinión	por el otro lado
estoy de acuerdo con	según

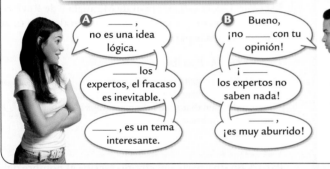

A
——, no es una idea lógica.

—— los expertos, el fracaso es inevitable.

——, es un tema interesante.

B
Bueno, ¡no —— con tu opinión!

¡ los expertos no saben nada!

——, ¡es muy aburrido!

To review
- Comparación cultural pp. 184, 190

5 Technology and art

Comparación cultural

Contesta las preguntas según lo que leíste en esta lección.

1. ¿Qué océanos conectan el canal de Panamá?
2. ¿Cómo cambió el país y su población después de la construcción del canal?
3. ¿Quién era José Antonio Velásquez?
4. Menciona dos características del arte ingenuo.

Más práctica Cuaderno *pp. 133–144* Cuaderno para hispanohablantes *pp. 135–144*

Get Help Online
ClassZone.com

Lección 2
doscientos uno **201**

Differentiating Instruction

Heritage Language Learners

Writing Skills Ask native speakers to combine their answers to Activity 5 questions one and two into a paragraph about the importance of the Panama Canal, and numbers three and four into a paragraph about **arte ingenuo**, referring back to Velásquez. Have them read their paragraphs to a classmate for suggestions on how to improve their writing with transitional words and phrases.

Multiple Intelligences

Interpersonal Divide the class into pairs of students and have them pick a topic to debate, using the opinion phrases listed in Activity 4 to guide them. Topics to suggest: candidates for an upcoming election; allocation of school's budget toward sports/ arts; the Internet's impact on the future.

Long-term Retention

Critical Thinking

Encourage students to **conceptualize** how an oven's generated energy could be reused in a water heater. Talk as a class about whether this same concept could be applied to other heating or cooling devices that they are familiar with.

@HomeTutor
More Practice
ClassZone.com

✓ **Ongoing Assessment**

Intervention / Remediation If students have more than one mistake in any activity, they should review the indicated PE pages. For additional practice, students can visit ClassZone.com.

Answers UTB 3 Transparency 31

Activity 3
1. Es lógico que saques una patente.
2. Es imprescindible que el aparato sea barato.
3. Es preferible que los científicos analicen el invento.
4. Es importante que hagamos una campaña de publicidad.
5. Es necesario que el invento satisfaga al público.

Activity 4
–**En mi opinión,** no es una idea lógica.
–Bueno, ¡No **estoy de acuerdo** con tu opinión!
–**Según** los expertos, el fracaso es inevitable.
–**Creo que** los expertos no saben nada.
–**Por un lado,** es un tema interesante.
–**Por el otro lado** es muy aburrido.

Activity 5 Answers may vary.
1. El canal de Panamá conecta el océano Atlántico con el Pacífico.
2. Con la construcción del canal, Panamá se convirtió en un país mucho más conocido e importante al comercio internacional. La población se diversificó por la integración de los trabajadores que lo construyeron.
3. José Antonio Velásquez era un pintor hondureño que popularizó el estilo ingenuo.
4. El arte ingenuo, o primitivista, reproduce el estilo de los niños o los hombres primitivos. El arte se enfoca en los detalles del escenario y en las actividades de la gente.

201

Objectives

- Read two students' descriptions of natural resources and programs to protect those resources in their area.
- Students write a description of the natural environment in their region.
- Compare the natural environment of students' region and the programs to protect it with those described by the two students.

Core Resources

- *Cuaderno,* pp. 145-147
- Audio Program: TXT CD 6, Track 12

Presentation Strategies

- Have students read the title on p. 202. Ask them what they know about protecting the environment and nature. Suggest that they list organizations they've heard of or participated in. Have them brainstorm and list on the board what kinds of natural resources might need protection in Guatemala and Costa Rica. After reading the text, go back to the list on the board and circle any items mentioned in this reading.
- Have students listen to the audio as they follow along in their text.
- Ask for volunteers to read the two accounts. After each reading, encourage these or different volunteers to paraphrase in Spanish the content of the reading.

✿ STANDARDS

1.2 Understand language
1.3 Present information
3.1 Knowledge of other disciplines
4.2 Compare cultures

Connections

Geography

Have students research the geography of Guatemala and Costa Rica. They should find the number of mountains and volcanoes, percentage of land occupied by rain forest, miles of coastline, bodies of water, and so on. They can present the information in the form of charts, diagrams, or labeled maps. Students should also find out how much of each country is protected by parks or reserves.

Comparación cultural

 AUDIO

Protejamos la naturaleza

Lectura y escritura

 WebQuest
ClassZone.com

① **Leer** Lee las actividades que hacen Manuela y Ruth para proteger la naturaleza.

② **Escribir** Usa la información de Manuela y de Ruth como modelo, y escribe una composición sobre la naturaleza de tu zona, cómo la cuidan y quiénes participan.

> **ESTRATEGIA Escribir**
>
> **Use "LAP" diagrams for projects**
> For each environmental preservation project, create a diagram that shows the place (*lugar*), the activities (*actividades*), and the people (*personas*).
>
> *(Diagram: circle divided into three sections — Lugar, Actividades, Personas)*

Paso 1 En una parte del círculo escribe el nombre del lugar, los animales y el tipo de vegetación que hay allí.

Paso 2 En otra parte del círculo haz una lista de las actividades que se hacen para proteger el lugar.

Paso 3 En la tercera parte escribe qué personas participan para cuidar el lugar. Usa la información de los círculos para escribir tu ensayo. Luego revisa la gramática y la ortografía.

Compara con tu mundo

Usa el ensayo que escribiste y compara la naturaleza de tu ciudad o región con la de los países de Manuela y de Ruth. ¿Hay animales parecidos? ¿Hacen tareas similares para cuidar la naturaleza? ¿Qué diferencias hay entre tu región y las de ellas?

Cuaderno pp. 145–147 Cuaderno para hispanohablantes pp. 145–147

Unidad 3
202 doscientos dos

Differentiating Instruction

Inclusion

Frequent Repetition After every one to two sentences of the reading, pause and rephrase the information. For example, **Manuela es de Guatemala, y para ella es importante tener reservas y refugios para conservar la naturaleza.**

Multiple Intelligences

Visual Learners Have students make a Venn diagram for PEU (Proyecto Ecológico Quetzal) and FSM (Fundación Salvemos al Manatí). Then have them place the following words in the correct part of the diagram: **cuidar animales, naturaleza, cuidar plantas, pájaros, Costa Rica, prohibición de botes, Guatemala, protección, manatíes, reserva, maya quiché.**

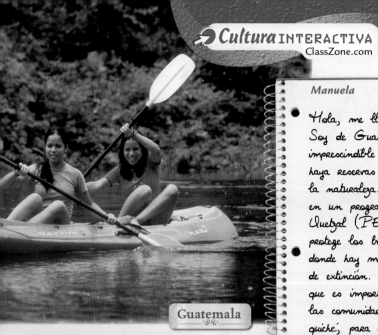

Manuela

Hola, me llamo Manuela Samalea. Soy de Guatemala, y creo que es imprescindible que en nuestros países haya reservas y refugios que conserven la naturaleza. El año pasado participé en un programa del Proyecto Ecológico Quetzal (PEQ). El programa protege los bosques de la región, donde hay muchos pájaros en peligro de extinción. El PEQ también cree que es importante que trabajemos con las comunidades indígenas locales, maya quiché, para conservar los recursos naturales de la zona. En Guatemala y en otros países de Centroamérica, la naturaleza está en peligro. Es necesario que la cuidemos.

Guatemala

Ruth

Costa Rica

¡Hola! Soy Ruth Blanes. Soy costarricense y vivo cerca del Parque Nacional Braulio Carrillo. Es lamentable que el desarrollo industrial destruya la vida natural. Por eso es importante que cuidemos a los animales y las plantas de esta región.

Este parque es una de las zonas protegidas más grandes de Costa Rica, con cinco ecosistemas diferentes. Allí se pueden ver más de 600 especies de árboles, 500 especies de pájaros, 135 especies de mamíferos y cien especies de mariposas. ¡Imagínate!

También soy voluntaria en la Fundación Salvemos al Manatí. En esta reserva no hay botes a motor, cacería ilegal ni pesticidas que pongan en peligro la vida de los manatíes.

Centroamérica
doscientos tres **203**

Comparación cultural

Exploring the Theme

Central America is like a land bridge that connects the two American continents. This relatively small area has a high concentration of geographical diversity, with twenty different life zones, ranging from semi-desert to cloud forest. This is also a migratorial crossroads: some species migrate south from North America while others migrate north from South America, and still others migrate all the way across the bridge. Although Central America accounts for less than 1% of the world's landmass, it is home to 10% of the world's vertebrates and 8% of the world's known plant species. To protect its forests, plants, and animals, the Central American countries have formed alliances and established some 250 national parks, nature reserves, and biospheres.

✓ Ongoing Assessment

Rubric Lectura y escritura

Writing Criteria	Very Good	Proficient	Not There Yet
Content	Paragraph contains information on at least four aspects of nature in the area.	Paragraph contains information on two to three aspects of nature in the area.	Paragraph contains information on one or no aspects of nature in the area.
Communication	Paragraph is well organized and easy to follow.	Paragraph is fairly well organized and easy to follow.	Paragraph is disorganized and hard to follow.
Accuracy	Paragraph has very few mistakes in vocabulary and grammar.	Paragraph has some mistakes in vocabulary and grammar.	Paragraph has many mistakes in vocabulary and grammar.

Objective
· Introduce the third mission of the Desafío.

Core Resource
· El Gran Desafío Video: DVD 2

Presentation Strategies
· **Previewing** Have students look at the photos and comment on what the contestants seem to be doing in each. Where might they be? What might the significance be of the rake, pruners, leaves, flowers, and sneakers? Then ask a volunteer to read the **desafío** summary on p. 204 aloud. Elicit answers to the Antes del video questions. Ask students to support their answers with details.
· **Viewing** Review the **Toma apuntes** questions on p. 205. Encourage students to copy the questions in their notebooks or on a piece of paper, leaving space for the notes they'll write. Play the video, then allow students time to review their notes.
· **Post-viewing** Play the video again. Have volunteers read each of the **Después del video** questions and elicit answers from the class. Ask if they agree or disagree with any given answer.

STANDARDS
1.2 Understand language
3.2 Acquire information
5.2 Life-long learners

Video Summary
@HomeTutor
VideoPlus
ClassZone.com

The professor and the groups arrive at a national park and are greeted by a park warden, Sr. Gonzáles. Professor Dávila announces today's challenge: to conserve, protect, and value the environment. Luis and María must plant trees to protect the soil from erosion. José and Carmen must trim select plants to conserve and protect the flora. Ana and Marco must collect a pile of plastic bottles and take them to be recycled. María and Luis are learning to work well together. José proves to be quite lazy. Ana and Marco work against each other. María and Luis win this challenge.

204

UNIDAD **3**

EL GRAN DESAFÍO INTERNACIONAL

EL DESAFÍO
VIDEO DVD

En este desafío, los equipos deben conservar, proteger y valorar el medio ambiente. El profesor les va a dar varios papeles con actividades relacionadas con el medio ambiente. Cada equipo debe elegir una de estas actividades.

Antes del video

1. ¿Qué actividad relacionada con el medio ambiente crees que Luis y María están haciendo? ¿Crees que forman un buen equipo? ¿Se llevan bien o mal?

2. Describe lo que ves en esta foto. ¿Qué crees que está pasando?

SÓLO PARA RECICLAR

3. ¿Qué actividad crees que José y Carmen deben hacer? ¿Dónde puede estar José? ¿Qué crees que está haciendo?

204 Unidad 3
doscientos cuatro

Differentiating Instruction

Inclusion

Synthetic/Analytic Support After students watch the video, have them work in pairs to make a list of environmental terms that are very similar to their counterparts in English, such as **conservar, proteger, valorar, evaluar, erosión,** and **reciclar.** Instruct them to use two or three words in sentences.

Heritage Language Learners

Writing Skills Have students write a paragraph or two about what conservation activities they have either been a part of or would like to partake in. Ask them to explain how those activities benefit the environment.

Los grupos eligen sus actividades.

Mira el video: Toma apuntes

- ¿Está escuchando María lo que dice el profesor?
- ¿Qué equipo elige «suelo y erosión»? ¿Qué deben hacer?
- ¿Qué actividad deben hacer José y Carmen?
- Describe cómo piensa José hacer su actividad.
- ¿Por qué se enoja Carmen con José?
- ¿Qué equipo elige el reciclaje?
- ¿Por qué no quiere ir al basurero Ana?
- ¿Dónde está la bolsa con los plásticos?

Después del video

1. ¿Qué equipo ganó este desafío? ¿Por qué crees que ganaron?
2. Lee tus apuntes y di por qué los otros equipos no ganaron.
3. Piensa en la actitud de Ana y Marco. Escribe unos consejos para ellos.

@HomeTutor VideoPlus
ClassZone.com

El Gran Desafío
doscientos cinco **205**

Connections

Science

Ask students what they know about selectively pruning or removing certain plants in order to protect others. Instruct them to work in pairs to research the topic on the Internet or in the library, using the keyword search *invasive plants* + [their area]. Then have them report their findings to the class.

Communication

Interpersonal Mode

Divide students into groups of three. Ask them to discuss whether they, like María and Luis, have ever met someone whom they thought was very different from them, but who eventually became their friend. Have them describe what they found they had in common with that person.

Differentiating Instruction

Slower-paced Learners

Personalize It Have students form pairs and talk about which of the three activities that the teams participated in and which was the most important for protecting the environment. Ask them to consider which activity they would most like to participate in, and why.

Multiple Intelligences

Naturalist Encourage students to make a list of six other activities the teams could have engaged in that would also benefit the environment. Then have them consider and write down which two activities they would assign each team.

Answers

Después del video Answers will vary.
Sample answers:
1. María y Luis ganaron este desafío. Creo que lo ganaron porque trabajaron en equipo y plantaron todas las plantas.
2. Carmen y José no ganaron porque sólo Carmen trabajó. Marco y Ana no pudieron llegar a un acuerdo de quién iba a hacer qué.
3. Es mejor que trabajen juntos.

Objective
· Cumulative review.

Core Resource
· Audio Program: TXT CD 6 Track 13

Review Options
· **Activity 1:** Transitional practice: listening and speaking
· **Activity 2:** Open-ended practice: speaking and writing
· **Activity 3:** Open-ended practice: speaking and writing
· **Activity 4:** Open-ended practice: speaking and writing
· **Activity 5:** Open-ended practice: speaking and writing
· **Activity 6:** Open-ended practice: speaking and writing
· **Activity 7:** Open-ended practice: writing

STANDARDS
1.1 Engage in conversation, Act. 3, 6
1.2 Understand language, Act. 1
1.3 Present information, Act. 2–7
3.1 Knowledge of other disciplines, Act. 5, 6
4.2 Compare cultures, Act. 6

✓ Ongoing Assessment

Alternative Strategy Have students practice the past tenses by researching, designing, and presenting a timeline showing natural disasters throughout the history of one Central American country, or natural disasters of a certain kind (floods, for instance) throughout all of Central America. Have them label each event on the timeline with a caption explaining the cause and/or effects of the event.

Answers

Activity 1
1. Está en Honduras.; 2. Informa sobre inundaciones.; 3. Amenazan una pirámide.; 4. Hará sol y no lloverá.; 5. Es importante que lleven agua y comida.

Activity 2–7 Answers may vary.

🎧 **Audio Program**
TXT CD 6 Track 13
Audio Script, TE p. 175B

1 Escucha, comprende y contesta

Escuchar
Hablar

Escucha el informe sobre un desastre natural en Copán, una ciudad importante por sus ruinas mayas. Luego, contesta las preguntas.

1. ¿En qué país está el reportero?
2. ¿Sobre qué desastres informa?
3. Nombra uno de los problemas que causaron los derrumbes.
4. ¿Cuál es el pronóstico para los próximos días?
5. ¿Qué es importante que lleven los visitantes a la zona?

2 Informa sobre los desastres

Hablar
Escribir

Investiga uno de los siguientes temas en Centroamérica y prepara un informe sobre los eventos más recientes, sus efectos y la colaboración de otros países. Presenta tu informe en clase. Debes incluir material visual.

los temblores
las erupciones volcánicas
los incendios
la desertificación
los derrumbes
las inundaciones

3 Haz una propuesta

Hablar
Escribir

Tus compañeros(as) y tú son miembros del Comité Ecológico de la Organización de Estados Centroamericanos. Deben identificar un problema medioambiental, describir sus causas y consecuencias, y preparar una propuesta con soluciones posibles. Después, presenten su información a los (las) demás delegados(as) de la Organización (la clase). Utilicen mandatos y expresiones impersonales con infinitivo.

4 Planea un programa

Hablar
Escribir

Con unos(as) compañeros(as), diseñen un programa ecológico para atraer a voluntarios a tu comunidad o estado. El programa debe incluir elementos de intercambio cultural como: visitas a lugares de interés y un proyecto ecológico concreto que necesite la colaboración de muchos voluntarios. Incluyan en su presentación una descripción detallada de los dos aspectos del programa y sus ideas para promocionarlo. Utilicen el futuro y las preposiciones **por** y **para.**

Differentiating Instruction

Slower-paced Learners

Peer Study Support Allow students to complete Activity 2 in pairs. Specify that in this case the task should be divided into two parts, with each student creating a poster or other visual aid for the presentation. One student might communicate the progression and severity of the disaster or event, while the other focuses on the recovery and relief effort.

Inclusion

Cumulative Instruction If students are discouraged from writing due to difficulty with the future tense, allow them to write the first draft of their program descriptions in Activity 4 using the construction **ir** + **a** + infinitive. After they have their ideas on paper, take time to review the future tense with them and guide them in working it into their essay.

5 Compara plantas

Hablar
Escribir

Investiga sobre las plantas medicinales y la ecología de los países centroamericanos. Prepara una presentación sobre tres plantas específicas que puedes cultivar en tu jardín o en el jardín ecológico de tu escuela. Identifica las plantas, muestra fotos y explica para qué y cómo se usa cada una. Utiliza comparaciones y la forma **se** impersonal.

Por ejemplo:

La manzanilla (chamomile) es una hierba fácil de cultivar. Sirve para calmar los nervios y el dolor de estómago. Además, es relajante y ayuda a las personas a dormir. Se hace un té de las hojas de la planta y se bebe.

6 Colabora en grupo

Hablar
Escribir

Los países centroamericanos son nuestros vecinos y, como tales, tenemos muchos puntos de contacto. Con unos(as) compañeros(as), piensen en la economía, la ecología, la educación, el desarrollo tecnológico y la cultura, para identificar tres intereses comunes entre Estados Unidos (o tu comunidad) y los países centroamericanos. Luego, hagan una lista de sugerencias para fomentar la colaboración internacional y solucionar problemas en una de las áreas que identificaron. Presenten sus ideas a la clase. Utilicen el subjuntivo con expresiones impersonales.

7 Escribe sobre las edades

Escribir

Escribe un ensayo sobre cuál crees que sea la mejor edad. Describe tu propia niñez (*childhood*), tu vida actual e imagina tu vida como adulto. Usa el pretérito, el presente y el futuro.

Organiza tus ideas según las épocas siguientes:

Mi niñez: ¿Cómo era?
¿Qué hacía?

Mi vida actual: ¿Cómo es?
¿Qué hago?

Mi vida adulta: ¿Cómo será?
¿Qué haré?

Communication

Grammar Activity

Provide extra practice with impersonal expressions by having students role-play a phone conversation between two friends who are getting ready for a camping trip. Have them ask questions like **¿Es necesario traer (una cantimplora)?** and use the subjunctive in at least three responses.

✓ Ongoing Assessment

Integrated Performance Assessment Rubric Oral Activities 3–6
Written Activities 2–7

Very Good	Proficient	Not There Yet
Student thoroughly develops all requirements of the task.	Student develops most requirements of the task.	Student does not develop the requirements of the task.
Student demonstrates excellent control of verb forms.	Student demonstrates good-to-fair control of verb forms.	Student demonstrates poor control of verb forms.
Good variety of appropriate vocabulary.	Adequate variety of appropriate vocabulary.	Vocabulary is not appropriate.
Pronunciation is excellent to very good.	Pronunciation is good to fair.	Pronunciation is poor.

Differentiating Instruction

Pre-AP

Support Ideas with Details Encourage advanced students to use the past tenses to describe the origins of the plants that they present about in Activity 5, telling where it was discovered (preterite), how it was used by indigenous people groups (imperfect), other names that it was known by (imperfect), and how scientists became aware of its value in modern medicine (preterite).

Multiple Intelligences

Visual Learners Have students accompany their writing assignment in Activity 7 with an image for each segment of the essay. These can be original drawings, photographs, or symbolic collages designed to support their descriptions of each stage in life. Instruct students to try to communicate through their illustrations as well as their essay which time period is, in their opinion, the best.

Proyectos adicionales

❖ Web Research

Oscar Hijuelos Oscar Hijuelos, an American novelist of Cuban heritage, has written several novels that explore the lives and circumstances of Cuban-Americans. Have students research Hijuelos and his novels online. Guide their research by having them answer these questions:

- Which one of Hijuelos' novels won the Pulitzer Prize? Which one was adapted into a Hollywood movie?
- How, if at all, did Hijuelos' life change after winning the Pulitzer Prize and having one of his novels made into a movie?
- Other than the Pulitzer Prize, what honors and awards has Hijuelos received?
- What themes and issues does Hijuelos emphasize in his work?

Have students present what they learned from their online research. Encourage them to note interesting and relevant information to share with the class.

Search Key Words: "Oscar Hijuelos," "Cuban-American novelists," "Oscar Hijuelos movie"

> **PACING SUGGESTION:** One 90-minute class period at the end of Lección 2.

❖ Music

Guantanamera Explain to students that *Guantanamera*, one of the most famous Cuban songs of all time, is set to verses written by one of the most famous Cubans of all time, José Martí (1853–1895). Explain that Martí was a poet and patriot who died fighting for independence from Spain in 1895. Numerous versions of *Guantanamera* have been recorded and performed by artists ranging from folk singer Joan Baez to jazz bandleader Tito Puente. If possible, play a recording of the song, and hand out copies of the Martí poem, *Yo soy un hombre sincero,* on which the song is based. Have students read the lyrics. When they are done, guide discussion by asking these questions:

- Who do you think Martí addresses in his poem?
- How do you think Martí's background as a Cuban patriot influenced his poetry?
- What do you think Martí would think about the song *Guantanamera* and how it has evolved from his poetry?

Record students' answers on the board.

> **PACING SUGGESTION:** One 50-minute class period at the end of Lección 1.

❖ Bulletin Board

Héroes Ask students to think of a person that they admire. It can be a famous public figure or someone they know personally. Have them find images of this person in magazines or on the Internet, if this person is a public figure. They can also bring in their own photos or draw a picture. Students should write a short paragraph to accompany the picture describing why they chose this person (e.g. What qualities do they have that they admire? What are their accomplishments?) Encourage them to use the vocabulary from Lecciones 1 and 2. Before posting them on the bulletin board, ask each student to say a few words about the person they have selected.

> **PACING SUGGESTION:** One 50-minute class period at the end of Lección 2.

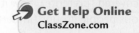
Get Help Online
ClassZone.com

Storytelling

¡El mejor del mundo!

After reviewing the vocabulary from Lecciones 1 and 2, model the following mini-story.

Nunca olvidaré cuando vi a Félix Sánchez ganar los 400 metros valla en los Juegos Olímpicos. ¡Qué bueno que el decidió **representar** la República Dominicana! Su **logro** fue increíble y le trajo mucha **fama.** Me gustaría **imitar** a Sánchez y ganar una medalla de oro, pero **dudo que** yo pueda correr tan rápido como él. Mi **entrenador** me **aconseja que practique** más si quiero **lograr** mi sueño. **Idealizo a** Sánchez como el atleta olímpico perfecto.

As you tell the story, be sure to pause so that students may fill in words and act out gestures. Students should then write, narrate, and read aloud a longer main story.

PACING SUGGESTION: One 50-minute class period at the end of Lección 2.

 ## Careers

La biología marina The coral reefs of Puerto Rico and other Caribbean islands are a vital natural resource, but one that is increasingly threatened by a variety of factors. Have students research careers in tropical marine biology and identify what some of the threats to the coral reefs are. How are marine biologists dealing with these problems? What knowledge and skills would a person need to become a marine biologist? How would knowledge of Spanish be helpful? Would this be a career that interests them? Have them give reasons why or why not.

PACING SUGGESTION: One 50-minute class period at the end of Lección 1.

 ## Recipe

Ensalada de aguacate y cebolla Avocados are grown throughout the Caribbean as well as Central and South America. This easy recipe can be made in class one day and served the next after the salad sets.

Ensalada de aguacate y cebolla

Ingredientes
4 aguacates medianos
1 cucharadita de sal
2 cucharadas de jugo de limón
8 onzas de crema agria
2 cebollas pequeñas, ralladas
2 cucharas de salsa inglesa
4 sobres de gelatina sin sabor
1 taza de agua fría
1 taza de mayonesa
1/2 tazas de agua caliente
1/2 taza de agua fría

Instrucciones
Mezcle todos los ingredientes en una licuadora, menos el agua y la gelatina. Coloque la gelatina en un tazón y añada el agua fría. Mézclela bien y después añada el agua caliente y mezcle. Espere que la mezcla de la gelatina se disuelva y después viértala en la licuadora. Lícuelo todo junto. Después de licuarlo, ponga la mezcla en un molde. Coloque el molde en el refrigerador y espere hasta que se endurezca.
Receta para 6 a 8 personas
Tiempo de preparación: 20 minutos
Tiempo total: 90 minutos

UNIT THEME
That's how I'd like to be

✦ UNIT STANDARDS
COMMUNICATION
· Describe people
· Tell others what to do
· Express wishes and desires
· Describe people and things
· Express doubt, denial, and disbelief
· Express positive and negative emotions

CULTURES
· Félix Sánchez, Olympic Gold Medalist
· How sports celebrities help disaster victims
· How singers help people
· El Morro, San Juan, Puerto Rico
· Caribbean artists and their artwork
· Popular customs
· Independence heroes from Puerto Rico and Dominican Republic

CONNECTIONS
· Mathematics: Calculating the average from baseball statistics

COMPARISONS
· The Olympic Games
· The Spanish **j**
· The effects of formal education on a musician's talent and way of thinking
· Tourist places
· The importance of creating one's own style in art
· The influence of society and politics in artists' work
· Popular customs and how they vary from culture to culture
· Heroes of the Caribbean

COMMUNITIES
· Latino players in Major League Baseball

El Caribe
Así quiero ser

Lección 1
Tema: **¿Quién te inspira?**

Lección 2
Tema: **¿Quiénes son los héroes?**

La Habana

Cuba

República Dominicana

Puerto Rico

Mayagüez
Punta Cana
San Juan
Santo Domingo
Ponce
Carolina

«¡Oye!
Somos Inés, de Puerto Rico, y Enrique, de la República Dominicana. Somos caribeños. »

Mar Caribe

Almanaque cultural

Clima: Tropical. Dos estaciones: la seca (poca humedad y mucho calor) y la lluviosa (humedad y temperaturas más frescas)

Geografía: Islas llanas con algunas montañas

Comidas: arroz moro, frijoles negros, masas de puerco, congrí, plátanos maduros fritos

Gente famosa: Ricky Martin (cantante, Puerto Rico), Pedro Martínez (pelotero, República Dominicana), Gloria Estefan (cantante, Cuba), Julia Álvarez (escritora, República Dominicana), Alejo Carpentier (escritor, Cuba), Olga Tañón (cantante, Puerto Rico)

Arroz con mariscos

208 doscientos ocho

Cultural Geography

Setting the Scene
· ¿Qué profesión te interesa?
· ¿Para qué profesiones se necesita ser valiente?
· ¿Qué personas son héroes en la vida real?

Teaching with Maps
· ¿Qué tipo de geografía representan Puerto Rico, la República Dominicana y Cuba? (islas)
· ¿En qué mar están estos tres países? (Mar Caribe)
· ¿Cuál de los tres países caribeños está más cerca de EE.UU.? (Cuba)

◀ **Festivales con máscaras** En el Caribe es muy común ver festivales de máscaras gigantes. Esto ocurre especialmente durante el Carnaval. Algunos nombres de estos personajes de cabeza grande son vejigantes, cabezones y cojuelos. ¿*Qué tipo de disfraces* (costumes) *se usan en tu comunidad?*

Máscara del Carnaval de Ponce, Puerto Rico

Diversión en la calle Los fines de semana, los jóvenes caribeños se juntan y pasean por las calles de sus ciudades. Por las tardes salen a caminar y a tomar un refresco, y más tarde van a bailar. Salir en grupo es parte de la cultura hispana. ¿*Adónde vas a pasear los fines de semana?* ▶

*Jóvenes divirtiéndose
en Santo Domingo, República Dominicana*

◀ **Frutas tropicales** El Caribe tiene una producción muy importante de frutas. Las frutas tropicales son deliciosas y tienen mucho jugo. En las calles del Caribe puedes comprar fruta fresca o beber jugos de muchos sabores, como piña, mango y guayaba. ¿*Qué frutas son las más populares de tu región?*

Venta de cocos en Santo Domingo

El Caribe
doscientos nueve **209**

Cultura Interactiva
ClassZone.com

Cultura Interactiva Send your students to www.classzone.com to explore authentic Caribbean culture. Tell them to click on Cultura interactiva to see these pages come alive!

Culture

About the Photos

Caribbean Carnival Carnivals are very common in Caribbean countries. Neighborhoods organize floats, which are then entered into competitions and are awarded prizes at the end of Carnival. Floats are designed according to a particular theme. Common themes include different regions of the country, history, or popular tales. Often, each float has its own band on board, which plays conga, rumba, or other afro-Caribbean music.

Tropical Fruits Fruits found in the tropics grow to incredible sizes. The soil is rich in nutrients and the warm climate helps these fruits grow to incredible sizes. For example, in the Caribbean, a papaya is about the size of a very big eggplant and pineapples are one and a half times bigger than those found in the U.S.

Expanded Information

Caribbean Music Many popular music styles come from the Caribbean. More than 50 percent of international dance music comes from this region. The mambo, the cha-cha-cha, son, rumba, conga, bolero, danzón, and timba have their roots in Cuba; merengue hails from the Dominican Republic, and reggaeton is from Puerto Rico.

Population The Caribbean population is extremely diverse. Those who live there typically have mixed background: Spanish and African. Cuba is the most populated island in the Carribean with 11.4 million people; followed by the Dominican Republic with 9.5 million; and Puerto Rico with 3.95 million people.

Bridging Cultures

Heritage Language Learners

Support What They Know Ask students whose families come from Caribbean countries whether they have been to Carnaval celebrations. Have them describe the celebrations, including aspects such as the music, the food, the costumes, and the dancing. If they have any pictures taken at Carnaval, ask the students to bring them in to share with the class.

English Learners

Build Background Have students from other countries talk about what teenagers do for fun in their home countries. Do they do similar activities to those of Caribbean teens?

Lesson Overview

Culture at a Glance ❖

Topic & Activity	Essential Question
Félix Sánchez, campeón dominicano, pp. 210–211	¿Te inspiran los logros de atletas?
Roberto Clemente, p. 219	¿Deben las personas famosas ayudar a los demás?
Juan Luis Guerra, p. 224	¿De qué manera la educación formal puede afectar el talento de un músico y su forma de pensar?
«El sueño de América», por Esmeralda Santiago, pp. 228–231	¿Aprenden los niños del modelo de sus padres o tienen que aprender de sus propios errores?
Culture review: People and places, p. 235	¿Qué responsabilidad tiene la gente famosa del bienestar de la gente necesitada?

Practice at a Glance ❖

	Objective	Activity & Skill
Vocabulary	Personality	1: Speaking / Writing; 2: Speaking / Writing; 3: Reading / Writing; 4: Speaking / Writing; 9: Writing; 18: Writing / Listening / Speaking; Repaso 1: Listening
	Professions	7: Speaking / Writing; 11: Speaking / Writing; 17: Listening / Speaking / Writing
	Advice	14: Speaking; 15: Listening / Writing; 16: Writing
Grammar	Suffixes	5: Speaking / Writing; Repaso 3: Writing
	Subjunctive with **ojalá** and verbs of hope	6: Speaking / Writing; 7: Speaking / Writing; 8: Speaking; 9: Writing; 10 Speaking / Writing; 11: Speaking / Writing; 12: Speaking / Writing; Repaso 4: Writing
	Subjunctive with verbs of influence	13: Writing; 14: Speaking; 15: Listening / Writing; 16: Writing; 19: Writing; Repaso 2: Writing
Communication	Describe people	5: Speaking / Writing; 16: Writing; 18: Reading / Listening / Writing; 19: Writing
	Tell others what to do	14: Speaking
	Express wishes and desires	8: Speaking; 11: Speaking / Writing; 12: Speaking / Writing
	Pronunciation: The letter **q**	*Pronunciación: La letra q*, p. 223: Listening / Speaking
Recycle	**Ser** vs. **estar**	1: Speaking / Writing
	Future tense	9: Writing

The following presentations are recorded in the Audio Program for *¡Avancemos!*

- **¡A responder!** *p. 213*
- **16: ¿Qué te piden otros?** *p. 224*
- **18: Integración** *p. 227*
- **Repaso de la lección** *p. 234*
  1: Listen and understand

¡A responder! TXT CD 7 track 2

1. atrevido
2. generoso
3. impaciente
4. orgulloso
5. desagradable
6. vanidoso
7. comprensivo
8. tímido
9. considerado
10. sincero

15 ¿Qué te piden otros? TXT CD 7 track 6

modelo: Hola, habla mami. No olvides lo que te dije: regresa a casa antes de las diez.

1. Buenas tardes. Habla tu maestra de español. Por favor, escribe todos tus ensayos en la computadora.
2. Hola, ya sabes que habla tu hermana, ¿no? Bueno, te prohíbo que uses mi bicicleta.
3. Hola, ¿estás ahí? Bueno, soy Rafael. Ya voy para tu casa. Espero que estés listo para el partido de fútbol.
4. Hola, hola. Te llamamos de la escuela de detectives para darte una sugerencia. Compra un sombrero negro.
5. Buenas noches, habla Inés. Te pido una cosa: ¿puedes traer tu tarjeta de crédito?

18 Integración TXT CD 7 track 9

Fuente 2, Videoconferencia

Hola. Soy Angélica López, una de las líderes de la organización Líderes para el Futuro. Gracias por participar en esta videoconferencia. Recibimos el mensaje que pusiste en nuestro sitio web y nos gustó mucho lo que comentaste. Sabemos que quieres participar en nuestros programas. Queremos que nos expliques más. Esperamos que puedas conectarte de nuevo mañana a las seis de la tarde para otra videoconferencia. Durante la videoconferencia de mañana te pedimos, por favor, que hables un poco más sobre cómo personificas las cualidades de un líder. Ojalá puedas darnos ejemplos de tus experiencias. Hasta mañana.

Repaso de la lección TXT CD 7 track 11

1 Listen and understand

Luisa: Oye, Álvaro, ¡sugiero que lo pienses otra vez! Mamá nunca va a cambiar de opinión... no seas presumido.

Álvaro: Mira, Luisa, no dudes de mi sinceridad. Quiero que Mamá vea cómo soy ahora y no como yo era antes.

Luisa: ¡Nunca cambias!

Álvaro: Sólo quiero hablar con ella. Tú no quieres que ella tenga la oportunidad de pasar un rato conmigo.

Luisa: Lo que no quiero es que tú le cuentes todos tus problemitas a Mamá. Ya está vieja y no quiero que se preocupe demasiado.

Álvaro: Te felicito por tu consideración... pero te digo que voy a hablar con ella.

Luisa: Bueno, dejaré que hables con Mamá, pero espero que lo hagas con mucha discreción. Ya está muy nerviosa.

Álvaro: Lo sé, lo sé. Voy a tener mucha paciencia y no hablaré de cosas serias y problemáticas. Sólo quiero que ella tenga la oportunidad de conocerme de nuevo.

Luisa: ¡Suerte! ¡Después de veinte años, ojalá que te reconozca!

Álvaro: No seas desagradable, Luisa. Mamá es una persona muy comprensiva.

Luisa: Bueno, vamos a ver.... Sí, es comprensiva, pero no es estúpida. ¿Cómo va a reaccionar cuando tú le digas dónde estuviste estos veinte años?

Álvaro: Oye, Luisa... Dije que quiero hablar con ella. ¡No dije que quiero contarle toda mi vida!

Luisa: Menos mal. Ella no está muy fuerte. No quiero que se muera del susto escuchando todos tus secretos.

Álvaro: Ay, hermanita, ¡qué atrevida eres!

On your desktop

Everything you need to ...

Plan	Present	Assess
ONE-STOP PLANNER All resources including audio and video	**POWER PRESENTATIONS** Ready-made PowerPoint™ presentations with 	 ✓ Create customized tests with Examview Assessment Suite ✓ Individualized Assessment for on-level, modified, pre-AP, and heritage language learners

Print

Plan	Present	Practice	Assess
URB 4 • Family Letter p. 75 • Absent Student Copymasters pp. 77–84 **Lesson Plans** p. 75 **Best Practices Toolkit**	**TPRS** pp. 43–49	• *Cuaderno* pp. 148–170 • *Cuaderno para hispanohablantes* pp. 148–170 • *Lecturas para todos* pp. 148–153 • *Lecturas para hispanohablantes* • *¡AvanzaCómics! Mundos paralelos Episodio 2* **URB 4** • Practice Games pp. 29–36 • Audio Scripts pp. 53–57 • Map/Culture Activities pp. 65–66 • Fine Art Activities pp. 69–70	**URB 4** • Did you get it? Reteaching and Practice Copymasters pp. 1–12

Unit Transparency Book 4

Culture	Presentation and Practice	Classroom Management
• Atlas Maps UTB 1, 1–6 • Map: The Caribbean 1 • Fine Art Transparencies 2, 3	• Vocabulary Transparencies 6, 7 • Grammar Presentation Transparencies 10, 11	• Warm Up Transparencies 16–19 • Student Book Answer Transparencies 24–27

Audio and Video

Audio	Video
• Student Book Audio CD 7 Tracks 1–11 • Workbook Audio CD 2 Tracks 21–30 • Assessment Audio CD 2 Tracks 19–24 • Heritage Learners Audio CD 1 Tracks 25–28, CD 4 Tracks 19–24 • *Lecturas para todos* Audio CD 1 Track 8, CD 3 Tracks 1–5 • *Música del mundo hispano*	• *El Gran Desafío* DVD 2

Online (ClassZone.com) and Media Resources

Student	Teacher
Available online and on disc: • eEdition (DVD-ROM) and eEdition Interactive Online Student Edition • @Home Tutor (CD-ROM) - featuring Animated Grammar **Available online:** • Conjuguemos.com • Cultura interactiva • Culture Links • WebQuests • Flashcards • Review Games • Self-check Quiz	**One-Stop Planner (available online and on DVD-ROM):** • Interactive Teacher's Edition • All print resources • All audio and video resources • Learning Scenarios • Conversation Cards • Assessment Program • Examview Assessment Suite • Calendar Planner • Rubric Generator **Available on CD-ROM:** • Power Presentations

Differentiated Assessment

On-level	Modified	Pre-AP	Heritage Learners
• Vocabulary Recognition Quiz p. 155 • Vocabulary Production Quiz p. 156 • Grammar Quizzes pp. 157–158 • Culture Quiz p. 159 • On-level Lesson Test pp. 160–166	• Modified Lesson Test pp. 119–125	• Pre-AP Lesson Test pp. 119–125	• Heritage Learners Lesson Test pp. 125–131

Core Pacing Guide

	Objectives/Focus	Teach	Practice	Assess/HW Options
DAY 1	**Culture:** Learn about Caribbean culture **Vocabulary:** personal characteristics and ways to describe people, professions • Warm Up OHT 16 **5 min**	Unit Opener pp. 208–209 Lesson Opener pp. 210–211 **Presentación de vocabulario pp. 212–213** • Read A–C • Play audio TXT CD 7 track 1 • *¡A responder!* TXT CD 7 track 2 **25 min**	Lesson Opener pp. 210–211 **Práctica de vocabulario p. 214** • Acts. 1, 2, 3 **15 min**	**Assess:** *Para y piensa* p. 214 **5 min** **Homework:** *Cuaderno* pp. 148–150 @HomeTutor
DAY 2	**Communication:** talk about the main characteristics of a person • Warm Up OHT 16 • Check Homework **5 min**	**Vocabulario en contexto** pp. 215–216 • *Contexto I* TXT CD 7 track 3 • *Nota gramatical:* suffixes adj > noun **20 min**	**Vocabulario en contexto** pp. 215–216 • Acts. 4, 5 **20 min**	**Assess:** *Para y piensa* p. 216 **5 min** **Homework:** *Cuaderno* pp. 148–150 @HomeTutor
DAY 3	**Grammar:** subjunctive with verbs that express hopes or wishes • Warm Up OHT 17 • Check Homework **5 min**	**Presentación de gramática p. 217** • subjunctive with **ojalá** & verbs of hope **Práctica de gramática pp. 218–219** **Culture:** *Roberto Clemente* **20 min**	**Práctica de gramática pp. 218–219** • Acts. 6, 7, 8, 9 **20 min**	**Assess:** *Para y piensa* p. 219 **5 min** **Homework:** *Cuaderno* pp. 151–153 @HomeTutor
DAY 4	**Communication:** practice using the subjunctive to talk about what people hope to do • Warm Up OHT 17 • Check Homework **5 min**	**Gramática en contexto p. 220** • *Contexto 2* TXT CD 7 track 4 **15 min**	**Gramática en contexto** pp. 220–221 • Act. 10, 11, 12 **25 min**	**Assess:** *Para y piensa* p. 221 **5 min** **Homework:** *Cuaderno* pp. 151–153 @HomeTutor
DAY 5	**Grammar:** subjunctive with verbs of influence • Warm Up OHT 18 • Check Homework **5 min**	**Presentación de gramática p. 222** • subjunctive with verbs of influence **Práctica de gramática pp. 223–224** • *Pronunciación* TXT CD 7 track 5 **15 min**	**Práctica de gramática pp. 223–224** • Acts. 13, 14 • Act. 15 TXT CD 7 track 6 • Act 16 **25 min**	**Assess:** *Para y piensa* p. 224 **5 min** **Homework:** *Cuaderno* pp. 154–156 @HomeTutor
DAY 6	**Communication:** Culmination: use the subjunctive to talk about hopes and desires • Warm Up OHT 18 • Check Homework **5 min**	**Todo junto pp. 225–227** • *Contextos I, 2: Resumen* • *Contexto 3* TXT CD 7 track 7 **20 min**	**Todo junto pp. 225–227** • Act. 17 TXT CD 7 track 7 • Act. 19 • Act. 18 TXT CD 7 tracks 8, 9 **20 min**	**Assess:** *Para y piensa* p. 227 **5 min** **Homework:** *Cuaderno* pp. 157–158 @HomeTutor
DAY 7	**Reading:** *El sueño de América* **Connections:** Mathematics • Warm Up OHT 19 • Check Homework **5 min**	**Lectura literaria pp. 228–231** • *El sueño de América* • TXT CD 7 track 10 **Conexiones p. 232** • *Las matemáticas* **20 min**	**Lectura literaria pp. 228–231** • *El sueño de América* **Conexiones p. 232** • *Proyecto* **20 min**	**Assess:** *Para y piensa* p. 231 **5 min** **Homework:** *Cuaderno* pp. 162–164 @HomeTutor
DAY 8	**Review:** Lesson review • Warm Up OHT 19 • Check Homework **5 min**	**Repaso de la lección pp. 234–235** **15 min**	**Repaso de la lección pp. 234–235** • Act. 1 TXT CD 7 track 11 • Acts. 2, 3, 4, 5 **25 min**	**Assess:** *Repaso de la lección* **5 min** **Homework:** *En resumen* p. 233 *Cuaderno* pp. 159–161, 165–170 (optional) Review Games Online @HomeTutor
DAY 9	**Assessment**			**Assess:** Lesson 1 test **50 min**

	Objectives/focus	Teach	Practice	Assess/HW Options
DAY 1	**Culture:** Learn about Caribbean culture **Vocabulary:** personal characteristics and ways to describe people, professions • Warm Up OHT 16 **5 min**	Unit Opener pp. 208–209 Lesson Opener pp. 210–211 **Presentación de vocabulario** pp. 212–213 • Read A–C • Listen to audio TXT CD 7 track 1 • *¡A responder!* TXT CD 7 track 2 **25 min**	Unit Opener pp. 208–209 Lesson Opener pp. 210–211 **Práctica de vocabulario** p. 214 • Acts. 1, 2, 3 **20 min**	**Assess:** *Para y piensa* p. 214 **5 min**
	Communication: talk about the main characteristics of a person **5 min**	**Vocabulario en contexto** pp. 215–216 • *Contexto 1* TXT CD 7 track 3 • *Nota gramatical:* suffixes adj > noun **20 min**	**Vocabulario en contexto** pp. 215–216 • Acts. 4, 5 **20 min**	**Assess:** *Para y piensa* p. 216 **5 min** **Homework:** *Cuaderno* pp. 148–150 @HomeTutor
DAY 2	**Grammar:** subjunctive with verbs that express hopes or wishes • Warm Up OHT 17 • Check Homework **5 min**	**Presentación de gramática** p. 217 • subjunctive with **ojalá** & verbs of hope **Práctica de gramática** pp. 218–219 **Culture:** *Roberto Clemente* **15 min**	**Práctica de gramática** pp. 218–219 • Acts. 6, 7, 8, 9 **20 min**	**Assess:** *Para y piensa* p. 219 **5 min**
	Communication: practice using the subjunctive to talk about what people hope to do **5 min**	**Gramática en contexto** p. 220 • *Contexto 2* TXT CD 7 track 4 **15 min**	**Gramática en contexto** pp. 220–221 • Act. 10, 11, 12 **20 min**	**Assess:** *Para y piensa* p. 221 **5 min** **Homework:** *Cuaderno* pp. 151–153 @HomeTutor
DAY 3	**Grammar:** subjunctive with verbs of influence • Warm Up OHT 18 • Check Homework **5 min**	**Presentación de gramática** p. 222 • subjunctive with verbs of influence **Práctica de gramática** pp. 223–224 • *Pronunciación* TXT CD 7 track 5 **15 min**	**Práctica de gramática** pp. 223–224 • Acts. 13, 14 • Act. 15 TXT CD 7 track 6 • Act. 16 **20 min**	**Assess:** *Para y piensa* p. 224 **5 min**
	Communication: Culmination: use the subjunctive to talk about hopes and desires **5 min**	**Todo junto** pp. 225–227 • *Contextos 1, 2: Resumen* • *Contexto 3* TXT CD 7 track 7 **15 min**	**Todo junto** pp. 225–227 • Act. 17 TXT CD 7 track 7 • Act. 19 • Act. 18 TXT CD 7 tracks 8, 9 **20 min**	**Assess:** *Para y piensa* p. 227 **5 min** **Homework:** *Cuaderno* pp. 154–158 @HomeTutor
DAY 4	**Reading:** *El sueño de América* • Warm Up OHT 19 • Check Homework **5 min**	**Lectura literaria** pp. 228–231 • *El sueño de América* • TXT CD 7 track 10 **15 min**	**Lectura literaria** pp. 228–231 • *El sueño de América* **25 min**	**Assess:** *Para y piensa* p. 231 **5 min**
	Review: Lesson review **5 min**	**Repaso de la lección** pp. 234–235 **15 min**	**Repaso de la lección** pp. 234–235 • Activity 1 TXT CD 7 track 11 • Activities 2, 3, 4, 5 **25 min**	**Assess:** *Repaso de la lección* **5 min** **Homework:** *En resumen* p. 233 *Cuaderno* pp. 159–170 (optional) Review Games Online @HomeTutor
DAY 5	**Assessment**			**Assess:** Lesson 1 test **45 min**
	Connections: Mathematics **5 min**	**Conexiones** p. 232 • *Las matemáticas* **20 min**	**Conexiones** p. 232 • *Proyecto y En tu comunidad* **20 min**	

¡AVANZA! **Objectives**

- Introduce lesson theme: **¿Quién te inspira?**
- **Culture:** Compare how celebrities help people.

Presentation Strategies

- Have students describe one famous person they admire.
- Ask students to name something they wish to do.

 STANDARD

3.1 Knowledge of other disciplines

Warm Up UTB 4 Transparency 16

Cognados Escribe los cognados en español de las siguientes palabras.

patent _____
product _____
obstacle _____
prosper _____
politics _____
evaluate _____

Answers: patente; producto; obstáculo; prosperar; la política; evaluar

---

Comparación cultural

Exploring the Theme

Ask the following:
1. ¿Qué te inspira?
2. ¿Quién te inspira?
3. ¿Qué deseas hacer algún día?

¿Qué ves? Possible answers include:
- Félix Sánchez es delgado, con cabello corto, con bigote.
- Se viste con una camiseta.
- Hay una bandera de la República Dominicana, el símbolo de las Olimpíadas y un número en su uniforme.
- En este momento, él está serio.

UNIDAD 4

El Caribe

Lección 1

Tema:

¿Quién te inspira?

¡AVANZA! **In this lesson you will learn to**
- describe people
- tell others what to do
- express wishes and desires

using
- subjunctive with **ojalá** and verbs of hope
- subjunctive with verbs of influence
- suffixes

♻ *¿Recuerdas?*
- **ser** vs. **estar**
- future

Comparación cultural

In this lesson you will learn about
- how sports celebrities help disaster victims
- how singers help people

Compara con tu mundo

Félix Sánchez es el único atleta dominicano con una medalla de oro de los Juegos Olímpicos. Él ganó la medalla en la carrera de 400 metros con vallas *(hurdles)*. También ganó una medalla de oro en los Juegos Panamericanos. *¿Te gusta mirar los Juegos Olímpicos? ¿Cuál evento te interesa más? ¿Por qué?*

¿Qué ves?

Mira la foto
- ¿Cómo es Félix Sánchez?
- ¿Cómo se viste?
- ¿Qué hay en su uniforme?
- ¿Cómo está Sánchez en este momento? ¿Serio o contento?

210 doscientos diez

Differentiating Instruction

Multiple Intelligences

Intrapersonal After viewing and discussing the photograph, ask students to make a list of all their accomplishments. Then ask students to think about things they want to accomplish some day. Have students create timelines to reflect their past and future accomplishments. Ask volunteers to show their timelines to the class.

Slower-paced Learners

Yes/No Questions Ask students yes/no questions about the photo and the paragraph. Use the ¿Qué ves? questions as a springboard.

Online SPANISH CLASSZONE.COM

Featuring...
Cultura INTERACTIVA
Animated Grammar
@HomeTutor

And more...
• Get Help Online
• Interactive Flashcards
• Review Games
• WebQuest
• Conjuguemos.com

Félix Sánchez,
atleta de la
República Dominicana

El Caribe
doscientos once **211**

Online SPANISH CLASSZONE.COM

WebQuest Provides step-by-step guidance for your students to help them explore this unit's theme and location online. Students are given a task and a set of pre-approved links to conduct research, answer questions, and submit their findings to the class.

Featuring...
Cultura INTERACTIVA
Animated Grammar
@HomeTutor

And more...
• Get Help Online
• Interactive Flashcards
• Review Games
• WebQuest
• Conjuguemos.com

Using the Photo

Location Information

Félix Sánchez is an athlete from the Dominican Republic. He won the 400-meter hurdles in August 28, 2004 at the Summer Olympic Games in Athens. He returned home with the first Olympic gold medal ever for the Dominican Republic.

Expanded Information

El Caribe The region known as the "Caribbean" is usually restricted to the islands of the Caribbean Sea, but sometimes the continental American coastline is included. Many athletes who compete in baseball, football, basketball, and track are from the Caribbean.

Communication
Interpersonal Mode

Ask students to find a partner. Have partners discuss various personality traits that they admire. Then, have students think of famous people who have these traits.

Differentiating Instruction

Pre-AP

Expand and Elaborate Ask students to state what they know about athletes from the Caribbean. Encourage them to include as many descriptive adjectives as possible to provide a rich, detailed description of the athlete's accomplishments.

English Learners

Provide Comprehensible Input Cut out a few pictures of people in magazines. You can also ask students to cut out pictures in class. Hold up one picture at a time. Describe each person using the verb **to be** for both **ser** and **estar.** You may also use gestures to help students understand descriptive words. Invite volunteers to give a description of a person.

¡AVANZA! Objectives

· Present vocabulary: personal characteristics, descriptions, and professions.
· Check for recognition.

Core Resource

· Audio Program: TXT CD 7 Tracks 1, 2

Presentation Strategies

· Draw students' attention to the questionnaire. Ask them to note those words they are not familiar with and have them look them up in their dictionaries.
· Play the audio as students read A–C.

STANDARD

1.2 Understand language

Communication
TPR Activity

Have a volunteer act out a character trait, such as impatience or vanity. Have the other members of the class try to guess which trait they are portraying.

Comparisons
English Language Connection

Cognates Review that cognates are words related to words in another language. Ask volunteers to call out which words from p. 212 they recognize because they resemble English words. Then ask students to guess what the words mean. For example, **tímidas** means *timid* or *shy*. Verify their guesses.

¡AVANZA! **Goal:** Learn about personal characteristics and ways to describe people. Then practice what you learned by talking about the characteristics that are most important for specific professions as well as for life in general.
Actividades 1–3
♻ ¿*Recuerdas?* **Ser** vs. **estar** p. 15

AUDIO Ⓐ Hola, mi nombre es Inés. Ahora tengo que completar este cuestionario para ver qué vocación me recomiendan los consejeros.

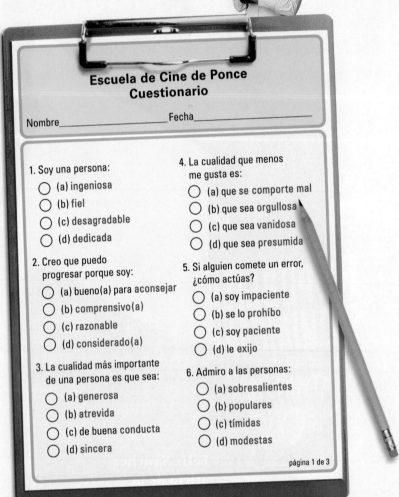

Escuela de Cine de Ponce
Cuestionario

Nombre_____Fecha_____

1. Soy una persona:
   ○ (a) ingeniosa
   ○ (b) fiel
   ○ (c) desagradable
   ○ (d) dedicada

2. Creo que puedo progresar porque soy:
   ○ (a) bueno(a) para aconsejar
   ○ (b) comprensivo(a)
   ○ (c) razonable
   ○ (d) considerado(a)

3. La cualidad más importante de una persona es que sea:
   ○ (a) generosa
   ○ (b) atrevida
   ○ (c) de buena conducta
   ○ (d) sincera

4. La cualidad que menos me gusta es:
   ○ (a) que se comporte mal
   ○ (b) que sea orgullosa
   ○ (c) que sea vanidosa
   ○ (d) que sea presumida

5. Si alguien comete un error, ¿cómo actúas?
   ○ (a) soy impaciente
   ○ (b) se lo prohíbo
   ○ (c) soy paciente
   ○ (d) le exijo

6. Admiro a las personas:
   ○ (a) sobresalientes
   ○ (b) populares
   ○ (c) tímidas
   ○ (d) modestas

página 1 de 3

Differentiating Instruction

Pre-AP

Expand and Elaborate Ask students to choose a profession that interests them. Have them list the traits that they believe are necessary for success in that profession. Then have each student find a partner with whom to discuss their list.

Inclusion

Frequent Review/Repetition Divide students into pairs. Have each pair write down five character traits. Then have them write the opposite for each word by either using the checklist on p. 212, looking up terms in the back of their books, or using terms with which they already know. For example: **tímida/atrevida.**

B Bueno, ya hice el cuestionario para saber cuál es mi vocación. ¡Yo quiero ser escritora y directora de cine! Son profesiones en que hay que pensar, planear y tomar riesgos.

C Existen muchas profesiones para elegir. Pero cada persona tiene su vocación. ¿Te interesan algunas de las siguientes profesiones?

el detective

la mecánica

la científica

el piloto

el astronauta

el electricista

Más vocabulario

el (la) empresario(a) *business person*	**idealizar (a alguien)** *to idealize (someone)*
el (la) entrenador(a) *trainer, coach*	**imitar** *to imitate*
el (la) obrero(a) *laborer*	**mandar que** *to order, command that*
el (la) programador(a) *programmer*	**personificar** *to personify*
el (la) trabajador(a) social *social worker*	**representar** *to represent*
dejar que *to allow*	**sugerir que** *to suggest that*
destacarse por... *to be remarkable for . . .*	*Expansión de vocabulario* p. R8
exigir *to demand*	*Ya sabes* p. R8

¡A responder! Escuchar

Escucha la lista de características personales. Para cada una, haz la representación de una persona que tenga la característica.

@HomeTutor VideoPlus
Interactive Flashcards
ClassZone.com

Lección 1
doscientos trece **213**

Ask students to look through magazines for pictures of people with facial expressions that express various moods or characteristics, such as an inventor focused on solving a problem. Pair up students and ask them to take turns describing each person, for example, **dedicada, ingeniosa,** and so on.

Students familiar with English will tend to include the article when discussing professions (**Mi hermana es *una* científica.**). Point out that the article is usually omitted when mentioning someone's profession (**Mi hermana es científica.**).

Answers UTB 4 Transparency 24

¡A responder! Audio Script, TE p. 209B
Students act out the following:
1. atrevido
2. generoso
3. impaciente
4. orgulloso
5. desagradable
6. vanidoso
7. comprensivo
8. tímido
9. considerado
10. sincero

213

Differentiating Instruction

Heritage Language Learners

Support What They Know Invite students to talk about professions that are popular in their country or region of origin. Encourage them to include any professions that are unique to that area, or that would be considered unusual in the United States. Also ask them to mention any special training that is required for those professions.

Multiple Intelligences

Visual Learners Have students create a poster advertising a career fair. Ask them to illustrate or use cut-out images depicting different professions, and label each image. Have them present their designs to the class.

VOCABULARIO

Objectives
- Practice vocabulary: personal characteristics, descriptions, and professions.
- Using **ser** or **estar**.

Core Resource
- *Cuaderno*, pp. 148–150

Practice Sequence
- **Activity 1:** Vocabulary recognition: describing people, using **ser** or **estar**
- **Activity 2:** Vocabulary production: describing professions
- **Activity 3:** Vocabulary production: descriptive adjectives

 STANDARDS

1.2 Understand language, Act. 1, 2, 3
1.3 Present information, Act. 2

 ✓ **Ongoing Assessment**

@HomeTutor
More Practice
ClassZone.com

 PARA Y PIENSA
Intervention If students are unable to mention at least three characteristics, have them review pp. 212–213.

For additional practice, use Reteaching & Practice Copymasters URB 4, pp. 1, 2, 10.

 Answers UTB 4 Transparency 24

Activity 1
1. está, generosa
2. Es, popular
3. es, atrevida
4. está, impaciente

Activity 2 Answers will vary. Possible answers:
1. atrevido(a) / peligroso(a)
2. interesante / desagradable
3. ingenioso(a) / difícil

Activity 3 Answers will vary.
1. ingeniosa
2. determinada
3. práctica
4. atrevida

Para y piensa Answers will vary. Possible answers:
1. inteligente, paciente, sincero
2. generosa, razonable, orgullosa
3. ingeniosa, dedicada, determinada

214

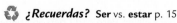 ## Práctica de VOCABULARIO

1 ¿Cómo es?   ♻ ¿Recuerdas? Ser vs. estar p. 15

Hablar
Escribir

Completa cada descripción con el verbo apropiado (**ser** o **estar**) y con un adjetivo de la lista.

1. Silvia siempre _____ lista para ayudar a otras personas. Es muy _____ con su tiempo.
2. Arturo tiene muchos amigos. _____ muy _____.
3. A la señora García le gusta su rutina. Prefiere no hacer grandes cambios en su vida porque no _____ muy _____.
4. Diana _____ _____ porque su hermana no llegó a tiempo.

impaciente
generoso(a)
popular
atrevido(a)

Expansión:
Teacher Edition Only
Pídales a los estudiantes que escriban una descripción de un(a) amigo(a) usando el verbo **ser**.

2 Características deseables e indeseables

Hablar
Escribir

Con tu compañero(a), identifica tres características deseables y tres indeseables para las siguientes profesiones.

profesión	características deseables	características indeseables
un(a) piloto		
un(a) entrenador(a)		
un(a) detective		

Expansión
Escojan tres profesiones más e identifiquen los dos tipos de características.

3 ¿A quién admiras?

Leer
Escribir

Lee el artículo sobre Cristina Saralegui. Haz una lista de seis características de Cristina según lo que leíste.

CRISTINA SARALEGUI,
periodista con más de treinta años de experiencia, es una mujer determinada, práctica y atrevida que conquistó el éxito gracias a la visión que la llevó a personificar sus ideales. Fue directora de la revista *Cosmopolitan en Español* y luego se convirtió en la productora ejecutiva y presentadora de «El Show de Cristina» en Univisión, el programa de discusión con mayor impacto en todo el mundo hispano.

Expansión:
Teacher Edition Only
Pídales a los estudiantes que escriban una lista de seis características de una persona a la que admiran.

Más práctica   Cuaderno *pp. 148–150*   Cuaderno para hispanohablantes *pp. 148–151*

PARA Y PIENSA
¿Comprendiste? Menciona algunas características que deben tener estas personas.
1. un profesor   2. una madre   3. una científica

Get Help Online
ClassZone.com

Differentiating Instruction

Slower-paced Learners

Yes/No Questions Ask students yes/no questions about information in Activity 1. For example: **¿Es Arturo popular? ¿Sí o no? ¿Es la señora García atrevida?** Encourage students to point out the place in the text where they found their information.

Heritage Language Learners

Support What They Know Have native Spanish speakers build on Activity 3 by describing a famous person from their home countries. They may choose a person they admire or a person they do not admire. Have them incorporate as many details and descriptive words as they can.

✿ VOCABULARIO en contexto

¡AVANZA! **Goal:** Notice the language that Inés uses to describe the characters in her description. Then identify and discuss the main characteristics of each person. *Actividades 4–5*

Contexto 1 *Caracterización de los personajes*

ESTRATEGIA Leer

Get to know the characters Using "Capitán" as a model, fill in this chart to help you compare and expand your knowledge of the **solucionistas.**

Los Solucionistas					
	Gonzalo	Ramona	Carmen	Manuel	Capitán
Características					cariñoso con el equipo

AUDIO

Inés Delgado, una estudiante puertorriqueña, está escribiendo un programa de televisión para su clase de escritura. Antes de escribir la primera escena, hizo una lista de los personajes principales y una descripción de cada uno.

«Los Solucionistas»
por Inés Delgado

Los Solucionistas son cuatro expertos en diferentes especialidades. Este grupo sobresaliente viaja por todas partes del globo en su superavión privado, solucionando problemas grandes y pequeños.

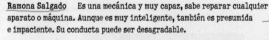

Gonzalo Domínguez Es guapo, atrevido y orgulloso. Es piloto y tiene su propio avión, el más grande del mundo, diseñado especialmente para enfrentar grandes problemas.

Ramona Salgado Es una mecánica y muy capaz, sabe reparar cualquier aparato o máquina. Aunque es muy inteligente, también es presumida e impaciente. Su conducta puede ser desagradable.

Carmen Jiménez Es programadora de computadoras. Se destaca por su paciencia y su conocimiento de los sistemas informáticos. Es una persona un poco tímida, pero es popular.

Manuel Cano Es comprensivo y considerado. Sabe mucha física y química y quiere ser un científico brillante y dedicado. Siempre se comporta con cortesía y personifica la sinceridad y la diplomacia, aunque, si tiene que defender sus ideas, puede llegar a ser muy enérgico. Aunque quiere a todos los miembros del equipo, idealiza a Carmen Jiménez.

Capitán Tiene dos años. Es fiel y cariñoso con todos los miembros del equipo.

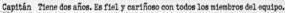

1.

Lección 1
doscientos quince **215**

Differentiating Instruction

Pre-AP

Draw Conclusions Ask students to read the descriptions written by Inés. Based on what they learn about the protagonists, have students work in pairs to draw conclusions about what each character will do in the television program. Invite volunteers to share their ideas with the class.

Heritage Language Learners

Literacy Skills Have native Spanish speakers read the descriptions of the five main characters in the television program. Then have these students think of one adjective that represents each character. Tell students to use adjectives that are not already used in the descriptions.

215

¡AVANZA! **Objective**
- Understand vocabulary related to personality characteristics.

Core Resource
- Audio Program: TXT CD 7 Track 3

Presentation Strategies
- Ask students to look at the photos in the Contexto and ask them to predict the television character's personalities.
- Have students list the characters' names in their notebooks. Encourage them to make note of the characters' personalities by selecting one or two adjectives that best describe them. Have them list the adjectives next to the characters' names in their notebooks for reference.
- Play the audio as students follow along in their texts.

✿ STANDARD
1.2 Understand language

⚒ Warm Up UTB 4 Transparency 16

¿Ser o estar? Completa las siguientes oraciones con **ser** o **estar.**

1. Yo _____ lista para el examen. Estudié mucho.
2. Marco no _____ popular. No tiene amigos.
3. Ellos _____ contentos. No tienen clase hoy.
4. A mi padre no le gusta esperar. _____ muy impaciente.
5. ¡Tú _____ muy bonita hoy! ¿Es un vestido nuevo?

Answers: 1. estoy; 2. es; 3. están; 4. Es; 5. estás

VOCABULARIO

¡AVANZA! Objectives

- Practice using descriptive words.
- Practice using suffixes to change adjectives to nouns.

Practice Sequence

- **Activity 4:** Vocabulary recognition: Contexto 1 comprehension
- **Activity 5:** Vocabulary production: personal characteristics and admirable qualities

STANDARDS

1.2 Understand language, Act. 4
1.3 Present information, Act. 5
4.1 Compare languages, Nota

Nota gramatical

Nota gramatical In addition to the terms listed in the Nota gramatical, tell students the following adjectives can be turned into nouns.

generoso → generosidad
dedicado → dedicación
popular → popularidad

Note that the nouns deriving from the following two adjectives use roots slightly different from the adjectives introduced in this lesson:

fiel → fidelidad
vanidoso → vanidad

✓ Ongoing Assessment

@HomeTutor More Practice ClassZone.com

PARA Y PIENSA **Quick Check** After students have written the adjectives for Para y piensa, ask them to change the words into nouns.

For additional practice, use Reteaching & Practice Copymasters URB 4, pp. 1, 3.

 Answers UTB 4 Transparency 24

Activity 4 1. Cierto; 2. Cierto; 3. Falso. Es piloto.; 4. Falso. Quiere ser científico.; 5. Falso. Es impaciente.; 6. Falso. Es considerado.

Activity 5 Answers will vary. Sample answer: Me gusta la paciencia de Marta porque siempre escucha mis problemas.

Para y piensa 1. guapo, atrevido, orgulloso; 2. paciente, tímida, popular; 3. inteligente, presumida, impaciente; 4. comprensivo, considerado, dedicado

216

---

4 Comprensión de la caracterización de los personajes

Expansión: Teacher Edition Only Juegue a ¿Quién es? con la clase. Diga una descripción de los personajes y pídales a los estudiantes que adivinen quién es.

Hablar Escribir

Di si las siguientes oraciones son ciertas o falsas. Si son falsas, corrígelas.

1. Ramona Salgado trabaja con las manos.
2. Carmen Jiménez usa la computadora en su trabajo.
3. A Gonzalo Domínguez no le gusta el avión.
4. Manuel Cano ahora trabaja como trabajador social.
5. Capitán no es fiel, pero es cariñoso.
6. Manuel Cano es una persona muy desagradable.

Nota gramatical

Suffixes Many of the adjectives you have learned can be changed to nouns by adding some common suffixes. These suffixes **(-cia, -ez, -dad, -ción)** create feminine nouns.

Adjective	Noun	Adjective	Noun
paciente *patient*	la paciencia *patience*	tímido *shy*	la timidez *shyness*
sincero *sincere*	la sinceridad *sincerity*	considerado *considerate*	la consideración *consideration*

Norma es **impaciente**. Se destaca por su impaciencia.
*Norma is **impatient**. She stands out for her **impatience**.*

5 Cualidades admirables

Hablar Escribir

Tu compañero(a) te pregunta qué tres cualidades de él o ella admiras más y qué tres te gustan menos. Contéstale con las palabras de la lista y explícale por qué.

dedicación	consideración
modestia	timidez
vanidad	(im)paciencia
generosidad	comprensión
sinceridad	popularidad

modelo:

¿Qué cualidades mías admiras?

Tu dedicación, porque siempre me escuchas atentamente.

PARA Y PIENSA **¿Comprendiste?** Busca tres adjetivos para describir a cada persona.

Get Help Online ClassZone.com

1. Gonzalo Domínguez
2. Carmen Jiménez
3. Ramona Salgado
4. Manuel Cano

Differentiating Instruction

Multiple Intelligences

Visual Learners Have students think of four or five professions that interest them and make a collage that represents each profession. The collage should include photographic images and/or illustrations, as well as detailed descriptions of the professions themselves. Ask students to share their collages with the class.

Pre-AP

Circumlocution In groups, have students write a list of ten characteristics and ten professions. In the same groups, tell students to take turns describing one of the words to the group. They may use other words, phrases, or complete sentences but not the term. For example: **Atrevido. Una persona que le gusta volar.** Answer: **piloto.**

Presentación de GRAMÁTICA

¡AVANZA! **Goal:** Learn to use the subjunctive with verbs that express hopes or wishes. Then talk about what you and others hope will happen. *Actividades 6–9*

♻ *¿Recuerdas?* Future tense p. 157

English Grammar Connection: In English, you express what you want someone *to do* with an infinitive, you express what you hope someone *does* with the present tense, and you express what you wish someone *would do* with the conditional. In Spanish, you can express all three with the **subjunctive.**

Infinitive: I want John **to arrive.**	Quiero ⎤
Present: I hope John **arrives.**	**Subjunctive:** Espero ⎬que John **llegue.**
Conditional: I wish John **would arrive.**	Deseo ⎦

Subjunctive with Ojalá and Verbs of Hope

Animated Grammar ClassZone.com

You have already learned how to form the **subjunctive.** After **verbs of hope,** use the **subjunctive** if there is a change of subject.

Here's how: Use the **indicative** for the verb expressing a hope or wish and the **subjunctive** for the verb with a new subject.

> **Verbs of Hope**
> desear
> esperar + que + **different subject** + subjunctive
> querer

indicative ↴   *subjunctive* ↴
Ella **quiere** que **su hijo** se **comporte** bien.
She wants her son to behave well.

Use the **infinitive** and omit **que** if there is no change of subject.

El niño **quiere comportarse** bien.
The boy wants to behave well.

Ojalá also expresses hope. It has only one form and cannot be conjugated. **Ojalá** can be used with or without **que.** Either way, it is used with the **subjunctive.**

Ojalá no **llueva** mañana.   **Ojalá que tengamos** tiempo.
I hope it doesn't rain tomorrow.   *I hope we'll have time.*

Más práctica
Cuaderno *pp. 151–153*
Cuaderno para hispanohablantes *pp. 152–154*

@HomeTutor
Leveled Practice
ClassZone.com

Lección 1
doscientos diecisiete **217**

Differentiating Instruction

Slower-paced Learners

Personalize It Have students take out a piece of paper and a pen. Then instruct them to make a list that includes the following: one thing they want; one thing they hope happens; one thing they hope somebody else will do; one thing they hope for; using the expression **Ojalá.** Provide students with examples to help them get started.

Pre-AP

Timed Answer Play a game with students to practice the use of the subjunctive to express hopes or wishes. Make sure that each student has paper and a pen. Then provide a brief sentence in English such as: *I hope Marta arrives early.* Give students 15-20 seconds to write the sentence in Spanish.

¡AVANZA! **Objectives**
· Present the subjunctive with **ojalá** and verbs of hope.
· Tell what you and others hope will happen.

Core Resource
· *Cuaderno,* pp. 151–153

Presentation Strategy
· Have students read and take notes on the subjunctive with verbs that express hope as you present them to the class.

STANDARD

4.1 Compare languages

Warm Up UTB 4 Transparency 17

Adjetivos Cambia los adjetivos a sustantivos.
1. paciente   _____
2. sincero   _____
3. tímido   _____
4. popular   _____

Answers: 1. paciencia; 2. sinceridad; 3. timidez; 4. popularidad

TEACHER to TEACHER

Kathleen L. Michaels
St. Petersburg, FL

Tips for Presenting Grammar

*"Before students enter the classroom, I draw a large tic-tac-toe game on the board. Above the game, I write **Ojalá que.** In each box, I write a subject pronoun and an infinitive. I then ask for two volunteers to play. Students can only mark the box with an X or an O if they say the verb correctly in the subjunctive beginning with **Ojalá que** and write it on the board spelling it correctly. If players cannot correctly answer a sufficient number to win, volunteers can be called on to help."*

Communication
Grammar Activity

Write a sentence on the board. Work with students to convert it into a sentence using the subjunctive with **ojalá** or with a verb of hope (**desear, esperar, querer**). Example: **Enrique quiere ser piloto.** Student: **Ojalá que Enrique sea piloto.** Or: **Enrique espera que un día lo sea.**

Objectives
- Practice using the subjunctive with verbs of hope.
- Recycle: future tense
- Ask others questions about what they want.
- **Culture:** Compare how celebrites help people.

Core Resource
- *Cuaderno,* pp. 151–153

Practice Sequence
- **Activity 6:** Controlled practice: subjunctive and indicative tenses
- **Activity 7:** Transitional practice: subjunctive
- **Activity 8:** Open-ended practice: subjunctive
- **Activity 9:** Open-ended practice: verbs of hope; Recycle: future tense

STANDARDS
1.1 Engage in conversation, Act. 8.
1.3 Present information, Act. 6, 7, 9, CC
4.2 Compare cultures, CC

Answers UTB 4 Transparencies 24–27

Activity 6
1. Espero que mi hijo tenga buena conducta.
2. Los padres desean que sus hijos se comporten bien.
3. Los empleados quieren destacarse por su trabajo.
4. Mi mamá desea que yo saque notas sobresalientes.
5. Tú esperas que Anita idealice a las celebridades generosas.
6. Yo quiero que Octavio imite las buenas acciones de su padre.

Activity 7 Answers will vary.
1. La entrenadora desea que los jugadores ganen.
2. Mi papá quiere que yo estudie mucho.
3. Nosotras queremos que el programador trabaje mucho.
4. El director de la escuela espera que los maestros lleguen a tiempo.
5. La empresaria espera que sus clientes le paguen mucho.

Activity 8 Answers will vary. Sample answers:
1. ¿Tus hermanos desean que los dejes en paz?

Answers continue on p. 219.

Práctica de GRAMÁTICA

6 | ¿Qué queremos?

Hablar
Escribir

Completa cada oración con el subjuntivo, el indicativo o el infinitivo de los verbos, según corresponda.

> **modelo:** los ciudadanos / querer / que el presidente / representar / sus intereses
> Los ciudadanos quieren que el presidente represente sus intereses.

1. (yo) esperar / que mi hijo / tener / buena conducta
2. los padres / desear / que sus hijos / comportarse bien
3. mis primos / desear / que yo / venir / a jugar con ellos
4. mi mamá / desear / que yo / sacar / notas sobresalientes
5. tú / esperar / que Anita / idealizar / a las celebridades generosas
6. Octavio / querer / imitar / las buenas acciones de su padre

> **Expansión**
> Ahora, di qué esperan las segundas personas de las primeras. Por ejemplo, el presidente de los ciudadanos.

7 | Las esperanzas

Hablar
Escribir

Usa el subjuntivo para decir qué esperan las personas de la lista de las otras. Usa **(no) querer, (no) desear** o **(no) esperar.**

> **modelo:** los maestros
> Los maestros no quieren que los estudiantes copien las respuestas en un examen.

1. los (las) jugadores(as)
2. yo
3. el programador
4. los (las) maestros(as)
5. sus clientes

> los estudiantes
> el (la) entrenador(a)
> mi papá
> nosotros(as)
> el (la) director(a) de la escuela
> el (la) empresario(a)

> **Expansión:**
> Teacher Edition Only
> Pídales a los estudiantes que le pidan dos deseos al presidente de Estados Unidos. Anímelos a usar verbos regulares en el subjuntivo.

8 | ¿Qué esperas?

Hablar

Usa el subjuntivo para hacerle preguntas a un(a) compañero(a). Luego cambien de papel.

> **modelo:** querer que / tu mamá

1. desear que / tus hermanos(as)
2. no querer que / tu amigo(a)
3. esperar que / tu gato(a)
4. desear que / tu abuelo(a)
5. no esperar que / tu maestro(a)

A ¿Tu mamá quiere que vayas al cine los sábados?

B Sí, pero espera que vuelva temprano.

> **Expansión:**
> Teacher Edition Only
> Pídales a los estudiantes que hablen sobre qué espera una persona de sus amigos.

Differentiating Instruction

Heritage Language Learners

Writing Skills Have students write a letter of application for a job in a field that they admire. The letter should include the following: several adjectives to describe themselves; use of the subjunctive to reflect what they hope for in a boss and colleagues. Instruct students to check grammar and spelling.

Inclusion

Frequent Review/Repetition Give students two cards, one that says **subjuntivo** and one that says **infinitivo.** Read sentences that express hopes or wishes. Tell students to hold up the card that reflects the structure used in the sentence.

9 ¿Qué deseas? ♻ **¿Recuerdas?** Future tense p. 157

Escribir Es el primer día de clases. Escribe ocho cosas que Jorge desea que haga Rafael en su primer día en el bachillerato. Usa verbos de deseo con los adjetivos de la lista.

presumido	vanidoso	orgulloso	tímido
comprensivo	dedicado	modesto	razonable

Expansión:
Teacher Edition Only
Pídales a los estudiantes que les den un deseo a unos amigos que van a ir de viaje.

modelo:

Jorge
Deseo que no seas presumido.

Rafael
Está bien, no seré presumido.

Comparación cultural

Roberto Clemente

¿Deben las personas famosas ayudar a los demás? El sobresaliente beisbolista Roberto Clemente nació en Carolina, **Puerto Rico,** en 1934. Jugó con los Piratas de Pittsburgh durante toda su carrera en las ligas nacionales. Fue nombrado líder de bateo *(batting champion)* de la Liga Nacional cuatro veces y fue el Jugador Más Valioso del año 1966. Clemente era una persona popular y generosa que estaba en la cima *(height)* de su carrera cuando murió trágicamente en un accidente de avión cuando llevaba unas donaciones para las víctimas del terremoto de 1972, en **Nicaragua.**

Roberto Clemente

Compara con tu mundo *¿Qué atletas profesionales admiras y por qué?*

Más práctica Cuaderno *pp. 151–153* Cuaderno para hispanohablantes *pp. 152–154*

PARA Y PIENSA

¿Comprendiste? Escribe oraciones completas con el subjuntivo.
1. tú / querer / que yo / conservar / agua
2. mis hermanos / esperar / que su entrenador / darles / una oportunidad
3. nosotros / desear / que ustedes / reciclar los periódicos
4. yo / no querer / que tú / gastar / todo tu dinero

🖱 **Get Help Online**
ClassZone.com

Lección 1
doscientos diecinueve **219**

Differentiating Instruction

Heritage Language Learners

Support What They Know Invite heritage learners to describe a celebrity from their native countries who has helped others in need. Ask them to share with the class who the person is, why he or she is famous, and how they have helped others. Give each heritage learner the opportunity to speak. Encourage non-native speakers to ask them questions about the celebrity.

Pre-AP

Summarize Ask students to read the paragraph about Roberto Clemente by themselves. Using their own words, instruct students to write a brief summary that reflects what they learned about the famous athlete from Puerto Rico. The summary should include what they most admire about the athlete. Ask volunteers to read their summary to the class.

Unidad 4 Lección 1
GRAMÁTICA

Comparación cultural

Essential Question

Suggested Answer Sí. Las personas famosas que ayudan a los demás son un ejemplo para todos.

About the Athlete

Roberto Clemente was a wonderful athlete and a great humanitarian. In 2002, Major League Baseball's Commissioner Allan H. Selig announced that September 18 will be known as "Roberto Clemente Day." The celebration is a league-wide effort to honor the legacy of Roberto Clemente. The day also coincides with Hispanic Heritage Month celebrations.

✓ Ongoing Assessment @HomeTutor More Practice ClassZone.com

PARA Y PIENSA **Quick Check** Have students read their sentences aloud to check for accuracy and pronunciation.

For additional practice, use Reteaching & Practice Copymasters URB 4, pp. 4, 5, 11.

Answers UTB 4 Transparency 25

Answers continued from p. 218.
2. ¿No quiere tu amiga que salgas con ella el viernes?
3. ¿Espera tu gato que le des carne?
4. ¿Desea tu abuela que le mandes dinero para el cumpleaños?
5. ¿Tu maestra espera que saquen buenas notas?

Activity 9 Answers will vary.
1. Quiero que seas dedicado.
2. Espero que seas modesto.
3. No quiero que seas tímido.
4. Espero que seas comprensivo.
5. Deseo que no seas vanidoso.
6. Espero que no seas orgulloso.
7. Quiero que seas razonable.

Para y piensa
1. Tú quieres que yo conserve agua.
2. Mis hermanos esperan que su entrenador les dé una oportunidad.
3. Nosotros deseamos que ustedes reciclen.
4. Yo no quiero que tú gastes todo tu dinero.

219

¡AVANZA! Objective

- Understand grammar in context.

Core Resource

- Audio Program: TXT CD 7 Track 4

Presentation Strategies

- Have students scan the script on p. 220 to get a general idea of what it is about before listening to the audio.
- Play the audio.

Practice Sequence

- **Activity 10:** Contexto 2 comprehension
- **Activity 11:** Transitional practice: subjunctive
- **Activity 12:** Open-ended practice: subjunctive

STANDARDS

1.2 Understand language, Act. 10
1.3 Present information, Act. 11, 12

 Warm Up   UTB 4 Transparency 17

Subjuntivo Usa las siguientes frases para escribir oraciones con el subjuntivo.

1. yo esperar/ que mi padre
2. ella querer/ que su hermano
3. nosotros desear/ que nuestro profesor
4. ojalá/ que mi amigo

Answers: Answers will vary. Sample answers: 1. Yo espero que mi padre cocine hamburguesas.; 2. Ella quiere que su hermano le compre un libro.; 3. Nosotros deseamos que nuestro profesor no venga a clase hoy.; 4. Ojalá que mi amigo venga a la fiesta.

220

GRAMÁTICA en contexto

¡AVANZA! **Goal:** In the following script of the T.V. show "Los Solucionistas," notice when the characters use the subjunctive and when they use the indicative. Then practice by talking about what the characters hope to do.
Actividades 10–12

Contexto 2 *El guión*

ESTRATEGIA Leer

Read using different techniques Try reading Inés' script using different reading methods. First skim the entire reading to get a "big picture" view of the text; then read it again more slowly, focusing on all of the individual details. What are the reasons to use the subjunctive? What information did you understand only on your second reading?

AUDIO Como tarea para su clase de escritura creativa, Inés está escribiendo un guión *(script)* para un programa de televisión. «Los Solucionistas» son un equipo de cuatro héroes que viajan por el mundo solucionando problemas.

Episodio 1:
Huracán en Puerto Rico

Escena 1: En la oficina de Los Solucionistas

Manuel entra, preocupado y con urgencia.

Manuel: Tengo malas noticias. Espero que la situación no sea tan grave como parece. El radar muestra un huracán grande que pasará muy cerca de Puerto Rico, dirigido hacia la ciudad de Ponce.

Carmen: ¡No podemos dejar que llegue a la ciudad! ¿Qué hacemos?

Gonzalo: ¡Vamos al Superavión! ¡Ahora mismo!

Escena 2: En el avión de Los Solucionistas

Manuel, Ramona y Carmen pasan a la parte del avión donde están los equipos científicos de Manuel.

Manuel: Quiero que miren el monitor. ¿Ven? Es un huracán de categoría cinco y es muy peligroso. Ojalá podamos prevenir la destrucción de Ponce...

Ramona: Oye, 'mano, ¡es importante que hagamos algo!

También se dice

Ramona se dirige a Manuel diciéndole **'mano.** Esta expresión informal para hablar con amigos es la abreviatura de **hermano.**
- **Venezuela pana**
- **España tío**
- **Costa Rica mae**
- **Cuba compadre**

8.

Differentiating Instruction

English Learners

Provide Comprehensible Input Assist students in understanding Inés's script. After each character speaks, provide a variety of ways to demonstrate what is happening. For example, explain what happens in basic Spanish, use gestures, and draw pictures. You can also ask questions after parts of the script to check for comprehension.

Heritage Language Learners

Writing Skills In pairs, ask students to write a script for a television series. The show should have a title, include at least four characters, and take place somewhere interesting. Something exciting or funny should happen that involves all characters. Ask students to use the subjunctive with verbs of hope.

10 Comprensión del guión

Hablar
Escribir

Escribe las preguntas correctamente y da respuestas completas.

1. ¿Quién espera que las noticias no (ser) tan graves como parecen?
2. ¿Quién espera que el huracán no (destruir) la ciudad?
3. ¿Quién quiere que todos (ir) al avión?
4. ¿Quién quiere que los otros (mirar) el monitor?
5. ¿Quién espera que todos (hacer) algo?

Expansión:
Teacher Edition Only
Pídales a los estudiantes que escriban dos preguntas adicionales sobre la lectura y que intercambien sus papeles con un compañero para contestar las preguntas.

11 ¡Viene el huracán!

Hablar
Escribir

Una oficial de la Cruz Roja piensa hablar por televisión para aconsejar a los ciudadanos de Ponce ante el peligro del huracán. Usa elementos de las cuatro columnas para escribir cinco consejos posibles de la oficial.

modelo: Yo espero que los ciudadanos no tengan miedo.

yo	querer	los ciudadanos	no hacer daño
los científicos	esperar	todos	comportarse con calma
la policía	desear	el huracán	quedarse en casa
los ciudadanos		los trabajadores sociales	ayudar
todos nosotros			no tener miedo

Expansión
Inventa cinco comentarios más de la oficial de la Cruz Roja. Usa las expresiones impersonales: Ojalá que... ; Es mejor que...

12 Después de la crisis

Hablar
Escribir

En grupo, completen el diálogo entre «Los Solucionistas». Deben escribir su propio final. Comparen sus versiones con otros grupos.

Ramona: Oye, 'mano, ¡Es importante que sigas pensando! Siempre hay una solución. A ver... ¿no me dijiste que cuando los huracanes pasan sobre el agua fría pierden su energía?

Manuel: Quiero que busquemos alguna manera de hacer que el agua o el aire estén más fríos.

Ramona: Es necesario que yo examine nuestro sistema de aire acondicionado para ver cómo funciona. ¡Tal vez podemos echarle aire frío del Superavión!

Expansión:
Teacher Edition Only
Pídales a grupos que escriban un diálogo original entre Los Solucionistas. El diálogo debe ser gracioso.

PARA Y PIENSA

¿Comprendiste? Completa las oraciones con formas del subjuntivo.

Get Help Online
ClassZone.com

1. Manuel espera que la situación no...
2. Manuel quiere que todos...
3. Es importante que Manuel...
4. Es necesario que Ramona...

Differentiating Instruction

Heritage Language Learners

Support What They Know Have native speakers look at the list of words given in También se dice. Ask them what other words are used in the region where they or their family members come from. Encourage students to ask someone at home for examples. Write the terms on an ongoing list on the bulletin board and encourage students to use them in class.

Multiple Intelligences

Intrapersonal Ask students to imagine what it would be like to lose their home in a fire or during a natural disaster such as a hurricane. Instruct students to think about how they would comfort someone during a terrible ordeal. Using the subjunctive, have students write four or five things they could say to help someone else in a crisis.

PARA Y PIENSA **Peer Assessment** If a student fails to answer two of the four Para y piensa questions correctly, he or she should pair up with a student who answered them all correctly. Encourage students to review Activities 6 and 7 on p. 218.

For additional practice, use Reteaching & Practice Copymasters URB 4, pp. 4, 6.

Answers UTB 4 Transparencies 25–26

Activity 10
1. Manuel espera que las noticias no sean tan graves como parecen.
2. Carmen espera que el huracán no destruya la ciudad.
3. Gonzalo quiere que todos vayan al avión.
4. Manuel quiere que los otros miren el monitor.
5. Ramona espera que todos hagan algo.

Activity 11 Answers will vary. Sample answers:
Los científicos quieren que el huracán no haga daño; Los ciudadanos esperan que los trabajadores sociales los ayuden; La policía quiere que los ciudadanos se queden en casa; Yo quiero que todos se comporten con calma.

Activity 12 Answers will vary. Sample answers: tengamos otro desastre; descanse pronto; salve el mundo; vengan conmigo; comamos mucho.

Para y piensa
1. sea tan grave como parece
2. miren el monitor
3. prevenga la destrucción de Ponce
4. haga algo

¡AVANZA! **Objectives**

- Practice using the subjunctive with verbs of influence.
- Discuss different behaviors.

Core Resource

- *Cuaderno,* pp. 154-156

Presentation Strategies

- Review the subjunctive with verbs of hope by asking students for the verbs while writing them on the board.
- Discuss the use of the subjunctive when suggesting or prohibiting an action.

STANDARD

4.1 Compare languages

Warm Up UTB 4 Transparency 18

¿Indicativo o subjuntivo? Completa los espacios en blanco con la forma correcta del verbo en indicativo o subjuntivo

1. Yo _____ (querer) ir al cine.
2. Espero que Paqui _____ (salir) conmigo.
3. Yo _____ (desear) ser piloto.
4. Mi padre no quiere que nosotros _____ (bailar).
5. Nosotros deseamos _____ (cantar).

Answers: 1. quiero; 2. salga; 3. deseo; 4. bailemos; 5. cantar

Comparisons

English Grammar Connection

When using the subjunctive with words of influence in Spanish, the word **que** is a necessary part of the structure. For example: **Yo insisto en que hagas la tarea.** However, in English the equivalent word *that* is usually optional in a subjunctive phrase. For example: *I insist you do your homework.*
I insist that you do your homework.
The two sentences mean the same thing and are both grammatically correct.

Presentación de GRAMÁTICA

¡AVANZA! **Goal:** Learn to use the subjunctive with verbs of influence. Then practice by discussing actions or behaviors that are suggested, allowed, or prohibited.
Actividades 13–16

English Grammar Connection: In English, you can use the **infinitive** or the **subjunctive** after verbs that are used to influence the actions of others. In Spanish, if there is a change of subject, you must use the **subjunctive.**

His parents allow him **to drive.**	Sus padres permiten que **conduzca.**
They demand that we **be** on time.	Ellos exigen que **estemos** a tiempo.

Subjunctive with Verbs of Influence

Animated Grammar ClassZone.com

You already know how to use the subjunctive after verbs that express hope. You also use the **subjunctive** after verbs used to influence the actions of others by, for example, suggesting or prohibiting an action.

Here's how: Use the **indicative** for the verb of influence and the **subjunctive** for the second verb.

Verbs of Influence		
aconsejar	**insistir (en)**	**prohibir**
dejar	**mandar**	**recomendar**
exigir	**pedir**	**sugerir**

verb of influence + **que** + **different subject** + **subjunctive**

indicative ↓ *subjunctive* ↓

Sugiero que **llegues** temprano. *I suggest that you arrive early.*

The **indicative** is used for the first verb because it states a fact. The **subjunctive** is used for the second verb because it expresses a possibility rather than a fact, and because there is a change of subject.

Más práctica
Cuaderno *pp. 154–156*
Cuaderno para hispanohablantes *pp. 155–158*

@HomeTutor Leveled Practice ClassZone.com

Differentiating Instruction

Pre-AP

Persuade Have students work in pairs to create an advertisement for a product of their choice using verbs of influence and the subjunctive. Instruct students to persuade consumers to buy their product over a competitor's product. Students should create a visual to accompany their words. Invite students to present their advertisements to the class.

Slower-paced Learners

Sentence Completion To help students who are struggling with the subjunctive, provide a list of several incomplete sentences. Start each sentence with a phrase such as: **Mis padres aconsejan que....** Instruct students to complete the sentences on their own. Allow them to consult their textbooks and offer help as needed. Then have students work in pairs to check answers.

Práctica de GRAMÁTICA

13 | ¿Quién hace qué?

Escribir

Completa la nota que la mamá de Marta le escribió. Usa la forma correcta del subjuntivo.

> Marta, tengo que trabajar hasta tarde; por eso te exijo que hoy (llegar) __1.__ temprano a casa. Hay muchas cosas que hacer. Te sugiero que (leer) __2.__ la lista de tareas que te dejé sobre la mesa. Te aconsejo que (hacer) __3.__ primero las tareas más difíciles. Luego, recomiendo que (descansar) __4.__ unos minutos. Hay que ir a buscar pan y leche al supermercado, pero te prohíbo que (ir) __5.__ en bicicleta. Hay mucho tráfico a esa hora. ¡Tu ayuda es importante!
>
> Un beso,
> Mamá

Expansión
Dile a un compañero(a) qué aconsejas, sugieres, esperas, quieres, recomiendas y prefieres que él o ella haga. Luego, cambien de papel.

14 | ¿A quién eliges?

Hablar

Estás muy ocupado(a) y le recomiendas a un(a) compañero(a) que otras personas hagan las actividades que te pide. Túrnense para hacer las preguntas.

mandar	insistir en
sugerir	recomendar
dejar	preferir

modelo: entrevistar al detective / Álex y Silvia

A ¿Quieres entrevistar al detective?

B No, no puedo. Sugiero que Álex y Silvia lo entrevisten.

Expansión:
Teacher Edition Only
Pídales a los estudiantes que le escriban recomendaciones a un(a) amigo(a) que quiere ser detective.

1. llamar al mecánico / tú
2. pagar al programador / José
3. hacer una cita con la empresaria / ellos
4. escribir el artículo sobre los obreros / Elena
5. buscar al electricista / tú
6. avisar al astronauta / Ana y Marta

AUDIO

Pronunciación   La letra q

La **q** siempre va seguida por **u** y la **u** por las vocales **e** o **i**. La combinación **qu** siempre tiene el sonido /k/, como en la palabra *key* o *cane*.

quitar	búsqueda
quien	orquesta

Refrán

Quien anda de prisa es el **que** tropieza.

Differentiating Instruction

Heritage Language Learners

Increase Accuracy Ask native speakers of Spanish to pronounce several words that begin with or contain the letter **q.** Bilingual students may be tempted to pronounce the **q** as it sounds in English. Remind students who make this error that after the **q,** the **u** is always silent in Spanish.

English Learners

Provide Comprehensible Input Record a few funny commercials from a local Spanish TV station to show in class. After viewing each one, ask students to explain what each commercial is persuading them to buy. Tell students to use the subjunctive and verbs of influence. For example: **El anuncio sugiere que yo compre un refresco.**

Objectives

- Practice using the subjunctive with verbs of influence.
- Practice making recommendations.
- Pronunciation: the letter **q**

Core Resource

- Audio Program: TXT CD 7 Track 5

Practice Sequence

- **Activity 13:** Controlled practice: subjunctive with verbs of influence
- **Activity 14:** Open-ended practice: subjunctive

STANDARDS

1.1 Engage in conversation, Act. 14
1.2 Understand language, Act. 13
4.1 Compare languages, Pronunciación

Long-term Retention

Personalize It

Have students make a list of five things that they wish to do someday. Then have students switch lists with a partner. Using the subjunctive and verbs of influence, the partner will write one recommendation about how to achieve that goal next to each item on the list.

Answers   UTB 4 Transparency 26

Activity 13
1. llegues   2. leas   3. hagas
4. descanses   5. vayas

Activity 14   Answers will vary. Sample answers:
1. ¿Quieres llamar al mecánico?
   No. Sugiero que lo llames.
2. ¿Quieres pagarle al programador?
   No. Insisto en que José le pague.
3. ¿Quieres hacer una cita con la empresaria?
   No. Dejo que ellos hagan la cita.
4. ¿Puedes escribir el artículo sobre los obreros?
   No. Prefiero que Elena lo escriba.
5. ¿Quieres buscar al electricista?
   No. Insisto en que busques al electricista.
6. ¿Puedes avisarle al astronauta?
   No. Prefiero que Ana y Marta le avisen.

223

Objectives
- Practice using the subjunctive with verbs of influence.
- **Culture:** Learn about singer and humanitarian Juan Luis Guerra

Core Resources
- *Cuaderno,* pp. 154–156
- Audio Program: TXT CD 7 Track 6

Practice Sequence
- **Activity 15:** Controlled practice: subjunctive
- **Activity 16:** Open-ended practice: subjunctive with verbs of influence

STANDARDS
1.3 Present information, Act. 15
2.2 Products and perspectives, Act. 16
4.2 Compare cultures, Act. 16

Comparación cultural

Essential Question

Suggested Answer Al estudiar, el músico puede darse cuenta de otras cosas y explicarlas en su música o con sus acciones.

✓ Ongoing Assessment

@HomeTutor
More Practice
ClassZone.com

Quick Check Before students complete the Para y piensa, review with them the format they must follow when using the subjunctive and verbs of influence.

For additional practice, use Reteaching & Practice Copymasters, URB 4 pp. 7, 8.

Answers UTB 4 Transpareny 26

Activity 15 Answers will vary.
1. Mi hermana me prohíbe que use su bicicleta.
2. Rafael espera que yo esté listo para el partido.
3. La escuela de detectives sugiere que compre un sombrero negro.
4. Inés me pide que traiga mi tarjeta de crédito.

Answers continue on p. 225.

224

---

15 **¿Qué te piden otros?**

Escuchar Escribir — Escucha los mensajes en tu contestadora y escribe una lista de las cosas que las otras personas quieren que hagas.

Audio Program
TXT CD 7 Track 6
Audio Script, TE p. 209B

> modelo: Mi mamá insiste en que yo regrese a casa antes de las diez.

16 **Famosos que ayudan a la comunidad**

Escribir

Comparación cultural

Juan Luis Guerra

Juan Luis Guerra
¿De qué manera la educación formal puede afectar el talento de un músico y su forma de pensar? Juan Luis Guerra Seijas, el gran cantante de merengue, nació el 7 de julio de 1956 en Santo Domingo, **República Dominicana.** Guerra estudió Filosofía y Letras en la Universidad de Santo Domingo y después obtuvo una beca para estudiar música en Berklee College of Music en Boston. «Mi casa siempre fue musical, hasta los aguacates cantaban», recuerda el artista a quien muchos consideran un poeta también. Junto con su amigo Herbert Stern creó la Fundación 440 que se encarga de ayudar a los que necesitan recursos médicos en todo el mundo.

Compara con tu mundo *¿Conoces a un(a) cantante, un actor o una actriz que contribuya con mucho dinero o tiempo a obras caritativas? ¿Qué tipos de proyectos apoya?*

Escoge a una personalidad que ayude a la comunidad y escribe cinco oraciones para describir a esta persona y sus proyectos, usando las siguientes expresiones: **querer que... ; esperar que... ; dejar que... ; sugerir que... ; permitir que...**

Más práctica Cuaderno *pp. 154–156* Cuaderno para hispanohablantes *pp. 155–158*

PARA Y PIENSA — **¿Comprendiste?** Completa cada oración con el subjuntivo del verbo indicado.
1. Me gustan los aviones, pero mamá me prohíbe que _____ (ser) piloto.
2. Arturo es razonable. Aconsejo que él _____ (estudiar) para ser detective.
3. Tu invento es muy novedoso. Sugiero que _____ (sacar) una patente.

Get Help Online ClassZone.com

Differentiating Instruction

Slower-paced Learner
Read Before Listening Provide scripts to students for Activity 15 to read before listening to the audio. Ask students to highlight places in the script where the subjunctive is used. After listening to the audio, work with the class to write a list of things that people on the answering machine want done. Post answers on a board or overhead.

Multiple Intelligences
Linguistic/Verbal Refer students to the Comparación cultural. Discuss the article together. Then ask students to tell a story about someone who has helped their community. Students do not have to talk about someone famous. They may describe a neighbor, a friend, a family member, or a classmate who has done something special for others.

Todo junto

Goal: *Show what you know* Notice how Inés, the actors, and a 7-year-old boy use the subjunctive to talk about their hopes and desires. Then practice by talking about actions that you or others hope will occur.
Actividades 17–19

Resumen contextos 1 y 2 Inés Delgado es una estudiante puertorriqueña. Ella escribió un guión *(script)* para un programa de televisión que se llama «Los Solucionistas». Ellos son cuatro personas que viajan por el mundo solucionando problemas.

Contexto 3 *Diálogo*

ESTRATEGIA Escuchar
Use a "story frame" to understand the story While listening, use a story frame to consider how similar or different the "real" people in the story are from the TV characters. The story frame consists of the following questions: Who are the two "real" people? Who are the four TV characters? Do the actors always stay in character?

AUDIO

Inés está filmando el último episodio de su programa «Los Solucionistas» en el gimnasio de la escuela. Luego presentará el video en la escuela.

Inés:	Bueno, vamos a filmar la escena final otra vez. Quiero que todos hablen con mucha sinceridad y que sigan el guión sin errores. Tres, dos, uno... ¡empecemos!
Carmen:	«Ramona, eres una mecánica increíble. ¡Deja que se lo diga a todos!»
Ramona:	«Gracias, Carmen. Pero lo importante es que pudimos salvar a Ponce del huracán... »
Gonzalo:	«Ramona, eres demasiado modesta. Tú eres una gran mecánica».

De repente, llega un niño.

Gonzalo:	Un momento... A ver... ¿Qué te pasa, niño?
Inés:	¡Corten! ¿Qué pasa?
Ricardo:	¡Por favor! ¡Necesito su ayuda!
Gonzalo:	Bueno... cúentanos tu problema... tranquilo. Quiero que empieces desde el principio. ¿Cómo te llamas?

Lección 1
doscientos veinticinco **225**

Differentiating Instruction

Pre-AP

Sequence Information By way of review, write snippets of text from the two previous Contexto episodes on sentence strips. Have a volunteer show them one at a time and tape them to the board to be ordered sequentially with the help of the class.

Slower-paced Learners

Yes/No Questions Ask students yes/no questions to reinforce their understanding of Contexto 3 Diálogo. For example: **¿Es Ramona una mecánica en realidad? ¿Sí o no?** Encourage students to point to the place in the text where they found their information.

¡AVANZA! **Objective**
· Integrate lesson content.

Core Resource
· Audio Program: TXT CD 7 Track 7

Presentation Strategies
· Review the first two parts of the Contexto aloud.
· Have students use a "story frame" to understand the story.
· Play the audio as students read along.

STANDARD
1.2 Understand language

Warm Up UTB 4 Transparency 18

Subjuntivo y verbos de influencia Ordena las siguientes oraciones.
1. que/limpies el cuarto/espero
2. aconsejo/estudien para el examen/que
3. no salgas esta noche/que/preferimos
4. que/prohíbe/manejes/tu padre te
5. queremos/que/Manuel sea piloto

Answers: 1. Espero que limpies el cuarto;
2. Aconsejo que estudien para el examen;
3. Preferimos que no salgas esta noche;
4. Tu padre te prohíbe que manejes;
5. Queremos que Manuel sea piloto.

Communication
Role-Playing and Skits

Have student volunteers act out what is happening in the story. Ask students to use dramatic body language to reflect their comprehension of the story. Ask students in the "audience" to help classmates who are "actors" if they are having difficulty.

Answers UTB 4 Transparency 26

Answers continued from p. 224.

Activity 16 Answers will vary. Students should use the subjunctive and verbs of influence in their answers. Sample answer:

Jennifer Lopez espera que muchas personas den donaciones a dos hospitales en Puerto Rico.

Para y piensa
1. sea
2. estudie
3. saque

225

Objective
· Practice using and integrating lesson grammar and vocabulary.

Core Resources
· *Cuaderno* pp. 157–158
· Audio Program: TXT CD 7 Tracks 7, 8, 9

Practice Sequence
· **Activity 17**: Controlled practice: listening, speaking, and writing
· **Activity 18**: Transitional practice: reading, listening, and speaking
· **Activity 19**: Open-ended practice: writing

STANDARDS
1.2 Understand language, Act. 17
1.3 Present information, Act. 18, 19

Ricardo: Me llamo Ricardo Alonso. Tengo siete años y estoy en segundo grado. Veo que ustedes son superhéroes o algo así y espero que me puedan ayudar. Pero tiene que ser rápido, mi mamá está en la puerta esperándome y quiere que vuelva pronto.

Carmen: Bueno, cuéntanos... ¿Cuál es el problema?

Ricardo: El problema es que mi carrito eléctrico se dañó. No sé qué hacer.

Manuel: ¡Pobrecito! ¡No te preocupes!

Ricardo: Y como vi que esa mujer es mecánica y sabe reparar las cosas...

Ramona: ¿Yo? Ay, Ricardito, la verdad es que no soy mecánica... ¡Soy actriz! ¿Qué podemos hacer?

Carmen: Seguro son las baterías. Bueno, por suerte yo sé un poco sobre carritos eléctricos. Trataré de repararlo, pero queremos que sepas que no somos superhéroes.

Ricardo: ¡Gracias, amigos! ¡Vengan, vengan conmigo!

17 Comprensión del diálogo

Escuchar
Hablar
Escribir

Contesta las preguntas según el diálogo.
1. ¿Qué les pide Inés a todos en la filmación de la última escena?
2. ¿Qué cualidades tiene Ramona que admiran Carmen y Gonzalo?
3. ¿Qué problema tiene Ricardo?
4. ¿Por qué cree Ricardo que Carmen, Ramona y Gonzalo pueden ayudarlo?
5. ¿Dónde está la mamá de Ricardo?
6. ¿Quién sabe algo de mecánica?

> **Expansión:**
> Teacher Edition Only
> Pídales a los estudiantes que escriban una lista de las características de Carmen y Ramona. Luego pregúnteles si creen que Carmen podrá ayudar a Ricardo y por qué.

226 Unidad 4 El Caribe
doscientos veintiséis

Differentiating Instruction

Pre-AP
Summarize Ask students to work in pairs to create a reading comprehension quiz based on the three Contexto readings. The quiz should include fill-in-the-blank, multiple choice, and short answer questions. An answer key must accompany the quiz. Ask pairs to switch quizzes with another pair and to fill in the answers.

Slower-paced Learners
Personalize It Ask students to think about their personal talents. Based on their talents and strengths, ask students to imagine what kind of "superhero" they would be if they were on a television show. Encourage students to use adjectives and the subjunctive when possible.

Answers UTB 4 Transparency 26

Activity 17
1. Inés le pide a Carmen que hable con sinceridad y que siga el guión.
2. Carmen y Gonzalo admiran que Ramona es una gran mecánica.
3. Ricardo tiene un carrito eléctrico roto.
4. Ricardo oye la escena y piensa que son superhéroes.
5. La mamá de Ricardo está esperándolo en la puerta.
6. Carmen sabe algo de mecánica.

18 | Integración

Leer
Escuchar
Hablar

Lee el sitio web de la organización Líderes para el Futuro. Escucha la videoconferencia donde te dan respuestas a un mensaje que pusiste en la sección «Contáctanos». Luego, toma parte en la videoconferencia y da más detalles sobre las cualidades de un líder.

Audio Program
TXT CD 7 Tracks 8, 9
Audio Script,
TE p. 209B

Fuente 1 Sitio web

@ Líderes para el futuro

| Nuestras ideas | Nuestros programas | Enlaces | Contáctanos | **Oportunidades** |

¿Tendrás tú las cualidades de un líder?

Ser líder para ayudar a la comunidad significa mucho más que comportarse bien. Queremos que nuestros líderes tengan muchas cualidades. Esperamos que sean pacientes y comprensivos. También insistimos en que se destaquen por su sinceridad y generosidad. Sobre todo, es muy importante que sean creativos, que tengan ideas interesantes y que no sean tímidos en el momento de compartirlas. ¿Tendrás tú estas cualidades? Contáctanos para aprender más sobre cómo puedes colaborar en uno de nuestros programas.

Fuente 2 Videoconferencia

Escucha y apunta
· ¿Cómo reaccionó la persona al mensaje que pusiste en el sitio web?
· ¿Qué quieren que hagas ahora?

modelo: La persona dijo que le gustó el mensaje. Quiere que mañana participe en otra videoconferencia. Creo que las cualidades de un líder deben ser la sinceridad...

Expansión:
Teacher Edition Only
Pídales a los estudiantes que expliquen que no son las cualidades de un líder.

19 | ¡A escribir!

Escribir

Escribe una nueva escena de las aventuras de «Los Solucionistas». Puedes basar tu escena en los cuatro personajes de las lecturas o presentar algún personaje nuevo. Incluye por lo menos cinco ejemplos del subjuntivo y tres ejemplos de adjetivos o sustantivos de carácter y personalidad.

Writing Criteria	Excellent	Good	Needs Work
Content	Your scene includes many interesting details.	Your scene includes some interesting details.	Your scene includes few interesting details.
Communication	Your scene is organized and easy to follow.	Parts of your scene are organized and easy to follow.	Your scene is disorganized and hard to follow.
Accuracy	You make few mistakes in grammar and vocabulary.	You make some mistakes in grammar and vocabulary.	You make many mistakes in grammar and vocabulary.

Expansión
Practica tu escena con algunos compañeros(as) y preséntenla en clase.

Más práctica Cuaderno *pp. 157–158* Cuaderno para hispanohablantes *pp. 159–160*

PARA Y PIENSA

¿Comprendiste? Escribe oraciones con el verbo dado y otro verbo en el subjuntivo para indicar qué quieren las personas siguientes.
1. mis padres / dejar
2. mi profesor(a) / prohibir
3. yo / esperar
4. mi amigo(a) / aconsejar

Get Help Online
ClassZone.com

Differentiating Instruction

Pre-AP

Vary Vocabulary Encourage students to use a wider range of vocabulary as they complete Activity 19. Instruct students to refer to previous units and use dictionaries to broaden the vocabulary they use in the writing assignment. When students have completed the writing assignment, post the words on the board.

English Learners

Build Background Pair English learners with native English speakers and have partners work together to complete Activity 19. Before beginning the writing process, encourage partners to review the Contexto readings together to be sure that the English learners are clear about what has happened so far in the script.

Long-term Retention

Pre-AP **Integration**

Activity 18 Ask students to share their thoughts on what makes a good leader. Generate a list of qualities and ask students to copy the list into their notebooks. Have them refer to it later when asked to provide details on the qualities of a good leader.

✓ Ongoing Assessment

Rubric Activity 18 Listening/Speaking

Proficient	Not There Yet
Student takes good notes and includes additional information about the qualities of a good leader.	Student takes few notes and includes limited information about the qualities of a good leader.

✓ Ongoing Assessment

@HomeTutor More Practice ClassZone.com

PARA Y PIENSA **Peer Assessment** After students have formed the sentences in the Para y piensa, they should compare their answers with two other students and make corrections as needed. For additional practice, use Reteaching & Practice Copymasters URB 4 pp. 7, 9.

Answers UTB 4 Transparency 27

Activity 18 Answers will vary. Students must use the subjunctive with verbs that express hope and verbs of influence in their answers.

Activity 19 Scenes will vary. Make sure that each scene includes at least five examples of the subjunctive and three examples of character and personality adjectives or nouns.

Para y piensa Answers will vary.
Sample answers:
1. Mis padres dejan que use el coche.
2. Mi profesora prohíbe que copiemos la tarea.
3. Yo espero que tengas chocolate.
4. Mi amigo aconseja que haga ejercicio.

227

Objectives

- Read a segment of a novel by Esmeralda Santiago.
- Analyze the summary of the story.
- **Culture:** Esmeralda Santiago; immigration

Core Resource

- Audio Program: TXT CD 7 Track 10

Presentation Strategies

- Use the Para leer strategy to draw students' attention to the honeycomb story map.
- Point out vocabulary notes.
- Examine Nota cultural with students.
- Read the segment of the selection and respond to questions.

STANDARDS

1.2 Understand language
2.2 Products and perspectives
3.1 Knowledge of other disciplines

 Warm Up UTB 4 Transparency 19

¿Sustantivo o adjetivo? Determina si las siguientes palabras son sustantivos o adjetivos.

1. sinceridad _____
2. atrevido _____
3. paciente _____
4. creativa _____
5. dedicación _____
6. generosidad _____

Answers: 1. sustantivo; 2. adjetivo; 3. adjetivo; 4. adjetivo; 5. sustantivo; 6. sustantivo

Culture

About the Author

Esmeralda Santiago has planned and developed community-based programs for adolescents. Santiago was also one of the founders of a shelter for battered women and their children. She speaks passionately about the need to encourage and support the artistic development of youth.

See Para leer answers on p. 229.

228

Lectura literaria

 ¡AVANZA! **Goal:** Read the following segment from a novel about a mother's concerns about raising her children. Then think about how different friends and family members have served as role models for you.

Para leer

ESTRATEGIA Leer

Use a honeycomb map to summarize the reading While reading the excerpt of a story by Esmeralda Santiago, use the honeycomb map to summarize the story. First draw the honeycomb map on a separate sheet. Next complete all the parts of the map. You might need to make some intelligent guesses (inferences) based on the context. After filling the entire map, you are ready to write full answers to the reflection questions contained in the story.

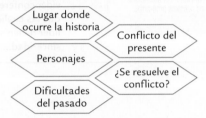

- Lugar donde ocurre la historia
- Conflicto del presente
- Personajes
- ¿Se resuelve el conflicto?
- Dificultades del pasado

Vocabulario para leer

entrometerse	*meterse sin permiso en una conversación o en la vida de otra persona*
salirle bien	*tener los resultados esperados*
nena	*expresión familiar para dirigirse a una mujer más joven*
encajar	*hacer que una cosa coincida o esté relacionada con otra*
sufrimiento	*preocupación que pasan las personas en algunos momentos de su vida*

Nota cultural

Sobre la autora **Esmeralda Santiago (1948–)**
Nació en San Juan, Puerto Rico, y su familia vino a Estados Unidos cuando ella tenía trece años. Entre sus obras más famosas están *Cuando era puertorriqueña* y *El sueño de América*. Esta última ya se ha publicado en seis idiomas y fue seleccionada por Literary Guild.

Sobre la inmigración Puerto Rico es un Estado Libre Asociado de Estados Unidos. Los puertorriqueños son ciudadanos estadounidenses que no necesitan pasaporte para entrar a EE.UU. En la novela *El sueño de América*, una puertorriqueña llega a EE.UU. y visita a su tía que vino a este país hace muchos años.

228
Unidad 4 El Caribe
doscientos veintiocho

Differentiating Instruction

English Learners

Increase Interaction After reading the Nota cultural aloud in class, work with English learners to ensure that they understand who the author is and what they are about to read.

Heritage Language Learners

Support What They Know Ask heritage learners to discuss a famous writer or poet from their countries of origin. Ask that they bring in an excerpt of the writer's work to share with the class. Encourage them to explain how the writer includes references to their country in their work.

Plazoleta Rodolpho Walsh (2000), *Graciela Genovés*

El sueño de América
AUDIO

—Así son nuestros domingos —Paulina le explica más tarde—. Todas las semanas que pueden, vienen los hijos y la nieta. Y casi siempre Rufo y Lourdes y Darío y, por supuesto, los mellizos[1].

—¿Todas las semanas?

5 —Sí, m'ija[2], todas las semanas. Y a veces vienen otros parientes o los vecinos. Pero siempre tengo la casa llena los domingos.

....

—Usted parece tener una relación tan linda con sus hijos, Tía. América dice con tanta sinceridad que Paulina se infla de orgullo.

—Sí, es verdad. Leopoldo y yo tratamos de no entrometernos 10 mucho en sus vidas. Les permitimos cometer errores.

—Eso es lo que yo traté de hacer con Rosalinda, pero no me salió bien.

—El darles la libertad de cometer errores no quiere decir que no los cometerán, América.

---

[1] twins   [2] my daughter *(mi hija)*

 Reflexiona

¿Qué relación tiene Paulina con la gente que la visita los domingos?

Lección 1
doscientos veintinueve **229**

Differentiating Instruction

Multiple Intelligences

Visual Learners Divide students into three groups. Then split the excerpt on p. 229 into three parts. Give each group one part to illustrate. Encourage all members of the group to draw or contribute something to the work. Post the illustrations on the board and have students put the pictures in order. Discuss what is happening in each illustration.

Slower-paced Learners

Yes/No Questions Read the first part of *El sueño de América* as a class. Ask students several yes/no questions to check for comprehension such as **¿La historia ocurre un día sábado?** (No), **¿Hay una mujer que habla con su tía?** (Sí). If students answer a question incorrectly, carefully review what happens in that part of the story.

Communication

Interpretive Mode

Lectura literaria Read aloud the first part of the excerpt from *El sueño de América* as students listen. Then have students quietly read the segment on their own. Suggest that students create a list of questions they have about the piece.

✓ Ongoing Assessment

Quick Check Have students choose three words from Vocabulario para leer and use each in a creative sentence. Then collect the sentences and read a variety of them out loud, leaving out the vocabulary words. Have students jot down each missing word and then go over the answers as a class. Hand back the papers and ask students to correct their own sentences.

Answers

Answers for Para leer on p. 228.

Para leer Answers will vary, but should include the following elements:
Lugar donde ocurre la historia: Estados Unidos; **Personajes:** América, Paulina; **Dificultades del pasado:** los hijos de América y Paulina han cometido muchos errores; **Conflicto del presente:** cómo enseñar a los hijos; **¿Se resuelve el conflicto?:** No. América cree que los niños aprenden del modelo de sus padres y Paulina cree que los niños tienen que aprender de sus propios errores.
Reflexiona
Son parientes de Paulina.

Objectives
- Read a segment of a novel by Esmeralda Santiago.
- Analyze the summary of the story.

Core Resource
- Audio Program: TXT CD 7 Track 10

Presentation Strategy
- Read the segment of the novel and respond to questions.

STANDARDS
1.2 Understand language
1.3 Present information

Long-term Retention
Critical Thinking

Analyze Read the excerpt from pp. 229 and 230. Ask students why they think América is sad. Ask students to think of a list of ideas that could logically explain her sorrow.

Long-term Retention
Personalize It

Ask students to imagine a time that they disagreed with a friend or relative about something important. Request that students write a brief account of that argument. Encourage students to look in the back of the book or in dictionaries for additional vocabulary if necessary.

Answers

A pensar
Rosalinda es la hija de América. Parece que Rosalinda cometió un error horrible.

Reflexiona
Descubre que la tía sufrió por sus hijos.

230

�֍ Lectura literaria *continuación*

15   Ella considera esto un minuto, y la tensión de siempre vuelve a su pecho, un dolor tan profundo que no puede nombrarlo, no puede separarlo de su ser. Se deslizan[3] lágrimas por sus mejillas.

—Lo has tomado tan personalmente —Paulina dice con verdadera sorpresa, como si nunca se le hubiera ocurrido[4] que los
20   errores de sus hijos se reflejarían[5] en ella.

—¿Usted no lo haría[6], Tía? —América dice resentida[7]. �֍

—Nena, tú no tienes ni idea del sufrimiento que me han ocasionado mis hijos —Paulina sube sus manos a su pecho.

América la mira como si la estuviera viendo[8] por primera vez.

25   —¿Ellos la han hecho[9] sufrir? —no encaja con la imagen de las caras sonrientes[10] en las tarjetas de Navidad en la pared de memorias de Ester.

—Si yo contara[11] las horas que pasé sentada en esta misma silla esperando que Orlando regresara a casa de estas calles peligrosas,
30   o de las batallas que tuve con Carmen sobre sus amigos...

—Ay, no, nena, tú no quieras saber —Paulina mira sus manos fijamente, manos arrugadas[12], manchadas[13] por la edad, con uñas desafiladas[14] y cutículas gruesas[15].

---

[3] Roll down   [4] **como...** as if it had never occurred to her
[5] **se...** would reflect   [6] **no...** wouldn't do it   [7] resentfully
[8] **como...** as if she were seeing her   [9] **la...** they made you
[10] smiling   [11] **Si...** If I were to count   [12] wrinkled
[13] speckled   [14] rough   [15] thick

 Reflexiona

¿Qué descubre América de su tía?

> **�֍ A pensar**
> ¿Por qué reacciona América tan fuertemente al comentario de su tía? ¿Quién es Rosalinda y qué crees que hizo?

Differentiating Instruction

Pre-AP

Determine Cause and Effect Ask students the following cause and effect questions about *El sueño de América: What causes América to think that Paulina has a good relationship with her children? What is the effect of Paulina telling América that giving your children the freedom to make mistakes does not mean that they will not make mistakes?*

Multiple Intelligences

Logical/Mathematical
Have students make a flow chart like the following to process what happens in the story.

> Es domingo y Paulina le explica a América que toda la familia viene a su casa.

Los Rodríguez

Con mucho amor,
de tu hija,
tu yerno y tus nietos

—Lo que yo no comprendo —América dice— es qué tiene que
35 hacer una madre para prevenir que sus hijos no repitan sus errores.
¿Cómo se les enseña que nuestra vida no es su modelo?

—No se les puede enseñar [16], nena, ellos tienen que aprender eso
por sí mismos. ❈

—Yo no puedo estar de acuerdo con eso, Tía. ¿Para qué somos
40 madres si no es para enseñarles?

—No se les puede enseñar —Paulina insiste—. Sólo puedes
escucharles y orientarlos. Y después sólo si te lo piden puedes
guiarles.

---

[16] **No...** they can't be taught

> ❈ **A pensar**
> Paulina usa
> frecuentemente la
> expresión **nena** para
> dirigirse a América. ¿Por
> qué crees que la usa
> tanto? Ten en cuenta el
> tono en que Paulina le
> habla a su sobrina.

PARA Y PIENSA

¿Comprendiste?

1. ¿Qué deduce América de los domingos en casa de Paulina?
2. ¿Quién es Leopoldo?
3. ¿Por qué crees que América se pone triste cuando piensa en su hija?
4. ¿Qué tipo de fotos vio América en la casa de Ester?
5. Según Paulina, ¿cuál es la responsabilidad de una madre?

¿Y tú?

¿Crees que los niños aprenden del modelo de sus padres o tienen
que aprender de sus propios errores? Explica tus razones.

Lección 1
doscientos treinta y uno **231**

Differentiating Instruction

Heritage Language Learners

Support What They Know Ask heritage
learners to answer the A pensar activity on
p. 231. Encourage students to share
expressions of affection that are used in their
countries of origin. Then ask the rest of the
class to name a few terms of endearment that
are used in their homes. Compare their
responses with the heritage learners' responses.

Slower-paced Learners

Peer-study Support Ask students to refer
back to their answers to the questions for
Para y piensa. Put students in pairs. Mix the
pairs so different proficiency levels work
together to clarify questions and explain
answers.

Answers

A pensar
Nena es una expresión de cariño. Paulina la usa
porque América es su sobrina y la ama.

Para y piensa

¿Comprendiste? Answers will vary.
Sample answers:
1. Deduce que Paulina tiene una buena
   relación con su familia.
2. Es el esposo de Paulina.
3. Porque su hija cometió un error.
4. Vio fotos en las tarjetas de Navidad.
5. Enseñarles a los hijos.

¿Y tú? Answers will vary. Sample response:
Creo que los niños tienen que aprender de sus
propios errores. Es la única manera de crecer.

Conexiones *Las matemáticas*

Promedios en el béisbol

El béisbol es una pasión en muchos países latinoamericanos, particularmente en los países del Caribe. En 1902, Luis Castro fue el primer beisbolista latinoamericano que jugó en las Grandes Ligas de Estados Unidos. Éstas son las estadísticas de cuatro jugadores caribeños que están en el Salón de la Fama.

El promedio *(average)* de bateo de un jugador se obtiene dividiendo su cantidad de hits entre sus veces al bate. Luego, ese resultado lo multiplicas por mil.

$$(3 \div 10) \times 1000 = 300$$

hits veces   promedio
      al bate   de bateo

Caribeños en el Salón de la Fama

Roberto Clemente
Puerto Rico
Ingreso al Salón: 1973
Hits: 3000
Jonrones: 240
Promedio: .317

Orlando Cepeda
Puerto Rico
Ingreso al Salón: 1999
Hits: 2351
Jonrones: 379
Promedio: .297

Juan Marichal
Rep. Dominicana
Ingreso al Salón: 1983
Ganados: 243
Perdidos: 142
Ponchados: 2303

Tony Pérez
Cuba
Ingreso al Salón: 2000
Hits: 2732
Jonrones: 379
Promedio: .279

Proyecto

1. Según estas estadísticas, ¿quién bateó más hits en total?
2. ¿Quiénes batearon más jonrones?
3. ¿Quién tuvo el promedio más alto?
4. Usa una calculadora para saber el promedio de bateo de un jugador que bateó 6 hits en 20 veces al bate y de otro jugador que bateó 4 hits en 15 veces al bate. ¿Quién tuvo el promedio más alto?

En tu comunidad

¿Hay jugadores latinos en el equipo de las Grandes Ligas más cercano a tu ciudad? ¿Quiénes son? ¿De qué país son o cuál es su origen? ¿En qué equipo juegan?

- Escoge a un jugador de béisbol del Caribe que juegue en las Grandes Ligas de Estados Unidos. Busca información sobre sus datos biográficos y sus estadísticas en este momento. Aquí hay una lista con algunos beisbolistas del Caribe.
  - Adrián Beltré (República Dominicana)
  - José Contreras (Cuba)
  - David De Jesús (Puerto Rico)
  - David Ortiz (República Dominicana)
  - Rubén Gotay (Puerto Rico)
  - Liván Hernández (Cuba)

Las matemáticas — Teacher notes (left column)

Connections

Las matemáticas

To figure out a baseball player's batting average, divide the number of hits a player makes by his number of times at bat. Multiply the result by one thousand. During the course of a baseball season, if Orlando Cabrera has 139 hits and 540 times at bat, what is his batting average? (.257)

- Read about the statistics of four Caribbean men in the Baseball Hall of Fame.

Presentation Strategies

- Ask students to scan/preview the text. Ask if they have questions.
- Have students read along as you (or a series of student volunteers) read the selection aloud.

STANDARDS

2.2 Products and perspectives
3.1 Knowledge of other disciplines

Answers

Proyecto

1. Roberto Clemente (3000)
2. Orlando Cepeda y Tony Pérez (379)
3. Roberto Clemente (317)
4. jugador 1: $(6 \div 20) \times 1000 = 300$
   jugador 2: $(4 \div 15) \times 1000 = 266.66$
   El jugador 1 tuvo el promedio más alto: 300

Differentiating Instruction

Multiple Intelligences

Logical/Mathematical A pitcher is judged on his earned run average, or ERA which is the average number of earned runs given up by the pitcher per nine innings. An earned run is any run that the opponent scores off a pitcher. The ERA can be calculated using this formula: earned runs/innings pitched × 9. If Pedro Martinez yields 19 earned runs over 89 innings, what is his ERA?

Slower-paced Learners

Yes/No Questions Pause frequently while reading the selection to check for comprehension. Ask yes/no questions that draw students' attention to the most important points in the passage. For example, **¿Juegan al béisbol en el Caribe?**, **¿Se usa la multiplicación para calcular el promedio de bateo?**

Lección 1

En resumen
Vocabulario y gramática

Animated Grammar
Interactive Flashcards
ClassZone.com

Vocabulario

Describe People

comportarse bien / mal	to behave well / badly	destacarse por...	to be remarkable for, to stand out (from others) for . . .	imitar	to imitate
la conducta	behavior			personificar	to personify
		idealizar (a alguien)	to idealize (someone)	representar	to represent

Personal characteristics

atrevido(a)	daring	impaciente	impatient	razonable	reasonable
comprensivo(a)	understanding	ingenioso (a)	clever	sincero(a)	sincere
considerado(a)	considerate	modesto(a)	modest	sobresaliente	outstanding
dedicado(a)	dedicated	orgulloso(a)	proud	tímido(a)	shy
desagradable	disagreeable	paciente	patient	vanidoso(a)	vain
fiel	faithful	popular	popular		
generoso(a)	generous	presumido(a)	presumptuous		

Professions

				Tell Others What To Do	
el (la) astronauta	astronaut	el (la) mecánico(a)	mechanic	aconsejar que	to advise that
el (la) científico(a)	scientist	el (la) obrero(a)	laborer	dejar que	to allow that
el (la) detective	detective	el (la) piloto	pilot	exigir que	to demand that
el (la) electricista	electrician	el (la) programador(a)	programmer	mandar que	to order, command that
el (la) empresario(a)	businessperson				
el (la) entrenador(a)	trainer, coach	el (la) trabajador(a) social	social worker	prohibir que	to prohibit that
				sugerir (ie, i) que	to suggest that

Gramática
Nota gramatical: Suffixes *p. 216*

Subjunctive with Ojalá and Verbs of Hope

> Verbs of Hope
> desear
> esperar
> querer
>
> + que + **different subject** + subjunctive

Ella **quiere** que **su hijo** se **comporte** bien.

Use the **infinitive** and omit **que** if there is no change of subject.

El niño **quiere comportarse** bien.

Ojalá can be used with or without **que.** It is always used with the **subjunctive.**

Ojalá que no **llueva** mañana.

Subjunctive with Verbs of Influence

> Verbs of Influence
>
> | | | |
> |---|---|---|
> | aconsejar | insistir | prohibir |
> | dejar | mandar | recomendar |
> | exigir | pedir | sugerir |

> verb of influence + que + **different subject** + subjunctive

indicative ⌐ *subjunctive* ⌐
Sugiero que **llegues** temprano.
I suggest that you arrive early.

Lección 1
doscientos treinta y tres **233**

Online SPANISH CLASSZONE.COM

Interactive Flashcards Students can hear every target vocabulary word pronounced in authentic Spanish. Flashcards have Spanish on one side, and a picture or a translation on the other.

Self-Quiz Students can check their understanding and get instant results with our online multiple-choice quizzes. These quizzes provide immediate feedback, making them a great way to prepare for a quiz or test.

Review Games Matching, concentration, hangman, and word search are just a sampling of the fun, interactive games students can play to review for the test.

Featuring...
Cultura INTERACTIVA
Animated Grammar
@HomeTutor

And more...
· Get Help Online
· Interactive Flashcards
· Review Games
· WebQuest
· Conjuguemos.com

Communication
Group Work

Have students study the terms listed under Vocabulario on p. 233 for five minutes, and then have them close their books. Write the vocabulary categories describing personal characteristics and professions on the board. Randomly call out words from these two lists. Ask students to go to the board and write down the word under the appropriate heading.

Long-term Retention
Study Tip

Have students create their own version of the lesson summary. Tell them that categorizing the information will help them to remember it, as will the action of writing out the words themselves.

Differentiating Instruction

Multiple Intelligences

Linguistic/Verbal Divide students into groups of three and have each group create a mystery/thriller. Provide the students with a lead-in sentence to get them started: **Algo sospechoso está pasando en mi hotel.** Encourage students to use the subjunctive verbs with expressions of hope and influence that have been reviewed thus far. Later, students can act out their stories.

Pre-AP

Persuade Using subjunctive verbs of hope (**desear, esperar, querer**) and influence (**aconsejar, dejar, insistir**), have students select a profession listed on p. 233 and convince their classmates why that particular career is the best. They should describe the type of work schedule the job requires, its salary range, and health and vacation benefits.

REPASO DE LA LECCIÓN

Lección 1
Repaso de la lección

Objective
· Review lesson grammar and vocabulary.

Core Resources
· *Cuaderno*, pp. 159–170
· Audio Program: TXT CD 7 Track 11

Presentation Strategies
· Before playing the audio for Activity 1, instruct students to pay special attention to the use of the subjunctive with verbs of influence.
· Review forming suffixes before assigning Activity 3.
· Encourage students to generate an additional two-to-three questions for Activity 5. Have students exchange papers and answer the questions.

STANDARDS
1.2 Understand language, Act. 1
1.3 Present information, Act. 2, 3
2.2 Products and perspectives, Act. 5
4.2 Compare cultures, Act. 5

Warm Up   UTB 4 Transparency 19

Héroes ¿Qué palabras se asocian con un héroe de la vida real?
1. popular
2. vanidoso
3. sincero
4. presumido
5. considerado

Answers: 1, 3, 5

Answers   UTB 4 Transparency 27

Activity 1
1. sinceridad
2. Quiere que su mamá vea cómo es ahora.
3. Quiere hablar para que tenga la oportunidad de conocerlo de nuevo.
4. comprensiva
5. atrevida

Activity 2 Answers will vary. Sample answers:
1. Mi madre quiere que tú ayudes en casa.
2. Mi madre quiere que yo sea más considerado(a).
3. La maestra quiere que tú hagas la tarea.
4. La maestra quiere que nosotros no hablemos en clase.

Answers continue on p. 235.

Repaso de la lección

¡LLEGADA!

@HomeTutor
ClassZone.com

Now you can
· describe people
· tell others what to do
· express wishes and desires

Using
· suffixes
· subjunctive with **ojalá** and verbs of hope
· subjunctive with verbs of influence

 Audio Program
TXT CD 7 Track 11
Audio Script, TE p. 209B

To review
· vocabulary p. 212
· suffixes p. 216
· subjunctive with verbs of influence p. 222

AUDIO

1 Listen and understand

En este episodio de la telenovela «La Familia Suárez», Luisa habla con su hermano, Álvaro. Después de una ausencia misteriosa de veinte años, Álvaro quiere hablar con su madre. Escucha parte de la escena y luego contesta las preguntas.

1. ¿Qué tipo de cualidad tiene Álvaro, según él?
2. ¿Qué quiere Álvaro que su mamá vea?
3. ¿De qué tipo de cosas quiere hablar Álvaro con su mamá?
4. ¿Qué tipo de persona piensa Álvaro que es su mamá?
5. Según Álvaro, ¿qué característica tiene su hermana al final de la conversación?

To review
· subjunctive with verbs of influence p. 222

2 Tell other people to do something

Usa la información de la tabla y escribe oraciones para expresar lo que insisten las personas indicadas. Sigue el modelo.

modelo: mi madre / nosotros
Mi madre insiste en que nosotros nos comportemos bien.

	tú	nosotros	yo
mi madre	ayudar en la cocina	comportarse bien	ser más considerado(a)
la maestra	hacer la tarea	no hablar en clase	estudiar más
los amigos	ser más generoso	ir mañana a la playa	dar una fiesta

1. mi madre / tú
2. mi madre / yo
3. la maestra / tú
4. la maestra / nosotros
5. los amigos / nosotros
6. los amigos / yo

Differentiating Instruction

Slower-paced Learners

Read Before Listening Preview the questionacs listed in Activity 1 and elicit from students the names of the people who will be talking. Have students read the questions again and circle or underline key words such as **de qué, qué tipo** or **según** that indicate what specific information their answers should contain. Advise students to take notes as they listen to the audio.

Inclusion

Frequent Review/Repetition So that they get more practice with suffixes, have pairs of students create more sentences like those in Activity 3. They can describe characters, celebrities, or people they know.

To review
• suffixes p. 216

3 Describe people

Completa las siguientes oraciones con los adjetivos o sustantivos correctos.

1. Andrés se destaca por su dedicación. Es muy _____ .
2. Elisa personifica la sinceridad. Es muy _____ .
3. Sandra, tú representas la _____ . Eres muy considerada.
4. Nosotras nos destacamos por la _____ . Somos muy tímidas.
5. Ellos personifican la vanidad. ¡Son tan _____ !
6. Marisol y Rafael se destacan por su _____ . Son muy populares.

To review
• subjunctive with **ojalá** and verbs of hope p. 217
• subjunctive vs. indicative p. 222

4 Express wishes and desires

Completa la siguiente descripción con las formas correctas de los verbos indicados. Usa el infinitivo, el subjuntivo o el indicativo, según el contexto.

5 de agosto

Ay, ¡qué vida más difícil! Quiero __1.__ (describir) todos mis problemas... ¡Los maestros quieren que yo __2.__ (leer) cinco libros por semana! Mis padres mandan que mis hermanos y yo __3.__ (hacer) todos los quehaceres de la casa. Y mis amigos esperan que yo __4.__ (salir) con ellos todos los días. Yo les sugiero a ellos que __5.__ (tener) más paciencia conmigo, pero ellos no quieren __6.__ (oír).

To review
• **Comparación cultural** pp. 219, 224

5 People and places

Comparación cultural

1. ¿Cuál es el origen nacional de Juan Luis Guerra? ¿Qué proyectos de caridad patrocina?
2. ¿Conoces a una persona famosa que financia proyectos semejantes en tu comunidad o estado?
3. ¿Dónde nació Roberto Clemente? ¿Qué premios ganó durante su carrera con los Piratas de Pittsburgh?
4. ¿Qué proyecto humanitario emprendió?

Más práctica) Cuaderno *pp. 153–170*   Cuaderno para hispanohablantes *pp. 161–170*

Get Help Online
ClassZone.com

Differentiating Instruction

Slower-paced Learners

Sentence Completion Some students may struggle with the multiple questions presented in Activity 5. Go over the questions one at a time and provide a sentence starter for each question. Then ask students to fill in the missing information. For example, in question 1 you could write: **Juan Luis Guerra es de _____.**

Pre-AP

Timed Answer Give students practice writing responses within a time limit. For example, give them one minute to answer the items in Activity 5. This includes time taken to go back and verify information in the reading. Then, let students take extra time to polish their answers, knowing that in an assessment situation they might not have extra time.

✓ **Ongoing Assessment**
@HomeTutor
More Practice
ClassZone.com

Intervention and Remediation If students have more than one mistake in any of the activities, direct them to the indicated review pages in the PE. Ask students to make up one or two additional questions for the activity and give them to a friend to complete, checking the friend's work for accuracy.

Answers UTB 4 Transparency 27

Answers continued from p. 234.

5. Los amigos quieren que nosotros vayamos mañana a la playa.
6. Los amigos quieren que yo dé una fiesta.

Activity 3
1. dedicado
2. sincera
3. consideración
4. timidez
5. vanidosos
6. popularidad

Activity 4
1. describir
2. lea
3. hagamos
4. salga
5. tengan
6. oír

Activity 5 Answers will vary.
1. Juan Luis Guerra es de la República Dominicana.
2. Creó una fundación que ayuda a los que carecen de recursos médicos en todo el mundo.
3. Roberto Clemente nació en Puerto Rico. Fue nombrado líder de bateo de la Liga Nacional cuatro veces y fue el Jugador Más Valioso del año 1966.
4. Cuando murió estaba llevando unas donaciones para las víctimas del terremoto de 1972, en Nicaragua.

235

Lesson Overview

Culture at a Glance ❀

Topic & Activity	Essential Question
El Morro de Puerto Rico, pp. 236–237	¿A quién dependemos a protegernos?
Un estilo propio, p. 245	¿Qué importancia tiene crear un estilo propio en el arte?
La pintura y los héroes, p. 250	¿Cómo puede representar un artista a sus héroes?
«La ñapa», por Julia Álvarez, pp. 254–257	¿Por qué es importante conocer las costumbres de otros países?
Culture review: Artists and their work, p. 261	¿Qué dice el arte sobre los sentimientos de su creador?

Practice at a Glance ❀

	Objective	Activity & Skill
Vocabulary	People in action	2: Reading / Writing; 3: Speaking / Writing; 9: Speaking / Writing; 17: Listening / Speaking / Writing; 18: Reading / Listening / Speaking
	Professions	1: Speaking / Writing; 8: Writing / Speaking; 15: Speaking / Writing
	Emotions	5: Listening / Writing; 6: Speaking / Writing; 7: Speaking; 10: Speaking; 12: Speaking / Writing; 16: Reading / Writing; Repaso 1: Listening
Grammar	Superlatives	4: Speaking / Writing; Repaso 4: Writing
	Subjunctive with doubt	5: Listening / Writing; 6: Speaking / Writing; 7: Speaking; 8: Writing / Speaking; 9: Speaking / Writing; 10: Speaking; 11: Writing; 16: Reading / Writing; 18: Reading / Listening / Speaking; Repaso 3: Writing
	Subjunctive with emotion	12: Speaking / Writing; 13: Writing /Speaking; 14: Speaking / Writing; 15: Speaking / Writing; 16: Reading / Writing; 19: Writing; Repaso 2: Listening; Repaso inclusivo 4: Writing
Communication	Describe people and things	4: Speaking / Writing; 11: Writing; 14: Speaking / Writing; 18: Reading / Listening / Speaking; 19: Writing; Repaso inclusivo 2: Speaking / Writing; Repaso inclusivo 3: Writing / Speaking
	Express doubt, denial, and disbelief	7: Speaking; 10: Speaking; Repaso inclusivo 6: Speaking
	Express positive and negative emotions	8: Writing / Speaking; 15: Speaking / Writing; Repaso inclusivo 4: Writing
	Pronunciation: The letter **j**	*Pronunciación: La letra **j**,* p. 249: Listening / Speaking
Recycle	Describe people	1: Speaking / Writing
	Family relationships	6: Speaking / Writing
♻	The suffix **-ísimo**	14: Speaking / Writing

The following presentations are recorded in the Audio Program for *¡Avancemos!*

- **¡A responder!** *p. 239*
- **5: ¿Qué noticias?** *p. 244*
- **18: Integración** *p. 253*
- **Repaso de la lección** *p. 260*
  1: Listen and understand
- **Repaso inclusivo** *p. 266*
  1: Escucha, comprende y compara

¡A responder! TXT CD 8 track 2

1. músico
2. carpintero
3. artista
4. secretario
5. periodista
6. bombero
7. policía

5 | ¿Qué noticias? TXT CD 8 track 4

¡No vas a creer mis noticias! Tengo un boleto para el partido de béisbol el sábado y voy a entrevistar a los jugadores después del partido. Voy a escribir un artículo para el periódico estudiantil y por eso tengo una invitación especial. El periódico quiere que hable especialmente con los jugadores caribeños del equipo. Voy a invitarlos a comer pero no creo que acepten mi invitación. ¡Dudo que quieran pasar mucho tiempo con una periodista joven y no famosa! Pues, el domingo te cuento todo. Chau.

18 | Integración TXT CD 8 track 9

Fuente 2, Presentación

Muy buenas tardes. Gracias por venir a la feria y en especial por estar interesados en el nuevo libro de Ariel Vasconcelos. Me alegro de que hayan venido tantas personas a reconocer el heroísmo de un político completamente dedicado a mejorar la vida de los jóvenes de nuestra comunidad. Ariel Vasconcelos personifica el sacrificio y la valentía necesarios para lograr sus propósitos. En este libro Vasconcelos aconseja a los jóvenes que decidan qué quieren hacer en la vida y que se destaquen por su dedicación sincera para lograr esa meta. También insiste en que siempre actúen con honor, que tomen decisiones responsables y que imiten a los héroes que admiran. Yo creo que es el deber de todos nosotros leer este libro pero principalmente me encanta que los jóvenes sean los más beneficiados.

Repaso de la lección TXT CD 8 track 11

1 Listen and understand

¡Hola, queridos! Están escuchando a Diana Diamante, la periodista que sabe lo que hacen los famosos. Veo todo, escucho todo y ahora les cuento todo... Bueno, el otro día yo vi al actor guapísimo Víctor Vargas en un café cercano. Tengo que decirles que no es cierto que él y su esposa se separen... ¡ella estaba con él y los dos estaban muy contentos! Y hablando de contentos, la cantante Esmeralda tiene un perro nuevo que se llama Perlita... me sorprende que no lo llame «Diamante» en mi honor, pero qué va... No se puede tener todo, ¿verdad? Hablé ayer con un amigo de la actriz famosísima Julia Jiménez y él me dijo que ella compró una casa nueva, pero que no es verdad que ahora tenga cinco casas. ¡Se contenta con solamente tres! Menos mal, ¿no? Acabo de ver la nueva película de Lorenzo Lima y siento decirles que es ¡malísima! Me alegra que él siga actuando a su edad, pero qué lástima que no escoja proyectos mejores. Seguramente ésta es la peor película del año. Bueno, ya es casi todo... pero les tengo que decir que tuve una entrevista con la famosa artista Paloma Palmares ayer. ¡Ella tiene tantísimo talento! Me emociona que pueda pintar así... sus obras son increíbles. Va a tener una exhibición el mes próximo. ¡No se la pierdan, queridos! Bueno, eso es todo. Un abrazo fuerte de su periodista favorita, Diana Diamante. Hasta la próxima vez. ¡Chau, queridos!

Repaso inclusivo TXT CD 8 track 13

1 Escucha, comprende y compara

Celia Cruz, la reina de la música cubana nació en La Habana en 1925. Sus vecinos recuerdan que cantaba desde pequeña. Y no dejó de cantar hasta su muerte en el 2003 en Nueva York. Celia siempre fue una mujer valiente y atrevida. A pesar de su gran fama nunca fue presumida o vanidosa. Aunque abandonó Cuba en 1960 personifica el espíritu de la auténtica música cubana. Se destacó por su voz sobresaliente y su sorprendente energía hasta el final. Celia Cruz es una verdadera estrella de la música cubana.

On your desktop

Everything you need to ...

Plan	Present	Assess
ONE-STOP PLANNER	**POWER PRESENTATIONS**	 **ONLINE ASSESSMENT SYSTEM**
All resources including audio and video	Ready-made PowerPoint™ presentations with  **Animated Grammar**	✓ Create customized tests with Examview Assessment Suite ✓ Individualized Assessment for on-level, modified, pre-AP, and heritage language learners

Print

Plan	Present	Practice	Assess
URB 4 • Video Scripts p. 52 • Family Involvement Activity p. 76 • Absent Student Copymasters pp. 85–95 **Lesson Plans** p. 83 **Best Practices Toolkit**	**URB 4** • Video Activities pp. 49–50 **TPRS** pp. 50–56	• *Cuaderno* pp. 171–196 • *Cuaderno para hispanohablantes* pp. 171–196 • *Lecturas para todos* pp. 46–53 • *Lecturas para hispanohablantes* • *¡AvanzaCómics! Mundos paralelos*, Episodio 2 **URB 4** • Practice Games pp. 37–44 • Audio Scripts pp. 58–64 • Fine Art Activities pp. 71–72	**URB 4** • Did you get it? Reteaching and Practice Copymasters pp. 13–22

Unit Transparency Book 4

Culture	Presentation and Practice	Classroom Management
• Atlas Maps UTB 1, 1–6 • Fine Art Transparencies 4, 5	• Vocabulary Transparencies 8, 9 • Grammar Presentation Transparencies 12, 13 • Situational Transparencies and label overlay 14, 15 • Situational Student Copymaster pp.1-2	• Warm Up Transparencies 20–23 • Student Book Answer Transparencies 28–31

Audio and Video

Audio	Video
• Student Book Audio CD 8 Tracks 1–13 • Workbook Audio CD 2 Tracks 31–40 • Heritage Learners Audio CD 1 Tracks 29–32, CD 4 Tracks 25–42 • Assessment Audio CD 2 Tracks 25–42 • *Lecturas para todos* Audio CD 1 Track 9, CD 3 Tracks 1–5 • *Música del mundo hispano*	• *El Gran Desafío* DVD 2

Online (ClassZone.com) and Media Resources

Student	Teacher
Available online and on disc: • eEdition (DVD-ROM) and eEdition Interactive Online Student Edition • @Home Tutor (CD-ROM) - featuring Animated Grammar **Available online:** • Conjuguemos.com • Cultura interactiva • Culture Links • WebQuests • Flashcards • Review Games • Self-check Quiz	**One-Stop Planner (available online and on DVD-ROM):** • Interactive Teacher's Edition • All print resources • All audio and video resources • Learning Scenarios • Conversation Cards • Assessment Program • Examview Assessment Suite • Calendar Planner • Rubric Generator **Available on CD-ROM:** • Power Presentations

Differentiated Assessment

On-level	Modified	Pre-AP	Heritage Learners

• Vocabulary Recognition Quiz p. 172
• Vocabulary Production Quiz p. 173
• Grammar Quizzes pp. 174–175
• Culture Quiz p. 176
• On-level:
  Lesson Test pp. 177–183
  Unit Test pp. 189–195
  Midterm Test
  pp. 201–210
	• Modified Lesson Test pp. 131–137
	• Modified Unit Test pp. 143–149
	• Modified Midterm Test pp. 155–164
		• Pre-AP Lesson Test pp. 131–137
		• Pre-AP Unit Test pp. 143–149
		• Pre-AP Midterm Test pp. 155–164
			• Heritage Learners Lesson Test pp. 137–143
			• Heritage Learners Unit Test pp. 149–155
			• Heritage Learners Midterm Test pp. 161–170

	Objectives/Focus	Teach	Practice	Assess/HW Options
DAY 1	**Culture:** Learn about Caribbean culture **Vocabulary:** qualities people need for different professions • Warm Up OHT 20 **5 min**	Lesson Opener pp. 236–237 **Presentación de vocabulario** pp. 238–239 • Read A–C • Play audio TXT CD 8 track 1 • *¡A responder!* TXT CD 8 track 2 **25 min**	Lesson Opener pp. 236–237 **Práctica de vocabulario** p. 240 • Acts. 1, 2 **15 min**	**Assess:** *Para y piensa* p. 240 **5 min** **Homework:** *Cuaderno* pp. 171–173 @HomeTutor
DAY 2	**Communication:** talk about qualities that make people heroes in their community • Warm Up OHT 20 • Check Homework **5 min**	**Vocabulario en contexto** pp. 241–242 • *Contexto 1* TXT CD 8 track 3 • *Repaso gramatical* : superlatives **20 min**	**Vocabulario en contexto** pp. 241–242 • Acts. 3, 4 **20 min**	**Assess:** *Para y piensa* p. 242 **5 min** **Homework:** *Cuaderno* pp. 171–173 @HomeTutor
DAY 3	**Grammar:** subjunctive with doubt • Warm Up OHT 21 • Check Homework **5 min**	**Presentación de gramática** p. 243 • subjunctive with doubt **Práctica de gramática** pp. 244–245 **Culture:** *Un estilo propio* **20 min**	**Práctica de gramática** pp. 244–245 • Act. 5 TXT CD 8 track 4 • Acts. 6, 7, 8 **20 min**	**Assess:** *Para y piensa* p. 245 **5 min** **Homework:** *Cuaderno* pp. 174–176 @HomeTutor
DAY 4	**Communication:** use the subjunctive with expressions of doubt • Warm Up OHT 21 • Check Homework **5 min**	**Gramática en contexto** pp. 246–247 • *Contexto 2* TXT CD 8 track 5 **15 min**	**Gramática en contexto** pp. 246–247 • Acts. 9, 10, 11 **25 min**	**Assess:** *Para y piensa* p. 247 **5 min** **Homework:** *Cuaderno* pp. 174–176 @HomeTutor
DAY 5	**Grammar:** subjunctive with expressions of emotion •Warm Up OHT 22 • Check Homework **5 min**	**Presentación de gramática** p. 248 • subjunctive with emotion **Práctica de gramática** pp. 249–250 • Pronunciación TXT CD 8 track 6 **15 min**	**Práctica de gramática** pp. 249–250 • Acts. 12, 13, 14, 15, 16 **25 min**	**Assess:** *Para y piensa* p. 250 **5 min** **Homework:** *Cuaderno* pp. 177–179 @HomeTutor
DAY 6	**Communication:** Culmination: talk about people you admire using the subjunctive with expressions of emotion and doubt • Warm Up OHT 22 • Check Homework **5 min**	**Todo junto** pp. 251–253 • *Contextos 1, 2: Resumen* • *Contexto 3* TXT CD 8 track 7 **20 min**	**Todo junto** pp. 251–253 • Act. 17 TXT CD 8 track 7 • Act. 18 TXT CD 8 tracks 8, 9 • Act. 19 **20 min**	**Assess:** *Para y piensa* p. 253 **5 min** **Homework:** *Cuaderno* pp. 180–181 @HomeTutor
DAY 7	**Reading:** *La ñapa* **Writing:** *Un bosquejo biográfico* **Review:** Lesson review • Warm Up OHT 23 • Check Homework **5 min**	**Lectura literaria** pp. 254–257 • *La ñapa,* TXT CD 8 track 10 **Escritura** p. 258 • *Un bosquejo biográfico* **Repaso de la lección** pp. 260–261 **15 min**	**Lectura literaria** pp. 254–257 • *La ñapa* **Escritura** p. 258 • *Un bosquejo biográfico* **Repaso de la lección** pp. 260–261 • Act. 1 TXT CD 8 track 11 • Acts. 2, 3, 4, 5 **25 min**	**Assess:** *Para y piensa* p. 257 **5 min** **Repaso de la lección** pp. 260–261 **Homework:** *En resumen* p. 259 *Cuaderno* pp. 182–193 Review Games Online @HomeTutor
DAY 8	**Assessment**			**Assess:** Lesson 2 or Unit 4 test **50 min**
DAY 9	**Unit culmination**	**Comparación cultural** pp. 262–263 • TXT CD 8 track 12 **El Gran Desafío** pp. 264–265 • Show video DVD 2 **Repaso inclusivo** pp. 266–267 **15 min**	**Comparación cultural** pp. 262–263 **El Gran Desafío** pp. 264–265 **Repaso inclusivo** pp. 266–267 • Act. 1 TXT CD 8 track 13 • Acts. 2, 3, 4, 5, 6, 7 **25 min**	**Assess:** *Cuaderno* pp. 194–196 **5 min**

	Objectives/Focus	Teach	Practice	Assess/HW Options
DAY 1	**Culture:** learn about Caribbean culture **Vocabulary:** qualities people need for different professions • Warm Up OHT 20 **5 min**	Lesson Opener pp. 236–237 **Presentación de vocabulario** pp. 238–239 • Read A–C • Play audio TXT CD 8 track 1 • *¡A responder!* TXT CD 8 track 2 **20 min**	Lesson Opener pp. 236–237 **Práctica de vocabulario** p. 240 • Acts. 1, 2 **20 min**	**Assess:** *Para y piensa* p. 240 **5 min**
	Communication: talk about qualities that make people heroes in their community **5 min**	**Vocabulario en contexto** pp. 241–242 • *Contexto 1* TXT CD 8 track 3 • *Repaso gramatical* : superlatives **20 min**	**Vocabulario en contexto** pp. 241–242 • Acts. 3, 4 **20 min**	**Assess:** *Para y piensa* p. 242 **5 min** **Homework:** *Cuaderno* pp. 171–173 @HomeTutor
DAY 2	**Grammar:** subjunctive with doubt • Warm Up OHT 21 • Check Homework **5 min**	**Presentación de gramática** p. 243 • subjunctive with doubt **Práctica de gramática** pp. 244–245 *Culture:* Un estilo propio **15 min**	**Práctica de gramática** pp. 244–245 • Act. 5 TXT CD 8 track 4 • Acts. 6, 7, 8 **20 min**	**Assess:** *Para y piensa* p. 245 **5 min**
	Communication: use the subjunctive with expressions of doubt **5 min**	**Gramática en contexto** pp. 246–247 • *Contexto 2* TXT CD 8 track 5 **15 min**	**Gramática en contexto** pp. 246–247 • Acts. 9, 10, 11 **20 min**	**Assess:** *Para y piensa* p. 247 **5 min** **Homework:** *Cuaderno* pp. 174–176 @HomeTutor
DAY 3	**Grammar:** subjunctive with expressions of emotion • Warm Up OHT 22 • Check Homework **5 min**	**Presentación de gramática** p. 248 • subjunctive with emotion **Práctica de gramática** pp. 249–250 • Pronunciación TXT CD 8 track 6 **15 min**	**Práctica de gramática** pp. 249–250 • Acts. 12, 13, 14, 15, 16 **20 min**	**Assess:** *Para y piensa* p. 250 **5 min**
	Communication: Culmination: talk about people you admire using the subjunctive with expressions of emotion and doubt **5 min**	**Todo junto** pp. 251–253 • *Contextos 1, 2: Resumen* • *Contexto 3* TXT CD 8 track 7 **15 min**	**Todo junto** pp. 251–253 • Act. 17 TXT CD track 7 • Act. 18 TXT CD 8 tracks 8, 9 • Act. 19 **20 min**	**Assess:** *Para y piensa* p. 253 **5 min** **Homework:** *Cuaderno* pp. 177–181 @HomeTutor
DAY 4	**Reading:** *La ñapa* **Writing:** *Un bosquejo biográfico* • Warm Up OHT 23 • Check Homework **5 min**	**Lectura literaria** pp. 254–257 • *La ñapa*, TXT CD 8 track 10 **Escritura** p. 258 • *Un bosquejo biográfico* **15 min**	**Lectura literaria** pp. 254–257 • *La ñapa* **Escritura** p. 258 • *Un bosquejo biográfico* **25 min**	**Assess:** *Para y piensa* p. 257 **5 min**
	Review: Lesson review **5 min**	**Repaso de la lección** pp. 260–261 **15 min**	**Repaso de la lección** pp. 260–261 • Act. 1 TXT CD 8 track 11 • Acts. 2, 3, 4, 5 **25 min**	**Assess:** *Repaso de la lección* **5 min** **Homework:** *En resumen* p. 259 *Cuaderno* pp. 182–193 (optional) Review Games Online @HomeTutor
DAY 5	**Assessment**			**Assess:** Lesson 2 or Unit 4 test **50 min**
	Unit culmination	**Comparación cultural** pp. 262–263 • TXT CD 8 track 12 **El Gran Desafío** pp. 264–265 • Show video DVD 2 **Repaso inclusivo** pp. 266–267 **20 min**	**Comparación cultural** pp. 262–263 **El Gran Desafío** pp. 264–265 **Repaso inclusivo** pp. 266–267 • Act. 1 TXT CD 8 track 13 • Acts. 2, 3, 4, 5, 6, 7 **20 min**	**Assess:** *Cuaderno* pp. 194–196 **5 min**

Objectives

- Introduce lesson theme: **¿Quiénes son los héroes?**
- **Culture:** Compare Caribbean artists and heroes from Puerto Rico and the Dominican Republic.

Presentation Strategies

- Have students describe one hero in their community.
- Ask students to talk about when they experience doubt or disbelief.

 STANDARD

4.2 Compare cultures

Lección 2

Tema:
¿Quiénes son los héroes?

¡AVANZA! **In this lesson you will learn to**

- describe people and things
- express doubt, denial, and disbelief
- express positive and negative emotions

using

- subjunctive with doubt
- subjunctive with emotion

♻ *¿Recuerdas?*

- superlatives
- the suffix **-ísimo**
- describe people
- family relationships

Warm Up UTB 4 Transparency 20

Adjetivos Cambia los siguientes sustantivos a adjetivos.

1. popularidad _____
2. dedicación _____
3. timidez _____
4. paciencia _____
5. generosidad _____
6. sinceridad _____

Answers: 1. popular; 2. dedicado(a);
3. tímido(a); 4. paciente; 5. generoso(a);
6. sincero(a)

Comparación cultural

Exploring the Theme

Ask the following:

1. ¿Quién es tu héroe?
2. ¿Qué adjetivos describen a tu héroe?
3. ¿Vives cerca de un lugar turístico?
4. ¿Quién es tu artista favorito(a)?

¿Qué ves? Possible answers:

- Veo una costa en el océano.
- Hay edificios grandes, como hoteles y una fortaleza.
- El símbolo en el helicóptero es una estrella con los colores de la bandera de Estados Unidos.

Comparación cultural

In this lesson you will learn about

- Caribbean artists and their artwork
- Independence heroes from Puerto Rico and Dominican Republic

Compara con tu mundo

El Morro es una fortaleza *(fortress)* construida por los españoles para proteger San Juan. Ahora es un sitio histórico y turístico muy popular. *¿Hay algún lugar turístico en tu región? ¿Cuál es su importancia histórica o cultural?*

¿Qué ves?

Mira la foto

¿Qué tipo de geografía ves?

¿Cómo son los edificios y estructuras que ves?

¿Qué símbolo ves en el helicóptero? ¿Con qué asocias sus colores?

236 doscientos treinta y seis

Differentiating Instruction

Slower-paced Learners

Personalize It Ask students to think of a popular tourist attraction that is near their home. Have students draw or print a picture that represents the attraction and present it to the class. He or she should describe the place, its cultural and historical significance, and why it is worthwhile to see in person.

English Learners

Provide Comprehensible Input After viewing and discussing the photograph, show students pictures of other professions. For example, display pictures of doctors, teachers, and firefighters. Use gestures as you discuss with students what these professionals do that makes them heroes.

Online SPANISH CLASSZONE.COM

Featuring...
- Cultura INTERACTIVA
- Animated Grammar
- @HomeTutor

And more...
- Get Help Online
- Interactive Flashcards
- Review Games
- WebQuest
- Conjuguemos.com

Online SPANISH CLASSZONE.COM

WebQuest Provides step-by-step guidance for your students to help them explore this unit's theme and location online.

Featuring...
- Cultura INTERACTIVA
- Animated Grammar
- @HomeTutor

And more...
- **Get Help Online**
- **Interactive Flashcards**
- **Review Games**
- **WebQuest**
- **Conjuguemos.com**

Using the Photo

Location Information

San Juan El Morro, the fort shown in the photograph, was completed in 1589. Rising 140 feet above the sea, its 18-foot-thick wall provided a strong defense against enemies. The fort is a maze of tunnels, dungeons, barracks, outposts, and ramps. The area was designated a National Historic Site in 1949. It has the distinction of being the largest fort in the Caribbean. In 1992, the fortress was restored to its historical form in honor of the 500th anniversary of the discovery of Puerto Rico by Christopher Columbus.

Expanded Information

Puerto Rico is a Commonwealth of the United States of America. Puerto Ricans have common citizenship, currency, and defense. Although Puerto Ricans are U.S. citizens, residents of Puerto Rico pay no federal income tax, nor can they vote in presidential elections. As citizens, Puerto Ricans do not require a work visa to live and/or work in the United States. Over two million Puerto Ricans live in the United States.

Helicóptero guardacostas sobre El Morro
San Juan, Puerto Rico

El Caribe
doscientos treinta y siete **237**

Differentiating Instruction

Heritage Language Learners

Support What They Know Ask heritage speakers to explain why tourists would come to their country of origin. Encourage students to talk about specific areas that are attractive to tourists. They should also discuss what makes their country and its people so special.

Multiple Intelligences

Naturalist Ask students to study the photograph on p. 237. Instruct students to write a brief description of the structure that they see in the foreground. Then request that students explain what they see surrounding the structure. Have students compare and contrast the area pictured with their local area.

Communication
Role-Playing and Skits

Ask students to work in small groups to create a skit about an everyday hero. Each person in the group must have an opportunity to speak when the skit is presented to the class.

Objectives

- Present vocabulary: qualities people need for different professions.
- Check for recognition.

Core Resource

- Audio Program: TXT CD 8 Tracks 1, 2

Presentation Strategies

- Present new professions to the class.
- Play the audio as students read A–C.

✸ STANDARD

1.2 Understand language

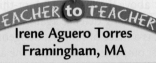

Irene Aguero Torres
Framingham, MA

Tips for Presenting Vocabulary

"When showing the transparency of the images without the words, I ask students to copy the new vocabulary onto index cards, which have tape on the back of them. Then, I ask for volunteers to stick the cards onto the screen on the corresponding image. When finished, I ask other students to repeat the process until all have participated. For a more competitive game, I divide the class into teams and choose a member of each team to stick all the index cards onto the screen (correctly) in the least amount of time."

Communication

TPR Activity

List the following professions on the board: **bombero(a), técnico(a), veterinario(a), cartero(a), secretario(a), artista,** and **músico(a).** Call on volunteers to act out a randomly chosen profession and have the rest of the class name it.

 # ✸ Presentación de VOCABULARIO

¡AVANZA! **Goal:** Read the following. Then talk about what qualities people need for different professions. *Actividades 1–2*

♻ *¿Recuerdas?* Describe people pp. 212–213

AUDIO

A Enrique Rivera escribe en su libreta de notas.

Hoy llegaron los resultados del cuestionario vocacional y ¡me sorprende que digan que seré mejor bombero que escritor! Imagínense, ¡Enrique el Bombero!

Para ser bombero hay que actuar con valentía y arriesgar la vida con el propósito y la meta de ayudar a los demás. Creo que es un honor, pero no estoy seguro de que pueda convertirme en bombero. Me gusta más ser escritor o periodista. Por eso, estos resultados son sorprendentes. Existen otras formas de lograr ser un héroe auténtico y cumplir con los deberes sociales. Por lo tanto, no creo que los resultados del cuestionario sean prácticos para mí.

Más vocabulario

el logro *achievement*	no es cierto que *it is not certain that*
el sacrificio *sacrifice*	no es verdad que *it is not true that*
el (la) técnico(a) *technician*	sentir que *to be sorry that, to feel*
el (la) vecino(a) *neighbor*	
alegrarse de que *to be happy that*	*Expansión de vocabulario* p. R15
es dudoso que *it is doubtful that*	*Ya sabes* p. R15

238 Unidad 4 El Caribe
doscientos treinta y ocho

Differentiating Instruction

Pre-AP

Communicate Preferences Instruct students to write 4 to 5 questions about professions that interest them. Then organize students into pairs and have them take turns asking and answering each other's questions. Tell students to include descriptive words and characteristics in their questions and answers.

Slower-paced Learners

Memory Aids Play several visual games with low-proficiency students to help them retain vocabulary. For example, ask a student to draw a picture of one of the professions on a board while classmates guess the word.

B Yo siempre pienso en escribir libros y artículos en los periódicos. Quiero entrevistar a **músicos** con **fama**, a **carpinteros** o a **políticos**; no tienen que ser famosos. Creo que mi misión en la vida es contar historias sobre **amistades verdaderas** y describir **imágenes** bellas de otros lugares. **Sin embargo, es improbable que** todos mis textos sean **realistas** porque me gustan las historias en que **aparecen** personajes o lugares fantásticos. No **dudo que** seré escritor y podré **figurar en** las librerías algún día, como mi autora favorita, Zoe Valdés.

Zoe Valdés, escritora cubana

C ¿Y tú? ¿Qué trabajo te interesa hacer? Hay muchas profesiones para elegir.

 la secretaria

 la policía

 el carpintero

 el músico

 la veterinaria

 el cartero

 el artista

¡A responder! Escuchar

Escucha la lista de profesiones. Para cada una, haz un movimiento que represente las acciones típicas de la profesión.

@HomeTutor
Interactive Flashcards
ClassZone.com

Differentiating Instruction

Pre-AP

Persuade Tell students to read about Enrique Rivera's goal to become a writer. Ask students to write a couple of paragraphs about their career goal. Instead of just saying why they like a certain profession, tell students to try to persuade the reader to their point of view. Students should explain why their career goal is better than any other career.

English Learners

Provide Comprehensible Input Before reading about Enrique Rivera's career goal, use new vocabulary in brief, isolated sentences. Also, "dipstick," or ask comprehension questions frequently. When you think English learners have a decent grasp of the new vocabulary, direct them to Enrique's passage.

Communication
Interpersonal Mode

Play a vocabulary game with students to help them practice the new words in context. Give students simple statements that describe a profession and what that person does. Then ask students to guess the profession.

✓ Ongoing Assessment

Alternative Strategy Have students listen to the ¡A responder! audio a second time. This time, instead of acting out each profession, ask students to write out the words as they hear them. Then instruct students to check the spelling in their textbooks.

Answers UTB 4 Transparency 28

¡A responder! Audio Script, TE p. 235B
Los estudiantes representan lo siguiente:
1. músico
2. carpintero
3. artista
4. secretario
5. periodista
6. bombero
7. policía

239

Objective
· Practice vocabulary: describing people and professions.

Core Resource
· *Cuaderno*, pp. 171–173

Practice Sequence
· **Activity 1:** Vocabulary recognition: Describe professionals using **tener** and **deber.**
· **Activity 2:** Vocabulary recognition: use different verbs to complete the paragraph.

 STANDARDS
1.3 Present information, Act. 1
1.1 Engage in conversation, Act. 2

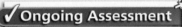 **Ongoing Assessment** @HomeTutor More Practice ClassZone.com

PARA Y PIENSA **Peer Assessment** Allow students to work in pairs to answer the questions in the Para y piensa. Share answers aloud as a class. For additional practice, use Reteaching & Practice Copymasters URB 4, pp. 12, 13, 22.

 Answers UTB 4 Transparency 28

Activity 1 Answers will vary. Sample answers:
1. El músico debe ser dedicado para triunfar.
2. La banquera debe ser honesta con sus clientes.
3. La policía debe ser atrevida para proteger a los demás.
4. El cartero tiene que ser paciente con las entregas del correo.
5. La carpintera debe ser ingeniosa con sus herramientas.
6. El maestro tiene que ser paciente con sus alumnos.
7. El político debe ser honesto para triunfar.

Activity 2
1. convertirse en; 2. lograr; 3. actuar;
4. aparecer; 5. figurar; 6. creer

Para y piensa Answers will vary. Possible answers:
1. La valentía es importante en las profesiones de policía y bombero(a).
2. Las profesiones de actuar y cantar pueden traer la fama.
3. El músico y la secretaria no arriesgan la vida.

240

 # Práctica de VOCABULARIO

1 **Cualidades y profesiones** ♻ *¿Recuerdas?* Describe people pp. 212–213

Hablar Escribir Usa elementos de las cuatro columnas para escribir siete oraciones sobre la cualidad apropiada para cada profesión.

modelo: político(a) / tener que ser / honesto / con las personas
El político tiene que ser honesto con las personas.

músico(a)	tener que ser	atrevido(a)	con sus clientes
bombero(a)		dedicado(a)	para triunfar
policía		ingenioso(a)	para proteger a los demás
cartero	deber ser	popular	con sus herramientas
carpintero(a)		paciente	con las entregas del correo
maestro(a)		considerado(a)	con sus alumnos
político(a)		honesto(a)	

Expansión:
Teacher Edition Only
Pídales a los estudiantes que escriban una descripción de un(a) bombero(a).

2 **Una actriz famosa**

Leer Escribir Utiliza los verbos de la lista para completar el párrafo sobre la famosa actriz Juliana Tejera.

Juliana Tejera siempre deseó __1.__ una gran actriz con el propósito de tener fama. Por lo tanto, para poderlo __2.__, tuvo que __3.__ en muchas películas durante muchos años. También debió __4.__ en programas donde invitan a los famosos y __5.__ en revistas populares, entrevistada por periodistas. Seguramente, tres cosas fueron necesarias: trabajar mucho, __6.__ mucho en sí misma y hacer muchos sacrificios.

lograr
figurar
creer
actuar
convertirse en
aparecer

Expansión:
Teacher Edition Only
Pídales a los estudiantes que describan a un actor o una actriz famoso(a) que admiren.

Más práctica Cuaderno *pp. 171–173* Cuaderno para hispanohablantes *pp. 171–174*

PARA Y PIENSA **¿Comprendiste?**
1. ¿En qué profesiones es importante la valentía?
2. ¿Qué profesiones pueden traer la fama?
3. ¿En qué profesiones no se arriesga la vida?

Get Help Online ClassZone.com

Differentiating Instruction

Pre-AP

Expand and Elaborate Ask more advanced students to think of a profession that interests them and is not listed in Activity 1. Tell students to write a few sentences about the profession. Instruct them to describe what a person in that profession needs to do and what qualities he or she should possess.

Slower-paced Learners

Sentence Completion Go over the meanings of the verbs in the word bank in Activity 2. Ask a heritage speaker to read the paragraph aloud. Use gestures or drawings to support key vocabulary in the passage. Then read the passage again and pause after each blank. Instruct students to point to the word in the bank that they believe goes in the blank.

✸VOCABULARIO en contexto

¡AVANZA! **Goal:** Notice the words that Enrique uses to describe his father in the following editorial. Then talk about what qualities can make people heroes in their own community. *Actividades 3–4*

Contexto 1 *Artículo de opinión*

ESTRATEGIA Leer

Infer In Enrique's article, he reveals what he values in other people. Make a list of qualities he admires in his father to help you infer why he says that everyday people can be called true heroes.

El padre de Enrique
1. vive con sinceridad
2.
3.

AUDIO

Enrique Rivera es editor de la revista de su escuela en la República Dominicana. Para la próxima edición, quiere hacer un foto ensayo *(photo essay)* sobre los héroes. Por eso, acaba de escribir un artículo de opinión. En éste, les pide recuerdos personales a sus lectores y habla de la importancia de los héroes en la comunidad.

Nuestros héroes

Mientras muchas películas y novelas gráficas cuentan las historias de los superhéroes, es importante recordar que no todos los héroes son de fantasía. Los héroes verdaderos viven al lado de nosotros: pueden ser nuestros familiares, nuestros vecinos o nuestros maestros. Todos tenemos la capacidad para actuar heroicamente: los bomberos, los artistas, los policías, los periodistas, incluso los estudiantes.

Mi padre y yo

Por ejemplo, mi héroe es mi padre. No logra éxitos sorprendentes, no tiene fama mundial ni una vida extraordinaria, pero todos los días se comporta como un héroe verdadero. Vive con sinceridad, honor y valentía; va al trabajo todos los días, cuida de nosotros y siempre está listo para hacer cualquier sacrificio por su familia.

Para la edición del próximo mes, quiero que me cuenten sobre los héroes que ustedes conocen. Mándenme sus sugerencias y seleccionaremos las tres historias más emocionantes para que figuren en un foto ensayo sobre los héroes de todos los días.

A la espera de sus historias...

Enrique Rivera

Differentiating Instruction

Multiple Intelligences

Interpersonal Ask students to write an essay about a hero in their own lives. Instruct them to choose an everyday person, as opposed to a celebrity. Encourage students to describe what this person does that makes him or her a hero. Remind students to use descriptive words and the verb expressions **tener que** and **deber ser.**

Slower-paced Learners

Read Before Listening Read the article with students before listening to the audio. Pause frequently while you read to check for comprehension. Generate a list of problem vocabulary words on a board or overhead and review them with students. Then play the audio two or three times as students read along.

¡AVANZA! **Objective**
· Understand vocabulary related to describing heroes in your community.

Core Resource
· Audio Program: TXT CD 8 Track 3

Presentation Strategies
· Scan the article for adjectives to predict why Enrique sees his father as a hero.
· Play the audio while students follow along in their texts.

 STANDARD
1.2 Understand language

Warm Up UTB 4 Transparency 20

Profesiones Nombra una profesión que corresponde con cada adjetivo.

1. paciente _____
2. atrevido(a) _____
3. ingenioso(a) _____
4. dedicado(a) _____
5. honesto(a) _____

Answers: Answers will vary. Possible answers:
1. maestro(a); 2. bombero(a); 3. carpintero(a);
4. político (a); 5. policía

Objectives

- Practice using descriptive words.
- Practice using superlative forms.
- Practice describing people and places.

Practice Sequence

- **Activity 3:** Vocabulary recognition: Contexto 1: listening comprehension
- **Activity 4:** Vocabulary production: superlatives

 STANDARDS

1.2 Understand language, Act. 3
4.1 Compare languages, Repaso
1.1 Engage in conversation, Act. 4

 Communication
Common Error Alert

Remind students that the order of words in English and Spanish often differs. For example, when using the superlative form in English, the adjective comes before the noun it is describing (e.g., *Mrs. Smith is the most patient teacher.*). In Spanish, the adjective comes after the noun. (e.g. **La señora Smith es la maestra más paciente.**)

✓ **Ongoing Assessment**
@*HomeTutor*
More Practice
ClassZone.com

 PARA Y PIENSA **Quick Check** After students have written the characteristics and actions for Para y piensa, ask them to change the descriptions of Enrique's father into superlative statements. For additional practice, use Reteaching & Practice Copymasters URB 4 pp. 12, 14.

242

---

3 Comprensión del artículo de opinión

Hablar
Escribir

Contesta las siguientes preguntas sobre la lectura.
1. ¿Qué es importante recordar de los héroes?
2. Según Enrique, ¿quiénes pueden ser héroes?
3. ¿Quién es el héroe de Enrique? ¿Cuáles son sus cualidades?
4. ¿Qué quiere Enrique que los lectores le cuenten?

♻ **REPASO** gramatical

Superlatives When you want to say that something is "the most," you use superlative forms. Follow this formula to talk about superlatives:

el / la / los / las + **noun** + **más** + **adjective** *(agrees with article and noun)*

Ana María es **la artista** **más famosa** que conozco.
*Ana María is **the most famous artist** I know.*

Los señores Gómez son **los vecinos** **más agradables** del barrio.
*Mr. and Mrs. Gómez are **the most pleasant neighbors** in the neighborhood.*

4 El más...

Hablar
Escribir

Tu compañero(a) y tú colaboran en un comité escolar que reconoce a personas y lugares por su excelencia, méritos y servicios. Escriban una lista de posibles candidatos para presentar al comité.

modelo: la calle más interesante

A La calle más interesante es la calle Main.

B Yo creo que la calle más interesante es la calle Washington.

1. el vecino más amable
2. las personas más sorprendentes
3. el trabajador más arriesgado
4. el logro más ingenioso
5. el político más auténtico
6. la mujer (chica) más valiente

7. el hombre (chico) más considerado
8. la tienda más atractiva
9. el restaurante más moderno
10. la maestra más buena
11. el artista más talentoso
12. el parque más limpio

Expansión
Expliquen por qué recomiendan cada lugar o miembro de la comunidad.

 PARA Y PIENSA

¿**Comprendiste?** Busca tres características y dos acciones del padre de Enrique que hacen que su hijo lo considere como un héroe.

📶 **Get Help Online**
ClassZone.com

Differentiating Instruction

Multiple Intelligences

Logical/Mathematical Have students make a chart with three columns. (They can add a many rows as necessary.) Instruct students to compare Enrique's father's characteristics and actions with one of their own heroes. Then have students ask a classmate about one of their heroes. Add that information to the chart. Invite volunteers to share their charts.

Pre-AP

Self-correct Tell students to work on Activity 4 in pairs. Encourage them to stop and correct themselves when they think they have made a mistake. Instruct students to write a quick note when they make an error. At the end of the activity, ask students to share some mistakes they made with the class.

✱Presentación de GRAMÁTICA

¡AVANZA! **Goal:** Learn how to use the subjunctive with expressions of doubt. Then practice by speaking about things you disagree with or doubt. ***Actividades 5–8***

♻ *¿Recuerdas?* Family relationships pp. 58–59

English Grammar Connection: In English, you use the **indicative** after expressions of doubt. In Spanish, you use the **subjunctive**.

I don't **believe** that fame **is** important.   No **creo** que la fama **sea** importante.

↑ **indicative**   ↑ **subjunctive**

Subjunctive with Doubt

Animated Grammar
ClassZone.com

You need to use the subjunctive after expressions of doubt because they suggest that the second verb may be untrue.

Here's how:

Expressions of Doubt			
dudar	es imposible	no es cierto	no estar de acuerdo con
es dudoso	es improbable	no es verdad	no estar seguro(a) de

expression of doubt + **que** + **different subject** + subjunctive

Marta **no está segura de** que **tengamos** tiempo para ver la película.
Marta is not sure that we have time to see the movie.

Note that the word **no** can change the meaning of an expression and affect whether you need to use the **subjunctive** or **indicative** form of the second verb.

⌐expresses doubt ⌐subjunctive   ⌐expresses certainty ⌐indicative
Dudamos que Jorge **conozca** al músico.   **No dudamos** que él **tiene** talento.
We doubt that Jorge knows the musician.   *We do not doubt that he has talent.*

Más práctica
Cuaderno *pp. 174–176*
Cuaderno para hispanohablantes *pp. 175–177*

@HomeTutor
Leveled Practice
ClassZone.com

Lección 2
doscientos cuarenta y tres   **243**

Objectives

¡AVANZA!
· Present the subjunctive with expressions of doubt, denial, disbelief, and disagreement.
· Tell about things you disagree with or doubt.

Core Resource
· *Cuaderno,* pp. 174–176

Presentation Strategy
· Have students read and take notes on the subjunctive with expressions that express doubt as you present them to the class.

 STANDARD
4.1 Compare languages

 Warm Up UTB 4 Transparency 21

Superlativos Escribe las oraciones en su forma superlativa.
1. El parque está limpio.
2. La chica es guapa.
3. El actor es talentoso.
4. La comida es buena.
5. El vecino es amable.
Answers: 1. Es el parque más limpio.; 2. Es la chica más guapa.; 3. Es el actor más talentoso.; 4. Es la mejor comida; 5. Es el vecino más amable.

Communication
 Common Error Alert

Tell students that the verbs **dudar** (to doubt) and **negar** (to deny) take the subjunctive when they are affirmative, but not when they are negative. For example: **Dudo que venga./ No dudo que viene.** In English, the verbs stay in the indicative form whether they are affirmative or negative.

Differentiating Instruction

Inclusion

Frequent Review/Repetition Write ten sentences using the subjunctive and expressions of doubt. Write a few of them incorrectly. Then put students in mixed proficiency pairs. Tell pairs to take turns reading two sentences. The other student needs to decide if the sentence is written correctly or incorrectly. If a sentence is incorrect, the student should try to fix it.

English Learners

Increase Interaction Give students ample opportunity for clarification and practice. One way to determine what English learners need help with is to have all students in the class write one to two questions at the end of class about the day's lesson and pass them in. Address the students' questions during the next class by providing concrete examples.

Objectives

- Practice using the subjunctive with verbs of doubt.
- Learn to distinguish when to use subjunctive or indicative.
- Recycle: Family relationships.
- Talk about things you want to do in life.
- **Culture:** Unique artistic styles.

Core Resources

- *Cuaderno*, pp. 174–176
- Audio Program: TXT CD 8 Track 4

Practice Sequence

- **Activity 5:** Controlled practice: listening comprehension
- **Activity 6:** Controlled practice: subjunctive and indicative forms; Recycle: Family relationships.
- **Activity 7:** Transitional practice: subjunctive with disbelief.
- **Activity 8:** Open-ended practice: subjunctive with uncertainty.

STANDARDS

1.1 Engage in conversation, Act. 7, 8
1.2 Understand language, Act. 5.
1.3 Present information, Act. 6.
2.2 Products and perspectives, CC

Answers UTB 4 Transparencies 28–29

Activity 5

1. falso; **2.** cierto; **3.** falso; **4.** cierto; **5.** cierto

Activity 6

1. No es cierto que mi padrino sea atrevido.
2. Creo que mi papá conoce a un cantante dominicano.
3. Raúl y Martín no creen que su cuñada sepa cocinar.
4. No dudo que tu hermanito se comporta bien.
5. Estoy seguro que ese matrimonio figura en la revista *Gente de hoy*.
6. Es imposible que mi madre actúe en la telenovela.
7. Pienso que mi primo tiene que cambiar su imagen.
8. No es cierto que mi sobrino se parezca a su bisabuelo.

See Activity Answers on p. 245.

244

❋ Práctica de GRAMÁTICA

🎧 Audio Program
CD 8 Track 4
Audio Script, TE p. 235B.

5 | ¡Qué noticias!

Escuchar Escribir

Escucha este mensaje telefónico de tu amiga Marisa y luego decide si las siguientes frases son ciertas o falsas.

1. Es dudoso que Marisa acepte los boletos.
2. Es improbable que los jugadores permitan la entrevista.
3. No es verdad que Marisa vaya a escribir un artículo.
4. Marisa no cree que los jugadores acepten su invitación a comer.
5. No creo que los jugadores quieran pasar tiempo con una chica que no es famosa.

> **Expansión:**
> Teacher Edition Only
> Pídales a los estudiantes que corrijan las frases incorrectas.

6 | Dudas y certezas   ♻ *¿Recuerdas?* Family relationships pp. 58–59

Hablar Escribir

Haz oraciones con las expresiones indicadas, utilizando el subjuntivo o el indicativo, según corresponda.

> **modelo:** dudamos / nuestro tío / poder levantar el carro
> **Dudamos que nuestro tío pueda levantar el carro.**

1. no es cierto / mi padrino / ser atrevido
2. creo / mi papá / conocer a un cantante dominicano
3. Raúl y Martín no creen / su cuñada / saber cocinar
4. no dudo / tu hermanito / comportarse bien
5. estoy seguro / ese matrimonio / figurar en la revista *Gente de hoy*
6. es imposible / mi madre / actuar en la telenovela
7. pienso / mi primo / tener que cambiar su imagen
8. no es cierto / mi sobrino / parecerse a su bisabuelo

> **Expansión:**
> Teacher Edition Only
> Pídales a los estudiantes que escriban tres frases sobre sus familias usando el subjuntivo y expresiones de duda.

7 | Exageraciones

Hablar

Tu compañero(a) siempre exagera. Tú no le crees y se lo dices.

> **modelo:** conocer al beisbolista Pedro Martínez

A Conozco al beisbolista Pedro Martínez.

B No creo que tú conozcas a Pedro Martínez.

> no es cierto que...
> no es verdad que...
> no estar seguro(a) de que...
> es dudoso que...
> es improbable que...

1. ser muy famoso
2. viajar cada año a París
3. tener mucha fama en Cuba
4. comerse diez perros calientes
5. tener que leer cien libros hoy
6. convertirse en perro todas las noches

> **Expansión:**
> Teacher Edition Only
> Pídales a los estudiantes que escriban dos exageraciones.

Differentiating Instruction

Slower-paced Learners

Peer-study Support Mix different proficiency levels into pairs. Have them work on Activities 5–8 together. When they have completed all the activities, suggest that they go over their answers with another pair. Encourage students to ask for help if they are unsure about something.

Inclusion

Metacognitive Support One of the best ways to learn a concept is to teach it. Put students into small groups. Have each group design a short lesson plan to teach the subjunctive with expressions of doubt. The plan should include a description of the grammar and a brief activity (written or oral).

8 ¿Lo lograré?

**Escribir
Hablar**

Escribe una lista de cinco cosas que quieres hacer en tu vida pero que no estás seguro(a) de que puedas lograr. Luego comparte tu lista con un(a) compañero(a). Él o ella va a expresar una opinión más positiva.

> **A** Quiero ser músico(a), sin embargo, no estoy seguro(a) de que pueda ganar suficiente dinero para vivir.

> **B** En mi opinión, es muy importante que sigas tus metas y las logres. Por eso, debes...

Expansión
Escribe un párrafo breve sobre una de las metas de tu compañero(a). ¿Por qué crees que es importante que haga lo que quiere?

Comparación cultural

Un estilo propio

¿Qué importancia tiene crear un estilo propio en el arte? Amelia Peláez fue una pionera entre los pintores modernistas latinoamericanos. La artista de **Cuba** tenía un estilo muy personal y original. Ella logró combinar la arquitectura y las artes decorativas del período colonial con la pintura de su tiempo. Amelia dibujaba con una línea ancha y negra el perímetro de los objetos o las personas de sus cuadros. El resto del cuadro siempre lo pintaba con colores muy brillantes. Esto produce un efecto similar a los vitrales *(stained glasses)* del tiempo colonial.

Compara con tu mundo *Di alguna actividad en que tú tienes un estilo propio. Describe cuál es la diferencia entre cómo lo haces tú y cómo lo hacen los demás.*

Marpacífico *(Hibiscus)* (1943), Amelia Peláez

Más práctica Cuaderno *pp. 174–176* Cuaderno para hispanohablantes *pp. 175–177*

PARA Y PIENSA

¿Comprendiste? Repite las oraciones siguientes usando expresiones de duda o negación. Haz los cambios necesarios para usar el subjuntivo.

Get Help Online ClassZone.com

1. Todos los estudiantes de tu escuela tienen que escribir un artículo para el periódico escolar.
2. Tu maestro(a) de español toca la guitarra con tres músicos caribeños.
3. Tus vecinos son superhéroes que protegen a los ciudadanos.

Differentiating Instruction

Heritage Language Learners

Support What They Know Have students research an artist from their native country, focusing on the artist's style. They can then bring in a sample of the artist's work and tell the class how it is typical of his/her style.

Pre-AP

Communicate Preferences Ask students to read the paragraph about Amelia Peláez and to look carefully at her painting. Then have a class discussion about Peláez's work. Ask students: **What do you think about Amelia Peláez and her art? What is your favorite kind of art (sculptures, oil painting, water colors)? What is your least favorite type of art?**

Comparación cultural

Essential Question

Suggested Answer El estilo propio permite que la gente vea una obra de arte y sepa quién es el artista.

About the Artist

Amelia Peláez tried various forms of art during her career. From 1950 to 1962 Peláez dedicated her attention to decorating and designing ceramics and making murals. Two of her outstanding mural projects were one in ceramics for the Tribunal de Cuentas in 1953 and another in tessera for the hotel Habana-Hilton in 1958.

✓ Ongoing Assessment

@HomeTutor More Practice ClassZone.com

PARA Y PIENSA

Dictation After students have orally practiced forming the sentences in the Para y piensa, have them write down the sentences as you dictate them. For additional practice, use Reteaching & Practice Copymasters, URB 4 pp. 15, 16.

Answers UTB 4 Transparencies 28–29

Answers continued from p. 244.

Activity 7 Answers will vary. Sample answers:
1. Soy muy famoso. No creo que seas muy famoso.
2. Viajo cada año a París. No estoy seguro de que viajes cada año a París.
3. Tengo mucha fama en Cuba. Es improbable que tengas mucha fama en Cuba.
4. Me como cien perros calientes. No es cierto que te comas cien perros calientes.
5. Tengo que leer cien libros hoy. No es verdad que tengas que leer cien libros hoy.
6. Me convierto en perro todas las noches. No es verdad que te conviertas en perro todas las noches.

Activity 8 Answers will vary. See model.

Para y piensa Answers will vary. Sample answers:
1. Dudo que todos los estudiantes de tu escuela tengan que escribir un artículo para el periódico escolar.
2. Es improbable que tu maestra de español toque la guitarra con tres músicos caribeños.
3. Es imposible que tus vecinos sean superhéroes que protegen a los ciudadanos.

- Develop listening, reading, and writing skills.
- Understand and correctly produce the subjunctive.

Core Resource
- Audio Program: TXT CD 8 Track 5

Presentation Strategies
- Have students scan the articles on p. 246 to get a general idea of what they are about before listening to the audio.
- Play the audio.

Practice Sequence
- **Activity 9:** Controlled practice: reading comprehension; subjunctive
- **Activity 10:** Transitional practice: subjunctive
- **Activity 11:** Open-ended practice: subjunctive with doubt

STANDARDS
1.2 Understand language, Act. 9
1.1 Engage in conversation, Act. 10
1.3 Present information, Act. 11

Warm Up UTB 4 Transparency 21

Subjuntivo con duda Cambia las siguientes oraciones usando expresiones de duda con el subjuntivo.
1. Tus amigos son muy famosos en Puerto Rico.
2. Todos los estudiantes son más inteligentes que el profesor.
3. Tus vecinos saben hablar veinte idiomas.
4. Tu hermano tiene cuatro brazos.

Answers: Answers will vary. 1. Dudo que tus amigos sean muy famosos en Puerto Rico.;
2. No creo que todos los estudiantes sean más inteligentes que el profesor.; 3. Es improbable que tus vecinos sepan hablar veinte idiomas.;
4. No es verdad que tu hermano tenga cuatro brazos.

246

✵ GRAMÁTICA en contexto

¡AVANZA! **Goal:** In the letters below, notice how Gladys, Pablo, and Grisel use the subjunctive. Then practice using the subjunctive with expressions of doubt. *Actividades 9–11*

Contexto 2 *Cartas al editor*

ESTRATEGIA Leer
Compare the heroes Three readers of Enrique's school newspaper explain whom they consider the most esteemed person in their lives. Compare the three heroes using the graphic organizer.

Héroe	Cualidades
Dulce	
Abuelo	
Maestra	

AUDIO

Enrique Rivera, el editor de la revista escolar *Nuestro Mundo,* solicitó a sus lectores algunas historias sobre héroes y recibió las siguientes respuestas.

Mi hermana Dulce es la chica más valiente que conozco. Dudo que ella sepa cuánto la admiramos. Hace tres años sufrió un accidente de coche malísimo. Como resultado, tiene que usar silla de ruedas (*wheelchair*). Pero siempre mantiene el buen humor y actúa de una manera muy positiva. Ahora juega al béisbol en silla de ruedas. Ella es mi heroína.
—Gladys Rubio

Admiro mucho a mi abuelo. La hija de su vecina toca el piano y tiene muchísimo talento. Quería asistir a un conservatorio de música, pero no tenía dinero. Mi abuelo le dio el dinero para pagar sus estudios y luego estableció un fondo para los músicos jóvenes sin recursos financieros. ¡No creo que vaya a tener problemas en encontrar candidatos!

Pablo Castaño

Mi maestra es una persona extraordinaria. Su valentía es increíble. Un día hubo un incendio (*fire*) en nuestra escuela. Nuestra maestra se arriesgó para volver al edificio y ayudar a salir a un estudiante que tenía miedo. No es cierto que todos los héroes estén en las películas...

Grisel Bravo

Differentiating Instruction

Multiple Intelligences

Visual Learners Ask students to make a collage that reflects everyday heroes. Ask students to avoid making references to famous people. Suggest that students find clippings from the Internet, newspapers, and magazines for the collage. Students may use phrases, photographs, illustrations, and anything else that they think is relevant.

Slower-paced Learners

Yes/No Questions Read the three articles as a class. Ask students several yes/no questions to check for comprehension. For example, **¿Grisel es la heroína de Gladys? No. Dulce es la heroína de Gladys.** If students answer a question incorrectly, carefully review the corresponding section of the article. Invite students to create their own yes/no questions to ask the class.

9 Comprensión de las cartas al editor

Hablar
Escribir

Completa las siguientes oraciones con las formas correctas de los verbos de la lista.

tocar	tener
saber	existir

1. La hermana de Dulce duda que ella _____ cuánto la admira su familia.
2. El nieto no cree que su abuelo _____ que buscar mucho para encontrar candidatos.
3. No es verdad que el abuelo _____ el violín.
4. La estudiante dice que no es cierto que los héroes _____ solamente en las películas.

Expansión:
Teacher Edition Only
Pídales a los estudiantes que escriban una frase más sobre cada ensayo.

10 Héroes y heroínas

Hablar

Con un(a) compañero(a), haz comentarios sobre los héroes y las heroínas que Enrique considera para el foto ensayo.

no es verdad	no estar
no es cierto	seguro(a)
no creer	dudar

modelo: Dulce / pesimista

A: Yo creo que Dulce es una chica pesimista.

B: No es verdad que Dulce sea pesimista. Es una chica optimista.

1. Dulce / saber jugar al básquetbol
2. Dulce / ser voluntaria en el hogar de ancianos
3. el abuelo / tocar el violín
4. el abuelo / no quiere ayudar a su vecina
5. la maestra / ser tímida
6. la maestra / buscar la fama

Expansión:
Teacher Edition Only
Pídales a los estudiantes que digan quién es su héroe favorito de los tres ensayos.

11 ¿Quién es tu héroe?

Escribir

Escoge a una persona que sea considerada héroe o heroína por la gente. Di quién es y completa las siguientes frases con una opinión personal para decir que tienes algunas dudas sobre esa persona.

1. Dudo que...
2. No creo que...
3. No es verdad que...
4. No estoy seguro(a) de que...

Expansión
Escribe una nominación de un héroe para un reconocimiento. Usa las historias que Enrique recibió.

PARA Y PIENSA

¿Comprendiste? Completa las frases con la forma apropiada del subjuntivo o indicativo, según la lectura.
1. Dudo que Dulce _____ (saber) cuánto la admiramos.
2. No creo que mi abuelo _____ (ir) a tener problemas en encontrar candidatos.
3. No es cierto que todos los héroes _____ (estar) en las películas.

 Get Help Online ClassZone.com

✓ **Ongoing Assessment**

@HomeTutor
More Practice
ClassZone.com

PARA Y PIENSA **Quick Check** Before students complete the sentences in the Para y piensa, ask them to conjugate **saber, ir,** and **estar** in the present tense. For additional practice, use Reteaching & Practice Copymasters, URB 4 pp. 15, 17.

Answers UTB 4 Transparencies 29–30

Activity 9
1. sepa
2. tenga
3. toque
4. existan

Activity 10 Answers will vary but be sure students use the subjunctive and expressions of doubt in their answers. Sample answer:
A. Yo creo que Dulce sabe cuánto la admira su familia.
B. No es cierto que Dulce sepa cuánto la admira su familia.

Activity 11 Answers will vary but be sure students use the subjunctive and expressions of doubt in their answers. Sample answer:
Héroe: Harrison Ford
Dudo que Harrison Ford sea tan fuerte como parece en las películas.

Para y piensa
1. sepa; 2. vaya; 3. estén

247

Differentiating Instruction

Inclusion

Alphabetic/Phonetic Awareness Ask students to write a list of all the characteristics they can find in the reading on p. 246. Have students organize their lists in alphabetical order. Invite volunteers to read from their lists. Model the pronunciation of each word.

Pre-AP

Relate Opinions Ask students to explain what they think makes someone a hero. Have students begin this discussion by referencing the individuals in the Contexto 2 reading. Then encourage students to discuss a personal hero and what makes that person more special than anyone else they know.

Objectives
- Present the subjunctive with expressions of emotion.
- Discuss both positive and negative emotions.

Core Resource
- *Cuaderno,* pp. 177–179

Presentation Strategies
- Review the subjunctive with expressions of doubt.
- Discuss the use of the subjunctive when discussing positive and negative emotions.

STANDARD
4.1 Compare languages

Warm Up UTB 4 Transparency 22

Subjuntivo con duda Responde a las siguientes oraciones usando expresiones de duda y el subjuntivo.
1. Yo tengo cien hermanos.
2. Mi hermano es más guapo que Antonio Banderas.
3. Yo soy una persona muy pesimista.
4. Mi padre baila mejor que Ricky Martin.

Answers: 1. Es imposible que tengas cien hermanos.; 2. Dudo que tu hermano sea más guapo que Antonio Banderas.; 3. No creo que seas una persona muy pesimista.; 4. No es verdad que tu padre baile mejor que Ricky Martin.

248

 # Presentación de GRAMÁTICA

¡AVANZA! **Goal:** Learn how to use the subjunctive with expressions of emotion. Then practice by discussing both positive and negative emotions. *Actividades 12–16*

¿Recuerdas? The suffix **-ísimo** p. R31

English Grammar Connection: Expressions of emotion are followed by the **indicative** in English, but the **subjunctive** in Spanish.

I am sorry that you **are** sad. | **Siento** que **estés** triste.

↑ indicative | ↑ subjunctive

Subjunctive with Emotion

Animated Grammar
ClassZone.com

After **expressions of emotion** in Spanish, you must use the **subjunctive** regardless of whether or not the information is true.

Here's how: Use the **indicative** for the verb that expresses emotion and the **subjunctive** for the verb that follows.

Expressions of Emotion			
alegrarse (de)	es sorprendente	estar triste	temer
encantar	es triste	gustar	tener celos de
enojarse	estar contento(a)	sorprenderse (de)	tener miedo de
es una lástima	estar emocionado(a)	sentir	es una pena

expression of emotion + **que** + **different subject** + **subjunctive**

Nos alegramos de que tú **actúes** con honor.
We're happy that you act honorably.

No me **sorprendo de** que **sea** difícil.
I'm not surprised that it's difficult.

Me **gusta** que **podamos** elegir.
I like that we can choose.

Temo que no me **entiendas.**
I'm afraid you don't understand me.

Más práctica
Cuaderno *pp. 177–179*
Cuaderno para hispanohablantes *pp. 178–181*

@HomeTutor
Leveled Practice
ClassZone.com

248 Unidad 4 El Caribe
doscientos cuarenta y ocho

Differentiating Instruction

Inclusion

Clear Structure Write the following chart on the board and add an example under each heading. *expression of emotion + que + different subject + subjunctive*
Me encanta + que + nosotros + podamos ir. Have students complete the chart with original examples. Remind students that it is not always necessary to write the subject pronoun in Spanish.

Pre-AP

Timed Answer Give students a piece of a sentence that uses the subjunctive with expressions of emotion. Give students ten seconds to write a logical ending to the sentence. Do not allow them to consult their textbooks. For example: **Me alegro de que** _____. Students could write something like: **tengas buenas noticias.** Invite volunteers to think of sentence starters.

✳ Práctica de GRAMÁTICA

12 ¿Cómo se sienten?

Hablar
Escribir

Elige un verbo de emoción apropiado y haz oraciones completas con el subjuntivo para describir las emociones de cada sujeto.

> alegrarse de que
> sentir que
> es una lástima que
> estar contento(a)
> sorprenderse de que

modelo: yo / (tú) sacar buenas notas
Yo me alegro de que tú saques buenas notas.

Expansión:
Teacher Edition Only
Pídales a los estudiantes que digan todas las oraciones que escribieron en pasado.

1. tú / (yo) lograr mis metas
2. Daniel / (sus hermanos) no jugar con él
3. nuestros papás / (nosotros) ser famosos
4. Alberto y Rosa / (tú) ser realista
5. Raúl / Luciana no creer en la amistad

13 ¡Qué emoción!

Escribir
Hablar

Completa los mensajes instantáneos con el subjuntivo del verbo apropiado. Después practícalo con tu compañero(a) y preséntalo en clase.

> conocer   viajar
> poder   saber
> tener   ir

boricua43: Me alegro de que __1.__ buenas noticias. ¿Qué pasa?

salsa007: ¡Voy a estudiar español en Puerto Rico!

boricua43: ¡Qué bueno que tú __2.__ a Puerto Rico!

salsa007: Vamos a estudiar con artistas, músicos, periodistas...

boricua43: Espero que __3.__ a mi tío. Es un artista muy famoso en Puerto Rico. Siento que yo no __4.__ acompañarte.

salsa007: Bien, pero espero que __5.__ conmigo el año que viene.

boricua43: ¿Ya planeas volver el año que viene?

salsa007: ¡Claro! Me sorprende que no __6.__ que me encanta Puerto Rico.

Expansión
Expresa cuatro dudas sobre el viaje de «salsa007» y hazle cuatro recomendaciones. Usa el subjuntivo.

AUDIO

Pronunciación   **La letra j**

La **j** se pronuncia como la **g** suave en la palabra **generoso**. Es importante no confundirse entre la **j** y la **g** al escribir una palabra con ese sonido.

jamás	trabajador social
jefe	mejorar

Refrán

Jóvenes y viejos, juntos necesitamos consejos.

Differentiating Instruction

Inclusion

Alphabetic/Phonetic Awareness Explain that the sound the letter **j** makes in Spanish is sometimes described as a heavily aspirated "h." Provide multiple examples of words containing the letter **j**. Ask heritage speakers to repeat some of the words that you say so that students will hear multiple accents.

Pre-AP

Determine Cause and Effect Ask students to tell a brief story that includes the use of the subjunctive with expressions of emotion. Then have students ask the class three or four cause and effect questions about their story. For example: **¿Por qué está triste Tony? ¿Qué sucedió cuando Tony perdió el autobús?**

Objectives

- Practice using the subjunctive with expressions of emotion.
- **Pronunciation:** The letter **j**

Core Resource

- Audio Program: TXT CD 8 Track 6

Practice Sequence

- **Activity 12:** Transitional practice: subjunctive with expressions of emotion
- **Activity 13:** Controlled practice: the subjunctive

❂ STANDARDS

1.2 Understand language, Act. 13
1.3 Present information, Act. 12, 13

Communication
TPR Activity

Read several sentences in which you present many different emotions. As you read, associate a gesture with each emotion. Read the same sentences a second time. This time, tell students you want them to act out the gesture as a group.

Answers UTB 4 Transparency 30

Activity 12 Answers will vary.
1. Te alegras de que yo logre mis metas.
2. Daniel se sorprende de que sus hermanos no jueguen con él.
3. Nuestros papás esperan que seamos famosos.
4. Alberto y Rosa esperan que seas realista.
5. Es una lástima que no crea en la amistad.

Activity 13 1. tengas; 2. viajes; 3. conozcas; 4. pueda; 5. vayas; 6. sepas

Objectives
- Practice using the subjunctive with expressions of emotion.
- Recycle: the suffix **-ísimo.**
- **Culture:** Learn about artist Óscar Ortiz.

Core Resource
- *Cuaderno,* pp. 177–179

Practice Sequence
- **Activity 14:** Transitional practice: the subjunctive; Recycle: the suffix **-ísimo.**
- **Activity 15:** Open-ended practice: expressions of emotion
- **Activity 16:** Open-ended practice: expressing opinions

STANDARDS
1.1 Engage in conversation, Act. 15
1.3 Present information, Act. 14
2.2 Products and perspectives, Act. 16
4.2 Compare cultures, Act 16

Comparación cultural

Essential Question
Suggested Answer Puede representarlos como personas muy grandes y fuertes. También puede representarlos haciendo algo positivo que ayuda su comunidad o el mundo.

✓ Ongoing Assessment

@HomeTutor
More Practice
ClassZone.com

PARA Y PIENSA **Quick Check** If students are unable to complete all three sentences, direct them to p. 248 for review. For additional practice, use Reteaching & Practice Copymasters URB 4 pp. 18, 19, 21.

Answers   UTB 4 Transparency 30
Activity 14 Answers will vary.
1. Es sorprendente que el cartero sea simpatiquísimo.
2. Espero que el veterinario sea cuidadosísimo.
3. Temo que el deber sea importantísimo.
4. Me gusta que los carpinteros sean ingeniosísimos.
5. Estoy contenta de que la secretaria sea organizadísima.
6. Me alegro de que el técnico sea inteligentísimo.

See Activity Answers on p. 251.

---

14   ¡Grandísimo!   **¿Recuerdas?** The suffix **-ísimo** p. R31

Hablar
Escribir

Contesta las siguientes preguntas usando el subjuntivo y expresiones de emoción con el superlativo del adjetivo terminado en **-ísimo(a).**

modelo: ¿Son inteligentes los estudiantes?
Espero que sean inteligentísimos.

1. ¿Es simpático el cartero?
2. ¿Es cuidadoso el veterinario?
3. ¿Es importante el deber?
4. ¿Son ingeniosos los carpinteros?
5. ¿Es organizada la secretaria?
6. ¿Es inteligente el técnico?

Expansión:
Teacher Edition Only
Pídales a los estudiantes que repitan la misma actividad usando otras profesiones de la lista de vocabulario.

15   ¡Qué sorprendente!

Hablar
Escribir

Haz una lista de cinco cosas interesantes de tu vida o personalidad. Díselas a tu compañero(a). Él o ella responderá con una expresión de emoción y el subjuntivo. Luego, cambien de papel.

A Quiero ser bombero.
B Me alegro de que quieras ser bombero.

Expansión
Escoge tres de los ejemplos de tu compañero(a) y explica tu reacción.

16   Me gusta, no me gusta

Leer
Escribir

Comparación cultural

Mi futuro y mi tierra (2003), Óscar Ortiz

La pintura y los héroes
¿Cómo puede representar un artista a sus héroes? Óscar Ortiz nació en Nueva York y pasó su niñez en **Puerto Rico**. De niño, le encantaba hacer dibujos de los super-héroes de las tiras cómicas. En sus pinturas usa líneas sencillas, colores vivos y un estilo alegre. Muchas de sus obras representan al jíbaro, el campesino puertorriqueño. Ortiz considera al jíbaro como un héroe por sus valores tradicionales. En este cuadro, un jíbaro cuida a su hijo y trabaja la tierra.

Compara con tu mundo *¿Qué incluirías en una pintura sobre el heroísmo y los héroes de tu sociedad?*

Escribe sobre el cuadro. Usa las siguientes expresiones.
1. El jíbaro está contento de que…
2. Me gusta que…
3. Creo que…

Más práctica   Cuaderno *pp. 177–179*   Cuaderno para hispanohablantes *pp. 178–181*

PARA Y PIENSA
¿Comprendiste? Completa las frases con terminaciones diferentes.
1. Me enoja que…
2. Mis tíos sienten que…
3. Yo me alegro de que…

Get Help Online
ClassZone.com

Unidad 4 El Caribe
250 doscientos cincuenta

Differentiating Instruction

Inclusion
Frequent Review/Repetition Before asking students to complete Activity 14, review the suffix **–ísimo**. Provide students with a list of ten adjectives and ask them to convert the adjective into the superlative form using the suffix **–ísimo.** Go over the answers as a class.

Multiple Intelligences
Visual Learners For Activity 16, have students discuss the ideas mentioned in Compara con tu mundo. Then have other students give their opinions on the artwork, starting with the expressions provided at the end of the activity.

✤ Todo junto

¡AVANZA! **Goal:** *Show what you know* Notice the ways that Enrique, Rebeca, and Silvia use the subjunctive in the following dialogue. Then use the subjunctive with expressions of doubt and emotion to talk about people you admire. *Actividades 17–19*

*Resumen **contextos 1 y 2*** Enrique es el editor de una revista escolar. Él solicitó, de sus lectores, historias sobre héroes de la vida diaria con el propósito de usarlas en un foto ensayo *(photo essay)* para la revista. Recibió tres cartas interesantes.

Contexto 3 *Diálogo*

ESTRATEGIA Escuchar
Listen for the plan, the possibility, and the problem As you listen, identify the following three things: Rebeca and Enrique's plan, the new possibility, and the problem that arises. Write your answers on a three-column chart.

AUDIO

Enrique piensa hacer un foto ensayo sobre los héroes. Ahora está preparando su trabajo con la ayuda de su amiga Rebeca.

Enrique: Bueno, Rebeca, ¿qué te parece?

Rebeca: Me gustan todas las historias. Y podemos usar muchas más.

Enrique: ¡Olvídate de eso! Seguramente los lectores enviarán más cartas hoy, pero dudo que podamos usar más. Tenemos que terminar el foto ensayo en una hora. ¡A ver! ¡Rápido! ¿Qué historias tenemos?

Rebeca: Primero, Dulce, la niña que usa silla de ruedas, juega al béisbol y trabaja como voluntaria enseñando ese deporte a otros jóvenes en sillas de ruedas.

Enrique: Segundo, el abuelo que estableció un fondo para ayudar a los músicos jóvenes...

Rebeca: Sí, y la maestra que salvó a un estudiante de un incendio en la escuela.

Enrique: Perfecto. Cuánto me alegra que haya una selección buena.

También se dice

Enrique usa la expresión **¡Olvídate de eso!** para decirle a Rebeca que no insista en la idea de utilizar todas las historias.
- **Puerto Rico y Cuba** ¡Olvídate de los peces de colores!
- **España** Dale vuelta a la página.
- **Perú** Échale tierra al asunto.

Differentiating Instruction

Heritage Language Learners

Support What They Know Have native speakers look at the list of expressions given in También se dice. Ask what other colloquial phrases are used in the region where they or their family members come from to tell someone to "forget it."

Pre-AP

Summarize Instruct students to explain aloud what happens in Contexto 3. Their summary should include who is speaking, what the characters are doing, what happens to change one of the characters' minds about something, and why this presents a problem.

¡AVANZA! **Objective**
- Integrate lesson content.

Core Resource
- Audio Program: TXT CD 8 Track 7

Presentation Strategies
- Review the first two parts of the Contexto aloud.
- Play the audio as students read along.
- Have students listen for a plan, a possibility, and a problem.

 STANDARD
4.1 Compare languages

Warm Up UTB 4 Transparency 22

Superlativos Cambia los siguientes adjetivos a la forma superlativa con **–ísimo.**
1. inteligente:_____
2. guapo:_____
3. divertido:_____
4. importante:_____
5. organizado:_____
6. fuerte:_____

Answers: 1. inteligentísimo; 2. guapísimo; 3. divertidísimo; 4. importantísimo; 5. organizadísimo; 6. fuertísimo

 Answers UTB 4 Transparency 30

Activity Answers from p. 250.
Activities 15, 16 Answers will vary.
Para y piensa Answers will vary. Sample answers:
1. Me enoja que no haya más voluntarios.
2. Mis tíos sienten que no pueden visitarme.
3. Yo me alegro de que mis amigos actúen con honor.

TODO JUNTO

Objective
· Practice using and integrating lesson grammar and vocabulary.

Core Resources
· *Cuaderno,* pp. 180–181
· Audio Program: TXT CD 8 Tracks 7, 8, 9

Practice Sequence
· **Activity 17:** Contexto 3: listening comprehension
· **Activity 18:** Transitional practice: listening, reading, and speaking
· **Activity 19:** Open-ended practice: writing

STANDARDS
1.2 Understand language, Act. 17.
1.3 Present information, Acts. 18, Act. 19.

Communication
Presentational Mode

Ask students to write a letter to Enrique describing their hero. Encourage them to include a detailed description that describes why that person is their hero and why they value that person. Remind them to use the subjunctive in their letter. Call on volunteers to present their letter to the class.

Answers URB 4 Transparency 30
Activity 17
1. Rebeca; **2.** Enrique y Rebeca; **3.** Silvia
4. Silvia; **5.** el cartero; **6.** Enrique

252

Suena el teléfono...

Enrique: Un momento, Rebeca... ¿Hola? Sí, Enrique Rivera.

Silvia: Hola, Enrique. No creo que me conozca... Me llamo Silvia Martínez. Ojalá no sea demasiado tarde para contarle la historia de un héroe auténtico.

Enrique: No, no. Estamos trabajando en el foto ensayo ahora mismo.

Silvia

Silvia: Es sólo un minuto; nuestro cartero es un hombre muy dedicado... Pues, ayer se arriesgó a salvar a una niñita de tres años que corrió hacia la calle enfrente de un coche... Es un verdadero héroe, porque sólo pensó en la niña.

Enrique: ¡Qué bueno que la niña esté bien! ¿Tiene una foto del cartero?

Silvia: Sí. ¿Quiere que la lleve a la oficina? Luego puedo contarle los detalles.

Enrique: Gracias, señorita Martínez. Hasta pronto...

Rebeca: ¿Qué pasa?

Enrique: Espera y te lo cuento... ¿Crees que podamos usar una historia más?

17 Comprensión del diálogo

Escuchar
Hablar
Escribir

¿Con quién(es) asocias las siguientes oraciones?

Enrique **Rebeca** **Silvia** **el cartero**

modelo: Están preparando un foto ensayo sobre los héroes locales.
Enrique y Rebeca

1. Cree que se puedan usar muchas más historias.
2. Se alegra de que haya una buena selección de historias.
3. Llama para explicar lo que pasó en su calle.
4. Espera que no sea demasiado tarde para nominar a otro héroe.
5. Actuó con mucha valentía.
6. Cambió de opinión y considerará a otro héroe.

Expansión:
Teacher Edition Only
Pídales a los estudiantes que resuman lo que pasó en el cuento en cinco frases.

Expansión
Escoge tu carta preferida y explica por qué debe ser el héroe Nº 1.

Differentiating Instruction

English Learners
Provide Comprehensible Input Before asking English learners to complete the activities associated with Contexto 3, ask them several comprehension questions about the dialogue. Have students point to the place in the text where they found the answer. Paraphrase any pieces of the dialogue that are difficult for English learners to comprehend.

Inclusion
Multisensory Input/Output Play the audio for the Diálogo for the class. Tell students to raise their hands every time they hear an expression with the subjunctive. Write all the examples on the board, and have students copy them into their notebooks.

18 | Integración

Leer
Escuchar
Hablar

Lee la contracubierta *(back cover)* del libro *Un verdadero héroe*. Luego escucha la presentación de la obra en la Feria del Libro de Puerto Rico. Después, escoge dos elementos del artículo y dos del discurso y explica si estás de acuerdo o no con ellos.

> **🎧 Audio Program**
> TXT CD 8 Tracks 8, 9
> Audio Script, TE p. 235B

Fuente 1 Contracubierta del libro

Muchos dicen que hoy día ya no hay políticos que se dediquen a luchar por la gente común. Pues, Ariel Vasconcelos no es el típico político. Este hombre sorprendente por su visión realista y práctica no busca la fama. Su meta es lograr cambios auténticos que permitan que todos los jóvenes de nuestra comunidad tengan las oportunidades educativas y laborales necesarias para convertirse en adultos capaces de destacarse en cualquier profesión. No hay estudiante que no pueda aprender, dice Vasconcelos, y no hay joven que no sea responsable de sus acciones. Lo importante es ofrecerles verdaderas oportunidades. Este libro, *Un verdadero héroe*, es el más importante de su carrera como político. Aquí, Vasconcelos da consejos importantísimos para todos los jóvenes.

Fuente 2 Presentación

Escucha y apunta
- ¿Qué cualidades tiene Ariel Vasconcelos?
- ¿Por qué es importante su libro?

modelo: Ariel Vasconcelos es un político sincero pero dudo que su libro sea el más importante de su carrera. Sin embargo, me encanta que les dé consejos a los jóvenes...

> **Expansión:**
> *Teacher Edition Only*
> Pídales a los estudiantes que expliquen qué debe ofrecerles una comunidad a los jóvenes.

19 | ¡A escribir!

Escribir

Escoge a una persona que admiras y escribe una descripción de tres párrafos. El primer párrafo debe identificar y describir a la persona. El segundo debe explicar por qué admiras a la persona. En tu conclusión, incluye algún comentario sobre lo que esperas de esa persona.

Writing Criteria	Excellent	Good	Needs Work
Content	Your description includes many interesting details.	Your description includes some interesting details.	Your description includes few interesting details.
Communication	Your description is organized and easy to follow.	Parts of your description are organized and easy to follow.	Your description is disorganized and hard to follow.
Accuracy	You make few mistakes in grammar and vocabulary.	You make some mistakes in grammar and vocabulary.	You make many mistakes in grammar and vocabulary.

> **Expansión:**
> *Teacher Edition Only*
> Pídales a los estudiantes que lean sus ensayos a la clase.

Más práctica   Cuaderno *pp. 180–181*   Cuaderno para hispanohablantes *pp. 182–183*

PARA Y PIENSA

¿Comprendiste? Usa cada expresión para escribir oraciones sobre otras personas. Usa el subjuntivo.

> **📡 Get Help Online**
> ClassZone.com

1. dudar / él dormir
2. no estar seguro / ella venir temprano
3. alegrarse / tú tener éxito
4. sorprenderse / ellos volver hoy

Differentiating Instruction

Inclusion

Clear Structure Instruct students to create an outline for Activity 19. The outline should map out any ideas and vocabulary that students will need to write each of the three paragraphs. Then put students in pairs to address any questions they may have before writing their descriptions.

Pre-AP

Expand and Elaborate Request that students add a fourth paragraph to their essays for Activity 19. The paragraph should provide more depth to their writing. For example, students could compare the person they admire with themselves, providing specific examples of how they are alike and how they are different.

Long-term Retention

Pre-AP

Activity 18 Before students read the back cover copy for *Un verdadero héroe*, have students make a chart in their notebooks. One column should read **Estoy de acuerdo** and the other **No estoy de acuerdo.** Encourage them to find points they agree and disagree with and list them in the appropriate column.

✓ Ongoing Assessment

Rubric Activity 18 Listening/Speaking

Proficient	Not There Yet
Student takes good notes and clearly explains why he or she agrees or disagrees.	Student takes few notes and cannot explain why he or she agrees or disagrees.

✓ Ongoing Assessment

> **@HomeTutor**
> More Practice
> ClassZone.com

PARA Y PIENSA

Alternative Assessment After students have written each sentence using the subjunctive, have them write the sentences expressing the opposite. For additional practice, use Reteaching & Practice Copymasters, URB 4 pp. 18, 20.

Answers UTB 4 Transparencies 30–31

Activity 18 Answers will vary. See model.

Activity 19 Descriptions will vary but should include three paragraphs: (1) identify and describe the person, (2) explain why the person is admirable, and (3) include a commentary about what the student hopes for this person.

Para y piensa Answers will vary. Sample answers:
1. Dudo que él duerma.
2. No estoy seguro(a) de que ella venga temprano.
3. Me alegro que tengas éxito.
4. Me sorprende que vuelvan hoy.

¡AVANZA! Objectives

- Read a selection by Julia Álvarez.
- Summarize the selection.
- **Culture:** Julia Álvarez and popular customs.

Core Resource

- Audio Program: TXT CD 8 Track 10

Presentation Strategies

- Use the Para leer strategy to draw students' attention to using categories to compare two places.
- Point out vocabulary notes.
- Work with students to answer the comprehension questions.

STANDARDS

1.2 Understand language
2.1 Practices and perspectives, Nota
2.2 Products and perspectives
4.1 Compare languages

 Warm Up UTB 4 Transparency 23

Subjuntivo con duda y emoción Vuelve a escribir las oraciones incluyendo el subjuntivo con expresiones de duda o emoción.

1. Marco es muy popular.
2. Eres inteligentísimo.
3. Mis padres son atléticos.
4. Los niños son muy atrevidos.
5. Ana baila muy bien.

Answers: Answers will vary. 1. Dudo que Marco sea popular.; 2. Me alegro que seas inteligentísimo.; 3. Me encanta que mis padres sean atléticos.; 4. No me gusta que los niños sean atrevidos.; 5. Es improbable que Ana baile bien.

See answers for Para leer on p. 255.

254

 # Lectura literaria

> **¡AVANZA!** **Goal:** Read the following selection by an author who has lived in the United States and the Dominican Republic. Then talk about customs that vary from one culture to another.

Para leer 📖

ESTRATEGIA Leer
Use categories to compare the two places In the story, Tía Lola makes comparisons between the U.S. and the Dominican Republic. Make a chart in which you list all the comparisons she makes.

Estados Unidos	La República Domincana
1. saludar con la mano 2.	1. saludar con besos 2.

Vocabulario para leer

asentir	*decir que sí, estar de acuerdo*
avergonzarse	*sentir vergüenza o sentirse incómodo ante una situación*
cabina	*oficina pequeña donde trabajan los oficiales de inmigración*
apretón de manos	*saludo formal que se dan las personas, extendiendo el brazo y agarrando la mano de la otra persona*

Nota cultural

Sobre la autora **Julia Álvarez (1950–)**

Aunque Julia Álvarez nació en la ciudad de Nueva York, su familia regresó a la República Dominicana cuando ella todavía era bebé. Entre sus obras están *Cómo las García perdieron su acento, Antes de ser libres* y *Cuando tía Lola vino de visita a quedarse*. La selección que vas a leer pertenece a este último libro, donde la autora habla de unas Navidades en la República Dominicana.

Sobre las costumbres populares La palabra **ñapa** viene de la palabra quechua **yapay,** que significa «dar más». Esta palabra se refiere a la costumbre que existe en los mercados y en las tiendas pequeñas de darle al cliente un poquito más de lo que ha comprado. Esta tradición sirve para agradecerle al cliente y animarlo a que vuelva a comprar allí. Esta costumbre existe en muchos países, como Argentina, donde se llama la **yapa;** en Cuba, donde se llama la **contra,** y aun en Nueva Orleans, donde la palabra mantiene su pronunciación española pero con ortografía francesa: *lagniappe.*

Differentiating Instruction

Pre-AP

Draw Conclusions After reading the Nota cultural, ask students to consider the following statement: **La vida de Julia Álvarez cuando volvió a Estados Unidos fue difícil.** Without knowing specifically what happened to Julia when she came to the United States, instruct students to draw conclusions about why this statement is true.

Heritage Language Learners

Support What They Know Ask heritage learners to create a graphic organizer like the one on p. 254 to compare their countries of origin with the United States. Mention the following possible categories: greetings, food, tipping, beaches, holidays, clothing, and music. Encourage students to ask a family member for ideas if necessary.

Vista aérea de la República Dominicana

La ñapa

AUDIO

Miguel mira desde su asiento en el avión, junto a la ventanilla[1]. La República Dominicana se extiende bajo sus ojos como una enorme alfombra verde esmeralda, bordeada de playas de arena blanca como la nieve. Hace algunas horas, la tierra era un borrón[2] gris. Cuesta creer[3] que
5   es diciembre, y que en dos días será Navidad.

Junto a él, en el asiento del medio, tía Lola les da unos consejos de última hora sobre las costumbres de la isla.

—Los americanos saludan de mano —dice— pero los dominicanos preferimos saludarnos con besos.

10 En el asiento del pasillo[4], Juanita escucha la lección atentamente.

—¿Por eso siempre nos das besos, tía Lola?

—¿Es que acaso les doy tantos besos? —les pregunta ella.

Miguel asiente con la cabeza, para que tía Lola no le pregunte si está prestando atención. Observa los exuberantes campos verdes acercarse
15 más y más. Los árboles diminutos se vuelven[5] de tamaño natural y las figuras que parecían hormigas[6] se transforman en gente de verdad.

---

[1] plane window   [2] blur   [3] **Cuesta...** It is hard to believe
[4] aisle   [5] **se...** become   [6] ants

Reflexiona

¿Dónde están los personajes? ¿Adónde van? ¿De dónde vienen?

Differentiating Instruction

Heritage Language Learners

Literacy Skills Ask heritage learners to read the excerpt from *La ñapa* aloud in class. Assign the parts of narrator, Miguel, Tía, and Juanita if you have enough speakers. At the end of each page, ask students to explain what happened in their own words.

Slower-paced Learners

Sentence Completion Post comprehension questions and incomplete answers on an overhead. Pause while reading the selection to see if any of the questions can be answered.

Communication
Interpretive Mode

Lectura literaria Read aloud the first part of the excerpt from *La ñapa* as students listen. Then ask students to read the segment a few times on their own. Encourage students to make a list of questions about the reading to discuss as a group.

Culture

About the Author

Julia Álvarez returned to the United States with her family when she was ten years old. Julia and her sisters struggled to find their place in their new country. Álvarez uses her struggle as a starting point for her exploration of culture. One of her most well-known works, the critically acclaimed *Cómo las García perdieron su acento,* fictionally discusses being torn between two cultures and the hardships faced by her immigrant family.

✓ Ongoing Assessment

Quick Check Have students use each of the words from Vocabulario para leer in a written sentence. Then collect the sentences and read a variety of them out loud, leaving out the vocabulary words. Ask students to guess the missing words.

Answers

Answers for Para leer on p. 254.
Para leer

Estados Unidos	República Dominicana
saludos con la mano	saludos con besos
no se recibe una ñapa	se recibe una ñapa en el mercado
la gente no baila en el aeropuerto	hay música y la gente baila en el aeropuerto
el pasaporte es azul	el pasaporte es rojo

Reflexiona Están en un avión. Van a la República Dominicana. Vienen de Estados Unidos.

Objectives
· Read a selection by Julia Álvarez.
· Summarize the selection.

Core Resource
· Audio Program: TXT CD 8 Track 10

Presentation Strategy
· Read the selection aloud and respond to questions.

STANDARDS
1.2 Understand language
1.3 Present information

Communication
Interpretive Mode

Put students into pairs. Ask the pairs to come up with a dialogue between two students from different countries. In the dialogue students should talk about a few differences between their cultures. Allow students to research on the Internet if necessary.

Lectura literaria *continuación*

Arte naif de la República Dominicana

En cuanto a los besos de tía Lola, Juanita tiene razón. Tía Lola les da un beso cuando llegan a casa, así como cuando salen. Les da un beso al acostarse por la noche y cuando se levantan por
20 la mañana. Si quiere darles las gracias o decirles que lo siente o felicitarlos[7] por ayudarle a limpiar la casa, también les da un beso. De pronto, Miguel se pone nervioso. Está a punto de encontrar una isla llena de gente a la que le gusta dar besos tanto como a su tía. ❈

—Si van al mercado —dice tía Lola—, y compran una docena de
25 mangos, no olviden pedir su ñapa.

—¿Y eso qué es? —pregunta Juanita.

—Una ñapa es un poquitico más que te dan al final. Si compras una funda[8] de naranjas y pides tu ñapa, te dan una naranja de más o tal vez una guayaba[9] o un cajuil[10] o un caramelo. Si comes flan y
30 pides tu ñapa, te dan un poco más. Digamos que una familia tiene siete hijos y luego nace otro. A ese último lo llaman la ñapa.

....

Es el primer viaje de Miguel a la isla de donde vienen sus padres. ¿Cómo será?

De pronto, piensa que debería haberle puesto[11] más atención a
35 las lecciones de tía Lola durante el recorrido[12] desde Vermont.

Cuando entran a la terminal, un conjunto musical empieza a tocar un merengue. Todo el mundo se pone a bailar[13], entre ellos tía Lola y mami y Juanita. Miguel se alegra de que ninguno de sus amigos viva aquí, así no tiene por qué avergonzarse.

---

[7] congratulate them   [8] bag   [9] guava   [10] cashew
[11] **debería...** he should have paid   [12] journey, trip   [13] **se...** starts dancing

❈ **A pensar**
Si Miguel está acostumbrado a que tía Lola les dé besos, ¿por qué se pone nervioso ante el comentario de su tía?

Answers
A pensar Miguel se pone nervioso porque su tía les da muchísimos besos y cree que todo el mundo va a hacer lo mismo.

256

Differentiating Instruction

Heritage Language Learners

Regional Variations Ask heritage speakers if they have heard of the term **ñapa** or if there is a term in their country or region of origin that means something similar. Invite heritage speakers to share what advice they might give to someone who is going to the market in their country for the first time.

Multiple Intelligences

Intrapersonal Divide the class into small groups. Ask students to discuss what it would be like to meet family members they have never met before in a country they have never been to. Instruct groups to write a list of feelings or potential problems a person in this situation might face.

40   Se paran en una larga cola a esperar su turno. Algunas de las personas tienen pasaportes rojos. Los suyos son azules.

—¿Por qué? —le pregunta Juanita a mamá.

—Porque somos ciudadanos de Estados Unidos. Los dominicanos tienen pasaportes rojos.

45   Juanita se siente orgullosa de tener un pasaporte de Estados Unidos, aunque le gustaría que Estados Unidos hubieran escogido [14] el rojo, su color preferido.

El agente de la cabina de vidrio revisa sus pasaportes, y mira a Miguel y luego a Juanita.

50   —No parecen americanos —le dice a su mamá.

—¡Sí somos americanos! —Miguel suelta de sopetón [15]. Se pregunta qué lo hace ser un verdadero americano. ¿Haber nacido en Nueva York y no en la República Dominicana como sus papás? ¿Hablar en inglés? ¿Que su equipo preferido de béisbol sean los

55   Yanquis? ¿Que todavía le gusten más los *hot dogs* que el arroz con habichuelas [16]?

En realidad, cuando Miguel mira a su alrededor, se parece más a los dominicanos de pasaportes rojos que a sus compañeros de escuela de Vermont.

60   Miguel recuerda parte de la lección que tía Lola les ha dado en el avión. Quizá la manera de probar que es americano es actuar como tal. Le sonríe al agente, luego se para de puntillas [17] para darle un apretón de manos. ❧

---

[14] **hubieran...** had chosen   [15] **suelta...** blurts out unexpectedly
[16] beans   [17] **de...** on tip toes

❀ **A pensar**
¿Cómo se siente Miguel cuando el agente le dice que no parecen americanos? ¿Crees que está orgulloso de serlo o no?

PARA Y PIENSA

¿Comprendiste?
1. ¿En dónde nacieron Miguel y Juanita? ¿Y sus padres?
2. ¿Qué diferencias culturales se describen en la selección?
3. ¿Qué consejos les da la tía Lola a Miguel y a Juanita?
4. Según Miguel, ¿qué cosas hace ser americano de verdad?
5. ¿Qué quiere demostrar Miguel cuando se para y saluda al agente?

¿Y tú?
1. ¿Fuiste alguna vez a otro país? Explica tus experiencias.
2. En tu opinión, ¿en qué consiste ser un(a) verdadero(a) ciudadano(a) de Estados Unidos?

Lección 2
doscientos cincuenta y siete   **257**

Differentiating Instruction

Inclusion

Sequential Organization On the board or on an overhead, break down the sequence of events in the story to help students answer the comprehension questions. Start by identifying the main idea of the passage. Then ask students to add details and events in the order that they appear in the story.

Pre-AP

Determine Cause and Effect Ask students the following cause and effect questions about *La ñapa:* **¿Qué provocó a Tía Lola hablarle a Miguel y Juanita sobre las costumbres de la República Dominicana? ¿Cuál es el efecto de pedir una ñapa en un mercado dominicano? ¿Qué impulsó a Miguel darle la mano al agente?**

Answers

A pensar Miguel se sorprende pero se da cuenta de que él se parece a los dominicanos. Sí, creo que está orgulloso de ser americano.

Para y piensa Answers may vary.

¿Comprendiste?
1. Juanita y Miguel nacieron en Estados Unidos. Sus padres nacieron en la República Dominicana.
2. Los americanos saludan de mano y los dominicanos se saludan con besos.
3. Tía Lola les dice que pidan una ñapa, o un poquito más de lo que compran en el mercado en la República Dominicana.
4. Haber nacido en Nueva York; hablar en inglés; preferir el equipo los Yanquis; gustar de los *hot dogs*.
5. Miguel quiere demostrar que es americano cuando le da un apretón de manos.

¿Y tú? Answers will vary. Sample responses:
1. Visité España el año pasado. Comí paella y visité El Prado.
2. A un(a) verdadero(a) ciudadano(a) de Estados Unidos le gustan el béisbol, la pizza y los colores rojo, blanco y azul.

Objectives

· Interview a person of interest.
· Write a biographical sketch of that person using the information gathered from the interview.

Presentation Strategies

· Read the Escritura page aloud in class. Ask students if there is someone they are interested in speaking with in their community or school. If students have overlapping interests, suggest that they interview someone together.
· As a class, brainstorm questions students can use in their interviews.
· Help students complete the chart on p. 258 (in their notebooks) in preparation for writing their biographical sketch.

STANDARD

1.3 Present information

✓ Ongoing Assessment

Peer Assessment Before students turn in their compositions, have them exchange papers for peer editing. Ask them to look for the following: all of the information from the chart appears in the paragraph, the preterite and imperfect are used properly, and that the subjunctive appears in the final paragraph. Have students circle or underline errors and return the biographical sketch to its writer for revision.

258

Escritura

Un bosquejo biográfico

Vas a entrevistar a una persona y luego escribir un bosquejo *(sketch)* biográfico. Usa la siguiente secuencia de estrategias como ayuda.

❶ Prepárate para escribir

ESTRATEGIA **Elige a la persona** Piensa en una persona que conozcas. Si esa persona hizo algo que te interesa, tenlo en cuenta para tus preguntas.

❷ Escribe

ESTRATEGIA **Haz preguntas** Una buena técnica de preparación para una entrevista es hacer una lista de preguntas. Las respuestas te servirán para preparar el bosquejo. Enfoca tus preguntas en los aspectos de la vida de la persona que quieres examinar. Recuerda que necesitas información sobre la historia de la persona y también sobre su vida actual *(current)*. Usa las siguientes palabras interrogativas de la tabla para escribir tus preguntas.

¿Quién?	¿Cómo?	¿Qué?	¿Cuándo?	¿Dónde?	¿Por qué?

- Si es posible, usa un grabador para grabar la entrevista.
- Escucha la entrevista que grabaste y toma apuntes. Para organizarlos, agrupa la información de la siguiente manera:

Primer párrafo (información del presente): *Mi veterinario se llama Norberto Núñez. Tiene cuarenta y dos años y es de Puerto Rico. Tiene dos hijos... Vive...*

Segundo párrafo (información del pasado): *Nació en Mayagüez y decidió estudiar para ser veterinario cuando tenía doce años... Fue a...*

Tercer párrafo Da tu opinión sobre la vida actual de la persona y sobre su futuro posible. Trata de usar varias expresiones con el subjuntivo: *Me alegro de que el Doctor Núñez sea nuestro veterinario. Deseo que trabaje aquí muchos años.*

❸ Revisa tu composición

Después de escribir tu primer borrador *(draft)*, intercámbialo con un(a) compañero(a) de clase. Lee el párrafo de tu compañero(a) y corrígelo.

- ¿Es necesario agregar detalles?
- ¿Usó el (la) escritor(a) las formas del pretérito y del imperfecto con precisión en el segundo párrafo?
- ¿Son correctas las formas del subjuntivo en el tercer párrafo?
- Revisa las correcciones que hizo tu compañero(a) y escribe la versión final.

> Mi veterinario es el Dr. Rodríguez.
>
> Viajó a Estados Unidos cuando ~~tenía~~ (tuvo) dieciocho años...
>
> Ojalá que el Dr. Rodríguez siempre ~~sea~~ (será) el veterinario de mi perrito.

Differentiating Instruction

Inclusion

Multisensory Input/Output Have students work in pairs to complete the chart on p. 258. After orally brainstorming questions for each category, they should complete their charts individually. Then have students exchange charts for peer review and revision prior to interviewing their person of interest.

Pre-AP

Self-correct Before students exchange papers for peer editing, have them read through their own compositions looking for the elements mentioned in Revisa tu composición. Remind them that they can use their books and dictionaries to refine their expression. Also, reading the composition aloud may help them to think of ways to improve their writing.

Lección 2

En resumen
Vocabulario y gramática

Animated Grammar
Interactive Flashcards
ClassZone.com

Vocabulario

Describe People and Things			
Descriptions			
auténtico(a)	authentic	realista	realistic
práctico(a)	practical, down-to-earth	sorprendente	surprising
		verdadero(a)	real, true, sincere

Professions			
el (la) artista	artist	el (la) político(a)	politician
el (la) bombero(a)	firefighter	el (la) secretario(a)	secretary
el (la) carpintero(a)	carpenter	el (la) técnico(a)	technician, repairperson
el (la) cartero(a)	mail carrier	el (la) vecino(a)	neighbor
el (la) músico(a)	musician	el (la) veterinario(a)	veterinarian
el (la) periodista	journalist		
el (la) policía	police officer		

Express Positive and Negative Emotions			
alegrarse de que	to be happy that	no es verdad que	it is not true that
dudar que	to doubt that	no estar seguro(a) (de) que	not to be sure that
es dudoso que	it is doubtful that		
es improbable que	it is improbable / unlikely that	sentir (siento) que	to be sorry that, to feel
no creer que	not to believe that	sorprenderse de que	to be surprised that
no es cierto que	it is not certain that		

Actions	
actuar	to act
aparecer	to appear
arriesgarse	to risk
convertirse en	to turn into
figurar en	to appear in
lograr	to attain, to achieve

Other Words	
la amistad	friendship
el deber	duty
la fama	fame
el honor	honor
la imagen	image
el logro	achievement, success
la meta	goal
por eso	for that reason, that's why
por lo tanto	therefore
el propósito	purpose, aim
el sacrificio	sacrifice
sin embargo	nevertheless, however
la valentía	bravery

Gramática

Repaso gramatical: Superlatives *p. 242*

Subjunctive with Doubt
expression of doubt + que + **different subject** + subjunctive

Marta no está segura de que tengamos tiempo para ver la película.

Note that the word **no** can affect whether or not you need to use the subjunctive.

expresses certainty ⌐indicative
No dudamos que él **tiene** talento.
We do not doubt that he has talent.

Subjunctive with Emotion
expression of emotion + que + **different subject** + subjunctive

Nos alegramos de que tú actúes con honor.
We're happy that you act with honor.

No me sorprendo de que sea difícil.
I'm not surprised that it's difficult.

Interactive Flashcards Students can hear every target vocabulary word pronounced in authentic Spanish. Flashcards have Spanish on one side, and a picture or translation on the other.

Featuring...
Cultura INTERACTIVA
Animated Grammar
@HomeTutor

And more...
· Get Help Online
· Interactive Flashcards
· Review Games
· WebQuest
· Conjuguemos.com

Communication
Pair Work

Divide students into pairs and have them work together to write a dialogue about a person interviewing for a specific job. Specify a certain number of vocabulary words or phrases for pairs to use in their dialogue. Also require students to use the subjunctive with expressions of emotion and doubt. Then ask students to read their dialogue for the class.

Long-term Retention
Study Tip

Have students create their own version of the lesson summary. Tell them that categorizing the information will help them to remember it, as will the action of writing out the words themselves.

Differentiating Instruction

Inclusion

Frequent Review/Repetition Have students work in pairs when studying the vocabulary on p. 259. One partner reads the list and tries to give the meaning of each word while hiding the English definition. The other partner checks his or her partner's work. If students cannot recall the meaning of a word, have students write it in their notebooks and return to it later for further review.

Slower-paced Learners

Memory Aids Encourage students to create their own flashcards to review the vocabulary on p. 259. Suggest that they group the terms by the categories provided in their textbooks. Have students write the term on one side of the card and either write the definition or use photos from magazines on the other side of the card.

Objective
· Review lesson grammar and vocabulary.

Core Resources
· *Cuaderno*, pp. 182–193
· Audio Program: TXT CD 8 Track 11

Presentation Strategies
· Check for comprehension. Look at the points presented under the ¡Llegada! banner. Ask for volunteers to give you an example sentence for one of the bulleted items of their choice.
· Ask students to look at Activities 1–3 on pp. 260–261 and the To Review boxes in the margins. Have them select either the subjunctive with emotion or with doubt and give a sample sentence that shows they understand how to use the subjunctive correctly.

STANDARDS
1.2 Understand language, Acts. 1, 2.
1.3 Present information, Acts. 3, 4.
2.1 Practices and perspectives, Act. 5.
4.2 Compare cultures, Act. 5.

Warm Up UTB 4 Transparency 23

Traducción Traduce las siguientes palabras y expresiones.
1. alegrarse de que: _____
2. sorprenderse de que: _____
3. el logro: _____
4. arriesgarse: _____
5. figurar en: _____
6. el bombero: _____
7. sentir que: _____
8. por lo tanto: _____

Answers: 1. to be happy that; 2. to be surprised that; 3. achievement; 4. to risk; 5. to appear in; 6. firefighter; 7. to be sorry that, to feel; 8. therefore

✓ Ongoing Assessment

Peer Assessment Have students review answers for Activity 2 and then ask for volunteers to read the dialogue aloud. Encourage students to show emotion while reading the dialogue.

See Activity Answers on p. 261.

260

Lección 2
Repaso de la lección

@HomeTutor
ClassZone.com

¡LLEGADA!

Now you can
· describe people and things
· express doubt, denial, and disbelief
· express positive and negative emotions

Using
· subjunctive with doubt
· subjunctive with emotion
· superlatives

Audio Program
TXT CD 8 Track 11
Audio Script, TE
p. 235B

To review
· subjunctive with doubt p. 243
· subjunctive with emotion p. 248

AUDIO

1 Listen and understand

Ramona está escuchando uno de sus programas de radio favoritos. Escucha los comentarios de Diana Diamante y completa las oraciones.

1. No es cierto que Víctor Vargas y su esposa _____ .
2. Le sorprende a Diana que Esmeralda no le _____ Diamante a su perrito.
3. No es verdad que Julia Jiménez _____ cinco casas.
4. Es una lástima que Lorenzo Lima no _____ proyectos mejores.
5. Le emociona a Diana que Paloma Palmares _____ pintar tan bien.

To review
· subjunctive with emotion p. 248

2 Express positive and negative emotions

Marisol habla por teléfono con su abuela. Completa las reacciones de Marisol a los comentarios de la abuela. Usa las formas correctas de los verbos indicados.

— Bueno, Marisol, me siento muy bien hoy.
— Ay, abuelita, ¡me alegro de que __1.__ (estar) mejor hoy!
— Pero tengo mucho que hacer y estoy un poco nerviosa.
— Es una pena que __2.__ (tener) tanto que hacer.
— Sí, tengo que llevar el gato al veterinario. Está enfermo y no quiere comer.
— ¡Es una lástima que el gatito no __3.__ (comer)!
— Y tengo que hablar con la vecina... está escuchando la radio muy alto.
— Me sorprende que ella __4.__ (comportarse) así.

260 Unidad 4 El Caribe
doscientos sesenta

Differentiating Instruction

Inclusion

Cumulative Instruction Review the subjunctive form with struggling learners, providing many examples with both expressions of doubt and emotion. Read several sentences using these structures. At the end of each sentence, ask a volunteer to identify the subjunctive verb, the indicative verb, and the expression of doubt or emotion.

English Learners

Provide Comprehensible Input Instead of having students answer the questions in Activity 1, use the audio script on p. 235B to create a cloze activity. Leave blanks where the subjunctive occurs, and have students fill in the blanks in context while they listen to the audio. Alternately, you could have them practice the superlative by putting blanks where the superlative occurs.

To review
• subjunctive with doubt p. 243

3 | Express doubt, denial, and disbelief

Reacciona a los comentarios usando expresiones como: **no es cierto que...**, **dudar que...**, **no creer que...**

1. La amistad no existe.
2. Los políticos son todos muy honestos.
3. Todo el mundo busca la fama.
4. La valentía no importa.

To review
• superlatives p. 242

4 | Describe people and things

Mira los dibujos de las personas y compáralas. Usa formas del superlativo y adjetivos con **-ísimo,** según el modelo.

modelo: cartero / alto
Élmer es el cartero más alto. Es altísimo.

1. superhéroe / atrevido

2. político / bajo

3. bombero / rápido

4. policía / fuerte

To review
• Comparación cultural pp. 245, 250

5 | Artists and their work

Comparación cultural

1. ¿En qué se inspiró Amelia Peláez para pintar sus cuadros?
2. Menciona dos características de su pintura.
3. ¿Qué significa el jíbaro en el cuadro *Mi futuro y mi tierra,* de Óscar Ortiz?

Más práctica Cuaderno *pp. 182–193* Cuaderno para hispanohablantes *pp. 184–193*

Get Help Online
ClassZone.com

Differentiating Instruction

Pre-AP

Support Ideas with Details Using the occupations listed in Activity 4, have students write about situations an individual may face as a fireperson or police officer. Their descriptions should use the subjunctive to express doubt, denial, and disbelief (**no creo que...**) about the obstacles people in these professions confront.

Heritage Language Learners

Writing Skills Remind heritage learners to be vigilant with their spelling (this includes accents), grammar, and punctuation. Instruct students to double-check their work after completing Activities 1–5. Tell them to make a note of any errors, however minor, so that they will not make the mistake again.

✓ Ongoing Assessment

Alternative Strategy Have students create their own drawings for Activity 4. Post the drawings on the board and have students use the superlative and adjectives to describe the drawing.

✓ Ongoing Assessment

@HomeTutor
More Practice
ClassZone.com

Intervention and Remediation If students achieve less than 80% accuracy on each activity, direct them to the review pages and to get help online at Classzone.com.

Answers UTB 4 Transparency 31

Answers for Activities on pp. 260–261.

Activity 1
1. se separen
2. llame
3. tenga
4. escoja
5. pueda

Activity 2
1. estés
2. tengas
3. coma
4. se comporte

Activity 3 Answers will vary. Sample answers.
1. Dudo que la amistad no exista.
2. No creo que todos los políticos sean muy honestos.
3. No es cierto que todo el mundo busque la fama.
4. No es verdad que la valentía no importe.

Activity 4
1. Dr. Frío es el superhéroe más atrevido. Es atrevidísimo.
2. El Sr. Mir es el político más bajo. Es bajísimo.
3. Ana es la bombera más rápida. Es rapidísima.
4. Díaz es el policía más fuerte. Es fuertísimo.

Activity 5 Answers may vary slightly.
1. Amelia Peláez combinó la arquitectura y las artes decorativas del período colonial.
2. Dos características de su pintura son los colores brillantes y la línea ancha y negra.
3. El jíbaro significa los valores tradicionales.

Objectives
- Read two students' accounts about their cities and heroes from their history.
- Students describe a hero from their area.
- Students compare their hero with those described by the two students.

Core Resources
- *Cuaderno*, pp. 194–196
- Audio Program: TXT CD 8, Track 12

Presentation Strategies
- Have students read the title on p. 262. On the board, brainstorm as a class the names of important figures from Caribbean history as well as any other historical information they know about Puerto Rico and the Dominican Republic. After reading the text, go back to the list on the board and circle the information included in this reading.
- Have students listen to the audio as they follow along in their text.
- Display a map of the Caribbean as you talk about the content, and have students locate San Juan and Santo Domingo.

STANDARDS
1.2 Understand language
1.3 Present information
3.1 Knowledge of other disciplines
4.2 Compare cultures

✓ Ongoing Assessment

Quick Check Read each sentence and have students indicate whether it is about **Puerto Rico** or **La República Dominicana.**
1. La Catedral Santa María la Menor está en la zona colonial. (República Dominicana)
2. Es la primera capital del Nuevo Mundo. (República Dominicana)
3. San Juan es la capital. (Puerto Rico)
4. Mariana Bracetti hizo su primera bandera. (Puerto Rico)
5. Juana Trinidad luchó contra un ejército para llevarles agua a sus compañeros en el río Yaque. (República Dominicana)
6. El Grito de Lares fue el primer movimiento de la independencia. (Puerto Rico)

262

AUDIO

Héroes del Caribe

Lectura y escritura

WebQuest
ClassZone.com

1 **Leer** Lee los datos históricos que mencionan Inés y Fernando sobre la independencia de sus países.

2 **Escribir** Basándote en la narración de Inés y Fernando, escribe una biografía en forma de ensayo sobre un héroe o una heroína de tu comunidad o estado.

> ### ESTRATEGIA Escribir
> **Follow a model for your essay** Use the model for the four parts of the essay: (a) introduction (person's name and reason for being a hero/heroine), (b) person's main qualities and ideals, (c) key dates and events, and (d) summary or final insight.
>
> - Introducción
> - Nombre del héroe
> - ¿Qué hizo?
>
> Cualidades e ideales
>
> Fechas y hechos
>
> Conclusión

Paso 1 Dibuja cuatro óvalos como los de arriba. Cada óvalo representa un párrafo de la biografía sobre un héroe o una heroína de tu comunidad o estado.

Paso 2 Usando las narraciones de Inés y de Fernando como guía, escribe tu ensayo de cuatro párrafos.

Paso 3 Revisa la gramática y la ortografía.

Compara con tu mundo
Usa el ensayo que escribiste y compara tu héroe o heroína con las heroínas de Inés y de Fernando. ¿Hicieron cosas parecidas? ¿Tenían ideales similares? ¿Fueron héroes para el país o para una comunidad? Explica.

Cuaderno *pp. 194–196*   Cuaderno para hispanohablantes *pp. 194–196*

Differentiating Instruction

Inclusion

Clear Structure Have four to six volunteers write one of their essay sentences on one section of the board. Then draw the four ovals from the model on p. 262 on another section. As a class, identify where each of the sentences should be placed: in the first, second, third, or fourth oval.

Pre-AP

Circumlocution Have students identify several U.S. heroes and write their names on the board. Then ask for volunteers to describe why these people are heroes. Encourage them to use circumlocution to explain what they don't know how to say.

Cultura INTERACTIVA *See these pages come alive!* ClassZone.com

Inés

Hola. Soy Inés Costa y vivo en San Juan, la capital de Puerto Rico. Su parte vieja es muy famosa. Allí se encuentra el Fuerte San Felipe del Morro, una fortaleza española construida entre 1540 y 1783. ¡Es enorme! Tiene 140 pies de altura. Es un sitio del Patrimonio Cultural de la UNESCO. Sugiero que lo visites.

A mí me encanta la historia. Una de nuestras heroínas es Mariana Bracetti. Ella vivió entre 1825 y 1903 y la admiramos por su valor, patriotismo y apoyo a la lucha por la independencia. Hizo la primera bandera de Puerto Rico y participó en el Grito de Lares, el primer movimiento independentista de Puerto Rico. Aunque esa iniciativa fracasó, Puerto Rico por fin ganó su independencia de España en 1897.

Puerto Rico

Fernando

¿Cómo estás? Me llamo Fernando Burgos y vivo en la ciudad de Santo Domingo. Aquí se estableció la primera colonia española en el Nuevo Mundo. La zona colonial de mi ciudad tiene unos edificios muy antiguos, como la Catedral Santa María la Menor, que es la primera catedral del Nuevo Mundo.

La República Dominicana es una isla que se llamaba Quisqueya. Luego los españoles la llamaron La Española. Nuestro país tuvo muchos conflictos con España y con Haití, que comparte la isla con nosotros. Entre nuestros héroes de la independencia tenemos a Juana Trinidad, conocida como la "coronela inmortal". No creo que haya nadie más valiente que ella. Luchó contra el ejército haitiano en Santiago, donde arriesgó su vida para llegar al río Yaque y llevarles agua a sus compañeros.

República Dominicana

El Caribe
doscientos sesenta y tres **263**

Comparación cultural
Exploring the History
Santo Domingo is a city of firsts. Founded by Bartolomé Colón, the brother of Cristóbal Colón, Santo Domingo was the first European city established in the New World. It was the first capital of new territories and the first to use Spanish money. Santo Domingo is also home to the first cathedral (Catedral de Santo Domingo), the first university (Universidad Santo Tomás de Aquino, now Universidad Autónoma de Santo Domingo), the first fort (Fortaleza Ozama), the first hospital (Hospital de San Nicolás de Bari), and the first monastery (Monasterio de San Francisco). The city plans for Santo Domingo were made in Europe, following a grid pattern. Once built, this first European city of the New World became the model for other cities built by the Spanish government. In 1990 UNESCO declared the Colonial City of Santo Domingo a World Heritage site.

✓ Ongoing Assessment
Rubric Lectura y escritura

Writing Criteria	Very Good	Proficient	Not There Yet
Content	Essay includes four paragraphs, follows the model, and provides the information necessary.	Essay includes two to three paragraphs, follows the model fairly well, and provides some information.	Essay includes one paragraph or fewer and does not follow the model nor include sufficient information.
Communication	Essay is well organized and easy to follow.	Essay is fairly well organized and easy to follow.	Essay is disorganized and hard to follow.
Accuracy	Essay has very few mistakes in vocabulary and grammar.	Essay has some mistakes in vocabulary and grammar.	Essay has many mistakes in vocabulary and grammar.

Differentiating Instruction

Pre-AP
Use Transitions Once students have written their four paragraphs, ask them how well one sentence flows to the next and how one paragraph connects to the next. Provide words, phrases, and examples that will help them create smooth transitions. Some possible transition words include: **en contraste, por eso, luego, entonces, por otro lado, finalmente, sin embargo.**

Slower-paced Learners
Sentence Completion Provide shell sentences that can be used in the essays and comparisons. For example,
En [year], [name] **luchó contra las fuerzas / el ejército de...**
En [year], [name] **estableció...**
[name] **se hizo héroe de** [region] **porque...**

Objective
· Introduce the fourth mission of the Desafío.

Core Resource
· El Gran Desafío Video: DVD 2

Presentation Strategies
· **Previewing** Have students look at the photos and comment on what the contestants seem to be doing in each. Where might they be? What might the significance be of the pictures of food? Then ask a volunteer to read the **desafío** summary on p. 264 aloud. Elicit answers to the **Antes del video** questions. Ask students to support their answers with details.
· **Viewing** Review the **Toma apuntes** questions on p. 265. Encourage students to copy the questions in their notebooks or on a piece of paper, leaving space for the notes they'll write. Play the video, then allow students time to review their notes.
· **Post-viewing** Play the video again. Have volunteers read each of the **Después del video** questions and elicit answers from the class. Encourage students to say if they agree or disagree with any given answer.

STANDARDS
1.2 Understand Language
3.2 Acquire information
5.2 Life-long learners

Video Summary
@HomeTutor
VideoPlus
ClassZone.com

The professor and the teams stop at a restaurant. While they are eating and talking, Professor Dávila passes out some cards and markers and announces the next challenge: each team member must write one adjective on the card that best describes himself or herself. The members of another team will have one chance each to guess what that adjective might be. In the end, none of the teams wins, since the adjectives they chose for themselves were different than what the other teams guessed. However, they have all gotten to know each other a bit better.

▶ II

264

UNIDAD 4

VIDEO
DVD

EL DESAFÍO

En este desafío, todos deben descansar un poco y tomarse unos minutos para conocerse un poco mejor. Luego, cada uno debe escribir en una tarjeta el adjetivo que mejor describa su personalidad. Los otros equipos deben adivinar el adjetivo, pero sólo tienen una oportunidad.

Antes del video

1. ¿Cómo es Marco? ¿Qué adjetivo crees que describe mejor la personalidad de Marco?

2. ¿Qué crees que está leyendo Carmen? Escribe un adjetivo que describa la personalidad de Carmen.

3. ¿Qué adjetivos describen mejor a María? ¿Cómo describirán los otros a ella?

Differentiating Instruction

Slower-paced Learners
Sentence Completion
To check that students have understood the adjectives and can pronounce them, have them complete sentences describing each character, such as **Carmen dice que Luis es (modesto). Luis escribió que él es (tímido).**

Inclusion
Clear Structure
Before viewing the video, have students work in pairs to create a word web with six major circles and two smaller circles branching off of each. Have them label each large circle with the name of a team member. Tell students that they will hear two adjectives describing each person in the video, which they should write in the smaller circles.

Comparando descripciones

Mira el video: Toma apuntes

- ¿Qué le recomienda el profesor a Carmen?
- ¿Qué quiere el profesor que hagan todos antes del próximo desafío?
- ¿A quién le gusta leer sobre la vida de los artistas famosos?
- Según Ana, ¿cómo es José?
- ¿Quién escribe «orgullosa» en la tarjeta?
- ¿Por qué se enoja María con Luis?

Después del video

1. ¿Qué equipo ganó este desafío? ¿Qué pasó?
2. Lee la lista de adjetivos que escribiste sobre los personajes. ¿Cuántos adjetivos adivinaste?
3. En tu opinión, ¿por qué crees que fue difícil adivinar los adjetivos correctos?

@HomeTutor VideoPlus
ClassZone.com

"DEDICADO"

El Gran Desafío
doscientos sesenta y cinco **265**

Communication
Group Work

Divide students into teams of four. Have them write down one adjective for each team member, as well as one for Professor Dávila. Then allow the teams to take turns guessing what those adjectives are.

Communication
Humor / Creativity

Encourage students to come up with the most vain or outrageous adjective they can think of to describe themselves. Then share these with the class.

Differentiating Instruction

Pre-AP
Vary Vocabulary

Working in pairs, students will make a list of five adjectives describing each team member. They cannot use the same adjectives as were used in the video. Then have them take turns guessing the adjectives their partner has chosen. Whoever gets three right wins. If there is a tie, they must play again, with a new list of five adjectives.

Multiple Intelligences
Linguistic/Verbal

Have students, in groups of three, discuss whether they agree or disagree with the adjective each team member chose for himself or herself and with the adjectives the other teams came up with. Then have them each write the adjective they would choose for each character, and explain why they chose that one.

Answers

Después del video Answers will vary.
Sample answers:
1. Ningún equipo ganó este desafío. Todos los adjetivos que adivinaron fueron incorrectos.
2. Adiviné dos adjetivos: orgullosa y popular.
3. Creo que fue difícil adivinar los adjetivos correctos porque ellos no se conocen bien.

Objective
· Cumulative review

Core Resource
· Audio Program: TXT CD 8 Track 13

Review Options
· **Activity 1:** Controlled practice: listening
· **Activity 2:** Open-ended practice: speaking and writing
· **Activity 3:** Open-ended practice: writing and speaking
· **Activity 4:** Open-ended practice: writing
· **Activity 5:** Open-ended practice: speaking
· **Activity 6:** Open-ended practice: speaking
· **Activity 7:** Open-ended practice: speaking and writing

STANDARDS
1.1 Engage in conversation, Acts. 6, 7.
1.2 Understand language, Act. 1.
1.3 Present information, Acts. 2, 3, 4, 5.
2.2 Products and perspectives, Act. 1
4.2 Compare cultures, Act. 1

Communication
Humor/Creativity

Play a game where students write a list of facts about one of the celebrities mentioned in Activity 2. Have students include one "untruth" about the celebrity on the list. The class has to guess which fact is not true. Award students extra credit points for creativity.

Long-term Retention
 Recycle

Review the future tense with students. Provide several examples of the future tense in sentences. Then ask students to construct a few sentences about their own futures.

Answers

Activity 1 **1.** de Cuba, **2.** cantante, **3.** Estados Unidos, **4.** valiente y atrevida, **5.** el espíritu de la música cubana

Activities 2–7 Answers will vary.

266

---

1 | Escucha, comprende y compara

Escuchar

Escucha este comentario sobre Celia Cruz. Luego contesta las preguntas.

1. ¿De dónde era Celia Cruz?
2. ¿Cuál era su profesión?
3. ¿A qué país inmigró?
4. ¿Era valiente y atrevida o presumida y vanidosa?
5. ¿Qué personifica?

🎧 **Audio Program**
TXT CD 8 Track 13
Audio Script, TE
p. 235B

2 | Investiga y describe

Hablar
Escribir

Con un(a) compañero(a), investiga la vida y contribuciones de un(a) caribeño(a) famoso(a). Por ejemplo, Gloria Estefan, Pedro Martínez, Víctor Rasuk, Celia Cruz, Ricky Martin, Juan Luis Guerra, Roberto Clemente o José Martí. Luego, preparen un breve reportaje sobre la vida y las características admirables de esa persona y preséntenlo en clase.

3 | Escribe un artículo periodístico

Escribir
Hablar

Prepara un artículo sobre un héroe o heroína de tu comunidad o estado. Incluye una foto de tu héroe e información sobre su vida, su profesión, su personalidad, sus logros y sus esperanzas para el futuro. Luego, un(a) compañero(a) deberá leerlo e indicar cuáles son las características más importantes.

Differentiating Instruction

Multiple Intelligences

Kinesthetic Ask students to act like one of the celebrities in Activity 2. The dramatization should include a few facts about the celebrity's life and a few personality characteristics. (Students may use information from their reports.) Remind students to use the first person as they are pretending to be the celebrity.

Pre-AP

Support Ideas with Details Instruct students to add to their articles for Activity 3 by writing about more than one hero from their community or state. Tell students to compare the heroes' characteristics, professions, and achievements.

4 Solicita colaboración

Escribir

Escribe una carta en la que pides la colaboración de alguna persona famosa de México, Centroamérica o el Caribe para un proyecto en tu comunidad. Explica el proyecto y por qué puede ser interesante para esa persona. Incluye al menos cinco ejemplos del subjuntivo en tu carta.

5 Presenta un programa de televisión

Hablar

Con tus compañeros(as), preparen un programa de charla *(talk show)* en que un(a) locutor(a) invita a dos personas famosas de México, Centroamérica o el Caribe. Piensen, por ejemplo, en el encuentro de dos políticos, dos artistas o dos escritores. ¿Qué tienen en común esas dos personas? ¿Cuáles son sus diferencias? Preparen una conversación realista. El (La) locutor(a) debe presentar a sus dos invitados y dirigir la conversación con preguntas apropiadas. Usen mandatos.

6 Da tu opinión por la radio

Hablar

Eres locutor(a) de radio. Háblales a tus oyentes, diciendo cómo crees que será el mundo en los próximos años y lo que deseas para el futuro. Utiliza también expresiones impersonales.

7 Organiza un viaje

Hablar
Escribir

Tú y tus compañeros(as) son agentes de viaje y quieren organizar un viaje de una semana a México, algún país de Centroamérica o el Caribe, con un enfoque histórico, ecológico o cultural. Como el viaje es de tiempo limitado, deben considerar con cuidado qué pueden incluir en el itinerario. Preparen un folleto informativo para distribuir durante la presentación promocional que hacen en clase. Incluyan verbos en el futuro.

✓ Ongoing Assessment

Integrated Performance Assessment Rubric Oral Activities 2, 3, 5–7
Written Activities 3, 4

Very Good	Proficient	Not There Yet
Student thoroughly develops all requirements of the task.	Student develops most requirements of the task.	Student does not develop the requirements of the task.
Student demonstrates excellent control of verb forms.	Student demonstrates good-to-fair control of verb forms.	Student demonstrates poor control of verb forms.
Good variety of appropriate vocabulary.	Adequate variety of appropriate vocabulary.	Vocabulary is not appropriate.
Pronunciation is excellent to very good.	Pronunciation is good to fair.	Pronunciation is poor.

Communication
Group Work

To conserve time, recommend that individual students take over a specific part of the planning process for Activity 7. For example, tell one student to be in charge of the country's historical background, one student to research ecological attributes, and one to study cultural offerings. Then suggest students come back together with their information to create the brochure and plan their presentation.

Differentiating Instruction

Pre-AP

Expand and Elaborate Have students present their talk shows from Activity 5 to a Spanish II class. After the show, have the Spanish II students ask the famous people questions that the actors must answer in character.

Slower-paced Learners

Peer-study Support For group activities in Repaso inclusivo, be sure to put a variety of proficiencies in each group. Allow high-proficiency students to assist low-proficiency students, but insist that all students in the group participate. For speaking activities, make it clear that all students in the group are to have equal speaking parts.

Proyectos adicionales

❖ Art Project

Un mapa de los Andes Explain to students that they will now create maps of the Andes.

1. Split the class into six groups. Assign each group one of the following Andean countries: Argentina, Colombia, Ecuador, Perú, Bolivia, or Chile.

2. Bring groups to the library. Have them use atlases and other resources to find the names and heights (in meters) of their country's five highest Andean peaks. Also have groups find their country's three longest rivers and three largest cities.

3. Have groups get together to decide on a consistent scale for their maps. Pass out rulers, pencils and sketch paper so the groups can sketch their maps. Each map should be drawn to scale, should pinpoint the locations, names, and heights of the five highest mountains, and should show the three major rivers and three largest cities.

4. Pass out poster paper, colored pencils and markers for groups to make their final maps.

Hang the maps next to each other on a classroom wall. Ask each group to give further details and information about the natural features of their country.

PACING SUGGESTION: One 90-minute class period at the end of Lección 2.

❖ Bulletin Board

Vilcabamba, Perú Several old Incan cities are still inhabited, such as Cajamarca and Cuzco in Peru and Quito, Ecuador. Many Andean communities, however, including the famous Machu Picchu, were abandoned after the fall of the Incan Empire. Vilcabamba, Perú, is also an important archaeological site from the time of the Incan Empire. Have students go through books and magazines and conduct online research to find images of Vilcabamba (caution them not to confuse it with Vilcabamba, Ecuador). Tell students to photocopy or print out two or three images and write brief captions to describe them. After you've created the bulletin board, go around the class and ask each student to provide further details about their image.

PACING SUGGESTION: One 50-minute class period at the end of Lección 2.

❖ Web Research

Los puentes de los Inca Explain to students that Andean people made a lasting contribution to engineering in the form of the rope suspension bridge, or "Inca rope bridge," that is still used today to span the Andes' deep canyons. Have students research the Inca rope bridge. Guide their research by asking these questions:

- What kind of grass are the ropes made from? What are some general characteristics of these bridges?
- What is the process used to mend an old bridge? How is a new bridge created? Are special knots or braiding techniques used?
- How long can a new bridge be expected to last? How much weight can it carry?
- What labor system is used to replace a bridge?

Have students note their findings. Afterward, hold a class discussion, using the research questions as a guide.

Search Key Words: "Inca rope bridge," "Inca Suspension Bridge," "The Inca Mita System"

PACING SUGGESTION: One 90-minute class period at the end of Lección 2.

Get Help Online
ClassZone.com

❋ Storytelling

El centro para jóvenes en mi pueblo After reviewing the vocabulary from Lección 2, model a mini-story that students will revise, retell, and expand.

El centro juvenil de mi pueblo tiene muchos juegos y actividades. **El ambiente** es **informal** y divertido. Voy cada sábado **con tal que** mis padres me permitan. Hay una sala para jugar a los **naipes**, a **las damas**, y a otros **juegos de mesa**. Me gustaría jugar al **ajedrez** pero no conozco a nadie que sepa jugarlo bien. También hay una sala en el centro donde puedes jugar al **billar**. No sé cómo jugarlo y quiero conocer a alguien que me pueda enseñar. Siempre me divierto ahí.

As you tell the story, be sure to pause so that students may fill in words and act out gestures. Students should then write, narrate, and read aloud a longer main story. This new version should include vocabulary from Lección 2. Students can write, illustrate, and act out additional new stories based on this storytelling experience.

PACING SUGGESTION: One 50-minute class period at the end of Lección 2.

❋ Music

La música andina Andean music has a distinctive sound. It uses ancient wind instruments such as the **zampoña** and **quena,** which pre-date the Incan Empire (1200–1500 A.D.). When the Spanish arrived they introduced stringed instruments, which were incorporated into Andean music. *El condor pasa* is an old folk tune that is familiar all over the world. Play a recording of *El condor pasa* and other Andean music for the class and then guide discussion by asking the following questions:

• Have you heard this type of music before?
• What instruments were you able to discern?
• What materials do you think were used to make these instruments?

PACING SUGGESTION: 20-30 minutes of class time at the end of Lección 2.

❋ Careers

Traductores/intérpretes Explain to students that with accelerating globalization and communications technology becoming available to more and more people worldwide, skilled translators and interpreters have become even more valuable. Have students research online what fields require translators and interpreters. In the classroom, have a student volunteer record findings on the board and explain them to the class.

PACING SUGGESTION: One 50-minute class period at the end of Lección 2.

❋ Recipe

Ceviche de atún Ceviche is a very popular dish in Peru and other Latin American countries where fresh seafood is available. Authentic ceviche is made using fish which is not cooked; it is marinted in lemon and/or lime juice. Here the recipe is adapted using canned tuna.

Ceviche de atún

Ingredientes

2 latas (6 oz.) grandes de atún claro en agua
2 tomates maduros
el jugo de dos limas
5 cucharadas de aceite de oliva virgen extra
2 cucharadas de cilantro
2 cebollas rojas pequeñas
2 jalapeños
sal y pimienta

Instrucciones

Quite las semillas de los jalapeños y córtelos. Corte los tomates en trocitos y las cebollas en pedacitos. Escurra el agua del atún y póngala en un plato pequeño. Ponga el jalapeño y la cebolla sobre el atún y deje que los sabores se mezclen durante unos minutos. Luego, agregue el tomate, el cilantro y un poco de sal y pimienta. Mezcle todo bien. Añada el jugo de lima y el aceite de oliva virgen extra. Se pueden añadir unas ramitas de cilantro como adorno.

Receta para 6 personas

Tiempo de preparación: 10 minutos

Tiempo total: 20 minutos

UNIT THEME
· How do you have fun?

UNIT STANDARDS
COMMUNICATION
· Talk about personal items
· Talk about requirements
· Express what does and doesn't exist
· Say what would or would not happen
· Report what someone said
· Talk about the day's activities

CULTURES
· **La Organización de Estados Americanos (OEA)**
· Indigenous artifacts
· Paintings of contemporary indigenous artists
· **La Plaza de Armas** in Trujillo, Peru
· Music in Andean countries
· Archaeological sites in Peru
· Geographic variety in Andean countries

CONNECTIONS
· Social Studies: Nouns in Spanish and indigenous languages

COMPARISONS
· World organizations with many member states
· The value of historical objects
· The Spanish sounds of /L/ and /LL/
· The importance of indigenous art
· Places with historical significance
· How music reflects a culture
· The Spanish **p**
· What ancient ruins tell us about a culture
· Geographic variety

COMMUNITIES
· Languages other than English spoken in the community

UNIDAD 5
Los países andinos
¿Cómo te entretienes?

Lección 1
Tema: **Comuniquémonos entre naciones**

Lección 2
Tema: **Nuevos amigos, nuevas oportunidades**

«*¡Hola a todos!*
Somos Raúl, de Bolivia, y Gladys, de Perú.»

(Map labels: Ecuador, Quito, Tigua, Coca, Guayaquil, Machala, Islas Galápagos, Trujillo, Perú, Machu Picchu, Lima, Cuzco, Bolivia, La Paz, Sucre, Océano Pacífico)

Almanaque cultural

Capitales: Ecuador: Quito; Perú: Lima; Bolivia: La Paz y Sucre

Geografía y clima: Zonas más bajas: (con calor durante el día y fresco por la noche). Zonas altas, como Machu Picchu (temperatura extremadamente fría).

Comidas: llapingachos, ceviche, papas a la huancaína, llunca, picante de pollo, fricasé

Lenguas indígenas: quechua, aymara

Gente famosa: Franklin Briones (director de cine, Ecuador), Tania Libertad (cantante, Perú), Mario Vargas Llosa (escritor, Perú), Claudia Cornejo (atleta, Bolivia)

Sopa de pimientos

268 doscientos sesenta y ocho

Cultural Geography

Setting the Scene
· El fútbol es un deporte muy popular y social en los países hispanos. ¿Cómo prefieres pasar tiempo con amigos?
· Mira la foto del puente en la página 269. ¿Para qué era necesario el puente en las antiguas civilizaciones? (Para mandar mensajes entre países.)
· Nombra un lago de tu país con una historia interesante.

Teaching with Maps
· ¿Qué países tienen frontera con Perú? (Ecuador, Bolivia, Colombia, Brasil, Chile)
· ¿Las Islas Galápagos son parte de qué país? (Ecuador)
· ¿Cuáles son las capitales de Ecuador, Perú y Bolivia? (Quito, Lima, La Paz y Sucre)

Cultura INTERACTIVA
See these pages come alive!
ClassZone.com

Jóvenes viendo un partido
de fútbol de la selección de Ecuador

◀ **La amistad** Los jóvenes latinoamericanos comparten sus gustos con sus amigos. Los deportes, la música y el cine sirven para reunirse y divertirse en compañía de los mejores amigos. No importa el lugar ni la hora; lo importante es la amistad. *¿Qué gustos compartes con tu mejor amigo(a)?*

Historia indígena En las ruinas de los países andinos puedes ver la riqueza de la cultura indígena. En lugares como Machu Picchu (Perú), Ingapirca (Ecuador) y Tiwanaku (Bolivia) puedes ver cómo vivían las antiguas civilizaciones. *¿Qué indígenas vivían en tu estado?* ▶

El lago Titicaca Está entre Bolivia y Perú, y es el lago más alto del mundo (3800 m). Aquí estuvo el imperio inca, por eso esta zona está llena de misterios y leyendas. Sus montañas eran ricas en oro y plata, y sus tierras apropiadas para cultivar papas. *¿Qué lago hay cerca de tu ciudad?* ▼

Camino Inca, Perú

Indígena aymara navegando en el lago Titicaca

Los países andinos
doscientos sesenta y nueve **269**

Cultura INTERACTIVA
ClassZone.com

Send your students to www.classzone.com to explore authentic Andean culture. Tell them to click on Cultura Interactiva to see these pages come alive!

Culture

About the Photos
· In Ecuador, soccer games begin with universal cheers of **"sí se puede"** (*yes we can*) from devoted fans. The colorful hats worn by the young men in the photo have this expression on them.
· It takes about four days to get to Machu Picchu walking the **Camino Inca.** The route is winding, with sidewalks and hundreds of stone steps, tunnels, and bridges that cross the mountain and the forest.
· **Lake Titicaca** is the second largest lake of South America (after Maracaibo). The Uru inhabitants of the lake still use a local reedlike papyrus called **totora** as a food source and to make clothing, boats (like the one pictured here), homes, and even the floating islands on which they live.

Expanded Information
· Machu Picchu was most likely a royal estate and religious retreat. It was built between 1460 and 1470 AD by Pachacuti Inca Yupanqui, an Incan ruler. Machu Picchu was "rediscovered" by American historian Hiram Bingham in 1911.
· In **Lake Titicaca,** ruins on the shore and on the islands prove the previous existence of one of the oldest civilizations known in the Americas. The chief site is at Tiahuanaco, Bolivia, at the southern end of the lake. On Titicaca Island, ruins of a temple mark the spot where, according to the tradition of the Incas, the legendary founders of the Inca dynasty were sent down to Earth by the Sun.

Bridging Cultures

English Learners
Build Background Have students describe the geography of their countries of origin using the Teaching with Maps questions on p. 268 as a guide. They can also answer the questions at the end of the captions on p. 269 with information about their native countries.

Heritage Language Learners
Support What They Know Discuss the Quechua language with heritage speakers. Mention that Peruvians use hundreds of Quechua words, from names of animals and plants, to cooking terms, to items of clothing, and terms from everyday life. Ask heritage speakers if they know any of these words. If not, ask them to do some research and report back to the class.

Culture at a Glance ❈

Topic & Activity	Essential Question
La Organización de Estados Americanos, pp. 270–271	¿Cómo pueden los países trabajar juntos?
El Museo de Metales Preciosos, p. 278	¿Por qué son valiosos los objetos históricos?
El arte de Tigua, p. 284	¿Qué importancia tiene el arte indígena?
La ciudad de los mapas, por Edmundo Paz Soldán, pp. 288–291	¿Cuáles son las características de un buen mapa?
Culture review: Indigenous artifacts and art, p. 295	¿Qué revelan los artefactos y el arte sobre una cultura?

Practice at a Glance ❈

	Objective	Activity & Skill
Vocabulary	Personal effects	1: Speaking; 3: Speaking / Writing; 4: Reading / Writing; 8: Reading / Speaking / Writing; 14: Speaking / Writing; Repaso 1: Listening; Repaso 2: Speaking / Writing
	Computers, e-mail, and online chats	2: Speaking / Writing; 7: Speaking / Writing; 13: Listening / Writing; 14: Writing / Speaking; 18: Reading / Listening / Speaking; Repaso 1: Listening; Repaso 3: Speaking / Writing
	Requirements	10: Reading / Writing; 11: Speaking / Writing; 12: Speaking; 19: Writing; Repaso 3: Speaking / Writing
Grammar	Expressions with **sea**	5: Speaking / Writing; Repaso 3: Speaking / Writing
	Subjunctive after adverbial conjunctions	6: Speaking / Writing; 7: Speaking / Writing; 8: Reading / Speaking / Writing; 9: Reading / Writing; 10: Reading / Writing; 11: Speaking / Writing; 12: Speaking; 16: Reading / Speaking / Writing; 19: Writing; Repaso 3: Speaking / Writing
	Subjunctive with unknowns	13: Listening / Writing; 14: Writing / Speaking; 15: Speaking / Writing; 17: Listening / Writing; Repaso 4: Speaking / Writing
Communication	Talk about travel preparations and personal items	3: Speaking / Writing; 9: Reading / Writing; 18: Reading / Listening / Speaking; Repaso 2: Speaking / Writing
	Talk about requirements and conditions	11: Speaking / Writing; 12: Speaking; 19: Writing; Repaso 3: Speaking / Writing
	Express what does and doesn't exist	15: Speaking / Writing; 18: Reading / Listening / Speaking
	Pronunciation: The sounds **L** and **LL**	*Pronunciación: Los sonidos* **L** *y* **LL**, p. 283: Listening / Speaking
Recycle	Commands with **tú**	2: Speaking / Writing
	Professions vocabulary	6: Speaking / Writing

The following presentations are recorded in the Audio Program for *¡Avancemos!*

- **¡A responder!** *p. 273*
- **13: Una computadora nueva** *p. 283*
- **18: Integración** *p. 287*
- **Repaso de la lección** *p. 294*
  1: Listen and understand

¡A responder! TXT CD 9 track 2

1. la bolsa
2. las gafas de sol
3. el enlace
4. un sitio web
5. el paraguas
6. la contraseña
7. la cartera
8. el monedero
9. el salón de charlas
10. los documentos de identidad

13 | Una computadora nueva

TXT CD 9 track 5

Vendedor: Hola, ¿qué buscas?

Chica: Hola, pues quiero una nueva computadora portátil.

Vendedor: Y ¿qué quieres que tenga?

Chica: Bueno, prefiero una computadora que no pese más de cinco libras. La que tengo es muy pesada y no tan portátil como debe ser.

Vendedor: Muy bien. Aquí tienes algunos modelos ligeros para escoger.

Chica: También quiero que sea muy rápida, que tenga mucha memoria y que no cueste mucho.

Vendedor: Bueno, no hay ninguna computadora portátil rápida y con mucha memoria que sea barata.

Chica: ¿Hay alguna que cueste menos de dos mil dólares?

Vendedor: Ah, bueno, sí. Este modelo, aunque no es la computadora más rápida, tiene mucha memoria y sólo cuesta mil novecientos setenta dólares.

Chica: ¡Uy! Voy a gastar todos mis ahorros.

Vendedor: Pero no vas a encontrar otra computadora que sea tan buena y que cueste tan poco.

Chica: Bueno, la compro. Gracias por tu ayuda.

18 | Integración TXT CD 9 track 9

Fuente 2, Anuncio

Estimados clientes: Esta semana les ofrecemos la promoción especial de la computadora portátil Letra para que su trabajo sean más fácil. No hay ninguna computadora portátil que tenga tantos puntos a su favor y que cueste tan poco. La computadora Letra tiene un procesador súper rápido de 1.6 Gigahertz, memoria de 1 gigabyte y una pantalla de 14 pulgadas. Esta magnífica computadora sólo pesa 2.8 kilos. Si usted compra la computadora portátil Letra le regalamos un escáner, un valor de $99, con tal que usted no lo piense dos veces. Este paquete de computadora portátil y escáner cuesta solamente $1,320. Con Letra sus ahorros crecerán. No hay otra tienda que ofrezca esta combinación por tan poco dinero. ¡No se pierda esta gran oferta!

Repaso de la lección TXT CD 9 track 11

1 Listen and understand

Leonardo: Oye, Mirta, ¿no vas a llevar tu computadora portátil?

Mirta: Leo, ya te dije que no, porque pesa un montón. Es vieja.

Leonardo: Pero tienes que llevarla para que yo pueda jugar los juegos de computadora.

Mirta: ¿Y a mí... qué me importa? Si la quieres, llévala tú.

Leonardo: Bueno, yo la llevo. Voy a ponerla aquí con mi agenda electrónica.

Mirta: ¿Y por qué necesitas una agenda electrónica? ¡Vamos de vacaciones, no vamos a una conferencia!

Leonardo: ¡La necesito! Si no la tengo, ¿cómo voy a saber cuándo salen mis programas de televisión favoritos?

Mirta: ¡No me digas que piensas mirar todos tus programas mientras estamos en la playa!

Leonardo: Claro... ¿y tú no?

Mirta: ¡Definitivamente no! Voy a pasar todos los días en la playa, con tal de que haga buen tiempo. Traigo mis gafas del sol nuevos para que pueda tomar el sol el día entero.

Leonardo: Pues, yo no. Pero también voy a llevar mi cartera con todos mis ahorros... Hay una librería muy buena cerca de allí que vende novelas gráficas muy raras y difíciles de encontrar. Voy a comprarme unas.

Mirta: ¿Sabes si hay también una librería que venda libros en inglés? Tengo que leer tres este verano para mi clase de inglés.

Leonardo: No sé, pero hay varias librerías grandes en la zona.

Mirta: Entonces, voy a traer una bolsa más grande para cargar los libros que compro allí.

Leonardo: Buena idea. Puedo poner algunas de mis cosas allí también.

Mirta: ¡Ni lo pienses!

On your desktop

Everything you need to ...

Plan	Present	Assess
ONE-STOP PLANNER	**POWER PRESENTATIONS**	 **ONLINE ASSESSMENT SYSTEM**
All resources including audio and video	Ready-made PowerPoint™ presentations with 	✓ Create customized tests with Examview Assessment Suite
		✓ Individualized Assessment for on-level, modified, pre-AP, and heritage language learners

Print

Plan	Present	Practice	Assess
URB 5 • Family Letter p. 75 • Absent Student Copymasters pp. 77–84 **Lesson Plans** p. 93 **Best Practices Toolkit**	**TPRS** pp. 57–63	• *Cuaderno* pp. 197–219 • *Cuaderno para hispanohablantes* pp. 197–219 • *Lecturas para todos* pp. 54–59 • *Lecturas para hispanohablantes* • *¡AvanzaCómics! Mundos paralelos,* Episodio 2 **URB 5** • Practice Games pp. 29–36 • Audio Scripts pp. 53–57 • Map/Culture Activities pp. 65–66 • Fine Art Activities pp. 69–70	**URB 5** • Did you get it? Reteaching and Practice Copymasters pp. 1–11

Unit Transparency Book 5

Culture	Presentation and Practice	Classroom Management
• Atlas Maps UTB 1, 1–6 • Map: The Andes 1 • Fine Art Transparencies 2, 3	• Vocabulary Transparencies 6, 7 • Grammar Presentation Transparencies 10, 11	• Warm Up Transparencies 16–19 • Student Book Answer Transparencies 24–27

Audio and Video

Audio	Video
• Student Book Audio CD 9 Tracks 1–11 • Workbook Audio CD 3 Tracks 1–10 • Heritage Learners Audio CD 2 Tracks 1–4, CD 5 Tracks 1–6 • Assessment Audio CD 3 Tracks 1–6 • *Lecturas para todos* Audio CD 2 Track 1, CD 3 Tracks 1–5 • *Música del mundo hispano*	• *El Gran Desafío* DVD 3

Online (ClassZone.com) and Media Resources

Student	Teacher
Available online and on disc: • eEdition (DVD-ROM) and eEdition Interactive Online Student Edition • @HomeTutor (CD-ROM) - featuring Animated Grammar **Available online:** • Conjuguemos.com • Cultura interactiva • Culture Links • WebQuests • Flashcards • Review Games • Self-check Quiz	**One-Stop Planner (available online and on DVD-ROM):** • Interactive Teacher's Edition • All print resources • All audio and video resources • Learning Scenarios • Conversation cards • Assessment Program • Examview Assessment Suite • Calendar Planner • Rubric Generator **Available on CD-ROM:** • Power Presentations

Differentiated Assessment

On-level	Modified	Pre-AP	Heritage Learners
• Vocabulary Recognition Quiz p. 216 • Vocabulary Production Quiz p. 217 • Grammar Quizzes pp. 218–219 • Culture Quiz p. 220 • On-level Lesson Test pp. 221–227	• Modified Lesson Test pp. 170–176	• Pre-AP Lesson Test pp. 170–176	• Heritage Learners Lesson Test pp. 176–182

Core Pacing Guide

50 Minute (9 Day)

	Objectives/Focus	Teach	Practice	Assess/HW Options
DAY 1	**Culture:** learn about Andean culture **Vocabulary:** computers & Internet usage, valuables, personal items • Warm Up OHT 16 **5 min**	Unit Opener pp. 268–269 Lesson Opener pp. 270–271 **Presentación de vocabulario** pp. 272–273 • Read A–D • Play audio TXT CD 9 track 1 • *¡A responder!* TXT CD 9 track 2 **25 min**	Lesson Opener pp. 270–271 **Práctica de vocabulario** p. 274 • Acts. 1, 2, 3 **15 min**	**Assess:** *Para y piensa* p. 274 **5 min** **Homework:** *Cuaderno* pp. 197–199 @HomeTutor
DAY 2	**Communication:** discuss people's personalities, chat room interactions • Warm Up OHT 16 • Check Homework **5 min**	**Vocabulario en contexto** pp. 275–276 • *Contexto 1* TXT CD 9 track 3 • *Nota gramatical:* sea **20 min**	**Vocabulario en contexto** pp. 275–276 • Acts. 4, 5 **20 min**	**Assess:** *Para y piensa* p. 276 **5 min** **Homework:** *Cuaderno* pp. 197–199 @HomeTutor
DAY 3	**Grammar:** subjunctive with conjunctions • Warm Up OHT 17 • Check Homework **5 min**	**Presentación de gramática** p. 277 • subjunctive with conjunctions **Práctica de gramática** pp. 278–279 **Culture:** *El Museo de Metales Preciosos* **20 min**	**Práctica de gramática** pp. 278–279 • Acts. 6, 7, 8, 9 **20 min**	**Assess:** *Para y piensa* p. 279 **5 min** **Homework:** *Cuaderno* pp. 200–202 @HomeTutor
DAY 4	**Communication:** discuss plans for the future using subjunctive forms • Warm Up OHT 17 • Check Homework **5 min**	**Gramática en contexto** pp. 280–281 • *Contexto 2* TXT CD 9 track 4 **15 min**	**Gramática en contexto** pp. 280–281 • Acts. 10, 11, 12 **25 min**	**Assess:** *Para y piensa* p. 281 **5 min** **Homework:** *Cuaderno* pp. 200–202 @HomeTutor
DAY 5	**Grammar:** the unknown and future possibilities using the subjunctive • Warm Up OHT 18 • Check Homework **5 min**	**Presentación de gramática** p. 282 • subjunctive with the unknown **Práctica de gramática** pp. 283–284 • *Pronunciación* TXT CD 9 track 6 **15 min**	**Práctica de gramática** pp. 282–283 • Act. 13 TXT CD 9 track 5 • Acts. 14, 15, 16 **25 min**	**Assess:** *Para y piensa* p. 284 **5 min** **Homework:** *Cuaderno* pp. 203–205 @HomeTutor
DAY 6	**Communication:** Culmination: conduct a conversation using many subjunctive forms • Warm Up OHT 18 • Check Homework **5 min**	**Todo junto** pp. 285–287 • *Contexto 3* TXT CD 9 track 7 **15 min**	**Todo junto** pp. 285–287 • Act. 17, 18 TXT CD 9 tracks 7, 8, 9 • Act. 19 **25 min**	**Assess:** *Para y piensa* p. 287 **5 min** **Homework:** *Cuaderno* pp. 206–207 @HomeTutor
DAY 7	**Reading:** *La ciudad de los mapas* **Connections:** Social studies • Warm Up OHT 19 • Check Homework **5 min**	**Lectura literaria** pp. 288–291 • *La ciudad de los mapas* • TXT CD 9 track 10 **Conexiones** p. 292 • *Los estudios sociales* **20 min**	**Lectura literaria** pp. 288–291 • *La ciudad de los mapas* **Conexiones** p. 292 • *Proyecto* **20 min**	**Assess:** *Para y piensa* p. 291 **5 min** **Homework:** *Cuaderno* pp. 211–213 @HomeTutor
DAY 8	**Review:** Lesson Review • Warm Up OHT 19 • Check Homework **5 min**	**Repaso de la lección** pp. 294–295 **15 min**	**Repaso de la lección** pp. 294–295 • Act. 1 TXT CD 9 track 11 • Acts. 2, 3, 4, 5 **25 min**	**Assess:** *Repaso de la lección* **5 min** **Homework:** *En resumen* p. 293; *Cuaderno* pp. 208–210; 214–219 (optional) Review Games Online @HomeTutor
DAY 9	**Assessment**			**Assess:** Lesson 1 test **50 min**

	Objectives/Focus	Teach	Practice	Assess/HW Options
DAY 1	**Culture:** learn about Andean culture **Vocabulary:** computers & Internet usage, valuables, personal items • Warm Up OHT 16 **5 min**	Unit Opener pp. 268–269 Lesson Opener pp. 270–271 **Presentación de vocabulario** pp. 272–273 • Read A–D • Play audio TXT CD 9 track 1 • *¡A responder!* TXT CD 9 track 2 **25 min**	Lesson Opener pp. 270–271 **Práctica de vocabulario** p. 274 • Acts. 1, 2, 3 **15 min**	**Assess:** *Para y piensa* p. 274 **5 min**
	Communication: discuss people's personalities, chat room interactions **5 min**	**Vocabulario en contexto** pp. 275–276 • *Contexto 1* TXT CD 9 track 3 • *Nota gramatical:* **sea** **15 min**	**Vocabulario en contexto** pp. 275–276 • Acts. 4, 5 **15 min**	**Assess:** *Para y piensa* p. 276 **5 min** **Homework:** *Cuaderno* pp. 197–199 @HomeTutor
DAY 2	**Grammar:** subjunctive with conjunctions • Warm Up OHT 17 • Check Homework **5 min**	**Presentación de gramática** p. 277 • subjunctive with conjunctions **Práctica de gramática** pp. 278–279 **Culture:** *El Museo de Metales Preciosos* **15 min**	**Práctica de gramática** pp. 278–279 • Acts. 6, 7, 8, 9 **20 min**	**Assess:** *Para y piensa* p. 279 **5 min**
	Communication: discuss plans for the future using subjunctive forms **5 min**	**Gramática en contexto** pp. 280–281 • *Contexto 2* TXT CD 9 track 4 **15 min**	**Gramática en contexto** pp. 280–281 • Acts. 10, 11, 12 **20 min**	**Assess:** *Para y piensa* p. 281 **5 min** **Homework:** *Cuaderno* pp. 200–202 @HomeTutor
DAY 3	**Grammar:** the unknown and future possibilities using the subjunctive • Warm Up OHT 18 • Check Homework **5 min**	**Presentación de gramática** p. 282 • subjunctive with the unknown **Práctica de gramática** pp. 283–284 • *Pronunciación* TXT CD 9 track 6 **15 min**	**Práctica de gramática** pp. 282–283 • Act. 13 TXT CD 9 track 5 • Acts. 14, 15, 16 **20 min**	**Assess:** *Para y piensa* p. 284 **5 min**
	Communication: Culmination: conduct a conversation using many subjunctive forms **5 min**	**Todo junto** pp. 285–287 • *Contexto 3* TXT CD 9 track 7 **15 min**	**Todo junto** pp. 285–287 • Acts. 17, 18 TXT CD 9 tracks 7, 8, 9 • Act. 19 **20 min**	**Assess:** *Para y piensa* p. 287 **5 min** **Homework:** *Cuaderno* pp. 203–207 @HomeTutor
DAY 4	**Reading:** *La ciudad de los mapas* • Warm Up OHT 19 • Check Homework **5 min**	**Lectura literaria** pp. 288–291 • *La ciudad de los mapas* • TXT CD 9 track 10 **15 min**	**Lectura literaria** pp. 288–291 • *La ciudad de los mapas* **20 min**	**Assess:** *Para y piensa* p. 291 **5 min**
	Review: Lesson review **5 min**	**Repaso de la lección** pp. 294–295 **15 min**	**Repaso de la lección** pp. 294–295 • Act. 1 TXT CD 9 track 11 • Acts. 2, 3, 4, 5 **20 min**	**Assess:** *Repaso de la lección* **5 min** **Homework:** *En resumen* p. 293; *Cuaderno* pp. 208–219 (optional) Review Games Online @HomeTutor
DAY 5	**Assessment**			**Assess:** Lesson 1 test **45 min**
	Connections: Social studies **5 min**	**Conexiones** p. 292 • *Los estudios sociales* **20 min**	**Conexiones** p. 292 • *Proyecto* **20 min**	

CULTURA

 Objectives

- Introduce the lesson theme:
  Comuniquémonos entre naciones
- **Culture:** Talk about organizations that have international members.

Presentation Strategies

- Ask students to make a list of their personal belongings.
- Ask students to discuss requirements that they have, such as in school or work.

 STANDARDS

2.2 Products and perspectives
4.2 Compare cultures

Warm Up   UTB 5 Transparency 16

Haz un dibujo para representar las siguientes profesiones.

1. el artista
2. la cartera
3. el músico
4. la bombera
5. el policía

Answers: Pictures should represent: 1. artist (male); 2. mail carrier (female); 3. musician (male); 4. firefighter (female); 5. police officer (male)

Comparación cultural

Exploring the Theme

Ask the following:

1. ¿Qué es la OEA?
2. ¿Qué representan las banderas en la foto?
3. ¿Por qué crees que es necesario tener organizaciones internacionales?

¿Qué ves? Possible answers:

1. Las personas están sentadas en mesas muy largas y escuchan a una persona.
2. Hay flores amarillas en las mesas.
3. La sala es muy grande con techos altos.
4. Puedo identificar las banderas de Honduras, México, Ecuador, Estados Unidos, Paraguay y Uruguay.

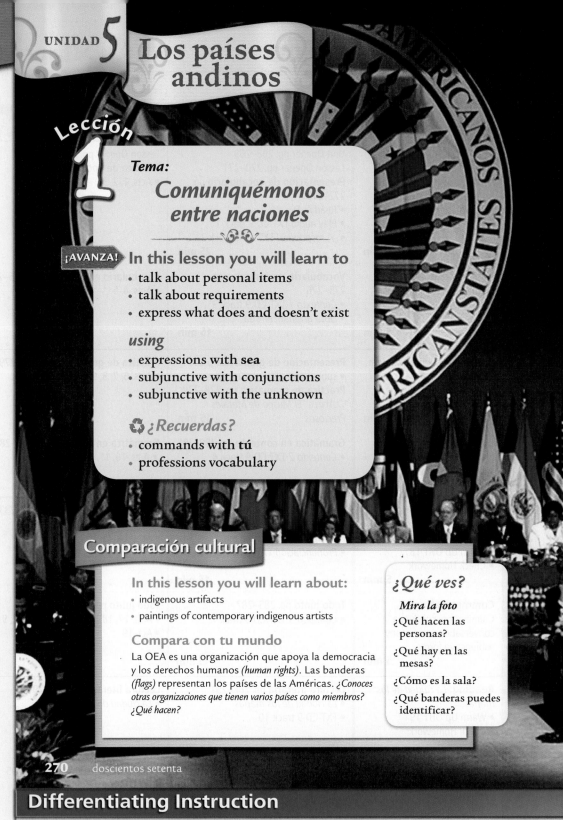

Lección 1

Tema:

Comuniquémonos entre naciones

¡AVANZA! **In this lesson you will learn to**

- talk about personal items
- talk about requirements
- express what does and doesn't exist

using

- expressions with **sea**
- subjunctive with conjunctions
- subjunctive with the unknown

¿Recuerdas?

- commands with **tú**
- professions vocabulary

Comparación cultural

In this lesson you will learn about:

- indigenous artifacts
- paintings of contemporary indigenous artists

Compara con tu mundo

La OEA es una organización que apoya la democracia y los derechos humanos *(human rights)*. Las banderas *(flags)* representan los países de las Américas. *¿Conoces otras organizaciones que tienen varios países como miembros? ¿Qué hacen?*

¿Qué ves?

Mira la foto

¿Qué hacen las personas?

¿Qué hay en las mesas?

¿Cómo es la sala?

¿Qué banderas puedes identificar?

270   doscientos setenta

Differentiating Instruction

Multiple Intelligences

Logical/Mathematical In pairs, ask students to research three or four international organizations. Tell students to create a chart that compares the purposes and functions of the organizations. Discuss the various organizations as a class, creating a large chart on the board or overhead to highlight interesting facts.

Multiple Intelligences

Visual Learners Ask students to form pairs. Assign a country from the OEA to each pair of students. Tell pairs to look up the flag of that country and to replicate a large version of the flag to present to the class. Pairs should also be able to explain the flag's significance to the class. After each pair has presented their flag, display the flags in the classroom.

Online SPANISH CLASSZONE.COM

Featuring...
- Cultura INTERACTIVA
- Animated Grammar
- @HomeTutor

And more...
- Get Help Online
- Interactive Flashcards
- Review Games
- WebQuest
- Conjuguemos.com

ASAMBLEA GENERAL DE LA OEA

Asamblea de la Organización
de Estados Americanos (OEA)
Quito, Ecuador

Los países andinos
doscientos setenta y uno **271**

Online SPANISH CLASSZONE.COM

WebQuest Provides step-by-step guidance for your students to help them explore this unit's theme and location online. Students are given a task and a set of pre-approved links to conduct research, answer questions, and submit their findings to the class.

Featuring...
- Cultura INTERACTIVA
- Animated Grammar
- @HomeTutor

And more...
- Get Help Online
- Interactive Flashcards
- Review Games
- WebQuest
- Conjuguemos.com

Using the Photo

Location Information

Quito, Ecuador The 34th assembly of the OEA met in Quito, Ecuador on June 6-8, 2004. The assembly is a large meeting of officials from different countries. The organization meets once a year to address economic, social, and cultural issues.

Expanded Information

The OEA was formed to promote economic, military, and cultural cooperation among its members, which include almost all of the independent states of the Western Hemisphere. (Cuba's membership was suspended in 1962.) The OEA's main goals are to prevent any outside state's intervention in the Western Hemisphere and to maintain peace between the various states within the hemisphere.

Communication

Interpretive Mode

Ask student pairs to discuss how they think the OEA organizes their assemblies, what they talk about, and how they reach agreements or make decisions.

Differentiating Instruction

Multiple Intelligences

Kinesthetic Have students role-play a session of the OEA. First, have the class brainstorm different issues that may be discussed at an OEA assembly and write these on the board. Then, divide the class into small groups and have them act out a meeting, discussing one of the subjects on the board. Each student in the group should represent a different country and present his/her opinions in the meeting.

Slower-paced Learners

Personalize It Ask students to form small groups. Tell each group to create their own international organization. Groups should be able to tell you the organization's name, its members, its purpose, how they make decisions, and what types of decisions they make. Then have groups present their organization to the class.

271

VOCABULARIO

✦ Presentación de VOCABULARIO

¡AVANZA! **Goal:** Learn vocabulary relating to computers and other valuable items. Then talk about personal items and about how to use the Internet. *Actividades 1–3*

♻ *¿Recuerdas?* Commands with **tú** p. 97

 AUDIO

A Raúl está buscando información en Internet sobre una conferencia, en Lima, en que va a participar. Él ve que su abuela quiere aprender a usar Internet y se ofrece a enseñarle.

el sitio web — el escáner — los juegos de computadora

B «Bueno, abuela, veo que **estás ilusionada** con aprender a **conectarte a Internet** y **sospecho que** quieres que te enseñe. Por eso te voy a **dar unas sugerencias.**

Antes de que te conectes, debes escribir tu nombre y **la contraseña.** Si quieres, utiliza mi **computadora portátil, a fin de que** puedas conectarte desde **distintos** lugares de la casa.»

C «Saber conectarse a Internet es una información muy **valiosa.** Podrás hacer **búsquedas** sobre tus temas favoritos, **descargar** fotos y participar en **los salones de charlas** que te interesen. ¡Recuerda que nunca debes dar información personal! **Te darás cuenta** de cómo pasar de un **sitio web** a otro; sólo tienes que seguir **los enlaces** que aparecen en ellos. Y otra cosa muy importante, ¡aprenderás a **enviar** correos electrónicos **en caso de que** quieras comunicarte conmigo mientras yo esté en la conferencia!»

Differentiating Instruction

Multiple Intelligences
Intrapersonal Choose five personal items from the vocabulary, list them on the board, and have each student reorder them according to importance to him or her. Then have each student find a partner and compare their most and least valued personal effects.

Slower-paced Learners
Peer-study Support After they have read and/or listened to the vocabulary presentation, put students in pairs. Have them read the story again, making sure they understand the vocabulary words that are presented in context. Afterward, ask the class if there are still any unclear words or expressions, and have other students explain them in Spanish.

D Raúl **teme que** su equipaje para la conferencia no esté completo. Él no sabe qué quiere **guardar** en su maleta.

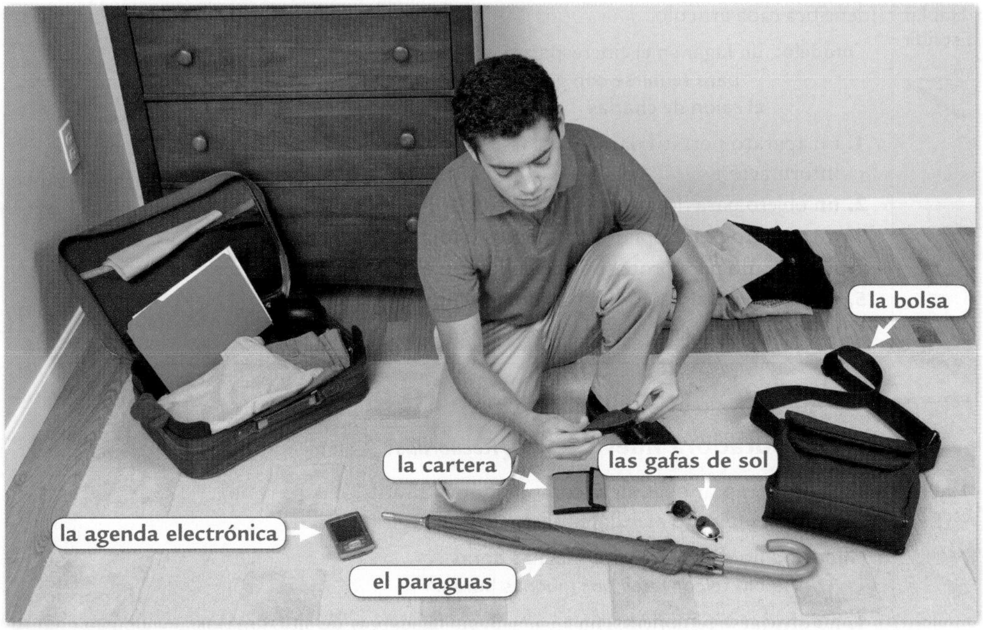
la bolsa
la cartera
las gafas de sol
la agenda electrónica
el paraguas

Más vocabulario

a menos que... *unless*	**sin valor** *worthless*
con tal (de) que... *as long as*	**dar consejos** *to give advice*
hasta que... *until*	**disfrutar de** *to enjoy*
para que... *in order that*	**esconder** *to hide*
sin que... *without*	**evitar** *to avoid*
los ahorros *savings*	**imprimir** *to print*
el documento (de identidad) *(identification) document*	**ponerse de acuerdo** *to agree*
el monedero *coin purse*	*Expansión de vocabulario* p. R10
precioso(a) *precious*	*Ya sabes* p. R10

¡A responder! Escuchar

Escucha la lista de palabras. Si es una cosa física que puedes llevar contigo, levanta la mano derecha. Si es una cosa relacionada con las computadoras y que no puedes llevar contigo, levanta la mano izquierda.

@HomeTutor
Interactive Flashcards
ClassZone.com

Differentiating Instruction

English Learners

Build Background Discuss with English learners the use of computers and the Internet in their countries of origin. Draw parallels between their responses with the responses of students from the United States. Also ask English learners to tell the class how to say some of the key vocabulary in their languages.

Inclusion

Metacognitive Support Encourage at-risk students to make flashcards to help retain vocabulary. Tell students to ask a parent, guardian, or friend to help them use the cards to review vocabulary in the evening. Suggest playing games like charades or pictionary with the cards.

Communication

Interpersonal Mode

In pairs, tell students to discuss how they use the Internet. In their conversations, they should describe to each other various functions they perform on the Internet and how it is valuable to them.

Long-term Retention

Recycle

Review how to use **tú** commands with the class. Provide several examples using the vocabulary associated with how to use the Internet.

✓ Ongoing Assessment

As students listen to the list of words in ¡A responder!, tell them to write an English translation of each word.

Answers UTB 5 Transparency 24

¡A responder! Audio Script, TE p. 269B

Students should raise their right hand for numbers 1, 2, 5, 7, 8, 10 and their left hand for numbers 3, 4, 6, 9.

Objectives

- Practice vocabulary: personal items, computers, and the Internet
- Commands with **tú**

Core Resource

- *Cuaderno*, pp. 197–199

Practice Sequence

- **Activity 1:** Vocabulary recognition: personal items.
- **Activity 2:** Vocabulary production: give instructions about computers
- **Activity 3:** Vocabulary production: classify personal items

 STANDARDS

1.2 Understand language, Act. 1
1.3 Present information, Act. 1, 2, 3

 Answers UTB 5 Transparency 24

Activity 1

1. la agenda electrónica; 2. la bolsa;
3. el escáner; 4. el paraguas; 5. la cartera;
6. la contraseña

Activity 2

1. No te olvides tu contraseña.
2. Envía un correo electrónico a tus abuelos.
3. Imprime pocas hojas.
4. Haz búsquedas con cuidado.
5. No descargues de sitios malos.
6. No publiques fotos.
7. Ponte de acuerdo para trabajar con tus compañeros.
8. Lee los enlaces.

Activity 3 Answers will vary. See model.

Para y piensa Answers will vary. Sample answers:

1. http://chat.yahoo.com/
2. www.apple.com/itunes
3. www.google.com
4. www.sony.com

274

✖ Práctica de VOCABULARIO

1 | ¿Qué es?

Hablar Escribir

Identifica cada artículo.

> **modelo:** un lugar en el ciberespacio para reunirse con gente: el salón de charlas

la cartera	el escáner
la bolsa	la agenda
el paraguas	electrónica
la contraseña	el salón
	de charlas

1. un aparato portátil para guardar información
2. un objeto para llevar otros artículos
3. un aparato para copiar documentos o imágenes
4. un artículo para protegerse de la lluvia o el sol
5. un objeto para meter dinero y documentos de identidad
6. una palabra que te permite tener acceso a tu computadora

Expansión: Teacher Edition Only
Pídales a los estudiantes que identifiquen cuáles artículos usan.

2 | La computadora nueva ¿*Recuerdas?* Commands with **tú** p. 97

Hablar Escribir

Acabas de comprar una nueva computadora portátil. Tu papá te da instrucciones usando mandatos afirmativos y negativos.

> **modelo:** no conectarse por muchas horas
> No te conectes por muchas horas.

1. no olvidarse tu contraseña
2. enviar un correo electrónico a tus abuelos
3. imprimir pocas hojas
4. hacer búsquedas con cuidado
5. no descargar de sitios malos
6. no publicar fotos
7. ponerse de acuerdo para trabajar con tus compañeros
8. leer los enlaces

Expansión
Prepara una lista sobre el uso seguro de las computadoras. Usa mandatos para incluir al menos seis recomendaciones.

3 | Mi cartera

Hablar Escribir

Mira los artículos que tienes en tu cartera o mochila y di cuáles son, para ti, las cosas valiosas y las que no tienen valor.

> **modelo:** La foto de mi perro es muy importante para mí, pero no es valiosa.

Expansión: Teacher Edition Only
Pídales a los estudiantes que adivinen cuáles artículos son importantes para un(a) compañero(a).

Más práctica Cuaderno *pp. 197–199* Cuaderno para hispanohablantes *pp. 197–200*

 PARA Y PIENSA **¿Comprendiste?** ¿Qué sitio web visitas para hacer lo siguiente?
1. entrar a un salón de charlas
2. descargar juegos o música
3. hacer una búsqueda
4. comprar juegos o música

↪ **Get Help Online** ClassZone.com

Differentiating Instruction

Slower-paced Learners

Memory Aids Have students fold a blank paper twice each way to make nine squares. Have students draw pictures to represent nine vocabulary words. Call out vocabulary words and put game chips on the appropriate boxes. Vary ways to win: four corners, 3 in a row, or all squares. Students should repeat the words back to you to verify a winner.

Pre-AP

Circumlocution As an alternative to Activity 1, have students work in groups to write a list of 10–12 vocabulary words. In the same groups, tell students to take turns describing one of the words to the group. They may use words, phrases, or complete sentences. For example: **Necesito esto cuando llueve.** Answer: **paraguas**

❋VOCABULARIO en contexto

¡AVANZA! **Goal:** Notice how the language used in the following chat room entries reflects each person's personality. Then discuss what you have learned about these characters. *Actividades 4–5*

Contexto 1 *Salón de charlas*

ESTRATEGIA Leer
Summarize the chat room conversation On a separate sheet of paper, sketch three large, connected computers, each identifying a participant in the chat room. Use arrows to show the directions of the conversation (who talks to whom). On each person's screen, write the person's main topic(s).

AUDIO

Raúl Méndez es un estudiante boliviano que va a ir a una conferencia estudiantil en Lima, Perú. Como Raúl sale para la conferencia dentro de una semana, participa en un salón de charlas con otros participantes para hablar sobre algunos detalles.

envía   cancela

Raúl
La Paz

Sofía
Guayaquil

Gladys
Lima

09/09 20:23:24 Raúl
<Raúl007@raul4cero.net> escribió:
Hola, estoy muy ilusionado con la idea de participar en la reunión... pero no sé qué debo llevar. ¿Alguien me puede dar sugerencias?

Mensajero instantáneo con Sofía

Sofía <Sofiazul@yahaa.com.ec>
09/09 20:28:42
Hola, Raúl. Soy ecuatoriana y estoy lista para ir a Lima. Pues, yo siempre llevo paraguas ***y*** gafas de sol... nunca se sabe, ¿verdad? También llevo un monedero. Es más seguro que una bolsa grande. Tienes que llevar tus documentos de identidad: el pasaporte y la tarjeta de identidad estudiantil. ¿Recibiste la lista de información del comité de la reunión? Si no, te la puedo enviar o la puedes descargar del sitio web. Tu maestro también te puede dar más sugerencias.
¡Hasta pronto!

Mensajero instantáneo con Gladys

09/09 20:38:17 Gladys
<superestrellaperu@correo.rr.pe> escribió:
¡Bienvenidos, Raúl y Sofía! Soy de Lima, así que les puedo dar algunos consejos. Traigan una cartera y un monedero, pero tengan cuidado de guardarlos en un sitio seguro. Sólo pongan los artículos sin mucho valor. Como vamos a ir a muchas reuniones, mi maestra recomienda que lleve una agenda electrónica para organizar todos los detalles... y también una computadora portátil, si la tienen. Me alegra decirles que hace muy buen tiempo en este momento... ¡Ojalá que siga así para poder disfrutar de un paseo! Bueno, eso es todo. Escríbanme si hay algo más que quieran saber. ¡¡¡Los veo la semana próxima!!!

Lección 1
doscientos setenta y cinco **275**

Objective
¡AVANZA! ▶
· Discuss how language reflects a person's personality.

Core Resource
· Audio Program: TXT CD 9 Track 3

Presentation Strategies
· Summarize the conversation using a graphic organizer.
· Play the audio.

✪ STANDARD
1.2 Understand language

🖥 Warm Up   UTB 5 Transparency 16

Escribe mandatos con **tú** y los siguientes verbos.
1. llevar
2. no meterse
3. enviar
4. no publicar
5. imprimir

Answers: 1. lleva; 2. no te metas; 3. envía; 4. no publiques; 5. imprime

Differentiating Instruction

English Learners

Build Background As students look over the instant message conversations, ask them to discuss common phrases or abbreviations they use in e-mails or instant messages in their native language. How do their e-mails and instant messages differ from their everyday speech? Have students share their observations with the class.

Slower-paced Learners

Sentence Completion Make a photocopy of the instant messages on page 275. On the copy, white out a few key vocabulary words. Then have students listen to the audio while following along with the photocopied script. Ask that students fill in the missing words or phrases as they listen to the audio.

Objectives
- Practice using vocabulary in context.
- Review irregular present tense.
- Practice using expressions with **sea**.

Practice Sequence
- **Activity 4:** Contexto 1 comprehension
- **Activity 5:** Vocabulary production: Expressions with **sea**

 STANDARDS

1.2 Understand language, Act. 4
1.3 Present information, Act. 5
4.1 Compare languages, Nota

Answers UTB 5 Transparency 24

Actividad 4
1. Raúl es de Bolivia.
2. Sofía es de Ecuador.
3. Gladys es de Perú.
4. Sofía recomienda que Raúl lleve paraguas, gafas de sol, un monedero y sus documentos de identidad.
5. Gladys recomienda que Raúl y Sofía traigan cartera, monedero una agenda electrónica y una computadora portátil.
6. La conferencia va a ser dentro de una semana.

Actividad 5
1. cuando sea
2. como sea
3. quien sea
4. lo que sea
5. donde sea
6. lo que sea

Para y piensa
2. escáner; 6. mochila

276

---

4 | Comprensión del salón de charlas

Leer
Hablar

Contesta las siguientes preguntas sobre la lectura.
1. ¿De qué país es Raúl?
2. ¿De qué país es Sofía?
3. ¿De qué país es Gladys?
4. ¿Qué cosas recomienda Sofía que lleve Raúl?
5. ¿Qué cosas recomienda Gladys que Raúl y Sofía traigan?
6. ¿Cuándo va a ser la conferencia?

Expansión
¿Qué recomiendas tú llevar a la conferencia de Lima?

Nota gramatical

Expressions with sea If you are not sure about the details of who, when, what or where, you can use the following expressions with sea to indicate your uncertainty.

a la hora que sea	**donde** sea	**lo que** sea
at whatever time that may be	*wherever that may be*	*whatever that may be*
cuando sea	**quien** sea	**como** sea
whenever that may be	*whoever that may be*	*however that may be*

Por favor, llámame cuando llegues, **a la hora que** sea.
*Please, call me when you arrive, **at whatever time that may be**.*

Siempre lo pasamos bien en la playa, en la ciudad, o **donde** sea.
*We always have a good time at the beach, in the city or **wherever (we may be)**.*

---

5 | Como sea

Hablar
Escribir

Completa cada oración con una de las expresiones de la lista.

modelo: No sé cómo, pero tenemos que completar la tarea... **como sea.**

1. No sé a la hora que van a llegar, pero voy a estar allí...
2. Juliana te da consejos aunque no quieras oírlos; los da...
3. Me emociona enviarle correos electrónicos a...
4. Guarda las cosas preciosas que tengas: el monedero, la cartera o...
5. ¿No sabes si perdiste tu agenda electrónica? Pues, búscala...
6. Dime ...pero yo voy a comprar estos juegos de computadora.

donde sea
cuando sea
quien sea
lo que sea
como sea

Expansión:
Teacher Edition Only
Pídales a los estudiantes que escriban oraciones originales usando las expresiones de la lista.

PARA Y PIENSA **¿Comprendiste?** Indica cuáles de las siguientes cosas no se mencionan en el salón de charlas.
1. paraguas
2. escáner
3. computadora portátil
4. agenda electrónica
5. monedero
6. mochila

Get Help Online
ClassZone.com

276 Unidad 5 Los países andinos
doscientos setenta y seis

Differentiating Instruction

Slower-paced Learners

Yes/No Questions Ask yes/no questions about the chats on page 275. Begin with questions that use cognates. For example: **¿Necesitan una computadora portátil Raúl y Sofía? ¿Debe llevar Raúl un pasaporte?** If a student answers a question incorrectly, direct him or her to the section of the text where they can find the necessary information.

Pre-AP

Timed Answer Play a game to practice expressions with **sea**. Make sure that each student has paper and a pen. Then provide an incomplete sentence such as: **Me gusta ir al cine, al parque o _____ . (donde sea)** Give students about 15 seconds to write the correct expression with **sea**.

Presentación de GRAMÁTICA

¡AVANZA! **Goal:** Learn how to use the subjunctive after certain conjunctions. Then talk about actions that may happen in the future. *Actividades 6–9*

♻ *¿Recuerdas?* Professions vocabulary pp. 212–213

English Grammar Connection: Expressions like *unless, so that,* and *in case* are conjunctions that connect two parts of the same sentence. In English, they are followed by the indicative. In Spanish, they are followed by the **subjunctive.**

I'll take my umbrella **in case** it rains.   Traeré mi paraguas **en caso de que** llueva.

Subjunctive with Conjunctions

 Animated Grammar
ClassZone.com

Some conjunctions must be followed by a **subjunctive** verb form. How do you know which ones?

Here's how: Always use the subjunctive after the following conjunctions because they express doubt or uncertainty about whether or not the events in the second part of the sentence will happen.

Conjunctions Used with Subjunctive			
a fin de que	antes (de) que	en caso (de) que	sin que
a menos que	con tal (de) que	para que	

No gastes tus ahorros **a menos que** sea necesario.
*Don't spend your savings **unless** it's necessary.*

Voy a imprimir las fotos **para que** todos las **miren.**
*I'm going to print the photos **so that** everyone can look at them.*

When the conjunctions above are used without **que,** the verb that follows must be in the **infinitive** form.

Tendrás que comer **antes de que** salgas.
You'll have to eat before you leave.

Tendrás que comer **antes de** salir.
You'll have to eat before leaving.

Más práctica
   Cuaderno *pp. 200–202*
   Cuaderno para hispanohablantes *pp. 201–203*

@HomeTutor
Leveled Practice
ClassZone.com

Differentiating Instruction

Inclusion

Frequent Review/Repetition Have students create flashcards for the conjunctions used with the subjunctive. Encourage them to review them frequently to ensure they understand the meaning of each conjunction. Have students review the flashcards with a partner and create logical sentences using each conjunction.

Inclusion

Metacognitive Support Sometimes one of the best ways to learn a concept is to teach it to someone else. Put students into small groups. Have each group design a short lesson plan to teach the subjunctive with conjunctions. The plan should include a description of the grammar and a brief activity (written or oral) that the students have created to practice the structures.

¡AVANZA! **Objective**

· Present the subjunctive after certain conjunctions.

Core Resource

· *Cuaderno,* pp. 200–202

Presentation Strategies

· Have students read and take notes on the subjunctive with conjunctions as you present them to the class.
· Say some common requirements that students have in your classroom or school using the subjunctive with conjunctions (**Los estudiantes tienen que almorzar en la cafetería a menos que tengan una reunión de un club estudiantil**).

⚘ **STANDARD**
4.1 Compare languages

🖳 **Warm Up** UTB 5 Transparency 17

Escribe seis cosas que se necesitan para ir a una conferencia estudiantil en otro país.

Answers: Answers will vary. Possible answers:
1. un pasaporte; 2. una computadora portátil;
3. una tarjeta de identidad estudiantil;
4. un monedero; 5. una agenda electrónica;
6. una cartera

Long-term Retention
♻ **Recycle**

Review with students how to form the subjunctive. Provide several examples of the subjunctive in sentences using contexts that were taught in previous lessons. Then ask students to construct a few sentences on their own using the subjunctive.

 Teacher **to** Teacher
Lynn Hamilton
Downers Grove, IL

Tips for Presenting Grammar

"I write a list of subjunctive sentence types— impersonal expressions, nonexistent clauses, emotions—on 8 x 11" paper. I cut them into sentence strips and place them in envelopes. I give a group of four an envelope and ask students to group the sentences according to the type of subjunctive "trigger" and to provide the rule or explanation for each use of the subjunctive."

277

Objectives

· Practice using the subjunctive with conjunctions.
· Tell about actions that may happen in the future.
· Recycle: professions vocabulary.
· **Culture:** the Museum of Precious Metals in Bolivia.

Core Resource

· *Cuaderno,* pp. 200–202

Practice Sequence

· **Activity 6:** Controlled practice: subjunctive with conjunctions
· **Activities 7, 8:** Transitional practice: subjunctive with conjunctions
· **Activity 9:** Open-ended practice: subjunctive with conjunctions

❀ STANDARDS

1.2 Understand language, Act. 6, 8
1.3 Present information, Act. 7, 8, 9
2.2 Products and perspectives, CC
4.2 Compare cultures, CC

Comparación cultural

Essential Question

Suggested Answer Los objetos históricos nos dan información sobre culturas antiguas.

Background Information

Viracocha The Incas claimed that before this world was created, there was a being called Viracocha. He created a dark world without sun, moon, or stars. Owing to this creation he was named Viracocha Pachayachachi, which means "Creator of All Things."

Answers UTB 5 Transparency 25

Activity 6
1. para que; 2. a menos que; 3. hasta que; 4. en caso de que

Answers continued on p. 279.

❀ Práctica de GRAMÁTICA

6 | **Todo depende**   ♻ *¿Recuerdas?* Professions vocabulary pp. 212–213, 238–239

Hablar Escribir

Completa cada oración con la conjunción apropiada.

> **modelo:** Seré policía (sin que / hasta que) consiga otro trabajo.
> Seré policía hasta que consiga otro trabajo.

1. Los carpinteros deben ser dedicados (para que / sin que) no se aburran de su trabajo.
2. El cartero trabaja (en caso de que / a menos que) esté enfermo.
3. No idealizaremos a los artistas (con tal de que / hasta que) sean famosos.
4. Los bomberos siempre están preparados (en caso de que / a fin de que) haya un incendio.

Expansión:
Teacher Edition Only
Pídales a los estudiantes que escriban una oración más por cada profesión mencionada en la actividad.

7 | **En caso de que**

Hablar Escribir

Completa cada oración con una conjunción de la lista y una idea apropiada.

> **modelo:** Yo voy a llevar el monedero...
> Yo voy a llevar el monedero en caso de que tú quieras comprar algo.

| para (que) |
| a menos que |
| antes de (que) |
| con tal de (que) |
| en caso de que |

1. Tú usarás los ahorros...
2. María entrará en el salón de charlas...
3. Yo compraré la computadora portátil...
4. Ustedes esconderán...
5. Nosotros estudiaremos el sitio web...

Expansión:
Teacher Edition Only
Pídales a los estudiantes que escriban una oración más por cada profesión mencionada en la actividad.

Comparación cultural

Viracocha, *máscara de oro*

El Museo de Metales Preciosos

¿Por qué son valiosos los objetos históricos? El Museo de Metales Preciosos de La Paz, **Bolivia,** se encuentra en una casa colonial que data del siglo XV. La colección de joyería y otros objetos preciosos de oro, plata y cobre *(copper)* fueron hechos por los varios grupos indígenas que ocupaban el territorio que ahora es Bolivia. Los objetos de oro son muy valiosos y se guardan en una sección especial. Otros objetos de un gran valor histórico y gran interés son las cerámicas incaicas y pre-incaicas.

Compara con tu mundo *¿Qué tipo de museos hay en tu ciudad o estado? ¿Cuáles te gustan más y por qué?*

Differentiating Instruction

Heritage Language Learners

Support What They Know Invite heritage learners to research and describe a famous museum from their country of origin. Ask them to share with the class a description of an object at the museum that has an important historical significance. Encourage non-native speakers to ask them questions about the historical object.

Pre-AP

Summarize Ask students to read the paragraph about the Museo de Metales Preciosos on their own. Using their own words, instruct students to write a brief summary about what the famous museum contains. The summary should include what objects they would be most interested in seeing. Ask volunteers to read their summary to the class.

8 | ¡Para viajar mejor!

Leer
Hablar
Escribir

Lee la información sobre cómo viajar mejor y contesta las preguntas con respuestas completas. Lee las preguntas antes de leer la información.

1. ¿Qué debes hacer en caso de que tengas que ir a eventos especiales?
2. ¿Qué debes llevar para que puedas disfrutar de cada día?
3. ¿Qué debes hacer antes de que salgas?
4. ¿Cómo puedes evitar que tu familia o amigos estén preocupados?

Para que disfrutes tu próximo viaje…

¡Sigue estos consejos!

- Deja tu itinerario con tu familia. Así podrás disfrutar del viaje sin que ellos estén preocupados.
- No olvides ni las gafas de sol ni el paraguas para que puedas disfrutar cualquier tiempo.
- Antes de que salgas, guarda toda la información importante para tu viaje en tu agenda electrónica.
- Lleva poca ropa a menos que tengas que ir a eventos especiales.

Expansión:
Teacher Edition Only
Pídales a parejas de estudiantes que escriban una lista de sus propios consejos para viajar mejor. Luego, pídales que intercambien opiniones.

9 | ¡Consejos, por favor!

Leer
Escribir

Un estudiante ecuatoriano va a pasar tres semanas con tu familia. Lee su correo electrónico y contéstalo usando al menos cuatro conjunciones.

> Hola,
>
> Me estoy preparando para el viaje y no sé qué debo llevar. ¿Me puedes dar algunas sugerencias con respecto a ropa y otras cosas prácticas? También, quisiera aprender algo más sobre tu ciudad y estado. ¿Podrías recomendarme algún sitio web? ¡Gracias!
>
> Alberto

Expansión
Escribe un folleto turístico sobre lo que se puede visitar en tu ciudad. Usa conjunciones.

Más práctica Cuaderno *pp. 200–202* Cuaderno para hispanohablantes *pp. 201–203*

PARA Y PIENSA

¿Comprendiste? Contesta con oraciones completas.
1. ¿Qué harás en caso de que pierdas la cartera?
2. ¿Usarás tus ahorros en caso de que tengas una oportunidad de viajar?
3. ¿Qué recomiendas que haga tu amigo antes de que se gradúe?

Get Help Online ClassZone.com

Lección 1
doscientos setenta y nueve **279**

Differentiating Instruction

Slower-paced Learners

Peer-study Support Have lower proficiency students work with higher proficiency students on Activities 6–9. When they have completed all the activities, suggest that they go over their answers with another pair. Encourage students to ask for help if they are unsure about something.

Multiple Intelligences

Interpersonal Put students into small groups. In their groups, tell students to discuss their hometowns. Have students explain to their peers what there is to do in their town and why it would or would not be a fun place to visit. Instruct students to use the subjunctive with conjunctions to describe things that may happen during a visit there.

✓ Ongoing Assessment

@HomeTutor More Practice ClassZone.com

PARA Y PIENSA **Peer Assessment** After students have orally answered the questions in the Para y piensa, have them write down the answers and pair up with a partner. Tell partners to check each other's answers for grammatical accuracy. For additional practice, use Reteaching and Practice Copymasters URB 5, pp. 4, 5, 11.

Answers UTB 5 Transparency 25

Answers continued from p. 278.

Activity 7 Answers will vary. Sample answers:
1. Tú usarás los ahorros en caso de que haya una emergencia.
2. María entrará en el salón de charlas con tal de que termine su tarea.
3. Yo compraré la computadora portátil a menos que sea demasiada cara.
4. Ustedes esconderán las galletas para que su mamá no las encuentre.
5. Nosotros estudiaremos el sitio web antes de que empiece nuestro programa favorito de televisión.

Activity 8 Answers will vary.
1. Debo llevar ropa apropiada en caso de que tenga que ir a eventos especiales.
2. Debo llevar gafas de sol y paraguas para poder disfrutar de cada día.
3. Debo guardar la información importante del viaje en mi agenda electrónica antes de salir.
4. Puedo evitar que estén preocupados por dejar mi itinerario con ellos.

Activity 9 Answers will vary. E-mail should include at least four conjunctions.

Para y piensa Answers will vary. Sample answers:
1. Yo iré a la estación de policía en caso de que pierda la cartera.
2. Sí, usaré mis ahorros en caso de que tenga una oportunidad de viajar.
3. Recomiendo que mi amigo vaya a Europa antes de que se gradúe.

279

¡AVANZA! **Objectives**

- Develop listening, reading, and writing skills.
- Use the subjunctive to talk about future plans.

Core Resource

- Audio Program: TXT CD 9 Track 4

Presentation Strategies

- Have students find examples of the subjunctive in the text and put them in a chart that identifies why it was used.
- Play the audio.

Practice Sequence

- **Activity 10:** Contexto 2 comprehension
- **Activities 11, 12:** Open-ended practice: writing skills, subjunctive with conjunctions

STANDARDS

1.1 Engage in conversation, Act. 12
1.2 Understand language
1.3 Present information, Act. 10, 11

Warm Up UTB 5 Transparency 17

Traduce las siguientes conjunciones al español.

1. in order that
2. unless
3. before
4. as long as
5. in case
6. without
7. until

Answers: 1. a fin de que, para que; 2. a menos que; 3. antes de que; 4. con tal (de) que; 5. en caso de que; 6. sin que; 7. hasta que

✣ GRAMÁTICA en contexto

¡AVANZA! **Goal:** On the Web site represented below, notice how the subjunctive is used. Then practice using the subjunctive to talk about future plans.
Actividades 10–12

Contexto 2 *Sitio web*

ESTRATEGIA Leer
Make a chart of the subjunctives Draw a table. In **Part 1** write down each use of the subjunctive found on the conference website. Then, put a check mark in the column of **Part 2** that explains why the subjunctive was used.

1. Frases con subjuntivo	2. Razones para usar el subjuntivo		
	Conjunción	Frase adverbial	Duda
antes de que empiecen las sesiones		✓	

Raúl es un estudiante boliviano que se está preparando para ir a una conferencia estudiantil en Lima, Perú. Acaba de descargar e imprimir una página de información de un sitio web, para ver lo que debe llevar y lo que debe saber antes de salir. Va a participar en un programa modelo de la Organización de las Naciones Unidas (ONU) y tiene que leer mucha información.

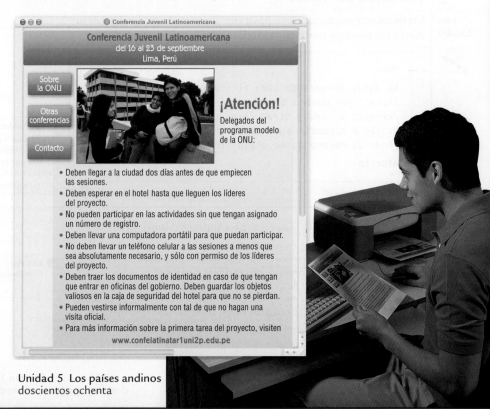

Differentiating Instruction

Slower-paced Learners

Read Before Listening Assist students in understanding the Web site before listening to the audio. After reading through each bullet point, provide a variety ways to demonstrate the meaning of the sentence. Use basic Spanish, gestures, and pictures. Ask comprehension questions after bullet points, such as: **¿Cuándo deben llegar a la ciudad?**

Inclusion

Multisensory Input/Output Have students read along on p. 280 as they listen to the audio. Then play the audio again. This time, instruct students to close their books and only listen to the audio. As students listen to the audio, tell them to raise their hands every time they hear the subjunctive. Request that students close their eyes when they do this activity to avoid copying other students.

10 Comprensión del sitio web

Leer
Escribir

Usa las palabras y expresiones indicadas para crear oraciones sobre las actividades de los delegados, según la lectura.

1. no participar / sin que / tener asignado
2. llegar / antes de que / empezar
3. esperar / hasta que / llegar
4. vestirse / con tal de que / no hacer
5. no llevar / a menos que / ser
6. guardar / para que / no perderse

Expansión:
Teacher Edition Only
Pídales a los estudiantes que escriban tres preguntas sobre la lectura y que intercambien sus papeles con un(a) compañero(a) para contestarlas.

11 De visita

Hablar
Escribir

Con tu compañero(a), preparen un programa turístico para los estudiantes de intercambio que vienen a su comunidad. Incluyan al menos diez lugares y/o actividades de interés. Luego, presenten sus ideas a la clase. Usen el subjuntivo con conjunciones.

lunes
llegada

miércoles
martes
visiten el museo para que puedan apreciar la historia de la zona

jueves

sábado
viernes

domingo

Expansión
Explica cómo cambiarás el itinerario en casos especiales. Usa las expresiones: **con tal que, en caso de que, antes de que...**

12 El fin de semana

Hablar

Con un(a) compañero(a), digan qué planes tienen para el fin de semana.

modelo: tengo que... para que...

1. Voy a... mañana... a menos que...
2. Mis amigos y yo vamos a... con tal de que no...
3. Voy a llevar... en caso de que...
4. No puedo... sin que...
5. Vamos a... para que...
6. Ellos quieren ir a... antes de que...
7. Tú leerás... a fin de que...

A Tengo que comprar más memoria para que pueda usar mi nuevo juego de computadora.

B Yo tengo que comprar un regalo valioso para que mi mamá esté contenta en su cumpleaños.

Expansión:
Teacher Edition Only
Pídales a parejas de estudiantes que hagan un diálogo para ponerse de acuerdo para ir a un lugar. Deben usar las preposiciones que conocen.

PARA Y PIENSA

¿Comprendiste? Completa las oraciones según el sitio web de la conferencia.

1. Los delegados deben esperar en el hotel hasta que...
2. No deben llevar un teléfono celular a menos que...
3. Pueden vestirse informalmente con tal de que...

Get Help Online
ClassZone.com

✓ Ongoing Assessment

@HomeTutor
More Practice
ClassZone.com

PARA Y PIENSA **Peer Assessment** If a student fails to complete the Para y piensa correctly, he/she should pair up with a student and review Activities 6 and 7 on page 278. For additional practice, use Reteaching and Practice Copymasters URB 5, pp. 4, 6.

Answers UTB 5 Transparencies 25–26

Activity 10

1. No pueden participar sin que tengan asignado un número de registro.
2. Deben llegar dos días antes de que empiecen las sesiones.
3. Deben esperar en el hotel hasta que lleguen los líderes del proyecto.
4. Pueden vestirse informalmente con tal de que no hagan una visita oficial.
5. No deben llevar un teléfono celular a las sesiones a menos que sea necesario.
6. Deben guardar los objetos valiosos en la caja de seguridad para que no se pierdan.

Activity 11 Answers will vary, but should include at least ten places or activities and the subjunctive with conjunctions.

Activity 12 Answers will vary. Sample answers:

1. Voy a estudiar mañana a menos que me llamen los amigos.
2. Mis amigos y yo vamos al cine con tal de que no nieve mucho.
3. Voy a llevar un paraguas en caso de que llueva.
4. No puedo salir sin que limpie el cuarto.
5. Vamos al centro comercial para que compremos ropa nueva.
6. Ellos quieren ir al restaurante antes de que vayan al cine.
7. Tú leerás el periódico a fin de que aprendas sobre los eventos del mundo.

Para y piensa

1. ...lleguen los líderes del proyecto.
2. ...sea necesario y sólo con permiso de los líderes del proyecto.
3. ...no hagan una visita oficial.

Differentiating Instruction

Pre-AP

Self-correct Tell students to say aloud answers for Activities 10 and 12 in pairs. Encourage them to stop and correct themselves when they think they have made a mistake. Instruct students to write a quick note when they make an error. At the end of the activities, ask students to share some mistakes they made with the class.

Slower-paced Learners

Personalize It Ask students to imagine that they are going to a student conference in another country. Instruct students to think about what they will do to prepare themselves for such a trip. Using the subjunctive and conjunctions, have students talk about things that may happen during the conference.

Objective

· Present the subjunctive with the unknown

Core Resource

· *Cuaderno,* pp. 203-205

Presentation Strategies

· Tell students that the subjunctive is used to talk about something that is not known for certain.
· Ask students to name things that they might like to have but that may not exist, such as a new type of video game or vehicle.

STANDARD

4.1 Compare languages

Warm Up   UTB 5 Transparency 18

Completa las siguientes oraciones con la conjunción apropiada.

hasta que	antes de que	sin que
para que	con tal de que	a menos que

1. No pueden participar _____ tener asignado un número de registro.
2. Deben esperar en el hotel _____ lleguen los líderes del proyecto.
3. No deben llevar un teléfono celular a las sesiones _____ sea necesario.
4. Pueden vestirse informalmente _____ no hacer una visita oficial.
5. Deben guardar los objetos valiosos en la caja de seguridad _____ no se pierdan.
6. Deben llegar dos días _____ empiecen las sesiones.

Answers: 1. sin; 2. hasta que; 3. a menos que; 4. con tal de; 5. para que; 6. antes de que

---

Communication
Common Error Alert

Remind students that when expressions like **hay...que..**, **conocer...que...,** and **tener... que...** are used to make affirmative statements, the indicative is used. For example: **Tengo un amigo que habla español.**

282

✸ Presentación de GRAMÁTICA

¡AVANZA!   **Goal:** Learn how to use the subjunctive to talk about the unknown. Then practice using the subjunctive to talk about what may or may not be. *Actividades 13–16*

English Grammar Connection: In English, to talk about people or things that may not exist, you use the **indicative,** but in Spanish you use the **subjunctive.**

I'm looking for **a stamp** that **is** very valuable.

Busco **un sello que sea** muy valioso.

Subjunctive with the Unknown

Animated Grammar
ClassZone.com

Verbs like **buscar, querer,** or **necesitar** plus **que** are used with the **subjunctive** when they introduce something that is not known for certain.

Here's how: Use the indicative for the first verb and the **subjunctive** for the second verb.

Quiero una computadora portátil **que** no **cueste** mucho.
I want a laptop computer that does not cost much.

You also need to use the **subjunctive** with expressions that ask about something that may not exist.

¿Hay... que... ?   **¿Conoces... que... ?**   **¿Tienes... que... ?**

¿Tienes un teléfono **que toque** música?
Do you have a phone that plays music?

The **subjunctive** is used in a similar way when these expressions are used with **no** to say that something may not exist or definitely does not exist.

No hay... que...   **No conozco... que...**   **No tengo... que...**

No conozco a nadie **que publique** poesía.
I don't know anyone who publishes poetry.

To talk about things that definitely do exist, use the **indicative.**

Hay un sitio web que **tiene** la información.
*There is a Web site that **has** the information.*

Más práctica
Cuaderno pp. 203–205
Cuaderno para hispanohablantes *pp. 204–207*

@HomeTutor
Leveled Practice
ClassZone.com

282   Unidad 5 Los países andinos
doscientos ochenta y dos

Differentiating Instruction

Multiple Intelligences

Linguistic/Verbal Have students write a classified ad. The ad should include what a company is looking for in an employee, such as skills and experience. Remind them to use **buscar, querer,** and **necesitar** plus **que** to talk about something that may or may not exist **(Buscamos a alguien que hable japonés).** Ask volunteers to read their ad to the class.

Slower-paced Learners

Sentence Completion To help students who are struggling with the subjunctive with the unknown, provide a list of several incomplete sentences. Start each sentence with a phrase such as: **No conozco a nadie que...** Instruct students to complete the sentences on their own. Allow them to consult their textbooks and offer help as needed. Then have students work in pairs to check answers.

✤ Práctica de GRAMÁTICA

13 | Una computadora nueva

Escuchar
Escribir

Escucha el diálogo entre el vendedor y la chica que quiere comprar una computadora nueva. Completa las frases con el verbo apropiado.

La chica quiere una computadora que **__1.__** rápida y que **__2.__** mucha memoria. El vendedor le dice que no hay ninguna computadora muy rápida que **__3.__** barata, pero que sí tiene algunas que **__4.__** más lentas y baratas. La chica no quiere ver ninguna computadora que **__5.__** más de dos mil dólares. El vendedor no cree que **__6.__** ninguna computadora muy buena que **__7.__** tan poco dinero, pero dice que tiene modelos que **__8.__** bastante eficientes y que cuestan menos de $2.000.

> 🎧 **Audio Program**
> TXT CD 9 Tracks 5
> Audio Script, TE p. 269B

> **Expansión:**
> Teacher Edition Only
> Pídales a los estudiantes que describan qué buscan en una computadora nueva.

14 | No hay nadie

Escribir
Hablar

Completa cada pregunta con el subjuntivo del verbo indicado. Luego, hazle las preguntas a tu compañero(a). Él (o ella) las contestará negativamente.

A ¿Hay alguien en tu clase que sepa utilizar una agenda electrónica?

B No, no hay nadie en mi clase que sepa utilizar una agenda electrónica.

1. ¿Conoces un enlace que (tener) buena información?
2. ¿Hay alguien que (dar una sugerencia) sobre los sitios web?
3. ¿Hay estudiantes que (estar ilusionados) de tener una computadora?
4. ¿Viste a alguien que (temer que) no haya papel en la impresora?
5. ¿Conoces a alguien que (sospechar que) mi computadora es vieja?
6. ¿Hay personas que (no darse cuenta) de la importancia del Internet?

AUDIO

Pronunciación ✤ Los sonidos L y LL

La **L** se pronuncia como la *L* en inglés. La **LL** tiene varias pronunciaciones regionales: un sonido como la *y* de la palabra *yellow* en inglés, un sonido como la *j* de la palabra *job* en inglés, o un sonido /zh/ como la *s* de la palabra *vision* en inglés.

lavar   la bolsa   sellos   llegar

Trabalenguas

Las tablas de mi ba**l**cón ma**l** entab**ll**i**ll**adas están.
Llamen a**l** entab**ll**i**ll**ador que las desentab**ll**i**ll**e
y las vue**l**va a entab**ll**i**ll**ar mejor, que ya se **l**e
pagará como buen entab**ll**i**ll**ador.

Lección 1
doscientos ochenta y tres **283**

Differentiating Instruction

Heritage Language Learners

Regional Variations Ask native speakers to pronounce several words that begin with or contain the letters **L** and **LL**. Point out any differences that you detect in their pronunciations of the letter **LL**. Then ask students to write a **trabalenguas** like the one they see in Pronunciación. Post the tongue-twisters on the board and read them as a class.

Multiple Intelligences

Visual Learners Record commercials from a Spanish TV channel to show in class. After viewing each one, ask students to explain what the people in each commercial want, need, or are looking for but do not have. For example: **La mujer busca una receta que pueda preparar en diez minutos.** Provide students with sentence starters if necessary.

Objectives
· Practice using the subjunctive to talk about the unknown.
· **Pronunciation:** The sounds **L** and **LL**

Core Resource
· Audio Program: TXT CD 9 Tracks 5, 6

Practice Sequence
· **Activity 13:** Controlled practice: the subjunctive with the unknown
· **Activity 14:** Transitional practice: subjunctive with the unknown

✤ STANDARDS
1.1 Engage in conversation, Act. 1, 4
1.2 Understand language, Act. 13
1.3 Present information, Act. 13
4.1 Compare languages, Act. 13; Pronunciación

Long-term Retention
Personalize It

Using the subjunctive, have students make a list of five items that they want or need that may not exist. For example: **Quiero un teléfono que imprima fotos.** Then have students share their ideas with the class.

Answers UTB 5 Transparency 26

Activity 13
1. sea	4. son	7. cueste
2. tenga	5. cueste	8. son
3. sea	6. haya	

Activity 14
1. tenga; No, no conozco un enlace que tenga buena información.
2. dé una sugerencia; No, no hay nadie que dé una sugerencia sobre los sitios web.
3. estén ilusionados, No, no hay estudiantes que estén ilusionados de tener una computadora.
4. tema que; No, no vi a nadie que tema que no haya papel en la impresora.
5. sospeche que; No, no conozco a nadie que sospeche que tu computadora es vieja.
6. se den cuenta; No, no hay personas que no se den cuenta de la importancia del Internet.

283

Objectives
- Practice using the subjunctive to talk about the unknown.
- **Culture:** Indigenous art from Tigua

Core Resource
- *Cuaderno,* pp. 203–205

Practice Sequence
- **Activity 15:** Transitional practice: subjunctive with unknown
- **Activity 16:** Transitional: subjunctive

❀ STANDARDS
1.3 Present information, Act. 15
2.2 Products and perspectives, Act. 16
4.2 Compare cultures, Act. 16

Comparación cultural

Essential Question
Suggested Answer Podemos comprender la vida y los valores de los indígenas.

Background Information
Tigua is a region of farming communities, southwest of Quito. Their customs and their paintings still reflect their ancient traditions.

 ✓Ongoing Assessment

@HomeTutor
More Practice
ClassZone.com

PARA Y PIENSA **Quick Check** If students are unable to answer the questions correctly, haave them review Activities 13 and 14 on p. 283. For additional practice, use Reteaching and Practice Copymasters URB 5, pp. 7, 8.

284

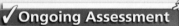

Answers UTB 5 Transparency 26

Activity 15 Sample answers:

1. Mi abuelo necesita una cartera que sea negra.; **2.** Mi papá quiere un libro que sea interesante.; **3.** Mi hermana busca una computadora portátil que sea rápida.; **4.** Mi hermano desea un paraguas que sea rojo.; **5.** Yo espero encontrar una agenda electrónica que sea pequeña.; **6.** Mi mejor amiga espera recibir una bolsa que sea amarilla.

Answers continue on p. 285.

---

15 ¿Qué quieren?

Hablar
Escribir

Prepara tu lista de regalos con los artículos que buscas y sus características.

modelo: Mi mamá quiere una bolsa que no sea muy grande.

1. Mi abuelo necesita...
2. Mi papá quiere...
3. Mi hermana busca...
4. Mi hermano desea...
5. Yo espero encontrar...
6. Mi mejor amigo(a) espera recibir...

Expansión
Escribe cinco oraciones con el subjuntivo para describir las características que prefieres que tengan los sitios web.

---

16 ¿Qué piensas del arte?

Leer
Hablar
Escribir

Comparación cultural

Día de fiesta en un pueblo quechua
Arte naif, Ecuador

El arte de Tigua
¿Qué importancia tiene el arte indígena?
La pintura de Tigua, un pueblo en el centro de **Ecuador,** representa la vida tradicional de este pueblo de los Andes. Sus imágenes reflejan la historia, los festivales y las leyendas de esta comunidad a fin de que otras personas puedan aprender más de la vida de este pueblo. La comunidad de Tigua-Chimbacucho tiene ahora una galería de pinturas y otras artesanías para que los turistas y coleccionistas puedan apreciar y comprar estas obras de arte.

Compara con tu mundo ¿Viste un tipo de arte indígena alguna vez? ¿Dónde?

Completa las siguientes oraciones con tu opinión.

1. Es importante apoyar a los artistas indígenas y locales para que...
2. Debemos fomentar las expresiones artísticas a fin de que...
3. Los artistas siempre deben expresarse a menos que...

Expansión:
Teacher Edition Only
Pídales a los estudiantes que escriban un párrafo sobre por qué es importante el arte indígena.

Más práctica Cuaderno *pp. 203–205* Cuaderno para hispanohablantes *pp. 204–207*

PARA Y PIENSA **¿Comprendiste?** Contesta con oraciones completas.
1. ¿Hay alguien en tu clase que tenga un paraguas hoy?
2. ¿Conoces a alguien que envíe cartas por correo?
3. ¿Tienes un(a) amigo(a) que descargue música por Internet?

Get Help Online
ClassZone.com

Differentiating Instruction

Pre-AP

Expand and Elaborate Tell students to research another piece of indigenous art from Bolivia, Peru or Ecuador. Ask students to bring in a picture of the art to show to the class. Students should describe the significance of the piece and where it comes from. Then request that students compare the art they researched with the painting from Tigua.

Multiple Intelligences

Linguistic/Verbal Have students look at the painting from Tigua in Activity 16. Invite students to describe details they observe in the painting. Ask students to describe what they think it is like to live in Tigua. Then have students draw parallels between the town depicted in the painting and the town where they grew up.

⚜ Todo junto

¡AVANZA! | **Goal:** *Show what you know* Listen to the conversation between Raúl and other Model UN delegates at the airport. Pay particular attention to how they use the subjunctive. *Actividades 17–19*

Resumen contextos 1 y 2 Raúl es un estudiante boliviano que va a Lima, Perú, para participar en un programa modelo de la Organización de las Naciones Unidas (ONU) para los países latinoamericanos. Ya se comunicó con algunos participantes en un salón de charlas usando su computadora.

Contexto 3 *Diálogo*

ESTRATEGIA Escuchar
List cognates while listening This conversation contains many cognates that make understanding easier. While listening, write down the cognates on a separate sheet. Listen several times so you can find them all.

AUDIO

Ahora Raúl está en el aeropuerto de La Paz, Bolivia, esperando su vuelo a Lima. Allí conoce a otros tres participantes del programa.

Raúl: A ver... ¿qué hora es? Uf, todavía falta una hora y media antes de que pueda abordar el avión... ¿Hola?

Ana: ¡Hola! Veo que tienes información sobre la conferencia en Lima... ¿vas a participar?

Raúl: Sí, sí. ¿Y tú?

Ana: Sí, voy en el mismo vuelo. Me llamo Ana Guerrero. Soy de Cochabamba.

Raúl: Mucho gusto. Yo soy Raúl Méndez, de La Paz.

Ana: Y ellos son Ricardo, de Oruro, y Marilú, de Trinidad. Acabo de conocerlos. Todos vamos a la conferencia.

Ricardo: Hola, Raúl. Soy Ricardo Salcedo. Un placer.

Marilú: Yo soy Marilú Cedeño. Mucho gusto, Raúl.

Differentiating Instruction

Multiple Intelligences

Kinesthetic Have groups of four act out the dialogue. They should use appropriate emotional expressions. You can make it more realistic by having the actors use props.

Slower-paced Learners

Yes/No Questions Ask students yes/no questions to reinforce their understanding of Contexto 3 Diálogo. For example: **¿Tiene que esperar Raúl para abordar el avión? ¿Hizo la tarea Raúl?** Encourage students to point to the place in the text where they found their information.

¡AVANZA! ▶ **Objective**
· Integrate lesson content.

Core Resource
· Audio Program: TXT CD 9 Track 7

Presentation Strategies
· Review the first two parts of the Contexto aloud.
· Play the audio as students read along.
· Have students list cognates while listening.

STANDARDS
1.2 Understand language
4.1 Compare languages

Warm Up UTB 5 Transparency 18

Completa las oraciones con la forma correcta del subjuntivo.
1. Busco un novio que _____ (cantar) bien.
2. Quiero una computadora portátil que no _____ (costar) mucho.
3. No conozco a nadie que _____ (hablar) francés.
4. ¿Tienes un teléfono que _____ (tocar) música?
5. Necesito un coche que _____ (ser) rápido.

Answers: 1. cante; 2. cueste; 3. hable; 4. toque; 5. sea

Answers UTB 5 Transparency 26

Answers continued from p. 284.

Activity 16 Answers will vary. Sample answers:
1. ...puedan desarrollar su arte.
2. ...preserve la diversidad de opinión.
3. ...destruyan el medio ambiente.

Para y piensa Answers will vary. Sample answers:
1. No, no hay nadie en la clase que tenga un paraguas hoy.
2. No, no conozco a nadie que envíe cartas por correo.
3. Sí, tengo muchos amigos que descargan música por Internet.

285

Objective
· Practice using and integrating lesson vocabulary and grammar.

Core Resources
· Audio Program: TXT CD 9, Tracks 7, 8, 9
· *Cuaderno,* pp. 206–207

Practice Sequence
· **Activity 17:** Contexto 3 comprehension
· **Activity 18:** Transitional practice: reading, listening, and speaking
· **Activity 19:** Open-ended practice: writing

STANDARDS
1.2 Understand language, Act. 17
1.3 Present information, Act. 18, 19

Communication
Role-Playing and Skits

Divide students into small groups. Each group should invent a skit about a difficult task using the phrase **Es un trabajo gordo.** You may also provide students with props from the classroom. Invite volunteers to perform for the class.

Answers UTB 5 Transparency 27

Activity 17
1. Raúl conoce a Ana, Ricardo y Marilú.
2. Falta una hora y media para que salga.
3. Salen del aeropuerto de La Paz porque es más barato.
4. Los participantes están ilusionados.
5. Tienen que hacerla para el primer día.
6. Descubre que no hizo la tarea antes de salir.
7. Lo va a ayudar con la tarea.
8. Tiene que usar una computadora portátil.

286

Raúl: ¿Y ustedes tienen que volar a Lima desde La Paz? ¿No hay otro aeropuerto que quede más cerca de sus ciudades?

Ana: Sí, pero esos vuelos salen muy caros.

Raúl: Bueno, ¿están tan ilusionados con la conferencia como yo?

Marilú: Estoy ilusionadísima… pero, para decir la verdad, ¡estoy un poco nerviosa también! Temo que vaya a ser una experiencia muy intensa.

Ricardo: Uf, parece que sí. ¿Qué les pareció esa tarea que ya nos dieron…? ¡Y para cumplir antes de que empiece la primera sesión! ¡Qué horror!

Raúl: ¿Una tarea? ¿Para el primer día? ¡No me digan! ¡No me di cuenta!

Ricardo: Hombre, sí… el enlace a la tarea estaba al final de la lista en el sitio web. ¡Y es un trabajo gordo! Tienes que crear un perfil económico, político e histórico de tu ciudad y de tu país.

Raúl: ¡Ay, no! ¿Qué hago? ¡No vi la tarea y no hice nada!

Ana: Bueno, Raúl, tal vez te podamos ayudar un poco, con tal de que nos hagas algún favor en el futuro. ¿Te parece?

Raúl: ¡Lo que tú quieras! ¡Sólo quiero que me ayuden!

Ricardo: Entonces, ¡abre tu computadora portátil y empecemos!

También se dice

Ricardo dice **Es un trabajo gordo** para indicar que tiene mucho trabajo.
· **República Dominicana, Cuba** **Es tremendo trabajo.**
· **Argentina** **Es un trabajo bárbaro.**
· **Perú** **Es una chambaza.**

---

17 | ## Comprensión del diálogo

Escuchar
Escribir

1. ¿A quiénes conoce Raúl en el aeropuerto?
2. ¿Cuánto falta para que salga el avión?
3. ¿Por qué salen todos del aeropuerto de La Paz?
4. ¿Cómo están los participantes?
5. ¿Para cuándo tienen que hacer la primera tarea?
6. ¿Qué descubre Raúl que no hizo antes de salir?
7. ¿Qué solución le ofrece Ana a Raúl?
8. ¿Qué tiene que usar Ricardo al final?

Expansión:
Teacher Edition Only
Pídales a los estudiantes que resuman lo que pasó en el diálogo en cinco frases.

Differentiating Instruction

Heritage Language Learners
Support What They Know Have native speakers look at the list of expressions given in También se dice. Ask what other colloquial phrases are used in the region where they or their family members come from to say "That is a lot of work!" Write the terms on an ongoing list on the bulletin board.

Slower-paced Learners
Read Before Listening Before students read or listen to the Diálogo, tell them to read the questions in Activity 17 both to preview the story and to be aware of the details they will need to answer the questions.

18 | Integración

Leer
Escuchar
Hablar

Lee las especificaciones de tres computadoras portátiles. Escucha el anuncio que pasan por los altoparlantes (*loudspeakers*) de una tienda. Luego decide qué computadora debes comprar.

Audio Program
TXT CD 9 Tracks 8, 9 Audio Script, TE p. 269B

Fuente 1 Especificaciones

Computadora Portátil PH	$1.255
Procesador M 370 (1.5 GHz), Memoria de 512 MB, Pantalla ancha de 14", Disco Duro de 60GB, DVD (graba y lee CDs y DVDs), Modem 56K y Conexión 10/100Mbps, Peso 2.42kg, Escáner gratis

Portátil Compactus 3000	$784
Procesador de 1.8 GHz, Memoria de 256 MB, Pantalla de 14", Disco Duro de 40GB, DVD Rom y CD-RW (combo), Modem 56K y Conexión 10/100Mbps, Peso 2.43 kg

Computadora Satelite ABC	$1.842
Procesador 3.33 GHz, 1 GB de memoria, Disco Duro de 93.20GB, DVD Super Multi, Pantalla 15.4", Modem 56K Conectada a Internet gratis, Peso 3.4kg

Fuente 2 Anuncio

Escucha y apunta
- ¿Cuáles son las características de la computadora Letra?
- ¿El precio es atractivo o viste computadoras más baratas?

modelo: La computadora Letra tiene un escáner gratis pero no creo que sea tan buena como la Compactus. No existe ninguna tienda que ofrezca cosas sin sacar beneficio.

Expansión:
Teacher Edition Only
Pídales a los estudiantes que escriban las especificaciones para vender otro aparato electrodoméstico. No tienen que incluir detalles técnicos complicados.

19 | ¡A escribir!

Escribir

Estás en una conferencia. Escribe un reporte sobre las experiencias que tuviste el primer día. Incluye el vocabulario de la lección y la gramática que aprendiste.

Writing Criteria	Excellent	Good	Needs Work
Content	Your report explains several significant aspects of your chosen topic.	Your report explains some significant aspects of your chosen topic.	Your report explains few aspects of your chosen topic.
Communication	Your report is organized and easy to follow.	Parts of your report are organized and easy to follow.	Your report is disorganized and hard to follow.
Accuracy	You make few mistakes in grammar and vocabulary.	You make some mistakes in grammar and vocabulary.	You make many mistakes in grammar and vocabulary.

Expansión:
Teacher Edition Only
Pídales a los estudiantes que resuman lo que pasó en el diálogo en cinco frases.

Más práctica   Cuaderno *pp. 206–207*   Cuaderno para hispanohablantes *pp. 208–209*

PARA Y PIENSA

¿Comprendiste? Termina las frases según el diálogo.
1. Marilú teme que la conferencia...
2. Raúl no sabe que...
3. Ana ofrece ayudar a Raúl para que...

Get Help Online
ClassZone.com

Lección 1
doscientos ochenta y siete **287**

Long-term Retention

Pre-AP **Integration**

Activity 18 Help students create a graphic organizer with four columns, each labeled with the name of the computer. As they listen and read, students should add notes to the columns. Instruct students to look over their notes and to circle the features they value most in order to choose a computer.

✓ **Ongoing Assessment**

Rubric Activity 18

Listening/Speaking

Proficient	Not There Yet
Student takes detailed notes and explains which computer he/she should buy.	Student takes few notes and does not explain which computer he/she should buy.

✓ **Ongoing Assessment**   **@HomeTutor** More Practice ClassZone.com

PARA Y PIENSA **Intervention** If a student is unable to complete all three sentences, have him or her review subjunctive with conjunctions (p. 277) and subjunctive with the unknown (p. 282). For additional practice, use Reteaching and Practice Copymasters URB 5, pp. 7, 9.

Answers UTB 5 Transparency 27

Activity 18 Answers will vary. See model.

Activity 19 Answers will vary.

Para y piensa Answers will vary. Sample answers:
1. Marilú teme que la conferencia vaya a ser una experiencia muy intensa.
2. Raúl no sabe que tiene que cumplir una tarea antes del primer día.
3. Ana ofrece ayudar a Raúl para que él les haga algún favor en el futuro.

287

Differentiating Instruction

Pre-AP

Vary Vocabulary Encourage students to use a wider range of vocabulary as they complete Activity 19. Instruct students to refer to previous units and use dictionaries. When students have completed the writing assignment, ask them to share with the class any new or recycled vocabulary words they have used.

Inclusion

Clear Structure Instruct students to create an outline for Activity 19. The outline should map out ideas and vocabulary for the report. Students should think about words they will need to describe what happened during the first day of their conference. Then put students in pairs to address any questions they may have before writing their reports.

¡AVANZA! Objectives

- Read a segment of a story by Edmundo Paz Soldán.
- Take notes on the history presented in the story.
- **Culture:** Maps of the world

Core Resource

- Audio Program: TXT CD 9 Track 10

Presentation Strategies

- Use the Para leer strategy to draw students' attention to history in the story.
- Point out vocabulary notes.
- Examine Nota cultural with students.
- Read the segment of the novel and respond to questions.

STANDARDS

1.2 Understand language
2.2 Products and perspectives, Nota
3.1 Knowledge of other disciplines, Nota

Warm Up UTB 5 Transparency 19

¿Cierto o falso? Indica si estas oraciones sobre el Contexto 3 son ciertas o falsas.

1. Raúl está en el aeropuerto de La Paz.
2. Raúl conoce a un grupo de maestros en el aeropuerto.
3. Ana, Marilú y Ricardo vuelan a Lima para una conferencia.
4. Raúl hizo la tarea para la conferencia.
5. Raúl tiene una computadora portátil.

Answers: 1. C; 2. F; 3. C ; 4. F; 5. C

Culture

About the Author

Edmundo Paz Soldán is the author of six novels and two short story collections. In addition to the Juan Rulfo Award, he has won the National Book Award in Bolivia.

Maps of the world became increasingly accurate during the 17th, 18th, and 19th centuries. However, much of the world remained a mystery until the widespread use of aerial photography following World War II.

288

¡AVANZA! **Goal:** Read the following excerpt from a story about an imaginary city in Bolivia. Then consider the different ways this city could have responded to errors on their map.

Para leer

ESTRATEGIA Leer
Take notes on the history While reading about Aguamarina, take notes on a separate sheet to help you understand and remember the events. Write the important years and what happened in each one.

> **Notas sobre Aguamarina**
> *1953 — El mapa oficial fue publicado con errores.*
> *1954 — ...*

Vocabulario para leer

la alcaldía	*oficina del alcalde o jefe de una ciudad*
el presupuesto	*cálculo anticipado de gastos*
descifrar	*descubrir el significado de un mensaje escrito con signos extraños*
adquirir	*conseguir algo*
en blanco	*que no tiene nada escrito*
complejo	*que no es simple, que es difícil de entender*

Nota cultural

Sobre el autor Edmundo Paz Soldán (1967–)
Nació en Cochabamba, Bolivia. Recibió su doctorado en literatura hispanoamericana en la Universidad de California, en Berkeley, y en 1997 ganó el premio «Juan Rulfo». Paz Soldán es el autor de varios libros, entre ellos *Amores imperfectos, Sueños digitales* y la colección de cuentos *Desencuentros*.

Sobre los mapas Los primeros mapas del mundo entero aparecieron en el siglo XVI, después de que Colón llegó al Nuevo Mundo. El mapa creado por Martin Waldseemüller en 1507 es el primero que incluye Latinoamérica, y no era muy exacto si lo comparamos con los mapas modernos.

288 Unidad 5 Los países andinos
doscientos ochenta y ocho

Differentiating Instruction

Inclusion

Multisensory Input/Output Use a variety of strategies to help students understand the terms in Vocabulario para leer. Go over each word and have students repeat it back to you. Use gestures or drawings on the board to help aid comprehension. Have students write the terms in their notebook. Also encourage students to look for cognates: **descifrar, adquirir, complejo.**

English Learners

Build Background Before students start reading the story, have the class brainstorm about various types of maps and their uses. When they have visited unfamiliar places, have they used maps? Did they find using a map helpful? Ask them what they think would happen if a city map that was distributed to tourists had errors in it.

La ciudad de los mapas

AUDIO

Communication

Interpretive Mode

Lectura literaria Read aloud the first part of the excerpt from "La ciudad de los mapas" as students listen. Then have students quietly read the segment on their own. Suggest that students create a list of questions they have about the piece.

La ciudad de Aguamarina es también conocida como la ciudad de los mapas. Hacia 1953 un error tipográfico hizo que[1] el mapa oficial de la ciudad fuera publicado[2] atribuyendo nombres distintos de los verdaderos a todas sus calles y plazas: la calle
5 Benedicto Romero se llamaba María Dolores y la calle Naucalpán se llamaba Cienfuegos y la Cienfuegos se llamaba Benedicto Romero... La alcaldía no poseía dinero en su presupuesto anual para hacer reimprimir[3] el mapa, de modo que ciudadanos y turistas debieron valerse de él[4] por un año.

10   Sin embargo, descifrar el mapa, tratar de llegar de un lugar a otro siguiendo nada más que sus instrucciones, se convirtió pronto en el pasatiempo[5] del lugar. Era obvio, la ciudad era pequeña y la gente no necesitaba de mapas para ir de un lugar a otro; el secreto del juego consistía, precisamente, en olvidar esa
15 obviedad[6] y tratar de valerse únicamente del mapa.

....

---

[1] **hizo...** caused [2] **fuera...** to be published [3] to reprint
[4] **valerse...** use it [5] pastime [6] the obvious

Reflexiona

¿Qué caracteriza los mapas de Aguamarina?

Lección 1
doscientos ochenta y nueve **289**

Differentiating Instruction

Inclusion

Frequent Review/Repetition After students have read the story and answered the questions, have them scan it for the subjunctive. Make a list on the board of all the sentences they find. Ask them why the subjunctive was used in each instance, and list the reason on the board next to the sentence. Students may want to refer back to pp. 277 and 282.

Pre-AP

Determine Cause and Effect Ask students cause-and-effect questions about "La ciudad de los mapas": **¿Qué causa que los mapas de Aguamarina tengan errores en 1952? ¿Cuál es el efecto de los mapas con errores? ¿Qué causa que el pueblo haga mapas con errores nuevos en 1954? ¿Cuál es el efecto de tener un mapa sin errores en 1993?**

Answers

Reflexiona Answers will vary. Sample answer: Muchos errores caracterizan los mapas de Aguamarina.

Objectives
· Read a segment of a story by Edmundo Paz Soldán.
· Take notes on the history presented in the story.

Core Resource
· Audio Program: TXT CD 9 Track 10

Presentation Strategy
· Read the segment of the story and respond to questions.

 STANDARDS
1.2 Understand language
1.3 Present information

 Communication
Role-Playing and Skits

Have students form groups to create humorous skits involving a tourist visiting Aguamarina who is trying to decipher a map he/she had received. Students should demonstrate their comprehension of the story in their skits.

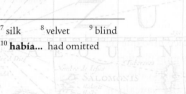 Lectura literaria *continuación*

Una petición que circuló de mano en mano convenció a la alcaldía de mantener los errores tipográficos de 1953 en el mapa de 1954, o en su defecto cambiar los errores por otros errores. Se eligió la segunda opción.

....

20   En los años 60, el error adquirió características de sofisticación al aparecer diversas ediciones clandestinas de mapas que competían y ganaban en originalidad a los que publicaba el municipio. Algunos de estos mapas se publicaban en costosas ediciones limitadas, impresos en seda[7] china o terciopelo[8],
25   numerados y con firma del autor; del mapa Malloy, por ejemplo, en que su creador, un arquitecto casi ciego[9], había eliminado[10] siete calles de la ciudad original y alterado dieciséis nombres de lugares turísticos.

....

_____
[7] silk   [8] velvet   [9] blind
[10] **había...** had omitted

A pensar
¿Por qué piensas que los ciudadanos hicieron esa petición en vez de corregir el mapa?

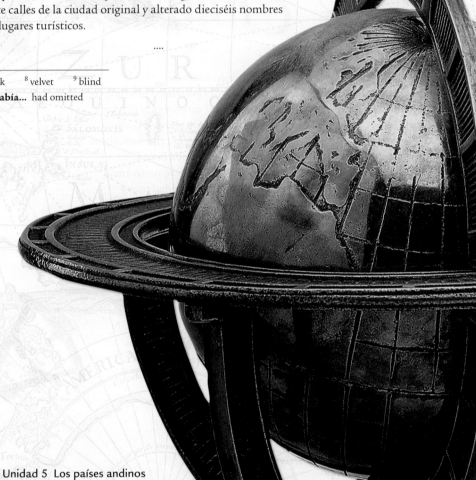

Unidad 5 Los países andinos
290 doscientos noventa

Differentiating Instruction

Inclusion

Synthetic/Analytic Support Put students into small groups. Make photocopies of the story and use scissors to cut the story into small parts. Give each group the entire story cut up into little parts. Tell groups to spread the parts of the story out on their desks and piece it back together in the correct order.

Pre-AP

Use Transitions Tell students to write a summary of the story, making sure they use transitions to connect ideas. They can use transitions such as **luego, entonces,** and so forth.

Answers

A pensar Answers will vary. Sample answer: Los ciudadanos no querían corregir el mapa porque no necesitan un mapa en un pueblo tan pequeño. Además, descifrar el mapa llegó a ser un pasatiempo interesante para los ciudadanos y los turistas.

290

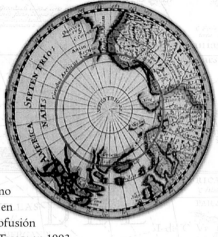

Una historia de Aguamarina y sus mapas
30 debería [11] necesariamente mencionar estos hitos [12]:
en 1971, la publicación de un mapa en blanco;
en 1979, la circulación de un mapa de la ciudad
de New York como si fuera [13] de Aguamarina; en
1983, el intento fallido [14] de crear un mapa del mismo
35 tamaño de la ciudad; en 1987, el mapa que contaba en
clave [15] la leyenda del Minotauro y que motivó la profusión
de niños bautizados con los nombres de Ariadna y Teseo; en 1993,
el mapa de la ciudad sin alteración alguna, hecho al que se habían
desacostumbrado tanto los aguamarinenses [16] que resultó ser el más
40 delirante [17], cruel y complejo de los mapas hechos hasta ahora. ❀

Otras ciudades han tratado [18] de imitar a Aguamarina.
No han podido [19].

> ❀ **A pensar**
> ¿Por qué el mapa
> verdadero resultó ser el
> más complejo? ¿Piensas
> que los aguamarinenses
> querían ese mapa?

---

[11] should   [12] milestones   [13] **como...** as if it were
[14] **intento...** failed attempt   [15] **en...** in code
[16] **hecho...** an action to which the residents of Aguamarina were so unaccustomed
[17] delirious   [18] **han...** have tried   [19] **No...** have not been able

PARA Y PIENSA

¿Comprendiste?
1. ¿A qué se deben los primeros errores en el mapa oficial de Aguamarina?
2. ¿Cómo reaccionaron los ciudadanos al ver el mapa defectuoso?
3. ¿Cuál fue la consecuencia de la reacción de los ciudadanos?
4. ¿Cuál era el mapa más difícil de seguir?
5. Aguamarina es una ciudad pequeña. De todos los mapas, ¿cuál es el menos apropiado para esta ciudad?

¿Y tú?
1. ¿Qué tipos de mapas y planos de lugares conoces? En tu opinión, ¿son útiles? ¿Los usas con frecuencia? Da ejemplos.
2. ¿Qué tipo de errores son aceptables en un mapa? ¿Cuáles no? Explica.

Lección 1
doscientos noventa y uno   **291**

Differentiating Instruction

English Learners

Increase Interaction After students have read and listened to the story, put pairs of students together to work on the Reflexiona, A pensar, and Para y piensa questions. If English learners have trouble with this reading, make sure their partners give them a simplified explanation of the story before they answer the questions.

Heritage Language Learners

Literacy Skills Ask heritage speakers to take turns reading parts of "La ciudad de los mapas" aloud in class. At the end of each page, ask students to explain what happened in their own words. Encourage the rest of the class to ask the heritage speakers questions to help clarify the story.

Answers

A pensar Answers will vary. Sample answer: El mapa verdadero resultó ser mas complejo porque los aguamarinenses estaban desacostumbrados a un mapa sin alteraciones. Creo que los aguamarinenses querían un mapa complejo.

Para y piensa Answers will vary. Sample answers:

¿Comprendiste?
1. Los primeros errores se deben a un error tipográfico.
2. A los ciudadanos no les molestó el mapa defectuoso. Aguamarina era una ciudad pequeña y no necesitaban un mapa. Además, descifrar el mapa llegó a ser un pasatiempo divertido para los ciudadanos.
3. Como resultado de la reacción de los ciudadanos, el próximo año, el mapa fue publicado con otros errores.
4. El mapa más difícil de seguir era un mapa sin alteración.
5. Creo que el mapa menos apropiado para Aguamarina es un mapa de la ciudad de New York como si fuera de Aguamarina.

¿Y tú? Answers will vary. Sample answers:
1. Conozco los mapas para turistas en ciudades grandes. Creo que son útiles porque puedo encontrar varios lugares de interés. Por ejemplo, en Madrid, usé un mapa para encontrar el Museo del Prado.
2. No creo que un mapa debe tener errores. Es muy importante que un mapa sea correcto.

Objective

- Read about indigenous languages.

Presentation Strategies

- Give students two minutes to scan/preview the text.
- Have students read along as you (or a series of student volunteers) read the selection aloud.

STANDARDS

3.1 Knowledge of other disciplines
4.1 Compare languages
4.2 Compare cultures
5.2 Life-long learners

Connections

El lenguaje

Ask students why they think words are borrowed between languages. Also ask if they can think of any words that they use on a daily basis that are not from their native language. Word borrowing happens for a variety of reasons. Close contact between speakers of different languages is one reason. Also, sometimes a foreign word expresses an idea or a nuance better than existing words. Nouns are frequently adopted for this reason, but not all borrowed words are nouns. Words and phrases such as *laissez-faire* express ideas that couldn't be easily or succinctly expressed without adopting the words into English.

Conexiones *Los estudios sociales*

Lenguas indígenas

En Bolivia, Perú y Ecuador, las lenguas indígenas siguen teniendo una gran importancia. Aparte del español, se hablan el quechua (o quichua), el aymara y otras lenguas indígenas. En Bolivia y Perú, el español, el quechua y el aymara son los tres idiomas oficiales del país. En Ecuador, los dos idiomas oficiales son el quechua y el español. También hay poblaciones en Perú, Argentina y Chile que hablan estas lenguas.

Algunas palabras del quechua que se usan también en español e inglés son **cóndor, gaucho, llama** y **quinina.** La palabra **alpaca** viene del aymara.

Proyecto Compara los nombres de las partes del cuerpo en español, quechua y aymara.

español	**quechua**	**aymara**
boca	simi	aka
brazo	maqui	ampara
cabeza	uma	ppekke
cuerpo	hanchi	hanchi
diente	kiru	laka chaca
espalda	huassa	iwhani
estómago	wiggsa	pucara
mano	maqui	ampara
ojo	nawi	nalra
pie	chaqui	cayu

1. Busca una palabra en español que tenga la misma traducción en quechua y en aymara.
2. Busca dos palabras en español que se traducen al quechua con la misma palabra. ¿Hay un caso igual en el aymara?

En tu comunidad

¿Sabes qué otros idiomas, además del inglés, se hablan o hablaban en tu ciudad o estado? ¿Con qué países o culturas se asocian estas lenguas?

Differentiating Instruction

Multiple Intelligences

Linguistic/Verbal Ask students to find words used in English that are borrowed from indigenous languages. These languages can include, but are not limited to, Araucanian, Arawak, Aymara, Carib, Guarani, Haitian Creole, Quechua, Taino, and Tupi. Invite students to share their findings with the class.

Heritage Language Learners

Support What They Know Ask heritage learners about languages in or near their country of origin. Discuss any languages aside from Spanish that are used. Also ask if there is a dialect of Spanish that is used by people in their region. If students are not sure, encourage them to ask someone at home and report back to the class.

Answers

Proyecto

1. La palabra *cuerpo* tiene la misma traducción en quechua y en aymara.
2. Las palabras *brazo* y *mano* se traducen al quecha con la misma palabra (**maqui**). Sí, hay un caso igual en aymara (las palabras *brazo* y *mano* se traducen con la misma palabra, **ampara**).

En tu comunidad Answers will vary.

Lección 1

En resumen
Vocabulario y gramática

Animated Grammar
Interactive Flashcards
ClassZone.com

Vocabulario

Talk About Personal Items

Personal possessions

la agenda electrónica	personal organizer
los ahorros	savings
la bolsa	bag, handbag
la cartera	wallet
distinto(a)	distinct, different
el documento (de identidad)	(identification) document
las gafas (de sol)	(sun)glasses
el monedero	coin purse
el paraguas	umbrella
precioso(a)	precious
sin valor	worthless
valioso(a)	valuable

Computers, e-mail, online chats

la búsqueda	search
la computadora portátil	portable / laptop computer
conectarse a Internet	to connect to the Internet
la contraseña	password
descargar	to download
el enlace	link
enviar	to send
el escáner	scanner
imprimir	to print
los juegos de computadora	computer games
el salón de charlas	chat room
el sitio web	Web site

Talk About Requirements

a fin de que...	in order that
a menos que...	unless
antes de que...	before
con tal (de) que...	as long as
dar consejos	to give advice
dar una sugerencia	to make a suggestion
en caso de que...	in case that
hasta que...	until
para que...	in order that
ponerse de acuerdo	to agree
sin que...	without

Actions

disfrutar de	to enjoy
esconder	to hide
estar ilusionado(a)	to be excited, to be thrilled
evitar	to avoid
guardar	to keep, to put away

Other Phrases

darse cuenta de	to realize
sospechar que	to suspect that
temer que	to be afraid that

Gramática

Nota gramatical: Expressions with **sea** *p. 276*

Subjunctive with Conjunctions

Conjunctions used with Subjunctive

a fin de que	con tal (de) que	para que
a menos que	en caso de que	sin que
antes de que		

No gastes tus ahorros **a menos que** sea necesario.
*Don't spend your savings **unless** it's necessary.*

Without **que,** the verb that follows must be in the infinitive form.

Tendrás que comer **antes de** salir.
You'll have to eat before leaving.

Subjunctive with the Unknown

Verbs like **buscar, querer,** or **necesitar** plus **que** are used with the subjunctive.

Quiero una computadora portátil **que** no **cueste** mucho.
I want a laptop computer that does not cost that much.

Use the subjunctive to ask about something that may not exist, or to say that something does not exist.

¿Tienes un teléfono **que toque** música?
Do you have a phone that plays music?

No conozco a nadie **que publique** poesía.
I don't know anyone who publishes poetry.

To talk about things that do exist, use the indicative.

Hay un sitio web que **tiene** la información.
***There is** a Web site that **has** the information.*

Lección 1
doscientos noventa y tres **293**

¡AVANZA! Objective
· Review lesson vocabulary and grammar

Online SPANISH CLASSZONE.COM

Interactive Flashcards Students can hear every target vocabulary word pronounced in authentic Spanish. Flashcards have Spanish on one side, and a picture or a translation on the other.

Review Games Matching, concentration, hangman, and word search are just a sampling of the fun, interactive games students can play to review for the test.

Featuring...
Cultura INTERACTIVA
Animated Grammar
@HomeTutor

And more...
· Get Help Online
· Interactive Flashcards
· Review Games
· WebQuest
· Conjuguemos.com

Communication
Group Work

Divide students into groups of three and have them work together to organize a vocabulary or grammar game to play with the class. Students may choose a game that already exists (Jeopardy, Concentration, etc.) or invent a new game. Spend a day in class playing the various games.

Communication
Grammar Activity

Ask students to make two cards, one that reads *subjunctive with conjunctions* and one that reads *subjunctive with the unknown*. Read aloud several subjunctive sentences from the lesson and tell students to hold up one of the cards when they hear the corresponding structure. To challenge students more, ask volunteers to think of subjunctive sentences to dictate to the class.

Differentiating Instruction

English Learners

Provide Comprehensible Input Using the vocabulary above, have students play charades to illustrate or act out the vocabulary. They could play it in small groups or as a whole class.

Multiple Intelligences

Linguistic/Verbal Tell students that they have won a contest in which they can make three wishes. Encourage students to make silly and creative wishes. Remind them to use the subjunctive with the unknown. For example: **Quiero un coche que vaya más rápido que un avión.**

Objective
· Review lesson grammar and vocabulary.

Core Resources
· *Cuaderno,* pp. 208–219
· Audio Program: TXT CD 9 Track 11

Presentation Strategies
· Draw students' attention to the accomplishments listed under the ¡Llegada! banner.
· Review activities may be completed in class or as homework.

STANDARDS
1.2 Understand language, Act. 1
1.3 Present information, Act. 1, 2, 3
2.2 Products and perspectives, Act. 5
4.2 Compare cultures, Act. 5

Warm Up UTB 5 Transparency 19

Completa las siguientes oraciones con una palabra de la caja.

la contraseña	el sitio web	la cartera
el escáner	el paraguas	

1. Escribes _____ para conectarte a Internet.
2. Hay que llevar _____ en caso de que llueva.
3. Usamos _____ para poner fotos y otros documentos en la computadora.
4. Puedes hacer búsquedas en _____ .
5. Llevo dinero en _____ .

Answers: 1. la contraseña ; 2. el paraguas; 3. el escáner; 4. el sitio web; 5. la cartera

Answers UTB 5 Transparency 27

Activity 1 Answers will vary. Sample answers:
1. Leonardo va a traer una computadora portátil para jugar juegos.
2. Leonardo va a traer una agenda electrónica para saber el horario de sus programas de televisión favoritos.
3. Mirta va a traer gafas de sol para tomar el sol.
4. Leonardo va a llevar su cartera con sus ahorros para comprar novelas gráficas.
5. Mirta va a traer una bolsa para cargar los libros que va a comprar.

Answers continue on p. 295.

294

¡LLEGADA!

@HomeTutor
ClassZone.com

Now you can	**Using**
· talk about personal items	· expressions with **sea**
· talk about requirements	· subjunctive with conjunctions
· express what does and doesn't exist	· subjunctive with the unknown

To review
· vocabulary pp. 272–273

1 Listen and understand

AUDIO

Leonardo va de vacaciones con su familia. Escucha la conversación con su hermana mayor y escribe cinco oraciones sobre lo que van a traer y para qué lo usarán.

Audio Program
TXT CD 9 Track 11 Audio Script, TE p. 269B

To review
· vocabulary pp. 272–273

2 Talk about personal items

Crea oraciones con palabras correspondientes a cada ilustración. Di para qué vas a usar las cosas indicadas. Sigue el modelo.

modelo: Necesito los documentos de identidad para volar dentro del país.

1.
2.
3.
4.
5.
6.

Differentiating Instruction

Slower-paced Learners

Read Before Listening Show students the script for Activity 1. Ask students to read the script on their own and highlight any parts that they do not understand. Review trouble spots as a class. Then ask students to put away the script, listen to the audio, and complete Activity 1.

Pre-AP

Support Ideas with Details In addition to writing five sentences for Activity 1 about what Leonardo and Mirta are taking with them on vacation, have students write five sentences about what they themselves would take on vacation and why.

To review
• subjunctive with conjunctions p. 277
• expressions with **sea** p. 276

3 Talk about requirements

Crea oraciones, según el modelo, para hablar de las computadoras. En los puntos 7 y 8, usa expresiones con **sea**.

> **modelo:** Necesito la contraseña para que...
> Necesito la contraseña para que pueda conectarme a Internet.

1. Debemos imprimir la información antes de que...
2. Vas a descargar las gráficas con tal de que...
3. Él se va a conectar a menos que...
4. Yo usaré el escáner en caso de que...
5. Ustedes nos enviarán los enlaces para que...
6. Tú y yo podemos crear un sitio web con tal de que...
7. Ya es de noche, pero tenemos que terminar el blog...
8. Hay que descubrir la contraseña...

To review
• subjunctive with the unknown p. 282

4 Express what does and doesn't exist

Tu amigo dice muchas cosas pero está equivocado. Corrígelo usando la forma negativa y el subjuntivo.

> **modelo:** Hay una tienda que vende carteras buenas.
> No hay ninguna tienda que venda carteras buenas.

1. Hay un banco que tiene cuentas de ahorro.
2. Hay una librería que vende libros valiosos.
3. Hay un cibercafé que ofrece servicio de Internet.
4. Hay una computadora portátil que pesa menos de una libra.
5. Hay un juego de computadoras que es muy fácil.

To review
• **Comparación cultural** pp. 278, 284

5 Indigenous artifacts and art

Comparación cultural

1. ¿Qué tipos de objetos se guardan en el Museo de los Metales Preciosos en La Paz?
2. ¿Cuáles son los objetos más valiosos del museo y dónde se guardan?
3. ¿Qué representan las pinturas de Tigua?
4. ¿De qué manera el pueblo de Tigua muestra su arte a los turistas?

Más práctica Cuaderno *pp. 208–219* Cuaderno para hispanohablantes *pp. 210–219*

Get Help Online
ClassZone.com

Differentiating Instruction

Slower-paced Learners

Sentence Completion Some students may struggle with the questions in Activity 5. Go over the questions one at a time and provide a sentence starter for each question. Then ask students to fill in the missing information. For example, in question 1 you could write on the board: **En el Museo de los Metales Preciosos en La Paz, se guardan _____ .**

Pre-AP

Timed Answer Have students practice writing responses within a time limit. For example, give them two minutes to answer each item in Activity 5. This includes time taken to go back and verify information in the readings. After discussing the questions, let students take extra time to improve or polish their answers, knowing that in an assessment situation they might not have extra time.

✓ **Ongoing Assessment**
@HomeTutor
More Practice
ClassZone.com

Intervention and Remediation If a student has more than one mistake in any of the activities, direct him or her to the indicated review pages in the PE. Ask him/her to make up one or two questions for a friend to complete, checking the friend's work for accuracy.

Answers UTB 5 Transparency 27

Answers continued from p. 294.

Activity 2 Answers will vary. Sample answers:
1. Necesito gafas de sol para disfrutar del buen tiempo.
2. Llevo mi agenda electrónica para no olvidarme de las citas.
3. Tengo una computadora portátil para tomar apuntes.
4. Necesito un paraguas para protegerme.
5. Necesito una bolsa para viajar mañana.
6. Necesito una cartera para poner mi dinero.

Activity 3 Answers will vary. Sample answers:
1. Debemos imprimir la información antes de que vayamos a clase.
2. Vas a descargar las gráficas con tal de que tu computadora tenga bastante memoria.
3. Él se va a conectar a menos que el Internet no funcione.
4. Yo usaré el escáner en caso de que pierda la foto.
5. Ustedes nos enviarán los enlaces para que la búsqueda sea más fácil.
6. Tú y yo podemos crear un sitio web con tal de que no sea demasiado difícil.
7. Ya es de noche, pero tenemos que terminar el blog como sea.
8. Hay que descubrir la contraseña como sea.

Activity 4 Answers will vary. Sample answers:
1. No hay ningún banco que tenga cuentas de ahorro.
2. No hay ninguna librería que venda libros valiosos.
3. No hay ningún cibercafé que ofrezca servicio de Internet.
4. No hay ninguna computadora portátil que pese menos de una libra.
5. No hay ningún juego de computadoras que sea muy fácil.

Activity 5 Answers will vary. Sample answers:
1. Se guardan joyas y objetos preciosos de oro, plata y cobre que fueron hechos los varios grupos indígenas.
2. Los objetos de oro son muy valiosos y se guardan en una sección especial.
3. Las pinturas de Tigua representan la vida tradicional del pueblo de los Andes.
4. El pueblo de Tigua tiene una galería de pinturas y otras artesanías.

295

Lesson Overview

Culture at a Glance

Topic & Activity	Essential Question
La Plaza de Armas, pp. 296–297	¿Cuál es la importancia histórica y social de las plazas principales de una ciudad?
La música andina, p. 304	¿De qué manera la música puede reflejar una cultura?
Maravillas de Perú, p. 310	¿Qué nos dicen las ruinas antiguas sobre una cultura?
«Los incas ajedrecistas», por Ricardo Palma, pp. 314–317	¿Para qué sirven los juegos de mesa?
Culture review: Music and archaeological sites in the Andes, p. 321	¿Cómo es única la cultura andina?

Practice at a Glance

	Objective	Activity & Skill
Vocabulary	Relaxing and socializing	1: Speaking / Writing; 4: Reading / Speaking; 7: Speaking; 10: Reading / Writing; 13: Listening / Writing; Repaso 2: Speaking / Writing; Repaso 3: Speaking / Writing; Repaso inclusivo 2: Writing
	Entertainment, games, music, and movies	1: Speaking / Writing; 2: Speaking / Writing; 5: Speaking; 10: Reading / Writing; 14: Writing; 15: Speaking; Repaso 1: Listening; Repaso 2: Speaking / Writing; Repaso inclusivo 1: Listening / Speaking
	Meetings, discussions, and atmosphere	3: Speaking / Writing; 4: Reading / Speaking; 5: Speaking; 18: Reading / Listening / Speaking; Repaso 2: Speaking / Writing; Repaso 1: Listening; Repaso 2: Speaking / Writing; Repaso inclusivo 3: Speaking; Repaso inclusivo 4: Speaking; Repaso inclusivo 5: Speaking / Writing
Grammar	Qué and cuál	5: Speaking
	Conditional tense	6: Speaking / Writing; 7: Speaking; 8: Speaking / Writing; 9: Speaking; 10: Reading / Writing; 11: Speaking / Writing; 12: Reading / Writing; 17: Listening / Speaking / Writing; 19: Writing; Repaso 3: Speaking / Writing; Repaso inclusivo 1: Listening / Speaking; Repaso inclusivo 3: Speaking
	Reported Speech	13: Listening / Writing; 14: Writing; 15: Speaking; 16: Reading / Speaking / Writing; 17: Listening / Speaking / Writing; 18: Reading / Listening / Speaking; Repaso 4: Speaking / Writing
Communication	Say what would or would not happen	6: Speaking / Writing; 7: Speaking; 9: Speaking; 12: Reading / Writing; 19: Writing; Repaso inclusivo 3: Speaking
	Report what someone said and ask follow-up questions	15: Speaking; 18: Reading / Listening / Speaking; Repaso 4: Speaking / Writing
	Talk about the day's activities	2: Speaking / Writing; 18: Reading / Listening / Speaking; Repaso inclusivo 2: Writing
	Pronunciation: The letter p	*Pronunciación: La letra p*, p. 309: Listening / Speaking
Recycle	Computer vocabulary	6: Speaking / Writing
	Preterite	3: Speaking / Writing

The following presentations are recorded in the Audio Program for *¡Avancemos!*

- **¡A responder!** *p. 299*
- **13: El ocio** *p. 309*
- **18: Integración** *p. 313*
- **Repaso de la lección** *p. 320*
  - **1: Listen and understand**
- **Repaso inclusivo** *p. 326*
  - **1: Escucha, comprende y transmite**

¡A responder! TXT CD 10 track 2

1. intercambiar opiniones
2. charlar con amigos
3. jugar al ajedrez
4. asistir a una reunión
5. dormir una siesta
6. jugar a un juego de mesa
7. relatar las actividades del día
8. asistir a un espectáculo
9. escuchar música bailable
10. escuchar a los músicos callejeros

13 | El ocio TXT CD 10 track 5

¡Qué buen rato pasé ayer con la familia de Javier y Marta! Primero me encontré con Javier en el centro de la ciudad y visitamos el museo de antropología y arqueología. Antes de entrar, esperamos a Marta por media hora. Por fin, Javier la llamó. Ella dijo que se había confundido y nos estaba esperando en la ferretería, al lado del museo. Al poco rato llegó y entramos. Es un museo extraordinario. Sobre todo me interesaron los artefactos de Sipán. Entonces, cuando terminó la visita guiada, nos dimos cuenta de que Marta no estaba. Javier la volvió a llamar y ella le dijo que había caminado por un pasillo equivocado y estaba... ¡en la ferretería otra vez! La fuimos a buscar, y Javier y Marta me llevaron a su casa para comer. Su mamá es una cocinera excelente y nos preparó unas especialidades peruanas riquísimas. Después de comer, la señora decidió dormir la siesta y el señor se relajó leyendo un libro. Javier, Marta, su hermana Sonia y yo nos pusimos de acuerdo y jugamos varios partidos de naipes. Por la noche asistimos a un estreno de la orquesta de Lima. Al entrar, nos dimos cuenta de que Marta había desaparecido otra vez. Javier iba a llamarla, pero su hermana Sonia le dijo: ¿Para qué llamas? ¡Vamos a buscarla a la ferretería y nada más!

18 | Integración TXT CD 10 track 9

Fuente 2, Radio Comunidad

Estamos en la oficina del alcalde con un anuncio importante. La semana pasada se realizó en esta oficina una conferencia donde el alcalde y los representantes del comité para la belleza de la comunidad debatieron sobre el desarrollo de la zona del lago. En esa reunión no resolvieron el conflicto entre el turismo y la protección del medio ambiente. La nueva noticia es que hoy el alcalde hizo un anuncio muy sorprendente. Dijo que aprobaría la construcción de dos hoteles de lujo en el lago y un restaurante internacional en el medio del parque. Concluyó que era más importante atraer el turismo que dejar la zona sin desarrollar. Representantes de varios comités de la comunidad expresaron su sorpresa y desacuerdo. Rechazaron la resolución del alcalde y prometieron que organizarían una reunión pública para comentar el problema. Para Radio Comunidad, les informó Edgardo Martínez.

Repaso de la lección TXT CD 10 track 11

1 Listen and understand

Locutor: Y ahora, radioyentes, vamos a repasar otra vez los testimonios de nuestros tres finalistas del concurso. ¡Recuerden!, sólo Uds. deciden quién va a ganar el gran premio de 5.000.000 de bolivianos. ¿Cuál de los tres candidatos tiene el mejor plan para gastar todo ese dinero? ¿Qué candidato ganará el dinero? ¡Uds. lo decidirán! Primero, escuchemos el plan de Lucas Montoya, un músico callejero.

Lucas Montoya: Hola, me llamo Lucas Montoya. Soy músico y creo que la música es la cosa más importante del mundo... Como ganador del premio, compraría instrumentos musicales para todos los estudiantes de la escuela primaria de la ciudad y organizaría una gran orquesta estudiantil para tocar durante todos los días festivos. ¡Sería increíble!

Locutor: Y ahora, escuchemos lo que dijo la segunda candidata, Serafina Riquelme. Serafina es trabajadora social.

Serafina Riquelme: Mucho gusto, me llamo Serafina Riquelme. Yo usaría el dinero para resolver los problemas de la ciudad. Veo muchos problemas todos los días y tenemos que mejorar la situación. Daría conferencias, charlaría con la gente e intercambiaría opiniones con personas de todos los barrios. Personalmente, gastaría todo el dinero en proyectos que puedan mejorar nuestra manera de vivir.

Locutor: Y por último, ¿quieren saber lo que dijo la tercera candidata? Julieta Borges es una estudiante de décimo grado y dijo lo siguiente.

Julieta Borges: Hola a todos, soy Julieta Borges y tengo quince años. Con todo ese dinero daría una fiesta callejera tremenda para todos los residentes de la ciudad. Donaría mucha comida y muchos regalos y habría música bailable por una semana entera. ¡Sería bacán!

Locutor: Amigos oyentes. Ya escucharon el plan de cada uno. Ahora todo depende de ustedes. ¡Llamen a la estación para votar por su candidato preferido!

Repaso inclusivo TXT CD 10 track 13

1 Escucha, comprende y transmite

¡Hola! Ya estoy en Quito para la conferencia. Tenemos reuniones todos los días y algunas recepciones en las noches pero creo que voy a estar libre el sábado y el domingo. ¿Quieren encontrarse conmigo para hacer algo? Podemos comer en algún restaurante acogedor y charlar. Y después, ¿me pueden llevar al centro histórico? Me encantaría ver los monumentos y los edificios coloniales y visitar el museo. ¿Hay mucha música callejera en Quito? Siempre me gusta escuchar músicos nuevos. ¿Hay vendedores callejeros también? Tengo que comprar algunos regalos para la familia. Por la noche voy a invitarte a ti y a tu mamá al estreno de un espectáculo con música y baile. Los organizadores de la conferencia nos dijeron que sería bacán. Bueno, llámenme esta noche para confirmar. Chau.

Complete Resource List

On your desktop

Everything you need to ...

Plan

ONE-STOP PLANNER

All resources including audio and video

Present

POWER PRESENTATIONS

Ready-made PowerPoint™ presentations with

Animated Grammar

Assess

ONLINE ASSESSMENT SYSTEM

✓ Create customized tests with Examview Assessment Suite

✓ Individualized Assessment for on-level, modified, pre-AP, and heritage language learners

Print

Plan	Present	Practice	Assess
URB 5 • Video Scripts p. 52 • Family Involvement Activity p. 76 • Absent Student Copymasters pp. 85–95 **Lesson Plans** p. 101 **Best Practices Toolkit**	**URB 5** • Video Activities pp. 49–50 **TPRS** pp. 64–70	• *Cuaderno* pp. 220–245 • *Cuaderno para hispanohablantes* pp. 220–245 • *Lecturas para todos* pp. 60–65 • *Lecturas para hispanohablantes* • *¡AvanzaCómics! Mundos paralelos*, Episodio 2 **URB 5** • Practice Games pp. 37–44 • Audio Scripts pp. 58–64 • Fine Art Activities pp. 71–72	**URB 5** • Did you get it? Reteaching and Practice Copymasters pp. 12–22

Unit Transparency Book 5

Culture	Presentation and Practice	Classroom Management
• Atlas Maps UTB 1, 1–6 • Fine Art Transparencies 4, 5	• Vocabulary Transparencies 8, 9 • Grammar Presentation Transparencies 12, 13 • Situational Transparencies and label overlay 14, 15 • Situational Student Copymasters pp. 1–2	• Warm Up Transparencies 20–23 • Student Book Answer Transparencies 28–31

Audio and Video

Audio	Video
• Student Book Audio CD 10 Tracks 1–13 • Workbook Audio CD 3 Tracks 11–20 • Heritage Learners Audio CD 2 Tracks 5–8, CD 5 Tracks 7–18 • Assessment Audio CD 3 Tracks 7–18 • *Lecturas para todos* Audio CD 2 Track 2, CD 3 Tracks 1–5 • *Música del mundo hispano*	• *El Gran Desafío* DVD 3

Online (ClassZone.com) and Media Resources

Student	Teacher
Available online and on disc: • eEdition (DVD-ROM) and eEdition Interactive Online Student Edition • @HomeTutor (CD-ROM) - featuring Animated Grammar **Available online:** • Conjuguemos.com • Cultura interactiva • Culture Links • WebQuests • Flashcards • Review Games • Self-check Quiz	**One-Stop Planner (available online and on DVD-ROM):** • Interactive Teacher's Edition • All print resources • All audio and video resources • Learning Scenarios • Conversation cards • Assessment Program • Examview Assessment Suite • Calendar Planner • Rubric Generator **Available on CD-ROM:** • Power Presentations

✓ Differentiated Assessment

On-level	Modified	Pre-AP	Heritage Learners
• Vocabulary Recognition Quiz p. 233 • Vocabulary Production Quiz p. 234 • Grammar Quizzes pp. 235–236 • Culture Quiz p. 237 • On-level Lesson Test pp. 238–244 • On-level Unit Test pp. 250–256	• Modified Lesson Test pp. 182–188 • Modified Unit Test pp. 194–200	• Pre-AP Lesson Test pp. 182–188 • Pre-AP Unit Test pp. 194–200	• Heritage Learners Lesson Test pp. 188–194 • Heritage Learners Unit Test pp. 200–206

	Objectives/focus	Teach	Practice	Assess/HW Options
DAY 1	**Culture:** Learn about Andean culture **Vocabulary:** pastimes/hobbies, extracurricular activities • Warm Up OHT 20 **5 min**	Lesson Opener pp. 296–297 **Presentación de vocabulario pp. 298–299** • Read A–C • Play audio TXT CD 10 track 1 • *¡A responder!* TXT CD 10 track 2 **25 min**	Lesson Opener pp. 296–297 **Práctica de vocabulario p. 300** • Acts. 1, 2, 3 **15 min**	**Assess:** *Para y piensa* p. 300 **5 min** **Homework:** *Cuaderno* pp. 220–222 @HomeTutor
DAY 2	**Communication:** discuss past and future Model UN activities • Warm Up OHT 20 • Check Homework **5 min**	**Vocabulario en contexto pp. 301–302** • *Contexto 1* TXT CD 10 track 3 • *Nota gramatical:* qué and cuál **20 min**	**Vocabulario en contexto pp. 301–302** • Acts. 4, 5 **20 min**	**Assess:** *Para y piensa* p. 302 **5 min** **Homework:** *Cuaderno* pp. 220–222 @HomeTutor
DAY 3	**Grammar:** conditional tense • Warm Up OHT 21 • Check Homework **5 min**	**Presentación de gramática p. 303** • conditional tense **Práctica de gramática pp. 304–305** **Culture:** *La música andina* **20 min**	**Práctica de gramática pp. 304–305** • Acts. 6, 7, 8, 9 **20 min**	**Assess:** *Para y piensa* p. 305 **5 min** **Homework:** *Cuaderno* pp. 223–225 @HomeTutor
DAY 4	**Communication:** discuss recreational activities you look forward to • Warm Up OHT 21 • Check Homework **5 min**	**Gramática en contexto pp. 306–307** • *Contexto 2* TXT CD 10 track 4 **15 min**	**Gramática en contexto pp. 306–307** • Acts. 10, 11, 12 **25 min**	**Assess:** *Para y piensa* p. 307 **5 min** **Homework:** *Cuaderno* pp. 223–225 @HomeTutor
DAY 5	**Grammar:** reported speech • Warm Up OHT 22 • Check Homework **5 min**	**Presentación de gramática p. 308** • reported speech **Práctica de gramática pp. 309–310** • *Pronunciación:* TXT CD 10 track 6 **15 min**	**Práctica de gramática pp. 309–310** • Act. 13 TXT CD 10 track 5 • Acts. 14, 15, 16 **25 min**	**Assess:** *Para y piensa* p. 310 **5 min** **Homework:** *Cuaderno* pp. 226–228 @HomeTutor
DAY 6	**Communication:** Culmination: activities described by Gladys and her friends that interest you • Warm Up OHT 22 • Check Homework **5 min**	**Todo junto pp. 311–313** • *Contexto 3* TXT CD 10 track 7 **15 min**	**Todo junto pp. 311–313** • Acts. 17, 18 TXT CD 10 tracks 7, 8, 9 • Act. 19 **25 min**	**Assess:** *Para y piensa* p. 313 **5 min** **Homework:** *Cuaderno* pp. 229–230 @HomeTutor
DAY 7	**Reading:** *Los incas ajedrecistas* **Writing:** *Descripción de un viaje* **Review:** Lesson review • Warm Up OHT 23 • Check Homework **5 min**	**Lectura literaria pp. 314–317** • *Los incas ajedrecistas* • TXT CD 10 track 10 **Escritura p. 318** • *Descripción de un viaje* **Repaso de la lección pp. 320–321** **20 min**	**Lectura literaria pp. 314–317** • *Los incas ajedrecistas* **Escritura p. 318** • *Descripción de un viaje* **Repaso de la lección pp. 320–321** • Act. 1 TXT CD 10 track 11 • Acts. 2, 3, 4, 5 **20 min**	**Assess:** *Para y piensa* p. 317 **5 min** *Repaso de la lección* **Homework:** *En resumen* p. 319; *Cuaderno* pp. 231–242 Review Games Online @HomeTutor
DAY 8	**Assessment**			**Assess:** Lesson 2 or Unit 5 Test **50 min**
DAY 9	**Unit culmination**	**Comparación cultural pp. 322–323** • TXT CD 10 track 12 **El Gran Desafío pp. 324–325** • Show video DVD 3 **Repaso inclusivo pp. 326–327** **20 min**	**Comparación cultural pp. 322–323** **El Gran Desafío pp. 324–325** **Repaso inclusivo pp. 326–327** • Act. 1 TXT CD 10 track 13 • Acts. 2, 3, 4, 5, 6, 7 **25 min**	**Assess:** *Cuaderno* pp. 243–245 **5 min**

	Objectives/focus	Teach	Practice	Assess/HW Options
DAY 1	**Culture:** Learn about Andean culture **Vocabulary:** pastimes/hobbies, extracurricular activities • Warm Up OHT 20 **5 min**	Lesson Opener pp. 296–297 **Presentación de vocabulario** pp. 298–299 • Read A–C • Play audio TXT CD 10 track 1 • *¡A responder!* TXT CD 10 track 2 **15 min**	Lesson Opener pp. 296–297 **Práctica de vocabulario** p. 300 • Acts. 1, 2, 3 **20 min**	**Assess:** *Para y piensa* p. 300 **5 min**
	Communication: discuss past & future Model UN activities **5 min**	**Vocabulario en contexto** pp. 301–302 • *Contexto 1* TXT CD 10 track 3 • *Nota gramatical:* **qué** and **cuál** **15 min**	**Vocabulario en contexto** pp. 301–302 • Acts. 4, 5 **20 min**	**Assess:** *Para y piensa* p. 302 **5 min** **Homework:** *Cuaderno* pp. 220–222 @HomeTutor
DAY 2	**Grammar:** conditional tense • Warm Up OHT 21 • Check Homework **5 min**	**Presentación de gramática** p. 303 • conditional tense **Práctica de gramática** pp. 304–305 **Culture:** *La música andina* **15 min**	**Práctica de gramática** pp. 304–305 • Acts. 6, 7, 8, 9 **20 min**	**Assess:** *Para y piensa* p. 305 **5 min**
	Communication: discuss recreational activities you look forward to **5 min**	**Gramática en contexto** pp. 306–307 • *Contexto 2* TXT CD 10 track 4 **15 min**	**Gramática en contexto** pp. 306–307 • Acts. 10, 11, 12 **20 min**	**Assess:** *Para y piensa* p. 307 **5 min** **Homework:** *Cuaderno* pp. 223–225 @HomeTutor
DAY 3	**Grammar:** reported speech • Warm Up OHT 22 • Check Homework **5 min**	**Presentación de gramática** p. 308 • reported speech **Práctica de gramática** pp. 309–310 • *Pronunciación:* TXT CD 10 track 6 **15 min**	**Práctica de gramática** pp. 309–310 • Act. 13 TXT CD 10 track 5 • Acts. 14, 15, 16 **20 min**	**Assess:** *Para y piensa* p. 310 **5 min**
	Communication: Culmination: activities described by Gladys and her friends that interest you **5 min**	**Todo junto** pp. 311–313 • *Contexto 3* TXT CD 10 track 7 **15 min**	**Todo junto** pp. 311–313 • Acts. 17, 18 TXT CD 10 tracks 7, 8, 9 • Act. 19 **20 min**	**Assess:** *Para y piensa* p. 313 **5 min** **Homework:** *Cuaderno* pp. 226–230 @HomeTutor
DAY 4	**Reading:** *Los incas ajedrecistas* **Writing:** *Descripción de un viaje* • Warm Up OHT 23 • Check Homework **5 min**	**Lectura literaria** pp. 314–317 • *Los incas ajedrecistas* • TXT CD 10 track 10 **Escritura** p. 318 • *Descripción de un viaje* **15 min**	**Lectura literaria** pp. 314–317 • *Los incas ajedrecistas* **Escritura** p. 318 • *Descripción de un viaje* **20 min**	**Assess:** *Para y piensa* p. 317 **5 min**
	Review: Lesson review **5 min**	**Repaso de la lección** pp. 320–321 **15 min**	**Repaso de la lección** pp. 320–321 • Act. 1 TXT CD 10 track 11 • Acts. 2, 3, 4, 5 **20 min**	**Assess:** *Repaso de la lección* **5 min** **Homework:** *En resumen* p. 319; *Cuaderno* pp. 231–242 (optional) Review Games Online @HomeTutor
DAY 5	**Assessment**			**Assess:** Lesson 2 or Unit 5 test **45 min**
	Unit culmination	**Comparación cultural** pp. 322–323 • TXT CD 10 track 12 **El Gran Desafío** pp. 324–325 • Show video DVD 3 **Repaso inclusivo** pp. 326–327 **15 min**	**Comparación cultural** pp. 322–323 **El Gran Desafío** pp. 324–325 **Repaso inclusivo** pp. 326–327 • Act. 1 TXT CD 10 track 13 • Acts. 2, 3, 4, 5, 6, 7 **25 min**	**Assess:** *Cuaderno* pp. 243–245 **5 min**

¡AVANZA! **Objectives**
- Introduce lesson theme: **Nuevos amigos, nuevas oportunidades**
- Culture: **la Plaza de Armas**

Presentation Strategies
- Have students predict what topics might be included in the lesson.
- Ask students questions using the preterite and computer vocabulary, such as **¿Imprimiste algo ayer?**

STANDARD
2.1 Practices and perspectives

Warm Up   UTB 5 Transparency 20

Turista Completa las preguntas de un turista con el subjuntivo del verbo indicado.
1. ¿Hay un banco que me _____ (cambiar) los dólares?
2. ¿Hay una tienda que _____ (vender) agua?
3. ¿Hay un restaurante que _____ (servir) buen café?
4. ¿Hay un hotel que _____ (aceptar) tarjetas de crédito?
5. ¿Hay alguien que me _____ (ayudar)?

Answers: 1. cambie; 2. venda; 3. sirva; 4. acepte; 5. ayude

Comparación cultural

Exploring the Theme
Ask the following:
1. ¿Dónde están los estudiantes?
2. ¿Crees que son de la escuela primaria, secundaria o la universidad? ¿Por qué?
3. ¿Cuáles son algunas de las oportunidades que tienen los estudiantes, en general?

¿Qué ves? Possible answers:
- Los estudiantes tienen pelo castaño.
- Se visten con jeans y camisas cómodas.
- Se sienta en bancos, camina y se relaja.
- Se ven bancos de piedra, árboles y una bicicleta.

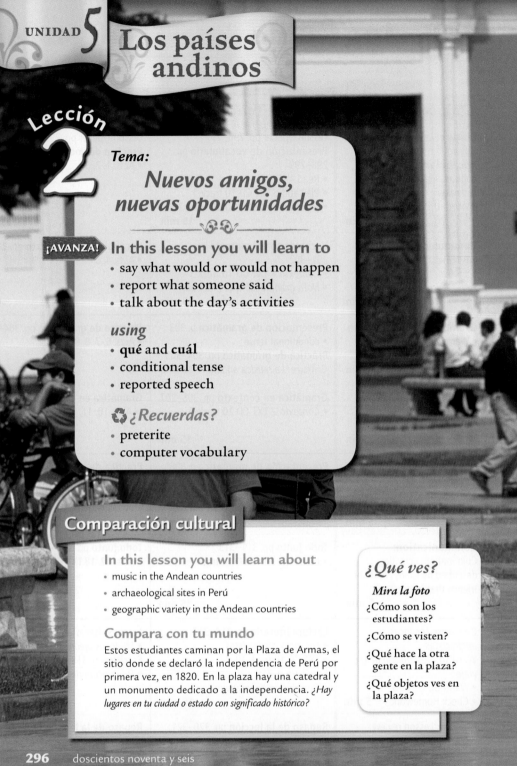

UNIDAD **5**
Los países andinos

Lección 2

Tema:
Nuevos amigos, nuevas oportunidades

¡AVANZA! **In this lesson you will learn to**
- say what would or would not happen
- report what someone said
- talk about the day's activities

using
- **qué** and **cuál**
- conditional tense
- reported speech

¿Recuerdas?
- preterite
- computer vocabulary

Comparación cultural

In this lesson you will learn about
- music in the Andean countries
- archaeological sites in Perú
- geographic variety in the Andean countries

Compara con tu mundo
Estos estudiantes caminan por la Plaza de Armas, el sitio donde se declaró la independencia de Perú por primera vez, en 1820. En la plaza hay una catedral y un monumento dedicado a la independencia. *¿Hay lugares en tu ciudad o estado con significado histórico?*

¿Qué ves?
Mira la foto
¿Cómo son los estudiantes?
¿Cómo se visten?
¿Qué hace la otra gente en la plaza?
¿Qué objetos ves en la plaza?

296   doscientos noventa y seis

Differentiating Instruction

Pre-AP

Expand and Elaborate Encourage students to give further details about the historical site(s) they mention in response to Compara con tu mundo. Have them provide as much detail as possible about the location(s). You may also have students do additional research and report further details in class the next day.

English Learners

Build Background Have students from other countries say whether they have similar plazas in their city of origin. Do people do similar activities there to those pictured in the photo?

Online SPANISH CLASSZONE.COM

Featuring...
Cultura INTERACTIVA
Animated Grammar
@HomeTutor

And more...
• Get Help Online
• Interactive Flashcards
• Review Games
• WebQuest
• Conjuguemos.com

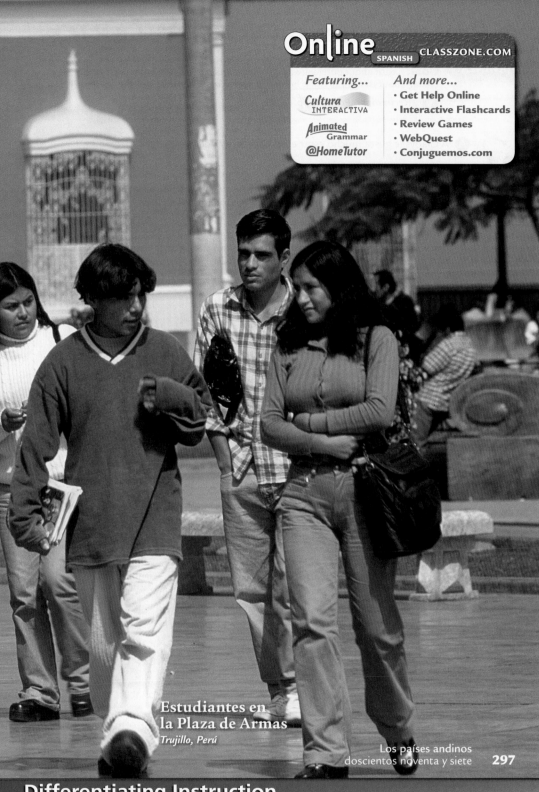

Estudiantes en
la Plaza de Armas
Trujillo, Perú

Los países andinos
doscientos noventa y siete   **297**

Online SPANISH CLASSZONE.COM

Animated Grammar This entertaining animated tutor helps students learn Spanish grammar in a fun and lively way. Verbs are conjugated before students' eyes, and direct and indirect object pronouns pop into place! Animated characters walk students through every explanation, adding a special zing to Spanish grammar that students won't forget!

Featuring...
Cultura INTERACTIVA
Animated Grammar
@HomeTutor

And more...
• **Get Help Online**
• **Interactive Flashcards**
• **Review Games**
• **WebQuest**
• **Conjuguemos.com**

Using the Photo

Location Information

Trujillo is the third oldest city in Peru, founded in the 1530s by the Spanish. Today it thrives as a commercial center with access to the Pan-American Highway, the Pacific Coast (by rail, through the port city of Salaverry), and the sugarcane and rice producers of the Río Moche Valley.

Expanded Information

Tourism Tourists enjoy visiting the city of Trujillo as well as nearby beach resorts, such as Huanchaco, where surfing and seafood are two major attractions. Just four miles west of Trujillo are the Chan Chan ruins, a twenty-square-mile adobe complex created by an empire that predates the Incas, known as the Chimú.

Connections

Science

Trujillo, known as the City of Eternal Spring due to its year-round mild climate, hosts a Spring festival in October. Discuss with students how seasons are "reversed" in the Southern Hemisphere. Determine when summer, fall, and winter would begin in Peru.

Differentiating Instruction

Multiple Intelligences

Visual Learners Find a picture of the Monumento de la Libertad, which dominates the Plaza de Armas, on the Internet or in a travel book. Share it with students and ask them how they see freedom symbolized by either the central, winged figure, or the other people and shapes it depicts.

Heritage Language Learners

Regional Variations Ask if anyone is familiar with a Plaza de Armas in another city. Explain that this is a name almost as common for a central square as **plaza mayor.** In fact, sometimes they're interchangeable; the Plaza de Armas in Trujillo is sometimes called Plaza Mayor.

Unidad 5 Lección 2
VOCABULARIO

¡AVANZA! Objective
- Present vocabulary: leisure activities

Core Resource
- Audio Program: TXT CD 10 Tracks 1, 2

Presentation Strategies
- Draw attention to the photos in the text.
- Read the text as a class before beginning audio or video.
- Ask students to describe a favorite feature of their home or neighborhood.

STANDARD
1.2 Understand language

Comparisons
English Language Connection

Remind students that in Spanish, as in English, **el club** can refer either to a physical place or to a group or association. Ask them to consider which kind of **club** the speaker is talking about under sections A and B as they read and listen. How do they know?

Communication

TPR Activity

Review new vocabulary as well as the preterite tense by surveying the class regarding their activities last weekend. Instruct them to stand if you say something that they did, and to sit if they did not do the stated activity. (For example, **Jugué a los naipes.**)

298

Presentación de VOCABULARIO

¡AVANZA! **Goal:** Learn about different ways to relax and socialize. Then practice by talking about things you do at home and with friends. *Actividades 1–3*

♻ *¿Recuerdas?* Preterite pp. 37, 42

 A A Gladys le gusta mucho estar en **el club** de estudiantes.

B El club de estudiantes es muy **cómodo** y **acogedor**. Aquí puedo hacer muchas cosas como **relajarme** o **dormir una siesta**, **asistir a las reuniones** del club de **actuación**, o **encontrarme** con mis amigos en nuestros ratos de **ocio** para **charlar**, **comentar** las noticias, **intercambiar opiniones** o jugar a **las damas** u otros **pasatiempos**. Lo que más me gusta es **el ambiente informal** del lugar y que puedo **pasar un buen rato** lejos del **ruido** de la calle. Además, en la recepción hay un mural donde me puedo informar sobre todas las actividades o hacer la planificación de **un encuentro** cultural. ¡Me gusta mucho estar aquí!

el ajedrez

las fichas

los naipes

los juegos de mesa

C También hay mucho que hacer en el barrio, cerca del club.

 los clubes con música bailable

 el vendedor ambulante

 los músicos callejeros

298 Unidad 5 Los países andinos
doscientos noventa y ocho

Differentiating Instruction

Slower-paced Learners

Personalize It Students may not be familiar with a place like the **club de estudiantes** that Gladys frequents. Ask students where they go to do the listed activities. For example, **¿Adónde vas para dormir una siesta?** Focus on the content, rather than the form, of their responses, since the day's goal is vocabulary recognition.

English Learners

Increase Interaction When discussing **juegos de mesa,** bring in examples of some of the most popular board games that students enjoy. These are often good tools for English learners which they may not be aware of. Moreover, knowledge of the games' names and how they work will help students to participate more meaningfully in class.

Más vocabulario

asistir a un espectáculo *to attend a show*	los dados *dice*	la orquesta *orchestra*
el billar *billiards*	formal *formal*	relatar *to relate, to tell*
concluir *to conclude, to finish*	el grupo musical *music group*	la resolución *resolution*
	la manta *blanket*	*Expansión de vocabulario* p. R11
		Ya sabes p. R11

MURAL DEL CLUB

Inscríbase en la recepción. Está después de pasar la entrada, a la derecha. Podrá disfrutar de todas las actividades que ofrecemos.

¿Necesita relajarse, escapar del ruido y los sonidos molestos de la ciudad y poder dormir una siesta en paz?

De lunes a sábado,
3–5 p.m.,
clases de relajación y yoga.

¡PARTICIPA EN NUESTRO CLUB DE DEBATES!
¡DEBÁTELO TODO!

Aquí puedes discutir sobre los temas que quieras. ¡Desde el estreno de la última película hasta cómo resolver los problemas del medio ambiente!

¡Todos los viernes a las 5:30 p.m.!

¡A responder! Escuchar

Escucha la lista de actividades. Si la actividad es algo que puedes hacer en Internet, levanta la mano derecha. Si es algo que sólo puedes hacer en persona, levanta la mano izquierda.

@HomeTutor
Interactive Flashcards
ClassZone.com

Lección 2
doscientos noventa y nueve   **299**

Differentiating Instruction

Pre-AP

Support Ideas with Details Allow students to have differences of opinion regarding what can be done on the Internet (under ¡A responder!). Request that they explain any answers which vary from popular opinion.

Multiple Intelligences

Musical/Rhythmic To illustrate the difference between **música bailable** y **música no bailable,** prerecord a number of music samples (just twenty seconds of each: classical, country, pop, salsa, flamenco, Gregorian chant, etc.). Have students listen and place each piece in one of the two categories. Do different people have different perceptions of **bailable?**

Long-term Retention
Interest Inventory

Have students decide which activities would be most important to provide for if their school were to open a **club de estudiantes.** Group students according to their first priority (i.e. **el billar, los naipes**) and have them draw up a design for the room which caters to their activity preference.

Communication
Common Error Alert

Remind students that even when the verb is in the infinitive, the reflexive pronoun should match whoever is doing the action. For example: **Quiero relajarme.**

Answers UTB 5 Transparency 28

¡A responder! Audio Script, TE p. 295B

Answers: Students should have thumbs up for numbers 1, 2, 3, 6, 7, 9 and thumbs down for numbers 4, 5, 8, 10.

299

Objective
· Practice vocabulary: leisure activities

Core Resource
· *Cuaderno*, pp. 220–222

Practice Sequence
· **Activity 1:** Vocabulary recognition: relaxing and socializing
· **Activity 2:** Vocabulary production: leisure activities
· **Activity 3:** Vocabulary production: conference activities

STANDARDS
1.2 Understand language, Act. 1, 3
1.3 Present information, Act. 1, 2, 3

Long-term Retention
Critical Thinking

Vary Activity 2 by having students apply each question to different people they know: **padres, abuelos, maestros,** etc.

Ongoing Assessment
@HomeTutor
More Practice
ClassZone.com

Peer Assessment Have students go over their Para y piensa answers with a partner. For additional practice, use Reteaching and Practice Copymasters URB 5, pp. 12, 13, 22.

Answers UTB 5 Transparency 28

Activity 1
  1. Correcto; 2. Correcto; 3. Incorrecto;
  4. Correcto; 5. Incorrecto.

Activity 2 Answers will vary. Sample answers:
  1. Bailo de vez en cuando.
  2. Juego a los naipes a menudo.
  3. Muchas veces veo una película.
  4. Nunca juego a las damas.
  5. No veo a estrenos mucho.
  6. Escucho música todos los días.

Answers continue on p. 301.

300

Práctica de **VOCABULARIO**

1 | ¿Tiene sentido?

Hablar
Escribir

Lee las oraciones y di si las palabras del vocabulario se usan correctamente.

> **modelo:** Mis amigos y yo charlamos sin decir una palabra.
> Incorrecto.

  1. El grupo musical tocó en el auditorio de la escuela.
  2. Julián estaba tan cansado que durmió una siesta.
  3. Para jugar al billar se necesitan tres dados.
  4. Diana comenta sus problemas con la maestra.
  5. La música bailable sólo sirve para relajarse.

Expansión:
Teacher Edition Only
Pídales a los estudiantes que cambien las oraciones incorrectas para que tengan sentido.

2 | ¡A pasar un buen rato!

Hablar
Escribir

Di si haces estas actividades en tu tiempo de ocio o no.

> **modelo:** jugar al ajedrez: Nunca juego al ajedrez.

  1. bailar
  2. jugar a los naipes
  3. ver una película
  4. jugar a las damas
  5. ir a estrenos
  6. escuchar música

Expansión
Menciona tres pasatiempos más del vocabulario y explica por qué te gustan o no.

3 | ¿Qué pasó en la conferencia? ¿*Recuerdas?* Preterite pp. 37, 42

Hablar
Escribir

Para saber lo que ocurrió ayer en la conferencia, cambia el verbo al pretérito y escoge la palabra correcta de las que están entre paréntesis.

> **modelo:** nosotros / asistir / (a la conferencia / al ajedrez / a la orquesta)
> Nosotros asistimos a la conferencia.

  1. yo / participar en / (el ocio / el encuentro cultural / el ruido)
  2. los invitados / intercambiar / (naipes / opiniones / mantas)
  3. nosotros / asistir a / (las damas / el espectáculo / la ficha)
  4. Ana / presentar / (una resolución / una siesta / los dados) apropiada
  5. ustedes / escuchar / (un grupo musical / un billar / una actuación)
  6. el vendedor ambulante / ser / muy (informal / acogedor / cómodo)

Expansión:
Teacher Edition Only
Pídales a los estudiantes que hagan oraciones en pretérito usando las siguientes palabras: el ocio, naipes, acogedor, el billar, las damas.

Más práctica   Cuaderno *pp. 220–222*   Cuaderno para hispanohablantes *pp. 220–223*

PARA Y PIENSA

¿Comprendiste? Contesta con una palabra o frase.
  1. ¿Qué juego de mesa te hace pensar mucho?
  2. ¿Cómo se llama un conjunto con muchos músicos?
  3. Si quieres informarte sobre un tema en especial, ¿adónde vas?

Get Help Online
ClassZone.com

300
Unidad 5 Los países andinos
trescientos

Differentiating Instruction

Inclusion

Multisensory Input/Output As you go over answers in Activity 1, instruct students to pay attention to the tense of each sentence. Have them point their thumb backward (toward themselves) to indicate past tense, and point their index finger forward to indicate present tense.

Heritage Language Learners

Writing Skills Make Activity 3 more challenging for native speakers by having them turn each statement into a question, with the necessary changes in punctuation and word order. Remind them to read each of their responses to themselves to see if they "sound right."

VOCABULARIO en contexto

¡AVANZA! **Goal:** Learn about the first day of the Model UN Conference as you read Gladys' blog. Then discuss the activities already completed as well as those still to come. *Actividades 4–5*

Contexto 1 *Blog*

ESTRATEGIA Leer

Write down the schedule To help you understand Gladys' email, write down her schedule of events at the model United Nations Conference. Include every event she mentions, as well as where the event takes place and whom she meets at the event. Don't worry about not knowing exact hours.

Por la mañana	Por la tarde

Primer día del programa

AUDIO

Gladys Belgrano es una joven peruana que está participando en una conferencia de la Organización de las Naciones Unidas (ONU) en Lima. Cada noche, Gladys escribe en su blog para describir qué pasó durante el día.

○○○   @ Blog de Gladys

BLOG DE GLADYS

Sobre el blog

Aquí escribo mis experiencias en la escuela y en otras actividades relacionadas con mi educación. Todas las noches escribo cosas nuevas para que todos sepan qué ocurrió en mi día de actividad.

Enlaces

Archivos

Más fotos

Escribe tus comentarios AQUÍ

CONFERENCIA DE LA ONU EN LIMA
Publicado el 12 de marzo

Participo en una conferencia estudiantil de la ONU. Ya se acabó el primer día del programa. Y ahora estoy relajándome en mi habitación antes de encontrarme con un grupo de gente para salir. ¡Qué día más interesante! Anoche fui a una recepción de bienvenida y conocí, en persona, a los dos estudiantes que conocía del salón de charlas: Raúl y Sofía. Son muy amables, aunque Raúl es un poco desorganizado. Pasé un buen rato charlando con los otros delegados y después... ¡a la cama! Estaba cansadísima.

Hoy asistí a varias reuniones con mi grupo, el de los países andinos. Participamos en unas actividades de grupo y luego intercambiamos opiniones y debatimos varios temas. Mañana participaremos en un encuentro con los delegados del Cono Sur, para resolver un problema económico y presentar nuestras conclusiones. Mucho trabajo, pero súper interesante.   4 comentarios

UN POCO DE DESCANSO
Publicado el 12 de marzo

Dormiré una siesta antes de reunirme con el grupo. Iremos a un salón de baile para estudiantes. También vamos a planear una excursión a Cuzco o a Trujillo. Aquí pueden ver unas fotos con mis compañeros de la conferencia. Mañana publicaré detalles sobre nuestra salida y más información sobre la conferencia.   1 comentario

Lección 2
trescientos uno   **301**

Differentiating Instruction

Pre-AP

Sequence Information Call on students to summarize what they read in Gladys's blog according to the notes that they took. Then have them ask a partner questions about when Gladys did certain activities (**¿Cuándo durmió una siesta?**) and answer using **antes de** or **después de. (Durmió una siesta antes de salir para bailar.)**

Slower-paced Learners

Yes/No Questions Ask yes/no questions to gauge and foster understanding: **¿Está la conferencia en Nueva York? ¿Piensa Gladys que la conferencia es aburrida? ¿Conocía Gladys a unos estudiantes antes de la conferencia?** Allow other volunteers to elaborate on questions and answers.

¡AVANZA! **Objetivos**

Objectives

- Understand lesson vocabulary in context.
- Read and talk about a student's experience at a model UN conference

Core Resource

- Audio Program: TXT CD 10 Track 3

Presentation Strategies

- Discuss what a blog (Web log) is, drawing on students' collective understanding.
- Encourage students to apply the reading strategy to aid understanding.
- Check for comprehension with yes/no questions

 STANDARD

1.2 Understand language

 Warm Up UTB 5 Transparency 20

Decide si estas actividades son ocio (**O**) o trabajo (**T**).

1. asistir a un espectáculo
2. reunirse con el jefe
3. pasar un rato con los compañeros después del trabajo
4. resolver problemas
5. jugar a las damas o al ajedrez

Answers: 1. O; 2. T; 3. O; 4. T; 5. O

Long-term Retention

♻ **Recycle**

Gladys's blog includes a link entitled **más fotos.** Have students work in groups to create "photos" (these can be stick figure drawings) and a corresponding set of captions, written in the preterite, to fill out this section of Gladys's website.

 Answers UTB 5 Transparency 28

Answers continued from p. 300.

Activity 3
1. Yo participé en el encuentro cultural.
2. Los invitados intercambiaron opiniones.
3. Nosotros asistimos al espectáculo.
4. Ana presentó una resolución apropiada.
5. Ustedes escucharon a un grupo musical.
6. El vendedor ambulante fue muy informal.

Para y piensa Answers will vary. Sample answers:
1. el ajedrez; 2. una orquesta; 3. a la biblioteca o en Internet

Objetives

· Talk about meetings and leisure at a conference.
· Use **¿qué?** and **¿cuál?** correctly.

Practice Sequence

· **Activity 4:** Transitional practice: Contexto 1 comprehension
· **Activity 5:** Transitional practice: **qué** and **cuál**

✪ STANDARDS

1.1 Engage in conversation, Act. 5
1.2 Understand language, Act. 4
1.3 Present information, Act. 4

Connections

Geography

Teaching with Maps Gladys's blog refers to delegates from two regions of South America: **los países andinos** and **el Cono Sur.** Identify the areas on a map and ask students why they have these names.

✓ Ongoing Assessment

@HomeTutor
More Practice
ClassZone.com

PARA Y PIENSA

Alternative Strategy Have students present the activities under Para y piensa as a chart, with the heads **Actividades de ocio** and **Actividades de la conferencia.** For additional practice, see Reteaching & Practice Copymasters URB 5, pp. 12, 14.

📣 Answers UTB 5 Transparency 28

Activity 4 Answers may vary. Sample answers:
1. ...relajándose en su habitación; **2.** ...Raúl y Sofía; **3.** ...varias reuniones con su grupo; **4.** ...participar en un encuentro; **5.** ...resolver un problema económico; **6.** ...dormir una siesta antes de salir.

Activity 5
1. ¿Cuáles son las fichas de ajedrez?
2. ¿Qué es un estreno?
3. ¿Qué música te gusta más?
4. ¿Cuál de estos dos restaurantes prefieres?
5. ¿Qué es una charla?
6. ¿Cuál es la orquesta del director Jaime Serra?
7. ¿Qué necesito hacer?

Answers continue on p. 303.

302

---

4 | Comprensión del blog

Leer
Hablar

Completa las oraciones sobre la lectura con la información correcta.

1. Mientras escribe, Gladys está...
2. Gladys conoció a...
3. Hoy, Gladys participó en...
4. Mañana el grupo de Gladys va a...
5. Los dos grupos van a...
6. Ahora Gladys quiere...

Expansión:
Teacher Edition Only
Pídales a los estudiantes que categoricen cada actividad como interesante o no muy interesante.

Nota gramatical

Qué and cuál

Both **qué** and **cuál** can mean *what* in English. **Cuál** can also mean *which.*

¿**Qué** juego vamos a jugar hoy?
What game are we going to play today?

¿**Cuál** de estas tres fichas prefieres?
Which of these three game pieces do you prefer?

Use **qué** if you want someone to *define* or *describe* something. Use **cuál** if you want someone to *select* or to *identify* something.

¿**Qué** tipo de juego es popular en Bolivia?
What type of game is popular in Bolivia?

¿**Cuál** es el nombre de tu juego favorito?
What is the name of your favorite game?

5 | Haz la pregunta

Hablar

Léele las siguientes respuestas a un(a) compañero(a) y él (ella) dirá la pregunta usando **qué** o **cuál(es).**

A El ajedrez es un juego de mesa.

B ¿Qué es el ajedrez?

1. Las fichas del ajedrez son: el rey, la reina, la torre, el caballo, el peón y el alfil.
2. Un estreno es la primera vez que se presenta una película o una obra.
3. La música que más me gusta es la música bailable.
4. De estos dos restaurantes, prefiero el restaurante formal.
5. Una charla es una conversación informal.
6. La orquesta del director Jaime Serra se llama Orquesta Serra.
7. Necesito dormir una siesta para relajarme.

Expansión:
Teacher Edition Only
Pídales a los estudiantes que escriban dos preguntas que usen qué y dos que usen cuál, para que un(a) compañero(a) las conteste.

PARA Y PIENSA

¿Comprendiste? Haz una lista de las actividades que Gladys menciona en su blog.
1. ¿Cuántas de estas actividades son para las horas de ocio?
2. ¿Cuántas se relacionan con las sesiones de la conferencia?

Get Help Online
ClassZone.com

302 Unidad 5 Los países andinos
trescientos dos

Differentiating Instruction

Inclusion

Metacognitive Support Photocopy the blog (or make a transparency and project it onto a white board) and give students highlighters or dry-erase markers in three colors. Have them underline sentences in the past in one color, the present in another, and sentences in the future in a third color.

Heritage Language Learners

Regional Variations Assure native speakers that if their own dialect of Spanish uses **qué** more and **cuál** less (or vice-versa), there is no cause for worry. There are many variations in this area. Asking the time, for example, can be asked **¿Qué hora es?** or just as easily **¿Cuál es la hora?** Students should practice using different forms until they become more comfortable.

✳ Presentación de GRAMÁTICA

¡AVANZA! **Goal:** Learn about the formation and use of the conditional tense. Then talk about things that you would or would not do. *Actividades 6–9*

♻ *¿Recuerdas?* Computer vocabulary pp. 272–273

English Grammar Connection: In English, you form the conditional by placing *would* before the main verb. In Spanish, the **conditional** is one word.

I **would bring** a blanket.   Yo **llevaría** una manta.

Conditional Tense

Animated Grammar ClassZone.com

To say what someone *would* or *wouldn't* do, use the **conditional** tense.

Here's how: All verbs, whether they end in **-ar, -er,** or **-ir,** have the same endings in the **conditional.** Add the endings directly to the **infinitive** of regular verbs.

Infinitive		conditional endings	
llevar		-ía	-íamos
resolver	+	-ías	-íais
discutir		-ía	-ían

Angélica **discutiría** la situación y **resolvería** el problema con nuestra ayuda.
*Angélica **would discuss** the situation and **she would resolve** the problem with our help.*

Verbs that are irregular in the future tense have the same irregular stem in the **conditional.** You still use the regular conditional endings.

Infinitive	Stem	Infinitive	Stem	Infinitive	Stem
haber	habr-	poner	pondr-	decir	dir-
poder	podr-	salir	saldr-	hacer	har-
querer	querr-	tener	tendr-		
saber	sabr-	venir	vendr-		

Yo **pondría** el escáner aquí. Así lo **tendríamos** al lado de la computadora.
*I **would put** the scanner here. That way **we would have** it next to the computer.*

Más práctica
Cuaderno *pp. 223–225*
Cuaderno para hispanohablantes *pp. 224–226*

🔄 Conjuguemos.com   @HomeTutor
Leveled Practice
ClassZone.com

Lección 2
trescientos tres **303**

Differentiating Instruction

Multiple Intelligences

Visual Learners Have students make flash cards to learn the conditional. If any students have saved a set of cards from when they learned the future, allow them to be reused by providing correction tape and showing students how to blank out the future endings and replace them with the conditional.

English Learners

Build Background Ask English learners how "would" is expressed in their native language. If there is a conditional tense or an equivalent lexical signal, have the student share it with the class, and especially with other English learners. If there is not, be aware that the concept may be especially difficult for these students.

¡AVANZA! **Objective**
· Present the conditional tense.

Core Resource
· *Cuaderno*, pp. 223–225

Presentation Strategies
· Ask students to read the English Grammar Connection and paraphrase it.
· Use humor in a positive manner and tailor examples to the class: **Pedro no discutiría, como no le gusta conflicto, ¿verdad?**

 STANDARD
4.1 Compare languages

🔬 **Warm Up** UTB 5 Transparency 21

Organiza los siguientes eventos en orden cronológico, según el blog de Gladys.
  a. Los jóvenes salieron para bailar después de descansar un poco.
  b. Gladys llegó a la conferencia ONU.
  c. El grupo de Gladys debatió varios temas.
  d. Conoció a Raúl y Sofía en una recepción de bienvenida.
  e. El grupo de los países andinos y el grupo del Cono Sur tuvieron un encuentro.

Answers: 1. b; 2. d; 3. c; 4. a; 5. e

Comparisons
English Grammar Connection

In English, the future and the conditional are both regular and are formed by inserting *will* or *would* before the infinitive. In Spanish, they are also related: they share the same stems, including irregulars.

 Answers UTB 5 Transparency 28

Answers continued from p. 302.
Para y piensa
  1. Siete de las actividades son para las horas de ocio. (relajarse, encontrarse con un grupo de gente para salir, hablar en el salón de charlas, dormir una siesta, reunirse con el grupo, ir a un salón de baile, planear una excursión)
  2. Siete de las actividades se relacionan con las sesiones de la conferencia. (ir a una recepción de bienvenida, charlar con otros delegados, asistir a varias reuniones, participar en unas actividades de grupo, intercambiar opiniones, debatir varios temas, participar en un encuentro)

303

Objectives
· Practice using the conditional tense
· Recycle: computer vocabulary
· **Culture:** Andean music

Objectives
· Practice using the conditional tense
· Recycle: computer vocabulary
· **Culture:** Andean music

Core Resource
· *Cuaderno,* pp. 223–225

Practice Sequence
· **Activities 6 and 7:** Controlled practice: conditional tense; Recycle: computer vocabulary
· **Activities 7 and 8:** Transitional practice: conditional tense
· **Activity 9:** Open-ended practice: conditional tense

STANDARDS
1.1 Engage in conversation, Act. 7, 9
1.3 Present information, Act. 6, 8
2.2 Products and perspectives, CC
4.2 Compare cultures, CC

Comparación cultural

Essential Question
Suggested Answer La música de las culturas sirve como una expresión de la experiencia colectiva de las personas.

Background Information
La zampoña, similar to the panpipe, has a distinctive shape and sound. It is played by blowing over holes in its surface, but it looks very different from other flutes because of its many narrow, wooden cylinders, arranged in height order. The musician elicits different tones from the **zampoña** by moving it back and forth, like a harmonica, in front of his or her mouth.

 Answers UTB 5 Transparency 29

Activity 6
1. Haría una búsqueda.; **2.** Miraría los enlaces.; **3.** Exploraría varios sitios web.; **4.** Descargaría páginas buenas.; **5.** Buscaría un salón de charlas.; **6.** Imprimiría información útil.; **7.** Pondría los detalles más importantes en mi agenda electrónica.

Answers continue on p. 305.

✳ Práctica de GRAMÁTICA

6 | De viaje ♻ **¿Recuerdas?** Computer vocabulary pp. 272–273

Hablar
Escribir Tu familia va a planear un viaje al Perú. Di qué harías tú para investigar qué lugares de interés deberían visitar.

> **modelo:** conectarse a Internet: Me conectaría a Internet.

1. hacer una búsqueda
2. mirar los enlaces
3. explorar varios sitios web
4. descargar páginas buenas
5. buscar un salón de charlas
6. imprimir información útil
7. poner los detalles más importantes en mi agenda electrónica

> **Expansión:**
> Teacher Edition Only
> Pídales a los estudiantes que digan tres cosas que llevarían en su maleta.

7 | Decisiones difíciles

Hablar Entrevista a un(a) compañero(a) para saber qué harían estas personas.

> **modelo:** tu mamá / tiempo libre / dormir una siesta o jugar al ajedrez

A ¿Qué haría tu mamá en su tiempo libre, dormiría una siesta o jugaría al ajedrez?

B Mi mamá jugaría al ajedrez.

1. tus amigos y tú / un rato libre / ir a un restaurante o asistir a un espectáculo
2. tú / después de clases / relajarse o encontrarse con amigos
3. tú y yo / una conferencia / debatir el tema o resolver el problema
4. tu hermana / una fiesta / bailar o charlar con sus amigos y amigas
5. tus amigos y amigas / pasar un buen rato / ir al estreno de una película o escuchar a músicos callejeros

Comparación cultural

La música andina
¿De qué manera la música puede reflejar una cultura?
La música andina se asocia con **Bolivia, Ecuador** y **Perú,** pero se encuentra por todo el mundo. En muchas ciudades grandes de Latinoamérica, EE.UU. y Europa se ven grupos callejeros de músicos andinos. Se podría decir que una de las cosas más características de esta música son sus instrumentos indígenas, como la zampoña y la quena (dos tipos de flauta), el charango (un instrumento de cuerdas hecho del caparazón [shell] del armadillo) y muchos otros.

Compara con tu mundo ¿Alguna vez viste músicos callejeros en Estados Unidos? ¿Dónde? ¿Qué música tocaban? ¿Qué instrumento(s) musical(es) tocaban?

Joven de los Andes tocando la zampoña

Differentiating Instruction

Pre-AP
Sequence Information Have students elaborate on their responses to the questions under Compara con tu mundo by providing further details about their experience and organizing them sequentially. Their response should be a brief narrative, including details about what happened before, during, and after the performance by the street musicians.

Inclusion
Synthetic/Analytic Support Have students make large flashcards; each card should have one irregular stem or a conditional ending from p. 303. Say a sentence in the conditional and have students put the stem and the ending together to match the verb you use. For example, if you say **"Saldría con mis amigos,"** the students should hold up the stem card **saldr-** and the ending card **-ía.**

8 | ¡Tantas posibilidades!

Hablar
Escribir

Forma seis oraciones condicionales mezclando los siguientes elementos y añadiendo otros elementos necesarios.

modelo: Con dos semanas de vacaciones, la profesora tendría tiempo de visitar Ecuador.

con mil dólares	yo	pasar	visitar Ecuador
con un barco de vela	mi amigo	poder	de vacaciones
sin ahorros	tú	saber	por el lago
con una computadora	la profesora	tener	un negocio
sin pasatiempos	nosotros	comprar	una casa
con dos semanas de vacaciones	nuestros(as) amigos(as)	ir	cómo divertirse

9 | ¿Qué harías?

Hablar

Tienes todo el dinero y el tiempo del mundo: ¡puedes hacer lo que quieras! Explícales a tus compañeros(as) seis cosas que harías y por qué las harías.

modelo: Yo viajaría por todo el mundo porque tendría mucho tiempo.

Expansión:
Teacher Edition Only
Pídales a los estudiantes que escriban cuatro frases enfatizando la realidad. (Como sólo tengo veinte dólares, iré a la casa de un amigo durante las vacaciones.)

Expansión
Escribe cinco preguntas para saber qué haría o adónde iría un(a) compañero(a).

Más práctica   Cuaderno *pp. 223–225*   Cuaderno para hispanohablantes *pp. 224–226*

PARA Y PIENSA

¿Comprendiste? Di qué harían estas personas en un día libre.
1. mi abuelo / relajarse
2. yo / asistir a un espectáculo
3. mi familia y yo / pasar un buen rato
4. mi profesor / poder charlar con muchas personas

Get Help Online
ClassZone.com

Differentiating Instruction

Multiple Intelligences

Visual Learners Have students illustrate their six sentences from Activity 9 to make a panel cartoon about what they would do with all the money and time in the world. They can make it into a funny story by using speech bubbles to convey what the characters are saying or thinking.

Inclusion

Cumulative Instruction Before students do Activity 8, make a personal statement in the declarative future: **No tengo vacaciones. No iré a ningún lugar.** Write the form **iré** on the board. Then continue: **Con dos semanas de vacaciones...** cross out the **-é** on **iré** and have the student supply the verb and the rest of the sentence.

TEACHER to TEACHER

Richard Ladd
Ipswich, MA

Tips for Presenting Grammar

"When asking students to piece together various elements to form sentences, I randomly type those elements into a table and give the sheet to students. I have students cut out the pieces and then ask them to move them around on their desks to create the sentences."

✓ Ongoing Assessment

@HomeTutor
More Practice
ClassZone.com

PARA Y PIENSA

Alternative Strategy Have students write four sentences about what they or their friends would do on a day off. For additional practice, use Reteaching & Practice Copymasters URB 5, pp. 15, 16, 21.

Answers   UTB 5 Transparency 29

Answers continued from p. 304.

Activity 7 Answers will vary. Sample answers:
1. -¿Qué harían tus amigos y tú en un rato libre, irían a un restaurante o asistirían a un espectáculo?
   -Iríamos a un restaurante.
2. -¿Qué harías después de clases, te relajarías o te encontrarías con amigos?
   -Me encontraría con amigos.
3. -¿Qué haríamos en una conferencia, debatiríamos el tema o resolveríamos el problema?
   -Resolveríamos el problema.
4. -¿Qué haría tu hermana en una fiesta, bailaría o charlaría con sus amigos y amigas?
   -Bailaría.
5. -¿Qué harían tus amigos y amigas para pasar un buen rato, irían al estreno de una película o escucharían a músicos callejeros?
   -Irían al estreno de una película.
   (Escucharían a músicos callejeros.)

Activity 8 Answers will vary. Sample answer:
Sin pasatiempos, nuestros amigos no sabrían cómo divertirse.

Activity 9 Answers will vary. See model.

Para y piensa
1. Mi abuelo se relajaría.
2. Yo asistiría a un espectáculo.
3. Mi familia y yo pasaríamos un buen rato.
4. Mi profesor podría charlar con muchas personas.

305

306

¡AVANZA! **Objective**
· Practice using the conditional in context.

Core Resource
· Audio Program: TXT CD 10 Track 4

Presentation Strategies
· Read the **Guía del ocio** as a class to gain an overview.
· Challenge students to listen without reading in order to answer comprehension questions in Activity 10.

Practice Sequence
· **Activity 10:** Transitional practice: Contexto 2 comprehension
· **Activity 11:** Transitional practice: the conditional
· **Activity 12:** Open-ended practice: the conditional

✦ STANDARDS
1.2 Understand language
1.3 Present information, Act. 10, 11, 12

Warm Up   UTB 5 Transparency 21

Completa el párrafo con verbos en el condicional.
Con un billete de avión gratis a cualquier destino, yo _____ (ir) al Japón. ¿Por qué _____ (visitar) el Japón? Pues, porque me interesa la cultura. Yo _____ (llegar) a Tokio y _____ (buscar) un agente de viajes. Con su ayuda, _____ (hacer) una excursión al campo.

Answers: 1. iría; 2. visitaría; 3. llegaría; 4. buscaría; 5. haría

---

Communication
Presentational Mode

Have students do a presentation on activities for tour participants on a weekend getaway in a Peruvian city. Instruct them to include visual aids. Remind students to use the conditional to express what **los turistas** would do.

306

✦ GRAMÁTICA en contexto

¡AVANZA! **Goal:** Learn about the different opportunities for entertainment and leisure in Lima. Then discuss which of these activities would interest you. *Actividades 10–12*

Contexto 2 *Guía del ocio*

ESTRATEGIA Leer
Chart the conditional While reading, make a chart to track the uses of the conditional. In the first column, include the sources of information, including the play review and the two ads. In the second column, write down every use of the conditional in each information source.

Fuente de información	Uso del condicional
Crítica de la obra dramática	

AUDIO

Gladys está asistiendo a una conferencia. Se ofreció para organizar a un grupo de estudiantes para salir por las tardes. Ahora, ella y sus compañeros están mirando una guía del ocio para ver qué posibilidades se presentan.

Espectáculo de
MÚSICA CALLEJERA

Teatro Colina
20:00 hs
del 9 al 30 de septiembre

¡Todos los músicos y grupos musicales callejeros más populares de la ciudad, reunidos para tocar juntos por solamente tres semanas!

«¡Sería una tragedia perderse este espectáculo! Yo lo vería otra vez con muchas ganas.»

—Dámaso Bernardi, *El Diario* de Lima

EL OJO CRÍTICO
por Jorge Echeverría

Juego de mesa

Juego de mesa es una nueva obra dramática. Su estreno fue al principio de esta semana en el Teatro Larco. Como siempre trato de apoyar a obras y artistas nuevos, me gustaría escribir algo bueno sobre esta obra. Pero esto sería pura mentira de mi parte. La actuación no podría ser peor. La obra, que trata sobre un misterio en una casa de campo, no parecería verosímil a un niño de cinco años. *(cont. en la pág. 12)*

Salón de baile estudiantil

AMAZONAS
¡La pachanga empieza aquí!

¿Te gustaría pasar la tarde en un sitio con un ambiente tropical?

¡Ven al salón AMAZONAS para una tarde inolvidable!

· música bailable, los fines de semana desde la 1:00 p.m.
· cinco grupos musicales cada tarde, todos los sábados y domingos
· buffet gratis desde la 1:00 p.m. hasta las 7:00 p.m.!

¡Te quedarías todo el tiempo... pero cerramos a las 7:00 p.m.!

También se dice

En Perú y Ecuador se usa **pachanga** para decir **fiesta**.
· Argentina **conga**
· Colombia **rumba**
· Cuba **guateque**

306 Unidad 5 Los países andinos
trescientos seis

Differentiating Instruction

Pre-AP

Persuade Encourage students to engage in a debate-type discussion about whether a dance hall modeled after Salón Amazonas would be a positive addition to their community. A question to start discussion might be: **¿Cómo gana dinero el negocio? (La comida es gratis.)** or **¿Por qué cierra a las siete? ¿Cómo afecta esto a los jóvenes?**

Multiple Intelligences

Visual Learners Following the style of the guide above, have students design a poster for a real or imaginary event. Make sure they use several instances of the conditional.

10 | Comprensión de la guía del ocio

Leer
Escribir

1. ¿Podría decir Jorge Echeverría que *Juego de mesa* es una buena obra?
2. ¿Cómo es la actuación en *Juego de mesa*?
3. ¿Qué dice Dámaso Bernardi sobre *Música Callejera*?
4. ¿Hasta qué hora te quedarías bailando en Amazonas?
5. ¿Cuántos grupos musicales podrías ver los martes en Amazonas?

Expansión:
Teacher Edition Only
Pídales a los estudiantes que escriban dos preguntas más sobre la guía del ocio para que un(a) compañero(a) las conteste.

11 | ¿Qué pasaría?

Hablar
Escribir

Completa cada oración con el condicional de un verbo apropiado.

modelo: Eloíza _____ muchos libros de aventuras.
leería

1. Betina _____ todo el día a los músicos callejeros.
2. Héctor _____ una carta al editor del periódico.
3. Ellos _____ sin parar en el salón de baile.
4. Tú _____ español en Ecuador.
5. Nosotros _____ en avión a Bolivia.

Expansión:
Teacher Edition Only
Pídales a los estudiantes que traten de encontrar una variedad de verbos apropiados para completar cada oración.

12 | En tu lugar...

Leer
Escribir

Tu amigo Iván te escribió este correo electrónico para pedirte consejos. Lee su mensaje y luego contesta, diciéndole qué harías en su lugar.

Hola,

Espero que me puedas dar algunas sugerencias. Tres estudiantes de la conferencia van a quedarse con mi familia este fin de semana. No sé qué les gustaría hacer. ¿Es mejor que nos quedemos en casa jugando a las damas y charlando o debo llevarlos a conocer Lima? Sospecho que nadie tiene mucho dinero pero quiero que todos pasen un buen rato. Por favor, escríbeme hoy con algunas ideas.

Iván

Expansión
Si sales con los amigos de Iván, di qué ropa llevarías, cómo irías y qué harías antes y después de la salida.

PARA
Y
PIENSA

¿Comprendiste? Contesta con oraciones completas según la guía del ocio.
1. ¿Iría la gente a ver *Juego de mesa*?
2. ¿Adónde iría la gente a quién le gusta la música?

Get Help Online
ClassZone.com

Differentiating Instruction

Pre-AP

Vary Vocabulary Make Activity 11 more challenging for students by encouraging them to use as many of the conditional irregulars as they can, giving them license to make minor changes in the rest of the sentence in order to maintain correctness and logic. For example:
Betina diría ¡Bravo! todo el día a los músicos callejeros.

Heritage Language Learners

Writing Skills For students who correspond with friends and/or family in Spanish via e-mail, make Activity 12 more challenging by changing their role from friend to representative of Lima's Bureau of Tourism. This will require for them to exercise a more formal language register.

Unidad 5 Lección 2
GRAMÁTICA

Communication
Role-Playing and Skits

Have student pairs role-play someone trying to complete a task, receiving the unsolicited advice of another. Phrases they might use: **En tu lugar... Yo siendo tú... Con lo que yo sé de ...** and **Con la experiencia que yo tengo...**

✓ Ongoing Assessment

@HomeTutor
More Practice
ClassZone.com

PARA
Y
PIENSA

Quick Check Have students include the word **porque** to explain their answer. (**La gente no iría a ver** *Juego de mesa* **porque recibió una mala crítica.**) For additional practice, use Reteaching and Practice Copymasters URB 5, pp. 15, 17.

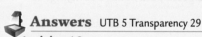

Answers UTB 5 Transparency 29

Activity 10
1. No, no podría decir que es una buena obra. Sería una mentira.
2. La actuación no podría ser peor.
3. Bernardi dice que sería una tragedia perderse *Música Callejera*.
4. Me quedaría "todo el tiempo", o por mucho tiempo.
5. Podrías ver cinco grupos musicales.

Activity 11 Answers may vary. Sample answers:
1. escucharía; 2. escribiría; 3. bailarían; 4. aprenderías; 5. iríamos

Activity 12 Answers will vary. Sample answer:
Ivan,
No te preocupes. En tu lugar, le llevaría al grupo para explorar la ciudad. Unos días antes yo investigaría para enterarme de si hay algún programa gratis o en la biblioteca o el museo arqueológico. También verificaría esto antes de llegar con el grupo. Mucha suerte!
Jaime

Para y piensa
1. No, la gente no iría a ver *Juego de mesa*.
2. Iría al Teatro Colina o al salón Amazonas.

307

¡AVANZA! Objective

- Present reported speech.

Core Resource

- *Cuaderno,* pp. 226–228

Presentation Strategies

- Encourage students to take notes as you explain the grammar point.
- Have students repeat sentences containing reported speech.
- Invent examples relating to students for increased comprehension.

STANDARD

4.1 Compare languages

Warm Up   UTB 5 Transparency 22

Contesta las preguntas sobre el Contexto 2.
1. ¿Dónde tiene lugar el espectáculo de música callejera?
2. ¿Por cuánto tiempo van a tocar juntos los grupos musicales?
3. ¿A Jorge Echeverría le gustó la obra *Juego de mesa*?
4. ¿Cuándo cierra el salón Amazonas?

Answers:
1. Tiene lugar en el Teatro Colina.
2. Los grupos musicales van a tocar juntos por sólo tres semanas.
3. No, no le gustó para nada la obra *Juego de mesa*.
4. El salón Amazonas cierra a las siete de la noche.

Comparisons

English Language Connection

Point out that the difference between the left and right columns of examples is that the left offers direct quotes while the right restates these quotes indirectly. Discuss situations which would call for the use of direct and indirect quotes (focus on exact words versus a general idea or intention). Which are more precise? Which are less cumbersome in speech?

✸ Presentación de GRAMÁTICA

¡AVANZA! **Goal:** Learn how to report information that someone else has told you. Then practice by talking about what other people have said. *Actividades 13–16*

English Grammar Connection: In English, to report what someone *said*, you can use the simple past, the past progressive, or the conditional tense. In Spanish, a variety of tenses can be used for reported speech as well.

Simple past tense:	Nico **said that** he **went** to the movies.
Past progressive tense:	Nico **said that** he **was going** to the movies.
Conditional tense:	Nico **said that** he **would go** to the movies.

Reported Speech

Animated Grammar
ClassZone.com

Use **reported speech** to relay information about what someone said, without using a direct quote.

Here's how:

The second verb in a sentence with **reported speech** can use the preterite, the imperfect, or the conditional.

To report what people said they did, use the preterite.

Nico dijo, «Fui al teatro».
Nico said, "I went to the theater."

Nico **dijo que** **fue** al teatro.
*Nico **said that he went** to the theater.*

To report what people said they were planning to do, use the imperfect.

Nico dijo, «Voy al teatro».
Nico said, "I'm going to the theater."

Nico **dijo que** **iba** al teatro.
*Nico **said that he was going** to the theater.*

To report what people said they would do in the future, use the conditional.

Nico dijo, «Iré al teatro».
Nico said, "I will go to the theater."

Nico **dijo que** **iría** al teatro.
*Nico **said that he would go** to the theater.*

Remember that if you use **decir** to express what someone told *another* person to do, you use the **subjunctive** for the second verb.

Nico **dice** que **vayas** al teatro.
*Nico says that **you should go** to the theater.*

Más práctica
Cuaderno *pp. 226–228*
Cuaderno para hispanohablantes *pp. 227–230*

@HomeTutor
Leveled Practice
ClassZone.com

Differentiating Instruction

Multiple Intelligences

Logical/Mathematical Have students take notes in the form of a three-column chart with the labels **Dijo que hizo, Dijo que hacía,** and **Dijo que haría.** Have students fill in each column with the appropriate variations of sentences like **Andrés dijo que (sacó, sacaba, sacaría) la basura.**

Inclusion

Multisensory Input/Output Make a transparency of Gladys's blog from p. 301 or Iván's e-mail from p. 307. Have students say what Gladys or Iván said. Have volunteers write the reports on the board.

Práctica de GRAMÁTICA

Audio Program
TXT CD 10 Track 5, Audio Script, TE p. 295B

13 | El ocio

Escuchar Escribir

Alejandra estuvo con sus amigos. Escucha lo que dice y contesta las preguntas con respuestas completas.

1. ¿Con quiénes dijo Alejandra que se encontró ayer y dónde?
2. ¿Adónde dijo Alejandra que fueron y qué le interesó más?
3. ¿Qué dijo Alejandra de la comida en casa de Javier y Marta?
4. ¿Qué le pasó a Marta durante todo el día?
5. ¿Qué dijo Alejandra que hicieron después de la comida?

Expansión:
Teacher Edition Only
Pídales a los estudiantes que escriban un resumen de lo que hizo Alejandra ayer.

14 | Una entrevista

Escribir

Para saber lo que dijo el crítico de espectáculos, escribe las oraciones en el condicional. Sigue el modelo.

modelo: Dijo que los actores (dar) una conferencia de prensa.
Dijo que los actores darían una conferencia de prensa.

1. Explicó que el estreno (ser) en enero.
2. Dijo que los otros críticos (debatir) sobre la película.
3. Comentó que (grabar) un CD con la música de la película.
4. Dijo que la historia (concluir) con la segunda parte de la película.
5. Dijo que (haber) una recepción para celebrar con los actores.
6. Anunció que la orquesta (tocar) en la plaza.
7. Dijo que su familia (asistir) otra vez al espectáculo.

Expansión
Escribe cinco posibles cosas más que el crítico dijo que pasarían.

 Pronunciación **La letra p**

AUDIO

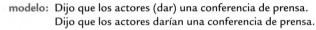

La **p** en español tiene un sonido más suave que la **p** en inglés y se pronuncia sin la explosión de aire de la **p** en inglés. La posición de la letra **p** en una palabra no afecta su sonido.

portátil   publicar
carpintero   imprimir

Refrán

Pocos pelos pero bien peinados.

Differentiating Instruction

Pre-AP

Self-correct Have pairs of students interview each other to find out what they did last weekend and what they are planning to do next weekend. Then have students report what their partners said. Make sure that students are aware that they should correct themselves if they make a mistake while reporting on their partner's activities.

English Learners

Build Background Discuss the **refrán** and possible English approximations of it (i.e. "Make the most of what you've got."). Then ask students from other cultures whether there are similar phrases in their own languages, and if so, what their literal translations would be. This may require consulting with adults at home. Encourage them to share this information with the class.

Objectives

· Practice using the conditional with reported speech.
· Practice pronouncing words using the letter **p**.

Core Resource

·Audio Program: TXT CD 10 Tracks 5, 6

Practice Sequence

· **Activity 13:** Transitional practice: reported speech
· **Activity 14:** Controlled practice: reported speech
· **Pronunciation:** the letter **p**

STANDARDS

1.2 Understand language, Act. 13
1.3 Present information, Act. 14
4.1 Compare languages, Pronunciación

 Answers UTB 5 Transparencies 29–30

Activity 13

1. Alejandra dijo que se encontró con Marta y Javier ayer en el museo de antropología y arqueología.
2. Dijo que hicieron una visita guiada y que más le interesaron los artefactos de Sipán.
3. Dijo que la comida en casa de Javier y Marta fue riquísima.
4. Marta se perdió varias veces durante el día.
5. Después de la comida, Alejandra dijo que jugaron varios partidos de naipes.

Activity 14

1. sería
2. debatirían
3. grabarían
4. concluiría
5. habría
6. tocaría
7. asistiría

309

Objectives

· Practice using the conditional in reported speech.
· Compare archaeological ruins of Peru with other historical sites.
· **Culture:** ancient civilizations in Peru

Core Resource

· *Cuaderno,* pp. 226–228

Practice Sequence

· **Activity 15:** Transitional practice: reported speech
· **Activity 16:** Open-ended practice: reported speech, reading comprehension

STANDARDS

1.1 Engage in conversation, Act. 15
2.2 Products and perspectives, Act. 15
4.2 Compare cultures, Act. 16

Comparación cultural

Essential Question

Suggested Answer Figuras escritas en las ruinas nos dicen sobre las creencias religiosas o la vida cotidiana de las personas.

Background Information

Machu Picchu was unknown by Western civilization until 1911. At that time, indigenous farmers were still making use of its intricate terraces, which made farming on the steep slopes quite practical.

✓ Ongoing Assessment

@HomeTutor
More Practice
ClassZone.com

PARA Y PIENSA **Intervention** If students have difficulty completing the Para y piensa, direct them to ClassZone.com. For additional practice, use Reteaching and Practice Copymasters URB 5, pp. 18, 19.

 Answers UTB 5 Transparency 30

Activity 15 Answers for Student B:
  1. Dijeron que preguntarían cómo empezó el espectáculo.

Answers continue on p. 311.

310

---

15 | ¡Tarde!

Hablar

Algunas personas llegaron tarde a un espectáculo. Tu compañero(a) te pregunta qué van a hacer las personas y tú le contestas lo que dijeron según los comentarios siguientes.

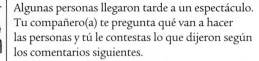

A ¿Qué van a hacer?

B Dijeron que volverían mañana.

modelo: «Volvamos mañana.»

1. «Preguntemos cómo empezó el espectáculo.»
2. «Tomaré un refresco para calmar los nervios.»
3. «Escucharé la orquesta desde afuera.»
4. «Leeré las opiniones en el periódico.»
5. «Esperemos a los actores para saludarlos.»

Expansión
Repórtale tres comentarios más a tu compañero(a).

16 | ¿Qué dijo?

Leer
Hablar
Escribir

Comparación cultural

Maravillas de Perú

¿Qué nos dicen las ruinas antiguas sobre una cultura? Varias civilizaciones dominaron la historia de **Perú**. En Trujillo se pueden ver dos pirámides de la cultura moche (100–700 a.C.), y en Chiclayo, se encuentra la tumba moche del Señor de Sipán. Los científicos dijeron que era un descubrimiento muy importante porque el sitio todavía estaba intacto. Machu Picchu, la famosa ciudad inca montañosa, ha inspirado a millones de personas. Entre ellas está el poeta Pablo Neruda, que dijo en un poema que Machu Picchu era la «alta ciudad de piedras escalares... la madre de piedra, espuma *(mist)* de cóndores.»

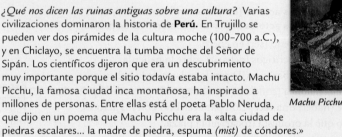

Machu Picchu

Compara con tu mundo *¿Hay sitios históricos cerca de tu ciudad? ¿Dónde? ¿Qué importancia tienen?*

Contesta las siguientes preguntas con respuestas completas.

1. ¿Qué dijeron los científicos cuando descubrieron la tumba del Señor de Sipán?
2. ¿Qué dijo Pablo Neruda de la ciudad de Machu Picchu?
3. ¿Qué crees que quiso decir Pablo Neruda cuando utilizó la frase «espuma de cóndores» para definir a Machu Picchu?

Más práctica   Cuaderno *pp. 226–228*   Cuaderno para hispanohablantes *pp. 227–230*

 PARA Y PIENSA **¿Comprendiste?** ¿Qué harían las personas siguientes en el caso de una emergencia?

Get Help Online
ClassZone.com

1. la maestra / llamar al bombero
2. nosotros / salir tranquilamente
3. todos / reunirse afuera
4. los bomberos / llegar pronto

Differentiating Instruction

Heritage Language Learners

Writing Skills Encourage students to write a short poem about a place they are familiar with that has cultural significance. They should take inspiration from the descriptive phrases Neruda uses to describe Machu Picchu. Have students brainstorm a list of imagery that they associate with the place and the feelings it evokes before they begin writing.

English Learners

Increase Interaction Using guidebooks or tourist websites for Peru, have students plan what they would do if they were to travel there. Have groups of three students compare their itineraries and practice saying what the others would do. Remind them to use the conditional. Then, have students report their plans to the class.

✼Todo junto

¡AVANZA! **Goal:** *Show what you know* Notice how Gladys and her friends use the conditional to discuss possible activities in Peru. Then talk about these activities and which ones would interest you. *Actividades 17–19*

Resumen contextos 1 y 2 Gladys es una estudiante peruana que está participando en un programa estudiantil en Lima. Acaba de conocer a varios estudiantes de Bolivia.

Contexto 3 *Diálogo*

ESTRATEGIA Escuchar
List all the possibilities As you read, make a list of possible places to go in Peru. Write the place, how to get there (by train, plane, etc.), what to see or do there, and who (Raúl, Gladys, Ana, Marilú, and/or Ricardo) wants to go.

🎧 **AUDIO**

Gladys y sus compañeros hacen planes para hacer una excursión para explorar otra parte del país, pues tienen unos días festivos la semana que viene.

Gladys: Bueno, la señora Suárez me dijo que podía acompañarnos si hacemos una excursión. Mañana tenemos que avisarle adónde queremos ir así que deberíamos discutirlo hoy.

Ricardo: A mí me gustaría ver Cuzco. ¡Sería una aventura inolvidable! La combinación de las montañas, las ruinas de los incas, la arquitectura colonial... sería increíble. Además, sería posible hacer una excursión en tren de Cuzco a Machu Picchu.

Gladys: Sí, y también hay muchos pueblitos que venden artesanías.

Raúl: Deberíamos ir allí entonces.

Ana: Ay, pero yo estoy muy ilusionada con la idea de ir a Trujillo. Me fascina la cultura moche. Y hay otros pueblos y ciudades cercanos con ruinas, como Lambayeque y Chiclaya.

Lección 2
trescientos once **311**

Differentiating Instruction

Pre-AP

Summarize Use the page break as a natural stopping point to check comprehension. Ask questions such as **¿Cuál es la meta de la conversación y por qué?** or **¿Qué dijo Ricardo?** to elicit paraphrases of what students have read. If they begin to read from their books, remind them to use their own words.

Multiple Intelligences

Intrapersonal As students become more familiar with the personalities and preferences of each character, ask if there is a particular character with whom they identify, and why. Call on volunteers to share.

¡AVANZA! **Objective**
· Integrate lesson content.

Core Resource
· Audio Program: TXT CD 10 Track 7

Presentation Strategies
· Review Contextos 1 and 2.
· Implement the listening strategy as you play the audio.
· Have students pairs read aloud and answer comprehension questions.

STANDARD
1.2 Understand language

Warm Up UTB 5 Transparency 22

Indica si las oraciones son **ciertas** o **falsas.**
1. Machu Picchu está en la costa de Perú.
2. La cultura moche existía cerca de Trujillo.
3. La cultura moche existía hace más de dos mil años.
4. La tumba del Señor de Sipán fue descubierta intacta.
5. Pablo Neruda escribió sobre Sipán.

Answers: 1. falso; 2. cierto; 3. falso; 4. cierto; 5. falso

Answers UTB 5 Transparency 30

Answers continued from p. 310.
2. Dijo que tomaría un refresco para calmar los nervios.
3. Dijo que escucharía la orquesta desde afuera.
4. Dijo que leería las opiniones en el periódico.
5. Dijeron que esperarían a los actores para saludarlos.

Activity 16 Answers will vary. Sample answers:
1. Los científicos dijeron que era importante.
2. Pablo Neruda dijo que era la «alta ciudad de piedras escalares... la madre de piedra, espuma de cóndores».
3. Creo que Neruda quiso decir que es un sitio misterioso.

Para y piensa
1. La maestra dijo que llamaría al bombero.
2. Nosotros dijimos que saldríamos tranquilamente.
3. Todos dijeron que se reunirían afuera.
4. Los bomberos dijeron que llegarían pronto.

311

Objective
· Practice using and integrating lesson vocabulary and grammar.

Core Resources
· Audio Program: TXT CD 10, Tracks 7, 8, 9
· *Cuaderno,* pp. 229–230

Practice Sequence
· **Activity 17:** Transitional practice: Contexto 3 comprehension
· **Activity 18:** Open-ended practice: reading, listening, and speaking
· **Activity 19:** Open-ended practice: writing

STANDARDS
1.2 Understand language, Act. 17
1.3 Present information, Acts. 18, 19

Gladys: Y también la playa Huanchaco. Un amigo me dijo que el surfing es muy popular allí.

Raúl: ¿Ruinas y surfing a la vez? ¡Genial! Entonces, estamos decididos, ¿no?

Marilú: No quiero complicar las cosas, pero a mí me gustaría hacer una excursión por el río Amazonas. Podríamos tomar una excursión desde Iquitos. Pasaríamos por el río en un barco muy cómodo donde también comeríamos y dormiríamos. Y los guías nos llevarían a explorar la selva amazónica.

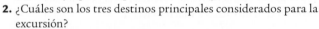

Ricardo: Ay, sí... veríamos la selva tropical, los pájaros, los delfines de agua dulce, los monos... y ¡las pirañas!

Raúl: ¡Pirañas! ¡Fenomenal! Entonces, vamos al Amazonas, ¿verdad?

Gladys: Oye, Raúl, ¡tranquilo, hombre! ¡Quieres hacerlo todo! Bueno, debatamos la cuestión para resolverla pronto. ¡No nos queda mucho tiempo!

17 | Comprensión del diálogo

Escuchar
Hablar
Escribir

Contesta las preguntas.

1. ¿Quién dijo que acompañaría a los delegados en la excursión?
2. ¿Cuáles son los tres destinos principales considerados para la excursión?
3. ¿Qué podrían hacer los chicos en la ciudad de Cuzco?
4. ¿Qué podrían hacer en la región alrededor de Cuzco?
5. ¿Qué dijo Ana que podrían ver en Trujillo?
6. ¿Cuáles serían otros atractivos de la excursión a Trujillo?
7. ¿Cómo visitarían el río Amazonas y qué harían allí?
8. ¿Qué dijo Gladys que deberían hacer para resolver la cuestión?

Expansión
Escoge una excursión que hayas hecho o que te gustaría hacer. ¿Qué lugar es? ¿Qué harías? ¿Qué verías?

312 Unidad 5 Los países andinos
trescientos doce

Answers UTB 5 Transparency 30

Activity 17
1. La señora Suárez dijo que acompañaría a los delegados en la excursión.
2. Los tres destinos considerados son Cuzco, Trujillo, y el río Amazonas.
3. En Cuzco, podrían ver montañas, las ruinas de los incas y la arquitectura colonial.
4. En la región alrededor de Cuzco podrían ver Machu Picchu y comprar artesanías en los pueblos.
5. Ana dijo que en Trujillo podrían aprender sobre la cultura moche.
6. También podrían visitar las ruinas de Lambayeque y Chiclaya.
7. Visitarían el río Amazonas en un barco cómodo con un guía. Explorarían la selva amazónica.
8. Gladys dijo que deberían debatir la cuestión para resolverla.

312

Differentiating Instruction

Heritage Language Learners

Increase Accuracy Draw students' attention to the issue of capitalization when you encounter texts rich in references to places, people, and cultures. Talk about how capitalization rules apply to **el río Amazonas** and **la selva amazónica.** For many students, it will also be helpful to discuss how these rules differ from those in English.

Multiple Intelligences

Naturalist Ask what the opposite of **agua dulce** is. Then ask whether students would usually expect to find **delfines** in **agua dulce** or **agua salada.** If possible, contrast pictures of river dolphins with salt-water dolphins and have students note the differences: (river dolphins have longer noses, rounder foreheads, and smaller eyes.)

18 | Integración

Leer
Escuchar
Hablar

Lee las noticias locales de un periódico. Hay un artículo sobre un debate en la comunidad. Escucha la información que pasan por la radio. Explica lo que dijo el alcalde. Di qué harías tú.

 Audio Program
TXT CD 10 Tracks 8, 9, Audio Script, TE p. 295B

Fuente 1 Artículo político

NOTICIAS LOCALES

¿El desarrollo o la protección?

EL PASADO MARTES hubo una conferencia para debatir el desarrollo económico de nuestra comunidad. El alcalde y representantes de varios comités se encontraron para discutir proyectos y planear nuestro futuro. Un tema fue el desarrollo de los parques alrededor del lago. El alcalde quiere que los parques atraigan más turismo y propuso varios proyectos, como la construcción de dos hoteles. Los dos representantes del comité para la belleza de la comunidad no estuvieron de acuerdo y dijeron que sería mucho más importante proteger la ecología de los parques. Discutieron por mucho tiempo pero no llegaron a ninguna resolución.

Fuente 2 Radio Comunidad

Escucha y apunta
- ¿Qué anunció el alcalde?
- ¿Cómo reaccionaron los comités?
- ¿Qué prometieron los representantes del comité para la belleza de la comunidad?

modelo: El alcalde dijo que iban a construir hoteles porque esto atraería a más turistas. Los comités de representantes dijeron que organizarían otra reunión. Yo haría lo siguiente...

19 | Mi profesión favorita

Escribir

Habla con un familiar sobre su profesión. Escribe un ensayo de tres a cinco párrafos sobre sus experiencias. Escribe qué harías tú en su lugar. Mientras escribes, enfócate en el uso de los tiempos pasados y condicional.

Writing Criteria	Excellent	Good	Needs Work
Content	Your essay includes many details about the profession.	Your essay includes some details about the profession.	Your essay includes few details about the profession.
Communication	Your essay is organized and easy to follow.	Parts of your essay are organized and easy to follow.	Your essay is disorganized and hard to follow.
Accuracy	You make few mistakes in grammar and vocabulary.	You make some mistakes in grammar and vocabulary.	You make many mistakes in grammar and vocabulary.

Expansión:
Teacher Edition Only
Pídales a los estudiantes que diseñen un símbolo para representar la profesión, y que lo dibujen encima de su ensayo, en la parte superior de la página.

Más práctica Cuaderno *pp. 229–230* Cuaderno para hispanohablantes *pp. 231–232*

 PARA Y PIENSA

¿Comprendiste? ¿Qué dijo que querría hacer? Usa el condicional para completar las oraciones.
1. Ricardo dijo que...
2. Ana dijo que...
3. Sofía dijo que...
4. Raúl dijo que...

Get Help Online ClassZone.com

Differentiating Instruction

Pre-AP

Expand and Elaborate After completing Activity 18, have students research an environmental issue that is being discussed in their community using the official city website, local newspaper, local radio, or community access channel as sources. Have students write an article on the issue, making sure to report what local officials or other residents have said.

Inclusion

Clear Structure Help students plan their writing in Activity 19 by using an idea web. Instruct them to place the two main focal points at the center: **Experiencias de** [Name of person] and **Lo que yo haría en su profesión.** Remind them to add supporting details for each heading.

Long-term Retention

Pre-AP **Integration**

Activity 18 Encourage students to relate their opinions and act as editorial writers. Remind them to be careful not to misquote people and thus discredit themselves, but to carefully weave their own interpretation into their report, before ever saying what they themselves would do.

✓ Ongoing Assessment

Rubric Activity 18 Listening/Speaking

Proficient	Not There Yet
Student takes detailed notes and clearly explains the mayor's statements and what student him/herself would do.	Student takes few notes and only explains the mayor's statements somewhat and/or does not tell what student him/herself would do.

✓ Ongoing Assessment

 @HomeTutor More Practice ClassZone.com

PARA Y PIENSA **Peer Assessment** Have students work in pairs to check their responses. Students should point to the place in the Contexto that supports each answer. For additional practice, use Reteaching and Practice Copymasters URB 5, pp. 18, 20.

Answers UTB 5 Transparency 30

Activity 18 Answers will vary. See model.

Activity 19 Answers will vary.

Para y piensa Answers will vary. Sample answers:
1. Ricardo dijo que le gustaría ver Cuzco.
2. Ana dijo que está muy ilusionada con la idea de ir a Trujillo porque le fascina la cultura moche.
3. Marilú dijo que le gustaría hacer una excursión por el río Amazonas en barco.
4. Raúl dijo primero que deberían ir a Cuzco. Luego, dijo que irían a Trujillo para hacer surfing y ver las ruinas. Al final, dijo que querría ir al Amazonas para ver las pirañas.

¡AVANZA! **Objectives**
- Read about how knowledge of chess affected an Inca ruler.
- Keep track of cause and effect throughout the narrative using the reading strategy.

Core Resource
- Audio Program: TXT CD 10 Track 10

Presentation Strategies
- Have students share what they may know about chess, such as the pieces or game strategies.
- Ask students if they know anything about the Incas. Write responses on the board.

STANDARDS
- **1.2** Understand language
- **2.2** Products and perspectives
- **3.1** Knowledge of other disciplines

Warm Up UTB 5 Transparency 23

Pon las oraciones en orden crologógico según el Contexto 3.
- **a.** Ricardo dijo que a él le gustaría ir a Cuzco.
- **b.** Tendrían que debatir la cuestión.
- **c.** Ana dijo que querría visitar Trujillo.
- **d.** La señora Suárez dijo que podría acompañar al grupo en una excursión.
- **e.** Gladys dijo que cerca de Machu Picchu podrían comprar artesanías.
- **f.** Marilú mencionó que una excursión en el río Amazonas sería muy interesante.

Answers: 1. d; 2. a; 3. e; 4. c; 5. f; 6. b

Culture

About the Author
Ricardo Palma was infatuated with what was authentically Peruvian. Apart from writing, he accomplished the restoration and care of the Peruvian national library.

Background Information
The Incan Empire extended from Ecuador to central Chile. Their capital was located in Cuzco, Peru. The Incas built an extensive network of roads with suspension bridges and tunnels. To relay messages, they used a system of knotted ropes, called **quipu.**

314

✤ **Lectura literaria**

¡AVANZA! **Goal:** Read about the role chess played in the death of the Inca ruler Atahualpa and then discuss other popular games like checkers, backgammon, and Parcheesi.

Para leer

ESTRATEGIA Leer
Note causes and effects While reading, use words and arrows to show causes and effects (on a different sheet). Start with the Spaniards discovering something important, and end with Atahualpa being sentenced to death. To reflect the actions, use a verb in each cause and each effect; an effect of a certain action becomes the cause of the next action. Add as many causes and effects as you need for this story.

CAUSA #1: Los españoles descubrieron que Atahualpa y Huáscar estaban luchando.

  EFECTO #1: _____ = CAUSA #2

   EFECTO #2: _____ = CAUSA #3

    EFECTO #3: Atahualpa fue condenado a muerte.

Vocabulario para leer

la pieza	*una ficha de un juego de mesa*
los lances	*movimientos destacados o estratégicos durante un juego*
las jugadas	*movimientos que se hacen al participar en un juego*
la torre	*una de las fichas del ajedrez*
la partida	*el juego completo, del principio al fin*
el (jaque) mate	*jugada definitiva para ganar un juego de ajedrez*

Nota cultural

Sobre el autor **Ricardo Palma (1833–1919)**
Nació en Lima, Perú. Aunque estudió leyes, siempre se interesó por la literatura y las tradiciones de su país. Su libro *Tradiciones peruanas* describe momentos históricos y culturales de Perú, que fueron tomados de la tradición oral.

Sobre el imperio inca Atahualpa y su hermano mayor Huáscar fueron los últimos emperadores del imperio inca. Atahualpa gobernó en el norte del imperio y Huáscar en la parte sur. Cuando llegaron los españoles, descubrieron que los dos emperadores estaban luchando por la división del imperio. Francisco Pizarro usó esa rivalidad y capturó a Atahualpa en la ciudad de Cajamarca.

Differentiating Instruction

Multiple Intelligences

Visual Learners Bring in a chess set and point out the pieces and moves referred to in Vocabulario para leer. You may also use this opportunity to review the names of the other pieces, referenced in Activity 5, page 302.

Pre-AP

Sequence Information Have students write a summary of the story, saying what happened first, second, and so on. They can also incorporate the causes and effects of events.

Analyze Talk about the style of dress and ornamentation of the painting's subject. Invite students to analyze what these items might have symbolized to the culture that the man came from, and what impression they might have given to the European military officers whom he encountered. What do they communicate to students?

Los incas ajedrecistas
AUDIO

El ajedrez llegó a España de la mano de los moros, quienes disfrutaban mucho de este juego. Para principios del siglo XV, el ajedrez ya era un juego muy popular en España, sobre todo entre los capitanes del ejército. Cuando los conquistadores españoles llegaron al Nuevo Mundo, uno de los elementos culturales que incorporaron fue el ajedrez.

Se sabe, por tradición, que los capitanes Hernando de Soto, Juan de Rada, Francisco de Chaves, Blas de Atienza y el tesorero[1] Riquelme se congregaban todas las tardes, en Cajamarca, en el departamento[2] que sirvió de prisión al Inca Atahualpa desde el día

5   15 de noviembre de 1532, en que se efectuó la captura del monarca, hasta la antevíspera[3] de su injustificable sacrificio, realizado el 29 de agosto de 1533.

....

---
[1] treasurer   [2] room
[3] two days before

 Reflexiona

¿A quién habían capturado los capitanes españoles?

Differentiating Instruction

Slower-paced Learners

Peer-study Support Let students know that after they have finished their cause/effect charts you will give them an opportunity to share them with a classmate, determining whether both parties interpreted the events in the same way, and whether both interpretations are valid according to the text.

Inclusion

Cumulative Instruction After students have read up to a given point, aid comprehension by having them paraphrase the sequence of events on the board. Provide sentence starters, like: **Atahualpa y Huáscar son...** If students do not use their own words, ask the class for synonyms—**reyes** for **emperadores,** for example.

Answers

Reflexiona
Los capitanes habían capturado a Atahualpa, un emperador de la civilización inca.

Objectives
· Read and listen to a Peruvian short story.
· Analyze cause and effect in the narrative.

Core Resource
· Audio Program: TXT CD 10, Track 10

Presentation Strategy
· Read, listen to, and respond to selection.

STANDARDS
1.2 Understand language
1.3 Present information

Communication
Group Work

Have students form pairs or triads to work out a clear explanation of how to play a board game, encouraging them to choose lesser-known games with simple rules. Have groups present their explanations to the class.

Nota gramatical

The text illustrates an additional use of the conditional tense in the sentence **Honda preocupación abrumaría el espíritu del Inca...** You may wish to point this out, explaining that just as the future tense can be used to express probability when speaking in the present, the conditional is used to express probability when speaking in the past.

Answers

A pensar Answers will vary. Sample answer: El consejo que Atahualpa le dio a de Soto les sorprendió a todos porque estaban muy seguros de que el Inca no podía entender lo que hacían.

316

❧ Lectura literaria *continuación*

Atahualpa y Francisco Pizarro acuerdan la cantidad por el rescate del rey inca, *Theodore de Bry*

Honda preocupación abrumaría[4] el espíritu del Inca en los dos o tres primeros meses de su cautiverio, pues aunque todas
10 las tardes tomaba asiento junto a Hernando de Soto, su amigo y amparador[5], no daba señales de haberse dado cuenta de la manera como actuaban las piezas ni de los lances y accidentes del juego. Pero una tarde, en las jugadas finales de una partida empeñada[6] entre Soto y Riquelme, hizo ademán[7] Hernando de movilizar
15 el caballo, y el Inca, tocándole ligeramente en el brazo, le dijo en voz baja:

—No, capitán, no... ¡El castillo!

La sorpresa fue general. Hernando, después de breves segundos de meditación, puso en juego la torre, como le aconsejara
20 Atahualpa, y pocas jugadas después sufría Riquelme inevitable *mate.* ❧

---
[4] must have overwhelmed   [5] protector
[6] heated   [7] **hizo...** he started to move

❧ A pensar
¿Por qué fue tan sorprendente el consejo que Atahualpa le dio a Hernando de Soto?

Differentiating Instruction

Pre-AP

Draw Conclusions The text doesn't state anything explicitly about the character or personality of Atahualpa. However, many of your students will be able to make conclusions about what he must have been like from his actions in the story. Ask them to share these thoughts.

Heritage Language Learners

Literacy Skills Ask students to make comparisons between the depiction of Atahualpa and Pizarro in Theodore de Bry's painting and the characters that they are reading about. Does the title of the painting lead them to make any predictions about how the story might end?

Después de aquella tarde, y cediéndole[8] siempre las piezas blancas en muestra de respetuosa cortesía, el capitán don Hernando de Soto invitaba al Inca a jugar una sola partida, y al
25 cabo de[9] un par de meses el discípulo era ya digno del maestro. Jugaban de igual a igual. ❄

....

La tradición popular asegura que el Inca no habría sido condenado[10] a muerte si hubiera permanecido[11] ignorante en el ajedrez. Dice el pueblo que Atahualpa pagó con la vida el *mate*
30 que por su consejo sufriera[12] Riquelme en memorable tarde. En el famoso consejo[13] de veinticuatro jueces, consejo convocado[14] por Pizarro, se impuso a Atahualpa la pena de muerte[15] por trece votos contra once. Riquelme fue uno de los trece que suscribieron[16] la sentencia.

---

[8] assigning him   [9] **al...** at the end of
[10] **no...** wouldn't have been condemned   [11] **hubiera...** had remained
[12] suffered   [13] council   [14] called   [15] **pena...** death penalty   [16] signed

> ❖ **A pensar**
> ¿Qué indica la frase «el discípulo era ya digno del maestro»?

PARA Y PIENSA

¿Comprendiste?
1. ¿Cómo llegó el ajedrez al Nuevo Mundo?
2. ¿Qué hacían los capitanes españoles cada tarde? ¿Dónde lo hacían? ¿Quién más estaba presente?
3. ¿Cómo aprendió el Inca Atahualpa a jugar al ajedrez?
4. ¿Cómo trató Soto a Atahualpa después del *mate* a Riquelme?
5. Según la tradición popular, ¿qué conexión puede haber entre el ajedrez y la muerte de Atahualpa?

¿Y tú?
¿Qué juegos de mesa te gustan? ¿Cuándo los juegas?

Lección 2
trescientos diecisiete **317**

Differentiating Instruction

Inclusion

Metacognitive Support Remind students to look for English cognates as they read. In the first paragraph on this page, cognates include: **ceder, piezas, respetuosa, cortesía, capitán, invitaba, discípulo, maestro,** and **igual.**

Multiple Intelligences

Interpersonal Call on students' conflict resolution skills and have them suggest ways to restore amicable relations between Atahualpa and the offended Spanish treasurer. How might they be helpful to one another?

Communication
Grammar Activity

Have students write a paragraph on what they would do in Atahualpa's place. Have them use the conditional at least five times in the paragraph.

✓ Ongoing Assessment

Alternative Strategy The writer doesn't elucidate the charges against Atahualpa in this trial, or the basis of his defense. Have students list points that might have been brought up either for or against him.

Answers

A pensar Answers will vary. Sample answer: **El discípulo ya era digno del maestro** se refiere al punto en que el estudiante llega a tener el nivel de habilidad o conocimiento de su maestro, y los dos llegan a ser iguales.

Para y piensa
¿Comprendiste?
1. El ajedrez llegó al Nuevo Mundo con los conquistadores españoles.
2. Cada tarde los capitanes españoles se congregaban en Cajamarca para jugar al ajedrez. Lo hacían en el departamento que sirvió de prisión al Inca Atahualpa durante su cautiverio. El tesorero Riquelme también estaba presente.
3. El Inca Atahualpa aprendió de Hernando de Soto a jugar al ajedrez. Tomaba asiento junto a él todas las tardes.
4. Depués del *mate* a Riquelme, Soto trató a Atahualpa como igual. Siempre le cedía las piezas blancas para mostrar su respeto para él, y le invitaba a jugar una sola partida.
5. Según la tradición popular, el Inca no habría sido condenado a la muerte si hubiera permanecido ignorante en el ajedrez. Se dice que Atahualpa pagó con la vida el *mate* que sufrió Riquelme por su consejo a Soto. En el consejo de los jueces el voto de Riquelme hizo la diferencia entre recibir o no recibir la pena de muerte.

¿Y tú? Answers will vary. Sample answer: Me gusta jugar a las damas y al ajedrez. Los juego más o menos cada fin de semana.

317

Objective

· Write an essay describing what you would do on a trip to Bolivia, Peru, or Ecuador.

Presentation Strategies

· Read and discuss instructions as a class.
· Allow students Internet access to support their ideas with research.
· Guide students through pre-writing exercises and their first draft.
· Pair students for peer editing before individuals attempt a final draft.

STANDARD

1.3 Present information

Connections

Geography

Remind students to consult an atlas or a travel site on the Internet to be sure that the time they are allotting for travel is reasonable. Most airlines depart for these countries via Miami, so they will probably have to allot time not only to get from the larger, international airport in their destination country to the city they want to visit, but also to get from their home to Florida. The trip will most likely require multiple airlines, and more time than they might expect.

Escritura

Descripción de un viaje

Vas a escribir sobre un viaje que te gustaría hacer a Bolivia, Perú o Ecuador. Antes de empezar a escribir haz la actividad para organizar tus ideas.

① Prepárate para escribir

ESTRATEGIA Limita el tema de una composición Antes de escribir, es necesario enfocarse en el tema y limitarlo. Primero, divide la información que tienes en categorías. Luego, selecciona lo más importante.

Vas a hacer un viaje de una semana a Bolivia, Perú o Ecuador. Tienes poco tiempo y debes organizar el viaje con cuidado. Primero, haz una lista de:

* todos los sitios que te gustaría visitar en cada país
* los tipos de alojamiento que quieres
* las actividades que quieres hacer
* los medios de transporte que vas a usar cuando estás allí

Luego, escoge **un solo país** y piensa en lo que puedes hacer en una semana. Tendrás que eliminar varias cosas de tu lista porque no habrá tiempo para todas. Completa la siguiente tabla con no más de dos actividades por día.

lunes	martes	miércoles	jueves	viernes	sábado	domingo
Viaje de ida						Viaje de regreso

② Escribe

ESTRATEGIA Escribe un borrador *(draft)* **siguiendo una organización de cinco párrafos**

Párrafo 1   **Introducción** Di adónde irías y por qué escogiste ese país.

Párrafos 2 a 4   **Información** Describe las categorías que elegiste. Incluye y explica las actividades de la tabla. Usa el condicional.

Párrafo 5   **Conclusión** Resume las ventajas del viaje.

③ Revisa tu composición

Intercambia el borrador con un(a) compañero(a) y corrígelo.

* ¿Están claras las actividades de tu compañero(a)? ¿Hay información para cada categoría?
* ¿Son correctas las formas del condicional?
* ¿Hay una introducción y una conclusión interesantes?

> Me interesa mucho la historia de los indígenas. Por eso me *gustara* → gustaría ir a Perú. El primer día iría a Machu Picchu en un autobús. El segundo día pasearía por Lima, la capital. Allí habría tiendas y universidades ^hay importantes. Me dijeron que Perú es tan lindo que volvería todos los años.

Differentiating Instruction

Heritage Language Learners

Writing Skills Pair native speakers together as peer editors and coach them in ways to raise the register of the language that they use in writing. For example, encourage them to choose very specific adjectives. Also remind them to vary the length of sentences by connecting shorter statements with appropriate conjunctions.

Pre-AP

Expand and Elaborate Require that students go beyond telling what they want to do on their trip to include why they have made those choices. Caution students that this information will have to be condensed in order to fit in the essay.

Lección 2

En resumen
Vocabulario y gramática

Animated Grammar
Interactive Flashcards
ClassZone.com

Vocabulario

Talk About the Day's Activities

asistir a un espectáculo	to attend a show	el estreno	debut, premiere
dormir una siesta	to take a nap	la ficha	game piece
encontrarse con	to meet up with	el grupo musical	music group
pasar un buen rato	to have a good time	el juego de mesa	board game
relajarse	to relax	la manta	blanket
el ajedrez	chess	la música bailable	dance music
el billar	billiards	la orquesta	orchestra
los dados	dice	los naipes	cards
las damas	checkers	el pasatiempo	pastime
		el ocio	leisure

Report What Someone Said

asistir a una reunión	to attend a meeting
charlar	to chat
comentar	to comment on, to talk about
concluir	to conclude, to finish
debatir	to debate
el encuentro	encounter
intercambiar opiniones	to exchange opinions
relatar	to relate, to tell

Other Words and Actions

acogedor(a)	cozy, welcoming	el (la) músico(a) callejero(a)	street musician
la actuación	acting		
el ambiente	atmosphere	la resolución	resolution
discutir	to discuss, to argue	resolver	to solve
formal	formal	el ruido	noise
informal	informal, casual	el (la) vendedor(a) ambulante	street vendor

Gramática

Nota gramatical: Qué and cuál *p. 302*

Conditional Tense

Add the **conditional** endings directly to the **infinitive** of regular verbs.

Infinitive		Conditional endings	
llevar		-ía	-íamos
resolver	+	-ías	-íais
discutir		-ía	-ían

Infinitive	Stem	Infinitive	Stem
haber	habr-	poner	pondr-
poder	podr-	salir	saldr-
querer	querr-	tener	tendr-
saber	sabr-	venir	vendr-
decir	dir-	hacer	har-

Yo **pondría** el escáner aquí. Así lo **tendríamos** al lado de la computadora.

Reported Speech

The second verb in a sentence with **reported speech** can use the preterite, the imperfect, or the conditional.

Nico **dijo que fue** al teatro.
*Nico **said that he went** to the theater.*

Nico **dijo que iba** al teatro.
*Nico **said that he was going** to the theater.*

Nico **dijo que iría** al teatro.
*Nico **said that he would go** to the theater.*

Remember that if you use **decir** to express what someone told *another* person to do, you use the **subjunctive** for the second verb.

Nico **dice** que **vayas** al teatro.
*Nico says that **you should go** to the theater.*

Lección 2
trescientos diecinueve **319**

Differentiating Instruction

Slower-paced Learners

Peer-study Support Have pairs review reported speech. Student A says what he/she is planning to do. (**Creo que jugaré a las damas.**) Student B questions it, as if in great surprise (**¿Dijiste que jugarías a las damas?**) using the preterite and the conditional. Students should alternate roles and cover a variety of vocabulary.

Inclusion

Metacognitive Support Encourage students to look for patterns among the irregular verbs in the conditional tense. For example, that the **e** is removed from **haber, poder, querer,** and **saber.** Students may also benefit from creating an acronym using the ten initial letters of the ten irregular infinitives.

Objective

· Review lesson vocabulary and grammar

Online SPANISH CLASSZONE.COM

Interactive Flashcards Students can hear every target vocabulary word pronounced in authentic Spanish. Flashcards have Spanish on one side, and a picture or a translation on the other.

Featuring...

Cultura INTERACTIVA

Animated Grammar

@HomeTutor

And more...
· **Get Help Online**
· **Interactive Flashcards**
· **Review Games**
· **WebQuest**
· **Conjuguemos.com**

Communication
Creativity/Humor

Help students to examine the vocabulary list (thus becoming aware of any terms for which they are uncertain of the meaning) by playing a simple game of **a la horca** (hangman). Students take turns calling out letters and the student who guesses the term is the next to add a new term to the board. The game continues as long as time allows.

Long-term Retention
Recycle

Revisit the issue of the **club de estudiantes** discussed at the lesson's beginning. Have students sit in a circle and take turns saying what they would do there. One student would start by saying **Yo charlaría con amigos,** or something similar. The next person would have to invent a new sentence and restate the previous one (**Yo jugaría a las damas y Marta charlaría con amigos.**) The last person will have to remember what each person in class would do at the **club de estudiantes.**

319

Objective
· Review lesson grammar and vocabulary.

Core Resources
· *Cuaderno*, pp. 231–242
· Audio Program: TXT CD 10 Track 11

Presentation Strategies
· Draw students' attention to the accomplishments listed under the ¡Llegada! banner.
· Review activities may be completed in class or as homework.

STANDARDS
1.2 Understand language, Act. 1, 4
1.3 Present information, Act. 1, 2, 3, 4
2.2 Products and perspectives, Act. 5
3.1 Knowledge of other disciplines, Act. 5
4.2 Compare cultures, Act. 5

Warm Up UTB 3 Transparency 23
Completa las preguntas con **qué** o **cuál**.
1. ¿ _____ de los estilos es más elegante?
2. ¿ _____ discutieron en la reunión?
3. ¿De _____ color es el sofá?
4. ¿ _____ es el nombre del vecino?
5. ¿ _____ vamos a hacer?
Answers: 1. Cuál; 2. Qué; 3. qué; 4. Cuál; 5. Qué

Answers UTB 5 Transparency 31
Activity 1
1. Lucas: compraría instrumentos para todos los niños de la ciudad y organizaría una gran orquesta estudiantil.
2. Serafina: gastaría todo el dinero en proyectos para ayudar a la comunidad. Dijo que daría conferencias y hablaría con gente de toda la ciudad.
3. Julieta: daría una fiesta callejera para toda la ciudad. Duraría por una semana, con comida, regalos y música.
Activity 2 Answers will vary. Sample answers:
1. La señora Mendoza asistió a una fiesta.
2. Pedro y Ramón escucharon a músicos callejeros.
3. María Rosa y Lorena pasaron el rato en un club de música bailable.
4. Hernán durmió una siesta.
5. Ariel y Sara jugaron al ajedrez.
6. Carlos y Luisa intercambiaron opiniones.

320

Lección 2
Repaso de la lección

¡LLEGADA!

@HomeTutor ClassZone.com

Now you can
· say what would or would not happen
· report what someone said
· talk about the day's activities

Using
· conditional tense
· reported speech

🎧 Audio Program
TXT CD 10 Track 11, Audio Script, TE p. 295B

To review
· vocabulary p. 298–299

1 Listen and understand
Vas a escuchar información sobre un concurso de radio organizado por una emisora en La Paz, Bolivia. Mientras escuchas escribe el nombre de los tres candidatos y lo que dijeron que harían.

To review
· vocabulary p. 298–299

2 Talk about the day's activities
Di qué hicieron las personas indicadas, en varias partes de la ciudad, según los dibujos. Sigue el modelo.

modelo: Sr. Blanco y Sra. Rojas
El señor Blanco y la señora Rojas asistieron a una reunión.

1. Sra. Mendoza   **2.** Pedro y Ramón   **3.** María Rosa y Lorena

4. Hernán   **5.** Ariel y Sara   **6.** Carlos y Luisa

Differentiating Instruction

Multiple Intelligences
Linguistic/Verbal Give students the option, instead of taking notes on the Activity 1 audio, to simply listen and respond by writing the part of a fourth contestant. Have students use the conditional to express how they would spend the prize money. Remind them to be sure this plan is different from those of the three contestants who have already been interviewed.

Pre-AP
Vary Vocabulary Challenge students to try to think of a way to describe the pictured situations in Activity 2 in a unique way. Offer an incentive to students who have sensible answers which use new vocabulary, but which are not replicated among other students. For example, in number 1, **La señora Mendoza disfrutó del ambiente elegante.**

3 Say what would or would not happen

To review
- conditional tense
  p. 303

¿Qué harían las personas en las situaciones indicadas? Forma oraciones con verbos en el condicional.

> **modelo:** Beto y Leticia / un club
> Beto y Leticia jugarían a las damas en un club.

1. César y Beatriz / un restaurante elegante
2. yo / una reunión de estudiantes
3. tú / un espectáculo
4. nosotros / una discoteca
5. ustedes / un café

4 Report what someone said

To review
- reported speech
  p. 308

Unos amigos te llamaron de sus teléfonos celulares y te dejaron mensajes en tu contestadora automática. ¿Qué dijeron que iban a hacer?

> **modelo:** «Hola, soy Felipe. Voy a ir a un estreno en el teatro.»
> Felipe dijo que iba a ir a un estreno en el teatro.

1. «Soy Silvio. ¡Escucha! Mañana vamos a jugar al billar a las doce.»
2. «¡Hola! Habla Marisa. Esta tarde voy a comprar los CDs de música bailable que te gustan.»
3. «Te habla Ricardo. Estaré trabajando de vendedor ambulante.»
4. «Oye, habla Pedro. Mañana te comento lo que discutí con Pablo.»

5 Music and archaeological sites in the Andes

Comparación cultural

To review
- **Comparación cultural**
  pp. 304, 310

1. ¿Cuáles son los instrumentos que se asocian con la música andina?
2. ¿En qué países se toca esta música?
3. ¿Con qué cultura se asocia Machu Picchu?
4. ¿En qué condición estaba Machu Picchu cuando fue descubierto?

Más práctica Cuaderno *pp. 231–242* Cuaderno para hispanohablantes *pp. 233–242*

Get Help Online
ClassZone.com

Lección 2
trescientos veintiuno **321**

Differentiating Instruction

Heritage Language Learners

Support What They Know When going over Activity 4, ask heritage learners how the phone is answered in their home or in their relatives' homes. Is this also how they would start a message on an answering machine?

Slower-paced Learners

Personalize It In Activity 3, have students say whether they would like to go to each of the places mentioned. What would they do in each place and why? Have students share their answers with a classmate and compare their ideas, while also reviewing their use of the conditional tense.

Communication
Role-Playing and Skits

To review the conditional, have groups of students create a segment for a home design show, where they go through a house and propose what they would do to make it more contemporary and inviting (**Pondría un espejo en esta pared**). Students should use visual aids or, if possible, have them video the segment and share it with the class.

✓ Ongoing Assessment

@*HomeTutor*
More Practice
ClassZone.com

Intervention and Remediation If students miss more than one activity in any section, have them consult ClassZone.com for extended review.

Answers UTB 5 Transparency 31

Activity 3 Answers will vary. Sample answers:
1. César y Beatriz llevarían ropa formal a un restaurante elegante.
2. Yo llegaría tarde a una reunión de estudiantes.
3. Tú hablarías en voz muy baja durante un espectáculo.
4. Nosotros bailaríamos toda la noche en una discoteca.
5. Ustedes tomarían un té con limón en un café.

Activity 4
1. Silvio dijo que jugaríamos al billar mañana a las doce.
2. Marisa dijo que iba a comprar los CDs de música bailable que me gustan.
3. Ricardo dijo que estaría trabajando de vendedor ambulante.
4. Pedro dijo que mañana me comentaría lo que discutió con Pablo.

Activity 5
1. Los instrumentos que se asocian con la música andina son la zampoña, la quena y el charango.
2. Esta música se toca en Perú, Ecuador y Bolivia.
3. Machu Picchu se asocia con la cultura inca.
4. La tumba de Sipán estaba intacta cuando fue descubierta.

Objectives

- Read two students' descriptions of the geographical features of their countries.
- Students describe the geographical features of their area.
- Compare the geography of the students' area with the geography of the areas describe by the two students.

Core Resources

- *Cuaderno*, pp. 243–245
- Audio Program: TXT CD 10, Track 12

Presentation Strategies

- Have students read the title on p. 322 and look at the photos on p. 323. On the board, brainstorm as a class the geographical features they expect to learn about in Peru and Ecuador. After reading the text, go back to the list on the board and circle the features mentioned in the descriptions. Then ask students if there are any features missing from the list.
- Have students listen to the audio as they follow along in their text.
- Ask for two volunteers to paraphrase in Spanish the information of each description. Encourage them not to refer to their textbooks as they paraphrase. Classmates can help them when necessary.

STANDARDS

1.2 Understand language
1.3 Present information
3.1 Knowledge of other disciplines
4.2 Compare cultures

✓ Ongoing Assessment

Quick Check Have students respond **cierto** or **falso**.
1. Chimborazo es una montaña de Ecuador. (cierto)
2. El río Amazona pasa por Perú. (cierto)
3. Cuzco es la capital de Perú. (falso)
4. Las islas Galápagos están en los Andes. (falso)
5. Arequipa es una ciudad colonial. (cierto)

322

Comparación cultural

Variedad geográfica

Lectura y escritura

① **Leer** Lee las descripciones que dan Dolores y Antonio sobre la geografía de sus países.

② **Escribir** Usa las descripciones que hicieron Dolores y Antonio, y escribe una composición sobre la geografía de la región donde tú vives.

> **ESTRATEGIA Escribir**
>
> **Gather and organize cultural information**
> Gather cultural information using the Internet or the library. Organize it using a chart showing region name, location, and comments/details.
>
> | Nombre de la región | Lugar |
> |---|---|
> | Características geográficas | |

Paso 1 Usa la información de tu tabla para ayudarte a escribir. Escribe tu introducción en el primer párrafo.

Paso 2 Escribe un párrafo sobre cada característica que quieres explicar.

Paso 3 Escribe un párrafo como una conclusión con tus comentarios. Luego revisa la gramática y la ortografía.

Compara con tu mundo

Compara la geografía de tu región con las regiones donde viven Dolores y Antonio. ¿Hay variedad de geografía? ¿Hay animales diferentes o parecidos? ¿Cómo es la arquitectura?

Cuaderno *pp. 243–245*   Cuaderno para hispanohablantes *pp. 243–245*

Differentiating Instruction

Slower-paced Learners

Yes/No Questions As you work with the class through each description, pause every one to two sentences and rephrase or ask yes/no questions based on the information. For example, **¿Los Andes cruzan por el norte de Perú?**

Inclusion

Multisensory Input/Output Identify the different geographical zones of Peru and Ecuador: **el oriente** or **la selva** in the east, **la sierra** in the center, and **la costa** in the west. Divide the zones for each country among six different groups. You can assign the Galápagos as a seventh zone. Each group should research that zone and prepare a map or display to present in class.

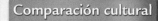

Cultura INTERACTIVA
ClassZone.com
See these pages come alive!

Perú

Dolores

Hola, soy Dolores. Soy de Lima y quiero que conozcas mi país. ¡Perú es un país con zonas geográficas muy distintas! La cordillera de los Andes pasa por el centro, por eso nunca estás lejos de las montañas. Las ruinas de la famosa ciudad inca de Machu Picchu están en los picos del sur de los Andes. La montaña más alta se llama Huascarán y tiene 6.768 metros de altura. Y también tenemos parte del famoso Amazonas, ¡uno de los ríos más grandes del mundo!

Una ciudad muy importante es Cuzco, por su larga historia. Esta ciudad fue la capital del imperio inca. Todavía hay muchos edificios coloniales en su centro histórico. Otra ciudad con mucha arquitectura colonial es Arequipa, que tiene un ambiente muy tradicional y moderno a la vez. A Arequipa también se la conoce como «la ciudad de los volcanes.»

Antonio

¡Hola! ¡Bienvenidos a Ecuador! Soy Antonio y vivo en Quito. Vamos a charlar sobre mi país...

La parte oeste de Ecuador está a una gran altitud. El pico más alto de los Andes, en Ecuador, es Chimborazo, que tiene 6.310 metros de altura. Muchos alpinistas y turistas vienen al país para escalar las montañas y admirar su belleza. ¡Muchos de los picos son volcanes!

Pero la "joya natural" de Ecuador son las islas Galápagos. Estas islas están a más de 900 km. de nuestra costa. Son montañosas y rocosas, con muchos volcanes. En 1835, el explorador Charles Darwin las visitó y se dio cuenta de que las islas tenían muchas especies de animales únicas: muchos tipos de reptiles, animales acuáticos y aves, como este piquero de patas azules. Hoy, las islas son controladas por el gobierno para proteger sus especies únicas. Las islas recibieron su nombre por los galápagos, unas tortugas gigantes que viven allí.

Ecuador

Los países andinos
trescientos veintitrés **323**

Comparación cultural

Exploring the Geography

Although Peru and Ecuador are relatively small countries, they have three distinct geographical regions that are very diverse: the coast, the highlands, and the jungle. In Peru, 60% of the population lives on the coast (11% of the landmass), 35% of the population lives in the highlands (26% of the landmass), and only 5% of the population lives in the largest area of Peru, the jungle (60%). Only 3% of Ecuador's population lives in the jungle and rain forest, and the rest of the population is divided up evenly between the coast and the highlands. Twenty years ago, most of Ecuador's population lived in the highlands, but in the wake of economic problems, many of the highland residents, mostly Quechua, migrated to the urban areas along the coastline.

✓ Ongoing Assessment

Rubric Lectura y escritura

Writing Criteria	Very Good	Proficient	Not There Yet
Content	Essay includes at least four paragraphs and provides a clear introduction, informative middle, and conclusion.	Essay includes at least three paragraphs and a somewhat distinguishable introduction, middle, and conclusion.	Essay includes fewer than three paragraphs with no distinguishable introduction, middle, and conclusion.
Communication	Essay is well organized and easy to follow.	Essay is fairly well organized and easy to follow.	Essay is disorganized and hard to follow.
Accuracy	Essay has very few mistakes in vocabulary and grammar.	Essay has some mistakes in vocabulary and grammar.	Essay has many mistakes in vocabulary and grammar.

Differentiating Instruction

Heritage Language Learners

Support What They Know Have students present information about the geography of their native county. Allow them to choose from the following kinds of presentations: oral, posterboard/display, photo album, and combined audio-visual. The presentation should be followed by a question-answer session and/or discussion with the class.

Pre-AP

Communicate Preferences Based on the information presented about different areas, have students explain their geographical preferences. They should mention reasons for their preferences; for example, if they prefer mountains, is it because they like to snow ski? Or is it the weather associated with the geography they prefer?

Objective
· Introduce the fifth mission of the Desafío.

Core Resource
· El Gran Desafío Video: DVD 3

Presentation Strategies
· **Previewing** Have students look at the photos and comment on what the contestants seem to be doing in each. Where might they be? What could the significance be of the pictures of food? Then ask a volunteer to read the **desafío** summary on p. 324 aloud. Elicit answers to the **Antes del video** questions. Ask students to support their answers with details.
· **Viewing** Review the **Toma apuntes** questions on p. 325. Encourage students to copy the questions in their notebooks or on a piece of paper, leaving space for the notes they'll write. Play the video, then allow students time to review their notes.
· **Post-viewing** Play the video again. Have volunteers read each of the **Después del video** questions and elicit answers from the class. Encourage students to say if they agree or disagree with any given answer.

STANDARDS
1.2 Understand Language
3.2 Acquire information
5.2 Life-long learners

Video Summary

@HomeTutor
VideoPlus
ClassZone.com

Professor Dávila explains the next mission, to look for a recipe for guacamole on the Internet, and to prepare a recipe for the owner of a restaurant that is famous for its guacamole. At an Internet café, only José and Carmen succeed in printing out recipes for guacamole. The teams then go to the restaurant, where they meet the owner, Don Ramón, an old family friend of Professor Dávila. Don Ramón has set up a large table with three work areas and all the ingredients. Once they are finished, Don Ramón tastes each offering, and declares Carmen and José to be the winners.

▶ ❙❙

324

UNIDAD 5

EL DESAFÍO

VIDEO DVD

El desafío de hoy tiene dos partes. Primero, es necesario que los equipos busquen en Internet una receta para hacer guacamole. Luego, deben ir a un restaurante famoso donde hacen el mejor guacamole de Cuernavaca y preparar guacamole para el chef del restaurante.

Antes del video

1. ¿Dónde crees que está María? Describe esta foto. ¿Qué crees que está pasando?

2. Mira esta foto y describe lo que está pasando. ¿Qué crees que está haciendo Marco?

3. ¿Qué crees que pasó aquí? En tu opinión, ¿qué equipo crees que va a ganar este desafío?

Unidad 5
trescientos veinticuatro

Differentiating Instruction

Heritage Language Learners
Support What They Know Ask students if they or their families have any recipes for traditional dishes from their countries of origin. Have them explain the dish and how it is generally served. Obtain the ingredients for the dishes and encourage the students to lead the class in preparing them.

Inclusion
Frequent Review/Repetition Remind students how, in the last challenge, the team members used adjectives to describe themselves and others. Ask students to work in pairs to come up with one new adjective describing each team member based on how they acted in this fifth challenge.

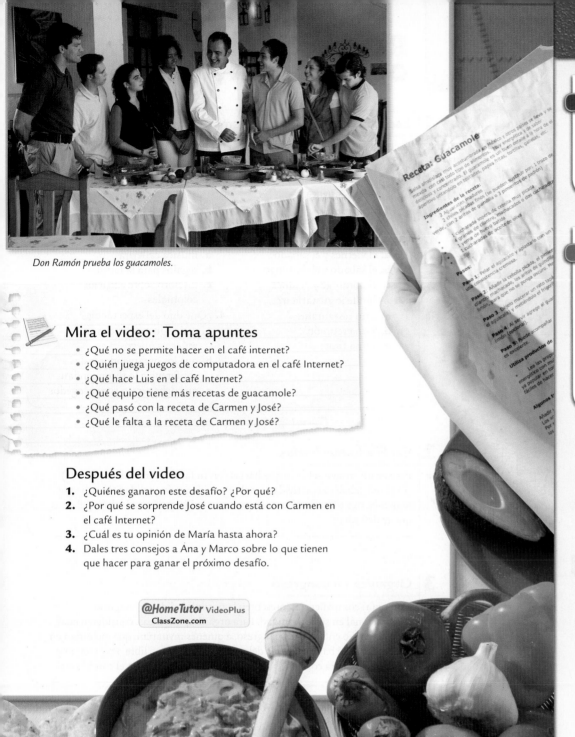

Don Ramón prueba los guacamoles.

Mira el video: Toma apuntes

- ¿Qué no se permite hacer en el café internet?
- ¿Quién juega juegos de computadora en el café Internet?
- ¿Qué hace Luis en el café Internet?
- ¿Qué equipo tiene más recetas de guacamole?
- ¿Qué pasó con la receta de Carmen y José?
- ¿Qué le falta a la receta de Carmen y José?

Después del video

1. ¿Quiénes ganaron este desafío? ¿Por qué?
2. ¿Por qué se sorprende José cuando está con Carmen en el café Internet?
3. ¿Cuál es tu opinión de María hasta ahora?
4. Dales tres consejos a Ana y Marco sobre lo que tienen que hacer para ganar el próximo desafío.

@HomeTutor VideoPlus
CLASSZONE.com

El Gran Desafío
trescientos veinticinco **325**

Long-term Retention
Interest Inventory

Ask students to interview one another to find out how they most often use computers: to do homework? play games? chat? email? surf the net? Then have them chart their results.

Communities
Spanish in the Supermarket

Have students work in pairs to search for a guacamole recipe on the Internet or from a cookbook in the library. Then ask them to go to a local supermarket and price how much it would cost to buy ingredients to make guacamole for four. Have them also note what hot sauces are available.

Differentiating Instruction

Pre-AP

Summarize Ask students to write a brief summary of this challenge. Encourage them to vary vocabulary and sentence structure, and to use transitional words. Then have them exchange their papers with a partner and critique the summaries for clarity and accuracy.

Multiple Intelligences

Logical/Mathematical Present students with a list of the ingredients for making guacamole. Then have them guess how and in what quantity those ingredients would go together to make the dish. Finally, compare their guesses with a few guacamole recipes to check for accuracy.

Answers

Después del video Answers will vary.
Sample answers:
1. José y Carmen ganaron este desafío. Lo ganaron porque tenían una receta para el guacamole.
2. Se sorprende José porque Carmen sabe usar la computadora y hacer una búsqueda por Internet.
3. Mi opinión de María hasta ahora es que es un poco impaciente.
4. A Ana y Marco les diría que para ganar el próximo desafío tienen que escuchar bien las direcciones, trabajar en equipo y seguir las reglas.

Unidad 5
REPASO INCLUSIVO

Objective
· Review unit grammar and vocabulary.

Core Resource
· Audio Program: TXT CD 10 Track 13

Practice Sequence
· **Activity 1:** Transitional practice: listening
· **Activity 2:** Open-ended practice: writing
· **Activity 3:** Open-ended practice: speaking
· **Activity 4:** Open-ended practice: speaking
· **Activity 5:** Open-ended practice: speaking, writing
· **Activity 6:** Open-ended practice: speaking
· **Activity 7:** Open-ended practice: writing

STANDARDS
1.1 Engage in conversation, Act. 3, 4, 5, 6
1.2 Understand language, Act. 1
1.3 Present information, Act. 1, 2, 3, 4, 5, 6, 7
4.1 Compare languages, Act. 4

Communication

Interpersonal Mode

After listening to Activity 1, have students help you list on the board all of the things that they remember Tío saying he would like to do on the weekend. Play the message once or twice more, if necessary. Discuss whether it would be advisable to do all the activities he suggests in two days. Then have students compose an e-mail response, suggesting a restaurant and two or three activities that they consider really worthwhile.

Answers
Activity 1
1. b
2. a
3. b
4. b

Activities 2–7 Answers will vary.

326

Repaso inclusivo
♻ Options for Review

1 | Escucha, comprende y transmite

Escuchar Hablar

Escucha este mensaje telefónico de tu tío y escoge la respuesta apropiada.

🎧 **Audio Program** TXT CD 10 Track 13, Audio Script, TE p. 295B

modelo: ¿Dónde está tu tío?
a. Guayaquil
b. Cuenca
c. Quito
Dijo que estaba en Quito.

1. ¿Cuándo va a estar libre?
a. el viernes y el sábado
b. el sábado y el domingo
c. el domingo y el lunes

2. ¿Adónde le gustaría ir?
a. a un restaurante
b. a una reunión
c. a una fiesta

3. ¿Qué tiene que comprar?
a. música callejera
b. regalos para la familia
c. un libro sobre edificios coloniales

4. ¿Qué dijo del espectáculo?
a. que le gusta escuchar a músicos nuevos
b. que los organizadores de la conferencia lo recomiendan
c. que debe ser un sitio acogedor

2 | Explica lo que hacías

Escribir

Escribe un ensayo sobre lo que hacías con tu familia cuando eras niño(a). ¿Qué reflejaban esas actividades sobre tu vida y personalidad? Escribe por lo menos tres párrafos usando el pretérito y el imperfecto. Incluye palabras que te describan.

3 | Organiza un congreso

Hablar

Con un(a) compañero(a), presenten la posibilidad de un congreso internacional en su comunidad. Para organizar sus ideas, consideren cuál sería el tema o enfoque del congreso, a quiénes invitarían, qué incluirían en la agenda y qué harían con los delegados en su tiempo libre. Preparen una presentación para compartir sus ideas con la clase. Utilicen el condicional.

326 Unidad 5 trescientos veintiséis

Differentiating Instruction

Inclusion

Metacognitive Support To review preterite and imperfect for Activity 2, have students write down ten memories from their childhood. Then have them circle the activities that happened regularly. Explain that these memories are told in the imperfect, while those not circled were events that are told in the preterite.

Multiple Intelligences

Logical/Mathematical For Activity 3, have students first organize their ideas on paper. Then have them prepare an outline of their presentation either on overhead transparencies or in a computer slideshow program. The outline can be projected for the class during the presentation.

4 | Mejora tu comunidad

Hablar

Tú y un(a) compañero(a) tienen que decidir qué hace falta *(is missing)* en su comunidad. Tienen patrocinadores para un proyecto especial. ¿Qué proyecto presentarían y por qué? Para expresar sus ideas, usen oraciones como las del modelo. Luego, decidan qué van a proponer y preparen los detalles que van a presentar a los patrocinadores. No olviden usar el subjuntivo cuando sea necesario.

> modelo: **Problema** No hay ningún lugar acogedor donde los jóvenes puedan reunirse para charlar y tomar un refresco.
> **Solución** Queremos tener un lugar donde los jóvenes puedan reunirse, que sea acogedor, que sirva refrescos, que tenga cómo conectarse a Internet...

5 | Entrevista, informa y analiza

Hablar
Escribir

Tú y tus compañeros(as) son inversionistas *(investors)* y quieren investigar qué productos o servicios hacen falta en su comunidad. Primero, cada persona del grupo debe entrevistar a varias personas de la comunidad y preguntarles qué hace falta. Luego, el grupo se reúne para informar y analizar los resultados de las encuestas. Después de decidir qué productos o servicios quieren ofrecer, organicen su propuesta para presentarla en clase. Recuerden que los verbos en el futuro son importantes para promocionar un producto.

6 | Diseña un lugar para comer

Hablar

Con unos(as) compañeros(as), diseñen un restaurante nuevo para su comunidad. Entre otros detalles, incluyan información sobre el lugar, la comida y el servicio. Presenten sus ideas a la clase con mandatos para persuadirlos de que es el mejor restaurante de la comunidad.

7 | Escribe una solicitud a un concurso

Escribir

Decidiste participar en un concurso para recibir a un(a) estudiante de intercambio *(exchange)* durante un año. Escribe una solicitud *(application)* de al menos tres párrafos en la que describas por qué tu familia sería ideal, qué podría hacer el (la) estudiante en tu escuela y comunidad, y a qué lugares de interés lo (la) llevarías.

Differentiating Instruction

Inclusion

Frequent Review/Repetition Make sure that students are aware of why they are to use the subjunctive in Activity 4. Juxtapose sentences about a place that does exist with the sentences from the model about the proposed space. If possible, have students explain to you why the subjunctive is needed or not.

Pre-AP

Persuade Before completing Activity 7, remind students to put themselves in the shoes of the exchange organization. What characteristics would they be looking for in a host? As they begin to write, remind them to focus on the student primarily (his/her needs, potential interests, adjustment to the culture, etc.).

Communication

Reluctant Speakers

For students who have trouble standing and presenting in front of the class, offer the alternative of videotaping presentations in Activity 5. The videos can be played in class, and students get the added benefit of seeing and hearing themselves.

✓ Ongoing Assessment

Alternative Strategy Instead of presenting their restaurant ideas to the class, have students design a newspaper advertisement for their new eatery in Activity 6. As well as descriptive language and command forms, encourage them to record the comments of satisfied customers regarding the restaurant's food, atmosphere, and service.

✓ Ongoing Assessment

Integrated Performance Assessment Rubric Oral Activities 3, 4, 5, 6 Written Activities 2, 7

Very Good	Proficient	Not There Yet
The student thoroughly develops all requirements of the task.	The student develops most requirements of the task.	The student does not develop the requirements of the task.
The student demonstrates excellent control of verb forms.	The student demonstrates good to fair control of verb forms.	The student demonstrates poor control of verb forms.
Good variety of appropriate vocabulary.	Adequate variety of appropriate vocabulary.	The vocabulary is not appropriate.
The pronunciation is excellent to very good.	The pronunciation is good to fair.	The pronunciation is poor.

Proyectos adicionales

✤ Storytelling

Donde vivo yo... After reviewing the vocabulary from Lección 1, model a mini-story. Later, students will revise, retell and expand it.

Mis padres acaban de comprar un **piso** nuevo en la ciudad. No es grande, pero tiene todo lo que necesitamos y está muy cerca de todo. Es muy bueno porque podemos **hacer los mandados** en el mismo barrio. Sólo hemos estado viviendo aquí dos semanas y todavía estoy explorando. He **dado una vuelta** por el barrio y en **la manzana** donde vivimos, hay **una carnicería, una lechería** y **una frutería**. He oído que hay **una bombonería** que tiene chocolates muy deliciosos, pero sólo está abierta los fines de semana. Cuando necesitamos ir al centro o a otra parte de la ciudad, hay **una estación del metro** que también está cerca. **Sacamos un billete** y **subimos al metro**. ¡Es muy fácil!

As you tell the story, be sure to pause so that students can fill in words and act out gestures. You may also want to write the vocabulary words on cards and hand them out to students. As you tell the story, have students hold up the appropriate card. Have them retell the story, expanding on it by adding details. Encourage students to use the Expansión de vocabulario on p. R12.

> **PACING SUGGESTION:** One 50-minute class period at the end of Lección 2.

✤ Bulletin Board

El museo del Prado Madrid's Museo del Prado is one of Europe's most famous art museums. Among its collection of over 10,000 pieces of art are works by such masters as Velázquez, El Greco and Goya. Have students go through encyclopedias, art history books, and browse art-related websites to find images of paintings that are exhibited in the Prado. Have each student choose one of the works exhibited in the museum and print out or photocopy an image of it. Tell them to imagine that they are in charge of writing a description of their painting for a visitor's guide to the museum. Encourage them to take notes about the history and significance of the painting and when and how it was acquired by the museum. Create a bulletin board of the works and their explanations. As a follow-up, go around the classroom and ask each student to share some details about the works they chose.

> **PACING SUGGESTION:** One 90-minute class period at the end of Lección 1. Alternately, students could conduct their research as a homework assignment.

✤ Web Research

Buscando pisos en la ciudad Tell students to imagine that they are participating in a month-long language-study program in Madrid this summer and need to find an apartment to stay in. Have students go online to research apartments for rent in the city and choose one that suits their needs. Guide their research by asking the following questions:

- Where is the apartment you've chosen located?
- Are there shops and conveniences close by?
- How much does the apartment cost per month?
- What features and amenities does it have?

When students have finished researching, have them print out a photo of their apartment and write a description of it, using vocabulary from the lesson and the Expansión de vocabulario on p. R12. Make sure they explain why they have chosen this particular apartment.

Search Key Words: «pisos en Madrid», «alquiler pisos Madrid», «apartamentos en Madrid», «intercambio apartamentos en Madrid»

> 🔎 **Get Help Online** ClassZone.com

> **PACING SUGGESTION:** One 90-minute class period at the end of Lección 1.

❀ Art Project

Diseña un edificio en el estilo de Gaudí

Catalán arquitect Antoni Gaudí's fantastic and whimsical buildings make Barcelona one of Europe's most arquitecturally interesting cities. The unique features and imaginative details of his modernist buildings were ahead of their time and his designs are still considered to be revolutionary.

1. First, have students research Gaudí's buildings and look at photos of them, concentrating on the unique arquitectural features of his designs and his use of color.

2. Have students sketch an original design for a building in the style of Gaudí.

3. Have them explain the details of their designs, and in what specific ways Gaudí's designs influenced them.

Hang students' designs around the room. Allow them time to share their drawings with the class. Based on their research, what details in their classmates' designs do they recognize as being influenced by Gaudí? What do the designs have in common with one another?

PACING SUGGESTION: One 90-minute class period at the end of Lección 1.

❀ Music

Carlos Núñez Spain's music is just as regionally diverse as its cuisine. The music of Galicia, Spain's northwestern province, is rooted in the Celtic musical tradition of Ireland, Scotland, Wales, and northwest France. Carlos Núñez, who plays a type of bagpipe called the **gaita** and has collaborated with Sinéad O'Connor, The Chieftains, and other pop acts, exemplifies the Galician musical tradition. Play some recordings of Núñez. Afterwards, guide discussion by asking these questions:

- Were you able to recognize the sound of the **gaita**? What other instruments were being played?
- Were there aspects of the music that reminded you of Irish/Celtic music you have heard before? If you didn't know that Núñez was Spanish before you heard his music, would you have guessed that he was a Spanish musician?

PACING SUGGESTION: 20 minutes of class time at the end of Lección 2.

❀ Recipe

Paella valenciana, a typical dish of Valencia, is found throughout Spain. Paella is flavored with saffron, the world's most expensive spice. Saffron threads are the dried stigmas of the saffron crocus. It takes 75,000 blossoms or 225,000 hand-picked stigmas to make one pound! More than 70% of the world's saffron comes from Spain. The saffron grown in the region of La Mancha is considered the best. Paella is typically simmered in a *paellera*, a shallow round pan, over an open fire.

Paella valenciana

Ingredientes
1/4 de taza de aceite de oliva
1/2 kilo de pollo
1/4 de kilo de salchicha
1 cebolla
2 dientes de ajo
1 tomate
1/2 taza de guisantes
1 pimentón
1/4 de kilo de calamares
200 gramos de gambas
sal y pimienta
1 1/2 tazas de arroz
1/2 cucharadita de azafrán
3 tazas de agua

Instrucciones
Ponga el aceite de oliva en la sartén. Corte el pollo y la salchicha en pedazos. Fríalos por diez minutos. Luego corte la cebolla, el ajo, el tomate y el pimentón. Póngalos en la sartén junto con los guisantes. Añada los calamares y las gambas, la sal y la pimienta. En otra sartén, cocine el arroz en el agua. Luego añada el pollo, la salchicha, los calamares, las gambas, las verduras y el azafrán. Cocínelo otros veinte minutos. Sirva la paella en un plato grande, o en una paellera.

Receta para 6 personas
Tiempo de preparación: 45 minutos
Tiempo total: 1 hora y media

UNIT THEME
Where do we live?

UNIT STANDARDS
COMMUNICATION
· Talk about your neighborhood
· Talk about an excursion
· Describe places and things
· Say what has happened
· Describe an excursion
· Express what will have happened
· Talk about the history of a place

CULTURES
· Architecture in Spain
· New traditional music in Spain
· Antoni Gaudí and Parc Güell
· Flamenco music and dance
· Spanish art
· Short story *Manolito Gafotas*
· Las Comunidades Autónomas
· El Greco and Toledo
· Poem: *Romance sonámbulo*
· Modern and traditional elements of cities

CONNECTIONS
· Art History: Portraits by Velázquez, Picasso, and Dalí

COMPARISONS
· Architecture and public space
· The letter **h**
· Flamenco and modern music
· Positive and negative effects of nicknames
· Different styles of portrait painting
· The /rr/ sound
· How artists portray cities through art

COMMUNITIES
· Art in the community

UNIDAD 6
España
¿Dónde vivimos?

Lección 1
Tema: **La vida en la ciudad**

Lección 2
Tema: **Fuera de la ciudad**

Islas Canarias

Francia
Mar Cantábrico
León · Potes · Bilbao
Andorra
· Salamanca
Portugal · España
★ Madrid · Barcelona
Océano Atlántico
Toledo · · Valencia · Islas Baleares
· Sevilla
Granada · Mar Mediterráneo
Ceuta
Melilla
Marruecos
Argelia

«¡Hola!
**Somos José Luis y Amparo.
Somos españoles.»**

Almanaque cultural

Geografía: Península más grande de Europa. Tres mares: Océano Atlántico, mar Mediterráneo y mar Cantábrico con montañas, campos y playas.

Comidas: pulpo a la gallega, cazuela de mariscos, paella, tortilla española

Gente famosa: David Bisbal (cantante), Penélope Cruz (actriz), Pedro Almódovar (director), Pablo Picasso (pintor), Federico García Lorca (poeta)

Lenguas: castellano, catalán, gallego y vascuence.

Tortilla española

Cultural Geography

Setting the Scene
· ¿Dónde está España? (En Europa)
· ¿Quiénes son algunos artistas, escritores, músicos o actores españoles? (Picasso, Velázquez, Cervantes, Paco de Lucía, Antonio Banderas)
· ¿Cuáles son algunas comidas españolas típicas? (tortilla, paella)

Teaching with Maps
· ¿Qué países tienen frontera con España? (Portugal, Francia)
· ¿Qué continente está al sur de España? (África)
· ¿Cuáles son las cordilleras más importantes de España? (los Pirineos, la Sierra Nevada)
· ¿Qué cuerpos de agua rodean la península? (el Mar Mediterráneo, el Mar Cantábrico, el Océano Atlántico)

Cultura INTERACTIVA
ClassZone.com
See these pages come alive!

◄ **La deliciosa comida española** España es conocida por sus sabrosas comidas. Los pescados y los mariscos son ingredientes principales en muchos de sus platos, como la cazuela y la paella. Una tradición española es la de comer tapas, que son pequeños platos de diferentes comidas. *¿Cuál es la comida típica de tu región?*

Arquitectura moderna Ciudades como Madrid y Barcelona muestran un fuerte contraste de arquitectura. Allí hay edificios antiguos de estilo gótico pero también hay enormes construcciones modernas, llenas de luces. En estas ciudades cosmopolitas se establecen empresas de todo el mundo. *¿Cuál es el edificio más alto de tu ciudad o región?* ▼

Festival de la tapa malagueña, Málaga

Torre Agbar, Barcelona

◄ **Una pasión deportiva** El fútbol es el deporte favorito de los españoles. España tiene equipos muy importantes, como el Barza y el Real Madrid. Muchos jugadores de Europa y Latinoamérica pasan a jugar para equipos españoles. Este deporte, también conocido como balompié, es la pasión del público español. *¿Cuál es el equipo de fútbol de tu ciudad, región o estado?*

El brasilero Robinho jugando para el equipo de fútbol Real Madrid

España
trescientos veintinueve **329**

Cultura INTERACTIVA
ClassZone.com

Cultura Interactiva Send your students to www.ClassZone.com to explore authentic Spanish culture. Tell them to click on Cultura Interactiva to see these pages come alive!

Culture

About the Photos

- **Tapas** Tapas are small servings of a wide variety of appetizers. They can be as simple as olives or cubes of cheese or sausage, or more complex like seafood or vegetable salads, or the famous *tortilla española*, a potato omelette served hot or cold. Going out for tapas is a popular social activity.
- **Fútbol** Spain's most popular sport, soccer, is played all over the country by young and old in streets and parks and by highly-paid professionals in state-of-the-art stadiums. Spain's two most important professional teams, Real Madrid and Barça, have a number of international players.

Expanded Information

- **Architecture** Spain has a rich architectural tradition. Roman aqueducts and other structures are prominent features of cities like Segovia, Tarragona, and Mérida. The Moorish palaces and mosques in Córdoba, Granada, and Sevilla draw visitors from around the world. Spain is also famous for medieval castles and extraordinary gothic churches. More recently, architects like Antoni Gaudí and Santiago Calatrava have transformed urban landscapes.
- **Spanish Cuisine** Spain has a rich culinary tradition with many regional specialties like the rice and seafood dish, *paella*. Along the coast, seafood reigns, featured in soups and hot and cold dishes of all sorts. In the countryside, dishes like wild boar, rabbit, and lamb are common. Desserts like *flan*, *arroz con leche* and *crema catalana* are a delicious complement to any meal. Cheeses of all sorts are also widely popular, and, of course, Spain is one of the great wine producing nations of the world.

Bridging Cultures

Heritage Language Learners

Support What They Know Invite heritage learners to talk about the important soccer players that they know. Where are they from? What teams do they play for? What other sports have international athletes?

Heritage Language Learners

Support What They Know Ask heritage learners to explain what **tapas** are and what they are similar to in the U.S. (They are like appetizers and are shared before a meal.) Have them explain different types of tapas and which they prefer and why.

Culture at a Glance ❖

Topic & Activity	Essential Question
La Plaza Real, Barcelona, p. 330	¿Qué estructuras y lugares deben tener las ciudades grandes?
Un banco sin fin, p. 336	¿Cómo contribuye el talento artístico de un arquitecto a mejorar los lugares públicos?
El flamenco: clásico y moderno, p. 344	¿Qué importancia tiene la mezcla de dos estilos de música?
«Manolito Gafotas», por Elvira Lindo, pp. 348–351	¿Qué revelan los motes, o apodos, sobre una persona?
Culture review: Architecture and traditional music, p. 355	¿Cuáles son las características de la arquitectura y música española?

Practice at a Glance ❖

	Objective	Activity & Skill
Vocabulary	Parts of an apartment	3: Reading / Speaking / Writing; 7: Speaking; 10: Speaking / Writing; 18: Reading / Listening / Speaking; 19: Writing; Repaso 1: Listening; Repaso 2: Speaking / Writing
	Furniture and other items in the rooms of an apartment	3: Reading / Speaking / Writing; 7: Speaking; 10: Speaking / Writing; Repaso 2: Speaking / Writing
	Places in the neighborhood	1: Speaking / Writing; 2: Speaking / Writing; 3: Reading / Speaking / Writing; 4: Writing; 5: Speaking / Writing; 13: Speaking / Reading / Writing; 19: Writing
Grammar	Past participles as adjectives	5: Speaking / Writing; 6: Speaking / Writing; 7: Speaking; 8: Writing; 9: Reading / Speaking / Writing; 10: Speaking / Writing; 11: Speaking / Writing; Repaso 2: Speaking / Writing
	Present perfect	12: Listening / Writing / Speaking; 13: Speaking / Reading / Writing; 14: Writing / Speaking; 15: Reading / Speaking / Writing; 16: Listening / Speaking / Writing; 17: Speaking / Writing; 19: Writing; Repaso 3: Speaking / Writing; Repaso 4: Speaking / Writing
Communication	Talk about your neighborhood	19: Writing; Repaso 3: Speaking / Writing
	Describe people, places and things	7: Speaking; 8: Writing; 10: Speaking / Writing; 11: Speaking / Writing
	Talk about what has happened and what needs to be done	14: Writing / Speaking; 17: Speaking / Writing; 18: Reading / Listening / Speaking; 19: Writing; Repaso 4: Speaking / Writing
	Pronunciation: The letter **h**	*Pronunciación: La letra **h**,* p. 339: Listening / Speaking
Recycle	Preterite	2: Speaking / Writing
	Direct object pronouns	10: Speaking / Writing

The following presentations are recorded in the Audio Program for *¡Avancemos!*

- **¡A responder!** *p. 333*
- **12: ¿Qué ha hecho Eduardo?** *p. 343*
- **18: Integración** *p. 347*
- **Repaso de la lección** *p. 354*
  - **1: Listen and understand**

¡A responder! TXT CD 11 track 2

1. el fregadero
2. la ferretería
3. el horno
4. la lechería
5. el refrigerador
6. la estación de metro
7. la carnicería
8. el microondas
9. el cajero automático
10. el grifo

12 | ¿Qué ha hecho Eduardo?

TXT CD 11 track 6

Mariana: Eduardo, ¿has ido a la carnicería y verdulería?

Eduardo: No, no están abiertas hasta las nueve pero he sacado dinero del cajero automático y estoy preparado para hacer el resto de los mandados.

Mariana: ¿Has traído pan?

Eduardo: Sí, he traído dos barras de pan.

Mariana: ¿Has comprado los plátanos y las naranjas para el desayuno?

Eduardo: Sí, también he comprado leche, queso y yogur. La lechería estaba abierta.

Mariana: ¿Los has puesto en el refrigerador?

Eduardo: No, los he dejado en la mesa de la cocina.

Mariana: Muy bien. He puesto la mesa del balcón para desayunar allí.

Eduardo: ¡Qué buena idea! Vamos a desayunar.

Mariana: ¡Se me olvidaba! ¿Trajiste la pasta de dientes de la farmacia?

Eduardo: ¡Claro! Está en el baño.

18 | Integración TXT CD 11 track 9

Fuente 2, Mensaje telefónico

Hola, este mensaje es de la agencia que alquila los pisos que has elegido en el periódico. La mala noticia es que he hablado con la dueña del piso moderno de tres habitaciones y me dijo que el piso ya está alquilado. Hay otro piso en el mismo edificio pero es una calle con mucho ruido. He visto los otros tres pisos que has mencionado. Como me has dicho que te interesa un piso en un barrio histórico, te recomiendo que visitemos el de una habitación cerca del metro Palacio y el de dos habitaciones cerca de metro Valladolid. El más pequeño ha sido restaurado y modernizado. El de dos habitaciones está cuidado pero necesita algunos arreglos. Por favor, llámame y dime si quieres visitar estos dos pisos o si ya has visto otra cosa.

Repaso de la lección TXT CD 11 track 11

1 Listen and understand

Srta. Valdez: Hola, Sr. Valle. Le habla la Srta. Valdez, del apartamento 1D. Ojalá que me pueda ayudar. He tenido problemas con el grifo del baño hace dos semanas, pero ahora me parece que está roto porque no puedo cerrarlo completamente. ¿Puede mirarlo? Y si no le molesta, cuando venga al piso, ¿puede ayudarme con las plantas? Quiero moverlas a la terraza, pero algunas pesan mucho y no puedo hacerlo sola. Muchas gracias. Estaré aquí todo el día.

Sr. Rivas: Buenos días, Sr. Valle. Ojalá que Ud. esté bien. Soy el Sr. Rivas en el apartamento 5A. No sé si Ud. me puede hacer un favor... He organizado una fiesta de sorpresa para mi esposa. Ella y yo vamos a salir esta tarde a eso de las seis y regresar a las siete. Cuando estemos fuera del apartamento, diez amigos van a llegar. Cuando ellos toquen el timbre, ¿puede llevarlos a nuestro apartamento y dejar que nos esperen en el balcón? Tengo una lista con todos los nombres de los invitados. Por favor, llámeme y puedo darle la lista con más detalles sobre la fiesta. Se lo agradezco mucho.

Sra. Blanco: Hola, Sr. Valle. Le llama la Sra. Blanco del apartamento 4B. Tengo un problema y no sé qué hacer... ¿Podrá ayudarme? La cosa es que mi gatito se ha puesto encima del refrigerador y ahora no sabe bajar. Yo trataría de ayudarlo, pero el médico me dijo que debo descansar y no esforzarme mucho a causa de los problemas que he tenido con las piernas... Me siento un poco tonta, pero realmente no sé qué hacer. Y el pobrecito está tan nervioso... y estoy tan preocupada por él. ¿Puede Ud. llamarme cuando regrese? ¡Muchas gracias!

On your desktop

Everything you need to ...

Plan	Present	Assess
ONE-STOP PLANNER	**POWER PRESENTATIONS**	 **ONLINE ASSESSMENT SYSTEM**
All resources including audio and video	Ready-made PowerPoint™ presentations with  **Animated Grammar**	✓ Create customized tests with Examview Assessment Suite ✓ Individualized Assessment for on-level, modified, pre-AP, and heritage language learners

 Print

Plan	Present	Practice	Assess
URB 6 • Family Letter p. 75 • Absent Student Copymasters pp. 77–84 **Lesson Plans** p. 111 **Best Practices Toolkit**	**TPRS** pp. 71–77	• *Cuaderno* pp. 246–268 • *Cuaderno para hispanohablantes* pp. 246–268 • *Lecturas para todos* pp. 66–72 • *Lecturas para hispanohablantes* • *¡AvanzaCómics! Mundos paralelos*, Episodio 3 **URB 6** • Practice Games pp. 29–36 • Audio Scripts pp. 53–57 • Map/Culture Activities pp. 65–66 • Fine Art Activities pp. 69–70	**URB 6** • Did you get it? Reteaching and Practice Copymasters pp. 1–11

 ## Unit Transparency Book 6

Culture	Presentation and Practice	Classroom Management
• Atlas Maps UTB 1, 1–6 • Map: Spain 1 • Fine Art Transparencies 2, 3	• Vocabulary Transparencies 6, 7 • Grammar Presentation Transparencies 10, 11	• Warm Up Transparencies 16–19 • Student Book Answer Transparencies 24–27

Audio and Video

Audio	Video
• Student Book Audio CD 11 Tracks 1–11 • Workbook Audio CD 3 Tracks 21–30 • Heritage Learners Audio CD 2 Tracks 9–12, CD 5 Tracks 19–24 • Assessment Audio CD 3 Tracks 19–24 • *Lecturas para todos* Audio CD 2 Track 3, CD 3 Tracks 1–5 • *Música del mundo hispano*	• *El Gran Desafío* DVD 3

 # Online (ClassZone.com) and Media Resources

Student	Teacher
Available online and on disc: • eEdition (DVD-ROM) and eEdition Interactive Online Student Edition • @HomeTutor (CD-ROM) - featuring Animated Grammar **Available online:** • Conjuguemos.com • Cultura Interactiva • Culture Links • WebQuests • Flashcards • Review Games • Self-check Quiz	**One-Stop Planner (available online and on DVD-ROM):** • Interactive Teacher's Edition • All print resources • All audio and video resources • Learning Scenarios • Conversation Cards • Assessment Program • Examview Assessment Suite • Calendar Planner • Rubric Generator **Available on CD-ROM:** • Power Presentations

Differentiated Assessment

On-level	Modified	Pre-AP	Heritage Learners
• Vocabulary Recognition Quiz p. 262 • Vocabulary Production Quiz p. 263 • Grammar Quizzes pp. 264–265 • Culture Quiz p. 266 • On-level Lesson Test pp. 267–273	• Modified Lesson Test pp. 206–212	• Pre-AP Lesson Test pp. 206–212	• Heritage Learners Lesson Test pp. 212–218

	Objectives/Focus	Teach	Practice	Assess/HW Options
DAY 1	**Culture:** Learn about Spanish culture **Vocabulary:** talk about people and places • Warm Up OHT 16 **5 min**	Unit Opener pp. 328–329 Lesson Opener pp. 330–331 **Presentación de vocabulario** pp. 332–333 • Read A–D • Play audio TXT CD 11 track 1 • *¡A responder!* TXT CD 11 track 2 **25 min**	Lesson Opener pp. 330–331 **Práctica de vocabulario** p. 334 • Acts. 1, 2 **15 min**	**Assess:** *Para y piensa* p. 334 **5 min** **Homework:** *Cuaderno* pp. 246–248 @HomeTutor
DAY 2	**Communication:** talk about the apartment and the neighborhood • Warm Up OHT 16 • Check Homework **5 min**	**Vocabulario en contexto** pp. 335–336 • *Contexto 1* TXT CD 11 track 3 **Culture:** *Un banco sin fin* **20 min**	**Vocabulario en contexto** pp. 335–336 • Acts. 3, 4 **20 min**	**Assess:** *Para y piensa* p. 336 **5 min** **Homework:** *Cuaderno* pp. 246–248 @HomeTutor
DAY 3	**Grammar:** past participles as adjectives • Warm Up OHT 17 • Check Homework **5 min**	**Presentación de gramática** p. 337 • Past participles as adjectives **Práctica de gramática** pp. 338–339 • *Pronunciación* TXT CD 11 track 4 **20 min**	**Práctica de gramática** pp. 338–339 • Acts. 5, 6, 7, 8 **20 min**	**Assess:** *Para y piensa* p. 339 **5 min** **Homework:** *Cuaderno* pp. 249–251 @HomeTutor
DAY 4	**Communication:** using past participles to describe people, places, and things • Warm Up OHT 17 • Check Homework **5 min**	**Gramática en contexto** pp. 340–341 • *Contexto 2* TXT CD 11 track 5 **15 min**	**Gramática en contexto** pp. 340–341 • Acts. 9, 10, 11 **25 min**	**Assess:** *Para y piensa* p. 341 **5 min** **Homework:** *Cuaderno* pp. 249–251 @HomeTutor
DAY 5	**Grammar:** present perfect tense • Warm Up OHT 18 • Check Homework **5 min**	**Presentación de gramática** p. 342 • Present perfect tense **Práctica de gramática** pp. 343–344 **15 min**	**Práctica de gramática** pp. 343–344 • Act. 12 TXT CD 11 track 6 • Acts. 13, 14, 15 **25 min**	**Assess:** *Para y piensa* p. 344 **5 min** **Homework:** *Cuaderno* pp. 252–254 @HomeTutor
DAY 6	**Communication:** Culmination: talk about things that have or haven't happened • Warm Up OHT 18 • Check Homework **5 min**	**Todo junto** pp. 345–347 • *Contextos 1, 2: Resumen* • *Contexto 3* TXT CD 11 track 7 **20 min**	**Todo junto** pp. 345–347 • Act. 16 TXT CD 11 track 7 • Acts. 17, 19 • Act. 18 TXT CD 11 tracks 8, 9 **20 min**	**Assess:** *Para y piensa* p. 347 **5 min** **Homework:** *Cuaderno* pp. 255–256 @HomeTutor
DAY 7	**Reading:** *Manolito Gafotas* **Connections:** Art • Warm Up OHT 19 • Check Homework **5 min**	**Lectura literaria** pp. 348–351 • *Manolito Gafotas*, TXT CD 11 track 10 **Conexiones** p. 352 • *El arte* **20 min**	**Lectura literaria** pp. 348–351 • *Manolito Gafotas* **Conexiones** p. 352 • *Proyecto* **20 min**	**Assess:** *Para y piensa* p. 351 **5 min** **Homework:** *Cuaderno* pp. 260–262 @HomeTutor
DAY 8	**Review:** Lesson review • Warm Up OHT 19 • Check Homework **5 min**	**Repaso de la lección** pp. 354–355 **15 min**	**Repaso de la lección** pp. 354–355 • Act. 1 TXT CD 11 track 11 • Acts. 2, 3, 4, 5 **25 min**	**Assess:** *Repaso de la lección* **5 min** **Homework:** *En resumen* p. 353 *Cuaderno* pp. 257–259, pp. 263–268 (optional) Review Games Online@HomeTutor
DAY 9	**Assessment**			**Assess:** Lesson 1 test **50 min**

	Objectives/Focus	Teach	Practice	Assess/HW Options
DAY 1	**Culture:** learn about Spanish culture **Vocabulary:** talk about people and places • Warm Up OHT 16 **5 min**	Unit Opener pp. 328–329 Lesson Opener pp. 330–331 **Presentación de vocabulario** pp. 332–333 • Read A–D • Play audio TXT CD 11 track 1 • *¡A responder!* TXT CD 11 track 2 **25 min**	Lesson Opener pp. 330–331 **Práctica de vocabulario** p. 334 • Acts. 1, 2 **15 min**	**Assess:** *Para y piensa* p. 334 **5 min**
	Communication: talk about the apartment and the neighborhood **5 min**	**Vocabulario en contexto** pp. 335–336 • *Contexto 1* TXT CD 11 track 3 **Culture:** *Un banco sin fin* **20 min**	**Vocabulario en contexto** pp. 335–336 • Acts. 3, 4 **20 min**	**Assess:** *Para y piensa* p. 336 **5 min** **Homework:** *Cuaderno* pp. 246–248 @HomeTutor
DAY 2	**Grammar:** past participles as adjectives • Warm Up OHT 17 • Check Homework **5 min**	**Presentación de gramática** p. 337 • Past participles as adjectives **Práctica de gramática** pp. 338–339 • *Pronunciación* TXT CD 11 track 4 **15 min**	**Práctica de gramática** pp. 338–339 • Acts. 5, 6, 7, 8 **20 min**	**Assess:** *Para y piensa* p. 339 **5 min**
	Communication: using past participles to describe people, places, and things **5 min**	**Gramática en contexto** pp. 340–341 • *Contexto 2* TXT CD 11 track 5 **15 min**	**Gramática en contexto** pp. 340–341 • Acts. 9, 10, 11 **20 min**	**Assess:** *Para y piensa* p. 341 **5 min** **Homework:** *Cuaderno* pp. 249–251 @HomeTutor
DAY 3	**Grammar:** present perfect tense • Warm Up OHT 18 • Check Homework **5 min**	**Presentación de gramática** p. 342 • Present perfect tense **Práctica de gramática** pp. 343–344 **15 min**	**Práctica de gramática** pp. 343–344 • Act. 12 TXT CD 11 track 6 • Acts. 13, 14, 15 **20 min**	**Assess:** *Para y piensa* p. 344 **5 min**
	Communication: Culmination: talk about things that have or haven't happened **5 min**	**Todo junto** pp. 345–347 • *Contextos 1, 2: Resumen* • *Contexto 3* TXT CD 11 track 7 **15 min**	**Todo junto** pp. 345–347 • Act. 16 TXT CD 11 track 7 • Acts. 17, 19 • Act. 18 TXT CD 11 tracks 8, 9 **20 min**	**Assess:** *Para y piensa* p. 347 **5 min** **Homework:** *Cuaderno* pp. 252–256 @HomeTutor
DAY 4	**Reading:** *Manolito Gafotas* • Warm Up OHT 19 • Check Homework **5 min**	**Lectura literaria** pp. 348–351 • *Manolito Gafotas*, TXT CD 11 track 10 **15 min**	**Lectura literaria** pp. 348–351 • *Manolito Gafotas* **20 min**	**Assess:** *Para y piensa* p. 351 **5 min**
	Review: Lesson review **5 min**	**Repaso de la lección** pp. 354–355 **15 min**	**Repaso de la lección** pp. 354–355 • Act. 1 TXT CD 11 track 11 • Act. 2, 3, 4, 5 **20 min**	**Assess:** *Repaso de la lección* **5 min** **Homework:** *En resumen* p. 353; *Cuaderno* pp. 257–259, pp. 260–268 (optional) Review Games Online @HomeTutor
DAY 5	**Assessment**			**Assess:** Lesson 1 test **45 min**
	Connections: Art **5 min**	**Conexiones** p. 352 • *El arte* **20 min**	**Conexiones** p. 352 • *Proyecto y En tu comunidad* **20 min**	

Objectives

- Introduce lesson theme: **La vida en la ciudad**
- **Culture:** Compare gathering places in cities

Presentation Strategies

- Ask students to talk about their neighborhoods
- Ask students to describe their home or apartment
- Ask students to predict subtopics that might be included in the lesson

STANDARD

4.2 Compare cultures

 Warm Up UTB 6 Transparency 16

El subjuntivo Llena los espacios con la forma apropiada del verbo.

1. No veo a nadie que me _____ (conocer).
2. No hay ningún lugar que le _____ (gustar) a mi abuelo.
3. Marta te dice lo que pasa para que _____ (saber) la verdad.
4. ¿No hay tienda en la ciudad que _____ (vender) libros en español?
5. Buscamos alguien que _____ (arreglar) computadoras.
6. No hay estudiante que _____ (llevar) su tarea a la playa.

Answers: 1. conozca; 2. guste; 3. sepas; 4. venda; 5. arregle; 6. lleve.

Comparación cultural

Exploring the Theme

Ask the following:
1. ¿En dónde preferirías vivir: en una ciudad, en un suburbio o en el campo?
2. ¿Cuáles son los beneficios de vivir en una ciudad?
3. ¿Cuáles son los elementos de un barrio?

¿Qué ves? Answers will vary. Possible answers:

- Toman refrescos; charlan.
- Llevan chaquetas, suéteres, bufandas.
- Hay un edificio grande de varios pisos con muchos arcos y balcones. La plaza está en medio.

330

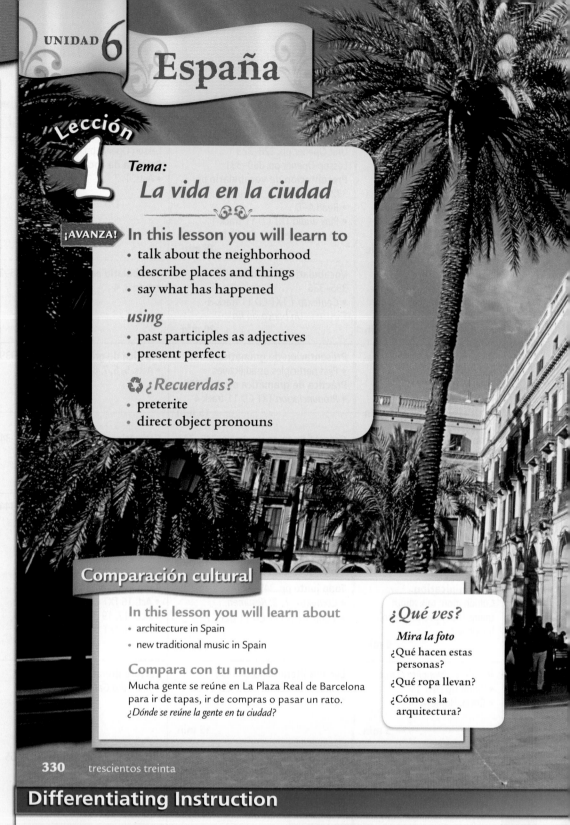

UNIDAD **6**

España

Lección **1**

Tema:
La vida en la ciudad

¡AVANZA! **In this lesson you will learn to**
- talk about the neighborhood
- describe places and things
- say what has happened

using
- past participles as adjectives
- present perfect

♻ *¿Recuerdas?*
- preterite
- direct object pronouns

Comparación cultural

In this lesson you will learn about
- architecture in Spain
- new traditional music in Spain

Compara con tu mundo

Mucha gente se reúne en La Plaza Real de Barcelona para ir de tapas, ir de compras o pasar un rato. *¿Dónde se reúne la gente en tu ciudad?*

¿Qué ves?

Mira la foto
¿Qué hacen estas personas?
¿Qué ropa llevan?
¿Cómo es la arquitectura?

330 trescientos treinta

Differentiating Instruction

Multiple Intelligences

Interpersonal In pairs, have students interview each other to find out where they, their friends, and family "hang out." When do they go there, with whom, and why? Compare the responses as a class.

Inclusion

Frequent Review/Repetition Divide the class into groups of three to four. Ask students to take turns describing people in the photo. The other students in the group should point to the person described.

Plaza Real,
Barcelona

España
trescientos treinta y uno **331**

Online SPANISH CLASSZONE.COM

Featuring...	And more...
Cultura INTERACTIVA	• Get Help Online
	• Interactive Flashcards
Animated Grammar	• Review Games
	• WebQuest
@HomeTutor	• Conjuguemos.com

Online SPANISH CLASSZONE.COM

WebQuest Provides step-by-step guidance for your students to help them explore this unit's theme and location online. Students are given a task and a set of pre-approved links to conduct research, answer questions, and submit findings to the class.

Featuring...	And more...
Cultura INTERACTIVA	• Get Help Online
	• Interactive Flashcards
Animated Grammar	• Review Games
	• WebQuest
@HomeTutor	• Conjuguemos.com

Using the Photo

Location Information

Plaza Real The *Plaza Real*, or *Plaça Reial*, in Catalan, is a popular meeting place for people of all ages. Always lively, the plaza is the perfect place to relax on a bench near the fountain or to enjoy something at one of the cafes. On Sunday mornings, the plaza is the site of an important stamp and coin market.

Expanded Information

Barcelona is Spain's second largest city, is the capital of Catalonia, one of the seventeen *comunidades autónomas* that make up the country. Barcelona is a highly cosmopolitan city with a diverse population, history, and culture. As you wander the city streets you will find Roman ruins, beautiful medieval churches and palaces, marvelous examples of fanciful Modernist architecture, and museums and galleries with works by many contemporary artists.

Long-term Retention
Personalize It

List possible report topics about Barcelona on the board and ask students to contribute additional topics. Then ask students to indicate which ones they find most interesting. Invite students with similar interests to volunteer to investigate their topic to present in class.

Differentiating Instruction

Pre-AP

Expand and Elaborate Have students investigate and prepare brief reports on topics related to Barcelona. For example, they could learn about one of Barcelona's famous artists, architects or musicians, the Catalan language, the history of Barcelona, or some of the other interesting locations in the city. Ask for volunteers to present their report in class.

Multiple Intelligences

Naturalist Have students investigate the diverse ecosystems of Catalonia which range from the Mediterranean coast to the Ebro River delta, to volcanic plains, to the high Pyrenees mountain range with its isolated valleys. The class could prepare an ecological map of Cataluña or individuals could present oral or written reports on their findings.

¡AVANZA! Objectives

¡AVANZA! Objectives

- Present vocabulary: things in an apartment; places in a neighborhood.
- Check for recognition.

Core Resources

- Audio Program: TXT CD 11 Tracks 1, 2

Presentation Strategies

- Ask students to say whether they live in a house or apartment and to comment on the advantages of each.
- Ask students to briefly describe their neighborhood.
- Ask students to describe a favorite feature of their home or neighborhood.

STANDARD

1.2 Understand language

Communication

Regionalisms

Remind students of the regional variation of the Spanish language. Amparo refers to her **terraza**, while the picture caption reads "**balcón**." She also refers to "**la manzana**" as the block or street she and her family live on. In most other Spanish-speaking countries, the word is "**cuadra**." Other differences are "**piso**" vs. "**apartamento**" and "**departamento**" for "apartment," and "**ducha**" vs. "**regadera**" for "shower." Peninsular Spanish uses the vosotros form of address for the familiar plural.

Dora Psilekaris
Pembroke, MA

Tips for Presenting Vocabulary

"I look for images of every vocabulary word and then mount them on construction paper and post them on the board. I introduce vocabulary in the target language and have students point to the word to check comprehension. Next, I hand out a worksheet with the vocabulary terms written out and ask for volunteers to match them to the images on the board while pronouncing each one. Finally, I give the class a vocabulary picture sheet and dictate the words as they write the terms under the appropriate visual."

332

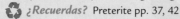

Presentación de VOCABULARIO

¡AVANZA! **Goal:** Learn new words to talk about people and places. Then practice what you learned by describing a neighborhood. *Actividades 1–2*

♻ *¿Recuerdas?* Preterite pp. 37, 42

AUDIO

A Hola, me llamo Amparo. Mi familia y yo vivimos aquí. Nuestro **piso** es grande y tiene **una terraza** estupenda. Yo **aprovecho** su posición estratégica para ver quién **toca el timbre** y **enterarme de** todo lo que pasa en **la manzana.**

el balcón
la entrada

B Nosotros cuidamos nuestro piso: tratamos de no **ensuciar, romper** o **desordenar** nada. Y si algo está **roto**, lo **arreglamos** rápido.

el grifo
el horno

la ducha
el lavabo
la bañera

Más vocabulario

(sacar) el billete *(to buy) a ticket*	**el lío** *mess*	**quitar** *to take away*
dejar *to leave (behind)*	**la mesita** *nightstand, end table*	**el refrigerador** *refrigerator*
el fregadero *kitchen sink*	**(subir a/bajar de) el metro**	**el sello** *stamp*
(abrir/cerrar) el grifo *(to turn on/turn off) faucet*	*(to get on/to get off) the subway*	*Expansión de vocabulario* p. R12
	el microondas *microwave*	*Ya sabes* p. R12
el kiosco *kiosk*	**ordenar** *to organize*	

332 Unidad 6 España
trescientos treinta y dos

Differentiating Instruction

Heritage Language Learners

Support What They Know Ask students about household and neighborhood terms. For example, what term do they use or hear from their families for "block"? For "refrigerator"? (**la nevera,** etc.) Have them pronounce terms for the class, who will then repeat.

Multiple Intelligences

Linguistic/Verbal Have students make labels with the Spanish words for places and items in their own home. Ask them to post the labels and to say the word every time they enter the room or look at the object. Suggest they also say a sentence that includes the word in a logical context, for example, **Voy a usar el horno en la cocina para preparar galletas.**

C El barrio es muy bueno y práctico; todas las tiendas están cerca. Para **hacer los mandados**, sólo tengo que caminar un minuto. **La verdulería, la lechería** y **la ferretería** están una al lado de la otra y tienen **ofertas** muy buenas. **El correo** también está muy cerca. También voy a...

la carnicería

la frutería

el cajero automático

la bombonería

la estación de metro

la fuente

el buzón

la pastelería

la florería

D Aquí puedo hacer muchas cosas: **ir de tapas** con mis amigos o ir a mirar **los escaparates** de las tiendas. A veces voy a **dar una vuelta** por el parque y me siento en **un banco.** ¡Me encantan mi piso y mi barrio!

¡A responder!   Escuchar

Vas a escuchar una lista de palabras. Si es una cosa que tienes en la cocina de tu casa, levanta la mano derecha. Si es un lugar en tu barrio o pueblo, levanta la mano izquierda.

@HomeTutor
Interactive Flashcards
ClassZone.com

Communities
Spanish in the Neighborhood

ATM Have students look at the photo of the "**cajero automático**" on p. 333. Ask them if they know what languages are available on the ATMs they use. Divide the class into small groups and have them draft an ATM script in Spanish. Then, if available, have them go to a local ATM machine (with parents' permission) and make notes on the actual Spanish script. Alternately, have students look for signage in Spanish on public transportation or other places in their neighborhood. They should keep a record of what they see in a journal. At the end of a week, ask students to share what they have learned.

Comparisons
English Language Connection

Discuss the difference between synonyms and regionalisms. (*Synonyms are words that have the same meaning used by all speakers; regionalisms are equivalents used by speakers of the same language but only in a particular geographical region or part of a city, country, etc.*) Ask the class if they are aware of any regional vocabulary in the U.S. or differences between American English and English in other English-speaking countries like Canada, Great Britain, South Africa, India, Australia or New Zealand. Some examples are *bubbler* for "water fountain" and *pop* or *tonic* for "soda"; in New York, people wait *on line*, while in other states, you wait *in* line, and so forth.

Differentiating Instruction

Multiple Intelligences

Intrapersonal Ask students to make a "top-ten" list of places they enjoy spending time, either in their own home or in their neighborhood or area. After each place on their list, they should say why they enjoy that place and what they do there.

Pre-AP

Expand and Elaborate In pairs, have students make up a story about Amparo's morning chores and errands. Using the photos as a guide, have them tell where she goes, in which order and for what reasons. Model: **Amparo abre el refrigerador para sacar leche para el desayuno. Ve que no hay. Entonces prepara una lista. Primero va a la lechería. Luego...**

Answers UTB 6 Transparency 24

¡A responder! Audio Script, TE p. 329B
Students should raise their right hands for numbers 1, 3, 5, 8, 10. Students should raise their left hands for numbers, 2, 4, 6, 7, 9.

Objectives
- Practice and recognize vocabulary: places in the neighborhood and things in the home
- Recycle: preterite.

Core Resource
- *Cuaderno*, pp. 246–248

Practice Sequence
- **Activity 1:** Vocabulary recognition: merchandise and stores
- **Activity 2:** Vocabulary production: places in the neighborhood; Recycle: preterite

 ## STANDARD
1.3 Present information, Act. 1, 2

Long-term Retention
Personalize It

Ask students to describe a store in their neighborhood. Ask them to give details in their descriptions, such as what the store looks like, what is sold there, how many people work there, and who shops there.

@HomeTutor
More Practice
ClassZone.com

✓ **Ongoing Assessment**

PARA Y PIENSA **Quick Check** These activities are self-checks. If students have trouble completing them, they can practice online. For additional practice, use Reteaching & Practice Copymasters URB 6, pp. 1, 2, 10.

---

1 **¿Dónde se compra?**

Hablar
Escribir

Explica dónde se compran los siguientes artículos.

verdulería	ferretería	lechería
frutería	florería	carnicería
bombonería		

modelo: rosas: Las rosas se compran en una florería.

1. manzanas, uvas, naranjas
2. herramientas para la construcción
3. chuletas de cerdo, pollo, bistec
4. lechuga, tomates, espinacas
5. queso, helado, yogur
6. bombones, caramelos

Expansión
Di dos cosas más que se compran en cada tienda. Si es necesario, usa tu diccionario.

---

2 **Búscalo en el barrio** ♻ *¿Recuerdas?* Preterite pp. 37, 42

Hablar
Escribir

Usa el pretérito para explicar lo que hizo cada persona.

modelo: Mónica / sacar
Mónica sacó dinero del cajero automático.

Expansión:
Teacher Edition Only
Pídales a los estudiantes que digan tres cosas más que hicieron ayer en su casa o en el barrio.

1. Pepe y Lola / entrar 2. Arturo / subir 3. tú / poner

4. nosotros / ir 5. yo / hacer 6. ellos / dar

Más práctica Cuaderno *pp. 246–248* Cuaderno para hispanohablantes *pp. 246–249*

PARA Y PIENSA

¿Comprendiste? Contesta con oraciones completas.
1. ¿Qué haces cuando llegas a una casa y quieres que te abran la puerta?
2. ¿En qué parte del baño te lavas las manos?
3. Cuando estás en el parque y quieres descansar, ¿en dónde te sientas?

Get Help Online
ClassZone.com

334 Unidad 6 España
trescientos treinta y cuatro

Differentiating Instruction

English Learners
Increase Interaction Have students describe housing and neighborhood shops in their home countries, highlighting similarities and differences with housing and stores in the U.S.

Inclusion
Frequent Review/Repetition In pairs, have students write a list of verbs for activities in the home and neighborhood. Then have them take turns using each in a sentence about activities that they, their friends, or family members did.

 Answers UTB 6 Transparency 24

Activity 1
1. Las manzanas, las uvas y las naranjas se compran en una frutería.
2. ... se compran en una ferretería.
3. ... se compran en una carnicería.
4. ... se compran en una verdulería.
5. ... se compran en una lechería.
6. ... se compran en una bombonería.

Answers continue on p. 335.

❈VOCABULARIO en contexto

¡AVANZA! **Goal:** Read and listen to the following comic strip, paying special attention to the words used to talk about the apartment and the neighborhood. *Actividades 3–4*

Contexto 1 *Historieta*

ESTRATEGIA Leer
Analyze the conversations On a separate sheet, draw six boxes, each box matching a panel of the comic strip below. Use the sample questions to help you analyze and understand the dialogue in each box.

CUADRO UNO
• ¿Qué personajes hay?
• ¿Hay alguna emoción?
• ¿Qué problema hay?
• ¿Qué soluciones hay?

AUDIO

Amparo Prado escribe una historieta *(comic strip)* para el periódico de su escuela. Ella vive en Madrid y describe escenas de la vida diaria de su piso y su barrio.

Planeta Barrio

¿Cómo que tu madre viene? ¡Necesito ordenar el piso!

¿No te lo dije? Ella me avisó hace un mes... llega a la una.

Tendremos que limpiar todo, ¡el microondas, el refrigerador y los lavabos!

Tú y Amparo podéis hacerlo muy rápido.

¿Cómo nosotras? ¡¿Y tú?!

Bueno, cariño, yo puedo ir a la verdulería y a la carnicería...

Papá, también ve a la pastelería que está al otro lado de la ciudad...

¡Vale! Tendré que tomar el metro...

¡Y preparar la comida! ¡Yo tengo que ordenar este piso!

Hola, Amparo. ¡Déjame pasar!

Doña Rosario, ¡espere...!

¿Así que tu abuela llega hoy y tu madre acaba de enterarse?

Hola, Silvana. ¡Ay!, ¿pero cómo ensuciaste tanto la cocina?

¡Otro día en Planeta Barrio!

También se dice

La palabra **vale** es muy común en España. Se utiliza en el lenguaje oral para expresar aprobación, como la palabra ¡**bueno**!
• **Argentina** listo
• **Perú** sale
• **México** órale
• **Colombia** chévere

Differentiating Instruction

English Learners
Provide Comprehensible Input Before students read or listen to the comic strip, have them try to guess what the story will be about by looking at the pictures. Who are the characters? What are they feeling? What are they doing?

Multiple Intelligences
Kinesthetic Talk about the sorts of gestures the characters might use in each segment of the comic strip to emphasize the emotions they are feeling. Then have students act out the comic strip in pantomime, paying close attention to the gestures they need to convey the appropriate emotions.

¡AVANZA! ⊙ **Objective**
• Recognize and understand vocabulary about apartment and neighborhood in context

Core Resource
• Audio Program: TXT CD 11 Track 3

Presentation Strategies
• Play the audio while students read along.
• Have students complete the *Estrategia* in pairs.
• Have volunteers act out the comic.

❈ **STANDARD**
1.2 Understand language

 Warm Up UTB 6 Transparency 16

Vocabulario Empareja las actividades con los lugares.
1. el cajero automático
2. el buzón
3. la estación de metro
4. la florería
5. la bombonería
6. la frutería

a. comprar chocolates
b. sacar dinero
c. ver unas plantas
d. mandar una carta
e. viajar por la ciudad
f. comprar naranjas y fresas

Answers: 1. b; 2. d; 3. e; 4. c; 5. a; 6. f

 Answers UTB 6 Transparency 24

Answers continued from p. 334.
Activity 2
1. Pepe y Lola entraron a la estación de metro.
2. Arturo subió al metro.
3. Tu pusiste la carta en el buzón.
4. Nosotros fuimos de tapas.
5. Yo hice las compras.
6. Ellos dieron una vuelta.

Para y piensa
1. Cuando llego a una casa y quiero que me abran la puerta, toco el timbre.
2. Me lavo las manos en el lavabo.
3. Cuando estoy en el parque y quiero descansar, me siento en un banco.

335

Objectives
- Produce vocabulary in context.
- Learn about the architecture of Antoni Gaudí and discuss places of interest.
- **Culture:** Parc Güell and Antoni Gaudí

Practice Sequence
- **Activity 3:** Contexto 1 comprehension
- **Activity 4:** Vocabulary production: identify and categorize

STANDARDS
1.2 Understand language, Act. 3, 4
1.3 Present information, Act. 3, 4, CC
2.2 Products and perspectives, CC
4.2 Compare cultures, CC

Comparación cultural

Essential Question
Suggested Answer Cuando un arquitecto hace un edificio o parque, crea un espacio hermoso para las personas que lo usan.

✓ Ongoing Assessment

@HomeTutor
More Practice
ClassZone.com

PARA Y PIENSA **Peer Assessment** Have students work in pairs to review the items in the Para y piensa. Have them make corrections as needed. For additional practice, use Reteaching & Practice Copymasters URB 6, pp. 1, 3.

Answers UTB 6 Transparency 24
Activity 3
1. Se entera de que tiene que ordenar el piso.
2. Tienen que limpiar: el micoondas, el refrigerador y los lavabos.
3. Rodrigo va a la la verdulería, la carnicería y la pastelería.
4. Tiene que tomar el metro.
5. Doña Rosario estuvo en el piso de Amparo.

Answers continue on p. 337.

336

---

3 | Comprensión de la historieta

Leer
Hablar
Escribir

Contesta las siguientes preguntas sobre la lectura.
1. ¿La mamá de Amparo se entera de que tiene que hacer qué inmediatamente?
2. ¿Qué cosas tienen que limpiar Amparo y su madre?
3. ¿Adónde va a ir Rodrigo?
4. ¿Qué tiene que hacer Rodrigo para ir a la pastelería?
5. ¿Dónde estuvo doña Rosario esa mañana?

Expansión:
Teacher Edition Only
Pídales a los estudiantes que, en grupos de tres, se hagan y se contesten entre sí tres preguntas adicionales acerca de la historieta.

4 | Los mandados

Escribir

Organiza la lista de compras de Rodrigo para agrupar lo que necesita de los siguientes lugares: verdulería, carnicería, frutería, pastelería, heladería, panadería y lechería. ¡Ojo! Rodrigo debe ir también a otros lugares.

lechuga	cebolla	pan
tomates	periódico	pastel
chuletas de cerdo	naranjas	queso
herramientas	fresas	rosas y plantas

Expansión
Rodrigo tiene que ir a la ferretería, al kiosco y a la florería. ¿Qué cosas de su lista incluyes en cada categoría?

Comparación cultural

Un banco sin fin

¿Cómo contribuye el talento artístico de un arquitecto a mejorar los lugares públicos? El Parc Güell en Barcelona, **España,** fue diseñado por el famoso arquitecto catalán Antoni Gaudí. Es una maravilla de fantasía porque los edificios, bancos, murallas y otras superficies están decorados con mosaicos de colores brillantes. Gaudí también diseñó muchos otros edificios en Cataluña.

Compara con tu mundo *¿Qué edificios u otras construcciones originales y famosas hay en tu ciudad o región? Descríbelos.*

Parc Güell, Barcelona

PARA Y PIENSA **¿Comprendiste?** Indica si las siguientes palabras son parte de un piso o un objeto.
1. la terraza 3. el balcón 5. el lavabo 7. la ducha
2. la bañera 4. la entrada 6. la mesita 8. el horno

Get Help Online
ClassZone.com

336 Unidad 6 España
trescientos treinta y seis

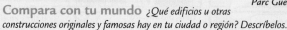
Differentiating Instruction

Multiple Intelligences
Naturalist Tell students one of Gaudí's famous declarations: **"Todo sale de la naturaleza."** (Everything comes from nature.) Then ask students in pairs to examine photos of Gaudí's work in books or online, and take notes on forms, colors, and designs that mimic natural ones. Each pair should present some of their findings to the class, using photos to illustrate their comments.

Slower-paced Learners
Yes/No Questions Before students complete Activity 3, ask them yes/no questions to help them understand the comic strip. For example, **¿Sabe la mamá de Amparo que su suegra viene de visita?; ¿Está ordenada la casa?; ¿Está contenta la mamá de Amparo?**

✤ Presentación de GRAMÁTICA

¡AVANZA! **Goal:** Learn about the formation and use of past participles as adjectives. Then practice using past participles for description. *Actividades 5–8*

English Grammar Connection: In English, as in Spanish, the past participle of many verbs can be used as an adjective. In English, it usually ends in *-ed* and is frequently used with the verb *to be* to describe people, places, and things.

The article is **published**.   El artículo está **publicado**.

Past Participles as Adjectives

 Animated Grammar
ClassZone.com

Past participles are frequently used with the verb **estar** to describe the result of an action.

Here's how: To form the past participle, drop the infinitive ending and add **-ado** to **-ar** verbs or **-ido** to **-er** and **-ir** verbs.

arreglar → arreglado   **esconder** → escondido   **pedir** → pedido

When the past participle is used as an adjective, be sure the ending agrees in number and gender with the noun it describes.

agrees   *agrees*

El **horno** está **arreglado**.   Las **tapas** están **pedidas**.
*The oven is **fixed**.*   *The appetizers are **ordered**.*

Irregular Past Participles

Infinitive	Past Participle	Infinitive	Past Participle
abrir	abierto	ir	ido
decir	dicho	morir	muerto
descubrir	descubierto	poner	puesto
escribir	escrito	resolver	resuelto
freír	frito	romper	roto
hacer	hecho	ver	visto
imprimir	impreso	volver	vuelto

La ducha no funciona. Está **rota**.   Todas las mesas están **puestas**.
*The shower is not working. It's **broken**.*   *All the tables are **set**.*

Más práctica
Cuaderno *pp. 249–251*
Cuaderno para hispanohablantes *pp. 250–252*

 @HomeTutor
Leveled Practice
ClassZone.com

Lección 1
trescientos treinta y siete   **337**

Differentiating Instruction

Slower-paced Learners

Sentence Completion Say or write phrases leading up a completing phrase with the **estar** + participle construction. For example, **Me lavo las manos; entonces mis manos ...(están lavadas).** Ask students to complete each sentence.

Inclusion

Cumulative Instruction Students have already learned a number of adjectives formed with **estar** + past participle to describe changing states, such as **estar cansado(a), estar cerrado(a).** Have students, in pairs, make lists of as many of these adjectives as they can think of within a certain time frame. Then have them use 2 to 3 of these in sentences.

¡AVANZA! **Objective**
· Present the formation and use of past participles as adjectives

Core Resource
· *Cuaderno*, pp. 249–251

Presentation Strategies
· Use classroom examples to remind students that they are already familiar with this structure: **El libro está cerrado (abierto); Las ventanas están cerradas (abiertas).**

STANDARD
4.1 Compare languages

Warm Up UTB 6 Transparency 17

Vocabulario ¿Cocina o baño? Di si se pueden encontrar las siguientes cosas en la cocina o el baño.
1. el horno
2. el lavabo
3. la ducha
4. el fregadero
5. el microondas
6. la bañera
Answers: 1. la cocina; 2. el baño; 3. el baño; 4. la cocina; 5. la cocina; 6. el baño

Answers UTB 6 Transparencies 24–25

Answers continued from p. 336.
Activity 4
verdulería: lechuga, tomates, cebolla
carnicería: chuletas de cerdo
frutería: naranjas, fresas
pastelería: pastel
heladería: nada
panadería: pan
lechería: queso
Para y piensa
Answers: piso: 1, 3, 4; cosas domésticas: 2, 5, 6, 7, 8

337

Objectives
· Practice describing states of being using past participles as adjectives
· Pronunciation practice: the letter **h**

Core Resources
· Audio Program: TXT CD 11 Track 4
· *Cuaderno*, pp. 249–251

Practice Sequence
· **Activity 5:** Controlled practice: describing the neighborhood
· **Activity 6:** Controlled practice: describing results of actions
· **Activity 7:** Transitional practice: past participles
· **Activity 8:** Open-ended practice: describing a room
· **Pronunciation:** the letter **h**

STANDARDS
1.1 Engage in conversation, Act. 7
1.3 Present information, Act. 5, 6, 8

Answers UTB 6 Transparency 25
Activity 5
1. El banco está cerrado por la noche.
2. La panadería está abierta toda la mañana.
3. El cajero automático está roto hoy.
4. La frutería está siempre ordenada.
5. El escaparate está bien iluminado.
6. La bombonería está siempre abierta.

Activity 6
1. Mis gafas están perdidas.
2. El problema está resuelto.
3. La reunión está concluída.
4. Nosotros estamos relajados.
5. Los documentos están guardados.
6. Mi computadora está conectada.
7. La ventana está cerrada.
8. La oferta está hecha.

Activity 7 Answers will vary. Sample answers:
1. A. Espero que arregles la ducha.
   B. La ducha ya está arreglada.
2. A. Quite los platos de la mesa.
   B. Los platos ya están quitados.
3. A. Espero que hagas los mandados.
   B. Los mandados ya están hechos.
4. A. Manda la carta por correo, por favor.
   B. La carta ya está mandada.

Answers continue on p. 339.

338

❧ Práctica de GRAMÁTICA

Expansión:
Teacher Edition O
Pídales a los estudiantes que traigan fotos de barrio a clase. Pueden ser fotos personales o recortes de una revista. En pareja deben describir le estados ilustrado en las fotos.

5 En el barrio

Hablar Escribir — Usa los dibujos para describir este barrio.

modelo: desordenar todo el día
La tienda está desordenada todo el día.

1. cerrar por la noche **2.** abrir toda la mañana **3.** romper hoy

4. siempre ordenar **5.** bien iluminar **6.** siempre abrir

6 Las descripciones

Hablar Escribir — Describe el resultado de cada acción usando un participio pasado.

modelo: Cuando dan una sugerencia...
La sugerencia está dada.

1. Cuando pierdo mis gafas de sol...
2. Cuando resolvemos un problema...
3. Cuando concluyen una reunión...
4. Cuando nos relajamos...
5. Cuando tú guardas tus documentos...
6. Cuando conecto mi computadora a Internet...
7. Cuando cierran una ventana...
8. Cuando yo hago una buena oferta...

Expansión:
Teacher Edition Only
Pídales a los estudiantes que hagan una cadena de acciones y resultados basada en tres de las frases de la actividad. Por ejemplo, Cuando pierdo mis gafas de sol, mis gafas están perdidas. *Cuando mis gafas están perdidas, voy a la tienda y compro otras. Cuando las gafas están compradas, tengo cuidado de no perderlas.*

338 Unidad 6 España
trescientos treinta y ocho

Differentiating Instruction

Multiple Intelligences
Visual Learners Create a "crime scene" in class. Have students act as detectives and look around the classroom. One by one, they should describe some aspect of the scene using the **estar + participio** structure.

Slower-paced Learners
Memory Aids Recommend that students make up flashcards, especially for the irregular past participles. Suggest that they practice in pairs as well as at home.

7 | Los quehaceres

Hablar

Escucha las sugerencias de tu compañero(a). Usa los participios pasados para explicar que los quehaceres ya están hechos.

modelo: ordenar la habitación

 **A** Espero que ordenes tu habitación esta tarde.

 **B** Mi habitación ya está ordenada.

1. arreglar la ducha
2. quitar los platos de la mesa
3. hacer los mandados
4. mandar una carta por correo
5. escribir un correo electrónico
6. poner el reloj en la mesita
7. hacer las tareas de la escuela
8. lavar la bañera
9. reciclar las latas
10. ordenar el garaje
11. ordenar el escaparate
12. no dejar los platos en el fregadero

> **Expansión**
> Inventa cinco sugerencias de tu maestro(a) y explica que ya están hechas.

8 | Pintar con palabras

Escribir

Escribe una descripción de una habitación de tu casa o apartamento. Incluye por lo menos cinco participios pasados como adjetivos.

modelo: La puerta y las ventanas están abiertas. La cama está hecha un lío, pero el resto de la habitación está ordenado...

> **Expansión**
> Léele la descripción a un(a) compañero(a) para que éste(a) dibuje lo que escucha.

 AUDIO

Pronunciación · La letra h

La **h** nunca tiene sonido en español; es muda. Cuando va seguida por una vocal, el sonido que se pronuncia es la vocal después de la **h**.

hambre   héroe   prohibir   hogar   huésped

Trabalenguas

Me **h**an dicho que **h**as dicho un dicho que **h**an dicho que **h**e dicho yo. Pero el que te lo **h**a dicho mintió.

Más práctica Cuaderno *pp. 249–251* Cuaderno para hispanohablantes *pp. 250–252*

PARA Y PIENSA

¿Comprendiste? Completa cada descripción con el verbo **estar** y el participio pasado del verbo indicado.

1. el grifo / cerrar
2. el timbre / romper
3. la lechería / abrir
4. los pisos / vender

🔷 **Get Help Online** ClassZone.com

Differentiating Instruction

Inclusion

Alphabetic/Phonetic Awareness In pairs, have students generate a list of ten more words with the silent **h**. They might look for examples in the Contexto 1. Ask them to create their own tongue twister with some of the words and teach it to the class.

Heritage Language Learners

Writing Skills Have students write down the tongue twisters as you say them, being especially attentive to the spelling of words with silent **h**.

Connections

Language

The old joke goes that the letter **h** is the easiest to pronounce in the Spanish language since it's always silent! Explain to students (who may wonder why it's there at all) that pronunciation evolves through time, and that etymology **(la etimología)** is the science that explains it all. Comparisons to English include the once pronounced but now silent "b" in *lamb* and the "l" in *would* and *could*.

✓ Ongoing Assessment

 @HomeTutor More Practice ClassZone.com

PARA Y PIENSA **Peer Assessment** Have students exchange papers and correct each other's answers. Then ask them to analyze what parts they got wrong: the **estar** agreement, the formation of the participle, or the participle-as-adjective agreement. Have students correct their errors and exchange papers for final review by their partner. For additional practice, use Reteaching & Practice Copymasters URB 6, pp. 4, 5.

Answers UTB 6 Transparency 25

Answers continued from p. 338.

Activity 7
5. **A.** Espero que escribas un correo electrónico.
   B. El correo ya está escrito.
6. **A.** Pon el reloj en la mesita, por favor.
   B. El reloj ya está puesto.
7. **A.** Espero que hagas las tareas de la escuela.
   B. Las tareas ya están hechas.
8. **A.** Lava la bañera.
   B. La bañera ya está lavada.
9. **A.** Recicla las latas, por favor.
   B. Las latas ya están recicladas.
10. **A.** Ordena el garaje ahora.
    B. El garaje ya está ordenado.
11. **A.** Espero que ordenes el escaparate.
    B. El escaparate ya está ordenado.
12. **A.** No dejes los platos en el fregadero.
    B. Los platos están recogidos.

Activity 8 Sample answer: La puerta y las ventanas están abiertas. La cama está hecha un lío pero el resto de la habitación está ordenada...

Para y piensa
1. El grifo está cerrado.
2. El timbre está roto.
3. La lechería está abierta.
4. Los pisos están vendidos.

339

¡AVANZA! **Objectives**

- Practice grammar in context through a magazine interview
- Practice describing people, places, and things
- Recycle: Direct object pronouns

Core Resource

- Audio Program: TXT CD 11 Track 5

Presentation Strategies

- Review reading strategy to make sure students understand how to proceed.
- Pause audio to check comprehension.
- Have students work in pairs to expand their character analysis.

Practice Sequence

- **Activity 9:** Contexto 2 comprehension
- **Activity 10:** Transitional practice: asking and answering questions, Recycle: direct object pronouns
- **Activity 11:** Open-ended practice: participles as adjectives

 STANDARDS

1.1 Engage in conversation, Act. 10, 11
1.2 Understand language, Act. 9
1.3 Present information, Act. 9, 11

Warm Up UTB 6 Transparency 17

Participios/Infinitivos Empareja los infinitivos con sus participios.
modelo: visto/ver.

1. puesto	**a.** decir
2. escrito	**b.** romper
3. dicho	**c.** hacer
4. descubierto	**d.** abrir
5. dado	**e.** poner
6. roto	**f.** dar
7. abierto	**g.** descubrir
8. hecho	**h.** escribir

Answers: 1. e; 2. h; 3. a; 4. g; 5. f; 6. b; 7. d; 8. c

Communication

Presentational Mode

After students listen once to the audio, ask volunteers to act out the interview with appropriate intonation and expression.

340

¡AVANZA! **Goal:** Notice how past participles are used as adjectives in the following interview. Then practice using past participles to describe people, places and things. *Actividades 9–11*

♻ *¿Recuerdas?* Direct object pronouns p. R27

Contexto 2 *Entrevista*

ESTRATEGIA **Leer**

Analyze the characters Based on this reading, analyze what you know so far about Amparo's parents, grandmother, and neighbors. Draw an 8-pointed star for each person. On each point, write a specific fact about the person.

nombre

 **AUDIO**

La revista madrileña *Hoy por hoy* vio la historieta *(comic strip)* «Planeta Barrio» y decidió hacerle una entrevista a Amparo.

La reina de las historietas

HOY por hoy: Dime, Amparo, ¿le molesta a tu familia que cuentes todos sus secretos en la historieta cada mes?

Amparo: No, tengo mucha suerte. Mis padres creen que mi trabajo es muy divertido, pero no sé si mi abuela estaría de acuerdo.

Hph: ¿Así que tu abuela no lee la historieta?

A: ¡Qué va! ¡Claro que no! ¿Te imaginas lo que pensaría al leer todos los comentarios sobre el piso desordenado y sobre mis padres desorganizados?

Hph: ¿Pero no te preocupa que ella pueda leer esta entrevista?

A: No, porque ella vive en Málaga y casi nunca está enterada de lo que pasa en Madrid. Y aquí sólo viene de visita una vez al año y no lee el periódico escolar.

Hph: ¿Y qué me dices de los vecinos?

A: Bueno, como ves en la historieta, no importa si la puerta está cerrada o abierta. Los vecinos nunca tocan el timbre... entran al piso a cualquier hora.

Hph: Gracias por tus comentarios, Amparo. Esperemos que estés preparada para el éxito de esta historieta, porque me parece que está garantizado.

A: Pues, muchas gracias a vosotros. Tengo mucho material escrito para mis próximas historietas... ¡ya veremos qué pasa en el futuro!

32

Differentiating Instruction

Multiple Intelligences

Intrapersonal Ask students to write about an accomplishment in their life. Have them explain how they feel about their achievement and how their family and/or friends perceive it.

Pre-AP

Draw Conclusions Ask students (in pairs or individually) to write a new interview for *Hoy por hoy*. This time, the interviewee is Amparo's grandmother, doña Elena, who provides a very different perspective on the family. Students should draw conclusions from Amparo's **historieta,** interview and other text to create Abuela's upside-down view.

9 Comprensión de la entrevista

Leer
Hablar
Escribir

Contesta las siguientes preguntas sobre la entrevista que tuvo Amparo.

1. ¿Qué opinan los padres de Amparo sobre la historieta?
2. ¿Cómo está el piso de Amparo? ¿Cómo son sus padres?
3. ¿Por qué piensa Amparo que su abuela no va a leer la entrevista?
4. Según la entrevistadora, ¿qué está garantizado?
5. ¿En qué condición está el material de las próximas historietas?

Expansión:
Teacher Edition Only
Pídales a los estudiantes que inventen tres preguntas más para entrevistar a Amparo. Entonces, en parejas, deben hacer la continuación de la entrevista.

10 Mi habitación ♻ **¿Recuerdas?** Direct Object Pronouns p. R27

Hablar
Escribir

Hazle preguntas a un(a) compañero(a) para saber en qué condiciones dejó su casa esta mañana.

modelo: la habitación / ordenar / desordenar

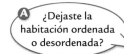
A ¿Dejaste la habitación ordenada o desordenada?

B La dejé ordenada.

1. la cama / hacer / deshacer
2. las ventanas / abrir / cerrar
3. los zapatos / guardar / tirar
4. el grifo / abierto / cerrado
5. la ropa / colgar / tirar en el suelo
6. el horno / apagar / encender
7. el timbre / romper / arreglar
8. las verduras / preparar / guardar

Expansión
Pregúntale a tu compañero(a) por qué dejó su casa en esas condiciones. Usen los adjetivos en sus preguntas y sus respuestas.

Expansión:
Teacher Edition Only
Hagan una lista de tres adjetivos/participios que describan a una familia de un programa de televisión. Pueden usar algunos que no están en esta lista. (Answers: *desorganizada, preocupada, etc.*)

11 ¿Cómo dices que es?

Hablar
Escribir

Con tu compañero(a), asocia los siguientes adjetivos con algo personal o que conozcas.

modelo: Mi casa está separada de las otras casas de la manzana.

| separado(a) | divertido(a) | satisfecho(a) | organizado(a) |
| complicado(a) | abierto(a) | preparado(a) | roto(a) |

PARA Y PIENSA

¿Comprendiste? Utiliza participios pasados para completar las siguientes oraciones basadas en la entrevista con Amparo.

1. Para sus padres, las historietas de Amparo son muy _____ .
2. Como vive en Málaga, su abuela no está _____ de lo que pasa en Madrid.
3. Parece que el éxito de esta historieta está _____ .

Get Help Online
ClassZone.com

Differentiating Instruction

Pre-AP

Persuade While completing Activity 10, have students try to persuade their partner of the value of leaving things in the opposite state. For example, if one left his or her room *desordenada,* the partner should explain why it is better to leave a room *ordenada*: **Cuando la habitación está desordenada no puedes encontrar tus cosas, tu mamá se enoja...**

English Learners

Build Background Discuss the interview format in T.V., radio, and print media. Ask students to mention shows or magazines that are based on this format. Who are the most famous hosts of the T.V and radio programs? Who are the typical interviewees, and what sort of content is typical of the programs or articles? Have students explain why they like them or not.

Long-term Retention
Study Tips

Remind students that they can often use the structure of a question to help them complete the answer with slight changes in word order. The answer to Activity 9, number 3 will begin: **Amparo piensa que su abuela no va a leer la entrevista porque vive...**

✓ **Ongoing Assessment**

@HomeTutor
More Practice
ClassZone.com

PARA Y PIENSA **Intervention** If students get more than one answer wrong. Have them get help online. For additional practice, use Reteaching & Practice Copymasters URB 6, pp. 4, 6, 11.

Answers UTB 6 Transparencies 25-26

Activity 9 Answers will vary. Sample answers:
1. Los padres de Amparo creen que su trabajo es muy divertido.
2. El piso de Amparo está desordenado, y sus padres son desorganizados.
3. Amparo piensa que su abuela no va a leer la entrevista porque vive en Málaga, y viene de visita solamente una vez al año.
4. La entrevistadora cree que el éxito de la historieta «Planeta Barrio» está garantizado.
5. El material de las próximas historietas está escrito.

Activity 10 Answers will vary. Sample answers:
1. ¿Dejaste la cama hecha o deshecha?—La dejé hecha.
2. ¿Dejaste las ventanas abiertas o cerradas?—Las dejé cerradas.
3. ¿Dejaste los zapatos guardados o tirados?—Los dejé guardados.
4. ¿Dejaste el grifo abierto o cerrado?—Lo dejé cerrado.
5. ¿Dejaste la ropa colgada o tirada en el suelo?—Pues, la dejé tirada.
6. ¿Dejaste el horno apagado o encendido?—Lo dejé apagado.
7. ¿Dejaste el timbre roto o arreglado?—Lo dejé arreglado.
8. ¿Dejaste las verduras preparadas o guardadas?—Las dejé guardadas.

Activity 11 Answers will vary. Sample answers:
Me gustan las novelas complicadas.
Jorge no está organizado para la fiesta.

Para y piensa
1. divertidas
2. enterada
3. garantizado

Objective

· Present the formation and use of the present perfect tense.

Core Resource
· *Cuaderno*, pp. 252–254

Presentation Strategies
· Ask students to recall other compound verb structures they know (present continuous, future with **ir,** etc.) and point out that the present perfect is another two-verb combination
· Remind students of the **estar + participio** structure and point out the difference between expressing a state of being and expressing an action.

 STANDARD

4.1 Compare languages

 Warm Up UTB 6 Transparency 18

Participios Llena los espacios en blanco con el participio apropiado para el verbo entre paréntesis.

1. La cama de Roberto nunca está _____ (hacer)
2. Las ventanas no deben estar _____ (abrir) cuando llueve.
3. No le gusta a Mamá cuando dejas la ropa _____ (tirar) en el suelo.
4. Nunca salgas de la casa con el horno _____ (encender).
5. Es difícil saber cuando alguien está en la entrada cuando el timbre está _____ (romper).
6. Los estudiantes en esta clase siempre llegan _____ (preparar).

Answers: 1. hecha; 2. abiertas; 3. tirada; 4. encendido; 5. roto; 6. preparados

Communication
Common Error Alert

Remind students that the past participle of **imprimir** is irregular only when it is used as an adjective: **los documentos** *impresos.* The past participle of **imprimir,** when used in the perfect tenses, is regular: **he** *imprimido.*

Presentación de GRAMÁTICA

¡AVANZA! **Goal:** Learn about the formation and use of the present perfect tense. Then talk about things that have happened in the recent past. *Actividades 12–15*

English Grammar Connection: The **present perfect** describes an event or action that has taken place. In English, it is formed by combining the verb *has* or *have* and the past participle of the main verb. In Spanish, you use **haber.**

We **have repaired** everything.   Nosotros **hemos arreglado** todo.

Present Perfect Tense

Animated Grammar
ClassZone.com

To talk about events that have already happened (or not happened), use the **present perfect** tense.

Here's how: Conjugate the verb **haber** in the present tense and add the past participle of the main verb. In the **present perfect,** the past participle always ends in **-o.**

haber	
he	hemos
has	habéis
ha	han

+ past participle

Ella ya **ha ido** de tapas.   Rosa nunca **ha robado** nada.
*She **has** already **gone** out to eat.*   *Rosa **has** never **stolen** anything.*

When you use **object** or **reflexive pronouns** with the present perfect, you put them *before* the conjugated form of **haber.**

¿Alberto **te ha comprado** el billete?   Sí, **me lo ha comprado.**
*Has Alberto **bought you** the ticket?*   *Yes, **he has bought it for me.***

There is a written accent over the **i** in the past participle of **-er** and **-ir** verbs with a stem that ends in **a, e,** or **o.**

traer → traído   **oír** → oído   **leer** → leído

No **he leído** la nueva novela de Pérez Reverte.
*I **have** not **read** the new novel by Pérez Reverte.*

Más práctica
Cuaderno *pp. 252–254*
Cuaderno para hispanohablantes *pp. 253–256*

🔊 **Conjuguemos.com**   **@HomeTutor**
Leveled Practice
ClassZone.com

English Learners
Provide Comprehensible Input Remind students that the English contractions *I've, we've, you've, they've* and *s/he's* are the combination of the subject pronoun and the auxiliary verb "have." *I've seen the movie* is the contracted version of *I have seen the movie.* There is no equivalent contraction in Spanish.

Heritage Language Learners
Regional Variations Point out to all students that whereas in Spain *the present perfect* is roughly compatible in both English and Spanish, many Latin American speakers tend to use the *preterite* tense in the same situation. Encourage students from various regional backgrounds to discuss which tense they would use or hear in different situations.

Práctica de GRAMÁTICA

12 ¿Qué ha hecho Eduardo?

Escuchar
Escribir
Hablar

Escucha la conversación. Escoge el dibujo correcto y di qué ha hecho Eduardo.

modelo: sacar
Ha sacado dinero del cajero automático.

Audio Program
TXT CD 11 Track 6
Audio Script, TE p. 329B

1. traer

2. comprar

3. poder comprar

4. dejar

5. poner

6. poner

13 Anuncios de periódico

Hablar
Leer
Escribir

Lee los anuncios y contesta las preguntas.

Noticias del Barrio

¡Banco González ha abierto un nuevo cajero automático! Aprovecha este cajero al lado de la Panadería Zamora. La panadería ha extendido su horario hasta las 8 de la noche.	¡Los señores Gil se han jubilado! Pero la Verdulería Gil no ha cerrado; sólo ha cambiado de nombre. Visita la Verdulería Campos y saluda a Sonia Campos, la nueva dueña.	¡Se ha completado el arreglo de la fuente del Parque Olimpia! Ha tomado un año y ha costado bastante dinero. ¿Por qué no la visitas?

1. ¿Qué ha hecho la Panadería Zamora?
2. ¿Qué han hecho los señores Gil?
3. ¿Por qué la verdulería se llama Verdulería Campos?
4. ¿Qué ha pasado en el Parque Olimpia?
5. ¿Cuánto tiempo ha tomado la reparación de la fuente?

Expansión:
Teacher Edition Only
Pídales a los estudiantes que escriban un anuncio original sobre la entrevista con Amparo. Deben imaginar que las tiendas y el kiosco de su barrio van a usar el anuncio para promocionar el artículo. El anuncio debe incluir por lo menos 3 ejemplos del presente perfecto.

Objectives

· Recognize and practice the present perfect tense
· Practice talking about things that have happened in the recent past

Core Resource

· Audio Program: TXT CD 11 Track 6

Practice Sequence

· **Activity 12:** Controlled practice: present perfect tense
· **Activity 13:** Transitional practice: present perfect tense

STANDARDS

1.2 Understand language, Act. 12, 13
1.3 Present information, Act. 12, 13

Comparisons
English Grammar Connection

The present perfect tense is roughly the same in English and Spanish. One major difference, however, is the expression of how long an activity has been going on. English uses the present perfect, *(We have lived here for two years)*, but Spanish uses three other structures: **Hace dos años que vivo aquí.** (or) **Vivo aquí desde hace dos años.** (or) **Llevo dos años viviendo aquí.**

Answers UTB 6 Transparencies 25–26

Activity 12
1. Eduardo ha traído pan.
2. Eduardo ha comprado fruta.
3. Eduardo no ha podido comprar las verduras.
4. Eduardo ha dejado la leche, el queso y el yogur en la mesa.
5. Eduardo ha puesto la pasta de dientes en el baño.
6. Eduardo ha puesto la mesa del balcón para el desayuno.

Activity 13 Answers will vary. Sample answers:
1. La Panadería Zamora ha extendido su horario hasta las 8 de la noche.
2. Los señores Gil se han jubilado.
3. Se llama Verdulería Campos porque ha cambiado de dueño(a).
4. Se ha arreglado la fuente del Parque Olimpia.
5. La reparación de la fuente ha tomado un año.

Differentiating Instruction

Slower-paced Learners

Peer-study Support Before doing Activity 13, have students in pairs mark each instance of **haber** + past participle in the three ads and identify the subject of each. Then they complete the activity individually.

Multiple Intelligences

Visual Learners Have students create an accompanying visual for one or two of the **anuncios de periódico,** using cut-outs from magazines, graphics created on the computer and/or drawings. Ask them to include at least two of the present perfect verb phrases from each **anuncio,** and to set those words within the visual in a striking way.

343

Objectives
· Practice the present perfect tense.
· Practice talking about things that have happened in the recent past.
· **Culture:** Flamenco music

Core Resource
· *Cuaderno,* pp. 252–254

Practice Sequence
· **Activities 14, 15:** Open-ended practice: the present perfect tense

⊗ STANDARDS
1.1 Engage in conversation, Act. 14
1.3 Present information, Act. 14
2.2 Products and perspectives, Act. 15
4.2 Compare cultures, Act. 15

Comparación cultural

Essential Question
Suggested Answer Cuando hay una mezcla de estilos musicales hay una evolución de la música. Los artistas experimentan con ideas nuevas y hay innovación que incluye intercambios culturales muy interesantes.

Background Information
Flamenco is a rather old "fusion" style of music. It has roots in Arabic, Jewish, and European traditions.

✓ Ongoing Assessment
@HomeTutor
More Practice
ClassZone.com

PARA Y PIENSA **Alternative Assessment** Have students write the four sentences in the Para y piensa box using a different subject. For additional practice, use Reteaching & Practice Copymasters URB 6, pp. 7, 8.

 Answers UTB 6 Transparency 26

Activity 14
Yo he ido muchas veces a la playa. Mi amigo ha buceado mucho. Yo quiero bucear también pero tengo un poco de miedo...

Activity 15 Answers will vary.

Answers continue on p. 345.

344

---

14 Mi vida hasta ahora

Escribir
Hablar

Prepara una lista de diez cosas interesantes que has hecho en tu vida. Luego, compara tus experiencias con las de tu compañero(a). ¿Qué ha hecho tu compañero(a) que te gustaría hacer también? ¿Qué experiencia de tu compañero(a) no te gusta? Explica por qué.

modelo: He ido de vacaciones. Mi compañero ha ido a acampar y yo he ido a la playa. Me gustaría acampar y...

Expansión
Hazle cinco preguntas más a tu compañero(a). Por ejemplo:
¿Cuándo... ?
¿Por qué... ?
¿Dónde... ?

15 El nuevo rock

Leer
Hablar
Escribir

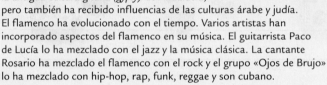
El grupo «Ojos de Brujo»

Comparación cultural

El flamenco: clásico y moderno

¿Qué importancia tiene la mezcla de dos estilos de música? El flamenco es música que se toca y se canta con el corazón. Expresa los deseos y emociones más íntimas de sus *cantaores,* que es como se les llama a los cantantes de este género. El flamenco es un género musical y un baile tradicional de **España.** Tiene sus raíces en la antigua cultura gitana *(gypsy)* de Andalucía, pero también ha recibido influencias de las culturas árabe y judía. El flamenco ha evolucionado con el tiempo. Varios artistas han incorporado aspectos del flamenco en su música. El guitarrista Paco de Lucía lo ha mezclado con el jazz y la música clásica. La cantante Rosario ha mezclado el flamenco con el rock y el grupo «Ojos de Brujo» lo ha mezclado con hip-hop, rap, funk, reggae y son cubano.

Compara con tu mundo *¿Qué música se escucha en Estados Unidos que tenga una mezcla con otros estilos? ¿Qué elementos tienen?*

Hay grupos de música norteamericanos que han combinado varios estilos. Escribe un breve ensayo sobre uno de estos grupos: ¿Cuál ha sido el origen del grupo? ¿Qué tipos de música han combinado? ¿En qué éxitos *(hits)* han incorporado los estilos combinados? Usa el presente perfecto.

Más práctica Cuaderno *pp. 252–254* Cuaderno para hispanohablantes *pp. 253–256*

 PARA Y PIENSA
¿Comprendiste? ¿Qué han hecho estas personas?
1. tú / dejar tu chaqueta en el tren
2. Mauricio / descubrir un café nuevo
3. mi hermana / venir temprano
4. yo / hablar con mis primos

Get Help Online
ClassZone.com

344 Unidad 6 España
trescientos cuarenta y cuatro

Differentiating Instruction

Multiple Intelligences
Musical/Rhythmic Play samples of traditional and contemporary flamenco music in class. Have students try to identify instruments and influences as they listen. Provide students with the lyrics from one sample for them to follow. If any of your students are musicians, ask if they would like to play some flamenco pieces for the class.

English Learners
Increase Interaction *Fusion* is a style of mixing different styles of music together. Ask English learners if they would like to talk about fusion in musical styles or groups from their home cultures. Can they think of an example of a traditional form that appears in popular music? Encourage them to bring in music to illustrate.

Todo junto

¡AVANZA! **Goal:** *Show what you know* In the following conversation between Amparo and her parents, pay attention to their use of past participles and the present perfect. Then practice by talking about things that have (or haven't) happened. *Actividades 16–19*

Resumen contextos 1 y 2 Amparo Prado es madrileña y escribe la historieta *(comic strip)* «Planeta Barrio» para el periódico de su escuela. Su historieta llamó la atención de una periodista de la revista madrileña *Hoy por hoy,* quien le hizo una entrevista a Amparo.

Contexto 3 *Diálogo*

ESTRATEGIA Escuchar
Use a pyramid to organize possible solutions While listening, use a pyramid to organize the possible solutions identified during the conversation, with the best possible solution at the very top. Then notice how the best solution leads right back to the problem!

AUDIO

La abuela de Amparo, que vive en Málaga, nunca ha leído la historieta que escribe su nieta. La historieta a veces hace chistes de la personalidad de la abuela. Ahora Amparo y sus padres acaban de enterarse de que la abuela llega de visita a Madrid el mismo día que sale una entrevista sobre Amparo y su historieta en una revista madrileña.

Amparo: ¡Papá! ¡Mamá! ¿Han dicho que la abuela viene de visita esta tarde? ¡Pero si estuvo aquí hace sólo un mes!

Padre: Sí, pero en Málaga hace demasiado calor; por eso ha decidido pasar unas semanas aquí.

Amparo: ¡No lo puedo creer! Justo hoy salió la revista con mi entrevista, ¡y está en todos los kioscos de la ciudad! ¡No quiero que ella se entere de la historieta! He escrito algunas cosas que a ella no le van a gustar.

Madre: ¡Qué lío! ¡La situación se ha complicado! Y ahora, ¿qué hacemos?

Amparo: ¡No sé, no sé! Tal vez podemos entretenerla para que no tenga tiempo de comprar revistas...

Padre: Es verdad que tu abuela nunca ha tenido un buen sentido del humor...

Lección 1
trescientos cuarenta y cinco **345**

Differentiating Instruction

Slower-paced Learners

Read Before Listening Prior to playing the audio, have students read the dialog and highlight the uses of present perfect. They should also jot down the most important pieces of information they learn and briefly summarize the dialog.

Inclusion

Multisensory Input/Output After previewing the dialog, ask volunteers to share their lists of the most important pieces of information orally while another student writes them on the board. Once the main ideas are listed, ask volunteers to summarize the dialog orally.

¡AVANZA! **Objective**
· Review and practice vocabulary and grammar in the context of a dialog.

Core Resource
· Audio Program: TXT CD 11 Track 7

Presentation Strategies
· Ask students to recall what they know from Contextos 1 and 2.
· Play the audio two times, once straight through, the second with periodic pauses for comprehension checks.
· Have students practice the dialog in small groups. Ask for volunteers to present.
· Have students complete the "pyramid" organizer and to compare their responses with a partner.

STANDARD
1.2 Understand language

Warm Up UTB 6 Transparency 18

¿Cierto o falso? Decide si los siguientes comentarios son ciertos o falsos.
1. Otras tradiciones musicales no han influido el flamenco.
2. El flamenco no ha cambiado en muchos años.
3. Varios artistas del flamenco han hecho fusiones con el jazz, el hip-hop, el reggae y otros estilos.
4. El flamenco ha incorporado muchos tipos de música.
5. El flamenco nunca ha sido muy popular.
Answers: 1. falso; 2. falso; 3. cierto; 4. cierto; 5. falso

Long-term Retention
Recycle

Ask students to summarize orally or in writing what they have read in Contextos 1 and 2, using the present perfect whenever possible.

Answers UTB 6 Transparency 26

Answers continued from p. 344.
Para y piensa
1. Tú has dejado tu chaqueta en el tren.
2. Mauricio ha descubierto un café nuevo.
3. Mi hermana ha venido temprano.
4. Yo he hablado con mis primos.

345

Objective
· Integrate lesson content.

Core Resources
· Audio Program: TXT CD 11, Tracks 7, 8, 9
· *Cuaderno,* pp. 255–256

Practice Sequence
· **Activity 16:** Contexto 3 comprehension
· **Activity 17:** Transitional practice: speaking and writing
· **Activity 18:** Transitional practice: listening, reading, speaking
· **Activity 19:** Open-ended practice: writing

STANDARDS
1.1 Engage in conversation, Act. 17
1.2 Understand language, Act. 16, 18
1.3 Present information, Act. 16, 17, 18, 19

Madre: Muy bien, hemos decidido que tenemos que preparar un plan para...

De repente, la puerta, que estaba cerrada, se abre.

Don Ramón: Hola a todos. Soy yo, su vecino favorito. Se ha roto mi televisor y no quería perderme el noticiero... ¿Os importa si uso el microondas para calentar el té un poquitín?

Amparo: Don Ramón, ¡usted me ha dado una idea tremenda!

Don Ramón: ¿Qué has dicho, Amparito?

Amparo: Mi abuela estará una semana de visita en Madrid. ¿Podrían usted y doña Rosario invitarla a ir de tapas o quizás a dar una vuelta por el barrio?

Madre: Creo que has resuelto bien esta situación, Amparo...

Don Ramón: Estaré encantado de daros ese gusto. Y estoy seguro de que doña Rosario no ha planeado nada... Llevaremos a tu abuela por cada lugar de la ciudad.

Amparo: Sí, a pasear por toda la ciudad... ¡menos a los kioscos de revistas!

16 Comprensión del diálogo

Escuchar
Hablar
Escribir

Contesta las preguntas sobre la lectura.
1. ¿Qué ha anunciado el padre de Amparo?
2. ¿Por qué está tan preocupada Amparo?
3. ¿Por qué ha entrado don Ramón en el piso de la familia?
4. ¿Qué pensó Amparo cuando vio a don Ramón?
5. ¿Cómo reaccionó don Ramón cuando Amparo le dijo su idea?

> **Expansión:**
> Teacher Edition Only
> Pídales a los estudiantes que escriban una descripción breve de la abuela de Amparo. Por ejemplo, ¿dónde vive?, ¿cuándo va a visitar a Amparo?, ¿cuándo fue la última vez que la visitó?, ¿por qué la va a visitar ahora?

17 Una visita problemática

Hablar
Escribir

Con tus compañeros(as), inventa algún episodio de la visita de la abuela de Amparo. Escriban un diálogo para presentarlo en clase. Usen por lo menos cinco participios como adjetivos y como verbos *(present perfect).*

Abuela Amparo, los vecinos me han dicho que ha salido un artículo sobre una historieta que escribes todos los meses. ¡Debes estar muy emocionada!

Amparo Ay, abuela, no es nada. La verdad es que no he escrito nada importante.

> **Expansión:**
> Teacher Edition Only
> Pídales a los estudiantes que escriban cinco oraciones con participios como adjetivos y cinco oraciones con participios como verbos, sobre su vida diaria.

Answers UTB 6 Transparency 26

Activity 16 Answers will vary. Sample answers:
1. El padre de Amparo ha anunciado que la abuela llega de visita.
2. Amparo está preocupada porque su abuela puede enterarse de la historieta que hace chistes sobre su personalidad.
3. Don Ramón ha entrado porque se ha roto su televisor y no quiere perder el noticiero.
4. Cuando vio a don Ramon, Amparo tuvo una idea para resolver el problema.
5. Don Ramón reaccionó positivamente y quiere ayudar.

Activity 17 (Dialogs should follow the model in the activity.)

346

Differentiating Instruction

Heritage Language Learners

Writing Skills Have students write a short dialog of an episode during the grandmother's visit. The dialog should include several examples of participles used as adjectives as well as the present perfect. The dialogs should be turned in for review and revised according to the teacher's feedback.

Pre-AP

Relate Opinions Ask students to express their opinions about Amparo's use of her family as inspiration for her comic strip and the likelihood of keeping the comic strip secret from her grandmother. Students should support their opinions with information from the readings and/or personal experiences.

18 | Integración

Leer
Escuchar
Hablar

Lee los anuncios. Luego escucha el mensaje de tu agente con la información sobre los pisos. Después, llama a la agente y pregúntale más sobre los dos pisos que ha recomendado y dile qué has decidido hacer tú.

Fuente 1 Anuncios clasificados

Piso céntrico con 2 habitaciones, cocina, sala y balcón. Barrio tranquilo, edificio antiguo, cerca estación metro Argüelles. Llamar al **2-34-35-25** para más información.

Fabuloso piso de 3 habitaciones, cocina completa, baño y medio, sala y terraza. Estacionamiento incluido. Edificio moderno, mucha luz. Barrio movido, cerca parada de autobús 29, 33, 36. Llamar al **2-42-84-57**.

Piso acogedor en barrio histórico. 1 habitación, baño moderno, cocina simple y salita con muebles. Cerca metro Palacio. Llamar al **2-52-49-39** y dejar nombre y teléfono.

Piso amplio con 2 habitaciones, cocina completa, baño, sala grande y balcón. Cerca centro histórico. Metro Valladolid. Buen precio. Llamar al **2-59-31-90**.

Fuente 2 Mensaje telefónico

Escucha y apunta
- ¿Qué ha dicho la agente sobre el piso de tres habitaciones?
- ¿Qué detalles ha mencionado sobre los otros pisos?

modelo: Usted ha dicho que el piso de tres habitaciones... Yo he decidido...

🎧 **Audio Program**
TXT CD 11 Tracks 8, 9
Audio Script, TE p. 329B

19 | ¡A escribir!

Escribir

Escribe un ensayo de tres a cinco párrafos sobre las actividades que has hecho y no has hecho todavía este año. Organiza la información. Utiliza el vocabulario sobre las partes de la casa, el barrio y algunas actividades para hacer en la ciudad. Incluye al menos tres ejemplos de participios como adjetivos y cinco en forma de verbos *(present perfect)*.

Writing Criteria	Excellent	Good	Needs Work
Content	Your essay includes many details about your activities.	Your essay includes some details about your activities.	Your essay includes few details about your activities.
Communication	Your essay is organized and easy to follow.	Parts of your essay are organized and easy to follow.	Your essay is disorganized and hard to follow.
Accuracy	You make few mistakes in grammar and vocabulary.	You make some mistakes in grammar and vocabulary.	You make many mistakes in grammar and vocabulary.

Expansión:
Teacher Edition Only
Pídales a los estudiantes que escriban un ensayo breve sobre cosas que han hecho el año pasado.

Más práctica Cuaderno *pp. 255–256*   Cuaderno para hispanohablantes *pp. 257–258*

PARA Y PIENSA

¿Comprendiste? Escribe oraciones con el participio pasado de los verbos siguientes. Escribe dos oraciones con cada verbo para usar los participios pasados como adjetivos y como verbos.
1. romper 2. arreglar 3. hacer 4. dormir

🔊 **Get Help Online**
ClassZone.com

Lección 1
trescientos cuarenta y siete **347**

Differentiating Instruction

Inclusion

Clear Structure In Activity 19, ask students to read the instructions carefully and to consider a variety of strategies to organize their ideas. Have them show you their pre-writing organization and help them spot any gaps they might wish to fill prior to writing their essay. Encourage them to use the rubric to assess their first draft and to rewrite before turning in their essay.

Pre-AP

Timed Answer Have students do a version of Activity 19 in which they must write as many sentences as they can describing activities they have and have not done over the past year during a fixed time frame. Example: 5 sentences in 5 minutes; 3 sentences in 2 minutes; etc. While sentences must be correctly and logically written, they will not be subject to the essay rubric.

Unidad 6 Lección 1
TODO JUNTO

Long-term Retention

Pre-AP **Integration**

Activity 18 Have students read the apartment ads. Then ask them to anticipate the sort of information they might hear from their real estate agent about the apartments based on the questions of Fuente 2.

✓ Ongoing Assessment

Rubric Activity 18
Listening/Speaking

Proficient	Not There Yet
Student understands the phone message and responds with questions appropriate to what the agent has said.	The student hasn't understood enough of the phone message to formulate appropriate follow-up questions.

✓ Ongoing Assessment

@HomeTutor
More Practice
ClassZone.com

PARA Y PIENSA **Remediation** If students cannot write more than three correct sentences using the **participios** in the Para y piensa, have them work with a peer tutor. For additional practice, use Reteaching & Practice Copymasters URB 6, pp. 7, 9.

📋 Answers UTB 6 Transparencies 26–27

Activity 18 Answers will vary. See model.

Activity 19 Answers will vary. Sample answer: Este año he comprado flores en la florería para mi madre. También mis amigos y yo hemos ido de tapas. No he comido mucha comida frita...

Para y piensa: Answers will vary. Sample answers:
1. El horno está roto. *(adjetivo)*
   Nuestro perrito ha roto muchas cosas. *(verbo)*
2. El técnico vino y ahora el horno está arreglado. *(adjetivo)*
   Mi mamá ha arreglado el piso. *(verbo)*
3. Por fin, mi proyecto para la clase de ciencias está hecho. *(adjetivo)*
   ¿Han hecho el anuncio en la radio? *(verbo)*
4. El bebé está dormido. *(adjetivo)*
   La chica ha dormido mucho. *(verbo)*

347

¡AVANZA! Objective
- Read and analyze a short story by contemporary Spanish author Elvira Lindo.

Core Resources
- Audio Program: TXT CD 11 Track 10

Presentation Strategies
- Call students attention to the **Estrategia** underscoring that humor can differ across cultures.
- Ask students to talk about important friends or family members who help guide them in their lives.
- Go over the reading vocabulary before listening to the audio.
- Present the author and ensure students understand the Nota cultural
- Try to ascertain if there are any "bullying" problems in the class so that you don't inadvertently create an opportunity for teasing with nicknames (**motes o apodos**).

STANDARDS
1.2 Understand language
2.1 Practices and perspectives
2.2 Products and perspectives
3.1 Knowledge of other disciplines

Warm Up UTB 6 Transparency 19

Participios Escribe el participio para cada verbo:

1. hacer
2. romper
3. discutir
4. poner
5. leer
6. llamar

Answers: 1. hecho; 2. roto; 3. discutido; 4. puesto; 5. leído; 6. llamado.

Culture

About the Author

Elvira Lindo is well known in Spain as a radio personality, screen writer, novelist and sometime screen actor. Although she has won prizes for her adult fiction (***Algo más inesperado que la muerte; Una palabra tuya***), she is best known for the book series and films about her character Manolito Gafotas (seven volumes and counting).

348

❈ Lectura literaria

¡AVANZA! **Goal:** Read the following story written by a Spanish author. Then talk about the ways in which nicknames can be both positive and negative.

Para leer

ESTRATEGIA Leer

Recognize the humor While reading the story, pay special attention to Manolito's sense of humor. To do this, first draw a table with three columns. Use as many rows as you need. In the story, find as many examples of humor as you can and write them in the first column. For each example, explain why it is funny (second column) and how it reflects the culture (third column). Consider how humor can differ across cultures.

Ejemplo	¿Por qué es divertido?	¿Qué elemento cultural hay?

Vocabulario para leer

el tío *amigo, hombre, muchacho*
el camión *vehículo para transportar mercancía por carretera*
el mono *animal parecido al hombre*
fastidiar *hacerle cosas desagradables a alguien*

el colegio *escuela*
el mote *nombre que se da a una persona por una cualidad o condición suya*
meterse con alguien *provocar a alguien*
hacerle gracia a alguien *ser simpático con alguien*

Nota cultural

Sobre la autora **Elvira Lindo (1962–)**
Nació en Cádiz pero ha vivido en Madrid desde que tenía doce años. Ha escrito guiones *(scripts)* para programas de televisión y también reseñas *(reviews)* de libros para varios periódicos. Se ha destacado por su trabajo en la radio donde ella creó el personaje de Manolito Gafotas. También se ha realizado una película sobre Manolito, dirigida por Miguel Albaladejo.

Sobre los motes Los motes *(nicknames)*, como se llaman en España, o los apodos, como se llaman en Latinoamérica, se basan en características de la apariencia física o de la personalidad de una persona. El uso de apodos es muy común en los países hispanohablantes y generalmente demuestran cariño. Sin embargo, hay que tener cuidado al usarlos para no ofender a nadie. En la selección que estás a punto de leer, el mote de Manolito, «Gafotas», hace referencia a sus gafas grandes, y el de su amigo, «Orejones», se refiere a sus orejas grandes.

Differentiating Instruction

Heritage Language Learners

Support What They Know Ask students about the uses of nicknames in their family or culture of origin. Encourage them to share with the class common nicknames for Hispanic «nombres de pila», or first names, as well as humorous or playfully teasing ones. Examples : **Montse** for Monserrat; **Chus** for María de Jesús; **Pancho** for Francisco.

English Learners

Build Background There is a good deal of slang in this **lectura**—not only colloquialisms from Spain, but those particular to children and some even to Manolito. Take special care to go over the English translations of these expressions, since they may not be clear to everyone. Ask volunteers to give alternate English translations for colloquial expressions.

Manolito Gafotas
AUDIO

Me llamo Manolito García Moreno, pero si tú entras a mi
barrio y le preguntas al primer tío que pase:

    —Oiga, por favor, ¿Manolito García Moreno?

    El tío, una de dos, o se encoge de hombros[1] o te suelta[2]:

5   —Oiga, y a mí qué me cuenta[3].

    Porque por Manolito García Moreno no me conoce ni el
Orejones[4] López, que es mi mejor amigo, aunque algunas veces sea
un cochino[5] y un traidor y otras, un cochino traidor, así todo junto
y con todas sus letras, pero es mi mejor amigo y mola un pegote[6].

10   En Carabanchel, que es mi barrio, por si no te lo había dicho[7],
todo el mundo me conoce por Manolito Gafotas. Todo el mundo
que me conoce, claro. Los que no me conocen no saben ni que llevo
gafas desde que tenía cinco años. Ahora, que ellos se lo pierden[8]. ❈

    Me pusieron Manolito por el camión de mi padre y al camión
15 le pusieron Manolito por mi padre, que se llama Manolo. A mi
padre le pusieron Manolo por su padre, y así hasta el principio de

---

[1] **se...** shrugs his shoulders   [2] **te...** he says to you

[3] **y...** what's it to me   [4] big ears   [5] pig   [6] **mola...** he really rocks

[7] **por...** in case I hadn't told you   [8] **ellos...** that's their loss

> ❈ **A pensar**
> ¿Por qué crees que las
> personas conocen a
> Manolito por el mote y no
> por su nombre?

Lección 1
trescientos cuarenta y nueve **349**

Differentiating Instruction

Inclusion

Synthetic/Analytic After they have read or
listened to the story, have students scan it to
find examples of the present perfect tense.
Tell volunteers to write the full sentences on
the board, and have them explain why the
present perfect was used in each case.

Slower-paced Learners

Yes/No Questions Pause occasionally to
check comprehension through simple yes/no
questions, to make sure students don't lose
the narrative thread. Model: **¿Vive Manolito
en el barrio Carabanchel? Sí. ¿Es Orejones
López el enemigo de Manolito? No, es su
mejor amigo. ¿Crees que Orejones es su
nombre verdadero? No, es su mote, etc.**

In small groups, ask students to discuss their
favorite books as children. Can they
remember any "underdog"-type characters?
Any with whom they identified? Ask them to
list memorable characters from books or
comics, then go back over the list and write
down two traits for each. Ask them to use
circumlocution rather than spend dictionary
time. After the reading is finished, have
students go back to their lists and add
Manolito, adding traits drawn from the
passage they have read.

Culture

Expanded Information

Language Students will note immediately the
use of sometimes unfamiliar slang in this
passage. Tell them not to feel lost, because in
the edition of **Manolito Gafotas** published by
Alfaguara, one of the most important
publishing houses in the Spanish-speaking
world, there is a special **"Diccionario secreto
de Manolito..."** This "diccionario" provides
"translations" of peninsular Spanish
expressions, Madrid street slang, and of the
malapropisms or mixed-up speech of small
children.

Connections
Geography

The narrator, Manolito Gafotas, talks about
his working-class neighborhood in Madrid,
Carabanchel. Have students look at a map of
Madrid and have them locate this real-life
neighborhood.

Answers

A pensar: Answers will vary. Examples: Las
personas conocen a Manolito por su mote y no
por su nombre porque (1) es un mote muy
obvio; (2) todos oyen su mote cuando lo
conocen; y (3) parece que es un barrio donde
todos tienen apodo/mote.

349

Objective

· Read, listen, and analyze

Core Resource

· Audio Program: TXT CD 11 Track 10

Presentation Strategies

· Review vocabulary
· Encourage critical thinking while insisting that students use examples from the text to back up their ideas
· Read story with students, pausing to assess comprehension

 STANDARDS

1.2 Understand language
1.3 Present information

Long-term Retention

Critical Thinking

Analyze Ask students to locate Manolo's descriptions of his parents. How would students describe his relationship? Ask for specific details to support students' arguments. Example: **La madre de Manolito es bastante estricta con su hijo, pero afectuosa al mismo tiempo. Evidencia:** p. 350, **líneas** 20–25.

Answers

A pensar Answers will vary. Sample answers: A Manolito le gusta su mote porque significa que es importante; porque ahora es una pérdida de tiempo insultarlo dado que su mote ya lo dice todo.

Reflexiona Answers will vary. Sample answer: Según Manolito, el primer dinosaurio Velociraptor se llamaba Manolo y después de muchas generaciones llegó a ser su nombre también.

✤ Lectura literaria *continuación*

los tiempos. O sea, que por si no lo sabe Steven Spielberg, el primer dinosaurio Velociraptor se llamaba Manolo, y así hasta nuestros días. Hasta el último Manolito García, que soy yo, el último mono.

20 Así es como me llama mi madre en algunos momentos cruciales, y no me llama así porque sea una investigadora de los orígenes de la humanidad. Me llama así cuando está a punto de soltarme[9] una galleta o colleja[10]. A mí me fastidia que me llame el último mono, y a ella le fastidia que en el barrio me llamen el Gafotas. Está visto
25 que nos fastidian cosas distintas aunque seamos de la misma familia.

A mí me gusta que me llamen Gafotas. En mi colegio, que es el «Diego Velásquez», todo el mundo que es un poco importante tiene un mote. Antes de tener un mote yo lloraba bastante. Cuando
30 un chulito[11] se metía conmigo en el recreo siempre acababa insultándome y llamándome cuatro-ojos o gafotas. Desde que soy Manolito Gafotas insultarme es una pérdida de tiempo. Bueno, también me pueden llamar Cabezón[12], pero eso de momento no se les ha ocurrido y desde luego[13] yo no pienso dar pistas. Lo mismo
35 le pasaba a mi amigo el Orejones López; desde que tiene su mote ahora ya nadie se mete con sus orejas. ✤

....

---

[9] give me   [10] **una...** a slap   [11] little bully   [12] big head
[13] **desde...** of course

✤ **A pensar**
¿Por qué le gusta a Manolito su mote?

 **Reflexiona**

¿Cuál es la historia del nombre «Manolo» según Manolito?

350 Unidad 6 España
trescientos cincuenta

Differentiating Instruction

Inclusion

Sequential Organization Have students take turns reading in small groups. Each group should choose a leader who will pose the question **¿Qué pasó?** at the end of each paragraph. Have a group reporter write down the answers to these questions. As you circulate the room, observe these summaries in order to correct misconceptions.

Multiple Intelligences

Intrapersonal Have students write a Spanish journal entry describing something they believed as a child that they found, as they grew up, was not quite true, just as Manolito may someday find that he was not really named after a bus. Encourage them to identify with the protagonist and make their entry uniquely personal.

El Imbécil es mi hermanito pequeño, el único que tengo.
A mi madre no le gusta que le llame El Imbécil; no hay
ningún mote que a ella le haga gracia. Que conste [14] que yo
40 se lo empecé a llamar sin darme cuenta. No fue de esas veces
que te pones a pensar con los puños sujetando [15] la cabeza
porque te va a estallar [16].

Me salió el primer día que nació. Me llevó mi abuelo al
hospital; yo tenía cinco años; me acuerdo porque acababa de
45 estrenar [17] mis primeras gafas y mi vecina la Luisa siempre
decía: «Pobrecillo, con cinco años.» ❋

Bueno, pues me acerqué a la cuna [18] y le fui a abrir un
ojo con la mano [...] Yo fui a hacerlo con mi mejor intención
y el tío se puso a llorar con ese llanto [19] tan falso que tiene.
50 Entonces todos se me echaron encima [20] [...] y pensé por
primera vez: «¡Qué imbécil!», y es de esas cosas que ya no se
te quitan de la cabeza. Así que nadie me puede decir que le
haya puesto el mote aposta [21]; ha sido él, que ha nacido para
molestar y se lo merece.

❋ **A pensar**
¿Por qué la vecina dice
«pobrecillo»?

---

[14] **Que...** let me just say   [15] **con...** fists pressing   [16] explode
[17] **acababa...** I had just worn for the first time   [18] cradle   [19] cry
[20] **todos...** everybody jumped on me   [21] on purpose

PARA Y PIENSA

¿Comprendiste?
1. ¿Por qué nombre conoce todo el mundo a Manolito?
2. Según Manolito, ¿cuál es la ventaja *(advantage)* de tener un mote?
3. ¿Cómo le puso Manolito el mote a su hermanito?
4. ¿Qué opina la mamá de Manolito de los motes?

¿Y tú?
¿Qué opinas tú de los motes? ¿Tienes un mote? ¿Cómo lo recibiste?
¿Quién(es) lo usa(n)?

Lección 1
trescientos cincuenta y uno   **351**

Retratos de mujeres

España ha tenido un papel importante en la historia de la pintura. Algunas de las pinturas más antiguas del mundo (16,000–9,000 a.C.) se encuentran en las paredes de las cuevas de Altamira, en el norte del país. También son famosos los pintores religiosos como Francisco de Zurbarán y realistas como Diego Velázquez. El artista más famoso del siglo XVIII

Retrato de una niña, *(1642)* Velázquez **Retrato de Dora Maar,** *(1937)* Picasso **Galatea de las esferas,** *(1952)* Dalí

fue Francisco de Goya, con sus temas sociales y políticos. Además, durante el siglo XX, en España hubo otro gran florecimiento artístico que produjo varios pintores fundamentales del arte moderno. Pablo Picasso fue uno de los padres del cubismo, que representa los objetos desde varias perspectivas con formas geométricas. Los innovadores del surrealismo fueron dos catalanes, Salvador Dalí y Joan Miró. Sus obras tratan de expresar las ideas de la mente subconsciente con imágenes de los sueños *(dreams)*.

Proyecto
Mira los tres retratos de mujeres hechos por el pintor realista Velázquez, el pintor cubista Picasso y el pintor surrealista Dalí. Describe cada pintura y compara los colores, las formas y el efecto total de la pintura de cada uno.

En tu comunidad
¿Hay algún lugar en tu comunidad donde puedas ver arte? Piensa en los lugares públicos. ¿Qué ves allí?

Haz una investigación para buscar el retrato de una persona hecho por un(a) artista estadounidense. Compáralo con uno de los retratos de arriba. Utiliza las siguientes preguntas para guiarte: ¿De qué año son los dos retratos? ¿A qué movimientos artísticos pertenecen *(belong)*? ¿En qué se parecen y en qué se diferencian?

Objectives
- Read, analyze: learn about Spanish portrait painting
- Make connections with art history

Presentation Strategies
- Read article with students, pausing occasionally to assess comprehension.
- Alternately, have students read in small groups and write down the main ideas.

 ## STANDARDS
2.2 Products and perspectives
3.1 Knowledge of other disciplines

Culture

About the Artists
Diego Velázquez Velázquez was a very successful portraitist and genre painter. His most famous work is probably *Las meninas,* ostensibly a portrait of the heirs to the Spanish throne but also an object of endless analysis and conjecture.

Pablo Picasso Considered the greatest 20th-century artist by many, Picasso worked in many different styles but perhaps is best known as the pioneer of cubism.

Salvador Dalí Dalí is one of the most famous and eccentric of the surrealist artists. Surrealism, literally "beyond reality," was a movement in literature, cinema and theater as well as art, that sought to express the unconscious or dream world and merge it with reality.

Connections
 ## La historia

Ask students to investigate the life and work of a Spanish artist and write a brief biography to turn in or present in class.

Differentiating Instruction

English Learners
Increase Interaction Ask students to give a short presentation about important artists and paintings from their countries of origin. Remember that some cultures prohibit human representation, so do not insist that examples be portraits.

Multiple Intelligences
Interpersonal Have students prepare a short presentation in which they take on the role of one of the painters mentioned in the reading. Ask them to describe their subjects and styles in their own words, and to illustrate their talk with one of their paintings.

En resumen
Vocabulario y gramática

Animated Grammar
Interactive Flashcards
ClassZone.com

Vocabulario

Talk About the Neighborhood			
el banco	bench	la frutería	fruit stand
la bombonería	candy store	la fuente	fountain
el buzón	mailbox	el kiosco	kiosk
el cajero automático	ATM	la lechería	dairy store
		la manzana	(city) block
la carnicería	butcher shop	la oferta	offer
el correo	post office	la pastelería	pastry shop
el escaparate	display window	la verdulería	vegetable stand
la estación de metro	subway station	(sacar) el billete	(to buy) a ticket
la ferretería	hardware store	(subir a/bajar de) el metro	(to get on/to get off) the subway
la florería	flower shop		

Describe Places and Things			
el balcón	balcony	el lío	mess
la bañera	bathtub	la mesita	nightstand, end table
desordenar	to mess up	el microondas	microwave
la ducha	shower	el piso	apartment
ensuciar	to get dirty	el refrigerador	refrigerator
la entrada	entrance	romper	to break
el fregadero	kitchen sink	roto(a)	broken
el horno	oven	el sello	stamp
el lavabo	bathroom sink	la terraza	terrace

Say What Has Happened	
(abrir/cerrar) el grifo	(to turn on/to turn off) the faucet
(tocar) el timbre	(to ring) the doorbell
aprovechar	to take advantage (of something)
arreglar	to repair
dar una vuelta	to take a walk
dejar	to leave (behind)
enterarse de	to find out about
hacer los mandados	to do errands
ir de tapas	to go out to eat
ordenar	to organize
quitar	to take away

Gramática

Past Participles as Adjectives

To form the past participle, drop the infinitive ending and add **-ado** to **-ar** verbs or **-ido** to **-er** and **-ir** verbs.

arreglar → arreglado   **esconder** → escondido

pedir → pedido

When the past participle is used as an adjective, the ending agrees in number and gender with the noun it describes.

agrees
El **horno** está arreglado.   agrees   Las **tapas** están pedidas.

Infinitive	Past Participle	Infinitive	Past Participle
abrir	abierto	ir	ido
decir	dicho	morir	muerto
poner	puesto	escribir	escrito
freír	frito	romper	roto
hacer	hecho	ver	visto
imprimir	impreso	volver	vuelto

Present Perfect Tense

haber	
he	hemos
has	habéis
ha	han

+ past participle

Ella ya **ha ido** de tapas.
*She **has** already **gone** out to eat.*

When you use **object** or **reflexive pronouns** with the present perfect, you put them *before* the conjugated form of **haber.**

¿Alberto **te ha comprado** el billete?
Sí, **me lo ha comprado.**

There is a written accent over the **i** in the past participle of **-er** and **-ir** verbs with a stem that ends in **a, e,** or **o.**

traer → traído   **oír** → oído   **leer** → leído

Objective
· Review grammar and vocabulary

Interactive Flashcards Students can hear every target vocabulary word pronounced in authentic Spanish. Flashcards have Spanish on one side, and a picture or a translation on the other.

Featuring...
Cultura INTERACTIVA
Animated Grammar
@HomeTutor

And more...
· **Get Help Online**
· **Interactive Flashcards**
· **Review Games**
· **WebQuest**
· **Conjuguemos.com**

Communication
Common Error Alert

Help students remember the written accent over the **"i"** in the past participle of **–er** and **–ir** verbs with a stem that ends in **a, e,** or **o.** Remind them that the "i" is always a "weak" vowel in conjunction with another vowel so it needs the crutch of the written accent mark to stand on its own. Examples: **traído, leído, creído.**

Differentiating Instruction

English Learners

Provide Comprehensible Input Suggest that English learners keep a trilingual vocabulary log in a special notebook section, with Spanish, English, and their native language.

Multiple Intelligences

Musical/Rhythmic Have students in small groups compose a rhythmic chant to help memorize irregular participles to the accompaniment of a flamenco or other rhythm of students' choice. Then, ask them to teach it to the whole class. Allow "composers" to keep the beat using percussion instruments. Hold a class "recital."

Lección 1
Repaso de la lección

¡LLEGADA! Objective
· Review lesson grammar and vocabulary

Core Resources
· *Cuaderno*, pp. 257–268
· Audio Program: TXT CD 11 Track 11

Presentation Strategy
· Ask students to talk about the sorts of things an apartment building doorman might be asked to do by residents.
· Before completing Activity 2, ask students to identify the item or place illustrated.
· Preview Activities 3 and 4 by asking students to respond to questions about what they have or have not done that week.
· After completing Activity 5, have students write additional questions based on the Comparaciones culturales. Use the questions to play a trivia game.

✿ STANDARDS
1.2 Understand language, Act. 1
1.3 Present information, Act. 2, 3, 4
2.2 Products and perspectives, Act. 5

Warm Up   UTB 6 Transparency 19

¿Cierto o falso? Indica si las siguientes oraciones son ciertas o falsas.
1. Elvira Lindo es una escritora mexicana.
2. Manolito Gafotas es un libro para niños.
3. El narrador, Manolito, es un adolescente.
4. Manolito tiene su mote por sus orejas grandes.
5. Orejones López es el hermano de Manolito.
6. A veces, Manolito cree que su mejor amigo es un traidor.

Answers: 1. F; 2. C; 3. F; 4. F; 5. F; 6. C

✓ Ongoing Assessment
@HomeTutor
More Practice
ClassZone.com

Peer Assessment Have students exchange papers to correct each other. Point out that is it easier to see others' mistakes rather than our own.

See Activity answers on p. 355.

354

¡LLEGADA!

Now you can
· talk about the neighborhood
· describe places and things
· say what has happened

Using
· past participles as adjectives
· present perfect

@HomeTutor
ClassZone.com

🎧 **Audio Program**
TXT CD 11 Track 11, Audio Script, TE p. 329B

To review
· vocabulary pp. 332–333

AUDIO

1 Listen and understand

El Sr. Valle es el portero *(doorman)* de un edificio de apartamentos en Madrid. Tiene tres mensajes de diferentes residentes del edificio. Escucha sus mensajes y luego di si las siguientes oraciones son verdaderas o falsas.

1. La Srta. Valdez vive en el apartamento 1C.
2. La Srta. Valdez tiene un problema con el grifo de la cocina.
3. La Srta. Valdez necesita ayuda para mover sus plantas a la terraza.
4. El Sr. Valle ha organizado una fiesta de sorpresa para su esposa.
5. Los invitados van a llegar entre las cinco y las seis de la tarde.
6. El gatito de la Sra. Blanco se ha subido al balcón y no sabe regresar.

To review
· past participles as adjectives p. 337

2 Describe places and things

Son las once de la mañana. Escribe frases con el participio pasado para describir qué pasa en el piso.

modelo: El grifo está abierto.

1.

2.

3.

4.

5.

6.

Differentiating Instruction

Multiple Intelligences

Kinesthetic Adapt Activity 4 as a pair activity. Have students act out the progression from command to present perfect. Model: Student 1: «**Adela, escribe una carta y envíala.**» Student 2: Pantomimes the actions (writing and sending) and then announces, «**Yo/nosotros he/hemos escrito la carta.**»

Inclusion

Synthetic/Analytic Support Prepare three stacks of cards to practice word order of the present perfect: one stack with the conjugations of **haber,** one with past participles, and one with **ya** and **todavía.** Call four volunteers at a time. Three choose a card, one from each stack. The fourth arranges the people with their card in a logical order.

To review
• present perfect
p. 342

3 | Talk about your neighborhood

Haz oraciones sobre las actividades en el barrio. ¿Qué han hecho tus vecinos? Utiliza las variantes que aparecen en las columnas.

modelo: Ana / comprar flores / no entrar carnicería
Ana ha comprado flores pero todavía no ha entrado a la carnicería.

Ramona	encontrar a su amigo	no correr
Rafael y Jaime	entrar en la estación de metro	no enviar una carta
Pablito	comer helado	no sacar billetes
Doña Clara	salir de la ferretería	no montar en bicicleta
Don Pepe	alquilar un piso	no sentarse en el banco
Pilar y Gil	ir al parque con su perro	no arreglar el grifo

To review
• present perfect
p. 342

4 | Talk about what has happened

Lee los mandatos que recibieron las siguientes personas. Luego di qué han hecho y qué no han hecho.

modelo: Paco, limpia la cocina y haz las compras.
Paco ha limpiado la cocina pero no ha hecho las compras.

1. Mónica y Alicia, den una vuelta y vayan al correo.
2. Adela, escribe una carta y envíala.
3. Tú, entra en la bombonería pero no comas.
4. Caminemos hasta el kiosco y compremos el periódico.
5. Señor, abra la farmacia y límpiela.

To review
• Comparación cultural
pp. 336, 344

5 | Architecture and traditional music

Comparación cultural

1. ¿Qué es el Parc Güell?
2. ¿En dónde hay más edificios de Gaudí?
3. ¿Qué culturas han influido en la música flamenca?
4. ¿Qué tipos de música mezcló la cantante Rosario?

Más práctica Cuaderno *pp. 257–268* Cuaderno para hispanohablantes *pp. 259–268*

 **Get Help Online**
ClassZone.com

✓ **Ongoing Assessment** @HomeTutor More Practice ClassZone.com

Intervention and Remediation Students who make two or more mistakes in any of these activities should revisit the indicated review pages in the PE. If they still have questions about why their answers were incorrect, they should review or get help from a teacher or tutor. For additional practice, have students visit www.classzone.com

Answers UTB 6 Transparency 27

Answers for Activities on pp. 354, 355.

Activity 1

1. falso	**3.** cierto	**5.** falso
2. falso	**4.** also	**6.** falso

Activity 2
1. El refrigerador está abierto.
2. La habitación está desordenada.
3. Él está recostado en el sofá.
4. La mesita está rota.
5. La terraza está bien ordenada.
6. La puerta está cerrada.

Activity 3 Answers will vary. Sample answers: Ramona no ha sacado billetes del cajero automático. Pablito ha comido helado y ha montado en bicicleta.

Activity 4
1. Mónica y Alicia ya han dado una vuelta pero no han ido al correo.
2. Adela ha escrito una carta pero no la ha enviado.
3. Tú has entrado a la bombonería pero no has comido.
4. Hemos caminado hasta el kiosko pero no hemos comprado el periódico.
5. El señor ha abierto la farmacia pero no la ha limpiado.

Activity 5
1. El Parc Güell es un parque con muchos mosaicos sobre una colina de Barcelona, España, hecho por el arquitecto Gaudí.
2. Hay más edificios de Gaudí en Cataluña.
3. Las culturas árabe, judía, gitana e hindú han influído en la música flamenca.
4. La cantante Rosario mezcla el flamenco y el rock.

355

Differentiating Instruction

Multiple Intelligences

Logical/Mathematical Encourage students to create charts and other graphic organizers in the margins of review activities and tests. They may copy or adapt methods from throughout the lesson. Ask them to share with the class any unique or additional mnemonic aids they have modified or invented.

Slower-paced Learners

Memory Aids Remind students to go back over any quizzes or corrected homework to find areas of strength and weakness as they prepare for a lesson test. This will help them focus and make the most of their study time, and also helps them bring specific questions to you or peer tutors.

Culture at a Glance ❖

Topic & Activity	Essential Question
Casas de techos rojos en Potes, p. 356	¿Cómo se destaca una ciudad por su arquitectura?
Las autonomías españolas, p. 362	¿En qué se diferencian y se parecen las distintas autonomías de España?
El Greco y Toledo, p. 370	¿Qué influencia tienen las ciudades en la obra de los pintores?
«Romance sonámbulo», por Federico García Lorca, pp. 374–377	¿Cómo contribuyen las imágenes y la estructura de un poema a su mensaje?
Culture review: Regions of Spain and art in Toledo, p. 381	¿Cómo se identifica la gente con regiones específicas de España?

Practice at a Glance ❖

	Objective	Activity & Skill
Vocabulary	Trains	1: Speaking / Writing; 3: Writing; 6: Speaking / Writing; 8: Writing; Repaso 1: Listening
	Excursions	2: Speaking; 3: Writing; 4: Reading / Speaking / Writing; 5: Speaking / Writing; 14: Reading / Writing; 20: Writing; Repaso 2: Writing; Repaso 3: Speaking / Writing; Repaso inclusivo 3: Speaking / Writing
	History	3: Writing; 4: Reading / Speaking / Writing; 5: Speaking / Writing; 8: Writing; 12: Speaking / Writing; 19: Reading / Listening / Speaking; Repaso 4: Speaking / Writing; Repaso inclusivo 4: Speaking / Writing
Grammar	Past perfect	6: Speaking / Writing; 7: Writing / Speaking; 8: Writing; 9: Speaking; 10: Reading / Speaking / Writing; 11: Writing / Speaking; 12: Speaking / Writing; 17: Listening / Speaking / Writing; 19: Reading / Listening / Speaking; Repaso 4: Speaking / Writing; Repaso inclusivo 1: Speaking / Listening / Writing; Repaso inclusivo 4: Speaking / Writing; Repaso inclusivo 7: Writing
	Future perfect	13: Listening / Speaking; 14: Reading / Writing; 15: Speaking / Writing; 16: Speaking / Writing; 17: Listening / Speaking / Writing; 18: Speaking / Writing; 19: Reading / Listening / Speaking; 20: Writing; Repaso 3: Speaking / Writing; Repaso inclusivo 6: Speaking / Writing
Communication	Describe an excursion you took	2: Speaking; 20: Writing
	Express what will have happened in the future	15: Speaking / Writing; 19: Reading / Listening / Speaking; Repaso 3: Speaking / Writing; Repaso inclusivo 6: Speaking / Writing
	Talk about the history of a place	5: Speaking / Writing; 12: Speaking / Writing; 19: Reading / Listening / Speaking; Repaso 4: Speaking / Writing; Repaso inclusivo 4: Speaking / Writing; Repaso inclusivo 5: Speaking / Writing
	Pronunciation: The /rr/ sound	*Pronunciación: El sonido* **rr**, p. 364: Listening / Speaking
Recycle	Present perfect tense	2: Speaking
	Tú commands	3: Writing
	Places in the neighborhood	7: Writing / Speaking
	Past participles as adjectives	8: Writing

The following presentations are recorded in the Audio Program for *¡Avancemos!*

- **¡A responder!** *p. 359*
- **13: ¿Qué habrán hecho?** *p. 369*
- **19: Integración** *p. 373*
- **Repaso de la lección** *p. 380*
  1: Listen and understand
- **Repaso inclusivo** *p. 386*
  1: Escucha, comprende y contesta

¡A responder! TXT CD 12 track 2

1. Compramos los boletos en la taquilla.
2. Salimos de vía número seis.
3. Un puente enorme cruzaba el río.
4. Un castillo antiguo estaba más allá del centro histórico.
5. Encontré mi asiento en el segundo vagón.
6. El conductor pasó por el pasillo.
7. Caminé hasta el mirador para sacar fotos de las vistas.

13 ¿Qué habrán hecho? TXT CD 12 track 6

modelo: Sofía / visitar

Me encanta el arte. Quiero ver muchos cuadros y tapices históricos por artistas famosos. Sofía habrá visitado el museo.

1. La única forma de llegar al pueblo desde la estación de tren es pasar por el río.
2. A Javier no le interesa mucho visitar pueblos o museos. No le gusta ir de compras tampoco. Cuando llegamos, me dio el plano del pueblo y me dijo que iba a pescar y disfrutar del paisaje.
3. No se puede encontrar nada en esos callejones tan confusos del centro histórico. Pues, si no encuentro lo que busco, puedo pedir direcciones.
4. Lo que más me gusta es encontrar un mirador donde hay una vista del paisaje. Es tan hermoso ver el pueblo y los campos al lado del río.
5. Para mí, es más interesante explorar la ciudad sin guía. Prefiero encontrar los sitios donde hay menos turistas. Si me pierdo, pues, ¡es parte de la aventura!
6. Cuando visito a una nueva ciudad, quiero ver todos los sitios interesantes. Pienso seguir sin descanso hasta el fin del día. Luego, Javier y yo podemos reunirnos en un restaurante para probar las especialidades de la región.

19 Integración TXT CD 12 track 9

Fuente 2, Visita guiada

Aquí vemos una de las maravillas del barrio histórico de Barcelona: el Palacio Real. Este edificio gótico que había sido el centro de muchos eventos importantes, ahora es una gran atracción turística de la historia de la ciudad. Allí está la capilla de Santa Ágata. Del otro lado está la Sala Tinell, que había sido pensada como la sala principal del palacio. Se dice que aquí los Reyes Católicos recibieron a Cristóbal Colón después de su primer viaje a las Américas. Se calcula que para fin de este año, más de un cien mil personas habrán visitado el Palacio Real.

Repaso de la lección TXT CD 12 track 11

1 Listen and understand

Trata de imaginarlo: Será el viaje de tus sueños. Estarás en la sala de espera, relajándote antes de que llegue el tren. Ya habrás hecho todas las preparaciones – las maletas hechas, los billetes comprados. Lo único que tendrás que hacer es presentarte en la estación de tren a la hora apropiada. No tendrás que preocuparte por las reservaciones en hoteles porque tendrás un coche-cama para dormir. No será necesario buscar un restaurante para comer, porque la comida del coche-comedor te estará esperando.

¿Te lo puedes imaginar? Ojalá que sí, porque millones de nuestros pasajeros están de acuerdo – viajar por tren es la manera más cómoda y relajante de viajar. Piensa en el último viaje que hiciste en coche. ¿Cuántas veces tuviste que pararte para comprar gasolina, comida u otras cosas? O piensa en la última vez que viajaste en avión. ¿Cómo te sentías después de pasar el vuelo entero en un asiento pequeño sin poder moverte por cinco horas? En tren puedes andar por los vagones o sentarte tranquilamente en tu asiento cómodo, con mucho espacio para las piernas. Nuestros conductores harán todo lo posible para hacer tu viaje una experiencia cómoda y agradable. Cuando llegues, estarás descansado, relajado y listo para la próxima aventura.

La próxima vez que viajas, ponte en nuestras manos. Tu ruta es nuestra ruta.

Repaso inclusivo TXT CD 12 track 13

1 Escucha, comprende y contesta

Javier Cabal: Buenos días Aurelia y gracias por estar con nosotros. Has tenido una vida bastante interesante, ¿verdad? ¿Quieres explicarnos un poco de tu historia?

Aurelia Blanca: Gracias, Javier. Pues, sí, supongo que he tenido una vida bastante interesante. Mi padre era comerciante y cuando yo era más joven, viajamos mucho por su trabajo. He vivido en París, Roma, Tokio y Nueva York.

Javier Cabal: Has tenido muchas experiencias, entonces, ¿verdad?

Aurelia Blanca: Sí, por supuesto. No fue fácil al principio. Yo tenía doce años cuando fuimos a París y antes yo nunca había salido de mi barrio de Madrid. No había estudiado francés, no sabía hacer nuevos amigos. Fue muy difícil.

Javier Cabal: ¿Qué hacías para aprender nuevas lenguas y hacer nuevos amigos?

Aurelia Blanca: Bueno, yo quería recordar a mi barrio y mis amigos y amigas en España. Entonces empecé a inventar historias para contárselas a mis nuevos amigos y amigas. Por supuesto, tenía que contar mis historias en la nueva lengua también. Era un juego para mí.

Javier Cabal: Y ahora escribes para la telenovela *Historias del barrio*. ¿Te has inspirado más en la vida real o en las historias que inventabas?

Aurelia Blanca: Yo creo que siempre ha sido una combinación. Ahora que estoy en Madrid otra vez es muy fácil basarme en episodios reales del barrio, pero siempre me ha gustado exagerar la realidad un poco.

Javier Cabal: Y como dicen, la realidad es más extraña que la ficción, ¿verdad?

Aurelia Blanca: Así es, Javier. He visto cosas muy extrañas en mi barrio – ¡es una verdadera telenovela!

Javier Cabal: Pues muchas gracias, Aurelia. Te deseamos mucha suerte y esperamos que tu querido barrio madrileño siempre sea una buena inspiración.

On your desktop

Everything you need to ...

Plan	Present	Assess
ONE-STOP PLANNER All resources including audio and video	**POWER PRESENTATIONS** Ready-made PowerPoint™ presentations with 	 ✓ Create customized tests with Examview Assessment Suite ✓ Individualized Assessment for on-level, modified, pre-AP, and heritage language learners

Print

Plan	Present	Practice	Assess
URB 6 • Video Scripts p. 52 • Family Involvement Activity p. 76 • Absent Student Copymasters pp. 85–95 **Lesson Plans** p. 119 **Best Practices Toolkit**	**URB 6** • Video Activities pp. 49–50 **TPRS** pp. 78–84	• *Cuaderno* pp. 269–294 • *Cuaderno para hispanohablantes* pp. 269–294 • *Lecturas para todos* pp. 73–79 • *Lecturas para hispanohablantes* • *¡AvanzaCómics! Mundos paralelos*, Episodio 3 **URB 6** • Practice Games pp. 37–44 • Audio Scripts pp. 58–64 • Fine Art Activities pp. 71–72	**URB 6** • Did you get it? Reteaching and Practice Copymasters pp. 12–21

Unit Transparency Book 6

Culture	Presentation and Practice	Classroom Management
• Atlas Maps UTB 1, 1–6 • Fine Art Transparencies 4, 5	• Vocabulary Transparencies 8, 9 • Grammar Presentation Transparencies 12, 13 • Situational Transparencies and label overlay 14, 15 • Situational Student Copymasters pp. 1–2	• Warm Up Transparencies 20–23 • Student Book Answer Transparencies 28–31

Audio and Video

Audio	Video
• Student Book Audio CD 12 Tracks 1–13 • Workbook Audio CD 3 Tracks 31–40 • Heritage Learners Audio CD 2 Tracks 13–16, CD 5 Tracks 25–36 • Assessment Audio CD 3 Tracks 25–36 • *Lecturas para todos* Audio CD 2 Track 4, CD 3 Tracks 1–5 • *Música del mundo hispano*	• *El Gran Desafío* DVD 3

Online (ClassZone.com) and Media Resources

Student	Teacher
Available online and on disc: • eEdition (DVD-ROM) and eEdition Interactive Online Student Edition • @Home Tutor (CD-ROM) - featuring Animated Grammar **Available online:** • Conjuguemos.com • Cultura interactiva • Culture Links • WebQuests • Flashcards • Review Games • Self-check Quiz	**One-Stop Planner (available online and on DVD-ROM):** • Interactive Teacher's Edition • All print resources • All audio and video resources • Learning Scenarios • Conversation cards • Assessment Program • Examview Assessment Suite • Calendar Planner • Rubric Generator **Available on CD-ROM:** • Power Presentations

Differentiated Assessment

On-level	Modified	Pre-AP	Heritage Learners
• Vocabulary Recognition Quiz p. 279 • Vocabulary Production Quiz p. 280 • Grammar Quizzes pp. 281–282 • Culture Quiz p. 283 • On-level Lesson Test pp. 284–290 • On-level Unit Test pp. 296–302	• Modified Lesson Test pp. 218–224 • Modified Unit Test pp. 230–236	• Pre-AP Lesson Test pp. 218–224 • Pre-AP Unit Test pp. 230–236	• Heritage Learners Lesson Test pp. 224–230 • Heritage Learners Unit Test pp. 236–242

	Objectives/Focus	Teach	Practice	Assess/HW Options
DAY 1	**Culture:** Learn about Spanish culture **Vocabulary:** talk about real or imagined trips • Warm Up OHT 20 **5 min**	Lesson Opener pp. 356–357 **Presentación de vocabulario** pp. 358–359 • Read A–C • Play audio TXT CD 12 track 1 • *¡A responder!* TXT CD 12 track 2 **25 min**	Lesson Opener pp. 356–357 **Práctica de vocabulario** p. 360 • Acts. 1, 2, 3 **15 min**	**Assess:** *Para y piensa* p. 360 **5 min** **Homework:** *Cuaderno* pp. 269–271 @HomeTutor
DAY 2	**Communication:** talk about the history and culture of a place • Warm Up OHT 20 • Check Homework **5 min**	**Vocabulario en contexto** pp. 361–362 • *Contexto 1* TXT CD 12 track 3 **Culture:** *Las autonomías españolas* **20 min**	**Vocabulario en contexto** pp. 361–362 • Acts. 4, 5 **20 min**	**Assess:** *Para y piensa* p. 362 **5 min** **Homework:** *Cuaderno* pp. 269–271 @HomeTutor
DAY 3	**Grammar:** past perfect tense • Warm Up OHT 21 • Check Homework **5 min**	**Presentación de gramática** p. 363 • Past perfect tense **Práctica de gramática** pp. 364–365 • *Pronunciación* TXT CD 12 track 4 **20 min**	**Práctica de gramática** pp. 364–365 • Acts. 6, 7, 8, 9 **20 min**	**Assess:** *Para y piensa* p. 365 **5 min** **Homework:** *Cuaderno* pp. 272–274 @HomeTutor
DAY 4	**Communication:** using past perfect to talk about the chronology of events • Warm Up OHT 21 • Check Homework **5 min**	**Gramática en contexto** pp. 366–367 • *Contexto 2* TXT CD 12 track 5 **20 min**	**Gramática en contexto** pp. 366–367 Acts. 10, 11, 12 **20 min**	**Assess:** *Para y piensa* p. 367 **5 min** **Homework:** *Cuaderno* pp. 272–274 @HomeTutor
DAY 5	**Grammar:** future perfect tense •Warm Up OHT 22 • Check Homework **5 min**	**Presentación de gramática** p. 368 • Future perfect tense **Práctica de gramática** pp. 369–370 **15 min**	**Práctica de gramática** pp. 369–370 • Act. 13 TXT CD 12 track 6 • Acts. 14, 15, 16 **25 min**	**Assess:** *Para y piensa* p. 370 **5 min** **Homework:** *Cuaderno* pp. 275–277 @HomeTutor
DAY 6	**Communication:** Culmination: talk about a place that you have visited more than once • Warm Up OHT 22 • Check Homework **5 min**	**Todo junto** pp. 371–373 • *Contextos 1, 2: Resumen* • *Contexto 3* TXT CD 12 track 7 **15 min**	**Todo junto** pp. 371–373 • Act. 17 TXT CD 12 track 7 • Acts. 18, 20 • Act. 19 TXT CD 12 tracks 8, 9 **25 min**	**Assess:** *Para y piensa* p. 373 **5 min** **Homework:** *Cuaderno* pp. 278–279 @HomeTutor
DAY 7	**Reading:** *Romance sonámbulo* **Writing:** *Una carta al futuro* **Review:** Lesson review • Warm Up OHT 23 • Check Homework **5 min**	**Lectura literaria** pp. 374–377 • *Romance sonámbulo*, TXT CD 12 track 10 **Escritura** p. 378 • *Una carta al futuro* **Repaso de la lección** pp. 380–381 **20 min**	**Lectura literaria** pp. 374–377 • *Romance sonámbulo* **Escritura** p. 378 • *Una carta al futuro* **Repaso de la lección** pp. 380–381 • Act. 1 TXT CD 12 track 11 • Acts. 2, 3, 4, 5 **20 min**	**Assess:** *Para y piensa* p. 377 **5 min** *Repaso de la lección* **Homework:** *En resumen* p. 379 *Cuaderno* pp. 280–291 Review Games Online @HomeTutor
DAY 8	**Assessment**			**Assess:** Lesson 2 or Unit 6 test **50 min**
DAY 9	**Unit culmination**	**Comparación cultural** pp. 382–383 • TXT CD 12 track 12 **El Gran Desafío** pp. 384–385 • Show video DVD 3 **Repaso inclusivo** pp. 386–387 **20 min**	**Comparación cultural** pp. 382–383 **El Gran Desafío** pp. 384–385 **Repaso inclusivo** pp. 386–387 • Act. 1 TXT CD 12 track 13 • Acts. 2, 3, 4, 5, 6, 7 **25 min**	**Assess:** *Cuaderno* pp. 292–294 **5 min**

	Objectives/Focus	Teach	Practice	Assess/HW Options
DAY 1	**Culture:** learn about Spanish culture **Vocabulary:** talk about real or imagined trips • Warm Up OHT 20 **5 min**	Lesson Opener pp. 356–357 **Presentación de vocabulario** pp. 358–359 • Read A–C • Play audio TXT CD 12 track 1 • *¡A responder!* TXT CD 12 track 2 **25 min**	Lesson Opener pp. 356–357 **Práctica de vocabulario** p. 360 • Acts. 1, 2, 3 **15 min**	**Assess:** *Para y piensa* p. 360 **5 min**
	Communication: talk about the history and culture of a place **5 min**	**Vocabulario en contexto** pp. 361–362 • *Contexto 1* TXT CD 12 track 3 **Culture:** *Las autonomías españolas* **15 min**	**Vocabulario en contexto** pp. 361–362 • Acts. 3, 4, 5 **15 min**	**Assess:** *Para y piensa* p. 362 **5 min** **Homework:** *Cuaderno* pp. 269–271 @HomeTutor
DAY 2	**Grammar:** past perfect tense • Warm Up OHT 21 • Check Homework **5 min**	**Presentación de gramática** p. 363 • Past perfect tense **Práctica de gramática** pp. 364–365 • *Pronunciación* TXT CD 12 track 4 **15 min**	**Práctica de gramática** pp. 364–365 • Acts. 6, 7, 8, 9 **20 min**	**Assess:** *Para y piensa* p. 365 **5 min**
	Communication: using past perfect to talk about the chronology of events **5 min**	**Gramática en contexto** pp. 366–367 • *Contexto 2* TXT CD 12 track 5 **15 min**	**Gramática en contexto** pp. 366–367 • Acts. 10, 11, 12 **20 min**	**Assess:** *Para y piensa* p. 367 **5 min** **Homework:** *Cuaderno* pp. 272–274 @HomeTutor
DAY 3	**Grammar:** future perfect tense • Warm Up OHT 22 • Check Homework **5 min**	**Presentación de gramática** p. 368 • Future perfect tense **Práctica de gramática** pp. 369–370 **15 min**	**Práctica de gramática** pp. 369–370 • Act. 13 TXT CD 12 track 6 • Acts. 14, 15, 16 **20 min**	**Assess:** *Para y piensa* p. 370 **5 min**
	Communication: Culmination: talk about a place that you have visited more than once **5 min**	**Todo junto** pp. 371–373 • *Contextos 1, 2: Resumen* • *Contexto 3* TXT CD 12 track 7 **15 min**	**Todo junto** pp. 371–373 • Acts. 17, 19 TXT CD 12 tracks 7, 8 9 • Acts. 18, 20 **20 min**	**Assess:** *Para y piensa* p. 373 **5 min** **Homework:** *Cuaderno* pp. 275–279 @HomeTutor
DAY 4	**Reading:** *Romance sonámbulo* **Writing:** *Una carta al futuro* • Warm Up OHT 23 • Check Homework **5 min**	**Lectura literaria** pp. 374–377 • *Romance sonámbulo*, TXT CD 12 track 10 **Escritura** p. 378 • *Una carta al futuro* **15 min**	**Lectura literaria** pp. 374–377 • *Romance sonámbulo* **Escritura** p. 378 • *Una carta al futuro* **20 min**	**Assess:** *Para y piensa* p. 377 **5 min**
	Review: Lesson review **5 min**	**Repaso de la lección** pp. 380–381 **15 min**	**Repaso de la lección** pp. 380–381 • Act. 1 TXT CD 12 track 11 • Acts. 2, 3, 4, 5 **20 min**	**Assess:** *Repaso de la lección* **5 min** **Homework:** *En resumen* p. 379 *Cuaderno* pp. 280–291 (optional) Review Games Online @HomeTutor
DAY 5	**Assessment**			**Assesss:** Lesson 2 or Unit 6 test **45 min**
	Unit culmination	**Comparación cultural** pp. 382–383 • TXT CD 12 track 12 **El Gran Desafío** pp. 384–385 • Show video DVD 3 **Repaso inclusivo** pp. 386–387 **15 min**	**Comparación cultural** pp. 382–383 **El Gran Desafío** pp. 384–385 **Repaso inclusivo** pp. 386–387 • Act. 1 TXT CD 12 track 13 • Acts. 2, 3, 4, 5, 6, 7 **20 min**	**Assess:** *Cuaderno* pp. 292–294 **5 min**

¡AVANZA! **Objectives**

- Introduce lesson theme: *Fuera de la ciudad*
- Learn past perfect and future perfect tenses
- **Culture:** Compare regional architecture

Presentation Strategies

- Ask students to describe what they see in the photo
- Ask students to compare the photo to places that they know
- Predict subtopics that might be included in the lesson

STANDARDS

4.2 Compare cultures

Warm Up UTB 6 Transparency 20

Llena los espacios con el participio apropiado de la lista:

1. La panadería está _____ a las siete de la mañana.
2. Juanito no ha _____ .
3. Mi padre está _____ en el sofá.
4. María ha _____ la silla.
5. Señora, mi tarea está _____ .
6. Yo ya he _____ el periódico.

    a. leído
    b. recostado
    c. desordenado
    d. hecha
    e. ordenado
    f. abierta
    g. roto

Answers: 1. f; 2. c; 3. b; 4. g; 5. d; 6. a

Comparación cultural

Exploring the Theme

Ask the following:

1. ¿Como son las casas y otros edificios en el lugar donde vives?
2. ¿Hay un único estilo en la arquitectura? ¿Es moderna o traditional? Descríbela.

¿Qué ves? Sample answers:

- Es un paisaje rural. Parece primavera o verano porque está verde y hay flores. Hay algunas nubes en el cielo. El pueblo está en un valle rodeado de montañas verdes y azules.
- Las casas son muy similares. Algunas están conectadas.
- Vemos los techos de tejas rojas, algunos balcones y algunas chimeneas.
- Las casas son de piedra y ladrillo.

356

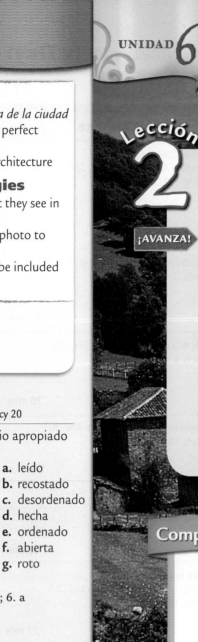

UNIDAD **6**

España

Lección
2

Tema:
Fuera de la ciudad

¡AVANZA! **In this lesson you will learn to**

- describe an excursion
- express what will have happened
- talk about the history of a place

using

- past perfect
- future perfect

♻ *¿Recuerdas?*

- present perfect
- **tú** commands
- places in the neighborhood
- past participles as adjectives

Comparación cultural

In this lesson you will learn about

- the different regions of Spain
- the influence of Toledo in the work of the painter El Greco
- modern and traditional aspects of Spanish culture

Compara con tu mundo

Estas casas de Potes, una ciudad en el norte de España, se destacan por sus techos *(roofs)* de tejas *(tiles)* rojas. *¿Cómo es la arquitectura de tu ciudad? Describe las casas y otros edificios.*

¿Qué ves?

Mira la foto

¿Cómo es el paisaje de Potes?

¿Cómo son estas casas?

¿Qué partes de las casas pueden ver en esta foto?

¿De qué están construidas las casas?

356 trescientos cincuenta y seis

Differentiating Instruction

Multiple Intelligences

Naturalist Have students investigate the area around Potes to learn more about its geography and ecology. Ask them to present a brief report to the class, including information about plants and animals they might see there and activities suited to the area.

Pre-AP

Vary Vocabulary Have students re-write the descriptions of the photos in Compara con tu mundo using synonyms or circumlocutions for as many words as possible. Model: *el paisaje* de Potes = *la escena del campo* de Potes, etc.

Casas de techos rojos,
Potes

Online SPANISH CLASSZONE.COM

Featuring...
Cultura INTERACTIVA
Animated Grammar
@HomeTutor

And more...
• Get Help Online
• Interactive Flashcards
• Review Games
• WebQuest
• Conjuguemos.com

Online SPANISH CLASSZONE.COM

WebQuest Provides step-by-step guidance for your students to help them explore this unit's theme and location online. Students are given a task and a set of pre-approved links to conduct research, answer questions, and submit their findings to the class.

Featuring...
Cultura INTERACTIVA
Animated Grammar
@HomeTutor

And more...
• Get Help Online
• Interactive Flashcards
• Review Games
• WebQuest
• Conjuguemos.com

Using the Photo

Location Information

Cantabria is a strip of territory on the north coast of Spain between Asturias and the Basque Country, and between the Bay of Biscay and the mountains of the Cantabrian Cordillera. The region is home to the **Parque Nacional de los Picos de Europa,** a national park containing the highest peaks in the **Cordillera Cantábrica,** with elevations exceeding 2,500 meters (8,200 feet) and landscapes of long narrow canyons and deep valleys.

Expanded Information

Although a working, thriving port, **Santander,** Cantabria's capital, has long been popular as a resort with Spain's well-to-do. Though historic, **Santander** is a modern city, largely because its port was destroyed by an enormous explosion in 1893, and much of its old center was consumed by a fire in 1941. **Altamira Cave,** near **Santillana del Mar,** is famous for its 15,000 year-old paintings but currently limits visitors to protect the fragile images. The museum has a full-scale reproduction of the cave, however.

Differentiating Instruction

Multiple Intelligences

Interpersonal Ask students to interview a partner about his or her opinion on the value of national parks and the preservation of unique places like Altamira Cave. Remind interviewers to solicit the reasons for their partner's opinions.

Inclusion

Cumulative Instruction To reinforce geographical learning, have students find and highlight the places studied in this unit on a map of Spain. They can use push pins on a wall map, highlight locations on a photocopy map, or create some other visual record of their "travels" through the unit.

357

¡AVANZA! Objective

· Present vocabulary: describing an excursion

Core Resource

· Audio Program: TXT CD 12 Tracks 1, 2

Presentation Strategies

· Have students look at pp. 358–359. Ask them a few simple questions such as: **¿Es una excursión en tren o en autobús?; ¿Dónde empieza la excursión?,** etc.
· Include all four skills for vocabulary retention (e.g., Have some students write individual words on board, others read, use pictures, overheads and circumlocution, etc.)
· Pause the audio periodically to ask comprehension questions.

STANDARDS

1.2 Understand language

Comparisons
English Language Connection

Cognates Have students read the vocabulary words highlighted in blue and indicate English cognates. (Include: **una visita; las especialidades; cronológico; analizar; explorar; histórico; centro; problemas; la ruta; el conductor, etc.**) Remind students that not all words that look like English really share meanings with Spanish. For examples, **el plano** does NOT mean "plan" as in "What is your plan?" Ask students if they see any others.

※ Presentación de VOCABULARIO

¡AVANZA! **Goal:** Learn new vocabulary to describe an excursion. Then practice what you learned by talking about real or imagined trips. *Actividades 1–3*

♻ *¿Recuerdas?* Present perfect p. 342, **tú** commands p. 97

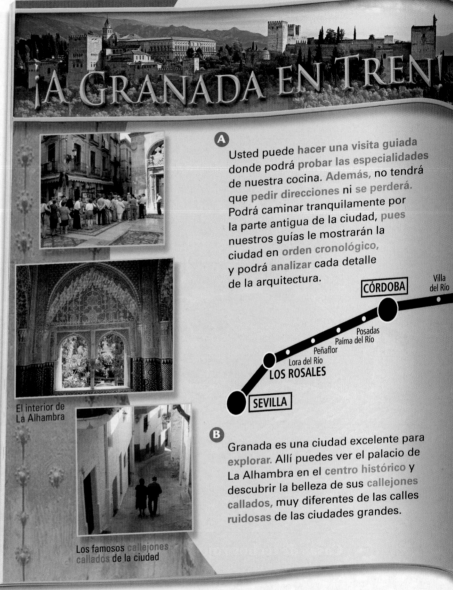

¡A GRANADA EN TREN!

A Usted puede **hacer una visita guiada** donde podrá **probar las especialidades** de nuestra cocina. **Además,** no tendrá que **pedir direcciones** ni **se perderá.** Podrá caminar tranquilamente por la parte antigua de la ciudad, **pues** nuestros guías le mostrarán la ciudad en **orden cronológico,** y podrá **analizar** cada detalle de la arquitectura.

CÓRDOBA — Villa del Río

Posadas
Palma del Río
Peñaflor
Lora del Río
LOS ROSALES

SEVILLA

El interior de La Alhambra

B Granada es una ciudad excelente para **explorar.** Allí puedes ver el palacio de La Alhambra en el **centro histórico** y descubrir la belleza de sus **callejones callados,** muy diferentes de las calles ruidosas de las ciudades grandes.

Los famosos **callejones callados** de la ciudad

Differentiating Instruction

Multiple Intelligences

Logical/Mathematical Provide students with a map of southern Spain or have them photocopy one from the library, etc. Ask them to trace the route from **Sevilla** to **Granada.** Using the legend on their map, have students calculate the distances between each stop and in total. If their map legend is in kilometers, students should also calculate the distances in miles.

English Learners

Build Background Ask students from other countries whether traveling by train is popular in their countries of origin. Have them use the new vocabulary to talk about the train trips they have taken in the past.

Más vocabulario

a pesar de que *in spite of, despite*	**meterse en problemas** *to get into trouble*
el asiento numerado *numbered seat*	**el mirador** *lookout, outlook*
caerse *to fall down*	**el plano** *city map*
el castillo *castle*	**el tapiz** *tapestry*
consecutivo(a) *consecutive, in a row*	**tratarse de** *to be about*
el cuadro *painting*	*Expansión de vocabulario* p. R13
	Ya sabes p. R13

C

En conclusión, ¡no **pierda** la oportunidad de disfrutar de las mejores **vistas** de **las murallas, los puentes, el río** y **las fortalezas** de la ciudad! Compre su billete en **la taquilla,** y mientras espera el tren, puede tomar algo refrescante en **la sala de espera.** ¡**Granada es una experiencia única!**

el paisaje

a Madrid

la ruta

A6 LINARES BAEZA
Jodar-Úbeda
Los Propios y Cazorla
Larva
Huesa
Andújar Espeluy
Cabra
Santo Cristo
A2
Alamedilla G.
Moreda
JAÉN
Iznalloz
GRANADA

el conductor

el vagón

Granada

la vía

el andén

la ventanilla

el pasillo

¡A responder! Escuchar 🎧

Vas a escuchar diez frases. Si la frase describe una excursión en tren, levanta la mano derecha. Si describe el paisaje que puedes ver, levanta la mano izquierda.

@HomeTutor
🔲 **Interactive Flashcards**
ClassZone.com

Lección 2
trescientos cincuenta y nueve **359**

Differentiating Instruction

Slower-paced Learners

Read Before Listening Give at-risk students the opportunity to review the written script before playing the audio. Have them underline or otherwise highlight new vocabulary.

Pre-AP

Summarize Have students identify main ideas for each paragraph of **¡A Granada en tren!,** then summarize each paragraph. Ask them to compare their work with that of a classmate and to discuss discrepancies before re-writing their summaries.

Answers UTB 6 Transparency 28

¡A responder! Audio Script, TE p. 355B
Students should raise their right hand for numbers 1, 2, 5, 6. Students raise their left hand for numbers 3, 4, 7.

If your school is in an area where Spanish-speakers live, ask students to look for Spanish-language bus and commuter rail schedules, safety instructions, or any other material related to transportation, and to collect or copy them down to bring to class. If there is no transportation information available, have students create their own materials.

Answers UTB 6 Transparency 28

Activity 1
1. el vagón
2. la sala de espera
3. la taquilla
4. la ventanilla
5. el andén

Activity 2
Answers will vary. Answers should include the following present perfect conjugations:
1. has tomado; he tomado
2. has explorado; he explorado
3. has pedido; he pedido
4. has hecho; he hecho
5. te has metido; me he metido
6. has probado; he probado

Activity 3
1. centro histórico
2. callada
3. plano
4. pide direcciones
5. tomar algo
6. a pesar de
7. En conclusión

Para y piensa
1. conductor
2. vía/puentes

360

※ Práctica de VOCABULARIO

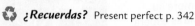

1 Viajar en tren

Hablar Escribir

Contesta cada pregunta con una palabra de la lista.
1. ¿Cómo se llama un carro del tren?
2. ¿Dónde puedes sentarte antes de llegar el tren?
3. ¿Dónde compras un billete de tren?
4. Si quieres admirar el paisaje, ¿qué asiento prefieres?
5. ¿Dónde se suben los pasajeros al tren?

> la taquilla
> el vagón
> la ventanilla
> el andén
> la sala de espera

Expansión:
Teacher Edition Only
Pídales a los estudiantes que digan, paso por paso, qué hacen al llegar a una estación de tren antes de hacer el viaje.

2 De excursión ♻ *¿Recuerdas?* Present perfect p. 342

Hablar

Tú y tu compañero(a) acaban de encontrarse por casualidad *(chance)* en un café en Granada. Usen el presente perfecto para hacerse preguntas.

modelo: perderse

Ⓐ ¿Cuántas veces te has perdido?
Ⓑ No me he perdido. Tengo un plano. ¿Y tú? ¿Te has perdido mucho?

1. tomar algo
2. explorar
3. pedir direcciones
4. hacer una visita guiada
5. meterse en problemas
6. probar las especialidades

Expansión
Hazle cinco preguntas más a tu compañero(a) sobre su experiencia en Granada.

3 Saludos de Barcelona ♻ *¿Recuerdas?* tú commands p. 97

Escribir

Un amigo te ha escrito desde Barcelona. Escoge la opción correcta para saber sus recomendaciones.

> ¡Hola! Ven a visitarme. Iremos al __1.__ (centro histórico / asiento numerado), una parte muy __2.__ (ruidosa / callada) y tranquila, para que aprendas sobre mi ciudad. Consigue un __3.__ (mirador / plano) y __4.__ (pide direcciones / prueba las especialidades) para llegar a mi casa. Podemos pasear y __5.__ (meternos en problemas / tomar algo). Yo no tengo vacaciones, pero __6.__ (a pesar de / además de) trabajar, puedo dedicar dos días consecutivos a pasear. __7.__ (En orden cronológico / En conclusión), nos vamos a divertir mucho. Pepe

Expansión:
Teacher Edition Only
Pídales a los estudiantes que le escriban una respuesta a Pepe para expresar sus reacciones a su sugerencia y agregar sugerencias nuevas.

Más práctica Cuaderno *pp. 269–271* Cuaderno para hispanohablantes *pp. 269–272*

PARA Y PIENSA **¿Comprendiste?** Completa con la palabra más apropiada.
1. El _____ pasa por el vagón para revisar los billetes de los pasajeros.
2. La _____ del tren pasa por túneles y sobre _____ que cruzan ríos.

Get Help Online ClassZone.com

Differentiating Instruction

Multiple Intelligences

Kinesthetic In groups of three, have students prepare a skit that includes a conductor and two travelers who think they know all the answers but are usually mistaken. The conductor must use gestures as well as words to give instructions to the travelers. Insist that the group use at least five words from the lesson vocabulary and at least three **tú** commands.

Slower-paced Learners

Sentence Completion Help students remember vocabulary in context by giving them sentence starters and asking them to fill in the rest. Example: **Quiero sentarme mientras espero el tren, así que voy . . .** *(a la sala de espera).* This activity also works well in pairs and for reluctant speakers.

✿VOCABULARIO en contexto

¡AVANZA! **Goal:** Notice the words that are used to talk about the history and culture of Toledo in the guidebook below. Then practice by comparing Toledo to the city or region where you live. *Actividades 4–5*

Contexto 1 *Guía del Viajero*

ESTRATEGIA Leer
Cluster related words While reading about Toledo, make a mind map to cluster related words. You can create your own categories.

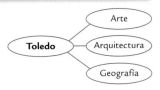

Toledo — Arte, Arquitectura, Geografía

AUDIO

José Luis Barra es de Barcelona, pero está pasando el verano visitando a su primo Francisco en Madrid. Los dos van a pasar un día en Toledo, explorando el centro histórico. La última vez que José Luis visitó Toledo fue hace diez años, así que está leyendo una guía del viajero *(traveler's guide)* para prepararse para la excursión.

Toledo

Toledo tiene de todo. ¡Ven a explorarlo!

UNA HISTORIA, MUCHAS CULTURAS

Toledo está en la orilla del río Tajo. Turistas de todo el mundo lo visitan para admirar su arte, su arquitectura y su paisaje. Entre 700 y 1600, Toledo fue uno de los centros políticos, religiosos e intelectuales más importantes de la península.

CATEDRAL CATÓLICA GÓTICA

Puedes visitar:
- el Museo de la Santa Cruz, que tiene el último cuadro que pintó El Greco
- el Alcázar, una fortaleza árabe construida sobre las ruinas de una fortaleza romana
- las sinagogas judías de El Tránsito y Santa María la Blanca
- la mezquita árabe del Cristo de la Luz
- la catedral católica gótica

MUSEO DE LA SANTA CRUZ

Toledo es una ciudad con muchas atracciones. Los visitantes pueden perderse en sus callejones callados o pasear por la ruidosa Calle del Comercio, con sus tiendas y restaurantes. Los que quieren ir fuera del centro, pueden visitar los puentes antiguos de Alcántara y San Martín. Allí tienes una de las vistas más hermosas de la ciudad: las murallas antiguas.

ALCÁZAR

162

Lección 2
trescientos sesenta y uno **361**

¡AVANZA! Objectives
- Practice and produce vocabulary in context: talking about places
- Reading and listening comprehension: the travel guide

Core Resource
- Audio Program: TXT CD 12 Track 3

Presentation Strategies
- Ask students if they have ever read or used a travel guide. Ask them to list features of a typical guidebook.
- Go over Reading Strategy to make sure all students understand how to apply it.
- Pause the audio periodically to confirm comprehension.
- Have students complete the strategy and compare answers with a partner.

✿ STANDARD
1.2 Understand language

🔨 Warm Up UTB 6 Transparency 20

Completa las siguientes oraciones con palabras o expresiones de esta lección.
1. Luis necesita buscar varias calles en la ciudad; necesita _____ .
2. Paco tiene sed y hambre; quiere _____.
3. Los estudiantes están perdidos. Tienen que _____ .
4. Necesito comprar mi billete ahora mismo; ¿dónde está _____ ?
5. Rosita quiere ver sus fotos desde el año pasado hasta hoy; necesita verlas en _____ .

Answers: 1. un plano; 2. tomar algo/probar las especialidades; 3. pedir direcciones; 4. la taquilla/el conductor; 5. orden cronológico.

Differentiating Instruction

Pre-AP

Persuade Divide the class into groups of three. Tell the students to imagine they are on a class trip to Toledo and each group will have time to visit a maximum of two places. No group can split up because they have to prepare a group report on the visit. Each student must try to convince the others to visit the places he or she finds most interesting.

English Learners

Increase Interaction Toledo was one of the most important multicultural centers of the peninsula during the Middle Ages. Ask students, in particular international students, to explain to what extent their area or country is multi-cultural. How many languages and ethnic groups are there? How many of the languages are spoken and in what contexts? How do the different groups interact?

Long-term Retention
Personalize It

Have students read the travel guide for Toledo to themselves after the audio; this time, ask them to create a "personal itinerary" for themselves, listing the places they'd most like to visit in the city. Ask them to explain the reasons for their choices.

Objectives
· Check comprehension of the reading
· Practice using vocabulary in context
· Culture: **autonomías** of Spain

Practice Sequence
· **Activity 4:** Contexto 1 comprehension
· **Activity 5:** Vocabulary production: tourist information

 STANDARDS
1.2 Understand language, Act. 4
1.3 Present information, Act. 5
2.1 Practices and perspectives, CC
2.2 Products and perspectives, CC
3.1 Knowledge of other disciplines, CC
4.2 Compare cultures, CC

Connections
Geography

Have students complete a map of Spain in which they identify the autonomías, major cities, mountain ranges and river systems.

Comparación cultural

Essential Question
Suggested Answer Las autonomías se diferencian en sus características geográficas y lingüísticas. Se parecen porque comparten una historia y están ligadas al gobierno central.

Background Information
The seventeen **autonomías** are: Andalucía, Aragón, Asturias, Baleares, Canarias, Cantabria, Castilla-La Mancha, Castilla y León, Cataluña, Extremadura, Galicia, La Rioja, Madrid, Murcia, Navarra, País Vasco (Euskadi), Valencia.

✓ Ongoing Assessment
@HomeTutor
More Practice
ClassZone.com

Alternative Strategy Have students answer the Para y piensa questions with a partner and draw a picture/map to reflect their answers. For additional practice, use Reteaching & Practice Copymasters URB 6, pp. 12, 13, 14.

See Activity answers on p. 363.

362

---

4 Comprensión de la guía del viajero

Leer
Hablar
Escribir

Contesta las siguientes preguntas sobre la guía del viajero.
1. ¿Qué río pasa por Toledo?
2. ¿Qué se encuentra en el Museo de la Santa Cruz?
3. ¿Qué es el Alcázar?
4. ¿Cuáles son dos edificios que se asocian con la influencia judía?
5. ¿Cuál es un edificio que se asocia con la influencia cristiana?
6. ¿Cómo es la calle donde se puede ir de compras?

Expansión:
Teacher Edition Only
Pídales a los estudiantes que elijan uno o dos lugares mencionados en la lectura y que digan por qué les gustaría visitarlos.

5 Una guía del viajero

Hablar
Escribir

Con tu compañero(a), escribe una breve introducción turística de su región para incluirla en una guía del viajero. Pueden usar la guía sobre Toledo como modelo. Incluyan una descripción general, lugares de interés específicos y actividades que es posible hacer.

Expansión:
Teacher Edition Only
Pídales a parejas de estudiantes que intercambien las introducciones turísticas que escribieron y que escriban en una hoja lo que les gustó y lo que no. Después deben escribir sus sugerencias para mejorarlas.

Comparación cultural

Las autonomías españolas

¿En qué se diferencian y se parecen las distintas autonomías de España? **España** está dividida en diecisiete regiones llamadas *comunidades autónomas* o *autonomías*. La división tiene su origen en los antiguos reinos de la península. Algunos de estos reinos habían existido antes de que los moros llegaran al área y todos siempre habían tenido una identidad individual por razones culturales, geográficas y, en muchos casos, lingüísticas. Pero, desde que España se unificó bajo los reyes Fernando e Isabel, el gobierno central trató de disminuir las diferencias regionales. En 1978, la nueva Constitución creó las autonomías, con sus propios cuerpos legislativos ligados *(tied)* al gobierno central. Algunas han mantenido sus idiomas tradicionales: el gallego en Galicia, el euskera en País Vasco, y el catalán y sus dialectos en Cataluña, Valencia y Baleares.

Autonomías con idiomas diferentes del castellano (español)

Compara con tu mundo *En tu opinión, ¿tienen los estados de los EE.UU. una identidad individual fuerte? ¿Qué estados tienen una historia política más antigua que los otros?*

PARA Y PIENSA

¿Comprendiste? Contesta las siguientes preguntas sobre tu región.
1. ¿Hay puentes viejos o antiguos en tu área? ¿De qué están hechos?
2. ¿Hay edificios viejos? ¿Qué funciones tienen?

Get Help Online
ClassZone.com

Differentiating Instruction

Inclusion

Clear Structure To help students describe places of interest in their area in Activity 5, have them create a chart with three columns: place name / location / interest. Model an entry: **La biblioteca, en la calle Main, fue construida en 1848.**

Multiple Intelligences

Visual Learners In Activity 5, have students work in pairs to design the layout and create the visuals for the travel brochure, then present the brochure to the class.

✤ Presentación de GRAMÁTICA

¡AVANZA! **Goal:** Learn how to form and use the past perfect tense. Then talk about events that had taken place before other events. *Actividades 6–9*

♻ *¿Recuerdas?* Places in the neighborhood pp. 332–333, Past participles as adjectives p. 337

English Grammar Connection: The past perfect describes actions that had occurred before other actions in the past. In English, it is formed with the verb *had* and the past participle of the main verb. In Spanish, you use **haber**.

We **had** already **eaten** when she called.   Ya **habíamos comido** cuando llamó.

Past Perfect Tense

Animated Grammar
ClassZone.com

Use the past perfect tense to show that an event had already occurred (or not occurred) at a specific moment in the past.

Here's how: Conjugate the verb **haber** in the imperfect tense and add the past participle of the main verb. The past participle always ends in **-o**.

haber	
había	habíamos
habías	habíais
había	habían

+ past participle

Yo **había visitado** Toledo antes.   *I had visited Toledo before.*

When used with another verb, the action expressed with the past perfect occurred before the other **past action.**

Cuando Felipe **volvió,** sus tíos ya **se habían ido.**
When Felipe returned, his aunt and uncle had already gone.

The words **ya** and **todavía** are often used with the past perfect tense. **Ya** is used in affirmative statements and means *already*.

Irma **ya había salido** cuando Alberto llegó.
Irma had already left when Alberto arrived.

Todavía is used in negative statements and means *not . . . yet* or *still . . . not*.

Maite **todavía no había comprado** el pan cuando la panadería cerró.
Maite still hadn't bought the bread / hadn't bought the bread yet when the bakery closed.

Más práctica
Cuaderno *pp. 272–274*
Cuaderno para hispanohablantes *pp. 273–275*

 Conjuguemos.com

@HomeTutor
Leveled Practice
ClassZone.com

Differentiating Instruction

Pre-AP

Sequence Information Divide students into groups of four. Tell students that one person will mention a time of day, such as **la una y media de la tarde,** and the next person has to say something s/he did before that time yesterday: **Antes de la una y media de la tarde ayer, había escrito dos correos electrónicos a mi amigo.**

Multiple Intelligences

Logical/Mathematical Use pictures to illustrate completed actions and make a statement in the preterite about each. For example, **María fue al museo.** Then ask students to provide a logical statement about what the person had done prior to the action illustrated. For example, **Antes de ir al museo, María había leído sobre la colección.**

¡AVANZA! ▶ **Objectives**
· Present the past perfect
· Review **ya** and **todavía**

Core Resource
· *Cuaderno,* pp. 272–274

Presentation Strategies
· Ask students to recall the endings for the imperfect of **–er** and **–ir** verbs
· Ask students to explain the formation of the past participle
· Draw students' attention to the time that class began and ask them what they had or hadn't done when class began. Use a timeline to show the relationship.

✿ **STANDARD**
4.1 Compare languages

 Warm Up UTB 6 Transparency 21

Completa las siguientes oraciones con una palabra de la lista.
catedral, sinagoga, mezquita, puente, muralla, fortaleza

1. El Alcázar de Toledo es una antigua _____ .
2. La _____ de Toledo es un edificio gótico.
3. La _____ El Tránsito es muy famosa.
4. Hay unas vistas muy buenas desde la _____ de la ciudad.
5. La iglesia de Cristo de la Luz fue una _____ árabe.

Answers: 1. fortaleza, 2. catedral, 3. sinagoga, 4. muralla, 5. mezquita

Answers UTB 6 Transparency 28

Answers for Activities on p. 362.
Activity 4
1. El Tajo
2. El último cuadro que pintó El Greco.
3. una fortaleza árabe
4. las sinagogas de El Tránsito y Santa María la Blanca
5. la Catedral
6. ruidosa
Activity 5 Answers will vary.
Para y piensa Answers will vary.

363

Objectives
- Practice using the past perfect
- Pronunciation of the /rr/ sound
- Recycle: places in the neighborhood, past participles as adjectives

Core Resource
- Audio Program: TXT CD 12 Track 4
- *Cuaderno*, pp. 272–274

Presentation Strategies
- Have students recreate the scene of the train station when Marta got on the train
- Provide a time frame for each situation in Activity 7. For example, **Tú fuiste a la bombonería a las 2. A las 2:15 ya habías comprado caramelos.**
- Have students practice the tongue twister as they move in a circle around the classroom, speeding up each time

Practice Sequence
- **Activity 6:** Controlled practice: past perfect
- **Activity 7:** Transitional practice: past perfect; Recycle: places in the neighborhood
- **Activity 8:** Transitional practice: past perfect; Recycle: past participles as adjectives
- **Activity 9:** Open-ended practice: past perfect

STANDARDS
1.1 Engage in conversation, Act. 9
1.3 Present information, Act. 6, 7, 8

Answers UTB 6 Transparencies 28–29

Activity 6
1. Varios pasajeros ya se habían sentado.
2. Algunos pasajeros no habían subido todavía.
3. Vosotros ya os habíais caído en el andén.
4. Todos nosotros ya habíamos sacado el billete.
5. Marta no había leído sobre la ruta a Toledo todavía.
6. Ramón ya había encontrado un asiento de ventanilla.
7. El conductor no había revisado los billetes todavía.
8. La amiga de Marta ya había perdido el tren.

Answers continue on p. 365.

Práctica de GRAMÁTICA

6 | En tren

Hablar
Escribir

Usa el pasado perfecto para expresar qué había o no había ocurrido cuando Marta subió al tren.

> **modelo:** el tren / no salir todavía
> El tren no había salido todavía cuando Marta subió.

1. varios pasajeros / ya sentarse
2. algunos pasajeros / no subir todavía
3. vosotros / ya caerse en el andén
4. todos nosotros / ya sacar el billete
5. Marta / no leer sobre la ruta a Toledo todavía
6. Ramón / ya encontrar un asiento de ventanilla
7. el conductor / no revisar los billetes todavía
8. la amiga de Marta / ya perder el tren

> **Expansión**
> Pregunta a cinco personas en tu clase qué había ocurrido ya cuando tú llegaste hoy. Luego, escribe lo que aprendiste.

---

7 | En mi barrio   **¿Recuerdas?** Places in the neighborhood pp. 332–333

Escribir
Hablar

Explica lo que había hecho cada persona en los lugares indicados.

> **modelo:** Juan fue a la panadería.
> Juan había comprado una barra de pan.

1. Eva y Miguel fueron a la frutería.
2. Tú fuiste a la bombonería.
3. Nosotros fuimos al kiosco.
4. David fue al banco.
5. Yo fui a la farmacia.
6. Ella fue a la lechería.
7. Ellos fueron a la verdulería.
8. Mi hermano fue a la florería.
9. Mis amigos fueron a la pastelería.
10. Él fue a la ferretería.

> **Expansión:**
> Teacher Edition Only
> Pídales a los estudiantes que elijan cuatro lugares de su vecindario y que digan qué había pasado antes de que ellos llegaran.

AUDIO

Pronunciación El sonido rr

La **r** inicial de una palabra y la **rr** tienen el mismo sonido fuerte de /rr/.

reloj   arreglar
reunirse   socorro

Trabalenguas

**Erre con erre guitarra,
erre con erre barril,
rápido corren los carros,
por la línea del ferrocarril.**

Differentiating Instruction

Slower-paced Learners
Peer-study Support Pair students of similar abilities to work on Activity 6. Have one student say the first part of each sentence, conjugating **haber,** and have the other finish the sentence, including the past participle:
Student A: El tren no había…
Student B: …salido todavía cuando Marta subió.
Then have them switch roles.

English Learners
Increase Interaction Ask international students to share information about train usage in their country. Discuss train service in your area to compare. Ask students in pairs to list five benefits and five disadvantages of train travel.

8 ¿Había hecho algo? ♻ **¿Recuerdas?** Past participles as adjectives p. 337

Escribir | Expresa el resultado de las siguientes acciones.

> modelo: Joaquín había abierto la puerta.
> Ahora la puerta está abierta.

1. Renato había cancelado la reservación del viaje en tren.
2. Nosotros habíamos escrito una novela.
3. Los romanos habían construido una muralla.
4. Lisa había analizado los mapas.
5. Tú habías explorado el castillo.
6. El tren había roto las vías.

9 Ayer en la estación

Hablar | Ayer, un(a) compañero(a) y tú leyeron este horario en la estación de tren. Hoy, se hacen preguntas para comparar diferentes destinos (destinations) y decir si los trenes estaban a tiempo, atrasados (delayed) o cancelados.

A ¿Habían cancelado algún tren?

B Habían cancelado el tren a Salamanca.

Desde Madrid

Destino	Salida	Llegada	Vía	Condición
ALCALÁ DE HENARES	7:50	9:30	3	A TIEMPO
ARANJUEZ	7:35	8:35	2	ATRASADO HASTA LAS 7:59
ÁVILA	8:47	11:30	3	A TIEMPO
SALAMANCA	10:00	12:24	1	CANCELADO
SEGOVIA	9:55	11:32	2	A TIEMPO
TOLEDO	8:20	10:40	1	ATRASADO

Más práctica | Cuaderno pp. 272–274 Cuaderno para hispanohablantes pp. 273–275

PARA Y PIENSA

¿Comprendiste? Di lo que habían hecho algunos(as) compañeros(as) ayer a las 3:30.
1. hacer la tarea
2. ir de tapas
3. pedir direcciones
4. perderse

Get Help Online ClassZone.com

Differentiating Instruction

Inclusion

Frequent Review/Repetition Divide students into pairs. Have each write a list of four things they did yesterday. Then have them take turns determining when their partner did each by asking and answering questions, such as: **¿Te habías duchado a las ocho?**

Multiple Intelligences

Intrapersonal Have students write about some milestones in a five-year span of their lives, using the past perfect. Model: **A la edad de cinco años, había aprendido a nadar.**

Communities
Spanish in the Community

Train Station Visit a local train station and ask for available information in Spanish. Compare features like the way time is expressed. Does the schedule use a 12-hour or a 24-hour system, for example?

✓ Ongoing Assessment

 PARA Y PIENSA **Alternative Strategy** Have students circulate the room and ask five different classmates what they had done at 3:30 yesterday. Then have them write sentences for each. When the class has finished, pose questions to find out what different students had done: **¿Qué había hecho Mateo a las tres?** For additional practice, use Reteaching & Practice Copymasters URB 6, pp. 15, 16.

Answers UTB 6 Transparencies 28–29

Answers continued from p. 364.

Activity 7 (Sample answers)
1. ...habían comprado naranjas.
2. ...habías comprado caramelos.
3. ...habíamos comprado revistas.
4. ...había sacado dinero del cajero automático.
5. ...había comprado aspirinas.
6. ...había comprado yogur.
7. ...habían comprado zanahorias.
8. ...había comprado rosas.
9. ...habían ordenado un pastel.
10. ...había buscado un martillo.

Activity 8
1. Ahora la reservación está cancelada.
2. Ahora la novela está escrita.
3. Ahora la muralla está construida.
4. Ahora los mapas están analizados.
5. Ahora el castillo está explorado.
6. Ahora las vías están rotas.

Activity 9 Answers will vary. Sample answers:
-¿Había llegado algún tren de Segovia?
-No, fui a la estación a las 11 y el tren de Segovia no había llegado todavía.

Para y piensa Answers will vary. Sample answers:
1. Elizabeth ya había hecho la tarea cuando su mamá llegó a casa.
2. Miguel y Ángela todavía no habían ido de tapas.
3. Roberto ya había pedido direcciones en la ventanilla cuando se dio cuenta de que habían cancelado el tren.
4. David se había perdido en el centro de la ciudad.

¡AVANZA! **Objectives**

- Practice vocabulary and the past perfect in context
- Learn about the history of Toledo

Core Resource

- Audio Program: TXT CD 12 Track 5

Presentation Strategies

- Review what students have learned about Toledo
- Complete the reading and strategy
- Bring in photos or have students look online for visuals related to Toledo
- Have students choose a time period, cultural group or important individual to research and prepare a report

Practice Sequence

- **Activity 10:** Contexto 2 comprehension
- **Activity 11:** Transitional practice: past perfect
- **Activity 12:** Open-ended practice: past perfect

STANDARDS

1.2 Understand language, Act. 10
1.3 Present information, Act. 10, 11, 12

Warm Up   UTB 6 Transparency 21

Completa las siguientes oraciones sobre lo que Alberto había hecho antes de su viaje a Toledo. Usa el pasado perfecto.

1. Alberto no _____ (visitar) Toledo antes.
2. Alberto _____ (estudiar) mucho sobre Toledo en su clase de historia.
3. Alberto _____ (pedir) información turística de una agencia.
4. Alberto _____ (prepararse) mucho.

Answers: 1. había visitado, 2. había estudiado, 3. había pedido, 4. se había preparado

✤ GRAMÁTICA en contexto

¡AVANZA! **Goal:** In the following summary of Toledo's history, notice how verbs in the past perfect verb tense help to clarify the chronology of events. Then practice using the past perfect to discuss details of the reading. *Actividades 10–12*

Contexto 2   *Información histórica*

ESTRATEGIA Leer

Make newspaper headlines To help you understand and remember what you read, pick out the five most important events in the history of Toledo and indicate when these events occurred. Put them in chronological order.

Suceso	Año o siglo
Los romanos llegaron a Toledo, una ciudad íbera.	

 José Luis es un estudiante de Barcelona que está pasando el verano en Madrid. Está leyendo un resumen de la historia de Toledo en una guía del viajero.

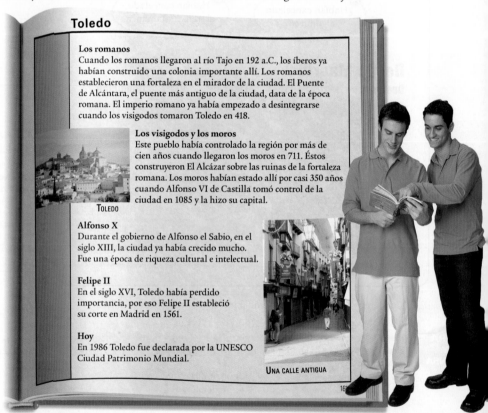

Toledo

Los romanos
Cuando los romanos llegaron al río Tajo en 192 a.C., los íberos ya habían construido una colonia importante allí. Los romanos establecieron una fortaleza en el mirador de la ciudad. El Puente de Alcántara, el puente más antiguo de la ciudad, data de la época romana. El imperio romano ya había empezado a desintegrarse cuando los visigodos tomaron Toledo en 418.

TOLEDO

Los visigodos y los moros
Este pueblo había controlado la región por más de cien años cuando llegaron los moros en 711. Éstos construyeron El Alcázar sobre las ruinas de la fortaleza romana. Los moros habían estado allí por casi 350 años cuando Alfonso VI de Castilla tomó control de la ciudad en 1085 y la hizo su capital.

Alfonso X
Durante el gobierno de Alfonso el Sabio, en el siglo XIII, la ciudad ya había crecido mucho. Fue una época de riqueza cultural e intelectual.

Felipe II
En el siglo XVI, Toledo había perdido importancia, por eso Felipe II estableció su corte en Madrid en 1561.

Hoy
En 1986 Toledo fue declarada por la UNESCO Ciudad Patrimonio Mundial.

UNA CALLE ANTIGUA

166

Differentiating Instruction

Slower-paced Learners

Read Before Listening Have students read the Contexto before listening to it. Tell them that they will read about the various groups and individuals who have controlled Toledo in the past. Ask them to write down the name of each group and individual as they read. They will use this information to complete the reading strategy.

Multiple Intelligences

Linguistic/Verbal Have students, in pairs, research and write a short history of the area in which they live. Ask them to include information about who has governed the area in the past 300 years.

10 Comprensión de la información histórica

Leer Hablar Escribir

Contesta las siguientes preguntas sobre la información histórica.

1. ¿Quiénes fueron los primeros habitantes del área donde más tarde se estableció la ciudad de Toledo?
2. ¿Qué construyeron los romanos al llegar al área?
3. ¿Quiénes conquistaron a los romanos?
4. ¿En qué año llegaron los moros a Toledo?
5. ¿Durante qué época tuvo la ciudad esplendor cultural?
6. ¿Cuándo y por qué disminuyó la importancia política de Toledo?

Expansión:
Teacher Edition Only
Pídales a los estudiantes que escriban un resumen breve de la historia de Toledo en forma de narración.

11 Un paseo por España

Escribir Hablar

Modifica las siguientes oraciones utilizando el pasado perfecto para decir lo que no habían hecho las personas. Sigue el modelo.

modelo: Yo **comí** manzanas **después** de almorzar.
Yo no **había comido** manzanas **antes** de almorzar.

1. Nosotros paseamos por Las Ramblas después de ver la película.
2. José Luis visitó el Alcázar después de pasar por el puente.
3. Francisco y José Luis decidieron ir a Barcelona después de enero.
4. Paco entró al museo Reina Sofía después de leer el periódico.
5. José Luis comió unas tapas después de visitar los museos.

Expansión:
Teacher Edition Only
Pídales a los estudiantes que escriban tres oraciones sobre cosas o acciones que no habían hecho antes de llegar a la escuela.

12 La secuencia histórica

Hablar Escribir

Con tu compañero(a), prepara una presentación de dos párrafos sobre la historia de Toledo. Utiliza la información histórica de Toledo y organízala, según el gráfico, en orden cronológico. Utiliza el pasado perfecto.

Una historia breve de Toledo

los romanos construyen una fortaleza	los moros construyen el Alcázar	Alfonso VI nombra Toledo como capital de Castilla	Toledo es declarado patrimonio mundial
192 a.C.	711 d.C.	1085	1986

Expansión
Con tu compañero(a) prepara una línea cronológica para reflejar la historia de tu comunidad. Incluyan al menos cinco fechas de eventos y personajes importantes.

PARA Y PIENSA

¿Comprendiste? Contesta las siguientes preguntas sobre tu ciudad o región. Usa el pasado perfecto.

1. Cuando llegaste hoy a la escuela, ¿quiénes de tus compañeros(as) ya habían llegado y quiénes no?
2. Hace cinco años, ¿qué edificios u otros sitios de interés ya se habían construido en tu ciudad y cuáles no?

Get Help Online
ClassZone.com

Lección 2
trescientos sesenta y siete **367**

Differentiating Instruction

Heritage Language Learners

Literacy Skills Before students start working on Activity 10, remind them that they can scan the reading to find the answer to any question for which they don't remember the answer. Because they have already read the article and have a general understanding of it, they do not need to reread the whole piece.

Pre-AP

Use Transitions When completing Activity 12, ask students to give details and use transitional phrases in order to produce more fluid paragraphs. Model: **En el año 418 d.C., los moros habían construido el Alcázar, un sitio que hoy en día atrae a muchos turistas. Unos 667 años más tarde...**

Connections

History

Invite students to investigate some of Toledo's important historical figures like Alfonso X, and to prepare a report for the class.

TEACHER to TEACHER

Nancy L. Kerr
Langhorne, PA

Tips for Presenting Grammar

"I wrote the following song, set to the tune of "Clementine," to help students remember irregular past participles: **Los perfectos** *Romper-roto, poner-puesto, abrir-abierto/Hacer-hecho, decir-dicho, cubrir-cubierto/Volver-vuelto, resolver-resuelto, escribir-escrito/Morir-muerto, ver es visto, con las forms de <haber>/Estos son los irregulares, que tienes que aprender, y cuando los sabes de memoria, inteligente vas a ser."*

✓ Ongoing Assessment

@HomeTutor
More Practice
ClassZone.com

PARA Y PIENSA **Intervention** If students have trouble using the past perfect in their responses, refer them to the online help. For additional practice, use Reteaching & Practice Copymasters URB 6, pp. 15, 17.

Answers UTB 6 Transparency 29

Activity 10
1. los íberos
2. una fortaleza
3. los visigodos
4. en 711
5. la época medieval, el siglo XIII
6. Felipe II estableció la corte en Madrid

Activity 11
1. Nosotros no habíamos paseado por Las Ramblas antes de ver la película.
2. José Luis no había visitado el Alcázar cuando pasó por el puente.
3. Francisco y José Luis no habían decidido visitar Barcelona antes de enero.
4. Paco no había entrado al museo Reina Sofía antes de leer el periódico.
5. José Luis no había comido tapas antes de visitar los museos.

Activity 12 Answers will vary.

Para y piensa Answers will vary.

Objectives
- Present the future perfect
- Present the future perfect to speculate

Core Resource
- *Cuaderno,* pp. 275–277

Presentation Strategies
- Review endings of future tense verbs.
- Ask students questions about what they will have done by specific future times.
- Tell students surprising bits of news (real or fictional) and ask them to speculate on the causes.

 STANDARD

4.1 Compare languages

Warm Up   UTB 6 Transparency 22

Usa el pasado perfecto para recordar eventos importantes de la historia de Toledo.
1. Después de 192 a.C, los romanos _____ (llegar) _____.
2. Después de 418, los visigodos _____ (tomar) _____.
3. Después de 711, los moros _____ (establecerse) _____.
4. Después de 1085, Alfonso VI _____ (convertir) _____.
5. Despues de 1561, Felipe II _____ (trasladar) _____.

Answers: (Sample Answers) 1. habían llegado a Toledo; 2. habían tomado la ciudad; 3. se habían establecido en Toledo; 4. había convertido a Toledo en la capital de Castilla; 5. había trasladado la capital a Madrid.

Long-term Retention
Connect to Previous Learning

Ask students to conjugate the verb **tener** in the future to remind them of the irregular stem verbs. Point out that **haber** is one of those irregular stem verbs.

368

✻ Presentación de GRAMÁTICA

¡AVANZA! **Goal:** Learn about the formation and use of the future perfect tense. Then talk about actions that will have been completed at some point in the future. *Actividades 13–16*

English Grammar Connection: The **future perfect** describes actions that will have been completed by a certain time in the future. In English, you form it by combining *will have* and the past participle of the main verb. In Spanish, you use the future tense of **haber.**

At 3:00 the train **will have left.**   A las 3:00 el tren **habrá salido.**

Future Perfect Tense

Animated Grammar
ClassZone.com

Use the **future perfect** tense to express what will have happened by a certain time in the future.

Here's how: Conjugate the verb **haber** in the future tense and add the past participle of the main verb. In the **future perfect,** the past participle always ends in **-o.**

haber	
habré	habremos
habrás	habréis
habrá	habrán

+ past participle

El lunes, **habremos visto** el famoso cuadro de El Greco.
*On Monday, **we will have seen** El Greco's famous painting.*

The **future perfect** is often used with **para** or **dentro de** + a time reference.

Para entonces Elena **habrá explorado** la ciudad.
***By then** Elena **will have explored** the city.*

Dentro de tres meses habré aprendido mucho.
***Within** three months **I will have learned** a lot.*

You also use the **future perfect** tense to speculate about something that may have happened in the past.

¿Cómo **se habrá roto** el brazo Miguel?   No sé. **Se habrá caído.**
*How **could** Miguel **have broken** his arm?*   *I don't know. **He must have fallen.***

Más práctica
Cuaderno *pp. 275–277*
Cuaderno para hispanohablantes *pp. 276–279*

 Conjuguemos.com   **@HomeTutor**
Leveled Practice
ClassZone.com

Differentiating Instruction

Inclusion

Frequent Review/Repetition Review time expressions students already know. Then have them, in pairs, take turns saying what they will have done by certain times in the future, using **para** or **dentro de** + a time reference.

Inclusion

Metacognitive Support Remind students that the future perfect tense is often used with time expressions such as **para** or **dentro de** + a time reference. Tell them that the term *already* is often implied, as in: **Para mañana, Rafael habrá leído el artículo en la revista.** Have them create a sentence about something that will have already happened by next week.

✿ Práctica de GRAMÁTICA

Expansión:
Teacher Edition Only
Pídales a los estudiantes que digan qué habrán hecho durante una acampada en las montañas.

13 ¿Qué habrán hecho?

Escuchar
Hablar

Escucha cada descripción. Luego, decide qué habrán hecho Sofía y Javier durante su excursión.

modelo: Sofía / visitar: Sofía habrá visitado el museo.

1. Sofía y Javier / cruzar
2. Javier / ir
3. Sofía / perderse
4. Sofía / subir
5. Sofía / no hacer
6. Sofía y Javier / tomar

🎧 **Audio Program**
TXT CD 12 Track 6
Audio Script, TE
p. 355B

14 Una excursión a Toledo

Leer
Escribir

Lee el folleto sobre la visita guiada que va a hacer Marta en Toledo. Luego escribe lo que habrá ocurrido a las siguientes horas.

modelo: a las 12:00
A las 12:00 Marta ya habrá ido a la Casa-Museo de El Greco.

Viajes Castilla: Todo Toledo

11:15 – 12:15	Casa-Museo de El Greco
12:30 – 13:00	Santo Tomé y el famoso cuadro de El Greco, *El entierro del Conde de Orgaz.*
13:00 – 15:00	Tiempo libre para comer y explorar los callejones del centro histórico. El grupo se reunirá a las 15:00 en punto enfrente de la sinagoga de El Tránsito.
15:00 – 16:30	Visitas a El Tránsito y Santa María la Blanca y a las antiguas sinagogas de Toledo.
16:45 – 17:45	Visitar el Museo Sefardí.
18:00 – 20:00	Tiempo libre para tomar algo, ir de tapas, compras o visitar otro lugar de interés. Sugerencias incluyen el monasterio de San Juan de los Reyes, el Museo Visigodo, el Museo de Santa Cruz y el Puente Alcántara.
20:00 en punto:	El autobús sale para Madrid. ¡No te pierdas y no llegues tarde o tendrás que tomar el tren!

sinagoga de El Tránsito

San Juan de los Reyes

Puente Alcántara

1. a las 12:30
2. a las 14:15
3. a las 16:30
4. a las 17:15
5. a las 18:30
6. a las 20:10

Differentiating Instruction

Pre-AP

Expand and Elaborate Have students, in groups of three, take turns saying what they will have done in 5, 10, and 15 years, using the future perfect tense. Model: **En cinco años, habré comprado dos carros. En diez años, habré trabajado en España. En quince años, me habré casado.**

Slower-paced Learners

Sentence Completion For students who may have trouble picking out all of the details from the audio for Activity 13, start the sentences for them. Leave blanks for only **haber** and the past participle.

Objective
· Practice using the future perfect

Core Resource
· Audio Program: TXT CD 12 Track 6

Practice Sequence
· **Activity 13:** Controlled practice: future perfect
· **Activity 14:** Transitional practice: future perfect

✿ STANDARDS

1.2 Understand language, Act. 13, 14
1.3 Present information, Act. 14

 Answers UTB 6 Transparency 30

Activity 13
1. Sofía y Javier habrán cruzado el puente.
2. Javier habrá ido a pescar al río.
3. Sofía se habrá perdido en el centro histórico y habrá pedido direcciones.
4. Sofía habrá subido al mirador.
5. Sofía no habrá hecho una visita guiada.
6. Sofía y Javier habrán tomado algo en un restaurante.

Activity 14 Answers will vary. Sample answers:
1. A las 12:30 Marta ya habrá visitado la Casa-Museo de El Greco.
2. A las 14:15 Marta no se habrá reunido con el grupo todavía.
3. A las 16:30 Marta y sus amigos ya habrán visitado las sinagogas.
4. A las 17:15 Marta y sus amigos no habrán salido del museo Sefardí.
5. A las 18:30 Marta habrá dejado a su grupo y habrá ido a otro lugar de interés.
6. A las 20:10 Marta y sus amigos ya habrán salido para Madrid.

Objectives

· Practice using the future perfect
· **Culture:** Learn about the work of El Greco in Toledo

Core Resource

· *Cuaderno,* pp. 275–277

Practice Sequence

· **Activities 15, 16:** Open-ended practice: future perfect

STANDARDS

1.1 Engage in conversation, Act. 15
1.3 Present information, Act. 15
2.2 Products and perspectives, Act. 16
3.1 Knowledge of other disciplines, Act. 16

Comparación cultural

Essential Question

Suggested Answer Un lugar puede ser una inspiración para un artista. A veces le inspiran las escenas de la ciudad, los paisajes, a veces el clima artístico y los otros artistas que viven allí.

About the Artist

El Greco was born in Crete in 1541. In 1560 he moved to Venice where he worked in the workshop of Tiziano. In 1570 he moved to Rome where he was greatly influenced by the works of Michelangelo. He then moved to Toledo, where he created some of his most famous works and remained until his death in 1614.

✓ Ongoing Assessment

@HomeTutor
More Practice
ClassZone.com

Peer Assessment Have students pair up to review their answers. Partners should look for verb agreement and logic. For additional practice, use Reteaching & Practice Copymasters URB 6, pp. 18, 19.

See Activity answers on p. 371

370

---

15 | **El año 2050**

Hablar
Escribir

Con tus compañeros(as), imaginen cómo habrá cambiado el mundo para el año 2050. Escriban sus ideas sobre cinco de los siguientes temas para presentarlas a la clase.

modelo: los inventos: Para el año 2050, los científicos habrán inventado vehículos solares.

los inventos	gente famosa
los recursos naturales	tu casa
las especies en peligro de extinción	tu familia
la media	tu barrio
las computadoras e Internet	tu ciudad

Expansión
Imagina cinco cosas que no habrán cambiado y comparte tus ideas con tu compañero(a).

16 | **Descripción de un cuadro**

Leer
Escribir

Comparación cultural

El Greco y Toledo

Vista de Toledo
(1610), El Greco

¿*Qué influencia tienen las ciudades en la obra de los pintores?* El artista que más se asocia con Toledo, **España,** es El Greco. Él pintó el cuadro más conocido de la ciudad, *Vista de Toledo*. Se encuentran muchos de sus cuadros en esta ciudad antigua, entre ellos, su más famoso, «El entierro del Conde de Orgaz». El Greco, como indica su apodo, era de **Grecia.** Su nombre verdadero era Doménikos Theotokópoulos y nació en 1541. En 1577 El Greco ya había llegado a Toledo y allí pintó unas de sus mejores obras. Su estilo se destaca por el uso de colores vivos y sombras *(shadows)* dramáticas y por las caras y manos alargadas *(lengthened)* de sus figuras. Después de mirar este cuadro, todos habremos visto la fuerte relación emocional entre el lugar y el artista.

Compara con tu mundo *¿Qué colores asocias con tu ciudad? ¿Por qué?*

Mira el cuadro *Vista de Toledo* por El Greco. ¿Cómo es? ¿En qué estación del año crees que se pintó? ¿Qué habrá querido decirnos El Greco con los colores que utilizó? Según la atmósfera del cuadro, ¿cómo crees que eran las calles y el ambiente de la ciudad? Usa palabras del vocabulario para describir tu respuesta.

Más práctica Cuaderno *pp. 275–277* Cuaderno para hispanohablantes *pp. 276–279*

PARA Y PIENSA

¿**Comprendiste?** ¿Qué habrán hecho estas personas al final del día?
1. yo
2. tú
3. el (la) maestro(a) de español
4. mis amigos(as) y yo

Get Help Online
ClassZone.com

Differentiating Instruction

Slower-paced Learners

Peer-study Support Pair weaker students with stronger ones for Activity 15. Encourage them to "brainstorm" about all of the topics given and then work together to write down their ideas.

Pre-AP

Expand and Elaborate After they have completed Activity 16, have students use the Internet or art books to find another painting by El Greco. Have them analyze the painting like they did for *Vista de Toledo*. They can use the questions listed at the end of the activity as a springboard, but they should also consider aspects and details that are unique to the painting they choose.

# ❋ Todo junto

¡AVANZA! **Goal:** *Show what you know* In the following conversation between José Luis and his friends, notice how the verb forms he uses show the chronology of different actions. Then practice by talking about a place that you have visited more than once. *Actividades 17–20*

Resumen contextos 1 y 2 José Luis es un estudiante de Barcelona que está pasando el verano en Madrid con su primo Francisco. Hoy los dos vinieron a Toledo a visitar a su amigo Ignacio.

Contexto 3 *Diálogo*

ESTRATEGIA Escuchar
Listen for the contributions
Listen for the contributions made by José Luis, Francisco, and Ignacio to this conversation. Using a table, summarize each person's ideas in your own words.

AUDIO

Ahora, a la una de la tarde, José Luis y Francisco descansan en el piso donde vive Ignacio con sus padres y hablan de cómo pasaron la mañana en Toledo.

José Luis: Toledo es genial, ¿no? Mi familia vino aquí hace diez años. Recuerdo la fecha, porque yo había celebrado mi sexto cumpleaños la semana anterior.

Ignacio: ¡Hace mucho tiempo! Y, ¿qué hicisteis por la mañana?

Francisco: Yo fui a la sinagoga de Santa María la Blanca. Es impresionante... también muy antigua, del siglo XIII. No sabía que se había construido dos siglos antes que la sinagoga de El Tránsito.

José Luis: ¡Quiero verla! Voy a ir allí después de la comida.

Francisco: Pues yo hice una visita guiada del Alcázar. Hay unas vistas fenomenales allí.

José Luis: ¿Sí? ¡También tengo que visitarlo después de la comida!

Lección 2
trescientos setenta y uno **371**

Differentiating Instruction

Slower-paced Learners

Memory Aids To help them recall the content of the conversation, have students work in small groups to create a chart summarizing what each boy did during his morning visit and some special detail about the visit.

Multiple Intelligences

Interpersonal Have students in groups of three discuss who their ideal and least ideal travel companion would be: friends, siblings, cousins, or parents. Have them express the pros and cons of each.

¡AVANZA! ## Objective
· Integrate lesson content.

Core Resource
· Audio Program: TXT CD 12 Track 7

Presentation Strategies
· After listening to the conversation, have students act it out.
· Ask students to recall what each boy did that morning.

 ## STANDARDS
1.2 Understand language
1.3 Present information

 ## Warm Up UTB 6 Transparency 22

Decide si las siguientes suposiciones son lógicas o ilógicas según el contexto.
1. A Martín le gusta mucho la historia.
   –Habrá visitado muchos lugares históricos.
2. Silvia siempre prueba las especialidades de los lugares que visita. –No habrá comido muchos platos interesantes.
3. Mis primos no viajan nunca. –No habrán visto ningún lugar exótico.
4. No tengo buen sentido de dirección. –Te habrás perdido en Toledo.

Answers: 1. lógico, 2. ilógico, 3. lógico, 4. lógico

 ## Answers UTB 6 Transparency 30

Answers for Activities onw p. 370.

Activity 15 (Sample answers)
Para el año 2050, los seres humanos habrán acabado los recursos naturales.
Para el año 2050, mi barrio habrá cambiado totalmente.

Activity 16 Answers will vary.

Para y piensa Answers will vary. Sample answers:
1. Yo habré ido a la escuela y habré hecho toda la tarea.
2. Tú habrás jugado un partido de fútbol muy importante.
3. El maestro de español habrá mirado los exámenes.
4. Mis amigos y yo habremos pasado un rato en el centro.

371

Objective
· Practice using and integrating lesson vocabulary and grammar.

Core Resources
· *Cuaderno,* pp. 278–279
· Audio Program: TXT CD 12, Tracks 7, 8, 9

Practice Sequence
· **Activity 17:** Contexto 3 comprehension
· **Activity 18:** Open-ended practice: speaking and writing
· **Activity 19:** Open-ended practice: reading, listening, speaking
· **Activity 20:** Open-ended practice: writing

STANDARDS
1.1 Engage in conversation, Act. 18
1.2 Understand language, Act. 17, 19
1.3 Present information, Act. 17, 18. 19, 20

Communication
Role-Playing and Skits

Have students create a conversation between Francisco, José Luis, and at least one of Francisco's parents in which they ask permission to stay in Toledo with Ignacio. The parent should have at least one concern or reason why the boys shouldn't stay. The boys should do their best to persuade the parent to let them stay.

Answers UTB 6 Transparency 30

Activity 17
1. Había celebrado su sexto cumpleaños la semana anterior.
2. Francisco visitó la sinagoga de Santa María la Blanca. Aprendió que es del siglo XIII.
3. Ignacio
4. José Luis pasó la mañana perdiéndose.
5. No tienen tiempo suficiente, José Luis, en particular, porque no visitó nada.

Activity 18 Answers will vary.

372

Ignacio: Y tú, José Luis, ¿qué hiciste? ¡No has dicho ni pío! ¡Me parece que no has visto nada!

José Luis: ¡Me perdí en todos esos callejones pequeños! Y también perdí mi guía del viajero... Me metí en problemas porque anduve en círculos toda la mañana. ¡Pero voy a ver mucho por la tarde!

Francisco: No sé cómo... ya habrá cerrado todo a las cuatro y el último tren a Madrid sale a las siete. Para entonces, no habrás visto ni la mitad de los sitios de interés.

José Luis: Ay, ¿qué puedo hacer? Tal vez podemos pasar la noche aquí.

Ignacio: No sé si mis padres les permitirán quedarse aquí...

José Luis: Ay, ¿qué debo hacer?

Ignacio: Hombre, no sé, pero necesitas un plan... ¡pronto!

> ### También se dice
> Francisco utiliza la expresión **ni pío,** para decir que José Luis no ha dicho nada.
> · **México** ni jota
> · **Cuba** ni esta boca es mía
> · **Perú** naranjas

> **Expansión:**
> Teacher Edition Only
> Pídales a los estudiantes que compartan experiencias que hayan tenido en que les ha faltado tiempo para hacer todo lo que habrían querido hacer durante alguna visita o excursión. Pídales que hablen sobre cómo se sintieron y qué decidieron hacer en tal situación.

17 | Comprensión del diálogo

Escuchar
Hablar
Escribir

Contesta las preguntas sobre la excursión de los chicos a Toledo.

1. ¿Cómo recuerda José Luis la fecha de su primera visita a Toledo?
2. ¿Qué visitó Francisco y qué aprendió del sitio?
3. ¿Cuál de los tres jóvenes vive en Toledo?
4. ¿Cómo pasó José Luis la mañana?
5. ¿Qué problema tienen los chicos y José Luis en particular?

18 | ¿Qué hacer?

Hablar
Escribir

Con tu compañero(a), considera las posibles soluciones al problema de los chicos. ¿Deben regresar a Madrid esa tarde? ¿Deben pedir permiso para quedarse? ¿Deben volver a Toledo otro día? Preparen una lista de ventajas y desventajas de cada opción para presentar en clase.

> **modelo:** El último tren habrá partido a las siete. Deberían pedirles permiso a los padres de Francisco para quedarse y aprovechar el día siguiente en Toledo.

> **Expansión**
> Después de decidir qué deben hacer los chicos, prepara cinco recomendaciones con el subjuntivo para sus próximos pasos *(steps).*

Differentiating Instruction

Slower-paced Learners

Yes/No Questions To make sure students have followed the events in the Contexto, ask a series of yes/no questions, such as: **¿Ha visitado José Luis la sinagoga de Santa María la Blanca?**

Multiple Intelligences

Logical/Mathematical For Activity 18, have students create an *if-then-else* decision construct for the various options the boys have.

19 | Integración

Leer
Escuchar
Hablar

Lee este folleto turístico de Barcelona. Luego escucha la visita guiada (*guided tour*). Explica qué había pasado en la antigüedad en el Palacio Real.

 Audio Program
TXT CD 12 Tracks 8, 9 Audio Script, TE p. 355B

Fuente 1 Folleto turístico

El Palacio Real está en el barrio histórico de Barcelona. En la época de los romanos, el palacio había sido el lugar de reunión más importante de los políticos.

• Todavía se puede ver la muralla de la ciudad, que había sido construida para proteger la ciudad.

• La estructura actual tiene elementos del siglo X. La sala central, por ejemplo, fue construida con un estilo gótico muy hermoso.

• La capilla (*chapel*) de Santa Ágata es otra estructura notable.

• Con los años, muchos visitantes habrán pasado por este palacio para conocer la historia de España.

Fuente 2 Visita guiada

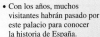

Escucha y apunta
• ¿Qué había ocurrido en el Palacio Real?
• ¿Quiénes habrán visitado el Palacio Real?

modelo: El Palacio Real había sido el centro de reunión de los romanos. Mucha gente habrá visitado el Palacio Real este año.

Expansión:
Teacher Edition Only
Pídales a los estudiantes que elijan un lugar turístico o histórico de EE.UU. y que escriban un párrafo breve con lo que había pasado en ese lugar y con lo que pasará en el futuro.

20 | ¡A escribir!

Escribir

Investiga sobre uno de los siguientes lugares cercanos a Madrid: Alcalá de Henares, Segovia, Salamanca o Ávila. Escribe un artículo sobre una excursión a uno de ellos. Incluye una introducción, una descripción general de los sitios de interés más importantes y lo que los visitantes habrán aprendido después de la excursión.

Writing Criteria	Excellent	Good	Needs Work
Content	Your article includes many details about your destination and expectations.	Your article includes some details about your destination and expectations.	Your article includes few details about your destination and expectations.
Communication	Your article is organized and easy to follow.	Parts of your article are organized and easy to follow.	Your article is disorganized and hard to follow.
Accuracy	You make few mistakes in grammar and vocabulary.	You make some mistakes in grammar and vocabulary.	You make many mistakes in grammar and vocabulary.

Más práctica Cuaderno *pp. 278–279* Cuaderno para hispanohablantes *pp. 280–281*

PARA Y PIENSA

¿Comprendiste? Piensa en un lugar que has visitado varias veces. ¿Qué hiciste la segunda vez que fuiste? ¿Qué habías hecho la primera vez?

Get Help Online ClassZone.com

Differentiating Instruction

Pre-AP

Persuade In pairs, have students (Activity 20) write a one-page ad for one of the three locations, persuading people to come visit. Encourage them to use exclamations and colorful images.

Heritage Language Learners

Writing Skills For Activity 19, have students choose a historic site in their home country and write the copy for a short tourist's guide. Ask them to try to include several examples of participles, present perfect, past perfect, and future perfect.

Pre-AP Integration

Activity 19 Ask students to read the brochure and record significant events for which the Palacio Real is noted. Before playing the audio, ask students to listen for similar information and the use of the past perfect.

✓ Ongoing Assessment

Rubric Activity 19 Listening/Speaking

Proficient	Not There Yet
Student takes detailed notes and provides a detailed description.	Student takes few notes and provides limited details.

✓ Ongoing Assessment

 @HomeTutor
More Practice
ClassZone.com

PARA Y PIENSA

Alternative Strategy As a class, brainstorm a list of places that many students have visited several times (a local amusement park, a popular restaurant, etc). Then, in pairs, have students work in pairs to interview each other about one of the places mentioned, asking questions such as: **¿Cuántas veces has ido a _____ ?; ¿Qué hiciste la segunda vez que fuiste?; ¿Qué habías hecho la primera vez?** Students should record each other's responses. For additional practice, use Reteaching & Practice Copymasters URB 6, pp. 18, 20.

Answers UTB 6 Transparency 30

Activity 19
1. Los Reyes Católicos recibieron a Cristóbal Colón.
2. Más de cien mil personas habrán visitado el Palacio Real para fin de año.

Activity 20 Answers will vary.

Para y piensa Answers will vary.

373

Warm Up UTB 6 Transparency 23

En Toledo Según lo que leíste en el contexto 3, di quién hizo las siguientes cosas: Francisco Ignacio o José Luis.
1. Visitó la sinagoga de El Tránsito.
2. Hizo una visita al Alcázar.
3. Se perdió en los callejones.
4. Perdió la guía.
5. No sabe si sus padres dejarán que sus amigos se queden.

Answers: 1. Francisco, 2. Francisco, 3. José Luis, 4. José Luis, 5. Ignacio

Culture

Background Information

The Spanish civil war, provoked by a military coup led by General Francisco Franco, lasted from 1936 to 1939. As in all civil wars, families and friends often fought on opposite sides. Lorca's choice of the romance structure was a deliberate effort to link his poems about love during the desperate political times of the early 20th century to Spain's heroic past. However, his poetry and he were considered enemies of the state, and Lorca was executed by Franco's soldiers soon after the civil war began.

Lectura literaria

¡AVANZA! **Goal:** In the following poem by a famous Spanish author, notice how he uses words, like the color green, to create visual images for the reader. Then talk about both the actions and the images that appear in the poem.

Para leer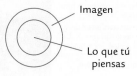

ESTRATEGIA Leer
Interpret the images This poem is filled with beautiful and sometimes shocking images, some of which have a deeper meaning. To interpret the images, draw a circle for each image and write García Lorca's words for the image. Inside, draw a smaller circle and write what you think the deeper meaning might be.

Imagen

Lo que tú piensas

Vocabulario para leer

la sombra	*silueta oscura que proyectan los objetos cuando les da la luz*
soñar	*ver cosas y escenas mientras uno está dormido*
(la) baranda	*estructura que hay en balcones y escaleras para evitar las caídas*
el (la) gitano(a)	*persona que vive viajando, sin lugar fijo para vivir*
la higuera	*árbol que da un fruto dulce, llamado «higo»*
amargo(a)	*sabor, como el café sin azúcar*
herir	*dañar, hacer daño físico o psicológico a alguien*
rezumar	*que deja pasar a través de sus poros o huecos las gotas de líquido*
el rastro	*pistas, huellas que deja algo o alguien al caminar*
el aljibe	*hueco hecho en la tierra para guardar agua*

Nota cultural

Sobre el autor *Federico García Lorca (1898–1936)*
Federico García Lorca nació en Fuente Vaqueros, en la provincia de Granada, España. Era poeta y dramaturgo, y sus obras dramáticas revolucionaron el mundo del teatro. En poesía se destacó con el *Romancero gitano,* una colección de poemas publicada en 1928 que hablan del amor y de la política española. En «Romance sonámbulo», el poeta describe la llegada de un soldado *(soldier)* herido que regresa de la guerra.

Sobre el romance El romance es una forma poética de origen español en que cada verso *(line)* generalmente tiene ocho sílabas y los versos pares *(even)* tienen la misma rima. Los romances eran muy populares en el siglo XV y la gente podía cantarlos mientras tocaba un instrumento musical. «Romance sonámbulo» es hoy día una canción popular conocida como «Verde».

Differentiating Instruction

Inclusion

Sequential Organization Read the poem to students. First read it all the way through, then reread, pausing after each paragraph to discuss what has happened. Have students take notes on the "plot." Then have them read the poem on their own to complete the strategy.

Slower-paced Learners

Memory Aids Go over the vocabulary with students before they read the poem. Pronounce all of the words, and use several in sentences. Then ask students to write the words down, so that they will be more familiar when they encounter them in the poem.

Romance sonámbulo AUDIO

Federico García Lorca

El flautista *(1955), Remedios Varo*

Connections

Art

Remedios Varo was born in Cataluña, Spain in 1908. She moved to Mexico City in 1942 with her French husband to escape the Nazi occupation. Varo is one of the great surrealist painters, though her work is not widely known. She uses rich imagery to explore the relationships between dream and reality.

Verde que te quiero verde.
Verde viento. Verdes ramas.
El barco sobre la mar
y el caballo en la montaña.
5   Con la sombra en la cintura,
ella sueña en su baranda,
verde carne, pelo verde,
con ojos de fría plata.
Verde que te quiero verde.
10   Bajo la luna gitana

las cosas la están mirando
y ella no puede mirarlas.

    Verde que te quiero verde.
Grandes estrellas de escarcha[1]
15   vienen con el pez de sombra
que abre el camino del alba.
La higuera frota[2] su viento
con la lija[3] de sus ramas,
y el monte, gato garduño[4],
20   eriza[5] sus pitas[6] agrias.

---

[1] frost   [2] rubs   [3] sandpaper   [4] thief
[5] stands on end, raises   [6] green plants with spiny leaves

❀ A pensar
¿Sobre quién crees que habla el poema?

Differentiating Instruction

Slower-paced Learners

Peer-study Support Have students work in pairs to identify the images that Lorca uses in the poem. Ask them to discuss what ideas come to mind when they read the phrases, and what they think the deeper meanings of the images might be. Ask students to consider why poets sometimes use metaphoric language to communicate their ideas.

Multiple Intelligences

Musical/Rhythmic Lorca, an accomplished pianist and guitar player, greatly admired the **canto jondo** (deep song) of Andalusia, a tragic, grieving type of ballad. How is this poem similar to other ballads students know? If it were set to music, what kind of music would they choose? What instruments might they use?

Answers

A pensar Answers will vary. Sample answer: Una mujer, posiblemente una hermana, una novia o una esposa.

376

Objectives
· Read a modern **romance**
· Identify and interpret poetic imagery

Core Resource
· Audio Program: TXT CD 12, Track 10

Presentation Strategies
· Read the poem out loud one so students can appreciate its rhythm.
· Have students read the poem in small sections, helping them identify the speakers and main events.
· Have students work through the poem a third time to complete the strategy.

STANDARDS
1.2 Understand language
3.1 Knowledge of other discipline

Connections
History

Invite students to investigate the Spanish civil war and prepare a brief summary of the events leading up to it, including the opposing forces and the political agenda of each. Invite students to compare the causes of Spain's civil war to those that provoked the U.S. civil war.

☆ Lectura literaria *continuación*

Pero ¿quién vendrá? ¿Y por dónde?...
Ella sigue en su baranda,
verde carne, pelo verde,
soñando en la mar amarga. ☆

25 —Compadre, quiero cambiar
mi caballo por su casa,
mi montura[7] por su espejo,
mi cuchillo por su manta.
Compadre, vengo sangrando,
30 desde los puertos de Cabra[8].
—Si yo pudiera, mocito[9],
este trato se cerraba.
Pero yo ya no soy yo,
ni mi casa es ya mi casa.
35 —Compadre, quiero morir
decentemente en mi cama.
De acero[10], si puede ser,
con las sábanas de holanda[11].
¿No ves la herida que tengo
40 desde el pecho a la garganta?

 —Trescientas rosas morenas
lleva tu pechera[12] blanca.
Tu sangre rezuma y huele
alrededor de tu faja[13].
45 Pero yo ya no soy yo,
ni mi casa es ya mi casa.
—Dejadme subir al menos
hasta las altas barandas,
¡dejadme subir!, dejadme
50 hasta las verdes barandas.
Barandales de la luna
por donde retumba[14] el agua.
Ya suben los dos compadres
hacia las altas barandas.
55 Dejando un rastro de sangre.

> ☆ **A pensar**
> ¿Qué papel juega la naturaleza en esta descripción?

---

[7] saddle	[8] a town in Spain	[9] young man	[10] steel
[11] fine cotton	[12] shirt front	[13] sash	[14] rumbles

✓ Reflexiona

¿Quién llega y con quién habla? ¿Qué quiere el mocito?

Differentiating Instruction

Multiple Intelligences

Visual Learners Have students select an image from the poem and draw it. Ask them to share their drawings with the class.

Pre-AP

Draw Conclusions Have students draw conclusions about the **mocito** and the **compadre** in the poem: Is the **mocito** a soldier or an outlaw? Is the **compadre** a relative of the girl or the boy, a friend, a stranger? Have them give reasons for their conclusions, then share them with the class.

Answers

A pensar Answers will vary. Sample answer: La naturaleza es indiferente. Observa la tragedia humana pero no participa. La mar es «amarga», la luna y el agua vigilan pero no iluminan o lavan. Las «rosas» son manchas de sangre.

Reflexiona Answers will vary. Sample answer:

Un soldado, *el mocito*, llega herido de la guerra. Habla con un vecino, amigo, o el padre de su novia, su *compadre*. Quiere subir a su casa y morir en su cama. Como mínimo, quiere subir a las barandas.

Dejando un rastro de lágrimas.
Temblaban en los tejados [15]
farolillos [16] de hojalata [17].
Mil panderos [18] de cristal
60 herían la madrugada. ❧

Verde que te quiero verde,
verde viento, verdes ramas.
Los dos compadres subieron.
El largo viento dejaba
65 en la boca un raro gusto
de hiel [19], de menta y de albahaca [20].
—¡Compadre! ¿Dónde está, dime,
dónde está tu niña amarga?
—¡Cuántas veces te esperara,
70 cara fresca, negro pelo,
en esta verde baranda! ❧

Sobre el rostro [21] del aljibe
se mecía [22] la gitana.
Verde carne, pelo verde,
75 con ojos de fría plata.
Un carámbano [23] de luna
la sostiene sobre el agua.
La noche se puso íntima
como una pequeña plaza.
80 Guardias civiles [24] borrachos [25]
en la puerta golpeaban.
Verde que te quiero verde.
Verde viento. Verdes ramas.
El barco sobre la mar
85 Y el caballo en la montaña.

> ❧ A pensar
> Organiza la información de esta estrofa en «acciones» e «imágenes».

> ❧ A pensar
> ¿Por qué crees que Lorca escribe: «¿... dónde está tu niña amarga?»

---

[15] roof tiles   [16] lanterns   [17] tin   [18] large tambourines
[19] **gusto...** taste of bile   [20] basil   [21] face   [22] **se...** rocked
[23] icicle   [24] **Guardias...** policemen   [25] drunken

PARA Y PIENSA

¿Comprendiste?
1. ¿Quiénes son los personajes del poema? ¿Qué hace cada uno?
2. ¿Cómo usa Lorca la naturaleza en el poema?
3. ¿Cuál es la relación entre el mocito, «ella» y el compadre?
4. ¿Qué crees que le pasó al mocito, a «ella» y al compadre?

¿Y tú?
Tradicionalmente, en el mundo hispano el color verde se asocia con la esperanza. ¿Qué aspectos de la esperanza se incluyen en el poema?

Lección 2
trescientos setenta y siete   **377**

Differentiating Instruction

Heritage Language Learners

Literacy Skills Have students research **el romance** in Spanish literature and write an essay on what elements of the **romance** are exhibited in this poem.

Pre-AP

Relate Opinions Tell students that some critics have called Lorca's poem a "Spanish Romeo & Juliet," claiming that the girl, fearing her lover has been captured and killed, then kills herself. Others say that she is already dead at the start of the poem. Have students write a short essay explaining whether they think the girl is alive or dead at the beginning, and what they think happens.

✓ Ongoing Assessment

Alternative Strategy After discussing the **A pensar** questions, have students write a prose summary of the poem, adding any necessary information for cohesion. Invite students to exchange papers with a partner to peer review before revising their summary to turn in.

Answers

A pensar Answers will vary. Sample answer: acciones: dejar, temblar, herir; imágenes: sangre, lágrimas, tejados, farolillos de hojalata, panderos

A pensar Porque sabe que la joven estaba triste, esperándolo.

¿Comprendiste? Answers will vary. Sample answers include:
1. La muchacha (ella), el compadre y el mocito.
2. Lorca usa la naturaleza (palabras como **escarcha** y **sombra**) para describir el dolor que siente el mocito al volver de la guerra.
3. El mocito regresa de la guerra buscando a su novia. El compadre es amigo del mocito, y perdió todo después de la guerra.
4. El mocito regresó herido y luego murió. La muchacha se suicidó antes de que el mocito regresara. El compadre siguió su camino.

¿Y tú? Answers will vary.

377

Objectives

· Make future predictions
· Use the future perfect to write a composition about what will have happened in students' lives by age 30.
· Peer edit compositions

Presentation Strategies

· Ask students to share some of their future goals and write their ideas on the board. What do they hope to have accomplished by the time they are 30?
· Help students fill in the chart on p. 378 to organize their ideas.

STANDARD
1.3 Present information

Escritura
Una carta al futuro

Vas a escribirte una carta a ti mismo(a) para que abras cuando tengas 30 años. La carta tendrá información sobre ti, tu familia y tus amigos.

① Prepárate para escribir

ESTRATEGIA Usa una tabla para hacer predicciones ¿Qué habrás hecho en el futuro? ¿Qué profesión habrás escogido? ¿Qué habrán hecho tu familia y tus amigos? Organiza tus predicciones en tres grupos: predicciones sobre ti mismo(a), sobre tu familia y sobre tus amigos.

Yo	Mi familia	Mis amigos
¿Qué habré hecho?	¿Qué habrá hecho mi ____ (hermana)?	¿Qué habrán hecho?
¿Qué no habré hecho?	¿Qué no habrá hecho mi ____ ?	¿Qué no habrán hecho?

② Escribe

ESTRATEGIA Usa las predicciones para escribir un primer borrador

Paso 1 Usa las predicciones de la primera columna para escribir el primer párrafo de tu carta. Usa el futuro perfecto para hablar de las acciones que crees que habrás o no habrás hecho.

> Cuando tenga treinta años creo que habré hecho muchas cosas. Primero, creo que habré ido a la universidad. Creo que me habré graduado con un título en... Creo que no habré estudiado...

Paso 2 Usa las predicciones de la segunda columna para indicar qué crees que habrán hecho varios miembros de tu familia.

> Creo que mi hermana habrá estudiado para ser médica. Creo que mi primo no habrá trabajado todavía...

Paso 3 Usa las predicciones de la tercera columna para indicar qué crees que habrán hecho tus amigos.

> Creo que mis amigos me habrán acompañado a la universidad. Creo que ellos se habrán casado...

③ Revisa tu composición

Intercambia el borrador con el de un(a) compañero(a). Lee la carta de tu compañero(a) y subraya todos los verbos.

- Decide si es correcta la conjugación del verbo.
- Haz un círculo alrededor de los verbos con errores.
- Escribe las correcciones.

> Creo que mis amigos me <u>habrán acompañado</u> a la universidad. Creo que ellos se (habían) casado... ^habrán

---

Differentiating Instruction

Inclusion

Multisensory Input/Output Have students talk through the strategy activity with a partner first, encouraging them to generate several predictions for each category. After brainstorming ideas orally, they should complete their charts individually. Then have students exchange charts for peer review and revision prior to writing.

Pre-AP

Vary Vocabulary Encourage students to expand their vocabulary by consulting a dictionary or a Spanish thesaurus when they are writing their letters. Have them share any words that they think the rest of the class might find useful.

Lección 2

En resumen
Vocabulario y gramática

Animated Grammar
Interactive Flashcards
ClassZone.com

Vocabulario

Describe an Excursion			
el andén	platform	la taquilla	ticket window
el asiento numerado	numbered seat	el vagón	wagon, (railroad) car
		la ventanilla	train window
callado(a)	quiet	la vía	track
el callejón	alley	la vista	view
el (la) conductor(a)	conductor	caerse	to fall down
el cuadro	painting	explorar	to explore
la entrada	entrance	hacer una visita guiada	to take a guided tour
el mirador	outlook, lookout	meterse en problemas	to get into trouble
el paisaje	landscape		
el pasillo	aisle	pedir direcciones	to ask for directions
el plano	city map	perder	to miss
el puente	bridge	perderse (ie)	to get lost
el río	river	probar (ue) las especialidades	to try the specialties
ruidoso(a)	noisy		
la ruta	route	tomar algo	to drink something
la sala de espera	waiting room		
el tapiz	tapestry		

Talk About History	
analizar	to analyze
el castillo	castle
el centro histórico	historical center
consecutivo(a)	consecutive, in a row
en conclusión	in conclusion
en orden cronológico	in chronological order
la fortaleza	fortress
la muralla	wall

Other Words and Phrases	
a pesar de que	in spite of, despite
además	in addition, additionally
pues	so, well
tratarse de	to be about

Gramática

Past Perfect Tense

haber	
había	habíamos
habías	habíais
había	habían

+ past participle

Yo **había visitado** Toledo antes.
*I **had visited** Toledo before.*

When used with another verb, the action expressed with the **past perfect** occurred before the other **past action.**

Cuando Felipe **volvió,** sus tíos ya **se habían ido.**

Ya and **todavía** are often used with the **past perfect.**

Irma **ya había salido** cuando Alberto llegó.
*Irma **had already left** when Alberto arrived.*

Maite **todavía** no **había comprado** el pan cuando la panadería cerró.
*Maite **still hadn't bought** the bread / **hadn't bought** the bread **yet** when the bakery closed.*

Future Perfect Tense

haber	
habré	habremos
habrás	habréis
habrá	habrán

+ past participle

El lunes, **habremos visto** el famoso cuadro de El Greco.
*On Monday, **we will have seen** El Greco's famous painting.*

The **future perfect** is often used with **para** or **dentro de** + a time reference.

Dentro de tres meses **habré aprendido** mucho.

You also use the **future perfect** tense to speculate about the past.

¿Cómo **se habrá roto** el brazo Miguel?
*How **could** Miguel **have broken** his arm?*

No sé. **Se habrá caído.**
*I don't know. **He must have fallen.***

Objective
· Review lesson vocabulary and grammar.

Online
SPANISH   CLASSZONE.COM

Interactive Flashcards Students can hear every target vocabulary word pronounced in authentic Spanish. Flashcards have Spanish on one side, and a picture or a translation on the other.

Featuring...
Cultura INTERACTIVA
Animated Grammar
@HomeTutor

And more...
· **Get Help Online**
· **Interactive Flashcards**
· **Review Games**
· **WebQuest**
· **Conjuguemos.com**

Communication
Pair Work

Have students cluster vocabulary into categories and try to invent sentences using several new words in each. Students should then write down the sentences after saying them orally. For example, a logical cluster would be train-related vocabulary and a sample sentence might be **Voy a la taquilla y compro un billete para un asiento al lado de la ventanilla para ver el paisaje.**

Long-term Retention
Personalize It

Remind students to try to remember vocabulary in personal contexts. Encourage them to write sentences using vocabulary to describe personal experiences on excursions they have taken.

Differentiating Instruction

Slower-paced Learners

Peer-study Support Have students in pairs take turns asking each other how to say the vocabulary words in Spanish. (The respondent can't look at the book.) Model: **¿Cómo se dice «noisy» en español?**

Pre-AP

Sequence Information Have students write a list of step-by-step instructions for their 10-year-old brother or sister who will be taking the train for the first time to visit relatives in another town. Ask them to include as many of the vocabulary items as they can.

Objectives

- Review lesson content: train and excursion vocabulary, past perfect, future perfect
- Assess: Lesson test
- Review: games online
- Tutorial online

Core Resources

- *Cuaderno,* pp. 280–291
- Audio Program: TXT CD 12 Track 11

Presentation Strategies

- Create a success chart for each activity. Once students complete each successfully, they can move a personal marker forward to the next activity.
- Activities may be completed in class or as homework

STANDARDS

1.2 Understand language, Act. 1, 3, 4
1.3 Present information, Act. 2
2.2 Products and perspectives, Act. 5
3.1 Knowledge of other disciplines, Act. 5
5.2 Life-long learners, Act. 5

✓ Ongoing Assessment

Quick Check Have students complete Activity 1 in writing and then turn in their paper for assessment.

 Answers UTB 6 Transparency 31

Activity 1
1. Habrá hecho las maletas y habrá comprado el billete.
2. Porque podrá dormir en el tren.
3. Porque podrá comer en el coche-comedor.
4. En coche tienes que parar muchas veces para comprar gasolina o comer. En avión tienes que pasar tiempo en un asiento pequeño sin poder moverte.
5. En tren puedes andar por los vagones o sentarte tranquilamente en tu asiento cómodo. Puedes comer en el coche-comedor o dormir en el coche-cama.
6. Los conductores harán todo lo posible para hacer tu viaje una experiencia agradable y cómoda.

Answers continue on p. 381.

380

Lección 2

Repaso de la lección

@HomeTutor
ClassZone.com

¡LLEGADA!

Now you can
- describe an excursion
- express what will have happened
- talk about the history of a place

Using
- past perfect
- future perfect

🎧 **Audio Program**
TXT CD 12 Track 11
Audio Script, TE p. 355B

To review
- vocabulary pp. 358–359

AUDIO

1 Listen and understand

Escucha el siguiente anuncio sobre los beneficios de viajar en tren. Luego, contesta las siguientes preguntas.

1. ¿Qué ya habrá hecho el pasajero del tren cuando llega a la estación?
2. ¿Por qué no será necesario hacer una reservación de hotel?
3. ¿Por qué no será necesario buscar un restaurante para comer?
4. Según el anuncio, ¿cuál es una desventaja *(disadvantage)* de viajar en coche? ¿Y en avión?
5. ¿Qué puedes hacer en tren que no puedes hacer en auto o en avión?
6. ¿Qué harán los conductores del tren?

To review
- past perfect p. 363

2 Describe an excursion

Lee sobre la excursión que hicieron dos amigas. Usa el pasado perfecto para completar las frases.

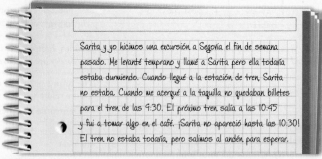

Sarita y yo hicimos una excursión a Segovia el fin de semana pasado. Me levanté temprano y llamé a Sarita pero ella todavía estaba durmiendo. Cuando llegué a la estación de tren, Sarita no estaba. Cuando me acerqué a la taquilla no quedaban billetes para el tren de las 9:30. El próximo tren salía a las 10:45 y fui a tomar algo en el café. ¡Sarita no apareció hasta las 10:30! El tren no estaba todavía, pero salimos al andén para esperar.

1. Yo llamé a Sarita temprano pero ella (no levantarse) todavía.
2. Cuando yo llegué a la estación, Sarita (no llegar) todavía.
3. Todos los billetes para el tren de las 9:30 ya (venderse).
4. Sarita quería un refresco cuando llegó pero yo ya (tomar algo).
5. Por suerte el tren todavía (no salir) cuando Sarita por fin apareció.

380 Unidad 6 España
trescientos ochenta

Differentiating Instruction

Heritage Language Learners

Writing Skills Have students write a letter to a friend or relative in which they relate what has happened during a weekend excursion to a city, using the past perfect and as much of the lesson vocabulary as they can.
Model: **A las once de la mañana, ya habíamos comprado dos kilos de chocolates en una bombonería y...**

Pre-AP

Persuade After they have listened to the audio for Activity 1, have students write a paragraph about the benefits of another means of transportation (plane, car, bus, etc.). They could also turn their work into a radio or television ad.

3 Express what will have happened

To review
• future perfect
p. 368

Haz predicciones sobre qué habrán hecho tu familia y tú y al final de una excursión a Segovia.

1. yo / visitar el centro histórico
2. mi hermano / perderse tres veces
3. mis padres / ver cuadros y tapices interesantes
4. todos nosotros / subir al castillo
5. tú / meterse en problemas

4 Talk about the history of a place

To review
• past perfect
p. 363

Mira la línea cronológica y contesta las preguntas sobre la historia de Ávila.

los moros conquistan la ciudad	los cristianos reconquistan la ciudad	construcción de la catedral	Monasterio de SantoTomás	Convento de Santa Teresa
714	1088	1135	1490	1600

1. ¿Qué culturas habían estado en la zona cuando Ávila fue reconquistada en 1088?
2. ¿Qué construcciones no habían comenzado cuando se empezó a construir la catedral?
3. ¿Qué monumentos importantes ya se habían completado cuando se terminó el Monasterio de Santo Tomás?
4. ¿Se había terminado el convento de Santa Teresa cuando se construyó la catedral?

5 Regions of Spain and art in Toledo

To review
• Comparación cultural
pp. 362, 370

Comparación cultural

1. ¿Qué pintor se asocia más con la ciudad de Toledo?
2. ¿Qué pinturas famosas pintó allí?
3. ¿Cuántas comunidades autónomas hay en España? ¿Cuál es su origen histórico?
4. ¿Qué lenguas se hablan en las autonomías aparte del español?

Más práctica Cuaderno *pp. 280–291* Cuaderno para hispanohablantes *pp. 282–291*

Get Help Online
ClassZone.com

Lección 2
trescientos ochenta y uno **381**

Differentiating Instruction

Inclusion

Cumulative Review Have students in groups of three decide on a date in the future, then take turns saying what will have happened to the environment by then. Tell them to refer to Unit 3, Lesson 1 for vocabulary ideas.

Slower-paced Learners

Sentence Completion Have students in pairs make a list of reflexive verbs used to talk about daily routines. Then have them take turns completing sentences to say what they did yesterday: **Cuando mi amigo me llamó ayer, ya _____ _____ _____ .** Model: **Cuando mi amigo me llamó ayer, ya me había despertado.**

Long-term Retention

Personalize it

Ask students in small groups to make predictions about what will have happened by the next decade in their community. Then have the groups compare their predictions.

✓ Ongoing Assessment

@HomeTutor
More Practice
ClassZone.com

Intervention and Remediation If students have more than two errors in any activity, they should review the indicated pages in the text as well as online at ClassZone.com.

Answers UTB 6 Transparency 31

Answers continued from p. 380.

Activity 2
1. no se había levantado
2. no había llegado
3. se habían vendido
4. había tomado algo
5. no había salido

Activity 3
1. Yo habré visitado el centro histórico.
2. Mi hermano se habrá perdido tres veces.
3. Mis padres habrán visto cuadros y tapices interesantes.
4. Todos nosotros habremos subido al castillo.
5. Tú te habrás metido en problemas.

Activity 4
1. Los moros habían estado en la zona desde 714.
2. Cuando se empezó a construir la catedral, el monasterio de Santo Tomás y el convento de Santa Teresa no habían comenzado a construirse.
3. Cuando se terminó el monasterio de Santo Tomás, ya se había completado la catedral.
4. No se había empezado el convento cuando se construyó la catedral.

Activity 5
1. el Greco
2. Vista de Toledo y El entierro del Conde de Orgaz
3. Muchas de las 17 autonomías españolas tienen su origen en los antiguos reinos de la península.
4. gallego en Galicia, euskera en el País Vasco (Euskadi), catalán y sus dialectos en Cataluña, Valencia y Baleares

Objectives

- Read two students' descriptions of the features and activities in their regions.
- Students describe their city and state.
- Compare students' area with the areas described by the two students.

Core Resources

- *Cuaderno,* pp. 292–294
- Audio Program: TXT CD 12, Track 12

Presentation Strategies

- Have students read the title on p. 382. Write the phrases **lo moderno** and **lo tradicional** on the board as the heads for two columns. Then have students brainstorm and list on the board the city or regional features and attractions that would fall under each category. After reading the text, go back to the list on the board and circle the features or attractions mentioned in the descriptions. Complete each column with information from the reading that was not on the list.
- Have students listen to the audio as they follow along in their text.
- Ask for volunteers to work together to read the descriptions. Each volunteer should read two to three sentences.

STANDARDS

1.2 Understand language
1.3 Present information
2.2 Products and perspectives
3.1 Knowledge of other disciplines
4.2 Compare cultures

✓ Ongoing Assessment

@HomeTutor
More Practice
ClassZone.com

Quick Check Have students respond **Cataluña** or **Andalucía** based on the readings.

1. las Ramblas (Cataluña)
2. la sardana (Cataluña)
3. Sevilla (Andalucía)
4. Barcelona (Cataluña)
5. influencia árabe (Andalucía)
6. Barrio Gótico (Cataluña)
7. Pirineos (Cataluña)
8. Costa del Sol (Andalucía)
9. Sierra Morena (Andalucía)
10. Costa Brava (Cataluña)
11. cuevas prehistóricas (Andalucía)

382

Comparación cultural

AUDIO

Lo moderno y lo tradicional

Lectura y escritura

WebQuest
ClassZone.com

① **Leer** Montse es de Cataluña, una región del noreste de España, y Ramón es de Andalucía, en el sur. Lee sus descripciones.

② **Escribir** Prepara una lista con información sobre tu ciudad y estado. ¿Qué elementos modernos y tradicionales hay? ¿Qué le interesaría saber a una persona que quiere visitar ese lugar? Escribe un ensayo de cinco párrafos.

> **ESTRATEGIA Escribir**
> **Follow the flow** Make a flow chart with shapes and arrows. The circle is the introduction, followed by three interesting aspects (crosses), and the stop sign is the conclusion. ○→▭▭▭→⬡

Paso 1 Dibuja una secuencia de figuras y flechas como la que se muestra arriba pero más grande. Escribe notas en cada figura, empezando por la introducción (círculo), que debe incluir una descripción general.

Paso 2 En las cruces escribe tres aspectos interesantes e importantes, tradicionales o modernos. En la figura con forma de señal de PARE escribe una conclusión.

Paso 3 Usando la información del diagrama, escribe el ensayo. Luego revisa la gramática y la ortografía.

Compara con tu mundo

Compara tu ciudad o estado con las regiones donde viven Montse y Ramón. ¿Qué tienen en común? ¿En qué se diferencian? ¿Tu región se parece más a Cataluña o a Andalucía?

Cuaderno *pp. 292–294*   Cuaderno para hispanohablantes *pp. 292–294*

Unidad 6
382 trescientos ochenta y dos

Differentiating Instruction

Inclusion

Clear Structure Have students work as a class to brainstorm five or six sentences about their city or state. Write these on the board. Then draw the flow chart and have students indicate where each sentence would be placed. If one area has no sentences—the introduction (circle), for example—have them come up with an example.

Pre-AP

Vary Vocabulary Have students work in pairs to create useful vocabulary boxes. The vocabulary should be drawn from information they would need to describe your area. If possible, compare the different word boxes. Which one is the most thorough? Which is the most imaginative?

Cultura INTERACTIVA *See these pages come alive!*
ClassZone.com

Montse

¡Hola! Me llamo Montse Mir y soy de Barcelona, la capital de la región de Cataluña y la segunda ciudad más grande de España.

Barcelona es famosa por Las Ramblas, un paseo largo con cafés, kioscos y tiendas. También hay músicos callejeros, artistas y un ambiente alegre. A mí me gusta mucho el Barrio Gótico, el centro histórico de la ciudad, donde hay muchos edificios antiguos. Los domingos, la gente viene a este barrio para bailar la sardana, nuestro baile tradicional. Las ciudades grandes de Cataluña son importantes por el comercio, la industria y la vida cultural. Pero también tenemos zonas rurales conocidas por la industria de la fruta y por la producción de quesos.

La gente también visita Cataluña para esquiar en los montes Pirineos y disfrutar de las playas de la Costa Brava. ¡Cataluña lo tiene todo!

Cataluña

Ramón

Soy Ramón Jiménez y vivo en Jaén, en la región de Andalucía. Mi región es básicamente rural. Sevilla, la ciudad más grande, tiene la mitad de la población que Barcelona.

En la arquitectura de Andalucía se puede ver claramente la influencia árabe y las típicas casas blancas con techos rojos.

Andalucía tiene geografía muy variada. Tenemos las playas de la Costa del Sol y las montañas de la Sierra Morena y la Sierra Nevada. Aparte del turismo, Andalucía es un centro agrícola y ganadero muy importante, famoso por sus aceitunas, jamones, caballos y toros. Realmente tenemos de todo, desde las cuevas prehistóricas de Ronda hasta los hoteles exclusivos para los famosos que van de vacaciones a Marbella.

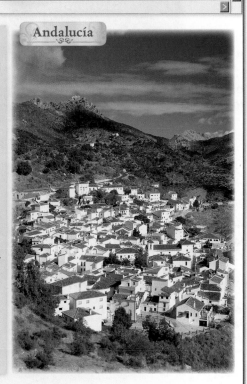

Andalucía

España
trescientos ochenta y tres **383**

Comparación cultural

Exploring the Theme

Although Barcelona is larger and more modern than Seville, both cities have a mixture of modern and traditional features. Architecture that dates back to the Roman period stands alongside modern buildings and shopping areas with all the latest amenities. Most Spanish cities have older areas, like the **Barrio Gótico** in Barcelona and **Barrio Santa Cruz** in Seville. The historical buildings and parks, as well as the museums of these areas are major tourist draws.

Communication
Group Work

Have each group prepare a presentation on a feature of your area. You can divide features into categories such as **geografía, arquitectura, museos y teatro, entretenimiento, deportes**, and so on.

✓ Ongoing Assessment

Rubric Lectura y escritura

Writing Criteria	Very Good	Proficient	Not There Yet
Content	Essay includes at least five paragraphs and provides a clear introduction, informative middle, and conclusion.	Essay includes at least four paragraphs with a somewhat distinguishable introduction, middle, and conclusion.	Essay includes three or fewer paragraphs without a clear introduction, middle, and conclusion.
Communication	Essay is well organized and easy to follow.	Essay is fairly well organized and easy to follow.	Essay is disorganized and hard to follow.
Accuracy	Essay has very few mistakes in vocabulary and grammar.	Essay has some mistakes in vocabulary and grammar.	Essay has many mistakes in vocabulary and grammar.

Objective
· Introduce the sixth mission of the Desafío.

Core Resource
· El Gran Desafío Video: DVD 3

Presentation Strategies
· **Previewing** Have students look at the photos and comment on what the contestants seem to be doing in each. Where might they be? What could the significance be of the pictures of food, the flower, the ribbons, the hand with a pen? Then ask a volunteer to read the **desafío** summary on p. 384 aloud. Elicit answers to the **Antes del video** questions. Ask students to support their answers with details.
· **Viewing** Review the **Toma apuntes** questions on p. 385. Encourage students to copy the questions in their notebooks or on a piece of paper, leaving space for the notes they'll write. Play the video, then allow students time to review their notes.
· **Post-viewing** Play the video again. Have volunteers read each of the **Después del video** questions and elicit answers from the class. Encourage students to say if they agree or disagree with any given answer.

STANDARDS
1.2 Understand language
3.2 Acquire information
5.2 Life-long learners

Video Summary

@HomeTutor
VideoPlus
ClassZone.com

When the group convenes in the town square, Professor Dávila has a map. A route is outlined in red, and along it are pictures of different stores. Their challenge is to walk around the neighborhood following the route, search for clues, and return with three objects, one from each of three places per team. He then gives the contestants a copy of the map and colored team ribbons so that the owners of the shops will give them the appropriate clues, which are in the form of a riddle. Ana and Marco return with their objects first. Although Marco has eaten an apple that was to be one of his team's three objects, Professor Dávila declares him and Ana the winners.

▶❚ ❚❚

EL DESAFÍO
VIDEO
DVD

En este desafío, los equipos deben dar una **vuelta** por un barrio de la ciudad, buscando unas pistas que les dará el profesor. Deben completar una ruta específica y regresar con un objeto de cada lugar. Cada equipo debe regresar con tres objetos.

Antes del video

1. La pista dice: «La vida es dulce.» ¿Adónde crees que tienen que ir?

2. La pista dice: «Una verdura anaranjada con vitaminas buenas para los ojos.» ¿Adónde deben ir?

3. La pista dice: «Mezclar azúcar, huevos y leche, y por ultimo añadir manzanas.» ¿Adónde tienen que ir?

Unidad 6
384 trescientos ochenta y cuatro

Differentiating Instruction

Slower-paced Learners

Yes/No Questions To make sure that students understand the clues given in the video, ask yes/no questions, such as: **¿Es verdad que la pista «Noticia de ayer» quiere decir que Carmen y Luis tienen que buscar algo en el kiosco? ¿Es que la pista «Nueva York» quiere decir que Ana y Marco tienen que buscar una ciudad?**

Pre-AP

Timed Answer Divide students into teams of three. Have each team write riddle-type clues to four places within a one-block radius of some central location they all know, such as the school, the center of town, or the mall. Then have them give the clues to another team, and the other team must respond within 30 seconds.

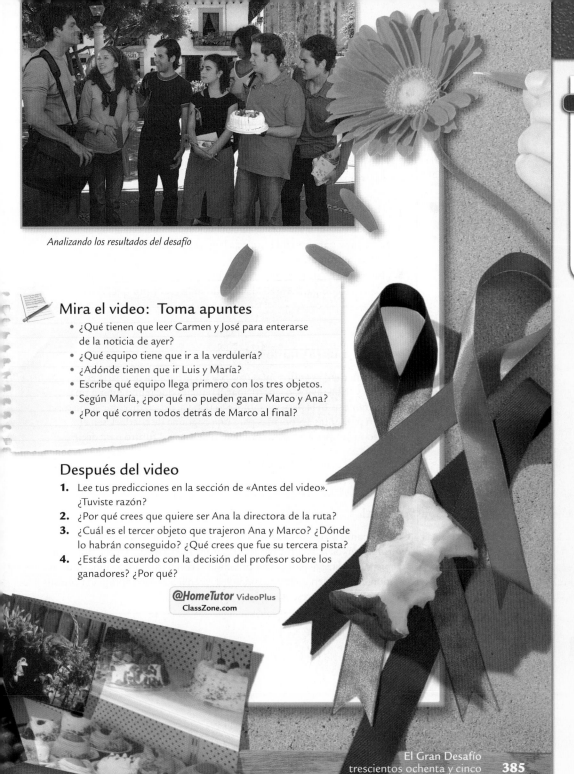

Analizando los resultados del desafío

Long-term Retention

Critical Thinking

Analyze Have students, in groups of three, analyze who in each team got the answer to the clue first. Why do they think that person got it, and not the other?

Evaluate Ask students to work in pairs to create a chart indicating who has won each challenge to date. Then have them predict who will win the next two challenges, and give reasons for those choices.

Mira el video: Toma apuntes

- ¿Qué tienen que leer Carmen y José para enterarse de la noticia de ayer?
- ¿Qué equipo tiene que ir a la verdulería?
- ¿Adónde tienen que ir Luis y María?
- Escribe qué equipo llega primero con los tres objetos.
- Según María, ¿por qué no pueden ganar Marco y Ana?
- ¿Por qué corren todos detrás de Marco al final?

Después del video

1. Lee tus predicciones en la sección de «Antes del video». ¿Tuviste razón?
2. ¿Por qué crees que quiere ser Ana la directora de la ruta?
3. ¿Cuál es el tercer objeto que trajeron Ana y Marco? ¿Dónde lo habrán conseguido? ¿Qué crees que fue su tercera pista?
4. ¿Estás de acuerdo con la decisión del profesor sobre los ganadores? ¿Por qué?

@HomeTutor VideoPlus
ClassZone.com

El Gran Desafío
trescientos ochenta y cinco **385**

Differentiating Instruction

Heritage Language Learners

Writing Skills Ask students to write a description of the stores in a town they know well in their home country. What do those stores sell? Who owns and who works in the stores? Which stores seem to be the busiest? Do they prefer shopping at individual stores, or at a supermarket?

Multiple Intelligences

Visual Learners Have students draw maps of the downtown area where they live. Encourage them to add graphic elements to indicate various stores and public buildings, such as libraries or schools, and to make their maps as visually interesting as possible.

Answers

Después del video Answers will vary. Sample answers:

1. No tuve razón sobre la pista «La vida es dulce», porque pensé que tenían que ir a la heladería. Adiviné correctamente que Ana y Marco necesitaban una zanahoria, según su pista.
2. Creo que Ana quiere ser la directora de la ruta porque Marco sólo quiere visitar el café Internet.
3. El tercer objeto que trajeron Ana y Marco era una tarjeta postal. La habrán conseguido en un kiosco. Su tercera pista podría haber sido «Deseo que estuvieras aquí».
4. Sí, (No, no) estoy de acuerdo con la decisión del profesor sobre los ganadores, porque Ana y Marco (no) lograron su desafío.

Objective
· Cumulative review.

Core Resources
· Audio Program: TXT CD 12 Track 13

Review Options
· **Activity 1:** Transitional practice: listening comprehension
· **Activity 2:** Open-ended practice: speaking
· **Activity 3:** Open-ended practice: speaking and writing
· **Activity 4:** Open-ended practice: speaking and writing
· **Activity 5:** Open-ended practice: speaking and writing
· **Activity 6:** Open-ended practice: speaking and writing
· **Activity 7:** Open-ended practice: writing

STANDARDS
1.1 Engage in conversation, Act. 2
1.2 Understand language, Act. 1
1.3 Present information, Act. 2–7

Communities
Spanish for Tourism

Create a brochure in Spanish for a visitor to your community. Include helpful information and phone numbers as well as information about the history of your community and points of interest. Be sure to include appropriate hotel and restaurant information as well.

Answers

Activity 1
1. Ha vivido en muchos otros países.
2. Ha vivido en París, Roma, Tokio y Nueva York.
3. Había vivido en Madrid toda su vida hasta que fue a París a los doce años.
4. Para aprender nuevas lenguas y hacer nuevos amigos empezó a inventar historias sobre su barrio de Madrid y a contárselas a sus nuevos amigos y amigas.

Answers continue on p. 387.

UNIDADES
1-6

Repaso inclusivo
♻ Options for Review

🎧 **Audio Program**
TXT CD 12 Track 13
Audio Script, TE p. 355B

1 | Escucha, comprende y contesta

Hablar
Escuchar
Escribir

Escucha esta entrevista de Javier Cabal con Aurelia Blanca, una escritora de la telenovela española *Historias del barrio*. Contesta las preguntas sobre su vida y trabajo.

1. ¿Por qué ha sido tan interesante la vida de Aurelia?
2. ¿En qué lugares del mundo ha vivido Aurelia?
3. ¿Dónde había vivido hasta los once años?
4. ¿Qué hizo para aprender nuevas lenguas y hacer nuevos amigos y amigas?
5. ¿En qué se ha inspirado para escribir episodios para la telenovela?
6. ¿Con qué compara Aurelia la vida de su barrio y por qué?

2 | Presenta a un(a) famoso(a)

Hablar

Tu compañero(a) es anfitrión(a) *(host)* de un programa de charla en la televisión y te ha invitado a participar. Tú tienes que representar a una persona famosa. Si la persona famosa es ficticia, deben inventar su historia. Preparen preguntas apropiadas para un programa de charla. Usen el pretérito y el imperfecto para contar su historia, y el futuro para decir sus planes.

3 | ¡Actúa!

Hablar
Escribir

Con tus compañeros(as), escribe un episodio de *Historias del barrio* o una continuación de la aventura de los tres primos en Toledo. Deben practicar su episodio bastante para poder presentarlo con naturalidad, aunque usen el guión. No olviden incluir mandatos. Deben llevar ropa apropiada con sus papeles el día de la presentación.

Unidad 6
386 trescientos ochenta y seis

Differentiating Instruction

Multiple Intelligences

Interpersonal Activity 2 have students prepare two sets of questions: one that a more formal interviewer, such as a newscaster, might ask, and one that a more confrontational interviewer might ask.

Slower-paced Learners

Peer-study Support Pair weaker students with stronger ones. Encourage them to discuss interviews they have seen, and to make notes on what they found especially interesting. Suggest that they structure their questions along time lines: ask 1-2 questions about what the person is doing now, 1-2 about their past, 1-2 about the future.

4 Presenta tu comunidad

 Hablar
Escribir

Prepara una presentación sobre la comunidad, su historia, sus personajes y sus monumentos. Utiliza el presente perfecto y el pasado perfecto apropiadamente.

5 Prepara un folleto

  Hablar
Escribir

Con tus compañeros(as), prepara un folleto sobre un fin de semana ideal en su comunidad. Deben incluir información sobre la historia e interés general de la comunidad: dónde quedarse, dónde comer, qué visitar y qué hacer durante el día y la noche. También deben incluir sugerencias para excursiones interesantes a lugares cerca de tu comunidad. Usen el condicional. Finalmente, preséntenle su información y folleto a la clase.

6 Piensa qué habrá pasado

    Hablar
Escribir

Con tus compañeros(as), preparen una presentación sobre el futuro de su comunidad: su desarrollo futuro, sus necesidades en el futuro, sus problemas futuros y sus posibles soluciones. ¿Qué habrá ocurrido para entonces? ¿Cómo habrá cambiado su comunidad? ¿Qué debería hacer el departamento de planificación para asegurar el futuro de su comunidad? Piensen en las necesidades comerciales, de vivienda (housing), de entretenimiento, de desarrollo turístico, económico y de transporte. Utilicen expresiones impersonales más el infinitivo y el subjuntivo para dar sus recomendaciones.

7 Mi vida

 Escribir

Escribe tu autobiografía. ¿Qué has hecho? ¿Cómo te han formado tus experiencias? ¿Qué no has hecho que todavía esperas hacer? ¿Qué te gustaría hacer? Escribe al menos tres párrafos. Compara tu historia con las de algunos de tus compañeros(as) de clase.

modelo:

Soy Lucas Díaz. He ido a la escuela por diez años.
Todavía no he trabajado pero me gustaría...

Differentiating Instruction

Heritage Language Learners

Support What They Know Activity 5 ask students to write about a community in their home country. Encourage them to prepare a brochure complete with graphics, and to add as many descriptive details as they can to their text.

Inclusion

Clear Structure Have students write one paragraph in which they summarize some of the facts of their lives. Then have them choose major or exciting events in their lives, and complete a 5W's chart describing them. Have them list their hopes and dreams for the future and make this their final paragraph.

Communication
Interpersonal Mode

Have students work in pair to prepare to write their autobiography. Each student should jot down ideas to include and the partner should indicate which ones are the most interesting. Partners might ask questions to suggest additional information to include.

Connections
History

Activity 7 Some students may prefer to write the "autobiography" of a famous person from the history of Spain. Students must investigate the person's life thoroughly and write in first person.

✓ Ongoing Assessment

Integrated Performance Assessment
Rubric **Oral Activities 1, 2, 3, 4, 5, 6**
Written Activities 1, 3, 4, 5, 6, 7

Very Good	Proficient	Not There Yet
The student thoroughly develops all reguirements of the task.	The student develops most requirements of the task.	The student does not develop the requirements of the task.
The student demonstrates excellent control of verb forms.	The student demonstrates good to fair control of verb forms.	The student demonstrates poor control of verb forms.
Good variety of appropriate vocabulary.	Adequate variety of appropriate vocabulary.	The vocabulary is not appropriate.
The pronunciation is excellent to very good.	The pronunciation is good to fair.	The pronunciation is poor.

Answers

Answers continued from p. 386.
   5. Se ha inspirado en la vida real pero le gusta exagerar también.
   6. Compara la vida de su barrio a una telenovela.

Activities 2–7
Answers will vary.

Proyectos adicionales

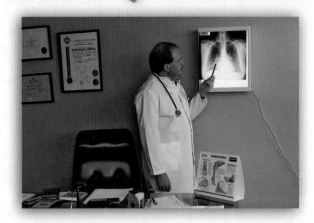

❧ Art Project

El legado de Simón Bolívar Born in Caracas, Venezuela in 1783, General Simón Bolívar was the one individual most responsible for freeing South America from Spanish control. His victories over the Spaniards resulted in independence for Bolivia, Panamá, Colombia, Ecuador, Perú, and Venezuela, earning him the name **El Libertador.** Students will create montages displaying Bolívar's lasting cultural legacy in Colombia and Venezuela.

1. Split the class up into groups of four or five. Allow students time to conduct research in the library, using various resources to find out about institutions named after Bolívar, monuments dedicated to him, and the battles, treaties, and crucial political events he was associated with in Colombia and Venezuela.

2. Have groups take notes on their findings. Tell them to note where the institutions, monuments, and events associated with Bolívar are located in Colombia and Venezuela, and to print out photos that represent their research.

3. Have the groups use atlases to draw the outlines of the two countries on a poster board.

4. Tell the groups to place their images and documents along the edges of their posters, and use rulers to draw lines from the images and documents to the places inside Colombia and Venezuela where things are located and events took place. Have students label each image and provide a brief description of its significance.

Hang the collages around the classroom when they are finished. Ask each group to explain details about their collage.

PACING SUGGESTION: Two 50-minute class periods (one for research and one for putting posters together). This activity can be completed any time during the unit.

❧ Bulletin Board

Profesiones Have students work in pairs. Assign each pair a profession from the lesson vocabulary. Have students research information about their assigned profession, concentrating on the skills and education necessary for that profession. Each group will create a flyer for an informational bulletin board that highlights these professions. Their flyer should have a photo, a short job description, a list of skills and values important for the profession, and a brief description of how one would pursue a career in the profession. Encourage students to use a variety of vocabulary from the lesson.

Have pairs explain their assigned profession to the class. As a follow-up, hold a class discussion and have students talk about which of these careers they may be interested in pursuing and why.

PACING SUGGESTION: One 50-minute class period at the end of Lección 2.

❧ Storytelling

¡Qué ocupado estoy! After reviewing the vocabulary for Lección 2, model a mini-story. Later, students will revise, retell and expand it.

Mis padres me han dicho que es necesario que tenga **empleo** para que pueda ayudarles a pagar la universidad. ¡Ya estoy muy ocupado porque **tomo parte en** muchas actividades en la escuela y no quiero **dejarlas**! **Soy miembro** del **comité de eventos,** tomo fotos para **el anuario, actúo en el drama** y canto en **el coro.** Les dije que si trabajara no tendría tiempo para todas **las reuniones** que tengo. Mi consejero me dijo al comienzo del año que era importante que participara en actividades escolares porque a **las universidades** les gustan las personas **versátiles.** Será mejor que **trabaje a tiempo parcial** este verano después de **graduarme.** Mis padres quieren que **solicite unas becas** también.

As you tell the story, be sure to pause so that students can fill in words. You may want to write the vocabulary words contained in the story on the board. Pause before each word and have students guess which word comes next. Have students retell the story, adding more details. As a follow-up, have students create original stories using the vocabulary.

PACING SUGGESTION: One 50-minute class period at the end of Lección 1.

Get Help Online
ClassZone.com

❧ Games

¿Cuál es mi profesión? Have each student prepare 5 descriptive clues about a profession, for example: **Hay muchas especialidades entre las cuales se puede elegir en mi profesión.** or **Mi profesión exige un título de universidad.**, etc. Divide the class into 2 teams. Teams take turns giving clues about the professions. The fewer clues the other team needs to guess the profession, the more points it wins. Each clue is worth 10 points. If a team guesses the profession after the first clue, they earn 50 points. If they need a second clue, they only get 40 points. If they need a third clue, they receive 30 points, and so on. If the team does not guess the profession after 5 clues, they do not receive any points. Set a time limit for guessing after hearing a clue. The team with the most points at the end wins the game.

PACING SUGGESTION: 30 minutes of class time at the end of Lección 2.

Asociación de palabras Play a word association game using fields of study and professions. Begin with a word such as **universidad** and have the first student give a related Spanish word such as **curso.** The next student gives a word related to **curso** such as **título.** Continue until students can no longer find a related word. Then, begin a new round.

PACING SUGGESTION: 15–20 minutes of class time at the end of Lección 2.

❧ Music

La Cumbia is the national folk music and dance of Colombia. The Cumbia's rhythm has roots in three cultures: African percussion, the flutes typical of the indigenous peoples of the Andes, and European melodies. Today, cumbia includes these original elements, as well as the accordian and orchestral instruments. Play several samples of cumbia. Afterward, ask students these questions:

• How did the music make you feel?
• What instruments can you identify in each of the samples?
• Does it remind you of other forms of music you have heard before? What?

PACING SUGGESTION: 20 minutes of class time. This activity can be done at any time during the unit.

❧ Recipe

Arepas, baked or fried corn pancakes, are popular in both Colombia and Venezuela. They are eaten much like bread and enjoyed for breakfast, lunch, dinner and as a snack. They can be eaten plain, but are often stuffed with meat and cheese. Rather than making them at home, most people buy them in small restaurants called **areperas.**

Arepas

Ingredientes
1 1/4 tazas de queso blanco
1 cucharadita de sal
4 cucharas de mantequilla
2 tazas de leche
1 taza de queso mozzarella rallado
1 taza y media de harina blanca de maíz para arepas
aceite vegetal
1 1/2 cucharadas de azúcar

Instrucciones
Eche la leche, guardando media taza, en una cacerola pequeña y caliéntela hasta que hierva. Ponga la leche en un tazón, añada la mantequilla y deje que la mezcla repose. En otro tazón, eche la harina, la sal, el azúcar y la mozzarella rallada. Forme un hueco en el centro de la mezcla y en ésta eche la leche. Revuelva y amase la mezcla. Mientras tanto, agregue la media taza de leche hasta que forme una masa. Ponga la masa entre dos hojas de papel encerado y estire la masa hasta que tenga media pulgada de grosor. Corte la masa en rodajas de 3 pulgadas. Eche un poquito de aceite en una sartén, caliente a fuego medio-bajo. Fría las arepas 4 minutos por cada lado, o hasta que estén tostadas. Ponga el queso blanco encima justo antes de servirlas.
Receta para 6 a 8 personas
Tiempo de preparación: 30 minutos
Tiempo total: 45 minutos

UNIT THEME
· Your past and your future

UNIT STANDARDS
COMMUNICATION
· Relate what others wanted you to do
· Express past assumptions and emotions
· Remember work and school activities
· Talk about career possibilities
· Hypothesize
· Narrate in the past

CULTURES
· A food stand in Bogotá, Colombia
· Television in Venezuela
· Celebrations in Colombia and the U.S.
· Graduation ceremonies
· Professions and art in Colombia
· Universities in Colombia
· Schools in Venezuela and Colombia

CONNECTIONS
· Music: Origin of instruments used in **joropo** and **cumbia** music.

COMPARISONS
· Where students meet after school
· The relationship between culture and communications media in different countries
· The Spanish **r**
· The importance of typical celebrations in any country
· Magical realism
· Graduation ceremonies
· The influence of an artist's intuition on artistic style
· The Spanish **t**
· The influence of a country's history on its education system
· Schools in Venezuela and Colombia

COMMUNITIES
· Typical music and dance of the United States

UNIDAD 7
Colombia y Venezuela
Tu pasado y tu futuro

Lección 1
Tema: **Recuerdos**

Lección 2
Tema: **Nuevos principios**

«*¡Mucho gusto!*
Somos Victoria y Esperanza, dos hermanas venezolanas. Y él es Guille, de Colombia.»

Almanaque cultural

Geografía: Cordillera de los Andes, selva amazónica, playas y llanos

Clima: caliente en la costa; frío en la montaña.

Origen del nombre: Colombia: en honor a Cristóbal Colón; Venezuela: diminutivo de Venecia, o «pequeña Venecia»

Comidas: arepas, sancocho, bandeja paisa

Gente famosa: Venezuela: Oscar de León (músico), Gabriela Spanic (actriz), Rómulo Gallegos (escritor). Colombia: Shakira (cantante), Gabriel García Márquez (escritor), Juan Pablo Montoya (automovilista)

Arepas

388 trescientos ochenta y ocho

Cultural Geography

Setting the Scene
· ¿Qué recuerdos tienes de tus primeros años de escuela?
· ¿Qué piensas hacer cuando termines la escuela?
· ¿Qué importancia tiene la bandera de tu país para ti?

Teaching with Maps
· ¿Dónde están ubicadas Colombia y Venezuela? (en Suramérica)
· ¿Cuáles son las capitales de Colombia y Venezuela? (Bogotá y Caracas)
· ¿Qué montañas importantes hay en Colombia? (los Andes)

Pueblo de Pepeina, a orillas del río Orinoco

◀ **Una gran ruta de agua** El río Orinoco nace cerca de la frontera entre Venezuela y Brasil, pasa por toda Venezuela y termina en un delta, o conjunto de islas, cerca del mar Caribe. La parte conocida como Bajo Orinoco tiene un gran desarrollo económico. *¿Qué río importante hay en tu estado?*

Trabajador juntando granos de café en Colombia

Una importante producción de café
Colombia es uno de los principales productores de café. La primera producción comercial de café fue en 1835, en Santander. Ese año se hizo la primera exportación, de aproximadamente 120 libras. Hoy, Colombia le vende café a todo el mundo. *¿Qué se cultiva en tu estado?* ▶

◀ **Homenaje a la bandera**
En Venezuela se celebra el Día de la Bandera el 12 de marzo. Ese día, la gente participa en desfiles y espectáculos. La bandera tiene los tres colores primarios, rojo, azul y amarillo. También tiene ocho estrellas, que representan las ocho provincias que habían declarado la indepencia de Venezuela en 1811. Los símbolos del escudo *(seal)* representan las ideas de unión, victoria y libertad. *¿Cuántas estrellas tiene la bandera de Estados Unidos? ¿Qué representan las estrellas y qué representan las rayas (stripes)?*

El Día de la Bandera en Caracas, Venezuela

Colombia y Venezuela
trescientos ochenta y nueve **389**

Bridging Cultures

Heritage Language Learners

Support What They Know Point out the Venezuelan flag on p. 389 and tell them the Colombian flag has the same colors. Ask them what the flag of their heritage country is like and what its colors represent. Then ask them what they think the Venezuelan and Colombian flag colors symbolize (i.e., yellow for gold/wealth, blue for oceans, red for blood shed for independence).

English Learners

Build Background Have students from other countries tell the class about the flags of their home countries. What do the colors and symbols mean? Do they celebrate Flag Day like Venezuela and the United States do?

Cultura Interactiva Send your students to www.classzone.com to explore authentic Colombian and Venezuelan culture. Tell them to click on Cultura Interactiva to see these pages come alive!

Culture

About the Photos

Coffee The phrase "coffee is Colombia's blood" underscores the importance of coffee to this country. Coffee's cultivation and production has been, for centuries, one of the most important industries in Colombia. Colombian coffee is reknowned for its flavor, which makes it one of the most popular in the world.

The South American Dream The República de la Gran Colombia was founded in 1819 after Simón Bolívar defeated the Spanish. Bolívar joined present-day Colombia, Venezuela, and Ecuador to make Gran Colombia. It had always been his goal to unite the whole of South America. Had he accomplished his goal, today it might have been one of the strongest nations in the world.

Expanded Information

Orinoco The Orinoco River is an important part of the culture of Venezuela and Colombia. The aboriginal inhabitants viewed the river as a thinking creature or even as a god. They used the different changes in the river's course to remember and to name the different eras of their history. For example, the people of the Orinoco region in their legends speak of **Catenamanoa** «... the time when the forests were flooded.»

Simón Bolívar Simón Bolívar was born on July 24, 1783, in Caracas, Venezuela. Bolívar was one of South America's greatest generals. His victories over the Spaniards won independence for Bolivia, Panama, Colombia, Ecuador, Peru, and Venezuela. He is often referred to as *El Libertador* (The Liberator) and was the first president of the original Republic of Colombia.

Lesson Overview

Culture at a Glance ❖

Topic & Activity	Essential Question
Estudiantes colombianas vistiendo uniformes, p. 390	¿En qué se diferencian y se parecen los estudiantes de diferentes países?
La television en Venezuela, p. 399	¿Cómo se relacionan la cultura y los medios de comunicación en los diferentes países?
El carnaval, p. 404	¿Qué importancia tienen las celebraciones típicas de un país?
«La luz es como el agua», por Gabriel García Márquez, pp. 408–411	¿Cuáles son los beneficios de la imaginación?
Culture review: Television and celebrations, p. 415	¿Cómo reflejan los programas de televisión y las celebraciones una cultura?

Practice at a Glance ❖

	Objective	Activity & Skill
Vocabulary	School activities and events	1: Speaking / Writing; 2: Speaking; 3: Writing; 4: Reading / Speaking / Writing; 6: Speaking / Writing; 8: Speaking; 15: Speaking; 19: Reading / Listening / Speaking; Repaso 1: Listening
	Fitness and the body	3: Writing; 9: Writing; 13: Listening / Speaking / Writing
	Part-time jobs	1: Speaking / Writing; 2: Speaking; 5: Speaking / Writing; 6: Speaking / Writing
Grammar	Imperfect subjunctive	6: Speaking / Writing; 7: Speaking; 8: Speaking; 9: Writing; 10: Reading / Speaking / Writing; 11: Speaking; 12: Writing; 19: Reading / Listening / Speaking; Repaso 1: Listening; Repaso 2: Speaking / Writing
	Subjunctive in perfect tenses	13: Listening / Speaking / Writing; 14: Writing / Speaking; 15: Speaking; 16: Reading / Writing; 17: Listening / Speaking / Writing; 18: Speaking; 19: Reading / Listening / Speaking; Repaso 3: Speaking; Repaso 4: Speaking / Writing
Communication	Relate what others wanted you to do	9: Writing; 11: Speaking
	Express past assumptions, doubts and emotions	8: Speaking; 14: Writing / Speaking; 16: Reading / Writing; 18: Speaking; 20: Writing; Repaso 3: Speaking
	Discuss work and school activities	2: Speaking; 3: Writing; 19: Reading / Listening / Speaking
	Pronunciation: The letter **r**	*Pronunciación: La letra r,* p. 403: Listening / Speaking
Recycle	Present perfect tense	2: Speaking
	Subjunctive with doubt	8: Speaking
♻	Impersonal expressions	13: Listening / Speaking / Writing

The following presentations are recorded in the Audio Program for *¡Avancemos!*

- **¡A responder!** *p. 393*
- **13: Nuestros atletas** *p. 403*
- **19: Integración** *p. 407*
- **Repaso de la lección** *p. 414*
    - **1: Listen and understand**

¡A responder! TXT CD 13 track 2

1. actuar en un drama
2. ser miembro de la sociedad honoraria
3. ser miembro del comité estudiantil
4. diseñar una página web
5. servir de tesorero de un club
6. cantar en el coro de la escuela
7. dirigir un club
8. preparar los impuestos

13 Nuestros atletas TXT CD 13 track 5

modelo: increíble /dejar de comer
> Es increíble que los atletas hayan dejado de comer comida chatarra.

Ricardo Moreno aquí con un reporte sobre los increíbles cambios que han hecho nuestros atletas para ponerse en forma y combatir el estrés. El cambio comenzó el primer día del semestre y ahora podemos decir que nuestros atletas realmente han hecho cambios extraordinarios. Por ejemplo, han dejado de comer comida chatarra. Nada de papas fritas ni dulces. Muchos han dejado de tomar refrescos también y sólo beben agua o jugos. Todos han decidido seguir una dieta balanceada con buenas proteínas bajas en grasa, muchas verduras y muchas frutas frescas. ¡Todos han perdido peso! No han eliminado el estrés pero están menos estresados porque han comenzado a hacer otros tipos de actividades además de practicar su deporte y estudiar. Algunos han tomado parte en el coro, otros han actuado en el drama este semestre. Felipe González, que toca la guitarra muy bien, ha servido de presidente del club de música y ha dado varios conciertos. Los atletas han recomendado que todos los estudiantes hagamos cambios para ponernos en forma y reducir el estrés también. Lo más impresionante es que tantos estudiantes han empezado a seguir sus consejos, ¡incluso yo!

19 Integración TXT CD 13 track 9

Fuente 2, Discurso

¡Bienvenidos a todos! Soy Elena Martínez, ex alumna de esta escuela y ex presidenta del comité estudiantil. Es increíble que hayan pasado diez años desde nuestra graduación y me alegro que tantos de nuestra clase hayan podido volver a nuestra escuela para esta reunión.

Les traigo un mensaje muy especial. Nuestro querido compañero Víctor Espronceda no ha podido venir pero dijo que esperaba que todos estuviéramos bien. ¡Y espera que hayamos visto su última película! Le pregunté cómo había empezado en el cine. Me dijo qué nunca hubiera pensado que sería un actor famoso pero consiguió una beca y pudo estudiar para lograrlo. Desde entonces le ha ido muy bien como sabemos. Bueno, ¡sigamos la fiesta!

Repaso de la lección TXT CD 13 track 10

1 Listen and understand

Bueno, cuando nos reunimos en marzo, el presidente del comité, Diego Martínez, dijo que quería que el comité recomendara unos proyectos nuevos. Beatriz Muñoz sugirió que organizáramos un baile formal para el mes de mayo, con una banda que toca música caribeña. El comité votó a favor de la idea y formamos otro comité para planear el baile.

Luego, Javier Ortiz recomendó que juntáramos fondos para establecer una beca para atraer a estudiantes internacionales a la escuela. Aunque a los miembros del comité les gustó la idea, al final decidimos que no podíamos montar un proyecto tan grande durante los últimos meses del año académico.

Entonces Susana Feliz, la tesorera del club, recomendó que gastáramos parte de los fondos del comité para comprar una cámara digital para los estudiantes que trabajan con el anuario. Roberto Hernández no estaba de acuerdo y dijo que no era necesario que compráramos una cámara nueva porque podemos usar la del profesor de arte. Al final, votamos y decidimos no comprar la cámara.

Finalmente, Cecilia Rizales sugirió que organizáramos un esfuerzo para mejorar la comida de la cafetería de la escuela. Ella comentó que la comida que sirven ahora es más bien comida chatarra y que esperaba que pudiéramos pedir más platos saludables, como parte de una dieta balanceada. Aunque algunos miembros del comité dijeron que les gustaba la comida chatarra, la mayoría del comité apoyó la sugerencia de Cecilia. Vamos a pedir un cambio en la selección de comida que se ofrece en la cafetería.

On your desktop

Everything you need to ...

Plan	Present	Assess
ONE-STOP PLANNER All resources including audio and video	**POWER PRESENTATIONS** Ready-made PowerPoint™ presentations with **Animated Grammar**	**ONLINE ASSESSMENT SYSTEM** ✓ Create customized tests with Examview Assessment Suite ✓ Individualized Assessment for on-level, modified, pre-AP, and heritage language learners

Print

Plan	Present	Practice	Assess
URB 7 • Family Letter p. 75 • Absent Student Copymasters pp. 77–84 **Lesson Plans** p. 129 **Best Practices Toolkit**	**TPRS** pp. 85–91	• *Cuaderno* pp. 295–317 • *Cuaderno para hispanohablantes* pp. 295–317 • *Lecturas para todos* pp. 80–86 • *Lecturas para hispanohablantes* • *¡AvanzaCómics!, Mundos paralelos, Episodio 3* **URB 7** • Practice Games pp. 31–38 • Audio Scripts pp. 55–59 • Map/Culture Activities pp. 67–68 • Fine Art Activities pp. 70–71	**URB 7** • Did you get it? Reteaching and Practice Copymasters pp. 1–12

Unit Transparency Book 7

Culture	Presentation and Practice	Classroom Management
• Atlas Maps UTB 1, 1–6 • Map: Colombia and Venezuela 1 • Fine Art Transparencies 2, 3	• Vocabulary Transparencies 6, 7 • Grammar Presentation Transparencies 10, 11	• Warm Up Transparencies 16–19 • Student Book Answer Transparencies 24–27

Audio and Video

Audio	Video
• Student Book Audio CD 13 Tracks 1–10 • Workbook Audio CD 4 Tracks 1–10 • Heritage Learners Audio CD 2 Tracks 17–20, CD 6 Tracks 1–6 • *Lecturas para todos* Audio CD 3 Tracks 1–5 • Assessment Audio CD 4 Tracks 1–6 • *Música del mundo hispano*	• *El Gran Desafío* DVD 3

Online (ClassZone.com) and Media Resources

Student	Teacher
Available online and on disc: • eEdition (DVD-ROM) and eEdition Interactive Online Student Edition • @HomeTutor (CD-ROM) - featuring Animated Grammar **Available online:** • Conjuguemos.com • Cultura interactiva • Culture Links • WebQuests • Flashcards • Review Games • Self-check Quiz	**One-Stop Planner (available online and on DVD-ROM):** • Interactive Teacher's Edition • All print resources • All audio and video resources • Learning Scenarios • Conversation Cards • Assessment Program • Examview Assessment Suite • Calendar Planner • Rubric Generator **Available on CD-ROM:** • Power Presentations

Differentiated Assessment

On-level	Modified	Pre-AP	Heritage Learners
• Vocabulary Recognition Quiz p. 308 • Vocabulary Production Quiz p. 309 • Grammar Quizzes pp. 310–311 • Culture Quiz p. 312 • On-level Lesson Test pp. 313–319	• Modified Lesson Test pp. 242–248	• Pre-AP Lesson Test pp. 242–248	• Heritage Learners Lesson Test pp. 248–254

Core Pacing Guide

50 Minute (9 Day)

	Objectives/Focus	Teach	Practice	Assess/HW Options
DAY 1	**Culture:** learn about Colombian and Venezuelan culture **Vocabulary:** work and school activities • Warm Up OHT 16 **5 min**	Unit Opener pp. 388–389 Lesson Opener pp. 390–391 **Presentación de vocabulario pp. 392–393** • Read the yearbook • Play audio TXT CD 13 track 1 • *¡A responder!* TXT CD 13 track 2 **25 min**	Lesson Opener pp. 390–391 **Práctica de vocabulario** p. 394 • Acts. 1, 2, 3 **15 min**	**Assess:** *Para y piensa* p. 394 **5 min** **Homework:** *Cuaderno* pp. 295–297 @HomeTutor
DAY 2	**Communication:** talk about school activities and your to-do list • Warm Up OHT 16 • Check Homework **5 min**	**Vocabulario en contexto** pp. 395–396 • *Contexto 1* TXT CD 13 track 3 **15 min**	**Vocabulario en contexto** pp. 395–396 • Acts. 4, 5 **25 min**	**Assess:** *Para y piensa* p. 396 **5 min** **Homework:** *Cuaderno* pp. 295–297 @HomeTutor
DAY 3	**Grammar:** imperfect subjunctive • Warm Up OHT 17 • Check Homework **5 min**	**Presentación de gramática** p. 397 • Imperfect subjunctive **Práctica de gramática** pp. 398–399 **Culture:** *La televisión en Venezuela* **20 min**	**Práctica de gramática** pp. 398–399 • Acts. 6, 7, 8, 9 **20 min**	**Assess:** *Para y piensa* p. 399 **5 min** **Homework:** *Cuaderno* pp. 298–300 @HomeTutor
DAY 4	**Communication:** practice using the imperfect subjunctive to talk about what friends and family wanted you to do in the past • Warm Up OHT 17 • Check Homework **5 min**	**Gramática en contexto** pp. 400–401 • *Contexto 2* TXT CD 13 track 4 **15 min**	**Gramática en contexto** pp. 400–401 • Acts. 10, 11, 12 **25 min**	**Assess:** *Para y piensa* p. 401 **5 min** **Homework:** *Cuaderno* pp. 298–300 @HomeTutor
DAY 5	**Grammar:** subjunctive of perfect tenses • Warm Up OHT 18 • Check Homework **5 min**	**Presentación de gramática** p. 402 • subjunctive of perfect tenses **Práctica de gramática** pp. 403–404 • *Pronunciación* TXT CD 13 track 6 **15 min**	**Práctica de gramática** pp. 403–404 • Act. 13 TXT CD 13 track 5 • Acts. 14, 15, 16 **25 min**	**Assess:** *Para y piensa* p. 404 **5 min** **Homework:** *Cuaderno* pp. 301–303 @HomeTutor
DAY 6	**Communication:** Culmination: practice expressing doubts and assumptions about the past • Warm Up OHT 18 • Check Homework **5 min**	**Todo junto** pp. 405–407 • *Contextos 1, 2: Resumen* • *Contexto 3* TXT CD 13 track 7 **20 min**	**Todo junto** pp. 405–407 • Act. 17 TXT CD 13 track 7 • Acts. 18, 20 • Act.19 TXT CD 13 tracks 8, 9 **20 min**	**Assess:** *Para y piensa* p. 407 **5 min** **Homework:** *Cuaderno* pp. 304–305 @HomeTutor
DAY 7	**Reading:** *La luz es como el agua* **Connections:** Music • Warm Up OHT 19 • Check Homework **5 min**	**Lectura literaria** pp. 408–411 • *La luz es como el agua* **Conexiones** p. 412 • *La música* **20 min**	**Lectura literaria** pp. 408–411 • *La luz es como el agua* **Conexiones** p. 412 • *Proyecto, En tu comunidad* **20 min**	**Assess:** *Para y piensa* p. 411 **5 min** **Homework:** *Cuaderno* pp. 309–311 @HomeTutor
DAY 8	**Review:** Lesson review • Warm Up OHT 19 • Check Homework **5 min**	**Repaso de la lección** pp. 414–415 **15 min**	**Repaso de la lección** pp. 414–415 • Act. 1 TXT CD 13 track 10 • Acts. 2, 3, 4, 5 **25 min**	**Assess:** *Repaso de la lección* **5 min** **Homework:** *En resumen* p. 413 *Cuaderno* pp. 306–308, 312–317 Review Games Online @HomeTutor
DAY 9	**Assessment**			**Assess:** Lesson 1 test **50 min**

	Objectives/Focus	Teach	Practice	Assess/HW Options
DAY 1	**Culture:** learn about Colombian and Venezuelan culture **Vocabulary:** work and school activities • Warm Up OHT 16 **5 min**	Unit Opener pp. 388–389 Lesson Opener pp. 390–391 **Presentación de vocabulario** pp. 392–393 • Read the yearbook • Play audio TXT CD 13 track 1 • *¡A responder!* TXT CD 13 track 2 **25 min**	Lesson Opener pp. 390–391 **Práctica de vocabulario** p. 394 • Acts. 1, 2, 3 **15 min**	**Assess:** *Para y piensa* p. 394　**5 min**
	Communication: talk about school activities and your to-do list　**5 min**	**Vocabulario en contexto** pp. 395–396 • *Contexto I* TXT CD 13 track 3 **15 min**	**Vocabulario en contexto** pp. 395–396 • Acts. 4, 5 **15 min**	**Assess:** *Para y piensa* p. 396　**5 min** **Homework:** *Cuaderno* pp. 295–297 @HomeTutor
DAY 2	**Grammar:** imperfect subjunctive • Warm Up OHT 17 • Check Homework **5 min**	**Presentación de gramática** p. 397 • Imperfect subjunctive **Práctica de gramática** pp. 398–399 **Culture:** *La televisión en Venezuela* **15 min**	**Práctica de gramática** pp. 398–399 • Acts. 6, 7, 8, 9 **20 min**	**Assess:** *Para y piensa* p. 399　**5 min**
	Communication: using the imperfect subjunctive to talk about what friends and family wanted you to do in the past　**5 min**	**Gramática en contexto** p. 400–401 • *Contexto 2* TXT CD 13 track 4 **15 min**	**Gramática en contexto** p. 400–401 • Acts. 10, 11, 12 **20 min**	**Assess:** *Para y piensa* p. 401　**5 min** **Homework:** *Cuaderno* pp. 298–300 @HomeTutor
DAY 3	**Grammar:** subjunctive of perfect tenses • Warm Up OHT 18 • Check Homework **5 min**	**Presentación de gramática** p. 402 • subjunctive of perfect tenses **Práctica de gramática** pp. 403–404 • *Pronunciación* TXT CD 13 track 6 **15 min**	**Práctica de gramática** pp. 403–404 • Act. 13 TXT CD 13 track 5 • Acts. 14, 15, 16 **20 min**	**Assess:** *Para y piensa* p. 404　**5 min**
	Communication: Culmination: practice expressing doubts and assumptions about the past **5 min**	**Todo junto** pp. 405–407 • *Contextos 1, 2: Resumen* • *Contexto 3* TXT CD 13 track 7 **15 min**	**Todo junto** pp. 405–407 • Acts. 17, 19 TXT CD 13 tracks 7, 8, 9 • Acts. 18, 20 **20 min**	**Assess:** *Para y piensa* p. 407　**5 min** **Homework:** *Cuaderno* pp. 301–305 @HomeTutor
DAY 4	**Reading:** *La luz es como el agua* • Warm Up OHT 19 • Check Homework **5 min**	**Lectura literaria** pp. 408–411 • *La luz es como el agua* **15 min**	**Lectura literaria** pp. 408–411 • *La luz es como el agua* **20 min**	**Assess:** *Para y piensa* p. 411　**5 min**
	Review: Lesson review **5 min**	**Repaso de la lección** pp. 414–415 **15 min**	**Repaso de la lección** pp. 414–415 • Act. 1 TXT CD 13 track 10 • Acts. 2, 3, 4, 5 **20 min**	**Assess:** *Repaso de la lección*　**5 min** **Homework:** *En resumen* p. 413 *Cuaderno* pp. 306–308, 312–317 (optional) 　Review Games Online @HomeTutor
DAY 5	**Assessment**			**Assess:** Lesson 1 test **45 min**
	Connections: Music **5 min**	**Conexiones** p. 412 • *La música* **15 min**	**Conexiones** p. 412 • *Proyecto, en tu comunidad* **25 min**	

¡AVANZA! Objectives
- Introduce lesson theme: **Recuerdos**
- **Culture:** Learn about television in Venezuela and celebrations in Colombia and the U.S.

Presentation Strategies
- Have students describe what others wanted them to do.
- Ask students to talk about work and school activities.

STANDARD
2.2 Products and perspectives

Warm Up UTB 7 Transparency 16

Verbos Completa las oraciones con el pasado perfecto del verbo apropiado.

probar perderse salir terminar hacer

1. Cuando subimos a la fortaleza, la visita guiada ya _____ .
2. Óscar llegó al andén a las cuatro, pero los trenes ya _____ .
3. Mi familia y yo _____ una visita a Colombia.
4. Tú todavía no _____ las especialidades cuando la comida se acabó.
5. Felipe fue a comprar un plano de la ciudad, pero ustedes ya _____ .

Answers: 1. había terminado; 2. habían salido; 3. habíamos hecho; 4. habías probado; 5. se habían perdido

Comparación cultural

Exploring the Theme

Ask the following:
1. ¿Qué llevas a la escuela?
2. ¿Qué actividades haces durante el día escolar?
3. ¿Qué actividades haces después?
4. ¿Qué te gusta mirar en la televisión?

¿Qué ves? Possible answers:
- Las chicas en la foto son estudiantes jóvenes.
- Las chicas llevan uniformes de una escuela privada. Llevan faldas a cuadros, suéteres azules y calcetines.
- Ellas llevan mochilas y dinero en las manos.
- En el puesto venden frutas y galletas.

390

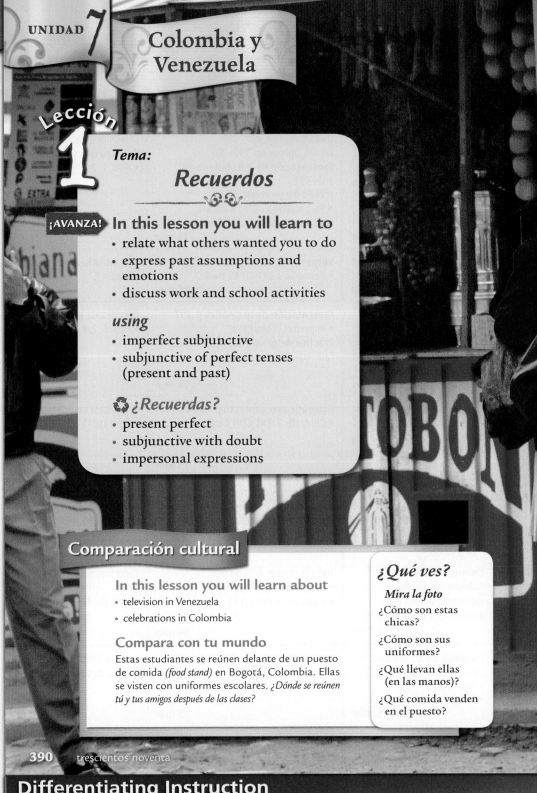

UNIDAD **7**

Colombia y Venezuela

LECCIÓN 1

Tema:

Recuerdos

¡AVANZA! In this lesson you will learn to
- relate what others wanted you to do
- express past assumptions and emotions
- discuss work and school activities

using
- imperfect subjunctive
- subjunctive of perfect tenses (present and past)

♻ ¿Recuerdas?
- present perfect
- subjunctive with doubt
- impersonal expressions

Comparación cultural

In this lesson you will learn about
- television in Venezuela
- celebrations in Colombia

Compara con tu mundo
Estas estudiantes se reúnen delante de un puesto de comida *(food stand)* en Bogotá, Colombia. Ellas se visten con uniformes escolares. *¿Dónde se reúnen tú y tus amigos después de las clases?*

¿Qué ves?

Mira la foto
¿Cómo son estas chicas?

¿Cómo son sus uniformes?

¿Qué llevan ellas (en las manos)?

¿Qué comida venden en el puesto?

390 trescientos noventa

Differentiating Instruction

Multiple Intelligences

Interpersonal Divide the class into small groups. Ask groups to talk about things they like to do during and after school. Write a few new expressions on a board or overhead, such as **la sociedad honoraria, el comité estudiantil,** and **trabajar a tiempo parcial** to help facilitate the discussion.

Slower-paced Learners

Yes/No Questions Ask low proficiency students a series or yes or no questions about their school activities. Keep the questions simple and brief. For example: **¿Trabajas a tiempo parcial? ¿Tomas parte en el coro?** Instruct students to respond by putting their thumbs up or down, depending on the answer.

Online SPANISH CLASSZONE.COM

Featuring...
Cultura INTERACTIVA
Animated Grammar
@HomeTutor

And more...
• Get Help Online
• Interactive Flashcards
• Review Games
• WebQuest
• Conjuguemos.com

Online SPANISH CLASSZONE.COM

WebQuest Provides step-by-step guidance for your students to help them explore this unit's theme and location online. Students are given a task and a set of pre-approved links to conduct research, answer questions, and submit their findings to the class.

Featuring...
Cultura INTERACTIVA
Animated Grammar
@HomeTutor

And more...
• Get Help Online
• Interactive Flashcards
• Review Games
• WebQuest
• Conjuguemos.com

Estudiantes colombianas vistiendo uniformes,
Bogotá, Colombia

Colombia y Venezuela
trescientos noventa y uno **391**

Using the Photo

Location Information

Education in Colombia Elementary and high-school students in Colombia attend classes on one of two schedules; most private schools are open from September to June—much like the United States—while public schools are generally in session from February to November. Primary and secondary school attendance has improved vastly in the last few decades. Colombia has an overall high literacy rate (the percentage of people over 15 years of age that can read and write); UNESCO calculates it at about 93 percent. However, some populations in Colombia are underrepresented in schools. For that reason, in 2003, the Colombian government implemented an award-winning national program for literacy and basic education for young people and adults. Almost 90 percent of the national territory is being covered by the program.

Expanded Information

Bogotá The Xavier Pontifical University (1622) and the University of Santo Tomás (1580) are among the several excellent universities in Bogotá. Other cultural institutions include the Botanical Institute, the National Conservatory of Music, the National Museum, the National Astronomical Observatory, the National Library, and the Columbus Theatre. There are also a museum of natural history, a planetarium, modern art galleries, and the Gold Museum, which holds the world's largest collection of pre-Columbian gold objects.

Differentiating Instruction

Heritage Language Learners

Support What They Know Ask heritage speakers to explain what they know about schools in their countries of origin. To be more specific you could ask: **¿Cómo se visten los estudiantes? ¿En qué clases de clubes toman parte los estudiantes? ¿Qué hacen los estudiantes después del día escolar?**

Multiple Intelligences

Intrapersonal Ask students to create a timeline that reflects things that they did during their elementary school years. Encourage students to begin the timeline as early as kindergarten. They may include activities during school or after school. Tell students to include at least ten items on their timelines.

¡AVANZA! **Objectives**

- Present vocabulary: words that relate to work and school activities
- Check for recognition.

Core Resource

- Audio Program: TXT CD 13 Tracks 1, 2

Presentation Strategies

- Present school activites to the class.
- Play the audio as students read.

✿ STANDARD

1.2 Understand language

Communication
Reluctant Speakers

As you present new vocabulary to the class, ask students to repeat the words after you. Encourage students to recite the new words as a class to avoid singling out students who are shy about speaking in front of others.

✤ Presentación de VOCABULARIO

¡AVANZA! **Goal:** Learn new words that relate to work and school activities. Then practice by talking about activities at school or outside of school that interest you. **Actividades 1–3**

♻ **¿Recuerdas?** Present perfect p. 342

AUDIO

Hola, me llamo Victoria. Hoy terminé de **redactar el anuario** del año pasado. **¡Salió muy bien!**

Un Mensaje Para Los Graduados

🎓

Desde **el comienzo anticipamos** que éste iba a ser un año donde tomaríamos muchas decisiones importantes para el futuro. Fue un año con muchas esperanzas y estrés; donde muchos estudiantes reflexionaron y decidieron si querían seguir estudiando o empezar a trabajar a tiempo parcial después de graduarse.

la ceremonia de graduación

A todos nos fue bien y tenemos muchos recuerdos que nunca olvidaremos.

Éstas son las actividades más importantes que hicimos en la escuela, en nuestros ratos libres y en los días feriados.

¡Éste fue un año inolvidable!

Victoria Lozano
Victoria Lozano

Más vocabulario

la cuenta de ahorros *savings account*	**el (la) niñero(a)** *babysitter*
cuidar niños *to baby-sit*	**repartir periódicos** *to deliver newspapers*
dejar de... *to quit, to give up*	**la reunión** *meeting*
los impuestos *taxes*	**solicitar una beca** *to apply for a scholarship*
llenar una solicitud de empleo *to fill out a job application*	*Expansión de vocabulario* p. R14
	Ya sabes p. R14

392 Unidad 7 Colombia y Venezuela
trescientos noventa y dos

Differentiating Instruction

Multiple Intelligences

Visual Learners Play visual games to help students learn new vocabulary. For example, ask a student to draw a picture of one of the school activities on a board or overhead while classmates guess the word. To make the game more challenging, give students a time limit of ten seconds.

Pre-AP

Circumlocution Instruct students to look at the Más vocabulario section on p. 392. Tell students to take turns describing one of the phrases. Students must avoid using any of the words in the section. They may use words, phrases, or complete sentences to describe the vocabulary. For example: **Pasar tiempo con personas jóvenes cuando sus padres no están.** Answer: **cuidar niños**

RECUERDOS

1) Muchos tomaron parte en el coro de estudiantes.

2) El presidente del club de drama actuó y dirigió dos dramas.

3) El nuevo código de vestimenta es popular.

4) ¡Hay que ponerse en forma y comer una dieta balanceada para no estar estresado!

EMPLEOS

5) La vice-presidenta sirvió de empleada en la cafetería para juntar fondos para su grupo.

6) El estudiante qué trabajó de salvavidas en la piscina de la escuela era miembro del comité estudiantil.

7) La tesorera de la sociedad honoraria trabajó de cajera en un restaurante de comida chatarra.

8) Esperanza fue la diseñadora de la página web del comité de eventos.

¡A responder! Escuchar

Escucha la lista de actividades. Si es algo relacionado con el arte, levanta la mano. Si es algo administrativo, párate.

@HomeTutor
Interactive Flashcards
ClassZone.com

Lección 1
trescientos noventa y tres **393**

Communication
TPR Activity

List the following school-related terms on the board: **el coro, el club de drama, el código de vestimenta, estar estresado(a), el comité estudiantil, el (la) vice-presidente(a), el (la) tesorero(a),** and **el comité de eventos.** Call on volunteers to act out a randomly chosen phrase and have the rest of the class guess.

Long-term Retention
Personalize It

Have students make a list of any activities on pp. 392 and 393 that they have been involved in. Also encourage students to look in the back of the book or in their dictionaries for additional vocabulary to elaborate on things they have done in school.

✓ Ongoing Assessment

Alternative Strategy Have students listen to the ¡A responder! audio a second time. This time ask students to write out the words as they hear them. Then instruct students to check the spelling in their textbooks.

Differentiating Instruction

Heritage Language Learners

Writing Skills Tell students that they are the valedictorians for their high school class. Instruct them to write a speech that discusses any of the following: funny memories, club activities, sports, committees, social events, and jobs. Remind students of the importance of punctuation in speeches for setting a tone. Invite students to read their speeches aloud to the class.

Pre-AP

Persuade Have the students adopt one of the activities or roles listed from the vocabulary pages, explaining that each one should create a convincing argument about the value of the activity or role. Allow a few minutes for the students to make notes or draw up a list of reasons, then present their argument to the class.

Answers UTB 7 Transparency 24
¡A responder! Audio Script, TE p. 389B
Hands up: 1, 4, 6. Stand up: 2, 3, 5, 7, 8

393

¡AVANZA! **Objectives**
· Practice vocabulary: describing work and school activities

Core Resource
· *Cuaderno,* pp. 295–297

Practice Sequence
· **Activity 1:** Vocabulary recognition: work and school activities
· **Activity 2:** Vocabulary recognition: the present perfect
· **Activity 3:** Vocabulary production: write about high school memories

STANDARDS
1.1 Engage in conversation, Act. 2
1.3 Present information, Act. 1, 3

✓ Ongoing Assessment

@HomeTutor
More Practice
ClassZone.com

PARA Y PIENSA **Intervention** These activities give students the opportunity to gauge whether they have grasped the material. If a student is unable to successfully complete this task, (s)he should review pp. 392–393 or get help online at ClassZone.com. For additional practice, use Reteaching & Practice Copymasters URB 7, pp. 1, 2.

Answers UTB 7 Transparency 24

Activity 1
1. Nos graduamos.
2. Octavio trabaja de cajero en la tienda.
3. Repartes periódicos.
4. Regina redacta el anuario.
5. Vilma y Federico dirigen el club de vela.

Activity 2 Answers will vary. Possible answers:
1. A. ¿Has solicitado una beca de una universidad? B. Sí, he solicitado una beca.
2. A. ¿Has actuado en un drama? B. No, no he actuado en un drama.
3. A. ¿Has tomado parte en un club? B. Sí, he tomado parte en muchos clubes.
4. A. ¿Has trabajado a tiempo parcial? B. No, no he trabajado a tiempo parcial.
5. ¿Has diseñado páginas Web? B. Sí, he diseñado muchas páginas Web.
6. ¿Has cuidado a niños? B. No, no he cuidado a niños.

Answers continue on p. 395.

394

✸ Práctica de VOCABULARIO

1 **¿Qué hacen?**

Hablar
Escribir

Lee cada descripción y di a cuál de las actividades se refiere.

> **modelo:** Jaime hace mucho ejercicio.
> Jaime se pone en forma.

1. Nosotros terminamos el colegio.
2. Octavio trabaja en una tienda. Él toma el dinero cuando la gente compra algo.
3. Tú distribuyes las noticias del día por todo el barrio.
4. Regina organiza los artículos y fotos de los eventos de la escuela.
5. Vilma y Federico organizan las excursiones a la costa, para navegar.

> ponerse en forma
> repartir periódicos
> redactar el anuario
> graduarse
> trabajar de cajero(a)
> dirigir el club de vela

2 **¿Qué has hecho?** ♻ **¿Recuerdas?** Present perfect p. 342

Hablar

Contesta las preguntas de tu compañero(a) sobre las actividades que has o no has hecho.

> **modelo:** reflexionar sobre tus experiencias en el colegio

A ¿Has reflexionado sobre tus experiencias en el colegio?

B Sí, (No, no) he reflexionado sobre mis experiencias en el colegio.

1. solicitar una beca
2. actuar en un drama
3. tomar parte en un club
4. trabajar a tiempo parcial
5. diseñar páginas web
6. cuidar niños

Expansión
Investiga más las respuestas de tu compañero(a). Pregúntale dónde, con quién y por qué ha hecho o no la actividad.

Expansión:
Teacher Edition Only
Pídales a los estudiantes que incluyan una descripción de sus amigos del colegio en el párrafo.

3 **Mi primer año**

Escribir

Escribe un párrafo sobre tus recuerdos del primer año en el colegio.

> **Pistas:** ¿Qué actividades hiciste? ¿En qué organizaciones y clubes tomaste parte? ¿Qué hiciste para ponerte en forma? ¿Te fue bien?

Más práctica Cuaderno *pp. 295–297* Cuaderno para hispanohablantes *pp. 295–298*

PARA Y PIENSA **¿Comprendiste?** ¿Cuáles de estas actividades normalmente tienen lugar en la escuela?
1. redactar el anuario
2. ser miembro del coro
3. repartir periódicos
4. actuar en un drama
5. cuidar niños
6. trabajar de cajero(a)

Get Help Online
ClassZone.com

Differentiating Instruction

Multiple Intelligences

Logical/Mathematical Ask students to make a two column chart with several rows. Tell students to label one column **Actividades escolares** and one column **Actividades no escolares.** Then instruct students to list activities that they did during their high school years in the appropriate column.

Inclusion

Multisensory Input/Output Present all new vocabulary orally and on an overhead. Ask students to repeat words and phrases after you or a heritage speaker. Have students practice saying all the words and phrases again as they write them in their notebooks. Instruct students to put a fold down the middle of their vocabulary page to write the definitions in English.

✻ VOCABULARIO en contexto

¡AVANZA! **Goal:** Notice the words that Victoria and Esperanza use to talk about school activities in their to-do lists. Then practice the new vocabulary to describe your own activities. *Actividades 4–5*

Contexto 1 *Horarios*

ESTRATEGIA Leer

Use a Venn diagram to compare the twins Victoria and Esperanza are very different, but they are also alike in some ways. Make a Venn diagram to compare their similarities (in the middle) and differences (in the non-overlapping parts of the circles).

Victoria ⟨ ⟩ Esperanza

AUDIO

Victoria y Esperanza Lozano son dos estudiantes venezolanas en el penúltimo *(junior)* año de colegio. Aunque son gemelas *(twins)*, son muy diferentes. Cada año, la consejera *(counselor)* académica les pide a todos los estudiantes que hagan un horario de actividades y quehaceres para un día típico. Victoria y Esperanza acaban de hacer sus listas.

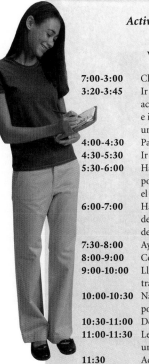

Actividades y quehaceres
jueves, 18 de abril

Victoria Lozano

7:00–3:00	Clases.
3:20–3:45	Ir a la reunión con la consejera académica para repasar mi lista e informarme sobre las becas universitarias y cómo solicitarlas.
4:00–4:30	Participar en la práctica de coro.
4:30–5:30	Ir a la reunión del comité estudiantil.
5:30–6:00	Hacer ejercicio en el gimnasio para ponerme en forma y combatir el estrés.
6:00–7:00	Hacer la tarea en casa y tomar decisiones sobre el horario de mañana.
7:30–8:00	Ayudar a mamá a preparar la cena.
8:00–9:00	Cenar con la familia.
9:00–10:00	Llenar la solicitud de empleo para el trabajo a tiempo parcial en el banco.
10:00–10:30	Navegar por Internet para investigar posibles universidades.
10:30–11:00	Decidir qué ropa me pongo mañana.
11:00–11:30	Leer los catálogos de posibles universidades para estar informada.
11:30	Acostarme a dormir.

Esperanza Lozano

7:	Tengo que ir a las clases, ¡como siempre!
3:	Terminan las clases.
3–6:	Divertirme en el centro con los amigos (¡nos encanta ir de compras y comer comida chatarra!)
6–8:	Estar en casa: hacer la tarea, mirar televisión y ayudar con la cena.
8–9:	Cenar con la familia, ¡como siempre!
9–10:	Disfrutar de un rato libre, ¡no hacer nada!
10–11:30:	Charlar un rato por Internet y hablar por teléfono con mis amigas.
11:30:	Acostarme a dormir.

Lección 1
trescientos noventa y cinco **395**

Differentiating Instruction

Multiple Intelligences

Kinesthetic Divide the class into small groups. Have the groups create a dramatization or skit about a typical day in the life of a high school student. The skit should involve gestures and props that help demonstrate lesson vocabulary. Also, each student in the group should have an equal speaking part.

Pre-AP

Expand and Elaborate Ask students to write very detailed schedules for themselves. Every hour of the day should be accounted for in the schedule. Tell students that they need at least 12–15 time slots on their schedules. If students protest that they do not do that much in a day, ask them to embellish in order to use more vocabulary.

¡AVANZA! ▶ **Objectives**
· Understand vocabulary related to describing schedules and school activities.

Core Resource
· Audio Program: TXT CD 13 Track 3

Presentation Strategies
· Create a Venn diagram to compare Victoria's and Esperanza's schedules.
· Play the audio.

✷ STANDARD
1.2 Understand language

Warm Up UTB 7 Transparency 16

Escribe los siguientes verbos en el presente perfecto.
1. tomar parte en (yo) _____
2. actuar en un drama (tú) _____
3. solicitar (ella) _____
4. trabajar (yo) _____
5. hacer la tarea (nosotros) _____

Answers: 1. he tomado parte en; 2. has actuado en un drama; 3. ha solicitado; 4. he trabajado; 5. hemos hecho la tarea

Answers UTB 7 Transparency 24

Answers continued from p. 394.

Activity 3 Answers will vary but should include a description of activities, clubs, sports, and how they did in their classes.

Para y piensa
1. sí	3. no	5. no
2. sí	4. sí	6. no

¡AVANZA! Objectives

· Practice using the conditional tense.
· Practice describing activities and jobs.

Practice Sequence

· **Activity 4:** Vocabulary recognition: Contexto 1 comprehension
· **Activity 5:** Vocabulary production: the conditional

STANDARDS

1.2 Understand language, Act. 4
1.3 Present information, Act. 4, 5

✓ Ongoing Assessment

@HomeTutor
More Practice
ClassZone.com

PARA Y PIENSA **Quick Check** Ask students to name some of their activities during school and after school. Write those activities on a board or overhead. To check that students understand all the vocabulary that they listed, ask various questions that include the activities listed. For additional practice, use Reteaching & Practice Copymasters URB 7, pp. 1, 3.

Answers UTB 7 Transparency 24

Activity 4

1. Victoria es más organizada porque hace mucho más durante el día.
2. Victoria menciona ocho actividades. Esperanza menciona dos actividades: ir a las clases y hacer la tarea.
3. Van a las clases, ayudan con la cena, comen la cena, hacen la tarea y se acuestan.
4. Victoria piensa mucho en el futuro.
5. Esperanza piensa en el presente.

Activity 5 Answers will vary. Sample answers:

1. Victoria sería mejor como actriz en un drama porque sabe cantar.
2. Victoria sería mejor como cajera porque es muy organizada.
3. Esperanza sería mejor como empleada en una tienda de ropa porque es más sociable.
4. Victoria sería mejor como salvavidas porque es más responsable.
5. Victoria sería mejor como diseñadora de páginas Web porque sabe hacer investigaciones en Internet.
6. Esperanza sería mejor como niñera porque es más divertida.

Answers continue on p. 397.

396

---

4 | Comprensión de los horarios

Leer
Hablar
Escribir

Contesta las preguntas sobre la lectura.

1. ¿Cuál de las dos hermanas es más organizada? ¿Cómo lo sabes?
2. ¿Cuántas actividades relacionadas con la escuela o con el trabajo menciona Victoria en su lista y cuántas Esperanza? ¿Cuáles son?
3. ¿Qué actividades tienen en común las dos hermanas?
4. ¿Qué hermana piensa mucho en el futuro?
5. ¿Qué hermana piensa más en el presente?

Expansión:
Teacher Edition Only
Pídales a los estudiantes que escriban dos o tres oraciones que expliquen las diferencias entre las gemelas.

5 | El trabajo apropiado

Hablar
Escribir

Según la lectura sobre Victoria y Esperanza, indica quién tiene la personalidad y el carácter apropiados para los siguientes trabajos y explica por qué.

modelo: tesorera del club de computadoras
Victoria sería mejor como tesorera porque es muy organizada y quiere trabajar en un banco.

1. actriz en un drama

2. cajera

3. empleada una tienda de ropa

4. salvavidas

5. diseñadora de páginas web

6. niñera

Expansión
Compara tus ideas con las de un(a) compañero(a). Decidan juntos cuál es el mejor trabajo para cada hermana y expliquen sus razones a la clase.

PARA Y PIENSA **¿Comprendiste?** Usa el vocabulario nuevo para contestar estas preguntas.
1. Menciona tres actividades que haces en la escuela durante el día.
2. Menciona tres actividades relacionadas con la escuela o con el trabajo que haces por la tarde o por la noche.

Get Help Online
ClassZone.com

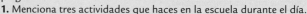

Differentiating Instruction

Multiple Intelligences

Logical/Mathematical Have the students form questions from the vocabulary on page 395, e.g. **¿Participarás en la práctica del coro?** Write on the board a question from each student and poll the class to see how many students have done each activity. Then have the students form sentences from the class results, e. g. **Tres estudiantes participarán en la práctica del coro.**

Slower-paced Learners

Sentence Completion Make a photocopy of the schedules on p. 395. On the copy, white out a few key vocabulary words. Then have students listen to the audio while following along with the photocopied script. Ask that students fill in the missing words or phrases as they listen to the audio.

Presentación de GRAMÁTICA

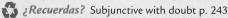 **Goal:** Learn how to form the imperfect subjunctive. Then practice by talking about hopes, doubts, emotions, and opinions in the past. *Actividades 6–9*

♻ *¿Recuerdas?* Subjunctive with doubt p. 243

English Grammar Connection: In English, you typically use the **conditional** or the **infinitive** after expressions of hope, doubt, emotion, or opinion in the **past**. In Spanish, you use the **imperfect subjunctive**.

I **hoped** that everything **would turn out** well.   **Esperaba** que todo **saliera** bien.

His mother **wanted** him **to study** more.   Su mamá **quería** que él **estudiara** mas.

Imperfect Subjunctive

 Animated Grammar
ClassZone.com

You already know when to use the present subjunctive. To express the same ideas in the past, use the **imperfect subjunctive**. How do you use it?

Here's how: Expressions of hope, doubt, emotion, or opinion in the past are followed by verbs in the **imperfect subjunctive**.

To form the **imperfect subjunctive**, remove the **-ron** ending of the **ustedes/ellos(as)** preterite form and add the imperfect subjunctive endings.

Infinitive	Preterite		Endings	
tomar	tomaron		-ra	-´ramos
saber	supieron	drop -ron +	-ras	-rais
pedir	pidieron		-ra	-ran

The endings are the same for all **-ar, -er,** and **-ir** verbs. Note the accent mark in the **nosotros(as)** form, placed on the vowel immediately before the ending.

El profesor de música **quería** que nosotros **tom**á**ramos** parte en el coro.
The music teacher wanted us to take part in the choir.

Yo **dudaba** que alguien **supie**ra la respuesta correcta.
I doubted that anyone would know the correct answer.

Más práctica
Cuaderno *pp. 298–300*
Cuaderno para hispanohablantes *pp. 299–301*

 **Conjuguemos.com**

@HomeTutor
Leveled Practice
ClassZone.com

Differentiating Instruction

Inclusion

Cumulative Instruction Before introducing the imperfect subjunctive with struggling students, review uses of the imperfect tense and the subjunctive mood separately. When you feel that students understand each concept separately, start to provide examples of when you would use the two forms together.

Inclusion

Synthetic/Analytic Support Once students understand the concept of the imperfect subjunctive, teach them the paradigm of the form. Show students an infinitive, put that infinitive in the **ustedes/ellos(as)** form, cross out the **-ron** ending, and add the subjunctive endings. Go through this process with several verbs. Then allow students the opportunity to try the process by themselves.

 Objectives
¡AVANZA!
· Present the imperfect subjunctive.
· Talk about hopes, doubts, emotions, and opinions in the past.

Core Resource
· *Cuaderno*, pp. 298–300

Presentation Strategy
· Have students read and take notes on the imperfect subjunctive as you present it to the class.

 STANDARD
4.1 Compare languages

 Warm Up UTB 7 Transparency 17

Nombra cinco actividades relacionadas con la escuela.
1. _____
2. _____
3. _____
4. _____
5. _____

Answers: Answers will vary. Sample answers: ir a las clases; tomar parte en el comité estudiantil; redactar el anuario; actuar en un drama; tomar parte en el coro

Communication
⚠ Common Error Alert

Tell students to be careful not to use the conditional tense every time they see the word *would* in a sentence in English. Remind students that if there is an expression of hope, doubt, emotion, and opinion in the past that they should use the imperfect subjunctive.

 Answers UTB 7 Transparency 24

Answers continued from p. 396.

Para y piensa Answers will vary. Possible answers:
1. voy a mis clases, almuerzo con mis amigos, voy a reuniones con el consejero académico.
2. soy miembro del coro, reparto periódicos, trabajo de niñera

Objectives
- Practice using the imperfect subjunctive.
- Talk about things that others wanted you to do in the past.
- **Recycle:** subjunctive with doubts.
- **Cultura** television in Venezuela.

Core Resources
- *Cuaderno,* pp. 298–300

Practice Sequence
- **Activity 6:** Controlled practice: imperfect subjunctive
- **Activity 7:** Transitional practice: imperfect subjunctive
- **Activity 8:** Open-ended practice: subjunctive with doubt

STANDARDS
1.1 Engage in conversation, Act. 7, 8
1.3 Present information, Act. 6, 9
2.2 Products and perspectives, CC
4.2 Compare cultures, CC

Answers UTB 7 Transparencies 24–25

Activity 6
1. Los padres de Margarita querían que pagara los impuestos.
2. Los padres de Marcos y Daniel querían que salieran bien en los examenes.
3. Tus padres querían que trabajaras de salvavidas.
4. Mis padres querían que yo pidiera empleo en la biblioteca.
5. Los padres de Rebeca y Alonso querían que fueran miembros de la sociedad honoraria.
6. Sus padres querían que ustedes abrieran una cuenta de ahorros.

Activity 7
1. A. ¿Qué les recomendaste a tus amigos que hicieran? B. Les recomendé que hicieran una visita guiada.
2. A. ¿Qué les recomendaste a tus amigos que probaran? B. Les recomendé que probaran las arepas.
3. A. ¿Qué les recomendaste a tus amigos que trajeran de recuerdo? B. Les recomendé que trajeran de recuerdo un tapiz.
4. A. ¿Qué les recomendaste a tus amigos que vieran? B. Les recomendé que vieran una ceremonia local.
5. A. ¿Qué les recomendaste a tus amigos que exploraran? B. Les recomendé que exploraran el centro histórico.

Answers continue on p. 399.

398

✤ Práctica de GRAMÁTICA

6 | Mis padres

Hablar
Escribir

Haz frases para decir qué querían los padres que sus hijos hicieran el verano pasado.

modelo: yo / dejar de estar estresado(a)
Mis padres querían que yo dejara de estar estresado.

1. Margarita / pagar los impuestos
2. Marcos y Daniel / salir bien en los exámenes
3. tú / trabajar de salvavidas
4. yo / pedir empleo en la biblioteca
5. Rebeca y Alonso / ser miembros de la sociedad honoraria
6. ustedes / abrir una cuenta de ahorros

> **Expansión:**
> Teacher Edition Only
> Pídales a los estudiantes que escriban dos cosas que sus padres querían que hicieran el verano pasado.

7 | Los recuerdos

Hablar

Contesta las preguntas de tu compañero(a) sobre las recomendaciones que les diste a tus amigos para una excursión.

modelo: visitar el castillo

A: ¿Qué les recomendaste a tus amigos que visitaran?
B: Les recomendé que visitaran el castillo.

1. hacer una visita guiada
2. probar las arepas
3. traer de recuerdo un tapiz
4. ver una ceremonia local
5. explorar el centro histórico
6. leer una guía turística

> **Expansión**
> Pídele a tu compañero(a) que te explique por qué hizo tres de las recomendaciones a sus amigos.

8 | Mentiras ♻ *¿Recuerdas?* Subjunctive with doubt p. 243

Hablar

Inventa frases improbables en el pasado con las ideas siguientes. Tu compañero(a) expresará su duda.

modelo: ser miembro del comité de eventos...

A: Yo fui miembro del comité de eventos el año pasado.
B: No creo que tú fueras miembro del comité de eventos el año pasado.

es imposible
no creer
dudar
es improbable
es dudoso
no es verdad

1. graduarse en dos años...
2. solicitar una beca...
3. anticipar el futuro...
4. tener un sueldo muy alto...
5. servir de presidente(a)...
6. ser tesorero(a) del club...
7. tener la esperanza de...
8. no tomar ningún día feriado...

> **Expansión:**
> Teacher Edition Only
> Pídales a los estudiantes que escriban una mentira ridícula y una duda que corresponda con esa mentira.

Differentiating Instruction

Pre-AP

Timed Answer Provide students with a variety of opportunities to use the imperfect subjunctive. Ask questions about things others wanted the students to do in the past. Inquire about recommendations that students made to others in the past. Tell silly lies about the past. Give advanced students 10–20 seconds to respond to you, depending on their proficiency.

Slower-paced Learners

Memory Aids Instruct low proficiency students to create a "study sheet" on a large index card with the formula of the imperfect subjunctive. The card should also include commonly used verbs that are irregular in the preterite, such as **ser** and **querer.** Remind students that the card is only to be used as a quick reference in class and not during quizzes or exams.

9 | Recomendaciones de salud

Escribir

Los entrenadores de tu escuela dieron una conferencia sobre la salud de los estudiantes. Lee tus notas y escríbele un correo electrónico a tu compañero(a) que no fue a la conferencia.

modelo: Hola, la conferencia fue interesante. Los entrenadores nos dijeron que era muy importante que...

- ponernos en forma
- aliviar el estrés
- seguir una dieta balanceada
- dejar de comer...
- sólo trabajar a tiempo parcial
- tomar decisiones buenas
- hacer ejercicio todos los días
- dormir ocho horas cada noche

Expansión:
Teacher Edition Only
Pídales a los estudiantes que escriban dos recomendaciones de salud más.

Comparación cultural

La televisión en Venezuela

¿Cómo se relacionan la cultura y los medios de comunicación en los diferentes países? En **Venezuela,** como en Estados Unidos, una manera muy popular de pasar los ratos libres es ver la televisión. Venezuela exporta programas y películas a todo el mundo. Sus telenovelas *(soap operas)* son muy conocidas y se doblan *(are dubbed)* en varios idiomas para poder transmitirlas en otros países. Se puede decir que son las ventanas de Venezuela al mundo. Además de verse en Latinoamérica, las telenovelas venezolanas se ven en Turquía, Mongolia, Egipto, Israel y muchísimos otros países.

Noticiero venezolano en las calles de Caracas

Compara con tu mundo *¿Qué tipos de programas asocias con la televisión estadounidense? En tu opinión, ¿cuáles son los programas estadounidenses más «típicos»? ¿Por qué?*

Más práctica Cuaderno *pp. 298–300* Cuaderno para hispanohablantes *pp. 299–301*

PARA Y PIENSA

¿Comprendiste? Escribe las oraciones de nuevo con los verbos en el imperfecto.
1. Mis amigos no quieren que yo cuide niños los sábados por la noche.
2. Mis padres esperan que todo salga bien en mi examen.
3. Mi profesor duda que el examen sea demasiado difícil.

 Get Help Online ClassZone.com

Comparación cultural

Essential Question

Suggested Answer Los medios de comunicación son una fuente de información. También muestran los productos que podemos comprar.

About Television in Venezuela

Profit Most of Venezuela's mass media are controlled by for-profit companies who make money from advertising, subscriptions, and sale or distribution of copyrighted materials.

Private Television Programming generated in the U.S. by multinational media conglomerates such as **Univisión** and **CNN En Español** dominates Venezuela's private television outlets, which in turn dominates the Venezuelan television market.

✓ Ongoing Assessment
@HomeTutor
More Practice
ClassZone.com

PARA Y PIENSA

Intervention If students do not already have a set of "verb" flash cards, have them make a set now and have them use them in class as reinforcement. For additional practice, use Reteaching & Practice Copymasters URB 7, pp. 4, 5, 11.

Answers UTB 7 Transparency 25

Answers continued from p. 398.
   6. A. ¿Qué les recomendaste a tus amigos que leyeran? B. Les recomendé que leyeran una guía turística.

Activity 8 Answers will vary. Sample answer:
   1. A. Me gradué de Yale en dos años. B. Es imposible que te graduaras en dos años.

Activity 9 Answers will vary. Sample answer:
Los entrenadores nos dijeron que era muy importante que tomáramos decisiones buenas.

Para y piensa
   1. Mis amigos no querían que yo cuidara niños los sábados por la noche.
   2. Mis padres esperaban que yo saliera bien en mi examen.
   3. Mi profesor dudaba que el examen fuera demasiado difícil.

399

Differentiating Instruction

English Learners

Build Background Ask English learners to discuss how mass media is integrated in the culture of their countries of origin. List a few key comments on the board or on an overhead. Then read the Comparación cultural as a class and make comparisons between the English learners' countries and Venezuela.

Pre-AP

Draw Conclusions Ask students to read Comparación cultural again. Discuss the role of soap operas in Venezuelan culture and how the programs are dubbed into other languages and shown in various countries. Ask students to draw conclusions about why people in other countries, such as Turkey and Egypt, are interested in watching soap operas made in Venezuela.

¡AVANZA! Objectives

- Develop listening, reading, and writing skills.
- Understand and correctly produce the imperfect subjunctive.

Core Resource

- Audio program TXT CD 13 Track 4

Presentation Strategies

- Have students scan the column on p. 400 to get a general idea of what it is about before listening to the audio.
- Play the audio.

Practice Sequence

- **Activity 10:** Contexto 2 comprehension
- **Activity 11:** Transitional practice: imperfect indicative and subjunctive
- **Activity 12:** Open-ended practice: imperfect subjunctive

 STANDARDS

1.1 Engage in conversation, Act. 11
1.2 Understand language, Act. 10
1.3 Present information, Act. 10, 11, 12

 Warm Up UTB 7 Transparency 17

Vuelve a escribir las oraciones con los verbos en el imperfecto de indicativo y de subjuntivo.
1. Mi amiga quiere que yo salga con ella.
2. Mis padres quieren que hagamos la tarea.
3. Los niños esperan que sus padres los dejen solos.

Answers: 1. Mi amiga quería que yo saliera con ella.; 2. Mis padres querían que hiciéramos la tarea.; 3. Los niños esperaban que sus padres los dejaran solos.

400

 GRAMÁTICA en contexto

¡AVANZA! **Goal:** Notice how Victoria and Tía Esmeralda use the imperfect subjunctive in the letters below. Then practice using the imperfect subjunctive to talk about what friends and family wanted you to do in the past. *Actividades 10–12*

Contexto 2 *Cartas*

ESTRATEGIA Leer
Use a situational flow chart Create a situational flow chart. On the left, draw two boxes describing Victoria and Esperanza's interests. In the next two boxes, summarize Victoria's letter and the advice she receives.

```
┌─────────────────────────┐
│ Actividades de Victoria  │──┐     ┌──────────────────┐   ┌────────────────┐
└─────────────────────────┘  ├─────│ Pregunta principal│───│ Consejo de     │
┌─────────────────────────┐  │     │ de Victoria       │   │ Tía Esmeralda  │
│ Actividades de Esperanza │──┘     └──────────────────┘   └────────────────┘
└─────────────────────────┘
```

 AUDIO

Victoria está preocupada por su hermana y le ha escrito una carta a Tía Esmeralda, una periodista que tiene una columna de consejos en una revista local.

MUJER VENEZOLANA

QUERIDA TÍA ESMERALDA

Querida Tía Esmeralda,
Estoy muy preocupada por mi hermana y no sé qué hacer. Ella no toma parte en actividades fuera de las clases y no hace nada en sus ratos libres. Hablé con ella ayer y le aconsejé que reflexionara un poco sobre su vida y que hiciera algunos planes para el futuro. Temo que ella no pueda asistir a la universidad si no se organiza mejor.

Le recomendé que estudiara más, que participara en más actividades y que empezara a investigar universidades y solicitar becas ahora mismo. Ella me dijo que no le gustaba que yo le dijera cómo vivir su vida y que la dejara en paz. Pero realmente me preocupo por ella. ¿Qué debo hacer?

— Una hermana preocupada

Querida Hermana Preocupada,
Si tu hermana no quiere cambiar, no hay nada que tú puedas hacer. Si ella te pidió que no le dieras más consejos, tú tienes que respetar sus deseos. ¿Por qué no invitas a tu hermana a hacer algo juntas que realmente le gustaría a ella? Eso sería una buena manera de tratar de hacerle ver que las actividades pueden ser divertidas. Pero nada más, ya que te dijo que no le hablaras más del tema, no debes ofrecerle más consejos.

—Tía Esmeralda

212

Unidad 7 Colombia y Venezuela
400 cuatrocientos

Differentiating Instruction

Inclusion

Mulitsensory Input/Output Have students read along on page 400 as they listen to the audio. Then play the audio again. This time, instruct students to not read along with the column. As students listen to the audio, tell them to raise their hands every time they hear the imperfect subjunctive. Request that students close their eyes when they do this activity to avoid copying other students.

Slower-paced Learners

Yes/No Questions Read the column as a class. Ask students several yes or no questions to check for comprehension. **¿Está preocupada Victoria?, ¿Victoria firma la carta con su nombre?, ¿Tía Esmeralda le da consejos?** If students answer a question incorrectly, carefully review the corresponding section of the column. Invite students to create their own yes or no questions to ask the class.

10 | Comprensión de las cartas

Leer
Hablar
Escribir

Contesta las siguientes preguntas sobre la lectura.

1. ¿Por qué le escribió Victoria a Tía Esmeralda?
2. ¿Qué le había aconsejado Victoria a su hermana antes de escribir la carta?
3. ¿Qué teme Victoria?
4. ¿Qué le recomendó Victoria a Esperanza?
5. ¿Qué le contestó Esperanza?
6. Menciona dos cosas que Tía Esmeralda le recomendó a Victoria que hiciera.

Expansión:
Teacher Edition Only
Pídales a los estudiantes que escriban una respuesta a la carta de Victoria.

11 | ¡Cuéntame...!

Hablar

Cuéntale a tu compañero(a) sobre una ocasión en que tuviste que hacer algo que no querías hacer.

Pistas: ¿Qué tuviste que hacer? ¿Quién quería que lo hicieras? ¿Por qué no querías hacerlo? ¿Cómo reaccionaste? ¿Cómo terminó?

modelo: Cuando yo tenía seis años, mi hermana quería que yo llevara a su perro para un retrato de la familia, pero no me gustaba el perro...

Expansión:
Teacher Edition Only
Pídales a los estudiantes que hablen sobre una ocasión cuando no pudieron hacer algo que querían hacer.

12 | Un problema

Escribir

Escríbele una carta a Tía Esmeralda pidiéndole consejos sobre una situación en que tú querías que alguien (tu mamá, un[a] hermano[a], tus amigos[as], tus maestros[as]) hiciera algo que no quería hacer. Explica claramente lo que tú querías, pedías o decías que esa persona hiciera y cómo reaccionó.

> Querida Tía Esmeralda,
> Le estoy escribiendo esta carta porque no sé qué hacer. Déjeme explicarle. Le pedí a mi amigo que hiciera...

Expansión
Intercambia tu carta con otra persona. Lee la carta de tu compañero(a) y prepara una respuesta.

PARA Y PIENSA

¿Comprendiste? Di qué querían tu familia, tus amigos y otras personas que tú hicieras la semana pasada.

1. Mis amigos querían que yo...
2. Mis padres querían que yo...
3. Mi maestro(a) quería que yo...
4. Mi hermano(a) quería que yo...

Get Help Online
ClassZone.com

Differentiating Instruction

Slower-paced Learners

Peer-study Support Pair low-proficiency students with high-proficiency students to work on Activity 12. Tell pairs to work together to create outlines for their letters. The outline should include ideas, verbs in the imperfect subjunctive, and vocabulary words. Have students write their letters individually and meet up when their letters are complete to edit them together.

Pre-AP

Relate Opinions Ask advanced students to discuss what they think Victoria about Victoria's letter. Do they think she should mind her own business? Do they think she is right to worry about her sister? What should Victoria do to help her sister? Also have students discuss what they think about Tía Esmeralda's advice.

Tips for Presenting Grammar

*"I write indicators, such as **Quiero que...**, **él pide que...**, for the subjunctive on popsicle sticks. I have students choose one stick (out of 10 to 12) from a container and ask them to finish the sentence with any clause using a present subjunctive verb. As a follow-up exercise, I change the indicators to **Quería que...**, and so on to elicit the past subjunctive. "*

✓ Ongoing Assessment

@HomeTutor
More Practice
ClassZone.com

PARA Y PIENSA **Peer Assessment** If a student fails to complete one of the four Para y piensa sentences correctly, (s)he should pair up with a student who completed them all correctly, and review Activities 6 and 7 on p. 398. For additional practice, use Reteaching & Practice Copymasters URB 7, pp. 4, 6.

Answers UTB 7 Transparencies 25–26

Activity 10

1. Victoria le escribió porque estaba preocupada por su hermana.
2. Le había aconsejado que hiciera planes para el futuro.
3. Victoria teme que su hermana no pueda asistir a la universidad.
4. Victoria le recomendó que estudiara más, participara en más actividades y empezara a investigar universidades.
5. Esperanza dijo que la dejara en paz.
6. Tía Esmeralda le recomendó que no diera más consejos y que la invitara a una actividad con ella.

Activity 11 Answers will vary. See model.

Activity 12 Answers will vary. See model.

Para y piensa Answers will vary. Sample answers:

1. Mis amigos querían que yo fuera al centro comercial.
2. Mis padres querían que yo limpiara mi cuarto.
3. Mi maestra quería que yo hablara con ella después de clase.
4. Mi hermano quería que yo le comprara un helado.

401

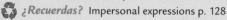

¡AVANZA! Objectives

- Practice using the subjunctive forms of the present perfect and past perfect.
- Discuss how you feel about events that had occurred in the past.

Core Resource
- *Cuaderno,* pp. 301–303

Presentation Strategies
- Review impersonal expressions.
- Discuss the use of present and past perfect subjunctive when discussing how you feel about events that have occurred recently or had occurred in the past.

 ## STANDARD
4.1 Compare languages

 ## Warm Up UTB 7 Transparency 18

Escribe dos o tres oraciones en el imperfecto del sujuntivo, sobre algo que otra persona quería que tú hicieras ayer.

Answers: Anwers will vary. Sample answer: Ayer mi mama quería que mi hermano y yo fuéramos al cine.

Communication
English Grammar Connection

Tell students that they will always use the word *has* for present perfect subjunctive in English and the word *had* for the past perfect subjunctive in English. In Spanish, however, the conjugation of the word **haber** depends on the subject of the action. In other words, there are six different forms of **haber** for the present perfect subjunctive, and six different forms of the same verb for the past perfect subjunctive.

❈ Presentación de GRAMÁTICA

¡AVANZA! **Goal:** Learn the subjunctive forms of the present perfect and past perfect. Then practice by saying how you feel about events that have occurred recently or that had occurred in the past. *Actividades 13–16*

♻ *¿Recuerdas?* Impersonal expressions p. 128

English Grammar Connection: In English, you use the present or past perfect to express a reaction to what *has* happened, or *had* happened. In Spanish, you often need to use the **present** or **past perfect subjunctive.**

It's good that Peter **has understood.**   Es bueno que Peter **haya entendido.**

They wished he **had arrived.**   Esperaban que él **hubiera llegado.**

Subjunctive of Perfect Tenses

Animated Grammar
ClassZone.com

In Spanish, the **perfect tenses** always use a form of the verb **haber** with the past participle of the main verb. When the subjunctive is required, you must use the subjunctive form of **haber.**

Here's how: Use the **present perfect subjunctive** after a verb in the present tense. You form it with the **present subjunctive** of haber plus the **past participle** of the main verb.

haya	hayamos	
hayas	hayáis	+ past participle
haya	hayan	

Espero que tú **hayas decidido** redactar el anuario este año.
*I hope that **you have decided** to edit the yearbook this year.*

Use the **past perfect subjunctive** after a verb in the past tense. You form it with the **imperfect subjunctive** of **haber** plus the **past participle** of the main verb.

hubiera	hubiéramos	
hubieras	hubierais	+ past participle
hubiera	hubieran	

Paco **dudaba** que **hubiéramos trabajado** de salvavidas el verano pasado.
*Paco doubted that **we had worked** as lifeguards last summer.*

Más práctica
Cuaderno *pp. 301–303*
Cuaderno para hispanohablantes *pp. 302–305*

🐸 **Conjuguemos.com**

@HomeTutor
Leveled Practice
ClassZone.com

402 Unidad 7 Colombia y Venezuela
cuatrocientos dos

Differentiating Instruction

Inclusion

Clear Structure Write these structures on the board and add an example.
*reaction (present tense) + **que** + different subject + present perfect subjunctive*
Es bueno + que + Marco + haya venido.
*reaction (past tense) + **que** + different subject + past perfect subjunctive*
Ana esperaba + que + yo + hubiera venido.
Have students add original examples.

Slower-paced Learners

Sentence Completion Give students a piece of a sentence that uses present perfect subjunctive. Give students a couple of minutes to write a logical ending to the sentence. Allow students to consult their textbooks. For example: **Es mejor que tú _____.** Students could write something like: **hayas estudiado.** Repeat the process using the past perfect subjunctive.

❋Práctica de GRAMÁTICA

13 Nuestros atletas ♻ ¿*Recuerdas*? Impersonal expressions p. 128

Escuchar
Hablar
Escribir

Escucha este informe en la radio sobre los cambios que han hecho los atletas de tu escuela. Expresa tus opiniones sobre lo que has aprendido. Usa las expresiones impersonales que ya sabes.

> **modelo:** increíble / dejar de comer
> Es increíble que los atletas hayan dejado de comer comida chatarra.

1. es mejor / no comer
2. es increíble / dejar de tomar
3. es bueno / perder peso
4. es lógico / reducir el estrés
5. es interesante / participar
6. es impresionante / empezar a seguir

Expansión:
Teacher Edition Only
Pídales a los estudiantes que expresen dos opiniones más sobre el informe.

---

14 Descubrimientos

Escribir
Hablar

Escribe tus impresiones sobre la vida de tus familiares. Utiliza las expresiones del banco de palabras.

> **modelo:** mi tío Joaquín / participar en un partido de fútbol
> Era increíble que mi tío Joaquín hubiera participado en un partido de fútbol.

es asombroso
es sorprendente
es admirable
es impresionante
es extraordinario

1. mis abuelos / construir su casa
2. mi padre / bailar muy bien tango
3. mis bisabuelos / casarse muy jóvenes
4. mis padres / conocerse en tercer grado
5. mi abuelo Pepe / usar el código de vestimenta
6. mi abuela / cantar en la ópera

Expansión:
Teacher Edition Only
Pídales a los estudiantes que escriban dos impresiones sobre la vida de sus amigos.

Pronunciación La letra r

AUDIO

Si no es la primera letra de la palabra, la letra **r** tiene un sonido suave. Se pronuncia como el sonido de **dd** en **ladder** o de **tt** en **better**.

graduarse estrés
cuidar ceremonia

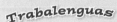
Trabalenguas

Tres tristes tigres en traje tragan trigo en un trigal.

Differentiating Instruction

Inclusion

Alphabetic/Phonetic Awareness Practice using the letter **r** at the beginning of words. Tell students to use the "hard" pronunciation of the letter **r.** Explain that the "hard" pronunciation is a trilled sound formed by a flapping of the tongue against the front roof of the mouth. Ask heritage speakers to repeat the words that you say so that students will hear multiple accents.

Pre-AP

Self-correct Tell advanced students to say aloud answers for Activities 13 and 14 in pairs. Encourage them to stop and correct themselves when they think they have made a mistake. Instruct students to write a quick note when they make an error. At the end of the activities, ask students to share some mistakes they made with the class.

Audio Program
TXT CD 13 Track 5
Audio Script, TE
p. 389B

Objectives
· Practice using the present and past perfect subjunctive.
· Recycle: impersonal expressions.

Core Resource
· Audio Program: TXT CD 13 Tracks 5, 6

Practice Sequence
· **Activity 13:** Controlled practice: listening comprehension and present perfect subjunctive
· **Activity 14:** Transitional practice: past perfect subjunctive
· **Pronunciation:** The letter **r**

❋ STANDARDS
1.2 Understand language, Act. 13
1.3 Present information, Act. 13, 14
4.1 Compare languages, Pronunciación

Long-term Retention
Personalize It

Have students adapt Activity 14 to reflect students' impressions of their families. For example, students can replace the phrase **construir su casa** in number 1 with an activity that their grandparents actually did.

Answers UTB 7 Transparency 26

Activity 13
1. Es mejor que no hayan comido papas fritas ni dulces.
2. Es increíble que hayan dejado de tomar refrescos.
3. Es bueno que hayan perdido peso.
4. Es lógico que hayan reducido el estrés.
5. Es interesante que hayan participado en otras actividades.
6. Es impresionante que hayan empezado a seguir sus consejos.

Activity 14 Answers will vary.
1. Es asombroso que mis abuelos hubieran construido su casa.
2. Es sorprendente que mi padre hubiera bailado muy bien tango.
3. Es asombroso que mis bisabuelos se hubieran casado muy jóvenes.
4. Es impresionante que mis padres se hubieran conocido en tercer grado.
5. Es sorprendente que mi abuelo Pepe hubiera usado el código de vestimenta.
6. Es admirable que mi abuela hubiera cantado en la ópera.

¡AVANZA! **Objectives**
· Practice using the past perfect subjunctive.
· **Culture:** Learn about **El carnaval.**

Core Resource
· *Cuaderno,* pp. 301–303

Practice Sequence
· **Activity 15:** Transitional practice: past perfect subjunctive
· **Activity 16:** Open-ended practice: the conditional

STANDARDS
1.1 Engage in conversation, Act. 15
1.3 Present information, Act. 16
2.1 Practices and perspectives, Act. 16
4.2 Compare cultures, Act. 16

Comparación cultural

Essential Question

Suggested Answer Las celebraciones típicas generalmente conmemoran sucesos históricos importantes de un país o las fiestas religiosas antiguas.

Ongoing Assessment

@HomeTutor
More Practice
ClassZone.com

PARA Y PIENSA **Quick Check** Before students complete the Para y piensa, review the past perfect subjunctive. If students are unable to change all three sentences correctly, direct them to the website indicated for additional practice. For additional practice, use Reteaching & Practice Copymasters URB 7, pp. 7, 8, 12.

 Answers UTB 7 Transparencies 24–27

Activity 15
1. A. Mariana ha decidido llenar una solicitud de empleo.
   B. Ojalá hubiera decidido solicitar una beca.

Answers continue on p. 405.

404

---

15 Ojalá hubiera...

Hablar Tu compañero(a) te dice lo que han decidido estas personas. Di qué hubieras preferido tú que hicieran.

modelo: Jaime: «Voy a cuidar niños; no voy a trabajar en la cafetería.»

> **A** Jaime ha decidido cuidar niños.

> **B** Ojalá hubiera decidido trabajar en la cafetería.

1. Mariana: «Voy a llenar una solicitud de empleo; no voy a solicitar una beca.»
2. Juan y Pilar: «Vamos a escribir el comienzo de un cuento; no vamos a escribir un artículo para el periódico estudiantil.»
3. Nosotros: «Vamos a cantar en el coro; no vamos a actuar en el drama.»
4. Gabriel: «Voy a ser vicepresidente del comité estudiantil; no voy a ser secretario del club de español.»
5. Ester y Lila: «No vamos a ir a la fiesta; vamos a ir al cine.»

Expansión:
Teacher Edition Only
Pídales a los estudiantes que escriban tres oraciones más usando la expresión **ojalá** y el pluscuamperfecto de subjuntivo.

16 ¿Qué quieren?

Leer Escribir **Comparación cultural**

El carnaval en Barranquilla, *Colombia*

El carnaval
¿Qué importancia tienen las celebraciones típicas de un país?
El carnaval es un festival cultural con orígenes religiosos que se celebra durante la semana antes de la Cuaresma *(Lent).* Hay música, baile, canciones y ropa especial. La ciudad de Barranquilla, en **Colombia,** tiene fama por sus carnavales. Cada año, los barranquilleros toman parte en el carnaval, el cual fue declarado Patrimonio de la Humanidad por la UNESCO en 2003.

Compara con tu mundo *Describe las celebraciones en que toman parte tu familia y tú. ¿Cuándo son? ¿Cuál es su origen?*

Escribe una lista de cinco cosas que querías que hubieran ocurrido durante una celebración.

modelo: Yo quería que mi hermana hubiera cantado canciones divertidas.

Expansión:
Teacher Edition Only
Pídales a los estudiantes que escriban un párrafo para decir qué es un carnaval y qué se puede hacer en él.

Más práctica Cuaderno *pp. 301–303* Cuaderno para hispanohablantes *pp. 302–305*

PARA Y PIENSA **¿Comprendiste?** Cambia las oraciones con una expresión impersonal de emoción en el pasado (Era necesario que, Era importante que...).
1. Un compañero ha recibido una beca para la universidad.
2. Los profesores han nombrado a tu amiga para la sociedad honoraria.
3. Los miembros del equipo no se habían puesto en forma.

Get Help Online ClassZone.com

Differentiating Instruction

Pre-AP

Support Ideas with Details Ask advanced students to add some information to their answers for Activity 15. After each **Ojalá** comment, instruct students to explain why they think student "B" wanted each person to decide something else. For example: **Ojalá hubiera decidido trabajar en la cafetería. No hay suficientes trabajadores en la cafetería.**

Heritage Language Learners

Support What They Know Refer students to the Comparación cultural. Discuss **Carnaval** with the class. Then ask each heritage learner to give the class a detailed description about a celebration that is important to his or her culture.

✤Todo junto

¡AVANZA! **Goal:** *Show what you know* Notice the language that Victoria and Esperanza use to express past assumptions and to relate what they each wanted the other to do. Then practice by expressing your own doubts and assumptions about the past. *Actividades 17–20*

Resumen contextos 1 y 2 Victoria y Esperanza son hermanas. Victoria es muy organizada y participa en muchas actividades. Victoria le escribió una carta a Tía Esmeralda, la autora de la columna de consejos de la revista, pidiendo recomendaciones sobre su hermana.

Contexto 3 *Diálogo*

ESTRATEGIA Escuchar
Use a storyline to track sequence and tones
Listen two times, keeping track of the sequence of events with a storyline. To do this, draw a line that shows events divided by diagonal marks. Listen a third time and add notes about the tones of voice (joking, sarcastic, surprised, angry, etc.).

AUDIO

Esperanza y Victoria discuten por la carta que Victoria mandó a la columna de consejos que tiene Tía Esmeralda en la revista.

Esperanza: Hola, Viki. Veo que sigues con la dieta balanceada. Bueno, que te vaya bien. Para mí, unas empanadas, unas arepas y ya está...

Victoria: Ay, Esperanza. ¡Nunca cambias!

Esperanza: Sí, ya me aconsejaste que comiera mejor y dejara la comida chatarra, pero con tantos consejos que me das... siempre me olvido de todos. Oye, ¿tienes la columna de la Tía Esmeralda?

Victoria: ¿La lees? ¡No sabía que te gustaba! Ejem... todavía la estoy leyendo.

Esperanza: ¡Qué va! La revista está al otro lado de la mesa.

Esperanza toma la revista. Victoria se pone muy nerviosa.

Esperanza: A ver qué pasa con la tía hoy... siempre tomando decisiones, arreglando el mundo...

Victoria: Bueno, no es muy interesante. No le salió bien.

Lección 1
cuatrocientos cinco **405**

Differentiating Instruction

Multiple Intelligences

Linguistic/Verbal Ask volunteers to read the conversation between Esperanza and her sister aloud in class. Instruct students to try to reflect the tone of the dialogue as they read. Students should act out each sister's emotions as they read their part. Read the conversation a few times to give various volunteers a chance to read.

Pre-AP

Summarize Instruct students to explain orally what happens in Contexto 3. The summary should begin with what happened in Contexto 1 and 2. Then students should describe who is speaking, how the characters are feeling, what happens to make one of the characters angry, and how that character expresses her anger.

¡AVANZA! 🔷 **Objective**
· Integrate lesson content.

Core Resource
· Audio Program: TXT CD 13 Track 7

Presentation Strategies
· Review the first two parts of the Contexto aloud.
· Play the audio as students read along.
· Have students listen for sequence and tone.

🔷 **STANDARD**
1.2 Understand language

🔷 **Warm Up** UTB 7 Transparency 18

Cambia las siguientes oraciones usando la expresión **ojalá** y el pasado perfecto de subjuntivo.
1. Marta ha decidido ir a Colombia.
2. Juan ha comprado un coche.
3. Paqui ha comido una pizza.
4. Nacho ha salido con tu hermana.
5. Luz ha solicitado una beca.
Answers: Answers will vary. Sample answers:
1. Ojalá hubiera decidido ir a Venezuela; 2. Ojalá hubiera comprado una bicicleta; 3. Ojalá hubiera comido una ensalada; 4. Ojalá hubiera salido con otra chica; 5. Ojalá hubiera buscado un trabajo.

🔷 **Answers** UTB 7 Transparency 26

Answers continued from p. 404.
2. A. Juan y Pilar han decidido escribir el comienzo de un cuento.
B. Ojalá hubieran decidido escribir un artículo para el periódico estudiantil.
3. A. Nosotros hemos decidido cantar en el coro.
B. Ojalá hubieran decidido actuar en el drama.
4. A. Gabriel ha decidido ser vicepresidente del comité estudiantil.
B. Ojalá hubiera decidido ser secretario del club de español.
5. A. Ester y Lila han decidido ir a la fiesta.
B. Ojalá hubieran decidido ir al cine.
Activity 16 Answers will vary. See model.
Para y piensa
1. Era bueno que un compañero hubiera recibido una beca para la universidad.
2. Era impresionante que los profesores hubieran nombrado a tu amiga para la sociedad honoraria.
3. Era raro que los miembros del equipo no se hubieran puesto en forma.

405

Objective

· Practice using and integrating lesson vocabulary and grammar

Core Resources

· *Cuaderno*, pp. 304–305
· Audio Program: TXT CD 13 Tracks 7, 8, 9

Practice Sequence

· **Activity 17:** Contexto 3 comprehension
· **Activity 18:** Transitional practice: speaking
· **Activity 19:** Transitional practice: reading, listening, and speaking
· **Activity 20:** Open-ended practice: writing

STANDARDS

1.1 Engage in conversation, Act. 18
1.2 Understand language, Act. 17, 19
1.3 Present information, Act. 17, 18, 19, 20

Communication

Grammar Activity

Ask students to make two cards, one that reads **imperfecto de subjuntivo** and one the reads **perfecto de subjuntivo.** As students listen to Contexto 3, they should hold up one of the cards when they hear the corresponding structure.

Answers UTB 7 Transparencies 26–27

Activity 17

1. Se burló de su dieta balanceada.
2. Le pidió si tenía la columna de Tía Esmeralda.
3. Se sorprendió que Esperanza lea la columna de Tía Esmeralda.
4. Esperanza se puso furiosa.
5. Se sintió muy mal porque Esperanza lloró.
6. Victoria piensa en el futuro y Esperanza piensa en el presente.

Activity 18 Answers will vary. See model.

406

Esperanza sigue leyendo la columna. Victoria parece aun más estresada.

Victoria: Esperanza... ¿Espe? Realmente, no debes...

Esperanza termina de leer la columna y pone la revista en la mesa. Está furiosa.

Esperanza: ¡Victoria! ¡No es posible que hayas escrito esta carta a la revista! ¡No tienes el derecho de hablar de mí con el mundo entero! ¡No puedo creer que me hayas tratado tan mal!

Victoria: Ay, lo siento, ¡pero me preocupo mucho por ti! Quiero que asistas a la universidad después de la graduación y si no te esfuerzas más...

Esperanza: Ya te dije que estoy contenta. ¡Hazme la caridad y déjame en paz! Es increíble que hayas enviado esto a una revista... ¡Qué vergüenza! ¿Cómo puedo salir de la casa? ¿Qué hago?

Victoria: Ay, Espe, ¡lo siento! ¡No llores! Estaba pensando en tu futuro...

Esperanza: «¡Mi futuro!» Pero, ¿qué pasa con «mi presente»?

> ### También se dice
>
> Esperanza utilizó la frase **Hazme la caridad,** que quiere decir **Hazme un favor.**
> ·**Argentina** Hacéme una gauchada.
> ·**Cuba** Tírame un cabo.

17 | Comprensión del diálogo

Escuchar Hablar Escribir

Contesta las preguntas sobre la lectura.

1. ¿De qué se burló *(made fun of)* Esperanza cuando vio a su hermana en el comedor?
2. ¿Qué le pidió Esperanza a Victoria?
3. ¿De qué se sorprendió Victoria?
4. ¿Cómo reaccionó Esperanza cuando leyó la carta que había escrito Victoria?
5. ¿Cómo se sintió Victoria cuando vio la reacción de su hermana?
6. ¿Qué diferencia hay entre las hermanas?

> **Expansión:**
> Teacher Edition Only
> Pídales a los estudiantes que resuman lo que escucharon en el diálogo en cinco frases.

18 | ¡Ojalá no hubiera...!

Hablar

Reflexiona sobre algo que tú hiciste, que te salió mal y que le hizo daño a otra persona. Explica qué hiciste, cómo te salió, cómo afectó a la otra persona y qué hubieras hecho diferente.

> **modelo:** Hice una amiga nueva y pasé menos tiempo con otra amiga... Ojalá hubiera pasado más tiempo con esta otra amiga.

> **Expansión**
> Escribe un párrafo sobre lo que hubieras querido y no hubieras querido hacer esta semana.

Differentiating Instruction

Multiple Intelligences

Interpersonal Ask the students whether they have ever read a "Dear Abby" column or sent in a letter asking for advice. Ask the students to consider whether they are good at giving advice. Tell the students to imagine they are advice columnists for the school newspaper. Have each student write a letter of introduction to gain the confidence of the readership.

Heritage Language Learners

Support What They Know Have native speakers look at the list of expressions in También se dice. Ask what other phrases are used in the region where they or their family members come from to tell someone "do me a favor." Also, point out and discuss the colloquial phrase **¡Qué va!** from the dialogue.

19 Integración

Leer
Escuchar
Hablar

Lee la biografía de un ex alumno. Luego escucha el discurso durante una reunión de ex alumnos *(class reunion)*. Explica qué has aprendido de la vida de Víctor Espronceda.

Fuente 1 Biografía

VÍCTOR ESPRONCEDA

Víctor Espronceda siempre fue un estudiante popular. Todos querían que participara en los eventos sociales. Le pidieron que organizara eventos de beneficencia en la comunidad. También dirigió el club de teatro y actuó en casi todos los dramas de la escuela. En sus ratos libres trabajaba en una tienda de videos. No es sorprendente que

haya seguido la carrera de actor. Sus padres querían que se hubiera graduado de ingeniero pero Víctor se decidió por el arte. Ahora, con más de cinco películas en su currículum, Víctor es uno de nuestros estudiantes más famosos.

Fuente 2 Discurso

Escucha y apunta
• ¿Qué esperaba Víctor Espronceda?
• ¿Hubiera pensado ser un actor famoso?

modelo: Víctor esperaba que todos estuvieran bien y que hubieran visto su película...

Audio Program
TXT CD 13 Tracks 8, 9, Audio Script, TE, p. 389B

20 ¡A escribir!

Escribir

Escríbele una carta a la persona que mencionaste en la actividad número dieciocho. En tu carta, expresa tu arrepentimiento *(regret)* por el daño que le hiciste a esa persona y explica qué no hubieras hecho.

modelo: Querida Alicia,
He decidido escribirte para pedirte perdón. Ojalá...

Writing Criteria	Excellent	Good	Needs Work
Content	Your letter includes many details about your regrets.	Your letter includes some details about your regrets.	Your letter includes few details about your regrets.
Communication	Your letter is organized and easy to follow.	Parts of your letter are organized and easy to follow.	Your letter is disorganized and hard to follow.
Accuracy	You make few mistakes in grammar and vocabulary.	You make some mistakes in grammar and vocabulary.	You make many mistakes in grammar and vocabulary.

Más práctica Cuaderno *pp. 304–305* Cuaderno para hispanohablantes *pp. 306–307*

PARA Y PIENSA

¿Comprendiste? ¿Recuerdas algunas situaciones en que las acciones de otra persona te afectaron mucho? Completa las oraciones con tus sentimientos.
1. No podía creer que...
2. Me pareció imposible que...
3. No me gustó que...
4. Fue increíble que...

Get Help Online
ClassZone.com

Long-term Retention

Pre-AP **Integration**

Activity 19 Have students imagine the reactions of the classmates at the reunion to Elena's announcement. Ask them to role-play a post-reunion discussion, using expressions such as **Todos esperábamos que... , No podía creer que... ,** etc., to express their feelings about the event.

✓ Ongoing Assessment

Rubric Activity 19 Listening/Speaking

Proficient	Not There Yet
Student takes good notes and explains what s/he has learned about Víctor Espronceda.	Student does not take good notes and cannot explain what s/he has learned about Víctor.

✓ Ongoing Assessment

@HomeTutor
More Practice
ClassZone.com

PARA Y PIENSA **Intervention** Pair students together to review the imperfect subjunctive (p. 397) and the subjunctive of perfect tenses (p. 402). If they do not have flash cards to study from, have them make a set. For additional practice, use Reteaching & Practice Copymasters URB 7, pp. 7, 9.

Differentiating Instruction

Inclusion

Clear Structure Instruct students to create an outline for Activity 20. The outline should map out what happened and vocabulary that students will need to write the letter. Then put students in pairs to address any questions they may have before writing their letters.

Pre-AP

Determine Cause and Effect Ask students to read their letters from Activity 20 aloud. After each letter, ask a series of cause and effect questions. Use the following question starters: **¿Qué pasó cuando tú... ? ¿Qué causó... ? ¿Qué pasó después?**

Answers UTB 7 Transparency 27

Activity 19 Answers will vary. See model.

Activity 20 Letters will vary. Be sure that students correctly use the preterite, imperfect subjunctive, the subjunctive of perfect tenses.

Para y piensa Answers will vary. Sample answers:
1. No podía creer que mi hermana hubiera robado mi vestido.
2. Me pareció imposible que mi abuelo bailara bien.
3. No me gustó que los niños hubieran salido temprano de la escuela.
4. Fue increíble que mis padres hubieran construido su casa.

Objectives

- Read a segment of a novel by Gabriel García Márquez.
- Find the ordinary and magical elements of the story.
- **Culture:** Gabriel García Márquez

Presentation Strategies

- Use the Para leer strategy to draw students' attention to comparing ordinary and magical elements in the story.
- Point out vocabulary notes.
- Examine Nota cultural with students.
- Read the segment of the novel and respond to questions.

STANDARDS

1.2 Understand language
2.2 Products and perspectives
3.1 Knowledge of other disciplines

 Warm Up UTB 7 Transparency 19

Indica si las oraciones con subjuntivo usan el imperfecto, el presente perfecto o el pasado perfecto.

1. Ojalá hubieran decidido actuar en el drama.
2. Era bueno que los profesores hubieran nombrado a tu amiga para la sociedad honoraria.
3. Mis amigos querían que yo fuera al centro comercial.
4. Mis padres querían que hiciéramos la tarea.
5. Es bueno que Marco haya solicitado una beca.

Answers: 1. past perfect; 2. past perfect; 3. imperfect; 4. imperfect; 5. present perfect

About the Author

Gabriel García Márquez studied journalism at the National University of Colombia in Bogotá and at the University of Cartagena. His career as a journalist lasted into the 1960s. He worked on newspapers in Colombia and served as a foreign correspondent for Bogotá's daily *El Espectador* in Rome and Paris.

 # Lectura literaria

Goal: Read this excerpt of a story about two boys who refuse to let a lack of water prevent them from enjoying their new boat. Then think about other adventures that might be possible with the power of imagination.

Para leer

ESTRATEGIA Leer
Find the "fantastic" elements Gabriel García Márquez is known for the "fantastic" and "magical" elements in his stories. Make a chart like the one below. In the first column of the chart, write the ordinary elements. In the second column write the fantastic or magical elements.

Elementos comunes	Elementos fantásticos o mágicos

Vocabulario para leer

el muelle	*lugar donde están parados los barcos*
el bote de remos	*barco pequeño sin motor*
la brújula	*instrumento para saber los puntos cardinales*
reacio(a)	*que no quiere hacer algo*
dorado(a)	*de color amarillo, como el sol*
la bombilla	*objeto que produce luz en una lámpara*
la corriente	*electricidad*

Nota cultural

Sobre el autor **Gabriel García Márquez (1928–)**
Nació en Aracataca, Colombia. Su obra más famosa, *Cien años de soledad,* se publicó en 1967. En 1982 García Márquez ganó el premio Nóbel de literatura. Sus novelas y cuentos muestran una mezcla de fantasía y realismo donde muchas veces lo fantástico parece completamente normal.

Sobre el realismo mágico El realismo mágico es una forma de ficción donde los elementos fantásticos aparecen junto a cosas reales. Todos los personajes de la obra aceptan estos elementos como realidad. Se asocia el realismo mágico con Gabriel García Márquez porque, según la mayoría de los críticos, su libro *Cien años de soledad* es considerado como una de las obras más importantes del estilo.

Differentiating Instruction

Multiple Intelligences

Visual Learners Read the Nota cultural about magic realism with the class. Ask students to point out an example of magic realism in "La luz es como el agua." Then have students draw an example of magic realism that could be used in a story about children using their imaginations.

English Learners

Provide Comprehensible Input Before asking English learners to read the excerpt from "La luz es como el agua," discuss in depth the difference between ordinary and magical elements in a story. Provide several examples of each element, using gestures and drawings as necessary. Then ask volunteers to think of examples of ordinary elements and magical elements.

Communication

Interpretive Mode

Lectura literaria Read aloud the first part of the excerpt from "La luz es como el agua" as students listen. Then ask students to read the segment a few times on their own. Encourage students to be thinking of questions they may have about the reading.

La luz es como el agua

En Navidad los niños volvieron a pedir un bote de remos.

—De acuerdo —dijo el papá—, lo compraremos cuando volvamos a Cartagena.

Totó, de nueve años y Joel, de siete, estaban más decididos de lo
5   que sus padres creían.

—No —dijeron a coro—, nos hace falta ahora y aquí.

—Para empezar —dijo la madre—, aquí no hay más aguas navegables que la que sale de la ducha.

Tanto ella como el esposo tenían razón. En la casa de
10 Cartagena de Indias había un patio con un muelle sobre la bahía[1],
y un refugio para dos yates grandes. En cambio[2], aquí en Madrid
vivían apretujados[3] en el piso quinto del número 47 del Paseo de la
Castellana. Pero al final ni él ni ella pudieron negarse, porque les
habían prometido[4] un bote de remos con su sextante[5] y su brújula
15 si se ganaban el laurel[6] del tercer año de primaria, y se lo habían

---

[1] bay   [2] **En...** however   [3] squeezed   [4] had promised
[5] sextant   [6] laurel wreath, a prize for excellence

Lección 1
cuatrocientos nueve   **409**

Differentiating Instruction

Heritage Language Learners

Literacy Skills Ask heritage speakers to read the excerpt from "La luz es como el agua" aloud in class. Assign the parts of papá, madre, Totó, Joel, and narrator if you have enough speakers. At the end of each page, ask students to explain what happened in their own words.

English Learners

Build Background Pair English learners with native English speakers. Ask partners to examine the reading selection, listing any cognates that they can find. Instruct students to also study the illustrations. Then ask students to share the cognates they found to the class. Ask volunteers to guess what they think the story is about based on the cognates and illustrations.

Objectives
· Read a segment of a novel by Gabriel García Márquez.
· Find the ordinary and magical elements of the story.

Presentation Strategy
· Continue reading excerpt and respond to questions

STANDARDS
1.2 Understand language
1.3 Present information
3.1 Knowledge of other disciplines

✓ Ongoing Assessment

Quick Check Have students use each of the words from Vocabulario para leer (p. 410) in a sentence. Then collect the sentences and read a variety of them out loud, leaving out the vocabulary words. Ask students to guess the missing words.

❖ Lectura literaria *continuación*

ganado. Así que el papá compró todo sin decirle nada a su esposa, que era la más reacia a pagar deudas[7] de juego. Era un precioso bote de aluminio con un hilo[8] dorado en la línea de flotación. ❖

20   —El bote está en el garaje —reveló el papá en el almuerzo—. El problema es que no hay cómo subirlo ni por el ascensor ni por la escalera, y en el garaje no hay más espacio disponible[9].

Sin embargo, la tarde del sábado siguiente los niños invitaron a sus condiscípulos[10] para subir el bote por las escaleras, y lograron
25   llevarlo hasta el cuarto de servicio.

—Felicitaciones —les dijo el papá— ¿Y ahora qué?

—Ahora nada —dijeron los niños—. Lo único que queríamos era tener el bote en el cuarto, y ya está[11].

La noche del miércoles, como todos los miércoles, los padres se
30   fueron al cine. Los niños, dueños y señores[12] de la casa, cerraron

❖ A pensar
¿Por qué crees que los niños quieren un bote?

---

[7] debts   [8] thin line   [9] available   [10] classmates
[11] **ya...** that's it   [12] **dueños...** lords and masters

 Reflexiona

¿Dónde vivían los niños antes? ¿Dónde viven ahora? ¿Qué diferencias hay?

410   Unidad 7 Colombia y Venezuela
cuatrocientos diez

Differentiating Instruction

Slower-paced Learners

Personalize It After students have looked for cognates, previewed new vocabulary, and read through the excerpt from "La luz es como el agua," have them close their eyes and visualize what it is like to be a child with a wonderful imagination. Discuss how an imagination can help people. Then have students draw a picture of something that they used to fantasize about when they were children.

Pre-AP

Identify Main Idea Ask students to read the entire excerpt from Gabriel García Márquez's story. Instruct students to compare the common elements with the fantastic elements of the story. Have students use the comparison to explain why the boys in the story need an imagination. Then ask students to write one or two sentences that explain the main idea of the story.

Answers

A pensar Answers will vary. Sample answer: Creo que los niños quieren un bote porque les gusta la aventura.

Reflexiona Los niños vivían en Cartagena de Indias. Ahora viven en Madrid. En Cartagena se sentían más libres. En Madrid viven en un apartamento pequeño.

410

puertas y ventanas, y rompieron la bombilla encendida de una lámpara de la sala. Un chorro [13] de luz dorada y fresca como el agua empezó a salir de la bombilla rota, y lo dejaron correr hasta que el nivel llegó a cuatro palmos [14]. Entonces cortaron la corriente,

35 sacaron el bote, y navegaron a placer [15] por entre las islas de la casa. ❆

Esta aventura fabulosa fue el resultado de una ligereza [16] mía cuando participaba en un seminario sobre la poesía de los utensilios domésticos. Totó me preguntó cómo era que la luz

40 se encendía con sólo apretar un botón, y yo no tuve el valor de pensarlo dos veces.

—La luz es como el agua —le contesté—: uno abre el grifo, y sale.

De modo que siguieron navegando los miércoles en la noche, aprendiendo el manejo [17] del sextante y la brújula, hasta que los

45 padres regresaban del cine y los encontraban dormidos como ángeles de tierra firme [18]. Meses después, ansiosos de ir más lejos, pidieron un equipo de pesca submarina. Con todo: máscaras, aletas [19], tanques y escopetas de aire comprimido [20].

....

| [13] stream | [14] palms | [15] **a...** as they pleased | [16] lighthearted comment |

[17] handling   [18] **tierra...** dry land   [19] fins

[20] **escopetas...** compressed air harpoon guns

❈ **A pensar**
¿Cuánto de realidad y de magia hay en la aventura de los niños?

PARA Y PIENSA

¿Comprendiste?

1. ¿En qué época del año ocurre el cuento?
2. ¿Qué gran diferencia geográfica hay entre Cartagena y Madrid?
3. ¿Cómo suben los niños el bote a su apartamento?
4. ¿Cómo solucionan los niños el problema de no tener aguas navegables?
5. ¿Por qué pidieron los niños el equipo de pesca submarina?

¿Y tú?

1. ¿Qué crees que pasará cuando los niños tengan su equipo de pesca submarina?
2. «La luz es como el agua» es un símil, una comparación poética. Inventa otros símiles y explica qué significan.

Lección 1
cuatrocientos once   **411**

Communication
Role-Playing and Skits

Put students into small groups. Ask the groups to write and act out a brief skit that demonstrates what happens in the story. Allow students who are very shy about speaking in front of the class to videotape their skit.

Answers

A pensar Los niños están en un bote en su apartamento, pero imaginan que están entre muchas islas y necesitan una brújula para navegar.

Para y piensa Answers may vary.

1. El cuento ocurre en la época de Navidad.
2. En Cartagena hay aguas navegables y en Madrid no.
3. Los niños suben el bote por las escaleras a su apartamento con la ayuda de sus condiscípulos.
4. Los niños cerraron las puertas y ventanas del apartamento y rompieron la bombilla encendida de una lámpara en la sala. Un chorro de luz empezó a salir de la bombilla rota como agua. Lo dejaron correr hasta que el nivel llegó a cuatro palmos. Cortaron la corriente y navegaron en bote en la casa.
5. Los niños pidieron equipo de pesca submarina para pescar de su bote.

¿Y tú? Answers will vary. Sample answers:

1. Creo que los niños van a imaginar una gran aventura cuando tengan su equipo de pesca submarina.
2. «La imaginación es una ventana a otro mundo» La imaginación le permite a una persona ir a otro lugar o tiempo.
«La nube es como algodón» Las nubes son blancas.

Differentiating Instruction

Slower-paced Learners

Sentence Completion Answering comprehension questions can be difficult for students. Help students by posting a question and an incomplete answer on an overhead. Hearing and seeing the question will help them understand what is being asked. Completing the answer will help facilitate their success and boost their confidence.

Pre-AP

Sequence Information Ask students to break down the sequence of events in the story. Instruct students to start by identifying the main idea of the passage. Then ask students to add details and events in the order that they appear in the story.

Objective
· Make a cultural connection between Venezuela and Colombia and traditional music.

Presentation Strategies
· Give students two minutes to scan/ preview the text.
· Have students read along as you (or a series of student volunteers) read the selection aloud.

STANDARDS
2.2 Products and perspectives
3.1 Knowledge of other disciplines
4.2 Compare cultures

Connections

La música

The **joropo** dance and music has roots in the traditional Spanish dance, **flamenco.** What is the style of the music and dance movements for **flamenco?** In traditional **flamenco** dance, the male dancers' steps emphasize intricate footwork and heel-tapping. Female dancers rely more on expressive movements of the hands and fingers, arms, and upper torso. The guitar is the most important sound associated with **flamenco.** The guitarist keeps the rhythm to the dancer's individual rhythm.

Answers
Proyecto tambor: África; acordeón: Europa; guitarra: Europa; cuatro: Europa; maracas: África

412

Conexiones *La música*

El joropo y la cumbia

La fusión de culturas ha resultado en una gran variedad de música y baile en Latinoamérica. Dos ejemplos muy típicos de esta mezcla de influencias son el joropo de Venezuela y la cumbia de Colombia.

El joropo tiene sus raíces en el flamenco español, particularmente con relación a los movimientos del baile. Pero también muestra una mezcla de otras influencias. Las melodías y algunos de los instrumentos musicales son indígenas, mientras que los ritmos y otros instrumentos musicales son africanos. El joropo es un baile muy popular en Venezuela y hay muchas variaciones en los estilos.

la guitarra

el tambor

La cumbia se basa en ritmos africanos, pero las melodías y los gestos son indígenas. La cumbia ha pasado por muchas etapas *(stages)*. Por ejemplo, durante los años 1950, los mambo-cumbias eran muy populares. Hoy en día, hay músicos que tocan cumbias hip-hop. Pero hay un elemento que nunca cambia; la cumbia es súper bailable y es una de las formas musicales más populares de toda Latinoamérica.

el cuatro

Proyecto Mira las fotos de algunos de los instrumentos que se usan para tocar el joropo y la cumbia y trata de adivinar *(guess)* su lugar de origen: Europa, África o las culturas indígenas de Latinoamérica.

el acordeón

las maracas

En tu comunidad

¿Hay algún baile tradicional o moderno típico de tu ciudad, estado o región? ¿Cuál es su origen? ¿Cuándo se baila?

Investiga un tipo de música o de baile muy típico de Estados Unidos. ¿Cuándo se originó? ¿Cuáles son sus influencias culturales? ¿Todavía se baila o se toca esta música? ¿Se asocian la música o el baile con algún tipo de celebración?

412 Unidad 7 Colombia y Venezuela
cuatrocientos doce

Differentiating Instruction

Multiple Intelligences

Musical/Rythmic Instruct students to listen to examples of **joropo** and **cumbia** online or at a music store. Ask them to come to class with one of the following: a recording of one or both types of music; one or two instruments that are used for the music; or a detailed explanation of the music's characteristics.

Slower-paced Learners

Yes/No Questions Pause frequently while reading the selection to check for comprehension. If students seem confused, ask yes/no questions that draw their attention to the most important details in the passage.
¿Dónde es famoso el joropo? ¿Y la cumbia? ¿Hay instrumentos africanos en estos tipos de música?

En resumen

Vocabulario y gramática

Animated Grammar

Interactive Flashcards
ClassZone.com

Vocabulario

Discuss Work and School Activities

School activities and events		Actions		Remember work	
el anuario	yearbook	actuar en un drama	to act in a play	la cuenta de ahorros	savings account
la ceremonia	ceremony	graduarse	to graduate	cuidar niños	to baby-sit
el código de vestimenta	dress code	irle bien (a alguien)	to do well (in a class)	el (la) diseñador(a) de páginas web	Web page designer
el comienzo	beginning, start	redactar	to edit	el (la) empleado(a)	employee
el comité de eventos	events committee	reflexionar	to reflect, to look back	el empleo	job
el comité estudiantil	student government	salir bien	to turn out well	los impuestos	taxes
el coro	the choir	ser miembro de	to be a member of	llenar una solicitud de empleo	to fill out a job application
el día feriado	holiday	servir de presidente(a)	to be / to serve as president	el (la) niñero(a)	babysitter
la graduación	graduation	solicitar una beca	to apply for a scholarship	repartir periódicos	to deliver newspapers
el rato libre	free time	tomar parte en	to participate, to take part in	el sueldo	salary
el recuerdo	memory			trabajar a tiempo parcial	to work part-time
la reunión	meeting			trabajar de cajero(a)	to work as a cashier
la sociedad honoraria	honor society			trabajar de salvavidas	to work as a lifeguard
el (la) tesorero(a)	treasurer				
el (la) vice-presidente(a)	vice president				

Express Past Assumptions and Emotions

anticipar	to anticipate	el estrés	stress
la esperanza	hope	estresado(a)	stressed

Relate What Others Wanted You To Do

la comida chatarra	junk food	dirigir	to lead, to direct
decidir	to decide	ponerse en forma	to get in shape
dejar de...	to quit, to give up...	tomar decisiones	to make decisions
la dieta balanceada	balanced diet		

Gramática

Imperfect Subjunctive

Expressions of hope, doubt, emotion, or opinion in the past are followed by verbs in the **imperfect subjunctive.**

To form the **imperfect subjunctive,** remove the **-ron** ending of the **ustedes/ellos(as)** preterite form and add the imperfect subjunctive endings.

Infinitive	Preterite			Endings	
tomar	tomaron	drop **-ron** +		-ra	-´ramos
saber	supieron			-ras	-rais
pedir	pidieron			-ra	-ran

The endings are the same for all **-ar, -er,** and **-ir** verbs.

Subjunctive of Perfect Tenses

Use the **present perfect subjunctive** after a verb in the present tense. You form it as follows:

haya	hayamos		
hayas	hayáis	+	past participle
haya	hayan		

Use the **past perfect subjunctive** after a verb in the past tense. You form it as follows:

hubiera	hubiéramos		
hubieras	hubierais	+	past participle
hubiera	hubieran		

Lección 1
cuatrocientos trece **413**

Online
SPANISH   **CLASSZONE.COM**

Interactive Flashcards Students can hear every target vocabulary word pronounced in authentic Spanish. Flashcards have Spanish on one side, and a picture or a translation on the other.

Featuring...

Cultura INTERACTIVA

Animated Grammar

@HomeTutor

And more...
· Get Help Online
· Interactive Flashcards
· Review Games
· WebQuest
· Conjuguemos.com

Long-term Retention

Study Tip

Have students create flashcards that reflect the content of lesson summary. Tell them that categorizing the information will help them to remember it, as will the action of writing out the words themselves.

Communication

Pair Work

Divide students into pairs. Have the pairs quiz each other using the flashcards they created. Then ask the pairs to write 15–20 sentences. The sentences should cover all new grammar in the lesson, as well as several vocabulary words.

✓ Ongoing Assessment

Quick Check Ask students to put one phrase or verb form (i.e. **haya comido**) on a small piece of paper. Collect the pieces of paper and put them all in a hat. Then have each student pick a random piece of paper out of the hat and use the phrase in a complete sentence.

Differentiating Instruction

Multiple Intelligences

Linguistic Verbal Have students write a crossword based on the terms listed under Vocabulario and Gramática on p. 413. The crossword should include many vocabulary words and use a variety of verbs forms. Students could use formats such as fill-in-the-blank or short answer. Have students switch with another classmate and complete the crossword in class.

Inclusion

Sequential Organization Ask students to write lists for each grammar point in the lesson. Each list should methodically show the order of necessary steps to create each verb form. In addition to writing the process for each grammar concept, instruct students to provide at least five complete sentences containing each structure.

Objective
- Review lesson grammar and vocabulary

Core Resources
- *Cuaderno,* pp. 306–317
- Audio Program: TXT CD 13 Track 10

Presentation Strategies
- Draw students' attention to the accomplishments listed under the ¡Llegada! banner.
- Review activities may be completed in class or as homework.

STANDARDS
- **1.2** Understand language, Act. 1
- **1.3** Present information, Act. 1, 2, 3, 4
- **2.1** Practices and perspectives, Act. 5
- **2.2** Products and perspectives, Act. 5

Warm Up   UTB 7 Transparency 19

Traduce las palabras y expresiones.
1. yearbook: _____
2. dress code: _____
3. free time: _____
4. to edit: _____
5. to fill out a job application: _____
6. junk food: _____
7. to get in shape: _____
8. to work part time: _____

Answers: 1. el anuario; 2. el código de vestimenta; 3. el rato libre; 4. editar; 5. llenar una solicitud de empleo; 6. comida chatarra; 7. ponerse en forma; 8. trabajar a tiempo parcial

✓ Ongoing Assessment
@HomeTutor More Practice ClassZone.com

Intervention and Remediation If a student has more than one mistake in any of the activities, direct him or her to the indicated review pages in the PE, and have him or her locate the information relevant to his or her mistakes. Ask him or her to make up one or two additional questions for the activity and give them to a friend to complete, checking the friend's work for accuracy.

See Activity answers on p. 415.

Lección 1
Repaso de la lección

¡LLEGADA!
@HomeTutor ClassZone.com

Now you can
- relate what others wanted you to do
- express past assumptions and emotions
- discuss work and school activities

Using
- imperfect subjunctive
- subjunctive of perfect tenses

Audio Program
TXT CD 13 Track 10, Audio Script, TE, p. 389B

To review
- vocabulary pp. 392–393
- imperfect subjunctive p. 397

AUDIO

1 Listen and understand

Tomás Azuela es el secretario del comité estudiantil. Escucha las notas que tomó en la última reunión. Haz una lista de las actividades que el comité decidió apoyar. Haz otra lista con las actividades que no decidió apoyar y explica por qué.

To review
- imperfect subjunctive p. 397

2 Relate what others wanted you to do

Lee lo que hicieron las siguientes personas. ¿Quién crees que quería que hicieran esas cosas?

modelo: Julio hizo un análisis del libro.
La maestra de literatura quería que Julio hiciera un análisis del libro.

1. María diseñó una página web.
2. Los tíos cuidaron a los niños.
3. Tú repartiste periódicos.
4. Yo trabajé de cajero(a).
5. Nosotros narramos el cuento.

To review
- present perfect subjunctive p. 402

3 Express past assumptions and emotions

Mira los siguientes comentarios y expresa tus dudas. Sigue el modelo.

modelo: Lorenzo ha cuidado a los niños de Antonio Banderas.
Dudo que Lorenzo haya cuidado a los niños de Antonio Banderas.

1. Yo he dejado de comer comida chatarra.
2. Mis amigos se han graduado del colegio a la edad de doce años.
3. Los estudiantes del colegio han pedido un código de vestimenta.
4. Nosotros hemos redactado el anuario en solamente una semana.

Differentiating Instruction

Slower-paced Learners

Read Before Listening Show students the script for Activity 1. Ask students to read the script on their own and highlight any parts that they do not understand. Review trouble spots as a class. Then ask students to put away the script, listen to the audio, and answer the questions. Assist students if they do not comprehend the directions.

English Learners

Increase Interaction Work with English learners to ensure that they understand most of the grammar concepts and vocabulary. Allow sufficient wait time for English learners to answer. If an English learner has difficulty answering a question, ask another student for the answer, or answer the question yourself.

4 Remember work and school activities

To review
• past perfect subjunctive p. 402

Haz oraciones completas sobre las actividades del año pasado. Sigue el modelo.

modelo: para graduarte era importante / completar unos cursos
Para graduarte, era importante que hubieras completado unos cursos.

1. para solicitar una beca universitaria era necesario / los estudiantes graduarse del colegio
2. para ponerse en forma era imprescindible / usted seguir una dieta balanceada
3. para evitar el estrés era una buena idea / nosotros hacer ejercicio y ponernos en forma
4. para trabajar en el anuario era lógico / tú escribir y redactar artículos para el periódico estudiantil
5. para trabajar de cajero era mejor / los empleados tener experiencia trabajando en un restaurante

5 Television and celebrations

To review
• Comparación cultural pp. 399–404

Comparación cultural

1. ¿Qué tipo de programa de televisión venezolano tiene fama mundial?
2. ¿En qué países se ven?
3. ¿Qué ciudad colombiana tiene una celebración de carnaval famosa?
4. ¿Cuáles son los orígenes de la celebración? ¿Cuánto tiempo dura esa celebración?

 **Get Help Online**
ClassZone.com

Más práctica Cuaderno *pp. 306–317* Cuaderno para hispanohablantes *pp. 308–317*

Unidad 7 Lección 1
REPASO DE LA LECCIÓN

✓ Ongoing Assessment

Peer Assessment Have students work individually and then pair up with a partner after each activity to check their answers.

Answers UTB 7 Transparency 27

Answers for Activities on pp. 414, 415.

Activity 1 *Decidió apoyar:* organizar un baile, mejorar la comida de la cafetería
No decidió apoyar: juntar fondos para una beca (porque eran los últimos meses del año académico), comprar una cámara digital (porque podían usar la del profesor de arte)

Activity 2 Answers will vary. Sample answers:
1. El maestro de tecnología quería que María diseñara una página Web.
2. Las tías querían que los tíos cuidaran a los niños.
3. Tu madre quería que repartieras periódicos.
4. Mi padre quería que yo trabajara de cajera.
5. El maestro de literatura quería que narráramos el cuento.

Activity 3 Answers will vary. Sample answers:
1. Dudo que hayas dejado de comer comida chatarra.
2. No creo que mis amigos se hayan graduado del colegio a la edad de doce años.
3. Es improbable que los estudiantes del colegio hayan pedido un código de vestimenta.
4. Dudo que hayan redactado el anuario en solamente una semana.

Activity 4
1. Para solicitar una beca universitaria, era necesario que los estudiantes se hubieran graduado del colegio.
2. Para ponerse en forma, era imprescindible que hubiera seguido una dieta balanceada.
3. Para evitar el estrés, era una buena idea que hubiéramos hecho ejercicio y nos hubiéramos puesto en forma.
4. Para trabajar en el anuario, era lógico que hubieras escrito y redactado artículos para el periódico estudiantil.
5. Para trabajar de cajero, era mejor que los empleados hubieran tenido experiencia trabajando en un restaurante.

Activity 5
1. Las telenovelas venezolanas tienen fama mundial.
2. Las telenovelas se ven en Latinoamérica, Turquía, Mongolia, Egipto, Israel y muchos otros países.
3. La ciudad de Barranquilla, en Colombia, tiene una celebración de carnaval famosa.
4. El carnaval tiene orígenes religiosos. La celebración dura una semana antes de la Cuaresma.

Differentiating Instruction

Pre-AP

Timed Answer Provide students with many opportunities to practice the content of the lesson. Ask culture questions from the Repaso section or make up your own questions. You could also recite sentences that omit verb phrases or vocabulary. Give students 5–15 seconds to respond to you, depending on their proficiency and the difficulty of the question.

Slower-paced Learners

Peer-study Support Pair high-proficiency students with low-proficiency students. Have the pairs review Activities 1–5 together. Have stronger students show their partners how to correct and understand their mistakes. High proficiency students should then spend time tutoring their partners in areas that appeared to be particularly difficult for them.

415

Lesson Overview

Culture at a Glance ❖

Topic & Activity	Essential Question
Día de graduación, p. 416	¿Por qué se celebra la graduación escolar con una ceremonia?
Los retratos de Fernando Botero, p. 425	¿Cómo influye la intuición de un artista en su estilo?
Universidades, p. 430	¿Qué influencia tiene la historia en la educación de un país?
«El esqueleto de visita», por Evelio Rosero Diago, pp. 434–437	¿Cómo puede afectar una historia a sus lectores?
Culture review: Professions and universities, p. 441	¿Cómo preparan las universidades a la gente para sus profesiones?

Practice at a Glance ❖

	Objective	Activity & Skill
Vocabulary	Colleges and technical schools	4: Reading / Speaking / Writing; 10: Reading / Speaking / Writing; 14: Speaking / Writing; 17: Reading / Speaking / Writing
	Additional professions	1: Speaking / Writing; 2: Speaking / Writing; 5: Speaking / Writing; 6: Writing; 9: Speaking; 18: Listening / Speaking / Writing; 20: Reading / Listening / Speaking; 21: Writing; Repaso 1: Listening; Repaso 2: Speaking; Repaso inclusivo1: Listening / Speaking / Writing
	Starting a business	3: Speaking / Writing; 14: Speaking / Writing; Repaso inclusivo 5: Speaking / Writing
Grammar	Skills, interests, and values	2: Speaking / Writing; 4: Reading / Speaking / Writing; 5: Speaking / Writing; 7: Speaking / Writing; 11: Reading / Speaking / Writing; 18: Listening / Speaking /Writing; Repaso inclusivo6: Speaking / Writing
	Si clauses	7: Speaking / Writing; 8: Listening / Speaking / Writing; 9: Speaking; 10: Reading / Speaking / Listening; 11: Reading / Speaking / Writing; 12: Speaking / Writing; 13: Speaking / Writing; 20: Reading / Listening / Speaking; Repaso 2: Speaking; Repaso 3: Speaking / Writing
	Sequence of tenses	14: Speaking / Writing; 15: Speaking; 16: Writing; 17: Reading / Speaking / Writing; 18: Listening / Speaking / Writing; 19: Speaking / Writing; Repaso 4: Writing
Communication	Talk about career possibilities	2: Speaking / Writing; 5: Speaking / Writing; 6: Writing; 13: Speaking / Writing; 19: Speaking / Writing; 21: Writing
	Hypothesize	7: Speaking / Writing; 8: Listening / Speaking / Writing; 9: Speaking; 10: Reading / Speaking / Writing; 20: Reading / Listening / Speaking; Repaso 3: Speaking / Writing; Repaso inclusivo2: Writing / Speaking
	Narrate in the past	15: Speaking; 16: Writing; 17: Reading / Speaking / Writing
	Pronunciation: The letter **t**	*Pronunciación: La letra **t**,* p. 429: Listening / Speaking
Recycle	Impersonal expressions with subjunctive	2: Speaking / Writing
	Conditional tense, future tense	3: Speaking / Writing; 6: Writing
	Architectural structures	8: Listening / Speaking / Writing

The following presentations are recorded in the Audio Program for *¡Avancemos!*

- **¡A responder!** *p. 419*
- **8: ¿Qué hago?** *p. 424*
- **20: Integración** *p. 433*
- **Repaso de la lección** *p. 440*
  1: Listen and understand
- **Repaso inclusivo** *p. 446*
  1: Escucha, comprende y contesta

¡A responder! TXT CD 14 track 2

1. agente de bolsa: motivado, honrado, puntual
2. arquitecto: animado, fiable, eficiente
3. gerente: educado, puntual, versátil
4. profesor: apasionado, educado, animado
5. médico: cualificado, puntual, fiable
6. juez: versátil, flexible, honrado
7. contador: apasionado, honesto, eficiente

8 | ¿Qué hago? TXT CD 14 track 4

modelo: La Catedral de Toledo tiene la colección de El Greco.
Si voy a la Catedral, podré ver la colección de El Greco.

1. El Alcázar es una fortaleza histórica con una vista fabulosa.
2. Las sinagogas de El Tránsito y Santa María La Blanca son importantísimos templos medievales.
3. El monasterio de San Juan de los Reyes es un bello edificio.
4. El Museo Sefardí tiene una colección de arqueología judía.
5. En Toledo hay mucha arquitectura árabe.

20 | Integración TXT CD 14 track 9

Fuente 2, Anuncios por la radio

Estimados radioyentes:

Éstas son las oportunidades de trabajo que hay esta semana en nuestra ciudad. Primero, el gerente de una empresa internacional busca contratar a alguien con experiencia en administración. Si hablara inglés o francés sería ideal. Si le interesa, debe llamar al Sr. Olmedo al 51-51-51.

La segunda oportunidad es para una oficina de arquitectos. Necesitan a alguien que pueda diseñar una página web. Debe tener experiencia con diseño. También es importante que pueda relacionarse con el público. Si le interesa, llame al 52-52-52.

Finalmente, una nueva agencia de traductores busca a alguien con experiencia en la administración de empresas y relaciones públicas. Debe hablar al menos otra lengua además del español. Debe ser puntual y eficiente. Si tiene experiencia en la traducción sería una ventaja. Si quiere solicitar este trabajo, llame al 53-53-53.

Y ahora, sigamos con las noticias del día.

Repaso de la lección TXT CD 14 track 11

1 Listen and understand

Buenos días. Muchas gracias por invitarme a hablar con Uds. sobre mi profesión, que es la traducción médica. Supongo que algunos de Uds. estudian lenguas extranjeras. Pues, mientras que yo asistía al colegio, descubrí los idiomas. Estudiaba el inglés y el francés y me encantaban. No conocía a nadie que tuviera un interés igual al mío. Mis amigos y parientes todos me recomendaron que estudiara algo más "práctico". Dudaban que pudiera encontrar trabajo en el campo de los idiomas, sólo enseñar en un colegio o una universidad y entonces había mucha competición para esos trabajos. Siempre me había interesado la medicina y mis padres querían que yo fuera médica. Me gustaban las ciencias, pero realmente no tenía el deseo de trabajar como médica o enfermera. No sabía qué hacer...

Al final, fui a la universidad. Para complacer a mis padres seguí estudiando las ciencias, pero también seguía estudiando el inglés y el francés. Además, empecé a estudiar el alemán. Cuando me gradué, había sacado dos títulos – uno en ciencias y otro en idiomas. Todavía no sabía qué hacer y pensaba solicitar una beca para estudiar medicina. Eso era lo que mis padres querían que hiciera. Pero un día conocí a un hombre que trabajaba de traductor. Él me recomendó que combinara mis especialidades y trabajara de traductora médica. Eso es lo que hice. Ahora tengo mi propia empresa y hacemos traducciones médicas en quince lenguas. Me encanta el trabajo. Si les pudiera ofrecer solamente una sugerencia, sería la de estudiar lo que realmente les interese. Es importante que en el futuro Uds. tengan un trabajo que les guste. Entonces pueden estar seguros de que su trabajo futuro les interesará y que estarán satisfechos profesionalmente.

Repaso inclusivo TXT CD 14 track 13

1 Escucha, comprende y contesta

Tía: Hola, Carmen. ¿Cómo estás hoy?
Carmen: Muy bien, Esmeralda, gracias, ¿y tú?
Tía: Estupendamente bien. He recibido unas cartas interesantísimas esta semana.
Carmen: Bueno, ¿quieres leernos alguna?
Tía: ¡Con gusto! Esta viene de una joven con problemas de empleo: Querida Tía Esmeralda, «Soy estudiante en el colegio pero también tengo un trabajo de tiempo parcial de cajera en una tienda de ropa. Mi familia no es rica y mi trabajo es una ayuda. Además, tengo un buen descuento en la tienda y así compro mi ropa a mejor precio. Pues, el problema es el siguiente. Una vecina me ha pedido que cuide a su hijita los sábados por la noche. Me gustaría ayudar pero trabajo todos los sábados en la tienda y el sábado por la noche es la única oportunidad que tengo para estar con mis amigos y amigas. Durante la semana tengo tareas y los domingos siempre hacemos cosas en casa con la familia. Por favor, ayúdame Tía. No sé qué hacer. Quiero ayudar a nuestra vecina y me gustaría ganar más dinero pero temo que no tenga tiempo para hacer otras cosas.» —Ocupadísima
Carmen: Pues, sí la pobre tiene que tomar una decisión difícil, ¿verdad? ¿Qué le recomendaste, Esme?
Tía: Bueno, yo le dije que no aceptara el trabajo de niñera porque ya tiene suficiente con su trabajo de cajera y sus estudios. Si trabaja más no tendrá tiempo ni energía para nada.
Carmen: Pues, no estoy de acuerdo. Yo creo que sería una buena experiencia para ella y ganaría un poco más de dinero. Podría pedir a la vecina que sea sólo dos veces por mes. Así no pierde la experiencia, el dinero o el tiempo para sus amigos y amigas.
Tía: Ay, Carmen, pero es una chica joven. Necesita sus ratos libres también.
Carmen: ¡Qué va! Debe trabajar, empezar una cuenta de ahorros y pensar en su futuro.

Complete Resource List

On your desktop

Everything you need to ...

Plan	Present	Assess
ONE-STOP PLANNER	**POWER PRESENTATIONS**	 **ONLINE ASSESSMENT SYSTEM**
All resources including audio and video	Ready-made PowerPoint™ presentations with  **Animated Grammar**	✓ Create customized tests with Examview Assessment Suite ✓ Individualized Assessment for on-level, modified, pre-AP, and heritage language learners

Print

Plan	Present	Practice	Assess
URB 7 • Video Scripts p. 54 • Family Involvement Activity p. 76 • Absent Student Copymasters pp. 85–95 **Lesson Plans** p. 137 **Best Practices Toolkit**	**URB 7** • Video Activities pp. 51–52 **TPRS** pp. 92–98	• *Cuaderno* pp. 318–343 • *Cuaderno para hispanohablantes* pp. 318–343 • *Lecturas para todos* pp. 87–94 • *Lecturas para hispanohablantes* • *¡AvanzaCómics!, Mundos paralelos, Episodio 3* **URB 7** • Practice Games pp. 39–46 • Audio Scripts pp. 60–66 • Fine Art Activities pp. 72–73	**URB 7** • Did you get it? Reteaching and Practice Copymasters pp. 13–22

Unit Transparency Book 7

Culture	Presentation and Practice	Classroom Management
• Atlas Maps UTB 1, 1–6 • Fine Art Transparencies 4, 5	• Vocabulary Transparencies 8, 9 • Grammar Presentation Transparencies 12, 13 • Situational Transparencies and label overlay 14, 15 • Situational Student Copymasters pp. 1–2	• Warm Up Transparencies 20–23 • Student Book Answer Transparencies 28–31

Audio and Video

Audio	Video
• Student Book Audio CD 14 Tracks 1–13 • Workbook Audio CD 4 Tracks 11–20 • Heritage Learners Audio CD 2 Tracks 21–24, CD 6 Tracks 7–18 • Assessment Audio CD 4 Tracks 7–18 • *Lecturas para todos* Audio CD 2 Track 5, CD 3 Tracks 1–5 • *Música del mundo hispano*	• *El Gran Desafío* DVD 3

Online (ClassZone.com) and Media Resources

Student	Teacher
Available online and on disc: • eEdition (DVD-ROM) and eEdition Interactive Online Student Edition • @HomeTutor (CD-ROM) - featuring Animated Grammar **Available online:** • Conjuguemos.com • Cultura interactiva • Culture Links • WebQuests • Flashcards • Review Games • Self-check Quiz	**One-Stop Planner (available online and on DVD-ROM):** • Interactive Teacher's Edition • All print resources • All audio and video resources • Learning Scenarios • Conversation Cards • Assessment Program • Examview Assessment Suite • Calendar Planner • Rubric Generator **Available on CD-ROM:** • Power Presentations

Differentiated Assessment

On-level	Modified	Pre-AP	Heritage Learners
• Vocabulary Recognition Quiz p. 325 • Vocabulary Production Quiz p. 326 • Grammar Quizzes pp. 327–328 • Culture Quiz p. 329 • On-level Lesson Test pp. 330–336 • On-level Unit Test pp. 342–348	• Modified Lesson Test pp. 254–260 • Modified Unit Test pp. 266–272	• Pre-AP Lesson Test pp. 254–260 • Pre-AP Unit Test pp. 266–272	• Heritage Learners Lesson Test pp. 260–266 • Heritage Learners Unit Test pp. 272–278

Core Pacing Guide

	Objectives/Focus	Teach	Practice	Assess/HW Options
DAY 1	**Culture:** Learn about Colombian and Venezuelan culture **Vocabulary:** career possibilities, activities at school or after school • Warm Up OHT 20 **5 min**	Lesson Opener pp. 416–417 **Presentación de vocabulario pp. 418–419** • Read A–B • Play audio TXT CD 14 track 1 • *¡A responder!* TXT CD 14 track 2 **25 min**	Lesson Opener pp. 416–417 **Práctica de vocabulario** p. 420 • Acts. 1, 2, 3 **15 min**	**Assess:** *Para y piensa* **5 min** p. 420 **Homework:** *Cuaderno* pp. 318–320 @HomeTutor
DAY 2	**Communication:** talk about careers and professions • Warm Up OHT 20 • Check Homework **5 min**	**Vocabulario en contexto** pp. 421–422 • *Contexto 1* TXT CD 14 track 3 **20 min**	**Vocabulario en contexto** pp. 421–422 • Acts. 4, 5, 6 **20 min**	**Assess:** *Para y piensa* p. 422 **5 min** **Homework:** *Cuaderno* pp. 318–320 @HomeTutor
DAY 3	**Grammar:** **si** clauses • Warm Up OHT 21 • Check Homework **5 min**	**Presentación de gramática** p. 423 • si clauses **Práctica de gramática** pp. 424–425 **Culture:** *Los retratos de Fernando Botero* **20 min**	**Práctica de gramática** pp. 424–425 • Acts. 7, 9, 10 • Act. 8 TXT CD 14 track 4 **20 min**	**Assess:** *Para y piensa* p. 425 **5 min** **Homework:** *Cuaderno* pp. 321–323 @HomeTutor
DAY 4	**Communication:** use **si** clauses to speculate about your abilities and future plans • Warm Up OHT 21 • Check Homework **5 min**	**Gramática en contexto** p. 426–427 • *Contexto 2* TXT CD 14 track 5 **15 min**	**Gramática en contexto** 426–427 • Acts. 11, 12, 13 **25 min**	**Assess:** *Para y piensa* p. 427 **5 min** **Homework:** *Cuaderno* pp. 321–323 @HomeTutor
DAY 5	**Grammar:** sequence of tenses •Warm Up OHT 22 • Check Homework **5 min**	**Presentación de gramática** p. 428 • sequence of tenses **Práctica de gramática** pp. 429–430 • *Pronunciación* TXT CD 14 track 6 **15 min**	**Práctica de gramática** pp. 429–430 • Acts. 14, 15, 16, 17 **25 min**	**Assess:** *Para y piensa* p. 430 **5 min** **Homework:** *Cuaderno* pp. 324–326 @HomeTutor
DAY 6	**Communication:** Culmination: talk about your plans and ideas for the future • Warm Up OHT 22 • Check Homework **5 min**	**Todo junto** pp. 431–433 • *Contextos 1, 2: Resumen* •*Contexto 3* TXT CD 14 track 7 **15 min**	**Todo junto** pp. 431-433 • Acts. 18, 20 TXT CD 14 tracks 7, 8, 9 • Acts. 19, 21 **25 min**	**Assess:** *Para y piensa* p. 433 **5 min** **Homework:** *Cuaderno* pp. 327–328 @HomeTutor
DAY 7	**Reading:** *El esqueleto de visita* **Writing:** *Reflexiones sobre el año pasado* **Review:** Lesson review • Warm Up OHT 23 • Check Homework **5 min**	**Lectura literaria** pp. 434–437 • *El esqueleto de visita*, TXT CD 14 track 10 **Escritura** p. 438 • *Reflexiones sobre el año pasado* **Repaso de la lección** pp. 440–441 **20 min**	**Lectura literaria** pp. 434–437 • *El esqueleto de visita* **Escritura** p. 438 • *Reflexiones sobre el año pasado* **Repaso de la lección** pp. 440–441 • Act. 1 TXT CD 14 track 11 • Acts. 2, 3, 4, 5 **20 min**	**Assess:** *Para y piensa* p. 437 **5 min** *Repaso de la lección* pp. 440–441 **Homework:** *En resumen* p. 439 *Cuaderno* pp. 329–340 Review Games Online @HomeTutor
DAY 8	**Assessment**			**Assess:** Lesson 2 or Unit 7 test **50 min**
DAY 9	**Unit culmination**	**Comparación cultural** pp. 442–443 • TXT CD 14 track 12 **El Gran Desafío** pp. 444–445 • Show video DVD 3 **Repaso inclusivo** pp. 446–447 **15 min**	**Comparación cultural** pp. 442–443 **El Gran Desafío** pp. 444–445 **Repaso inclusivo** pp. 446–447 • Act. 1 TXT CD 14 track 13 • Acts. 2, 3, 4, 5, 6, 7 **25 min**	**Assess:** *Cuaderno* pp. 341–343 **5 min**

	Objectives/Focus	Teach	Practice	Assess/HW Options
DAY 1	**Culture:** Learn about Colombian and Venezuelan culture **Vocabulary:** career possibilities, activities at school or after school • Warm Up OHT 20 **5 min**	Lesson Opener pp. 416–417 **Presentación de vocabulario** pp. 418–419 • Read A–B • Play audio TXT CD 14 track 1 • *¡A responder!* TXT CD 14 track 2 **25 min**	Lesson Opener pp. 416–417 **Práctica de vocabulario** p. 420 • Acts. 1, 2, 3 **15 min**	**Assess:** *Para y piensa* p. 420 **5 min**
	Communication: talk about careers and professions **5 min**	**Vocabulario en contexto** pp. 421–422 • *Contexto 1* TXT CD 14 track 3 **15 min**	**Vocabulario en contexto** pp. 421–422 • Acts. 4, 5, 6 **15 min**	**Assess:** *Para y piensa* p. 422 **5 min** **Homework:** *Cuaderno* pp. 318–320 @HomeTutor
DAY 2	**Grammar: si** clauses • Warm Up OHT 21 • Check Homework **5 min**	**Presentación de gramática** p. 423 • **si** clauses **Práctica de gramática** pp. 424–425 **Culture:** *Los retratos de Fernando Botero* **15 min**	**Práctica de gramática** pp. 424–425 • Acts. 7, 9, 10 • Act. 8 TXT CD 14 track 4 **20 min**	**Assess:** *Para y piensa* p. 425 **5 min**
	Communication: use si clauses to speculate about your abilities and future plans **5 min**	**Gramática en contexto** p. 426–427 • *Contexto 2* TXT CD 14 track 5 **15 min**	**Gramática en contexto** p. 426–427 • Acts. 11, 12, 13 **20 min**	**Assess:** *Para y piensa* p. 427 **5 min** **Homework:** *Cuaderno* pp. 321–323 @HomeTutor
DAY 3	**Grammar:** sequence of tenses •Warm Up OHT 22 • Check Homework **5 min**	**Presentación de gramática** p. 428 • sequence of tenses **Práctica de gramática** pp. 429–430 • *Pronunciación* TXT CD 14 track 6 **15 min**	**Práctica de gramática** pp. 429–430 • Acts. 14, 15, 16, 17 **20 min**	**Assess:** *Para y piensa* p. 430 **5 min**
	Communication: Culmination: talk about your plans and ideas for the future **5 min**	**Todo junto** pp. 431–433 • *Contextos 1, 2: Resumen* • *Contexto 3* TXT CD 14 track 7 **15 min**	**Todo junto** pp. 431–433 • Acts. 18, 20 TXT CD 14 tracks 7, 8, 9 • Acts. 19, 21 **20 min**	**Assess:** *Para y piensa* p. 433 **5 min** **Homework:** *Cuaderno* pp. 324–328 @HomeTutor
DAY 4	**Reading:** *El esqueleto de visita* **Writing:** *Reflexiones sobre el año pasado* • Warm Up OHT 23 • Check Homework **5 min**	**Lectura literaria** pp. 434–437 • El esqueleto de visita, TXT CD 14 track 10 **Escritura** p. 438 • *Reflexiones sobre el año pasado* **15 min**	**Lectura literaria** pp. 434–437 • *El esqueleto de visita* **Escritura** p. 438 • *Reflexiones sobre el año pasado* **20 min**	**Assess:** *Para y piensa* p. 437 **5 min**
	Review: Lesson review **5 min**	**Repaso de la lección** pp. 440–441 **15 min**	**Repaso de la lección** pp. 440–441 • Act. 1 TXT CD 14 track 11 • Acts. 2, 3, 4, 5 **20 min**	**Assess:** *Repaso de la lección* **5 min** **Homework:** *En resumen* p. 439 *Cuaderno* pp. 329–340 (optional) Review Games Online @HomeTutor
DAY 5	**Assessment**			**Assess:** Lesson 2 or Unit 7 test **45 min**
	Unit culmination	**Comparación cultural** pp. 442–443 • TXT CD 14 track 12 **El Gran Desafío** pp. 444–445 • Show video DVD 3 **Repaso inclusivo** pp. 446–447 **15 min**	**Comparación cultural** pp. 442–443 **El Gran Desafío** pp. 444–445 **Repaso inclusivo** pp. 446–447 • Act. 1 TXT CD 14 track 13 • Acts. 2, 3, 4, 5, 6, 7 **20 min**	**Assess:** *Cuaderno* pp. 341–343 **5 min**

¡AVANZA! **Objectives**

- Introduce lesson theme: **Nuevos principios**
- **Culture:** schools, professions, and art in Colombia and Venezuela

Presentation Strategies

- Make note of the ¡Avanza! objectives
- Discuss relationship between photograph and lesson theme

STANDARD

2.2 Practices and perspectives

 Warm Up UTB 7 Transparency 20

Empareja la parte de la oración de la primera columna con la conclusión lógica de la segunda columna.

1. El examen de historia fue ayer. Dudo que...

2. El entrenador de fútbol quería que...

3. Yo no había participado antes en el comité estudiantil y no creía que...

4. Sólo tenía trece años al venir al colegio. Temía que...

a. me perdiera por los pasillos.

b. se divirtieran tanto en las reuniones.

c. el profesor ya tuviera tiempo para calificarlo.

d. yo ayudara con las estadísticas del equipo.

Answers: 1. c; 2. d; 3. b; 4. a

Comparación cultural

Exploring the Theme

Ask the following:

1. ¿Puedes nombrar algunos artistas colombianos?
2. ¿Crees que son diferentes los sistemas universitarios de Norteamérica y Sudamérica? ¿Por qué?

¿Qué ves? Possible answers:

- Los estudiantes están felices.
- Tienen sus diplomas.
- Se especializaron en ciencias.

416

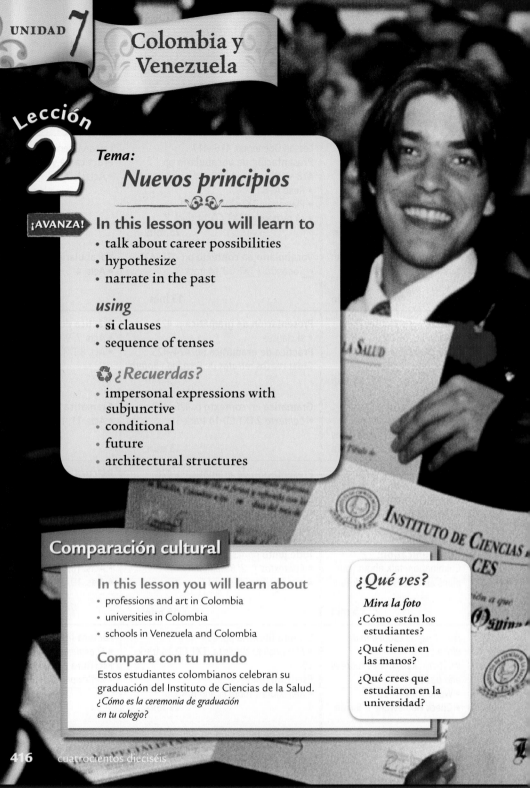

LECCIÓN 2

Tema:

Nuevos principios

¡AVANZA! **In this lesson you will learn to**

- talk about career possibilities
- hypothesize
- narrate in the past

using

- **si** clauses
- sequence of tenses

¿Recuerdas?

- impersonal expressions with subjunctive
- conditional
- future
- architectural structures

Comparación cultural

In this lesson you will learn about

- professions and art in Colombia
- universities in Colombia
- schools in Venezuela and Colombia

Compara con tu mundo

Estos estudiantes colombianos celebran su graduación del Instituto de Ciencias de la Salud. *¿Cómo es la ceremonia de graduación en tu colegio?*

¿Qué ves?

Mira la foto

¿Cómo están los estudiantes?

¿Qué tienen en las manos?

¿Qué crees que estudiaron en la universidad?

416 cuatrocientos dieciséis

Differentiating Instruction

Multiple Intelligences

Linguistic/Verbal When reading through the ¡Avanza! goals, ask students what they think a **si** clause refers to. Remind students of the difference between **sí** and **si,** and ask if they can think of an example of a **si** clause in English or Spanish.

Pre-AP

Draw Conclusions Encourage students to look on the Internet to find out about schools and universities in Colombia and Venezuela. Have them use the future of probability to guess what the schools must be like, based on what they already know about the two countries and what they have learned about schools in other Latin American countries.

Online SPANISH CLASSZONE.COM

Featuring...
Cultura INTERACTIVA
Animated Grammar
@HomeTutor

And more...
• Get Help Online
• Interactive Flashcards
• Review Games
• WebQuest
• Conjuguemos.com

Ceremonia de graduación,
Medellín, Colombia

TUTO DE CIENCIAS DE LA SALUD
CES

En atención a que
Elena Navarro Restrepo

...pletado todos los requisitos académicos
...tatutos universitarios para optar al Título de

Colombia y Venezuela
cuatrocientos diecisiete **417**

Online SPANISH CLASSZONE.COM

WebQuest Provides step-by-step guidance for your students to help them explore this unit's theme and location online. Students are given a task and a set of pre-approved links to conduct research, answer questions, and submit their findings to the class.

Featuring...
Cultura INTERACTIVA
Animated Grammar
@HomeTutor

And more...
• Get Help Online
• Interactive Flashcards
• Review Games
• WebQuest
• Conjuguemos.com

Using the Photo

Location Information

Colombia As well as attending regular secondary schools, Colombian students have the option to attend public trade schools where they learn skills for business, nursing, art, home economics, and theology.

Expanded Information

Exams Colombia has a series of exams built into the education system. Since 1970, students are given evaluations at various grade levels through an achievement test called **SABER.** High school graduates are required to take an exam called **Validación del Bachillerato Académico,** which consists of testing in five areas: language (Spanish), math, social science, natural sciences, and an elective. In order to apply to universities, students must take the **Examen del Estado.**

Connections
Geography

There are a number of universities in Bogotá, as well as in Medellín, Barranquilla, Cartagena, Popayán, and Cali. Have students find these cities on a map of Colombia.

Communication
Regionalisms

Some regions use the word **promoción** instead of **graduación.**

Differentiating Instruction

Slower-paced Learners

Personalize It Have students use the conditional tense to tell what they would do if they were included in the picture, graduating. Ask, ¿Tirarían los gorros? ¿Llevarían ropa elegante debajo de la túnica o ropa deportiva? ¿Cómo se sentirían?

English Learners

Build Background Explain that in many countries (United States included) it is traditional for graduates to toss their hats into the air at the conclusion of a commencement ceremony. Ask students if there are any similar traditions in their places of origin, or how else students might celebrate finishing school.

Objectives
· Present vocabulary: career possibilities
· Check for recognition

Core Resource
· Audio Program: TXT CD 14 Tracks 1, 2

Presentation Strategies
· Have students read the text in pairs or small groups.
· Listen to the audio after students have an idea of the contents of the web site.
· Pause the audio to ask comprehension questions periodically.

STANDARD
1.2 Understand language

Communication

Interpretive Mode

As you read the selection on this page, be aware of terms that have less contextual support than others, and elaborate on their meanings so that students don't have to resort to the glossary to figure them out. Many of the adjectives used, for example, are cognates, but **fiable** is a little more difficult. You might pause to give an example referring to something concrete, such as: **el reloj en la pared siempre (o nunca) está correcto; (no) es fiable.**

Long-term Retention

Interest Inventory

Direct students' attention to the icons for links to various departments at the bottom of the screen. Ask which they would click on first when trying to find out if a college was right for them: **Contabilidad y Administración de empresas; Relaciones públicas; Idiomas; Ingeniería; Derecho** or **Economía.** Have all students ask at least three classmates. Gather feedback at the end of the activity to estimate which department's page would get the most hits.

Presentación de VOCABULARIO

Goal: Learn new words for talking about career possibilities. Then practice by talking about activities at school or outside of school that interest you. *Actividades 1–3*

♻ *¿Recuerdas?* Impersonal expressions with subjunctive p. 183, Conditional p. 303

AUDIO

A Hola, soy Guille y tengo un problema. No sé qué hacer después de graduarme. Por eso estoy buscando información en algunos sitios web de **universidades** para ver qué me interesa. Yo sé que es muy importante **seguir una carrera** y **especializarme** en algo que me guste, porque tener **un título** es fundamental para mi futuro como profesional.

HTTP://www.universidad-autónoma-de-viejalinda.ve

UNIVERSIDAD AUTÓNOMA DE VIEJALINDA

En la Universidad Autónoma de Viejalinda tú puedes ser lo que quieras: ingeniero, traductor o dueño de una empresa. ¡Si quieres convertirte en un profesional eficiente, cualificado y versátil, nuestra universidad es el lugar ideal!

Enseñamos más de cincuenta carreras y especialidades. Nuestras facultades contratan a los profesores más cualificados y apasionados de todo el país.

Usamos las estrategias más flexibles y fiables para enseñar y nuestros alumnos son educados, honestos y motivados. Además, nuestra escuela técnica ha podido establecer una calidad muy alta en sus especialidades más populares.

NUESTRAS ESPECIALIDADES Y CARRERAS MÁS POPULARES

Contabilidad y Administración de empresas | Relaciones públicas | Idiomas | Ingeniería | Derecho | Economía

---

Differentiating Instruction

Multiple Intelligences

Intrapersonal Many students can relate to Guille's uncertainty about choosing a college and a major. Ask students which of his statements they feel applies to them most when they think about college (**no sé qué hacer; estoy buscando información; quiero especializarme en algo que me guste; tener un título es fundamental...**).

Pre-AP

Vary Vocabulary Introduce to the list of departments (shown as links at the bottom of the Web page) the terms **filología** or **letras, bellas artes, comunicaciones,** and **informática,** as well as any other areas of study requested by students.

B Éstos son algunos de nuestros alumnos más **destacados**.

Mirta Contreras es
una mujer de negocios.

María Perdomo es
dentista.

Miguel Cabrera es **juez**.

Luisa Rodríguez es
contadora.

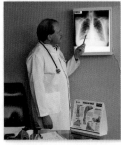
Andrés Ruiz es
médico.

Orlando Sánchez es
arquitecto.

Más vocabulario

el (la) abogado(a) *lawyer*
el (la) agente de la bolsa *stockbroker*
animado(a) *animated, upbeat*
el curso *course*
el (la) enfermero(a) *nurse*
el (la) gerente *manager*

honrado(a) *honest, honorable*
la iniciativa *initiative*
el (la) peluquero(a) *hairdresser*
el plan financiero *financial plan*
puntual *punctual*

Expansión de vocabulario p. R15
Ya sabes p. R15

¡A responder! Escuchar

Vas a oír el nombre de una profesión y luego una lista de adjetivos. Si el adjetivo describe una cualidad que es importante para la profesión, indícalo con el dedo pulgar hacia arriba, si no, indícalo con el dedo pulgar hacia abajo.

@HomeTutor
Interactive Flashcards
ClassZone.com

Lección 2
cuatrocientos diecinueve **419**

Inclusion

Alphabetic/Phonetic Awareness
Encourage students to examine the phonetic structure of new terms by asking them to find vocabulary items of a certain number of syllables. You can throw a sponge ball and say a number. The person who catches the ball has to supply a word of that many syllables. For example: **Uno...juez. Cinco...cualificado.**

Heritage Language Learners

Regional Variations
Some universities refer to courses as **asignaturas** instead of **cursos**. **Curso** might refer to a grade level, as in **está en el noveno curso este año**. Majors, on the other hand, might be called **asignaturas principales** or **concentraciones**.

Unidad 7 Lección 2
VOCABULARIO

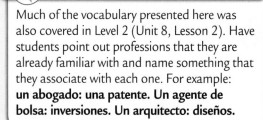
William Frank
Derry, NH

Tips for Presenting Vocabulary

"I use white boards when a vocabulary list lends itself to visual representations, like professions. I sometimes have my students play pictionary in small groups. Other times, I describe a particular profession in Spanish and have students draw a picture of what they hear."

Long-term Retention
Recycle

Much of the vocabulary presented here was also covered in Level 2 (Unit 8, Lesson 2). Have students point out professions that they are already familiar with and name something that they associate with each one. For example: **un abogado: una patente. Un agente de bolsa: inversiones. Un arquitecto: diseños.**

Long-term Retention
Critical Thinking

Categorize Write on the board:
a) **matemáticas**; b) **ciencias naturales**; c) **ciencias sociales**; d) **letras** and e) **diseño**. Then name a number of different professions mentioned on these pages and have students write down which department(s) should have the classes that candidates are likely to need for each field.

Answers UTB 7 Transparency 28

¡A responder! Audio Script, TE p. 415B
1. down, up, up
2. down, up, up
3. up, up, down
4. up, up, up
5. up, up, up
6. down, down, up
7. down, up, up

Objectives
· Practice vocabulary: careers and professional qualities
· Recycle: impersonal expressions with subjunctive, conditional tense

Core Resource
· *Cuaderno*, pp. 318–320

Practice Sequence
· **Activity 1:** Vocabulary recognition: matching jobs and descriptions
· **Activity 2:** Vocabulary recognition: choosing important attributes; Recycle: impersonal expressions with subjunctive
· **Activity 3:** Vocabulary production: the conditional; Recycle: conditional tense

STANDARDS
1.2 Understand language, Act. 1, 3
1.3 Present information, Act. 2, 3

✓ Ongoing Assessment
@HomeTutor
More Practice
ClassZone.com

PARA Y PIENSA **Intervention** If students are unable to name a career, they should review pp. 418–419. For additional practice, use Reteaching & Practice Copymasters URB 7, pp. 13, 14, 23.

✸ Práctica de VOCABULARIO

1 | Las profesiones

Hablar
Escribir

Identifica la profesión descrita.
1. diseña edificios y hace planes para su construcción
2. corta el pelo de sus clientes
3. debe estudiar administración de empresas
4. cuida a pacientes en una clínica u hospital
5. traduce documentos de un idioma a otro

gerente
traductor(a)
peluquero(a)
enfermero(a)
arquitecto(a)

Expansión:
Teacher Edition Only
Pídales a los estudiantes que nombren por lo menos una herramienta usada por cada profesional.

2 | Las cualidades **¿Recuerdas?** Impersonal expressions with subjunctive p. 183

Hablar
Escribir

Para cada profesión indicada, decide cuál es la cualidad más importante.

modelo: abogado: ¿eficiente u honesto?
Es más importante que un abogado sea honesto.

1. profesor: ¿apasionado o puntual?
2. dentista: ¿cualificado o eficiente?
3. ingeniera: ¿fiable o educada?
4. médico: ¿versátil o animado?
5. agente de bolsa: ¿puntual o flexible?
6. jueza: ¿honrada o motivada?

Expansión
Escoge tres de estas profesiones. Menciona dos cualidades más que una persona debe tener para practicar cada profesión.

3 | Una empresa  **¿Recuerdas?** Conditional tense p. 303

Hablar
Escribir

Explica quién haría cada trabajo.

modelo: hacer el plan financiero de un negocio
El contador haría el plan financiero de un negocio.

1. contratar a empleados para su empresa
2. enseñar un curso en la universidad
3. llevar la contabilidad de una empresa
4. trabajar muchas horas en la bolsa
5. establecer un hospital para enfermos de cáncer

Expansión:
Teacher Edition Only
Pídales a los estudiantes que sustituyan el verbo de cada frase para que ésta siga teniendo el mismo sentido. Por ejemplo: El dueño de la empresa encontraría a empleados para su empresa.

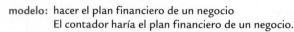

Más práctica Cuaderno *pp. 318–320* Cuaderno para hispanohablantes *pp. 318–321*

PARA Y PIENSA **¿Comprendiste?** ¿Qué carrera deben seguir estas personas?
1. Jorge estudia derecho.
2. Ángela estudia contabilidad.
3. Rodrigo habla tres idiomas.
4. Carmen quiere ayudar a todos.

Get Help Online ClassZone.com

Answers UTB 7 Transparency 28

Activity 1
1. arquitecto(a); 2. peluquero(a); 3. gerente; 4. enfermero(a); 5. traductor(a)

Activity 2 Answers will vary.
1. Es más importante que un profesor sea...
2. Es más importante que un dentista sea...
3. Es más importante que una ingeniera sea...
4. Es más importante que un médico sea...
5. Es más importante que un agente de bolsa sea...
6. Es más importante que una jueza sea...

Answers continue on p. 421.

420

Differentiating Instruction

Multiple Intelligences

Linguistic/Verbal Explain that **motivado** has a dual meaning: on one hand, motivated, as defined by En resumen on p. 439, and less commonly, justified. Talk about how this ambiguity could lead to different interpretations of item 6 in Activity 2, in relation to a judge.

Slower-paced Learners

Sentence Completion When reviewing answers for Activity 3, give students a subtle preview of the subjunctive with **si** clauses by beginning sentences with (for example, in number one) **Si yo fuera dueño(a) de una empresa...** This change adds interest to the activity and they may choose to alter their answers in order to express their own ideas.

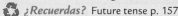# ✳ VOCABULARIO en contexto

¡AVANZA! **Goal:** In the the following ads, notice what words are used to talk about careers and professions. Then describe your own thoughts about college and a future career using the new vocabulary. *Actividades 4–6*

♻ *¿Recuerdas?* Future tense p. 157

Contexto 1 *Anuncios clasificados*

ESTRATEGIA Leer
Use an opportunity-analysis chart Use an opportunity-analysis chart to analyze the opportunities that Guille sees in the three ads.

Anuncios	Oportunidades para Guille
Escuela Técnica	
Universidad	
Empresa	

AUDIO

Guille Chávez, un estudiante colombiano, se está preparando para graduarse y buscar un empleo o seguir sus estudios. Le interesa mucho el cine y los idiomas, y tiene habilidad con las computadoras. El consejero académico le pidió que leyera los anuncios del periódico para informarse sobre las posibilidades de trabajo y estudio que hay.

HOMBRES Y MUJERES DE NEGOCIOS

Ingenieros de software (3 años de experiencia, fiables, puntuales)

Contador para crear plan financiero nuevo (7–8 años de experiencia)

Experto en relaciones públicas (3 años de experiencia en la formación de estrategias comunicativas)

Vendedores (la experiencia no es necesaria, los candidatos deben mostrar iniciativa y ser eficientes, versátiles y animados)

Manda C.V. y carta a la casilla N°331-B, periódico El Universal

Escuela Técnica Interamericana

35 años de experiencia formando técnicos profesionales. Carreras en éstas y otras áreas:
- contabilidad sistémica
- análisis y programación de computadoras
- cosmetología para peluqueros
- urgencias médicas para enfermeros

¡Formamos personal cualificado para un mercado laboral competitivo! Av. 39 #15-58

(571) 555-3474 • www.ETIColombia.r2r.co

Universidad de San Beltrán Establecida en 1898

USB

Cursos, especialidades y títulos en carreras académicas: idiomas, derecho, ingeniería, negocios, medicina, periodismo, ciencias sociales, ciencias, matemáticas, artes. Profesores cualificados y apasionados, clases pequeñas, atención personal. Nuestro estudiante ideal es motivado, versátil, flexible, con curiosidad intelectual.

¡Educamos a los profesionales del futuro, ahora!

Bogotá • (571)-bel-tran • www.sanbeltrán.r2r.edu.co

Lección 2
cuatrocientos veintiuno **421**

Differentiating Instruction

Pre-AP

Support Ideas with Details Have advanced students create three option webs, where different opportunities radiate from three central hubs (**Escuela técnica, Universidad,** and **Empresa**). This alternative allows for the explanation of multiple opportunities where they exist.

English Learners

Build Background In response to the advertisement calling primarily for job candidates with years of experience, talk about how one might manage to get involved in a field where previous experience is a prerequisite. Talk about what an internship is (usually called **pasantía** in Spanish).

¡AVANZA! **Objective**
- Understand vocabulary related to careers and professions in context.

Core Resource
- Audio Program: TXT CD 14 Track 3

Presentation Strategies
- Read through the preface and advertisements as a class, pausing for comprehension checks
- Apply the opportunity-analysis chart strategy to organize the information

STANDARD
1.2 Understand language

Warm Up UTB 7 Transparency 20

Indica la secuencia lógica para llegar a ser una persona de negocios.
- **a.** ir a la universidad
- **b.** ser hombre/mujer de negocios
- **c.** tomar cursos en administración de empresas
- **d.** graduarse del colegio
- **e.** conseguir un título universitario

Answers: 1. d; 2. a; 3. c; 4. e; 5. b

Communication
Common Error Alert

Remind students that **el colegio** is a false cognate, meaning *high school,* not *college.* Advise them to always use **la universidad** to refer to college.

Answers UTB 7 Transparency 28

Answers continued from p. 42.

Activity 3 Answers will vary.
1. El (La) dueño(a) de una empresa contrataría a empleados para su empresa.
2. El (La) profesor(a) enseñaría un curso en la universidad.
3. El (La) contador(a) llevaría la contabilidad de una empresa.
4. El (La) agente de bolsa trabajaría muchas horas en la bolsa.
5. El (La) médico(a) establecería un hospital para enfermos de cáncer.

Para y piensa
1. Jorge debe ser abogado.
2. Ángela debe ser contadora.
3. Rodrigo debe ser traductor.
4. Carmen debe ser enfermera/médica.

421

Objective
- Practice using college and career vocabulary in context
- Recycle: future tense

Practice Sequence
- **Activity 4:** Vocabulary production: open-ended reading comprehension
- **Activity 5:** Vocabulary production: explain traits useful for given professions
- **Activity 6:** Vocabulary production: give reasons for career choices

 STANDARDS

  1.1 Engage in conversation
  1.2 Understand language, Act. 4
  1.3 Present information, Act. 4, 5, 6

✓ **Ongoing Assessment**

@HomeTutor
More Practice
ClassZone.com

Quick Check Ask the students to name some of the studies and careers of interest to them. Write those studies and careers on the board. To check for comprehension, ask questions about their chosen interests and corresponding personal characteristics. For additional practice, use Reteaching & Practice Copymasters URB 7, pp. 13, 15, 24.

 Answers UTB 7 Transparency 28s

Activity 4
1. Se estudia peluquería en la Escuela Técnica Interamericana.
2. La Universidad de San Beltrán busca a estudiantes motivados, versátiles, flexibles e intelectualmente curiosos.
3. Si quieres estudiar ciencias sociales, irás a la universidad.
4. Estudiarás en la escuela técnica.
5. La empresa quiere contratar a un ingeniero de software, un contador, un experto en relaciones públicas y vendedores. Los ingenieros de software deben ser fiables y puntuales, además de tener tres años de experiencia.

Answers continued on p. 423

---

4 | Comprensión de los anuncios clasificados

Leer
Hablar
Escribir

Contesta las siguientes preguntas, según los anuncios.

1. ¿Dónde se estudia la especialidad de peluquería?
2. ¿Qué tipo de estudiantes busca la Universidad de San Beltrán?
3. Si quieres estudiar ciencias sociales, ¿adónde irás?
4. Si quieres estudiar urgencias médicas, ¿dónde estudiarás?
5. ¿A quiénes quiere contratar la empresa? ¿Cómo deben ser los ingenieros de software que busca la empresa?
6. ¿Qué características personales deben tener los vendedores?

> **Expansión:**
> Teacher Edition Only
> Pídales a los estudiantes que nombren a alguien de la clase que tenga las cualidades mencionadas en los números 2, 5 y 6.

5 | Conocimientos

Hablar
Escribir

Con tu compañero(a), escriban oraciones para explicar qué cualificaciones, experiencias y características personales ustedes piensan que son importantes para cada profesión. Utilicen el subjuntivo con expresiones impersonales: **es importante..., es necesario..., es imposible...**

> **modelo:** Es importante que un arquitecto sea creativo.

peluquero(a)	conocer las leyes
profesor(a)	saber administración de empresas
contador(a)	asistir a una escuela de belleza
gerente	saber matemáticas
enfermero(a)	conocer anatomía
abogado(a)	saber enseñar

> **Expansión**
> Escoge una profesión. Ayuda a tu compañero(a) a prepararse para una entrevista de trabajo relacionada con tu elección. Hazle sugerencias.

6 | ¿Qué quisieras ser? ♻ ¿*Recuerdas?* Future tense p. 157

Escribir

Escribe cinco oraciones sobre las profesiones que te interesan y las que no y explica por qué. Utiliza el futuro y las profesiones de la actividad anterior.

> **modelo:** No seré arquitecto porque me gusta más la ingeniería.

> **Expansión:**
> Teacher Edition Only
> Pídales a los estudiantes que escriban un párrafo sobre la profesión que más les gusta y por qué.

PARA Y PIENSA

¿Comprendiste? Contesta las preguntas con oraciones completas.

Get Help Online
ClassZone.com

1. ¿Cuáles son las ventajas *(advantages)* y desventajas *(disadvantages)* de ir a una escuela técnica después de graduarse?
2. ¿Cuáles son las ventajas y desventajas de ir a la universidad?
3. ¿Cuál de las opciones te interesa más? ¿Por qué?

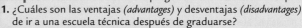

Differentiating Instruction

Inclusion

Synthetic/Analytic Support Review with struggling students the formation of the subjunctive, as well as the spelling change (present in the **yo** form of the indicative) that takes place with **conocer** in Activity 5. Remind them of the process: take the **yo** form; drop the **–o**; add the opposite ending.

Multiple Intelligences

Logical/Mathematical Give students a few examples of analogies referencing professions, such as **peluquero : tijeras :: contador : _____** (**calculadora, lápiz, etc.**). Then have them come up with their own analogies and give them to classmates to figure out.

Presentación de GRAMÁTICA

¡AVANZA! **Goal:** Learn how to express a hypothesis. Then practice by talking about what might occur in specific circumstances. *Actividades 7–10*

♻ *¿Recuerdas?* Architectural structures pp. 358–359

English Grammar Connection: A clause is a part of a sentence that has a conjugated verb. In a sentence that expresses a hypothesis, both English and Spanish can use the **imperfect subjunctive** in the *if clause* and the **conditional** in the main clause.

If I **were** you, I **would decide** now.

if clause	main clause

Si yo **fuera** tú, **decidiría** ahora.

if clause	main clause

Si Clauses

Animated Grammar
ClassZone.com

A **si** clause is a hypothesis about what will happen or what would happen in particular circumstances. The verb in the **si** clause can be in the **simple present** or the **imperfect subjunctive** form.

Here's how:

To predict the result of a likely event, use the **simple present** in the **si** clause and the **future tense** in the main clause to express the outcome.

> **Si dejamos** de comer comida chatarra, **perderemos** peso.
> *If we stop eating junk food, we will lose weight.*

To express how things would be if circumstances were different, use the **imperfect subjunctive** in the **si** clause and the **conditional** in the main clause.

> **Si** Ana **cantara** en el coro, no **tendría** tiempo para redactar el anuario.
> *If Ana were to sing in the chorus, she would not have time to edit the yearbook.*

In both cases above, the order of clauses can be reversed.

> **Perderemos** peso **si dejamos** de comer comida chatarra.

> Ana no **tendría** tiempo para redactar el anuario **si cantara** en el coro.

Más práctica
Cuaderno *pp. 321–323*
Cuaderno para hispanohablantes *pp. 322–324*

@HomeTutor
Leveled Practice
ClassZone.com

Differentiating Instruction

English Learners

Build Background Remember that since this concept is transferable from English, students who speak grammatical English may have a distinct advantage over those who do not. Ask students with different native languages how they would express a phrase like **Si tuviera el pelo verde**.

Pre-AP

Determine Cause and Effect Point out how the subjunctive can be manipulated in certain situations to imply a lesser likelihood of a given event. Have them deduce the shift in meaning which takes place when **si llueve mañana**... is changed to **si lloviera mañana**... Which would they use to indicate that rain is more likely? Which would they use if they are counting on a dry day?

Unidad 7 Lección 2
GRAMÁTICA

¡AVANZA! **Objective**
· Show students how to express contrary-to-fact conditions by using the imperfect subjunctive with **si** clauses and the conditional tense

Core Resource
· *Cuaderno,* pp. 321–323

Presentation Strategies
· Present usage of the imperfect subjunctive with contrary-to-fact conditions
· Have students take notes as you refer to the examples on p. 423
· Invent additional examples to clarify meaning

✿ **STANDARD**
4.1 Compare languages

Warm Up UTB 7 Transparency 21

Empareja las características con las profesiones.
1. cualificado, honesto sobre la condición física
2. fiable, educado en las inversiones
3. eficiente, apasionado a las matemáticas
4. creativo, versátil para lograr el cabello deseado por el cliente
5. honrado, educado en el derecho

a. contador
b. juez
c. médico
d. peluquero
e. agente de bolsa

Answers: 1. c; 2. e; 3. a; 4. d; 5. b

Answers UTB 7 Transparency 28
Answers continued from p. 422.
6. Los vendedores deben ser eficientes, versátiles, animados y capaces de mostrar iniciativa.

Activity 5 Answers will vary. Sample answers: Es importante que un(a) peluquero(a) asista a una escuela de belleza.

Activity 6 Answers will vary. See model.

Para y piensa Answers will vary.

Objectives
· Use **si** clauses
· Recycle: architectural structures
· **Culture:** Fernando Botero

Core Resources
· *Cuaderno,* pp. 321–323
· Audio Program: TXT CD 14 Track 4

Practice Sequence
· **Activity 7:** Controlled practice: **Si** clauses, subjunctive
· **Activity 8:** Transitional practice: **Si** clauses, future
· **Activity 9:** Open-ended practice: **Si** clauses, conditional
· **Activity 10:** Open-ended practice: **Si** clauses

STANDARDS
1.1 Engage in conversation, Act. 9
1.2 Understand language, Act. 10
1.3 Present information, Acts. 7, 8, 10
2.1 Practices and perspectives, CC
2.2 Products and perspectives, CC
4.2 Compare cultures, CC

Answers   UTB 7 Transparency 29

Activity 7
1. Si yo fuera más eficiente, ganaría más dinero.
2. Si yo fuera más educado(a), lograría lo que quiero.
3. Si yo fuera más animado(a), trabajaría en la radio.
4. Si yo fuera más flexible, podría hacer más cosas a la vez.
5. Si yo estuviera más cualificado(a), sería hombre (mujer) de negocios.
6. Si yo estuviera más iniciativa, me contratarían para trabajos de relaciones públicas.

Activity 8
1. Si voy al Alcázar, apreciaré la vista fabulosa.
2. Si voy a las sinagogas, observaré la arquitectura medieval.
3. Si voy a San Juan de los Reyes, visitaré a los monjes.
4. Si voy al museo Sefardí, veré la colección de arqueología judía.

Activity 9   Answers will vary. Sample answers:
1. Si fuera dentista, cuidaría los dientes de los clientes con mucha atención.

Answers continue on p. 425.

424

❖ Práctica de GRAMÁTICA

7 | Si yo fuera diferente

Hablar
Escribir

Di lo que pasaría si fueras diferente.

> **modelo:** puntual / no tener problemas en el trabajo
> Si yo fuera más puntual no tendría problemas en el trabajo.

1. eficiente / ganar más dinero
2. educado(a) / lograr lo que quiero
3. animado(a) / trabajar en la radio
4. flexible / poder hacer más cosas a la vez
5. cualificado(a) / ser hombre (mujer) de negocios
6. tener iniciativa / contratarme para trabajos de relaciones públicas

Expansión
Elige a un(a) compañero(a) y di qué pasaría si tuviera tres de estas cualidades.

8 | ¿Qué hago?   ♻ **¿Recuerdas?** Architectural structures pp. 358–359

Escuchar
Hablar
Escribir

La Universidad de Bogotá te enviará una semana a Toledo, España, para investigar su arquitectura. Primero escribe las oraciones que vas a escuchar. Luego, di lo que podrás hacer si vas a cada lugar. Usa verbos diferentes cada vez.

> **Pistas:** visitar, viajar, entrar, caminar, observar, ver, apreciar
> **modelo:** La Catedral de Toledo tiene la colección de El Greco.
> Si voy a la Catedral, podré ver la colección de El Greco.

🎧 **Audio Program**
TXT CD 14 Track 4
Audio Script, TE p. 415B

Expansión:
Teacher Edition Only
Pídales a los estudiantes que escriban un resumen con lo que podrán hacer si van a visitar una ciudad que conocen. Luego pídales que compartan sus ideas con la clase.

9 | Las profesiones

Hablar

Entrevista a un(a) compañero(a) para saber sus impresiones sobre las profesiones de la lista.

dentista	traductor(a)	juez(a)
ingeniero(a)	peluquero(a)	profesor(a)
abogado(a)	agente de bolsa	médico(a)

modelo: médico(a)

A ¿Qué harías si fueras médico?

B Si fuera médico, trabajaría en un hospital de niños.

Expansión:
Teacher Edition Only
Pídales a los estudiantes que le contesten a su compañero(a) con una expresión impersonal, como «Es bueno que quieras trabajar con los niños».

Differentiating Instruction

Inclusion
Frequent Review/Repetition Review the process to form the imperfect subjunctive. For different verbs write the **ustedes** form in the preterite (**comieron,** etc). Cross out all the **–on** endings and replace them with **–a, -as, -a, -ramos, -isteís, -an.** Have the class come up with a simple phrase to summarize the process, such as **ron** turns to **ra.**

Heritage Language Learners
Writing Skills Instead of talking briefly about what they would do in a number of different professions, have native speakers choose one profession in Activity 9 and develop their response into a paragraph, telling where they would work, what would make the job enjoyable for them, and how they would help or interact with others.

Leer
Hablar
Escribir

Lee el siguiente anuncio y responde a las preguntas.

1. ¿Qué carrera seguirías si asistieras a la Universidad Politécnica de Venezuela?
2. ¿Qué materias (subjects) te interesarían más si estudiaras arquitectura?
3. ¿Adónde llamarías si quisieras tener una entrevista? ¿Qué preguntarías?
4. ¿Qué preguntas harías si quisieras estudiar arquitectura?
5. ¿Qué título tendrías si te graduaras?
6. ¿Qué otra carrera escogerías si no te aceptaran en esta universidad?

La Universidad Politécnica de Venezuela

¡te invita a seguir la carrera de arquitectura!

Ofrecemos un nuevo programa de alto nivel. Estudiarás diseño, matemáticas, idiomas y administración de proyectos, y te prepararás para seguir una carrera con muchas oportunidades.

Habla con uno de nuestros consejeros para aprender más sobre esta especialidad.

Llama al (614) POLI-VEN para hacer una cita.

Comparación cultural

Los retratos de Fernando Botero

¿Cómo influye la intuición (intuition) de un artista en su estilo? Fernando Botero, el famoso pintor colombiano, se destaca por sus retratos de la gente de su país. Sus obras presentan imágenes de personas de muchas profesiones: militares, políticos, hombres de negocios, peluqueros y jardineros. Las esculturas y figuras de los cuadros de Fernando Botero tienen proporciones exageradas. Botero explica que a él le gustan estas formas de gran volumen por intuición. Aquí, Botero se pinta a sí mismo.

Compara con tu mundo *Mira el cuadro* Autorretrato. *¿Qué características del estilo de Botero puedes ver? ¿Cómo te pintarías tú?*

Autorretrato
(1987), Fernando Botero

Más práctica Cuaderno *pp. 321–323* Cuaderno para hispanohablantes *pp. 322–324*

PARA
Y
PIENSA

¿Comprendiste? Completa las siguientes hipótesis con tus propias ideas.

1. Si ella estudiara derecho...
2. Si mi tío(a) abre una empresa...
3. Si yo fuera profesor(a)...
4. Si él supiera idiomas...
5. Si mi madre cocinara bien...
6. Si tú estudiaras medicina...

Get Help Online
ClassZone.com

Differentiating Instruction

Pre-AP

Expand and Elaborate In Activity 10 give students the tools to be more specific than just stating their area of study. Explain that the term **bachillerato** exists, but that in some countries it refers to the secondary school, and not a bachelor's degree. A better term for a college degree may be **licenciatura**. Graduate degrees are called **maestría** and **doctorado**.

Multiple Intelligences

Visual Learners Talk about the effect of caricature. Find some exaggerated drawings of well-known politicians or entertainers on the Internet or in the newspaper. Tell students who the subject is and have them describe him/her. Ask students how they would react if they were the subject of the painting. **Si fueras el presidente y vieras este dibujo, ¿pensarías que es cómico u ofensivo?**

Comparación cultural

Essential Question

Suggested Answer El artista pinta objetos y situaciones según los percibe. Algunas situaciones serias las pinta con humor o viceversa.

✓ Ongoing Assessment

@HomeTutor
More Practice
ClassZone.com

PARA
Y
PIENSA

Intervention If the students are unable to supply answers in the Para y Piensa, have them review the grammar point on p. 422. For additional practice, use Reteaching & Practice Copymasters URB 7, pp. 16, 17.

Answers UTB 7 Transparency 29

Answers continued from p. 424.
2. Si fuera ingeniero(a), diseñaría aviones.
3. Si fuera abogado(a), lucharía por la gente anciana.
4. Si fuera traductor(a), tendría que poder leer y escribir en dos idiomas.
5. Si fuera peluquero(a), siempre conocería los últimos estilos.
6. Si fuera agente de bolsa, sentiría mucho estrés en el trabajo.
7. Si fuera juez(a), decidiría los casos imparcialmente.

Activity 10 Answers will vary.
1. Yo querría ser arquitecto(a) si fuera a la Universidad Politécnica.
2. Si estudiara arquitectura me interesarían el diseño y las matemáticas.
3. Si quisiera una entrevista, llamaría a 614-POLI-VEN. Preguntaría si fuera posible hacer una cita.
4. Si quisiera estudiar arquitectura preguntaría sobre las matemáticas.
5. Si me graduara, tendría un título en arquitectura.
6. Si no me aceptaran en esta universidad, estudiaría para ser peluquero(a).

Para y piensa Answers will vary. Sample responses:
1. Si ella estudiara derecho, podría seguir una carrera de abogada.
2. Si mi tío(a) abre una empresa, yo trabajaré con él/ella.
3. Si yo fuera profesor(a), nunca les daría tarea a mis estudiantes.
4. Si él supiera idiomas, podría trabajar en otros países.
5. Si mi madre cocinara bien, yo no tendría tanta hambre.
6. Si tú estudiaras medicina, podrías ser enfermero o doctor.

¡AVANZA! Objective

- Develop listening, reading, and writing skills

Core Resource

- Audio Program: TXT CD 14 Track 5

Presentation Strategies

- Ask volunteers to read each section aloud while others read along, pausing for comprehension checks.
- Play the audio.

Practice Sequence

- **Activity 11:** Transitional practice: Contexto 2 comprehension
- **Activity 12:** Transitional practice: **Si** clauses
- **Activity 13:** Open-ended practice: Write your own résumé

STANDARDS

- **1.1** Engage in conversation, Act. 13
- **1.2** Understand language, Act. 11
- **1.3** Present information, Act. 11, 12, 13

Warm Up UTB 7 Transparency 21

Indica si las oraciones son **ciertas** o **falsas**. Corrige las falsas.

1. Fernando Botero es un arquitecto de España.
2. Le gusta pintar las figuras corpulentas (de gran volumen, gorditas).
3. Sólo pinta a la gente importante, como los militares y los políticos.
4. Botero no se aplica su estilo característico a sí mismo.
5. Botero crea pinturas y esculturas con proporciones exageradas.

Answers: 1. Falso: Fernando Botero es un artista de Colombia; 2. Cierto.; 3. Falso: Pinta a la gente importante y a la gente regular.; 4. Falso: Botero se aplica su estilo característico a sí mismo.; 5. Cierto.

GRAMÁTICA en contexto

¡AVANZA! **Goal:** Read Guille's résumé. Then speculate about your own abilities and future plans. *Actividades 11–13*

Contexto 2 *Hoja de vida*

ESTRATEGIA Leer
Compare yourself with Guille As you read, take notes on what you learn about Guille: his location, his grade in school, what he is interested in, what he does, his qualities, and so on. After you read, use a Venn diagram to compare yourself with Guille.

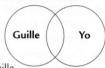

AUDIO

Guille preparó una hoja de vida *(résumé)* con sus intereses e ideas para el futuro.

Guillermo Chávez

Av. 27 #26 Bogotá · (57 1) 5974321 · Guillecha@correo6.rr.co

ESTUDIOS:
Estudiante de último año, Colegio San Bernardino, Bogotá

ACTIVIDADES:
Presidente, Club de Computación; tesorero, Sociedad Honoraria

INTERESES:
Diseño de páginas web, dibujos animados computarizados, idiomas, cine internacional y televisión.
Si pongo esto, ¿pensarán que soy perezoso?

CUALIDADES PROFESIONALES:
Soy una persona puntual, eficiente y fiable. Soy muy motivado: si tengo un proyecto urgente, no descansaré hasta que lo termine. También puedo tomar la iniciativa; por ejemplo, si no tuviera la información necesaria para completar un proyecto, haría preguntas o buscaría más datos para poder terminarlo bien.

METAS PROFESIONALES:
Me gustaría trabajar en el campo de la computación, en un puesto que exija creatividad y talento. Soy muy versátil, así que si el empleo requiere muchas responsabilidades variadas, me gustará mucho. Tengo mucha experiencia con las computadoras, pero nunca he tenido un trabajo con sueldo. Quiero poner en práctica mis conocimientos de diseño y computación para adelantarme profesionalmente y prepararme para el futuro.
Si escribo esto, ¿me considerarán muy egoísta?

Differentiating Instruction

Slower-paced Learners

Yes/No Questions Remind students that a résumé should be designed for easy and quick reference. As a class, come up with a list of yes/no questions about Guille which can be answered from his résumé (**¿Tiene experiencia con computadoras? ¿Es puntual?**).

Heritage Language Learners

Regional Variations Although the one of the words used for *résumé* in Colombia is **hoja de vida**, the most common Spanish word for this type of document is **currículum**, from the Latin term *curriculum vitae*, sometimes abbreviated as **C.V.** Ask students if they know what term is used in their place of origin.

11 Comprensión de la hoja de vida

Leer
Hablar
Escribir

Contesta las siguientes preguntas sobre la lectura.

1. Según Guille, ¿cuáles son cinco cualidades profesionales que él tiene?
2. Menciona cuatro actividades o intereses en que participa Guille.
3. ¿Qué tipo de trabajo quiere hacer?
4. ¿Qué haría Guille si no tuviera toda la información necesaria para completar un proyecto?
5. Si Guille incluye «televisión» entre sus intereses, ¿qué teme que piensen las personas que lean su hoja de vida?
6. En relación con las responsabilidades, ¿qué le gustará a Guille?
7. Si consiguiera un trabajo, ¿qué le gustaría poner en práctica?
8. ¿Cómo cree que lo considerarán si dice que tiene talento?

> **Expansión:**
> Teacher Edition Only
> Pídales a los estudiantes que escriban si contratarían a Guille si tuvieran una empresa y por qué.

12 Si quisiera ser...

Hablar
Escribir

Indica las clases que Guille debería tomar si quisiera ser director de cine. Sigue el modelo.

| física | matemáticas | historia del cine |
| fotografía | dibujo | geografía |

modelo: Si Guille quisiera ser director de televisión, no tendría que tomar la clase de física.

> **Expansión:**
> Teacher Edition Only
> Pídales a los estudiantes que digan cuáles de las clases de la lista serían sus preferidas y por qué.

13 Mi hoja de vida

Hablar
Escribir

Usa tus ideas y escribe un borrador (draft) de tu hoja de vida. Puedes usar la hoja de vida de Guille como modelo.

Pistas: ¿Cómo te llamas?, ¿dónde estudias?, ¿en qué clases eres bueno(a)? ¿Qué trabajos has hecho anteriormente? ¿Qué sabes hacer? ¿Qué quieres lograr en tu futuro?

> **Expansión**
> Intercambia tu hoja de vida con la de tu compañero(a). Hablen sobre sus opiniones.

PARA Y PIENSA

¿Comprendiste? Completa las siguientes oraciones con tus propias ideas y planes para el futuro.

🔵 **Get Help Online**
ClassZone.com

1. Si tuviera más tiempo...
2. Si voy a la universidad...
3. En el futuro estaré muy contento(a) si...

Differentiating Instruction

Inclusion

Frequent Review/Repetition Refresh students' memories regarding extracurricular activities and after-school jobs for which they learned vocabulary in Lesson 1 (**ser miembro del coro, el comité estudiantil, el anuario; cuidar niños; trabajar de cajero(a), etc.**). Remind students that they will want to include volunteer work on their résumés, as well as work experience, clubs, and sports.

English Learners

Increase Interaction Be aware that some students may be unfamiliar with the Western résumé. Talk about the kind of language a résumé uses: succinct and formal. Print a couple of résumés from the Internet; if possible, one that's well written and another that's poorly written.

Long-term Retention
Critical Thinking

Analyze Share that in some countries it is common to include one's photograph, marital status, and date of birth on a résumé, but that this practice has begun to change. Have students discuss why or why not this change might be a good idea.

✓ **Ongoing Assessment**

@HomeTutor
More Practice
ClassZone.com

PARA Y PIENSA **Alternative Strategy** Have students write a cover letter (**una carta introductoria**) to include with their **hoja de vida.** Have them use the conditional and the imperfect subjunctive to state what they would do in the sought position if it were offered to them.

For additional practice, use Reteaching & Practice Copymasters URB 7, pp. 16, 18, 19.

Answers UTB 7 Transparencies 29–30

Activity 11
1. Según Guille, él es puntual, eficiente, fiable, motivado y toma iniciativa.
2. Guille participa en el club de computación y en la sociedad honoraria. Le interesan el diseño de páginas web y los idiomas.
3. Quiere trabajar en la computación.
4. Guille haría preguntas o buscaría más datos hasta poder completarlo.
5. Teme que piensen que él es perezoso.
6. Le gustará tener muchas responsabilidades variadas.
7. Le gustaría poner en práctica los conocimientos de diseño y computación.
8. Cree que le considerarán egoísta.

Activity 12 Answers may vary.
Si Guille quisiera ser director de cine.
1. no tendría que tomar la clase de física.
2. tendría que tomar la clase de fotografía.
3. tendría que tomar la clase de matemáticas.
4. tendría que tomar la clase de dibujo.
5. tendría que tomar la clase de historia del cine.
6. tendría que tomar la clase de geografía.

Activity 13 Answers will vary.

Para y piensa Answers will vary. Sample responses:
1. Si tuviera más tiempo estudiaría más.
2. Si voy a la universidad me gustaría recibir un título en administración de empresas.
3. En el futuro estaré muy contento(a) si tengo una carrera que me guste y que me interese.

427

¡AVANZA! Objectives

- Explain when to use the present subjunctive and when to use the imperfect subjunctive
- Practice talking about what you want or wanted others to do

Core Resource

- *Cuaderno,* pp. 324–326

Presentation Strategies

- Have students take notes as you present grammar point
- Read and have students repeat sample sentences
- Check for comprehension

STANDARD

4.1 Compare languages

 Warm Up UTB 7 Transparency 22

Marca con una **X** las oraciones que demuestren que un joven tiene destrezas académicas y para el trabajo.

1. Participé en un congreso científico donde mi presentación ganó el segundo lugar.

2. Me llevo muy bien con todos y me gusta que me digan sus problemas.

3. Es necesario que cuide niños cinco días a la semana después de las clases.

4. Tengo muchísimo éxito en todo tipo de videojuegos.

5. Me gustan tanto el inglés y el español que este año empecé a estudiar japonés también.

Answers: Numbers 1, 3 and 5 should be checked.

 Answers UTB 7 Transparency 30

Activity 14

1. Era importante que pidieras una beca.

2. El gerente deseaba que mi padre hiciera la estrategia de marketing.

3. Es una lástima que los estudiantes no entiendan matemáticas.

4. La abogada habría preferido que su hija estudiara derecho.

5. Nadie desearía que Jorge estudiara en la facultad de ingeniería.

6. Me habría sorprendido que la administración de empresas fuera tan complicada.

Activity 15 Answers will vary.

1. ¿Qué te dice la consejera que estudies? / Me dice que estudie matemáticas.

Answers continue on p. 429.

428

✳ Presentación de GRAMÁTICA

¡AVANZA! **Goal:** Learn the proper sequence of tenses for any sentence with verbs in the indicative and subjunctive. Then talk about what you want or what you wanted others to do. *Actividades 14–17*

English Grammar Connection: In English, you can use a **past tense** verb and a **present tense** verb in the same sentence. It is also common, in English, to use the **infinitive** instead of the subjunctive. In Spanish, you must match the tense of the indicative and subjunctive verbs.

I **am glad** that you **told** the truth.	**Me alegro** de que **hayas dicho** la verdad.
I **wanted** you **to be** honest.	**Quería** que **fueras** honesto.

Sequence of Tenses

Animated Grammar
ClassZone.com

The **subjunctive** form used depends on the **indicative tense** used in the main clause. How do you know what form of the **subjunctive** to use?

Here's how: You use the **present subjunctive** or **present perfect subjunctive** after the following **indicative tenses.**

simple present	Es bueno que **hayas decidido.**
present progressive	Está prohibiendo que **salgas.**
future	Será mejor que me **llames.**
present perfect	He sugerido que **trabajes** más.

You use the **imperfect subjunctive** or the **past perfect subjunctive** after the following **indicative tenses.**

preterite	Prohibió que **saliera.**
imperfect	Era bueno que **hubiera decidido.**
***past progressive**	Estaba prohibiendo que **salieras.**
conditional	Preferiría que **escribieras** más.
past perfect	Había sugerido que **salieras.**

*grammar point of the next lesson.

Depending on what you want to express, **ojalá** can be used with any subjunctive form.

Ojalá (que) **sigas** la carrera de derecho.	*I hope you **pursue** a career in law.*
Ojalá (que) **hubieras estudiado** ingeniería.	*I wish you **had studied** engineering.*

Más práctica
Cuaderno *pp. 324–326*
Cuaderno para hispanohablantes *pp. 325–328*

Conjuguemos.com   **@HomeTutor**
Leveled Practice
ClassZone.com

428 Unidad 7 Colombia y Venezuela
cuatrocientos veintiocho

Differentiating Instruction

Slower-paced Learners

Memory Aids After students have had time to absorb the information you have presented, point out that, with the exception of **ojalá,** the sentences calling for the present subjunctive all have another verb in a present tense or the future. Likewise, all those calling for past subjunctive have a verb in a past tense or the conditional.

Multiple Intelligences

Intrapersonal Have students use the word **ojalá** to express either a hope or a regret. Have students write down their sentences. Read them out loud and ask the class if each wish is **posible** (indicated by the present subjunctive, as in **Ojalá que no haya clases mañana**) or **imposible** (imperfect subjunctive, as in **Ojalá que no hubiera clases hoy**).

❋ Práctica de GRAMÁTICA

14 | Todo en orden

Hablar
Escribir

Completa las siguientes oraciones.

> **modelo:** el director de la escuela deseaba / los empleados tener iniciativa
> El director de la escuela deseaba que los empleados hubieran tenido iniciativa.

1. era importante / tú pedir una beca
2. el gerente deseaba / mi padre hacer la estrategia de marketing
3. es una lástima / los estudiantes no entender matemáticas
4. la abogada prefiere / su hija estudiar derecho
5. nadie desearía / Jorge estudiar en la facultad de ingeniería
6. me había sorprendido / la administración de empresas ser tan complicada

Expansión:
Teacher Edition Only
Pídales a los estudiantes que contesten la pregunta ¿por qué? con respecto a cuatro de las frases. (Era importante que pidieras una beca porque no tenías dinero.)

15 | Una entrevista

Hablar

Usa la siguiente información para hacerle preguntas a un(a) compañero(a). Sigue el modelo.

> **modelo:** tus amigos / pedir

A ¿Qué te piden tus amigos que hagas? ¿Qué te pidieron tus amigos que hicieras la semana pasada? ¿Qué te han pedido tus amigos?

B Mis amigos me piden que sea honesto con ellos. Mis amigos me pidieron que fuera al cine con ellos. Mis amigos me han pedido que vaya al parque con ellos.

Expansión
Pregúntale a tu compañero(a) sobre tres de las situaciones que describió.
Por ejemplo: «Si no fueras honesto(a), ¿qué pasaría?»

1. el (la) consejero(a) / decir
2. tus padres / rogar
3. tu hermano(a) / esperar
4. el (la) médico(a) / sugerir

AUDIO

Pronunciación   La letra t

La **t** tiene un sonido más suave que la **t** en inglés y se pronuncia sin explosión de aire. La posición de la **t** en una palabra no afecta su pronunciación.

título	motivado
estrategia	contabilidad

Refrán

Tanto va el cántaro a la fuente, hasta que se rompe.

Differentiating Instruction

Inclusion

Alphabetic/Phonetic Awareness Explain that the /t/ sound in Spanish is created by placing the tongue lightly against the back of the teeth, whereas in English it touches the roof of the mouth, farther back.

Pre-AP

Self-correct Write the following sentence on the board to give students more practice pronouncing the /t/ sound. **Tanto talento tenía Leticia que tomó un trabajo en arquitectura sin tener el título que tenía que tener.** Correct those students that still pronounce the aspirated, English /t/ sound.

Objectives

· Practice deciding when to use the present subjunctive and when to use the imperfect subjunctive
· Pronunciation: the letter **t**

Core Resource

· Audio Program: TXT CD 14 Track 6

Practice Sequencce

· **Activity 14:** Controlled practice: sequence of tenses
· **Activity 15:** Transitional practice: sequence of tenses

❋ STANDARDS

1.1 Engage in conversation, Act. 15
1.3 Present information, Act. 14, 15
4.1 Compare languages, Pronunciación

Answers UTB 7 Transparency 30

Answers continued from p. 428.

> ¿Qué te dijo que estudiaras la semana pasada? / Me dijo que estudiara inglés.
> ¿Qué te ha dicho? / Me ha dicho que estudie mucho en todos los cursos.

2. ¿Qué te ruegan tus padres que hagas? / Me ruegan que haga la tarea temprano.
   ¿Qué te rogaron la semana pasada? / Me rogaron que cuidara a mi hermana.
   ¿Qué te han rogado? / Me han rogado que estudie mucho antes de los exámenes.

3. ¿Qué espera tu hermano que hagas? / Espera que juegue con él.
   ¿Qué esperaba la semana pasada? / Esperaba que mirara una película con él.
   ¿Qué ha esperado que hagas? / Ha esperado que vaya con él al centro.

4. ¿Qué te sugiere el médico? / Me sugiere que coma mejor.
   ¿Qué te sugirió la semana pasada? / Me sugirió que tomara vitaminas.
   ¿Qué te ha sugerido? / Me ha sugerido que haga más ejercicio.

429

Objectives
· Practice using the correct sequence of tenses with the subjunctive
· **Culture:** How history affects education

Core Resource
· *Cuaderno,* pp. 324–326

Practice Sequence
· **Activities 16, 17:** Open-ended practice: sequence of tenses

STANDARDS
1.3 Present information, Acts. 16, 17
2.1 Practices and perspectives, Act. 17
2.2 Products and perspectives, Act. 17
4.2 Compare cultures, Act. 17

Comparación cultural

Essential Question
Suggested Answer En el caso de Colombia, la influencia del colonizador tuvo un gran efecto en la cultura. Con ellos llegó la tradición europea de la universidad.

Background Information
Universidad de Santo Tomás prepares students for an extremely broad range of career areas, including architecture, sports and recreation, accounting, law, engineering, international business, and orthodontics.

✓ Ongoing Assessment
@HomeTutor More Practice ClassZone.com

PARA Y PIENSA **Peer Assessment** Have students check answers and make corrections to the sentences in the Para y piensa. For additional practice, use Reteaching & Practice Copymasters, URB 7 pp. 20, 21.

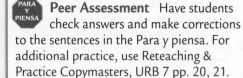 **Answers** UTB 7 Transparency 30

Activity 16 Answers will vary. Sample answers:
Mis padres querían que yo hiciera... Ahora quieren que haga...

Answers continue on p. 431.

430

---

16 ¿Qué querían?

Escribir Escribe una lista de cosas que otras personas querían que hicieras en el pasado y lo que quieren ahora.

> **modelo:** Mis padres querían que asistiera a un programa de español en la universidad. Ahora quieren que vaya a estudiar a España.

1. tus padres
2. tu maestro(a)
3. el entrenador
4. tu doctor
5. mi hermano
6. mis tías

Expansión:
Teacher Edition Only
Pídales a los estudiantes que incluyan lo que cada persona querrá en el futuro.

17 ¿Querían que estudiáramos?

Leer
Hablar
Escribir

Comparación cultural

Universidad de Santo Tomás, Bucaramanga, Colombia

Universidades
¿Qué influencia tiene la historia en la educación de un país? **Colombia** fue una colonia española importante durante los siglos XVI al XIX, hasta que consiguió la independencia en 1819. Era importante para los colonizadores españoles que el país tuviera escuelas y universidades buenas para educar a sus familias; así no era necesario que sus hijos viajaran a Europa para estudiar. Su primera universidad, la Universidad de Santo Tomás, se estableció en Bucaramanga en 1580, y ha crecido mucho desde su establecimiento. Sus directores quieren que siga ofreciendo una gran variedad de programas académicos.

Compara con tu mundo *¿Cuál es la universidad más importante de tu estado o región? ¿Qué otras universidades antiguas de Estados Unidos conoces?*

Contesta las siguientes preguntas sobre la educación en Colombia. Utiliza respuestas completas, concordando *(sequencing)* los tiempos de los verbos correctamente.

1. ¿Por qué querían los españoles que se fundaran universidades en Colombia?
2. ¿Qué quieren los directores de la Universidad de Santo Tomás?

Expansión:
Teacher Edition Only
Pídales a los estudiantes que hablen de la influencia que tiene la historia de un país en su educación, según la información que acaban de leer.

Más práctica Cuaderno *pp. 324–326* Cuaderno para hispanohablantes *pp. 325–328*

 PARA Y PIENSA

¿Comprendiste? Escribe las oraciones de nuevo con los verbos en el pasado.
1. Los maestros se alegran de que los estudiantes sean honestos.
2. Mis padres me han dicho que estudie relaciones públicas.
3. Será muy importante que la empresa contrate a un traductor.

Get Help Online
ClassZone.com

Differentiating Instruction

Heritage Language Learners
Support What They Know Ask native speakers what universities exist in their countries of origin, and how intimately connected they seem to Spanish culture and influence, as opposed to the indigenous. For instance, did their parents' school teachers teach in Spanish only, or in an indigenous language as well? Encourage students to ask their parents or grandparents.

Multiple Intelligences
Visual Learners Have students work in groups to make timelines showing the dates in which a number of universities were founded. Use the following as a base: University of Bologna, Italy, 11th century; University of Oxford, England, late 12th century; University of Salamanca, Spain, 1218; Santo Domingo, Dominican Republic, 1538; Harvard, 1636.

❖ Todo junto

¡AVANZA! **Goal:** *Show what you know* Listen to and read the conversation between a Colombian high school student and his guidance counselor as they talk about his future plans. Then describe your own plans and ideas for your future. *Actividades 18–21*

Resumen contextos 1 y 2 Guille leyó los anuncios de trabajo en el periódico y preparó su hoja de vida para dársela a su consejero escolar.

Contexto 3 *Diálogo*

ESTRATEGIA Escuchar
Predict and then check Before listening to the dialogue between Guille and his counselor, list four topics you might expect Guille to talk about based on what you know about him so far.

AUDIO

Guille tiene una reunión con la señora Ramos, la consejera académica, para hablar de su futuro, sus planes y sus ideas de trabajo.

Sra. Ramos: Hola, Guille. ¿Qué tal?

Guille: Hola, señora Ramos. Bien, gracias. Aquí tiene la hoja de vida que preparé.

Sra. Ramos: Muy bien. A ver... ¿así que te gustan el diseño y las computadoras?

Guille: Sí, parece que tengo buena aptitud para todo eso.

Sra. Ramos: Sí, es obvio que tienes mucha experiencia. Entonces, ¿vas a seguir una carrera de tecnología y vas a especializarte en computadoras?

Guille: Creo que sí. No sé...

Sra. Ramos: Parece que no te apasiona la idea. ¿Por qué escogiste esta profesión?

Guille: Porque sé mucho sobre las computadoras y todo el mundo me ha dicho que me prepare para una profesión en que pueda ganar un buen sueldo.

Sra. Ramos: Eso es importante, pero hay otras consideraciones también. Si pudieras trabajar en cualquier campo, sin pensar en el dinero, ¿qué escogerías?

Lección 2
cuatrocientos treinta y uno **431**

Differentiating Instruction

Slower-paced Learners

Yes/No Questions Check for comprehension by asking less intimidating questions, such as **¿Tiene Guille aptitud para las computadoras?** If it seems that some students are unaware that the answer to the question is a simple **sí** or **no,** make a habit of indicating that fact with a gesture, such as giving a thumbs-up and then a thumbs-down signal as you shrug your shoulders.

English Learners

Build Background The field of technology has been one area which students in the United States and other western countries have been encouraged to study because of the anticipated availability of jobs in the field. Ask students if there is a field which, in their culture of origin, is considered a sure way of making a good living.

Unidad 7 Lección 2
TODO JUNTO

 ¡AVANZA! **Objective**
· Integrate lesson content

Core Resource
· Audio Program: TXT CD 14 Track 7

Presentation Strategy
· Review the first two parts of the Contexto aloud
· Have students make predictions about the dialogue according to the strategy
· Read as a class, pausing for comprehension checks periodically

 STANDARD
1.2 Understand language

Warm Up UTB 7 Transparency 22

Escribe las oraciones usando el pasado.
Modelo: Tatiana quiere que yo la acompañe.
Tatiana quería que yo la acompañara.

1. Es importante que los arquitectos sigan las instrucciones.
2. No es cierto que el profesor pueda enseñar en inglés.
3. Es difícil que la contadora introvertida conozca a nuevos amigos.
4. Dudo que el dentista sea muy apasionado.
5. Ojalá que el traductor nos pueda ayudar.

Answers: 1. Era importante que los arquitectos siguieran las instrucciones.; 2. No era cierto que el profesor pudiera enseñar en inglés.; 3. Era difícil que la contadora introvertida conociera a nuevos amigos.; 4. Dudaba que el dentista fuera muy apasionado.; 5. Ojalá que el traductor nos pudiera ayudar.

 Answers UTB 7 Transparency 30

Answers continued from p. 430.

Activity 17 Answers may vary. Sample answers:
  1. Los españoles querían que se fundaran universidades porque no querían que los hijos de los colonizadores viajaran a Europa para estudiar.
  2. Quieren que siga ofreciendo una variedad de programas académicos.

Para y piensa
  1. Los maestros se alegraban de que los estudiantes fueran honestos.
  2. Mis padres me habían dicho que estudiara relaciones públicas.
  3. Era muy importante que la empresa contratara a un traductor.

431

Objective

· Practice using and integrating lesson grammar and vocabulary.

Core Resources

· *Cuaderno*, pp. 327–328
· Audio Program: TXT CD 14 Tracks 7, 8, 9

Practice Sequence

· **Activity 18:** Contexto 3 comprehension
· **Activity 19:** Open-ended practice: speaking, writing
· **Activity 20:** Open-ended practice: reading, listening, speaking
· **Activity 21:** Open-ended practice: writing

STANDARDS

1.1 Engage in conversation, Act. 19
1.2 Understand language, Act. 18, 19
1.3 Present information, Act. 19, 20, 21

Guille: ¡La televisión y el cine! Si no tuviera que preocuparme por el dinero, escribiría y dirigiría películas para la televisión y el cine internacional.

Sra. Ramos: Entonces, ¿por qué no vas a una universidad que tenga una especialización en cine?

Guille: Es que si no estudio computación, ¡mis padres se morirán de los nervios! Dicen que hay mucha competencia en el campo del cine y que nunca podría ganarme la vida si no tuviera una profesión más segura.

Sra. Ramos: Bueno, Guille, la seguridad es importante, pero la pasión también importa mucho. Eres muy joven para olvidarte de tus sueños.

Guille: Tiene razón, señora Ramos. ¡Pero no sé cómo hablar de eso con mis padres!

También se dice

Guille usa la expresión **se morirán de los nervios** para decir que sus padres se pondrán muy nerviosos.
·**el Caribe** Les va a dar un soponcio.
·**América del Sur** Se van a poner verdes.

---

18 | Comprensión del diálogo

Escuchar
Hablar
Escribir

Contesta las preguntas sobre el diálogo.

1. ¿Cuáles son las aptitudes que Guille incluyó en su hoja de vida?
2. ¿Por qué eligió la computación como profesión?
3. Si Guille no tuviera que pensar en el dinero, ¿qué profesión preferiría?
4. Si Guille no estudia computación, ¿cómo cree que reaccionarán sus padres? ¿Por qué?
5. ¿Cuál es la opinión de la señora Ramos?

Expansión:
Teacher Edition Only
Pídales a los estudiantes que trabajen con un(a) compañero(a) para señalar la parte en el texto que indique la información de cada pregunta.

19 | Una sorpresa

Hablar
Escribir

Con tus compañeros(as), prepara un diálogo de la conversación que tiene Guille con sus padres para explicarles que quiere seguir una carrera en la televisión y el cine.

modelo:

Guille: Bueno, mamá, papá... tengo noticias.

Papá: Sí, hijo, cuéntanos.

Guille: Bueno, sé que ustedes quieren que estudie computación, pero he decidido especializarme en...

Expansión:
Teacher Edition Only
Pídales a los estudiantes que incluyan en el diálogo por lo menos cuatro usos del subjuntivo.

Answers UTB 7 Transparency 30

Activity 18

1. Guille incluyó sus aptitudes en diseño y computadoras.
2. Eligió la computación como profesión porque sería una manera fiable de ganarse la vida.
3. Si no tuviera que preocuparse del dinero, preferiría escribir y dirigir películas.
4. Si Guille no estudia computación es probable que sus padres se preocupen, porque hay mucha competencia en el cine y les importa que él pueda ganarse la vida.
5. La señora Ramos piensa que Guille debe intentar hacer lo que le apasiona.

Activity 19 Dialogs will vary.

432

Differentiating Instruction

Pre-AP

Relate Opinions Invite students to discuss the issue of professional interest vs. passion. How many people do they think are passionate about their work? Remind students of the usefulness of impersonal expressions such as **(no) es necesario que...** or **(no) es imprescindible que...**

Inclusion

Cumulative Instruction Remind students of the implication that results when the subjunctive is not used in impersonal expressions of truth or other affirmative statements. Discuss the phrase **parece que tengo buena aptitud...** and what would happen if the statement were negative (**no parece que tenga buena aptitud**).

20 Integración

🎧 Audio Program
TXT CD 14 Tracks
8, 9, Audio Script,
TE p. 415B

Leer
Escuchar
Hablar

Lee la hoja de vida y la carta de presentación *(cover letter)* de Silvia. Escucha los anuncios que pasan por la radio. Decide qué trabajo le puede interesar a Silvia.

Fuente 1 Hoja de vida

Señor gerente:
Como verá en mi hoja de vida, tengo buena experiencia en el campo de las comunicaciones. Además, soy creativa y eficiente. Me interesaría mucho trabajar en las relaciones públicas de su empresa, si fuera bueno.

Si usted tien... ... ... ve y cree que una entrevista p... ... ... contratarm... Atentamen... *Silvia Ro...* Silvia Ro...

Silvia Rodríguez
Calle Simón Bolívar 555
Barranquilla, Colombia
Tel. 50-50-50
srodríguez872@777mail.com

EDUCACIÓN
2002–2005 Universidad de San Carlos, especialidad en comunicación e idiomas.
1999–2002 Academia Internacional de Periodismo, título con honores.

EXPERIENCIA
2003–presente Periodista y fotógrafa para el periódico *El Noticiero de Barranquilla.*
2001–presente Diseñadora de páginas web.
1999–2002 Colaboradora con el anuario de la Academia Internacional.

IDIOMAS: Inglés e italiano

Fuente 2 Anuncios por la radio

Escucha y apunta
· ¿Cuáles son los trabajos anunciados?
· ¿Qué cualificaciones requiere cada trabajo?

modelo: Uno de los trabajos es de administración. Si el candidato hablara inglés sería mejor. Si a Silvia le interesan las relaciones públicas, entonces...

Expansión:
Teacher Edition Only
Pídales a los estudiantes que digan si ellos contratarían o no a Silvia y que digan por qué.

21 ¡A escribir!

Escribir

Escribe un ensayo de tres a cinco párrafos sobre la profesión de tus sueños. ¿Qué te gustaría ser? ¿Por qué? ¿Qué cualidades tienes?

Writing Criteria	Excellent	Good	Needs Work
Content	Your essay includes many details about your dream job.	Your essay includes some details about your dream job.	Your essay includes few details about your dream job.
Communication	Your essay is organized and easy to follow.	Parts of your essay are organized and easy to follow.	Your essay is disorganized and hard to follow.
Accuracy	You make few mistakes in grammar and vocabulary.	You make some mistakes in grammar and vocabulary.	You make many mistakes in grammar and vocabulary.

Expansión:
Teacher Edition Only
Pídales a los estudiantes que escriban un párrafo sobre la profesión que menos les gusta y por qué.

Más práctica Cuaderno pp. 327–328   Cuaderno para hispanohablantes pp. 329–330

PARA Y PIENSA

¿Comprendiste? Di lo que las siguientes personas querían que tú hicieras en el pasado y lo que quieren que tú hagas ahora.
1. Ayer mis padres querían que yo... Ahora quieren que yo...
2. La semana pasada mi mejor amigo(a) me pidió que... Ahora me pide que...

Get Help Online
ClassZone.com

Differentiating Instruction

Multiple Intelligences

Interpersonal Have students partner with a classmate and each tell whether they would hire Silvia if they were the owner of a business, and why or why not. (**Si yo fuera el dueño(a) de una empresa...**) Have them reference at least three concrete reasons from the resume and cover letter they read in Activity 20.

Heritage Language Learners

Writing Skills Reinforce the concept of goal-directed writing by having students read through the rubric before attempting to write even a rough draft of the essay in Activity 21. Help them to make outlines to foster organization, and to pair with classmates to act as peer editors, while also helping to identify and correct errors in grammar and word usage.

Long-term Retention

Pre-AP **Integration**

Activity 20 Have students make a two-column chart, with the headings **Las cualificaciones de Silvia** and **Trabajos disponibles.** Instruct them to take notes as they read Silvia's cover letter and résumé and listen to the radio ad. Based on their notes, they should be able to determine for which jobs she is qualified.

✓ Ongoing Assessment

Rubric Activity 20 Listening/Speaking

Proficient	Not There Yet
Student takes detailed notes and names most of Silvia's qualifications and the available jobs.	Student takes few notes and names only some of Silvia's qualifications and the available jobs.

✓ Ongoing Assessment

@HomeTutor
More Practice
ClassZone.com

PARA Y PIENSA **Alternative Strategy** Ask students to say what they wanted someone else to do in the past and what they want them to do now. For additional practice, use Reteaching & Practice Copymasters URB 7, pp. 20, 22.

Answers UTB 7 Transparencies 30–31

Activity 20 Answers will vary. See model.

Activity 21 Answers will vary. Sample answer:
Ayer yo estaba en el trabajo cuando me dormí. Mientras dormía, tuve un sueño inolvidable...

Para y piensa Answers will vary. Sample responses:
1. Ayer mis padres querían que yo sacara la basura. Ahora quieren que yo cocine.
2. La semana pasada mi mejor amigo me pidió que le ayudara con su tarea de matemáticas. Ahora me pide que le ayude con su tarea de español.

433

¡AVANZA! Objectives

- Read a story about an unusual encounter
- Analyze the story's perspective on what is normal or natural
- **Culture:** surrealism in Latin American narratives

Core Resource

- Audio Program: TXT CD 14 Track 10

Presentation Strategies

- Use the Para leer strategy to aid in information processing
- Point out vocabulary notes
- Examine Nota cultural with students
- Read and respond to the story

STANDARDS

1.2 Understand language
2.1 Practices and perspectives
2.2 Products and perspectives
3.1 Knowledge of other disciplines

Warm Up UTB 7 Transparency 23

Di si las siguientes oraciones se enfocan en **lo cotidiano** o **lo fantástico.**

1. Debemos pensar en cómo se sentirían los extraterrestres si vinieran al pueblo.
2. Es improbable que tenga tiempo para leer una novela de ficción.
3. No me digas otra vez sobre tus sueños. Los sueños son para cuando duermes.
4. Si yo conociera a una fantasma, le pediría que me contara sus secretos.
5. No me gustan las películas de ciencia ficción. Prefiero que los personajes parezcan más como tú y yo.

Answers: 1. fantástico; 2. cotidiano;
3. cotidiano; 4. fantástico; 5. cotidiano

Culture

About the Author

Evelio Rosero Diago has written a broad range of genres, including children's stories which have been anthologized internationally. His work enjoys particular popularity in Northern Europe; a novel trilogy called *Primera vez* has been translated into Swedish, Danish, Norwegian, Finnish, and German.

434

Lectura literaria

Goal: Read this story about an encounter between a man and a living skeleton. Then consider how literature can help you to stretch your imagination beyond normal, daily-life occurrences.

Para leer

ESTRATEGIA Leer
Use shapes to help you understand Draw a square or a cube, and in it write any normal, unsurprising things you read in the story. Draw a starburst, and in it write any unusual, surprising things from the story.

Vocabulario para leer

el esqueleto	*skeleton*
la paloma	*pájaro que es símbolo de la paz*
risueño(a)	*que se ríe*
rojizo(a)	*de color rojo*
castañear	*hacer ruido con los dientes por el frío*
los comensales	*personas que están en la mesa para comer*
boquiabierto(a)	*con la boca abierta*
adivinar	*anticipar un evento*
asombrarse	*sorprenderse*
susurrar	*hablar en voz muy baja*
incorporarse	*levantarse*

Nota cultural

Sobre el autor **Evelio Rosero Diago (1958–)**
Evelio Rosero Diago nació en Bogotá e hizo sus estudios universitarios allí. Trabaja como periodista y autor y ha publicado novelas, una novela corta, cuentos y literatura juvenil. En 1992 ganó el Premio Nacional de Literatura.

Nota cultural En la literatura latinoamericana existe una gran tradición de narrar historias en que se mezclan elementos de la realidad cotidiana con elementos mágicos. En este cuento un hombre se encuentra con un esqueleto vivo, al que invita a tomar chocolate. El autor utiliza las situaciones que les pasan al hombre y al esqueleto como un símbolo de la importancia de la tolerancia en la sociedad.

Differentiating Instruction

Slower-paced Learners

Read Before Listening Have students take turns reading in small groups. Each group should choose a leader who will pose the question **¿Qué ha pasado?** at every section break (denoted by an ellipsis between paragraphs). Have a group secretary write down the answers to these questions. As you circulate the room, observe these summaries in order to correct misconceptions.

Multiple Intelligences

Kinesthetic Draw attention to Vocabulario para leer by featuring the new terms in a quick, whole-class game of charades. If students enjoy the game and want to continue to play, encourage them to write down key words from the story that could be used as items to be acted out. Repeat the activity using these key words for the last five minutes of class.

El Esqueleto de Visita
AUDIO

Un día conocí un esqueleto, en el parque. Estaba sentado
en un banco de piedra, rodeado[1] de palomas blancas, y sonreía,
pensativo. Me pareció muy raro encontrar un esqueleto en pleno[2]
parque, dando de comer a las palomas, y tan risueño y tranquilo,
5 como si se acordara de una broma[3], solitario, en mitad de la tarde
[...] Me dijo que no tenía nombre. «Ningún esqueleto lo tiene», dijo,
y cuando el sol desapareció detrás de las nubes[4] rojizas, se lamentó
del frío. Sus dientes castañeaban. Se puso de pie y me propuso[5] que
fuéramos a tomar una tacita[6] de chocolate, en cualquier[7] lugar.

....

10   Al fin encontramos un restaurante que anunciaba: *Chocolate
caliente a toda hora.* Al entrar muchos comensales quedaron
boquiabiertos. Algunas señoras gritaron; una de las meseras[8]
dejó caer una bandeja repleta de tazas[9].

....

---

[1] surrounded   [2] **en...** in the middle of
[3] **como...** as if he were remembering a joke   [4] clouds   [5] proposed
[6] mug   [7] any   [8] waitresses   [9] **una...** a tray with many mugs

 Reflexiona

¿Cuáles son los elementos realistas y cuáles los fantásticos?
¿Qué efecto produce la combinación?

Lección 2
cuatrocientos treinta y cinco   **435**

Differentiating Instruction

Inclusion

Frequent Review/Repetition Ask students
to find two uses of the imperfect subjunctive
in the opening paragraph (line 5: **como si se
acordara de una broma;** line 9: **me propuso
que fuéramos**). Ask if the present subjunctive
could be used instead, and why or why not.
(It couldn't, because the story is in the past
tense.) Point out that after the phrase **como
si,** students will see the subjunctive.

Heritage Language Learners

Literacy Skills Ask students what
generalization the skeleton makes on this
page regarding all skeletons. (He says **ningún
esqueleto...tiene [nombre]**). Have them
discuss with a classmate what they can infer
from this statement. (Inferences will vary, but
might include the fact that he is not the only
"living" skeleton or that skeletons are not
treated with great respect.)

Answers

Reflexiona Answers will vary.
Los elementos realistas incluyen el escenario:
el parque y el restaurante con sus clientes y su
personal. Los elementos fantásticos son todo lo
que tiene que ver con el esqueleto: sus acciones
e interacciones con el protagonista y la otra
gente. La combinación de lo realista con lo
fantástico choca con las expectativas del lector.

Objectives
· Read a Colombian short story
· Answer comprehension questions

Core Resource
· Audio Program: TXT CD 14 Track 10

Presentation Strategy
· Read and respond to the fable

STANDARDS
1.2 Understand language
1.3 Present information

Long-term Retention
Critical Thinking

Have students conceptualize the character referred to in line 19. Ask for words to describe her. (Students may propose **rica, antipática, vieja, pálida,** etc.) Then how many students think that the description in line 20 is of the woman. How many think it is of the dog in her lap (**...de pelo amarillo, con un collar de diamantes...**)? Propose the possibility of deliberate ambiguity, and its effect on the reader.

Answers

A pensar
· Las personas en el restaurante gritan cuando el esqueleto llega. Una camarera deja caer una bandeja de tazas. (The following will vary.) No he visto una reacción similar en un lugar público, pero me imagino que pasaría cuando la gente estuviera muy sorprendida o atemorizada.
· Este tipo de discriminación ha pasado en Estados Unidos con africano-americanos. También pasó con los judíos en muchas partes de Europa alrededor de la Segunda Guerra Mundial. La gente de color en Sudáfrica sufrió de manera parecida, y los indígenas de Sudamérica fueron rechazados por los europeos durante siglos, aunque no fuera precisamente de la misma manera.

436

✣ Lectura literaria *continuación*

«¿Qué pasa?» pregunté, abochornado[10], aunque ya adivinaba a
15 qué se debía aquel alboroto[11]. «¿Quién es ése?», me respondieron a coro, señalando[12] a mi amigo.

«Perdón —dijo él—. Yo puedo presentarme solo. Soy un esqueleto. Tengan todos muy buenas tardes».

«Oh —se asombró una señora, que llevaba un perrito faldero[13],
20 de pelo amarillo, adornado con un collar de diamantes—. No puede ser. Un esqueleto que habla».

«Pues sí —dijo mi amigo, encogiendo los omóplatos[14]. En realidad todos los esqueletos hablamos». ✣

....

Levantó el dedo índice y pidió a la rubia mesera dos tacitas de
25 chocolate. «Por favor, sea amable». Y sin embargo la mesera nos susurró que tenía órdenes expresas de no atendernos, y que incluso el dueño del restaurante exigía que nos fuéramos inmediatamente.

«Pero si aquí hay chocolate a toda hora», dije.

«Sí —me respondió ella—. Pero no hay chocolate a toda hora
30 para ustedes». ✣

«Lo suponía —terció[15] mi amigo el esqueleto—. Siempre ocurre lo mismo: desde hace mil años no he logrado que me ofrezcan una sola tacita de chocolate». Y nos incorporamos, para marcharnos[16].

Bueno, lo cierto es que yo me preguntaba cómo haría el
35 esqueleto para beber su tacita de chocolate [...] Pero preferí guardar

✣ A pensar
¿Cómo reaccionan las personas en el restaurante a la llegada de un esqueleto? ¿Has visto alguna reacción similar en un lugar público? ¿Por qué?

✣ A pensar
¿En qué otras circunstancias crees que ocurre o ha ocurrido este tipo de discriminación?

---

[10] embarrassed   [11] **a...** what the uproar was about   [12] pointing
[13] **perrito...** lap dog   [14] **encogiendo...** shrugging his shoulder blades
[15] intervened   [16] leave

Differentiating Instruction

Multiple Intelligences

Interpersonal Ask students to work with a partner to classify the behavior of the skeleton in the restaurant, referencing by line number evidence of good or poor manners. They may note polite phrases such as **perdón** (line 17); **que tengan buenas tardes** (18); **por favor** (25).

English Learners

Increase Interaction Note how the narrator wonders to himself **cómo haría el esqueleto para beber su tacita de chocolate.** Have students hypothesize what would happen if a skeleton were to drink a cup of hot chocolate (where would the liquid go?). Have students write down a conclusion to the sentence **Si un esqueleto bebiera una taza de chocolate...**

ese misterio: me parecía indiscreto, fuera de tono, preguntar a mi amigo sobre eso. Le dije, por el contrario: «¿Por qué no vamos a mi casa? Lo invito a tomar chocolate».

40 «Gracias —dijo, con una breve venia [17]—. Una persona como usted no se encuentra fácilmente, ni en trescientos años».

Y así nos pusimos en camino hasta mi casa, que no quedaba lejos.

....

Llegamos a casa cuando anochecía.

Mi mujer abrió la puerta y pegó un alarido [18].

— Tranquila —dije—, es solamente nuestro amigo el esqueleto de visita.

....

45 Propuse mientras tanto a nuestro amigo que jugáramos un partido de ajedrez. «Oh, sí —dijo—, no hace mucho jugué con Napoleón y lo vencí [19]». Y ya disponíamos [20] las fichas sobre el tablero [21], contentos y sin prisa, en el calor de los cojines [22] de la sala, y con la promesa alentadora [23] de una tacita de chocolate, cuando vi que mi mujer me hacía una 50 angustiosa seña [24] desde la cocina.

....

Ella me explicó enfurruñada [25] que no había chocolate en la alacena [26] [...] Yo ya iba a responder cuando, detrás nuestro, sentimos la fría pero amigable presencia del esqueleto. «No se preocupen por mí —dijo, preocupadísimo [...] Ya es costumbre para mí. Ésta es una época 55 difícil para el mundo. Pero no se preocupen, por favor. Además, debo irme. Acabo de recordar que hoy tengo la oportunidad de viajar a la Argentina, y debo acudir [27]. Ustedes perdonen. Fueron muy formales. Muy gentiles.

---

[17] nod [18] **pegó...** let out a wail [19] I defeated [20] we were arranging [21] board
[22] cushions [23] encouraging [24] gesture [25] sulkingly [26] pantry [27] go

PARA Y PIENSA

¿Comprendiste?
1. ¿Cómo se conocieron el narrador y el esqueleto?
2. ¿Por qué el esqueleto invitó al narrador a tomar un chocolate?
3. ¿Qué ocurrió en el restaurante?
4. ¿Qué pasó en casa del narrador?
5. ¿Cómo reaccionó el esqueleto al final?

¿Y tú?
1. ¿Consideras el cuento cómico o triste? Explica tu opinión.
2. ¿Has tenido algún encuentro extraño? Explica qué pasó.

Lección 2
cuatrocientos treinta y siete **437**

✓ Ongoing Assessment

PARA Y PIENSA **Alternative Strategy** Have students make a chart with three columns, entitled **En el parque, En el restaurante,** and **En la casa.** Have students write a sentence in each column to summarize the action in each scene.

Answers

Para y piensa
1. El narrador y el esqueleto se conocieron en el parque.
2. El esqueleto invitó al narrador a tomar un chocolate porque hacía frío.
3. En el restaurante la mesera les dijo que no podría atenderles y el dueño exigía que se fueran del restaurante inmediatamente.
4. En su casa, el narrador propuso que jugaran un partido de ajedrez. El esqueleto aceptó y estaban sentados, listo para jugar, cuando la esposa de él dijo que no había chocolate en la alacena. El esqueleto les dijo que no se preocupen y que debe irse.
5. El esqueleto les dijo al narrador y a su esposa que eran muy gentiles.

¿Y tu? Answers will vary.

Differentiating Instruction

Multiple Intelligences

Visual Learners Have students create a character warmth thermometer; in other words, a continuum showing the degree to which main and supporting characters are able to accept the differences between the skeleton and themselves and show him kindness. Direct the class to place the waitress, the customer with the lap dog, the restaurant owner, the narrator, and his wife.

Pre-AP

Draw Conclusions One of the last things that the skeleton says before leaving is **Ésta es una época difícil para el mundo.** Ask what students think that he means by this. Is he referring to the specific time period (year, decade, etc)? If so, why do they think so, and when do they think the story takes place? Have them cite evidence from the text to back up their conclusions.

Objective

· Write about and analyze last year's and next year's activities.

Presentation Strategy

· Model step 1 by drawing three circles on overhead transparencies and giving examples from your life.

⚛ STANDARDS

1.3 Present information

Comparisons

English Language Connection

Students may confuse **si** clauses expressed with the present tense and **si** clauses expressed with the imperfect subjunctive. Suggest that they consider it in terms of English; an *if* clause expressed with a verb in the present in English is usually the same in Spanish: *If I have the money, I will do it.* / **Si tengo el dinero, lo haré.** An *if* clause expressed with a verb in the past tense in English is usually expressed in the imperfect subjunctive in Spanish: *If I had the money, I would do it.* / **Si tuviera el dinero, lo haría.**

Long-term Retention

Interest Inventory

After students have finished writing, assess if any of them have similar ambitions for what they will do next year. Group them according to interests, and encourage them to come up with strategies on how to accomplish their goals. Finally, have each group present those strategies to the class.

438

 ## Escritura

Reflexiones sobre el año pasado

Vas a escribir un análisis de las actividades que hiciste el año pasado. También vas a hacerte algunas preguntas sobre los actividades para el proximo año.

① Prepárate para escribir

ESTRATEGIA Haz círculos analíticos Piensa en las actividades que hiciste el año pasado (académicas, después de las clases, con amigos, con la familia, deportes, viajes). Luego dibuja tres círculos grandes. En el primer círculo escribe **Lo que hice el año pasado.** En el segundo escribe **Lo que hice que no volvería a hacer.** En el tercero escribe **Lo que todavía no he hecho que me gustaría hacer.** Agrega la información necesaria en cada círculo.

Lo que hice el año pasado

Lo que hice que no volvería a hacer

Lo que todavía no he hecho que me gustaría hacer

② Escribe

ESTRATEGIA Usa los círculos analíticos para escribir un primer borrador

Paso 1 Escribe un párrafo breve con una introducción: dónde vivías el año pasado y a qué escuela ibas.

Paso 2 Usa las actividades del primer círculo para escribir el segundo párrafo.
El año pasado estuve en el club de español de la escuela.

Paso 3 Usa las actividades del segundo círculo para escribir el tercer párrafo.
El año pasado participé en el coro. No volvería a hacerlo porque fue muy difícil.

Paso 4 Usa las actividades del tercer círculo para escribir el cuarto párrafo con lo que te gustaría hacer. Usa cláusulas con **si.**
El año pasado no pude jugar al fútbol. Si tengo más tiempo el próximo año, jugaré.

Paso 5 Escribe una conclusión para resumir lo que harás el año que viene.

③ Revisa tu composición

Intercambia tu borrador con un(a) compañero(a).

Subraya todos los verbos y haz lo siguiente:

● Decide si el tiempo y la conjugación son correctos.

● Indica los verbos que tengan errores con un círculo.

● Escribe las correcciones.

> El año pasado no ~~puedo~~ *pude* jugar al fútbol. Si tengo más tiempo el próximo año, ~~jugaba~~ *jugaré*.

Differentiating Instruction

Slower-paced Learners

Peer-study Support For the Strategy activity on p. 438, pair weaker students with stronger students, and have them talk through the activity. After they orally brainstorm several ideas for each circle, have them complete the circles individually. They should then check each other's sentences for spelling and grammar.

Pre-AP

Expand and Elaborate After students write sentences for the Strategy, have them include details to enrich their writing. Under each sentence in the first circle, ask them to make two bullet points that contain phrases explaining how, why, where, with whom, etc., they did that activity.

Lección 2

En resumen

Vocabulario y gramática

Animated Grammar
Interactive Flashcards
ClassZone.com

Vocabulario

Talk About Career Possibilities

el (la) abogado(a)	lawyer	el (la) médico(a)	doctor
el (la) agente de bolsa	stockbroker	la mujer de negocios	businesswoman
el (la) arquitecto(a)	architect	el (la) peluquero(a)	hairdresser
el (la) contador(a)	accountant	el (la) profesor(a)	teacher
el (la) dentista	dentist	el (la) traductor(a)	translator
el (la) enfermero(a)	nurse	la administración de empresas	business administration
el (la) gerente	manager	la contabilidad	accounting
el hombre de negocios	businessman	el curso	course
el (la) ingeniero(a)	engineer	el derecho	law
el (la) juez(a)	judge	la escuela técnica	technical school

la especialidad	major, specialization
especializarse en	to major in
la facultad	school department
el idioma	language
la ingeniería	engineering
las relaciones públicas	public relations
seguir una carrera	to pursue a career
el título	degree
la universidad	university

Starting a business

contratar	to hire
el (la) dueño(a)	owner
la empresa	company
establecer	to establish
la estrategia	strategy
la iniciativa	initiative
el plan financiero	financial plan

Skills, interests, and values

animado(a)	animated, upbeat	flexible	flexible
apasionado(a)	passionate	honesto(a)	honest, sincere
cualificado(a)	qualified	honrado(a)	honest, honorable
destacado(a)	outstanding	motivado(a)	motivated
educado(a)	educated; polite	puntual	punctual
eficiente	efficient	versátil	versatile
fiable	dependable		

Gramática

Si Clauses

To predict the result of a likely event, use the simple present in the **si** clause and the **future tense** in the main clause to express the outcome.

> **Si** dejamos de comer comida chatarra, **perderemos** peso.
> *If we stop eating junk food, we will lose weight.*

To express how things would be if circumstances were different, use the imperfect subjunctive in the **si** clause and the **conditional** in the main clause.

> **Si** Ana **cantara** en el coro, no **tendría** tiempo para redactar el anuario.
> *If Ana were to sing in the chorus, she would not have time to edit the yearbook.*

Sequence of Tenses

Use the present subjunctive or present perfect subjunctive after the following indicative tenses.

simple present	Es bueno que hayas decidido.
present progressive	Está prohibiendo que salgas.
future	Será mejor que me llames.
present perfect	He sugerido que trabajes más.

Use the imperfect subjunctive or the past perfect subjunctive after the following indicative tenses.

preterite	Prohibió que saliera.
imperfect	Era bueno que hubiera decidido.
*past progressive	Estaba prohibiendo que salieras.
conditional	Preferiría que escribieras más.
past perfect	Había sugerido que salieras.

*grammar point of the next lesson.

Lección 2
cuatrocientos treinta y nueve **439**

Online SPANISH CLASSZONE.COM

Interactive Flashcards Students can hear every target vocabulary word pronounced in authentic Spanish. Flashcards have Spanish on one side, and a picture or a translation on the other.

Review Games Matching, concentration, hangman, and word search are just a sampling of the fun, interactive games students can play to review for the test.

Featuring...
 Cultura INTERACTIVA
 Animated Grammar
@HomeTutor

And more...
· Get Help Online
· Interactive Flashcards
· Review Games
· WebQuest
· Conjuguemos.com

Communication
Group Work

Break the class into groups of four to five students, and have each group play its own game of 20 questions with profession vocabulary. The preface for each round is **¿En qué trabajo yo?** Group members interview the subject with a maximum of 20 yes/no questions to figure out what profession the person in question is thinking of.

✓ Ongoing Assessment

Quick Check Have students write down a contingency statement about what they will do after school (**Si no tengo mucho trabajo, iré al parque.**) Then have them imagine that their *if* statement was answered in the negative, and write the sentence in the conditional/imperfect subjunctive (**Si no tuviera mucho trabajo, iría al parque.**)

Differentiating Instruction

Slower-paced Learners

Personalize It Have students make up two sentences relating to their own lives using **si** clauses: one in the simple present and the future (**Si me aceptan, asistiré a la Universidad de Chicago**) and the other using the imperfect subjunctive and the conditional (**Si no tuviera que asistir a las clases, esquiaría todo el día**).

Pre-AP

Circumlocution Have students take turns with a partner talking about the skills, interests and values of their classmates, hinting at a certain vocabulary word for each person they mention. They might say **Tomás tiene mucha energía. Normalmente está de buen humor.** The speaker's partner then might guess **¿Tomás es animado?**

Objective
· Review lesson grammar and vocabulary

Core Resources
· *Cuaderno*, pp. 329–340
· Audio Program: TXT CD 14 Track 11

Presentation Strategies
· Draw students' attention to the accomplishments listed under the ¡Llegada! banner
· Review activities may be completed in class or as homework

STANDARDS
1.2 Understand language, Act. 1, 4
1.3 Present information, Act. 1, 2, 3
2.1 Practices and perspectives, Act. 5
2.2 Products and perspectives, Act. 5

Warm Up UTB 7 Transparency 23

Completa este resumen sobre **El esqueleto de visita** con la conjugación correcta del verbo entre paréntesis.

1. Era bueno que el hombre _____ (conocer) al esqueleto en el parque.

2. Si no lo _____ (haber) conocido, nunca habría aprendido que los esqueletos hablan.

3. Dicen que es raro que un hombre _____ (pasear) con un esqueleto.

4. Es cierto que el hombre _____ (ser) un individuo destacado.

5. Si el esqueleto pudiera decirnos ahora su opinión, _____ (estar) de acuerdo.

Answers: 1. conociera; 2. hubiera; 3. pasee; 4. es; 5. estaría

---

Answers UTB 7 Transparency 28

Activity Answers from p. 440.

Activity 1
1. inglés y francés, **2.** que estudiara algo más práctico, **3.** que pudiera encontrar trabajo, **4.** ciencias, inglés, francés y alemán, **5.** solicitar una beca, **6.** que combinara sus especialidades, **7.** traductora médica, **8.** estudiar lo que les interese

Answers continue on p. 441.

440

Lección 2

Repaso de la lección

¡LLEGADA!

@HomeTutor
ClassZone.com

Now you can
· talk about career possibilities
· hypothesize
· narrate in the past

Using
· **si** clauses
· sequence of tenses

🎧 **Audio Program**
TXT CD 14 Track
11 Audio Script TE
p. 415B

To review
· vocabulary pp. 418–419

1 Listen and understand

🎧 AUDIO

Hoy es el primer día de la «Semana de las Carreras» en el colegio. Cada día, personas con empleos diferentes vienen a la escuela para hablar de sus profesiones. Hoy habla la señora Villanueva, que trabaja como traductora. Escucha sus comentarios y contesta las siguientes preguntas.

1. ¿Qué estudió la señora Villanueva en el colegio?
2. ¿Qué le aconsejaron sus amigos y parientes sobre sus estudios?
3. ¿Qué dudaban sus amigos y parientes?
4. ¿Qué estudió ella en la universidad?
5. ¿Qué pensaba hacer después de graduarse?
6. ¿Qué le dijo el hombre que ella conoció?
7. ¿Qué trabajo hace la señora Villanueva ahora?
8. ¿Cuál es la sugerencia que la señora Villanueva les ofrece a los estudiantes?

To review
· **si** clauses p. 423

2 Talk about career possibilities

Di qué profesión tendrá cada persona que estudie las siguientes carreras. Sigue el modelo.

> **modelo:** ingeniería
> Si estudias ingeniería, serás ingeniero.

1. contabilidad   **5.** medicina
2. peluquería   **6.** arquitectura
3. administración de empresas   **7.** idiomas
4. ingeniería   **8.** abogacía

Differentiating Instruction

Multiple Intelligences

Naturalist Recycle conservation and environmental protection vocabulary by discussing what a forestry engineer does. This includes studying the effects of industry on nature, especially on trees and the water cycle. Ask students what personal characteristics they think would be helpful to a forestry engineer.

Pre-AP

Expand and Elaborate Studies have shown that the average job-seeker will change careers several times during his or her lifetime. Have students express more than one career possibility for each area of study in Activity 2, using **podrás ser**, instead of **serás**. (**Si estudias contabilidad, podrás ser contadora o mujer de negocios.**)

To review
• **si** clauses p. 423

3 | Hypothesize

Para cada problema, hay un especialista que puede resolverlo. Sigue el modelo.

> **modelo:** Rafaela / cortarse el pelo muy mal
> Si Rafaela se cortara el pelo muy mal, buscaría un peluquero.

1. Laura / recibir un documento en ruso
2. tú / romperse un diente
3. Lalo y Pilar / querer aprender cálculo
4. tú / construir una casa nueva
5. Esteban / tener una fiebre muy alta
6. ustedes / no saber cómo pagar los impuestos

To review
• sequence of tenses p. 428

4 | Narrate in the past

El señor Cardona habla con los estudiantes de un colegio sobre sus experiencias académicas y profesionales. Completa sus comentarios con las formas correctas de los verbos indicados.

No era un estudiante bueno. Todos me dijeron que __1.__ (estudiar) más y que __2.__ (jugar) menos. Pero no me interesaban mis estudios. Después del colegio, fui a una escuela técnica, porque era importante que __3.__ (tener) una profesión. Me hice mecánico. Tuve mucha suerte y abrí mi propio negocio. Yo no estaba seguro de que __4.__ (poder) encontrar trabajo, pero ¡si había trabajo! Contraté a un asistente, pero teníamos demasiado trabajo; era imposible que nosotros __5.__ (trabajar) bastante para completar los proyectos. Por fin mi asistente y yo vimos que era necesario que yo __6.__ (contratar) a más gente y que __7.__ (establecer) una empresa más grande. Fui a la universidad y estudié administración de empresas. Después hice un plan financiero y esperaba que todo me __8.__ (salir) bien.

To review
• **Comparación cultural** pp. 425–430

5 | Professions and universities

Comparación cultural

1. ¿Quién es Fernando Botero?
2. ¿Cuáles son algunos de los tipos de personas que retrata?
3. ¿Cuál es la universidad más antigua de Colombia?
4. ¿Por qué hay universidades antiguas en Colombia?

Más práctica | Cuaderno *pp. 329–340* Cuaderno para hispanohablantes *pp. 331–340*

Get Help Online
ClassZone.com

Lección 2
cuatrocientos cuarenta y uno **441**

Differentiating Instruction

Inclusion

Multisensory Input/Output After the class completes the activities, be sure to have answers written out (on the board or on a transparency) as well as reviewed orally. Some students may also benefit from quietly repeating the answers as you or others read them aloud; if other students seem to find this disruptive, simply have the whole class repeat answers chorally.

Heritage Language Learners

Writing Skills Remind students not to begin a written response with the word **porque.** Explain that **Porque los españoles las construyeron** is not a sentence, it should be **Hay universidades antiguas en Colombia porque los españoles las contruyeron.** Stress that responses should make sense even when standing alone.

Intervention and Remediation If a student has more than one mistake in any of the activities, (s)he should review the indicated pages in the text as well as doing extra practice activities on the Internet at ClassZone.com.

✓ **Ongoing Assessment**   **@HomeTutor** More Practice ClassZone.com

Alternate Strategy Have students finish the sentence **Si Fernando Botero pintara...** Give them an example, such as: **Si Fernando Botero pintara a mi perro, sería gordito con las patas pequeñitas.**

Answers UTB 7 Transparency 28

Answers continued from p. 440.

Activity 2
1. Si estudias contabilidad, serás contador(a).
2. Si estudias peluquería, serás peluquero(a).
3. Si estudias administración de empresas, serás dueño(a) de una empresa.
4. Si estudias ingeniería, serás ingeniero(a).
5. Si estudias medicina, serás médico(a).
6. Si estudias arquitectura, serás arquitecto(a).
7. Si estudias idiomas, serás traductor(a).
8. Si estudias abogacía, serás abogado(a).

Activity 3
1. Si Laura recibiera un documento en ruso, buscaría un traductor. 2. Si te rompieras un diente, buscarías un dentista. 3. Si Lalo y Pilar quisieran aprender el cálculo, buscarían una profesora. 4. Si construyeras una casa nueva, buscarías una arquitecta. 5. Si Esteban tuviera una fiebre muy alta, buscaría un médico. 6. Si ustedes no supieran cómo pagar los impuestos, buscarían una contadora.

Activity 4
1. estudiara, 2. jugara, 3. tuviera, 4. pudiera, 5. trabajáramos, 6. contratara, 7. estableciera, 8. saliera

Activity 5 Answers may vary slightly.
1. Fernando Botero es un artista colombiano.
2. Pinta a una variedad de personas: militares, políticos, hombres de negocios, peluqueros y jardineros.
3. La Universidad de Santo Tomás en Bucaramanga es la universidad más antigua de Colombia.
4. Hay universidades muy antiguas en Colombia porque los colonizadores españoles querían que hubiera centros de educación cerca, para sus familias.

441

Objectives

- Read two students' descriptions of their schools.
- Students describe a school in their area.
- Students compare the school they described with those of the two students.

Core Resources

- *Cuaderno,* pp. 341–343
- Audio Program: TXT CD 14, Track 12

Presentation Strategies

- Instruct students to read the title on p. 442. Then have them brainstorm and list on the board the topics that this term suggests. After reading the text, ask students to compare their list with the information from the reading.
- Have students listen to the audio as they follow along in their text.
- For each description, ask for a volunteer to write key terms from the readings on the board as another volunteer reads. Then, have students work together to adjust each list and make it more accurate.

STANDARDS

1.2 Understand language
1.3 Present information
2.1 Practices and perspectives
2.2 Products and perspectives
4.2 Compare cultures

✓ Ongoing Assessment

Quick Check Have students respond **cierto** or **falso** based on the readings.

1. El Colegio Aplicación ofrece muchas clases de agricultura. (falso)
2. La etapa diversificada son los primeros dos años de estudio en el Colegio Aplicación. (falso)
3. Álvaro quiere ser geólogo. (cierto)
4. El Colegio José Max León está en Bogotá. (falso)
5. El Colegio José Max León ofrece cursos en agricultura. (cierto)
6. Estela quiere ser veterinaria. (cierto)

AUDIO

Educación especializada

Lectura y escritura

WebQuest
ClassZone.com

① **Leer** Estela es de Colombia y Álvaro es de Venezuela. Los dos van a escuelas muy interesantes. Lee y compara las descripciones de sus escuelas.

② **Escribir** Después de leer las descripciones que dan Estela y Álvaro, escribe una composición sobre una escuela interesante de tu región.

ESTRATEGIA Escribir

Color-code the information Use different colors for each part of the essay: green for the introduction, blue for interesting details, and red for the conclusion.

Introducción	Detalles interesantes	Conclusión

Paso 1 Haz una lista de escuelas de tu región que se enfoquen en programas especiales. Escoge una. Escribe notas para la introducción usando color verde.

Paso 2 En color azul, escribe notas sobre detalles interesantes (programas, currículum, oportunidades). Luego, en color rojo, escribe notas para una conclusión con tus opiniones.

Paso 3 Usa tus notas de colores como guía para escribir el ensayo.

Compara con tu mundo

Compara tu escuela o la escuela que investigaste con las escuelas especiales a las que van Estela y Álvaro. ¿Qué tienen en común? ¿Cuál es la especialidad de cada una? ¿Cuál de las tres te parece más interesante y por qué?

Cuaderno *pp. 341–343*   Cuaderno para hispanohablantes *pp. 341–343*

Differentiating Instruction

Pre-AP

Summarize Ask for volunteers to take turns paraphrasing the information about Estela's and Álvaro's schools without consulting the readings. Allow peer correction and help.

Slower-paced Learners

Sentence Completion Provide incomplete sentences (oral or written) based on the readings and have students complete them. Begin with the following examples.

1. Álvaro estudia en el Colegio _____ .
2. El colegio de Álvaro ofrece especializaciones en _____ .
3. Estela estudia en el Colegio _____ .

Álvaro

Hola. Me llamo Álvaro Cedeño y soy de Barquisimeto, Venezuela. Soy alumno del Colegio Aplicación, que ofrece especializaciones en ciencias y humanidades. Es muy moderno: tiene cuatro laboratorios de ciencias y dos de computación.

El colegio tiene una orientación profesional. Los dos años finales de la escuela se llaman la etapa diversificada. En esta etapa la mayoría de los estudiantes ya han decidido qué carrera quieren seguir. Yo estoy tomando muchos cursos de ciencias, porque quiero ser geólogo. En Venezuela la industria del petróleo es muy importante, por eso la geología es una especialización práctica e interesante.

También tenemos muchas oportunidades para participar en clubes deportivos como béisbol, fútbol y voleibol. Si no encuentro trabajo como geólogo, ¡tal vez pueda ser futbolista profesional!

Venezuela

Comparación cultural

Exploring the Theme

Venezuela has one of the highest standards of education and highest literacy rates (93.4%) in Latin America. Every Venezuelan is entitled to a free education, and the first nine years of education (for children ages six to fourteen) are compulsory. Students who continue beyond the ninth year choose a field of study for the next two years (academic, technical, or vocational), after which they receive their **bachillerato**. The **bachillerato** is similar to a high school diploma. With a **bachillerato,** students can enter college or technical institute programs.

Estela

Hola, me llamo Estela Robles y vivo en Bogotá, Colombia. Estudio en el Colegio José Max León, que está en la ciudad de Cota, a 14 kilómetros de Bogotá. Este colegio ofrece una variedad de cursos y especialidades. Pone mucho énfasis en el respeto por los derechos humanos y en la creación de una conciencia de solidaridad internacional.

A mí me gustan los proyectos que hacemos en la granja del colegio. Allí participamos en actividades relacionadas con la agricultura, el reciclaje y la conservación de los recursos naturales. Como me gusta mucho cuidar los animales domésticos de la granja, pienso que tal vez voy a seguir una carrera como veterinaria después de graduarme.

También estudio el inglés, que es una parte muy importante de nuestro currículum. Los cursos de inglés son intensivos para que aprendamos el idioma rápido. Ojalá que yo pueda aprenderlo bien, ¡es una lengua muy difícil!

Colombia

FACULTAD DE LINGÜÍSTICA Y LITERATURA

Long-term Retention
Critical Thinking

Have students work in small groups to invent course schedules for Estela's school and Álvaro's school. Remind them to use the information in the descriptions to draw logical conclusions for course offerings.

Colombia y Venezuela
cuatrocientos cuarenta y tres **443**

✓ Ongoing Assessment

Rubric Lectura y escritura

Writing Criteria	Very Good	Proficient	Not There Yet
Content	Essay includes a clear introduction, informative and interesting details, and a conclusion.	Essay includes a somewhat distinguishable introduction, middle, and conclusion with some details.	Essay includes an indistinguishable introduction, middle, and conclusion with very few details.
Communication	Paragraphs are well organized and easy to follow.	Paragraphs are fairly well organized and easy to follow.	Paragraphs are disorganized and hard to follow.
Accuracy	Paragraphs have few mistakes in vocabulary and grammar.	Paragraphs have some mistakes in vocabulary and grammar.	Paragraphs have many mistakes in vocabulary and grammar.

Differentiating Instruction

English Learners

Increase Interaction Use information about Estela to ask English learners about their English-learning experience. For example: **Estela toma inglés, ¿verdad? ¿Cómo son los cursos de inglés en su escuela? ¿Las clases de inglés en tu país son intensivas también? Estela cree que el inglés es difícil, ¿verdad? ¿Tú crees que es un idioma difícil también?**

Multiple Intelligences

Visual Learners Have students work in pairs to prepare brochures for Estela and Álvaro's schools based on the readings. Encourage them to expand the information about the schools logically. They should use images and come up with slogans (**lemas**) for each school. Compare the different brochures.

Objective
· The seventh mission of the Desafío

Core Resource
· El Gran Desafío Video: DVD 3

Presentation Strategies
· **Previewing** Have students look at the photos and comment on what the contestants seem to be doing in each. What might the significance be of the pictures of money, the paintbrushes, the shells, the painted bottles? Ask a volunteer to read the summary on p. 444 aloud. Elicit answers to the **Antes del video** questions. Ask students to support their answers with details.

· **Viewing** Review the **Toma apuntes** questions on p. 445. Encourage students to copy the questions in their notebooks leaving space for notes. Play the video, allowing students time to review their notes.

· **Post-viewing** Replay the video. Have volunteers read the **Después del video** questions and elicit answers from the class.

⊗ STANDARDS
1.2 Understand language
3.2 Acquire information
5.2 Life-long learners

Video Summary
@HomeTutor
VideoPlus
ClassZone.com

The teams are in a beach town. They go into a restaurant, where Professor Dávila left a note describing their next challenge: to find a way to earn money within a limited time. The team that earns the most money wins. María and Luis convince the restaurant manager to let them work as waiters. Carmen and José decide to search the beach for souvenirs to sell. Marco makes a mask, stands on a box, and does pantomime outside with Ana. A strange-looking tourist in a hat and sunglasses passes by each group, finally sitting down in the restaurant. It's the professor, who summons the three teams together to count the money they've earned. At the last moment, the hostess gives María and Luis their tips, increasing their total. They win the challenge.

▶ ❙❙

UNIDAD **7**

EL GRAN DESAFÍO INTERNACIONAL

VIDEO
DVD

EL DESAFÍO
En el desafío de hoy, cada equipo tiene que conseguir un trabajo a tiempo parcial o pensar en una estrategia para conseguir dinero en un tiempo limitado. El equipo que consiga más dinero, gana el desafío.

Antes del video

1. Describe esta foto. ¿Qué crees que está haciendo Carmen?

2. ¿Qué ves en esta foto? ¿Qué crees que está haciendo Marco?

3. ¿Qué tipo de trabajo hacen Luis y María? ¿Qué equipo crees que pueda ganar este desafío?

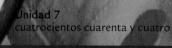

Unidad 7
444 cuatrocientos cuarenta y cuatro

Differentiating Instruction

Slower-paced Learners
Personalize It Ask students to share with the class any part-time, after-school, or summer jobs they have ever had. Have them talk about what they did to earn money and how they spent it. Would they do that job again?

Pre-AP
Relate Opinions Have students form groups of three to discuss their opinions about this challenge. Do they think each team made a good choice of what to do to earn money? What might they have chosen to do in the same situation? Who has the most creative ideas?

Llegando a la playa

Mira el video: Toma apuntes

- ¿Dónde cree Luis que esté el profesor Dávila?
- ¿Quién va a llenar una solicitud de empleo?
- Escribe qué equipo decide trabajar en un restaurante.
- ¿Qué tipo de trabajo hace Marco? ¿Lo hace bien? ¿Cómo lo sabes?
- Describe lo que Carmen y Luis quieren vender.
- Describe al turista que observa a los jóvenes.

Después del video

1. Lee tus predicciones en la sección de «Antes del video.» ¿Sabías cuál era el trabajo de cada equipo?
2. En este desafío, Luis y Marco no se llevan muy bien. Evalúa esta situación.
3. ¿Qué piensas de la reacción de María hacia Marco? ¿Por qué dice que es la niñera del grupo?
4. ¿Quién era el turista secreto? ¿Por qué crees que hizo eso?

@HomeTutor VideoPlus
ClassZone.com

El Gran Desafío
cuatrocientos cuarenta y cinco **445**

Ask students to work in groups of three or four to generate a list of ways in which they could earn money in an afternoon where they live. Have them share these with the class, then vote on which idea the class likes best.

Ask students to talk about any beach towns like the one in the video that they have visited. Then have them form pairs and research beaches in Mexico. The pairs will choose one that they would like to visit and write a short description of it. Encourage them to include photos, if possible.

Answers

Después del video Answers will vary.
Sample answers:
1. Sí, (No, no) sabía cuál era el trabajo de cada equipo. Por ejemplo, (no) sabía que Carmen estaba haciendo recuerdos a mano para vender.
2. Pienso que Luis y Marco no se llevan muy bien porque Marco quiere ir a la playa, y Luis quiere caminar al restaurante para buscar al profesor.
3. Pienso que la reacción de María hacia Marco era muy razonable. Ella dice que es la niñera del grupo porque Marco se comporta como niño.
4. El turista secreto era el profesor Dávila. Creo que hizo eso para ver el trabajo de cada equipo.

Differentiating Instruction

Inclusion

Sequential Organization To make sure students understand the interaction between Marco, Luis, and María at the beginning of the challenge, replay the opening scene of the video and pause it after each line of dialog. Encourage students to say, in their own words, what each character says and what each means.

Heritage Language Learners

Regional Variations Have students think of the conflict between Marco and Luis at the beginning of the video. Ask them to write a list of other expressions they know that people use when they disagree.

Objective
- Review and synthesize vocabulary, grammar, and culture from Units 1–7.

Core Resource
- Audio Program: TXT CD 14 Track 13

Review Options
- **Activity 1:** Transitional practice: listening comprehension
- **Activity 2:** Open-ended practice: writing, speaking
- **Activity 3:** Open-ended practice: speaking
- **Activity 4:** Open-ended practice: speaking, writing
- **Activity 5:** Open-ended practice: speaking, writing
- **Activity 6:** Open-ended practice: speaking, writing
- **Activity 7:** Open-ended practice: writing

❀ STANDARDS
- **1.1** Engage in conversation, Act. 3, 5, 6
- **1.2** Understand language, Act. 1
- **1.3** Present information, Act. 1, 2, 3, 4, 5, 6, 7

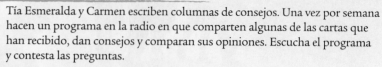

UNIDADES 1-7
Repaso inclusivo
♻ Options for Review

🎧 **Audio Program**
TXT CD 14 Track 13
Audio Script, TE p. 415B

1 | Escucha, comprende y contesta

Escuchar
Hablar
Escribir

Tía Esmeralda y Carmen escriben columnas de consejos. Una vez por semana hacen un programa en la radio en que comparten algunas de las cartas que han recibido, dan consejos y comparan sus opiniones. Escucha el programa y contesta las preguntas.

1. ¿Dónde trabaja la chica y cuáles son los beneficios de trabajar allí?
2. ¿Qué otra oferta de trabajo ha recibido?
3. ¿Por qué no sabe qué hacer?
4. ¿Qué le recomendó Tía Esmeralda?
5. ¿Qué pensó Carmen?

2 | Describe tus experiencias

Escribir
Hablar

Fuiste a acampar el fin de semana pasado a El Sol de México, un lugar para acampar en la playa. Escribe un artículo para el periódico de tu escuela de al menos dos párrafos, con tus experiencias. Utiliza el pasado con verbos regulares e irregulares y el imperfecto.

3 | Recomienda

Hablar

Tu compañero(a) y tú tienen que preparar una presentación oral para organizar una teletón en la escuela. La presentación debe incluir una explicación de qué es una teletón y por lo menos ocho recomendaciones para organizar a los voluntarios y las actividades. Utiliza expresiones de mandato afirmativas y negativas y expresiones impersonales con el infinitivo.

Differentiating Instruction

Heritage Language Learners

Literacy Skills Have students practice their research skills by finding a real campground on the coast of Mexico on which to base their article in Activity 2. Have them include the web site address where they found their information, in case someone reading the article wants more information.

Inclusion

Alphabetic/Phonetic Awareness Review regular preterite endings and remind students that irregular verbs are listed on p. 42. Ask a few students what they did this morning during first period, and write their responses on the board. Then review imperfect endings and ask what students did during first period last year, writing their responses in the imperfect.

Answers

Activity 1 1. en una tienda de ropa; tiene descuentos para comprar ropa; **2.** cuidar a una niña; **3.** es el único día que puede estar con sus amigos; **4.** que no aceptara el trabajo; **5.** que debería trabajar más

Activities 2–7 Answers will vary.

4 Haz un diálogo

Hablar
Escribir

Con tus compañeros(as), hagan y actúen un diálogo de cómo será su ciudad en el año 2300. Hablen del medio ambiente, de las tecnologías y de los nuevos inventos que habrá. Utilicen el futuro, las preposiciones **por** y **para** y la forma **ir a + infinitivo.**

5 Crea una empresa

Hablar
Escribir

Un compañero(a) y tú han decidido abrir un negocio cerca de su colegio, después de la graduación. Decidan qué tipo de negocio tendría a estudiantes como clientes. Organicen su plan financiero, sus estrategias y su campaña de relaciones públicas. Presenten sus planes y sus deseos a la clase. Utilicen el subjuntivo con verbos de deseo y el superlativo.

6 Organiza una campaña

Hablar
Escribir

Los clubes siempre buscan más participantes. Con tus compañeros(as), organiza una campaña para que más estudiantes tomen parte en su club. Describan el club, las actividades que organiza, las ventajas que tiene tomar parte en él y sus metas. Usen el subjuntivo después de conjunciones adverbiales y el condicional.

7 Informa

Escribir

Tienes un programa en la televisión sobre las vacaciones. Escribe un guión *(script)* sobre las actividades que hiciste en tus últimas vacaciones. Incluye en el guión una entrevista telefónica sobre las vacaciones de otra persona. Escribe las preguntas y respuestas de la entrevista. Utiliza el presente perfecto, el pasado perfecto y los participios pasados como adjetivos.

Colombia y Venezuela
cuatrocientos cuarenta y siete **447**

✓ Ongoing Assessment

Integrated Performance Assessment
Rubric **Oral Activities 3–6
Written Activities 1, 2, 5, 6, 7**

Very Good	Proficient	Not There Yet
Student thoroughly develops all requirements of the task.	Student develops most requirements of the task.	Student does not develop the requirements of the task.
Student demonstrates excellent control of verb forms.	Student demonstrates good-to-fair control of verb forms.	Student demonstrates poor control of verb forms.
Good variety of appropriate vocabulary.	Adequate variety of appropriate vocabulary.	Vocabulary is not appropriate.
Pronunciation is excellent to very good.	Pronunciation is good to fair.	Pronunciation is poor.

Differentiating Instruction

English Learners

Build Background For Activity 6, ask English learners if there are any clubs or extracurricular activities in their old schools with which the class might be unfamiliar. Which clubs exist in both places?

Multiple Intelligences

Visual Learners Have students narrate slides, video footage, or photos as they tell about their last vacation in Activity 7.

Proyectos adicionales

❈ Art Project

¡Un libro fantástico! Have students come up with an idea for a book and create a promotional poster for it to be distributed to book stores.

1. Pair students up according to their interests in literary genres. Have each pair choose a genre for their book from the following: **sátira, cuento romántico, autobiografía, biografía, cuento policíaco.**

2. Explain to students that they must come up with a title for their book as well as a brief synopsis or description of its plot. Along with an illustration of the book's cover, their poster should also include the name of the author, other works by the author, and at least three positive reviews or comments from book reviewers. The reviews or comments should be two to three sentences and include descriptive and enthusiastic language.

3. Encourage students to look at examples of real book posters for ideas.

Hang posters around the classroom. As each pair shares their poster, ask other members of the class which books they would be interested in reading and why.

PACING SUGGESTION: One 90-minute class period at the end of Lección 1 to complete and share posters. Give students some class time to plan their posters ahead of time, or assign it as homework.

❈ Storytelling

¡Loco por libros! After reviewing the vocabulary from Lección 1, model a mini-story. Later, students will retell, revise and expand it.

¡Me fascinan los libros! Todos me dicen que soy experto en ellos porque siempre tengo un libro en la mano. Escribo **reseñas** para el periódico de la escuela y trabajo a tiempo parcial en la biblioteca. Me gustan todos los **estilos** y **géneros literarios,** pero los que más me interesan son los en que puedo **relacionarme** con **el protagonista.** Naturalmente, quiero ser **autor** famoso un día, y siempre llevo un cuaderno en caso de que tenga una idea para una **novela.**

After you tell the story, have students write an ending to the story in which the narrator describes one of his/her ideas for a novel.

PACING SUGGESTION: One 50-minute class period at the end of Lección 1.

Get Help Online
ClassZone.com

❋ Game

La palabra clave

Preparation: Make cue cards (on index cards) for Lección 2 vocabulary. There should be 2 cards for each word. You will need 1 set of cards for each group that plays.

To play: Have students quickly review the lesson's vocabulary before starting this game. Divide the class into groups of five with one game manager and two competing pairs, or divide the class into two teams and have members of each team take turns giving clues and guessing. In a round of play, two sets of players receive cards with the same target word, then compete to have their partners guess the word. They give their partners one one-word hint at a time and are not allowed to use other forms of the target word or words that contain the target word. Students who are guessing get one guess after each hint. If the guess is correct, they win a point. If they do not guess the word, play passes to the other set of partners. The turn passes until someone guesses the word.

> **PACING SUGGESTION:** 20–30 minutes of class time at the end of Lección 2

❋ Web Research

El realismo mágico
The literary works of Gabriel García Márquez, Isabel Allende, Jorge Luis Borges and other South American writers have contributed to the worldwide literary movement known as Magical Realism. Explain to students that «La luz es como el agua», which they read in Unit 7, is an example of Magical Realism. Have students research Magical Realism online. Guide their research by having them answer these questions:

- Who coined the term Magical Realism? When was it first used?
- What is the definition of Magical Realism? What are some of the characteristics of this literary style?
- What are the literary and cultural roots of Magical Realism?
- What author and novel is credited with having launched the Magical Realism movement in South America?

Have students take notes on their findings. Hold a class discussion, using the research questions as a guide. As a follow-up, have students reread «La luz es como el agua» on p. 409. How is this story an example of Magical Realism?

Search Key Words: "Magical Realism," "history of Magical Realism," "definition of Magical Realism"

> **PACING SUGGESTION:** One 90-minute class period at the end of Lección 1.

❋ Recipe

Caldo de zapallo tierno is a rich, thick zucchini soup that is typically served as a first course. It is especially popular in Asunción, the capital of Paraguay.

Caldo de zapallo tierno

Ingredientes
- 3 cucharadas de arroz crudo
- 1 libra de calabacín
- 1 huevo
- sal y pimienta
- 2 cucharadas de aceite vegetal
- 1 cebolla mediana
- 1 diente de ajo
- 5 tazas de consomé de pollo
- 3 cucharadas de queso parmesano
- 1 cucharada de perejil

Instrucciones
Corte en pedazos pequeños la cebolla, el ajo y el perejil y ralle el calabacín y el queso. En una cacerola, caliente el aceite y fría la cebolla y el ajo hasta que estén dorados. Agregue el arroz y el consomé de pollo. Cocine a fuego lento durante diez minutos, con la cacerola tapada. Añada el calabacín, un poco de sal y pimienta y déjelo cocinar a fuego lento durante quince minutos. En un tazón aparte, bata el huevo y agregue el queso y el perejil mientras está batiendo. Luego, mezcle esto con el contenido de la cacerola y revuélvalo bien.

Receta para 6 personas
Tiempo de preparación: 35 minutos
Tiempo total: 60 minutos

UNIT THEME
Let's talk about literature

UNIT STANDARDS

COMMUNICATION
· Discuss and critique literature
· Talk about what you were doing in the past
· Link events and ideas
· Read and interpret a short play
· Talk about unplanned occurrences
· Express opinions about a text

CULTURES
· A book fair in Buenos Aires, Argentina
· Books and movies in Chile and the U.S.
· Surrealist art in Chile
· Argentinian students preparing a play
· Street theater in Uruguay
· Theaters in Argentina
· Famous writers of Argentina and Chile

CONNECTIONS
· Geography: Opposite seasons; research your region's climate

COMPARISONS
· Buying books
· The relationship between different artistic manifestations
· The Spanish **y**
· How painters represent their dreams
· Artistic elements of theaters
· Important authors from a country
· Participating in plays
· Celebrations and their history
· Spanish suffixes **-ción** and **-cción** and the English /s/ of *city* and /ks/ of *accent*

COMMUNITIES
· The seasons and climate in your region

UNIDAD **8**

El Cono Sur

Hablemos de literatura

Lección 1
Tema: **Cuentos y poesía**

Lección 2
Tema: **El drama**

«*¿Qué tal?*
**Somos Mario y Laura.
Somos de Argentina.**»

Antofagasta · Paraguay
Asunción · Ciudad del Este
Océano Pacífico
Argentina · Salto
Santiago ★ · Uruguay
Rosario
Chile · Buenos Aires ★ · Montevideo
Mar del Plata
Puerto Montt ·
Océano Atlántico
Ushuaia

Almanaque cultural

Población:
Argentina: 39.537.943,
Uruguay: 3.415.920,
Paraguay: 6.347.884,
Chile: 15.823.957

Moneda: peso (Argentina, Uruguay, Chile), guaraní (Paraguay)

Idiomas indígenas: quechua y guaraní

Geografía: desiertos, cordillera, bosque, glaciares y llanuras

Comidas: asado, empanadas, parrillada, locro

Gente famosa: Berta Rojas (guitarrista, Paraguay); Mario Benedetti (escritor, Uruguay); Isabel Allende (escritora, Chile); Raúl Soldi (pintor, Argentina)

Empanadas

448 cuatrocientos cuarenta y ocho

Cultural Geography

Setting the Scene
· ¿Qué tipo de libros te interesan?
· ¿Viste alguna película hecha a partir de un libro?
· ¿Qué diferencias hay entre el teatro y el cine?

Teaching with Maps
· ¿Cuál es la ciudad de Sudamérica que está más al sur? (Ushuaia)
· ¿Qué país del Cono Sur no tiene mar? (Paraguay)
· ¿Qué montañas crees que pasan por Chile? (los Andes)

Cultura INTERACTIVA
ClassZone.com
See these pages come alive!

Karin Ruby, deportista francesa y campeona de snowboard, en Valle Nevado, cerca de Santiago de Chile

◀ **Deporte en la nieve** Chile recibe turistas de todo el mundo. Allí termina la cordillera de los Andes, que separa Chile de Argentina. Las pistas de esquí son las mejores de Sudamérica. Algunas llegan a los 3000 metros de altura. *¿Dónde hay pistas de esquí en Estados Unidos?*

La Plaza de Mayo Es la plaza principal de Buenos Aires, la capital de Argentina. Allí hay edificios importantes, como la Casa Rosada, que es la casa de gobierno. También está el Banco Nación, la Catedral y el Cabildo, donde se reunían los gobernantes de la época colonial. ▶

Gigantes en tres países Las Cataratas del Iguazú están exactamente entre Argentina, Paraguay y Brasil. Son más de 200 saltos de agua que se originan en el río Iguazú, en medio de un hermoso bosque tropical. *¿Qué espectáculos naturales hay en tu estado?* ▼

Plaza de Mayo, Buenos Aires. Al fondo, la Casa Rosada

Cataratas del Iguazú

Cultura INTERACTIVA
ClassZone.com

Send your students to www.classzone.com to explore authentic South American culture. Tell them to click on Cultura Interactiva to see these pages come alive!

Cultura

About the Photos

· **El esquí** Chile's famous ski slopes are a major tourist draw for the country. The most popular time of year to go is in June. Some of the more reknowned places to practice winter sports such as skiing and snowboarding are Portillo, La Parva, Valle Nevado, and El Colorado in the central area of the country.

· **Cataratas del Iguazú** The almost 300 falls that make up the **Cataratas del Iguazú** have heights of up to 70 meters. The most impressive is the **Garganta del Diablo,** a U-shaped cliff that is 150 meters wide and 700 meters long and marks the border between Argentina and Brazil. In the local indigenous language (Guaraní), *Iguazú* means "great water." According to the Guaraní legend, a god fell in love with a beautiful indigenous girl named Naipú, but she was in love with another mortal. As Naipú and her mortal lover tried to flee in a canoe, the god became enraged and sliced the river. Thus the waterfalls were created and the lovers condemned to an eternal fall.

Expanded Information

· **Plaza de Mayo** The Plaza de Mayo has always been the focal point of political life in Buenos Aires. Its current name commemorates the May Revolution of 1810, which started the process towards the country's independence from Spain in 1816. Since the late 1970s, this is where the Mothers of the Plaza de Mayo have gathered in peaceful protest on Sundays. They wear white headscarves and carry signs and pictures of the **desaparecidos,** their children or other family members who were subject to forced disappearance by the Argentine military during the Dirty War.

Bridging Cultures

Heritage Language Learners

Support What They Know Ask native speakers if **empanadas** are a popular snack in their heritage country. If so, what are the most common fillings used in their heritage country? Is wheat flour or corn flour used to prepare the dough? Are they more commonly fried or baked? If possible, have students bring in a recipe or sample for the class.

Heritage Language Learners

Support What They Know After discussing the bottom photo on p. 449, ask students to describe what geographical features are most prominent in their heritage country. Are there any waterfalls, like Iguazú, or rain forests?

Lesson Overview

Culture at a Glance ❖

Topic & Activity	Essential Question
Una feria de libros en Argentina, pp. 450–451	¿Cómo se expresa una cultura a través de sus libros?
La literatura y el cine, p. 456	¿Cómo se relacionan las diferentes manifestaciones del arte?
Los sueños de Roberto Matta, p. 464	¿Cómo representan los pintores sus sueños?
«Ardiente paciencia (El cartero de Neruda)», por Antonio Skármeta, pp. 468–471	¿Es necesario la metáfora en la poesía para ser buena? ¿Y la narrativa?
Culture review: Books, movies, and surrealist art, p. 475	¿Cómo aparecen las experiencias de los artistas en sus obras?

Practice at a Glance ❖

	Objective	Activity & Skill
Vocabulary	Literary genres	2: Speaking / Writing; 18: Listening / Speaking / Writing; Repaso 2: Writing
	Literary terms	1: Speaking / Writing; 3: Writing; 4: Speaking / Writing; 5: Speaking / Writing; 20: Writing; Repaso 1: Listening
	Criticism	17: Reading / Writing; 19: Reading / Listening / Speaking; 20: Writing
Grammar	Past progressive	6: Speaking / Writing; 7: Listening / Writing; 8: Speaking / Writing; 9: Speaking; 10: Speaking / Writing; 11: Speaking / Writing; 12: Writing / Speaking; Repaso 2: Writing; Repaso 3: Writing
	Conjunctions	13: Speaking / Writing; 14: Speaking / Writing; 15: Speaking / Writing; 16: Reading / Writing; 17: Reading / Writing; Repaso 2: Writing; Repaso 4: Writing
Communication	Discuss and critique literature	10: Speaking / Writing; 19: Reading / Listening / Speaking; 20: Writing
	Talk about what you were doing in the past	8: Speaking / Writing; 9: Speaking
	Link events and ideas	12: Writing / Speaking; 15: Speaking / Writing; 16: Reading / Writing
	Pronunciation: **y**	*Pronunciación: La* **y**, p. 463: Listening / Speaking
Recycle	Preterite vs. imperfect	8: Speaking / Writing
♻	Professions	13: Speaking / Writing

The following presentations are recorded in the Audio Program for *¡Avancemos!*

- **¡A responder!** *p. 453*
- **7: ¿Quién lo estaba haciendo?** *p. 458*
- **19: Integración** *p. 467*
- **Repaso de la lección** *p. 474*
    1: Listen and understand

¡A responder! TXT CD 15 track 2

1. Usa muchas metáforas y símiles.
2. Es un policíaco.
3. Tiene veinte capítulos.
4. Tiene dieciséis versos.
5. El protagonista narra la historia de su vida.
6. Hay una rima y un ritmo que se repiten.
7. Hay cuatro estrofas.

7 | ¿Quién lo estaba haciendo?
TXT CD 15 track 4

modelo: Una pareja sí estaba jugando al tenis.

Ayer pasé la tarde en el parque. Estaba buscando ideas para un cuento que estoy escribiendo. Estuve observando a las personas en el parque toda la tarde. Fue muy interesante. Había una pareja sentada en un banco cuando yo llegué. Ella estaba leyendo un libro y él estaba leyendo el periódico. No estaban hablando pero me pareció que se conocían. También vi a dos jóvenes que estaban tomando fotos. Él sacaba fotos de un árbol y ella estaba fotografiando a personas en el parque. Una pareja estaba dando una vuelta y conversando. Otra pareja estaba jugando al tenis. ¡Un niño estaba aprendiendo a andar en bicicleta y lo estaba logrando! Me quedé mirándolo por media hora. Entonces miré mi reloj y descubrí que ya eran las siete. Volví a casa donde mis padres me estaban esperando para ir al cine.

19 | Integración TXT CD 15 track 9
Fuente 2 Entrevista

Federico: Para las personas interesadas en las novelas históricas, tengo el gusto de estar en el estudio con Violeta Beltrán, la autora de *Historia de familia*. Buenas tardes, Violeta.

Violeta: Hola, Federico. Gracias por invitarme a tu programa. Quiero decirles que aunque no hayan leído nada de historia, esta novela es muy clara y podrán comprender muchos detalles de la historia de Chile.

Federico: Sabemos que sus abuelos son españoles, ¿no? Estaba pensando si pudiéramos hacer un análisis de la obra.

Violeta: Pues, hace un tiempo estaba revisando unos papeles y encontré el diario de mi bisabuela. Ahí tomé algunas ideas sobre sucesos y contextos históricos reales. Pero este libro es una novela. Si fuera una biografía, la protagonista sería mi bisabuela. En cambio, Camila es un personaje inventado.

Federico: Bueno, ficción o biografía, lo cierto es que tan pronto el público empieces a leer *Historia de familia*, no dejará el libro hasta llegar al desenlace. Muchas gracias por tu vista, Violeta.

Violeta: Gracias a ti. Hasta la próxima.

Repaso de la lección TXT CD 15 track 11

1 Listen and understand

Muy buenos días, señoras y señores. ¡Cuánto me alegro estar con Uds.! Me pidieron los organizadores de la conferencia que hablara un poco sobre mis obras y mi vida antes de leer unos cuentos nuevos. Ojalá que estos temas les agraden... Bueno, antes de que empecé a escribir profesionalmente, estaba trabajando en una oficina como secretaria. Durante mis ratos libres, escribía descripciones satíricas de las personas que entraban en la oficina todos los días. Después de unos meses, decidí incorporar a algunos de estos personajes en un cuento romántico. Lo mostré a un amigo y él me aconsejó que lo enviara a una revista popular en Asunción para que los editores lo leyeran y comentaran. Fue una sorpresa enorme cuando la revista lo publicó, pero eso es exactamente lo que pasó. Después los editores de la revista me pidieron que les enviara más, con tal de que escribiera en otros estilos también – cuentos policíacos y de suspenso. Lo hice y me los publicaron también. ¡Casi sin darme cuenta me había convertido en una escritora profesional! No me lo esperaba. Desde entonces he escrito obras en otros géneros – la poesía infantil, una novela corta, unos ensayos para el periódico de la ciudad y hasta unos dramas para el teatro local. Ahora estoy pensando que es hora de empezar mi autobiografía. Hace veinte años que trabajo como escritora y me parece que sería interesante contar mi propia historia. Pero como no quiero ofender a nadie, tal vez sea mejor que el libro sea una obra de ficción... Nunca he podido resistir las caricaturas satíricas. Tengo unas anécdotas muy cómicas para contar, ¡con tal de que no incluya los nombres verdaderos de la gente!

On your desktop

Everything you need to ...

Plan	Present	Assess
ONE-STOP PLANNER	**POWER PRESENTATIONS**	 **ONLINE ASSESSMENT SYSTEM**
All resources including audio and video	Ready-made PowerPoint™ presentations with  Grammar	✓ Create customized tests with Examview Assessment Suite ✓ Individualized Assessment for on-level, modified, pre-AP, and heritage language learners

 ## Print

Plan	Present	Practice	Assess
URB 8 • Family Letter p. 75 • Absent Student Copymasters pp. 77–84 **Lesson Plans** p. 147 **Best Practices Toolkit**	**TPRS** pp. 99–105	• *Cuaderno* pp. 344–366 • *Cuaderno para hispanohablantes* pp. 344–366 • *Lecturas para todos* pp. 95–102 • *Lecturas para hispanohablantes* • *¡AvanzaCómics!, Mundos paralelos, Episodio 3* **URB 8:** • Practice Games pp. 29–36 • Audio Scripts pp. 53–57 • Map/Culture Activities pp. 65–66 • Fine Art Activities pp. 69–70	**URB 8** • Did you get it? Reteaching and Practice Copymasters pp. 1–11

 ## Unit Transparency Book 8

Culture	Presentation and Practice	Classroom Management
• Atlas Maps UTB 1, 1–6 • Map: The Southern Cone 1 • Fine Art Transparencies 2, 3	• Vocabulary Transparencies 6, 7 • Grammar Presentation Transparencies 10, 11	• Warm Up Transparencies 16–19 • Student Book Answer Transparencies 24–27

Audio and Video

Audio	Video
• Student Book Audio CD 15 Tracks 1–11 • Workbook Audio CD 4 Tracks 21–30 • Heritage Learners CD 2 Tracks 25–28, CD 6 Tracks 19–24 • Assessment Audio CD 4 Tracks 19–24 • *Lecturas para todos* Audio CD 2 Track 6, CD 3 Tracks 1–5 • *Música del mundo hispano*	• El Gran Desafío DVD 3

Online (ClassZone.com) and Media Resources

Student	Teacher
Available online and on disc: • eEdition (DVD-ROM) and eEdition Interactive Online Student Edition • @Home Tutor (CD-ROM) - featuring Animated Grammar **Available online:** • Conjuguemos.com • Cultura interactiva • Culture Links • WebQuests • Flashcards • Review Games • Self-check Quiz	**One-Stop Planner (available online and on DVD-ROM):** • Interactive Teacher's Edition • All print resources • All audio and video resources • Learning Scenarios • Conversation Cards • Assessment Program • Examview Assessment Suite • Calendar Planner • Rubric Generator **Available on CD-ROM:** • Power Presentations

Differentiated Assessment

On-level	Modified	Pre-AP	Heritage Learners
• Vocabulary Recognition Quiz p. 354 • Vocabulary Production Quiz p. 355 • Grammar Quiz pp. 356–357 • Culture Quiz p. 358 • On-level Lesson Test pp. 359–365	• Modified Lesson Test pp. 278–284	• Pre-AP Lesson Test pp. 278–284	• Heritage Learners Lesson Test pp. 284–290

	Objectives/Focus	Teach	Practice	Assess/HW Options
DAY 1	**Culture:** learn about the culture of the Cono Sur **Vocabulary:** literary genres and criticism • Warm Up OHT 16 **5 min**	Unit Opener pp. 448–449 Lesson Opener pp. 450–451 **Presentación de vocabulario** pp. 452–453 • Read A–F • Play audio TXT CD 15 track 1 • *¡A responder!* TXT CD 15 track 2 **25 min**	Lesson Opener pp. 450–451 **Práctica de vocabulario** p. 454 • Acts. 1, 2, 3 **15 min**	**Assess:** *Para y piensa* p. 454 **5 min** **Homework:** *Cuaderno* pp. 344–346 @HomeTutor
DAY 2	**Communication:** discuss different types of literature • Warm Up OHT 16 • Check Homework **5 min**	**Vocabulario en contexto** pp. 455–456 • *Contexto 1* TXT CD 15 track 3 **20 min**	**Vocabulario en contexto** pp. 455–456 • Acts. 4, 5 **20 min**	**Assess:** *Para y piensa* p. 456 **5 min** **Homework:** *Cuaderno* pp. 344–346 @HomeTutor
DAY 3	**Grammar:** past progressive tenses • Warm Up OHT 17 • Check Homework **5 min**	**Presentación de gramática** p. 457 • past progressive tenses **Práctica de gramática** pp. 458–459 **Culture:** *La literatura y el cine* **20 min**	**Práctica de gramática** pp. 458–459 • Act. 6, 8, 9 • Act. 7 TXT CD 15 track 4 **20 min**	**Assess:** *Para y piensa* p. 459 **5 min** **Homework:** *Cuaderno* pp. 347–349 @HomeTutor
DAY 4	**Communication:** use the past progressive to discuss poems, describe memories • Warm Up OHT 17 • Check Homework **5 min**	**Gramática en contexto** pp. 460–461 • *Contexto 2* TXT CD 15 track 5 • *Pronunciación* TXT CD 15 track 6 **15 min**	**Gramática en contexto** pp. 460–461 • Acts. 10, 11, 12 **25 min**	**Assess:** *Para y piensa* p. 461 **5 min** **Homework:** *Cuaderno* pp. 347–349 @HomeTutor
DAY 5	**Grammar:** use the subjunctive with certain conjunctions • Warm Up OHT 18 • Check Homework **5 min**	**Presentación de gramática** p. 462 • subjunctive with certain conjunctions **Práctica de gramática** pp. 463–464 **15 min**	**Práctica de gramática** pp. 463–464 • Acts. 13, 14, 15, 16, 17 **25 min**	**Assess:** *Para y piensa* p. 464 **5 min** **Homework:** *Cuaderno* pp. 350–352 @HomeTutor
DAY 6	**Communication:** Culmination: learn about young writers from **El Cono Sur** • Warm Up OHT 18 • Check Homework **5 min**	**Todo junto** pp. 465–467 • *Contexto 3* TXT CD 15 track 7 **20 min**	**Todo junto** pp. 465–467 • Act. 18, 19 TXT CD 15 tracks 7, 8, 9 • Act. 20 **20 min**	**Assess:** *Para y piensa* p. 467 **5 min** **Homework:** *Cuaderno* pp. 353–354 @HomeTutor
DAY 7	**Reading:** *Ardiente paciencia (El cartero de Neruda)* **Connections:** Geography • Warm Up OHT 19 • Check Homework **5 min**	**Lectura literaria** pp. 468–471 • *Ardiente paciencia (El cartero de Neruda)* • TXT CD 15 track 10 **Conexiones** p. 472 • *La geografía* **20 min**	**Lectura literaria** pp. 468–471 • *Ardiente paciencia (El cartero de Neruda)* **Conexiones** p. 472 • *Proyecto* **20 min**	**Assess:** *Para y piensa* p. 471 **5 min** **Homework:** *Cuaderno* pp. 358–360 @HomeTutor
DAY 8	**Review:** Lesson review • Warm Up OHT 19 • Check Homework **5 min**	**Repaso de la lección** pp. 474–475 **15 min**	**Repaso de la lección** pp. 474–475 • Act. 1 TXT CD 15 track 11 • Acts. 2, 3, 4, 5 **25 min**	**Assess:** *Repaso de la lección* **5 min** **Homework:** *En resumen* p. 473; *Cuaderno* pp. 355–357, 361–366 (optional) Review Games Online @HomeTutor
DAY 9	**Assessment**			**Assess:** Lesson 1 test **50 min**

	Objectives/Focus	Teach	Practice	Assess/HW Options
DAY 1	**Culture:** learn about the culture of the Cono Sur **Vocabulary:** literary genres & criticism • Warm Up OHT 16 <div align="right">**5 min**</div>	Unit Opener pp. 448–449 Lesson Opener pp. 450–451 **Presentación de vocabulario** pp. 452–453 • Read A–F • Play audio TXT CD 15 track 1 • *¡A responder!* TXT CD 15 track 2 <div align="right">**25 min**</div>	Lesson Opener pp. 450–451 **Práctica de vocabulario** p. 454 • Acts. 1, 2, 3 <div align="right">**15 min**</div>	**Assess:** *Para y piensa* p. 454 **5 min**
	Communication: discuss different types of literature <div align="right">**5 min**</div>	**Vocabulario en contexto** pp. 455–456 • *Contexto 1* TXT CD 15 track 3 <div align="right">**15 min**</div>	**Vocabulario en contexto** pp. 455–456 • Acts. 4, 5 <div align="right">**15 min**</div>	**Assess:** *Para y piensa* p. 456 **5 min** **Homework:** *Cuaderno* pp. 344–346 @HomeTutor
DAY 2	**Grammar:** past progressive tenses • Warm Up OHT 17 • Check Homework <div align="right">**5 min**</div>	**Presentación de gramática** p. 457 • past progressive tenses **Práctica de gramática** pp. 458–459 **Culture:** *La literatura y el cine* <div align="right">**15 min**</div>	**Práctica de gramática** pp. 458–459 • Acts. 6, 8, 9 • Act. 7 TXT CD 15 track 4 <div align="right">**20 min**</div>	**Assess:** *Para y piensa* p. 459 **5 min**
	Communication: use the past progressive to discuss poems, describe memories <div align="right">**5 min**</div>	**Gramática en contexto** pp. 460–461 • *Contexto 2* TXT CD 15 track 5 • *Pronunciación* TXT CD 15 track 6 <div align="right">**15 min**</div>	**Gramática en contexto** pp. 460–461 • Acts. 10, 11, 12 <div align="right">**20 min**</div>	**Assess:** *Para y piensa* p. 461 **5 min** **Homework:** *Cuaderno* pp. 347–349 @HomeTutor
DAY 3	**Grammar:** use the subjunctive with certain conjunctions • Warm Up OHT 18 • Check Homework **5 min**	**Presentación de gramática** p. 462 • subjunctive used with certain conjunctions **Práctica de gramática** pp. 463–464 <div align="right">**15 min**</div>	**Práctica de gramática** pp. 463–464 • Acts. 13, 14, 15, 16, 17 <div align="right">**20 min**</div>	**Assess:** *Para y piensa* p. 464 **5 min** **Homework:** *Cuaderno* pp. 350–352 @HomeTutor
	Communication: Culmination: learn about young writers from **El Cono Sur** **5 min**	**Todo junto** pp. 465–467 • *Contexto 3* TXT CD 15 track 7 <div align="right">**15 min**</div>	**Todo junto** pp. 465–467 • Act. 18, 19 TXT CD 15 tracks 7, 8, 9 • Act. 20 <div align="right">**20 min**</div>	**Assess:** *Para y piensa* p. 467 **5 min**
DAY 4	**Reading:** *Ardiente paciencia (El cartero de Neruda)* • Warm Up OHT 19 • Check Homework <div align="right">**5 min**</div>	**Lectura literaria** pp. 468–471 • *Ardiente paciencia (El cartero de Neruda)* • TXT CD 15 track 10 <div align="right">**15 min**</div>	**Lectura literaria** pp. 468–471 • *Ardiente paciencia (El cartero de Neruda)* <div align="right">**20 min**</div>	**Assess:** *Para y piensa* p. 471 **5 min**
	Review: Lesson review <div align="right">**5 min**</div>	**Repaso de la lección** pp. 474–475 <div align="right">**15 min**</div>	**Repaso de la lección** pp. 474–475 • Act. 1 TXT CD 15 track 11 • Acts. 2, 3, 4, 5 <div align="right">**20 min**</div>	**Assess:** *Repaso de la lección* **5 min** **Homework:** *En resumen* p. 473; *Cuaderno* pp. 355–366 (optional) Review Games Online @HomeTutor
DAY 5	**Assessment**			**Assess:** Lesson 1 test <div align="right">**45 min**</div>
	Connections: Geography <div align="right">**5 min**</div>	**Conexiones** p. 472 • *La geografía* <div align="right">**20 min**</div>	**Conexiones** p. 472 • *Proyecto* <div align="right">**20 min**</div>	

¡AVANZA! Objectives
- Introduce lesson theme: Cuentos y poesía
- **Culture:** a book fair in Buenos Aires

Presentation Strategies
- Have students describe one book and one movie they like.
- Ask students to talk about what they were doing in the past.

STANDARDS
2.2 Products and perspectives
3.1 Knowledge of other disciplines

Warm Up UTB 8 Transparency 16

Profesiones Empareja cada palabra con la profesión correspondiente.

1. el derecho   la mujer de negocios
2. la escuela técnica   el profesor
3. la facultad   el enfermero
4. la empresa   el abogado
5. el hospital   la ingeniera

Answers: 1. el derecho, el abogado; 2. la escuela técnica, la ingeniera; 3. la facultad, el profesor; 4. la empresa, la mujer de negocios; 5. el hospital, el enfermero

Comparación cultural

Exploring the Theme
Ask the following:
1. ¿Cuál es tu libro favorito? ¿Por qué?
2. ¿Cuál es tu libro menos favorito? ¿Por qué?
3. ¿Qué características buscas en una película?
4. ¿Qué tipo de arte prefieres?

¿Qué ves? Possible answers:
- Los vendedores hablan con la gente. Están sentados.
- Venden libros de texto universitarios.
- Los libros están en mesas grandes y en estantes.
- Hay más de mil libros.

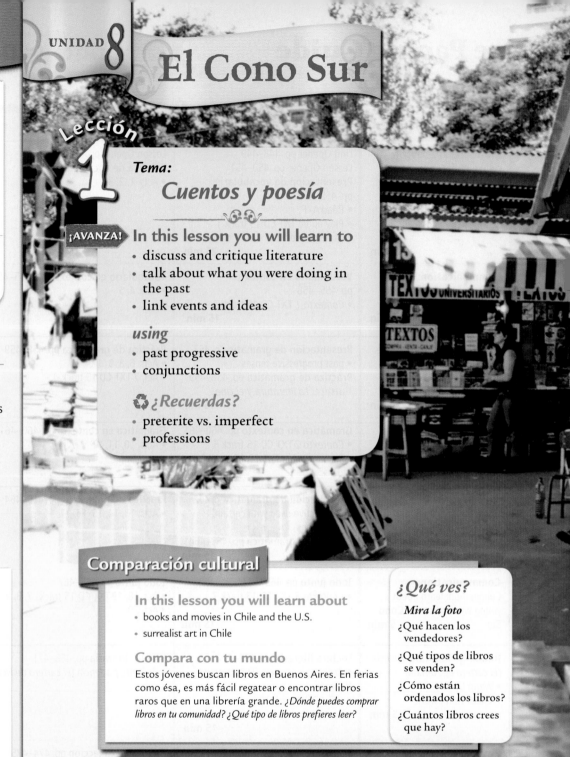

UNIDAD **8**
El Cono Sur

LECCIÓN 1

Tema:
Cuentos y poesía

¡AVANZA! **In this lesson you will learn to**
- discuss and critique literature
- talk about what you were doing in the past
- link events and ideas

using
- past progressive
- conjunctions

♻ *¿Recuerdas?*
- preterite vs. imperfect
- professions

Comparación cultural

In this lesson you will learn about
- books and movies in Chile and the U.S.
- surrealist art in Chile

Compara con tu mundo
Estos jóvenes buscan libros en Buenos Aires. En ferias como ésa, es más fácil regatear o encontrar libros raros que en una librería grande. *¿Dónde puedes comprar libros en tu comunidad? ¿Qué tipo de libros prefieres leer?*

¿Qué ves?
Mira la foto
¿Qué hacen los vendedores?

¿Qué tipos de libros se venden?

¿Cómo están ordenados los libros?

¿Cuántos libros crees que hay?

450 cuatrocientos cincuenta

Differentiating Instruction

English Learners

Build Background Ask English learners about movies and books from their countries of origin. Try to engage students in a discussion about a particular movie or book that they enjoy from their country. Then compare the English learners' comments with those of native English speakers about books and movies in the United States.

Pre-AP

Persuade Have students describe their favorite book. They should describe the characters, the plot, and the outcome. In addition, instruct students to try to convince that class that their book is the best. Have students compare their book to another book to demonstrate why theirs is better.

Online SPANISH CLASSZONE.COM

Featuring...
Cultura INTERACTIVA
Animated Grammar
@HomeTutor

And more...
• Get Help Online
• Interactive Flashcards
• Review Games
• WebQuest
• Conjuguemos.com

Online SPANISH CLASSZONE.COM

WebQuest Provides step-by-step guidance for your students to help them explore this unit's theme and location online. Students are given a task and a set of pre-approved links to conduct research, answer questions, and submit their findings to the class.

Featuring...
Cultura INTERACTIVA
Animated Grammar
@HomeTutor

And more...
• Get Help Online
• Interactive Flashcards
• Review Games
• WebQuest
• Conjuguemos.com

Using the Photo

Location Information

Buenos Aires Book Fair The Buenos Aires Book Fair is eagerly awaited every year by book lovers in the Argentine capital. More than a million people head to this three week event at La Rural exhibition complex. There are book readings, signings, discussions, workshops, and activities for children.

Expanded Information

Argentina Argentines are among the most literate people in the world. The primary and secondary schools are based on the neighborhood system, and the government runs special national high schools as college prep schools. Students in those high schools and others, including numerous schools administered by the Roman Catholic Church, aim for entrance into the University of Buenos Aires.

Jóvenes en una feria de libros
Buenos Aires, Argentina

El Cono Sur
cuatrocientos cincuenta y uno **451**

Long-term Retention
Recycle

Review the use of the present progressive with the class. Then ask students to use the present progressive to describe what is happening in the photograph on p. 451.

Differentiating Instruction

Pre-AP

Expand and Elaborate Invite students to share what they know about the **Cono Sur.**
• The term **Cono Sur** refers to the southernmost areas of South America.
• The **Cono Sur** has many climates.
• A large part of **Cono Sur's** population is made up of whites and white-mestizos due to European immigration in the past.

Multiple Intelligences

Visual Learners After viewing and discussing the photo on p. 451, ask students to illustrate a picture of a popular fair in their town or state. The picture should include items that are at the fair, as well as people participating in the fair's activities. Then ask students to share their illustrations with the class.

452

¡AVANZA! Objectives
- Present vocabulary: discuss and critique literature
- Check for recognition

Core Resource
- Audio Program: TXT CD 15 Tracks 1, 2

Presentation Strategy
- Play the audio as students read A–F.

STANDARDS
1.2 Understand language

Long-term Retention
Humor/Creativity

In pairs, ask students to write a funny book review. They may base the review on an actual book or make up a book. Instruct students to use at least 5–8 new vocabulary words. Give extra credit points for the most humorous review.

Presentación de VOCABULARIO

¡AVANZA! **Goal:** Learn new words that you can use to discuss and critique literature. Then talk about different types of literature. *Actividades 1–3*

A **AUDIO** Eduardo y Laura han organizado un club de lectura en la biblioteca de la escuela. Allí se reúnen a leer y a analizar los distintos **géneros literarios** y **los estilos de los autores.**

B ¡Este libro de **poesía** es excelente! Me gustan **la rima** y **el ritmo de los versos.**

C **Tan pronto como** leí el primer **capítulo** de esta **novela,** supe que me iba a gustar. Es **una sátira** interesante, **un símil** que **relaciona** la vida de unos animales en un bosque. **En cuanto** termine de leerla, empezaré **unos cuentos románticos** del mismo autor.

D Esta **autobiografía** de José Donoso **narra los sucesos** de su vida. Es interesantísima; se pueden **inferir** detalles de **la realidad** de su tiempo y hacer **un análisis** del carácter del autor.

E Los temas de los **ensayos** de Borges son espectaculares por sus diferentes **puntos de vista.** **El contexto** y **los antecedentes** que utiliza son casi **absurdos,** pero siempre **implican** o **simbolizan** algún problema humano.

Differentiating Instruction

Inclusion

Alphabetic/Phonetic Awareness Tell students to write their own glossary of vocabulary words in their notebooks. Have students write the words in alphabetical order and put a check next to any words that they are familiar with. Then have the class repeat the words after you or a heritage speaker.

Pre-AP

Circumlocution Have students work in groups to write a list of 10–15 words related to discussing literature. In the same groups, tell students to take turns describing one of the words to the group. They may use words, phrases, or complete sentences. For example: **Es un libro que una persona escribe sobre sí misma.** Answer: **autobiografía**

F En el club de lectura también se leen **reseñas** de libros interesantes.

RESEÑAS DE LIBROS

En «La Casa Mar», de Julio Guitea, es impactante **el clímax** que logra **el autor** en el capítulo veinticinco. Aquí, **la prosa** de Guitea es perfecta cuando narra cómo **los protagonistas** vuelan de una ventana a otra. ¡La novela es excelente y tiene un **desenlace** que puede significar muchas cosas!

Esta **biografía** sobre Rigo Peralta debería titularse como algún **drama** de Shakespeare, pues la vida del **poeta** chileno estuvo llena de momentos muy bellos y muy tristes.

La obra de Arminda Herrera es increíble. Y sus **poemas** están construidos con **estrofas** que parecen **metáforas** musicales.

183

Más vocabulario

el acto *act*	**el cuento policíaco** *crime story*
aunque *although*	**el libro de historietas** *comic book*

Expansión de vocabulario p. R16
Ya sabes p. R16

¡A responder! Escuchar

Vas a oír siete frases que describen una obra literaria. Si la frase es más típica para una novela, levanta la mano derecha; si la frase es más típica para una poesía, levanta la mano izquierda.

@HomeTutor
Interactive Flashcards
ClassZone.com

Heritage Language Learners

Literacy Skills Ask heritage learners to scan sections A–F for words they may not know. For example, heritage speakers may know that **metáfora** means "metaphor," but they many not know what a metaphor does in a story. Discuss any problems words with students. Then ask students comprehension questions that require them to analyze parts of the text.

Slower-paced Learners

Yes/No Questions Ask slower-paced learners yes or no questions about the book reviews on p. 453. Begin with questions that use cognates from the reviews. For example: **¿Es excelente *La Casa Mar*? ¿Parece una sátira la *Biografía de Rigo Peralta*? ¿Es increíble el libro *Poemas felices*?** Then use simple questions that paraphrase parts of the reviews.

Communication
Interpretive Mode

If students seem overwhelmed by the new vocabulary, remind them that at this stage their goal is only to recognize it. Use pictures, gestures, and simple phrases to assist students with comprehension.

Long-term Retention
Interest Inventory

Using as much of the new vocabulary as possible, ask students several questions about specific books or types of books that interest them. Tell students to raise their hands to indicate their interest. Make note of theirs interests for future pair and group work.

✓ Ongoing Assessment

Dictation Have students listen to the ¡A responder! audio a second time. This time, responding by raising their hands, ask students to write out the sentences as they hear them. Then instruct students to check spelling in their textbooks.

Answers UTB 8 Transparency 24

¡A responder! Audio Script, TE p. 449B
Right hand: 2, 3, 5
Left hand: 1, 4, 6, 7

453

Objectives
- Practice vocabulary: discuss and critique literature
- Identify genres of literature.

Core Resource
- *Cuaderno,* pp. 344–346

Practice Sequence
- **Activity 1:** Vocabulary recognition: literary terms
- **Activity 2:** Vocabulary recognition: genres
- **Activity 3:** Vocabulary production: Provide information about a book you have read

STANDARDS
1.2 Understand language, Act. 1, 2
1.3 Present information, Act. 3

✓ Ongoing Assessment

@HomeTutor
More Practice
ClassZone.com

Intervention These activities give students the opportunity to gauge whether they have grasped the material. If a student is unable to successfully complete a given task, (s)he should review pp. 452–453 or get help online at ClassZone.com. For additional practice, use Reteaching & Practice Copymasters URB 8, pp. 1, 2.

Answers UTB 8 Transparency 24

Activity 1
1. se titula; **2.** símil; **3.** estrofa; **4.** metáforas;
5. rima; **6.** ritmo; **7.** estilo; **8.** contexto;
9. inferir

Activity 2
1. la poesía; **2.** la novela; **3.** el cuento;
4. la biografía; **5.** el libro de historietas

Activity 3 Answers will vary.

Para y piensa Answers will vary. Sample answers:
1. Gabriel García Márquez
2. *Cien años de soledad*
3. "Campesina" de Pablo Neruda
4. la novela

454

✤ Práctica de VOCABULARIO

1 | El club de lectores

Hablar Escribir

Completa los siguientes comentarios de dos poemas del poeta chileno Pablo Neruda, ganador del premio Nóbel de literatura.

A mí me encantó el poema que ___1.___ (se titula / significa) «Oda a los calcetines». ¿Recuerdan el ___2.___ (símil / desenlace) en que el poeta compara sus pies con dos pescados de lana *(two fish made of wool)*? Está en la segunda ___3.___ (realidad / estrofa). También me gustan mucho las ___4.___ (prosas / metáforas) de la tercera estrofa: «bomberos indignos de aquel fuego bordado». Es interesante que Neruda no usa ___5.___ (rima / verso) en la poesía, pero si lees la obra en voz alta *(aloud)*, escucharás el magnífico ___6.___ (desenlace / ritmo) que tiene.

La «Oda a Federico García Lorca» tiene otro ___7.___ (estilo / acto). El ___8.___ (capítulo / contexto) es la amistad entre Neruda y Lorca. Por eso podemos ___9.___ (implicar / inferir) que Neruda y Lorca eran amigos.

> **Expansión:**
> Teacher Edition Only
> Pídales a los estudiantes que traduzcan todos los comentarios.

2 | Los géneros

Hablar Escribir

Identifica el género literario según la descripción y escribe oraciones completas para definirlo.

1. un género rico en imágenes, muchas veces escrito en verso
2. una obra de ficción larga, escrita en prosa
3. una obra narrativa corta
4. una obra que narra los sucesos de la vida de alguien
5. un género ilustrado, generalmente escrito para niños

> la biografía
> la novela
> el cuento
> la poesía
> el libro de historietas

> **Expansión**
> Explica qué género prefieres y por qué. Nombra algunos de tus autores preferidos de ese género.

3 | Una narración

Escribir

Completa la tabla con información sobre un libro que hayas leído.

Título	Autor(a)	Género	Protagonista(s)	Análisis

> **Expansión:**
> Teacher Edition Only
> Pídales a los estudiantes que comparen su libro con el libro que escogió un(a) compañero(a) de clase.

Más práctica   Cuaderno *pp. 344–346*   Cuaderno para hispanohablantes *pp. 344–347*

PARA Y PIENSA

¿Comprendiste? Escribe el nombre de tu... favorito(a):
1. autor(a)   **2.** novela   **3.** poesía   **4.** género literario

🖥 **Get Help Online**
ClassZone.com

Differentiating Instruction

Multiple Intelligences

Logical/Mathematical Ask students to create a chart that compares five books that they have read. They may use the same format as the chart in Activity 3 or they can make a list of five other criteria. Tell students to include books that they did not enjoy on the chart.

Inclusion

Frequent Review/Repetition Have students write a crossword based on the new vocabulary words. The crossword should include at least twelve vocabulary words. Students could use formats such as fill-in-the-blank or short answer. Have students switch with another classmate and complete the crossword in class.

VOCABULARIO en contexto

¡AVANZA! **Goal:** As you read the following short story, identify as many aspects of the literary style that Eduardo uses as you can, and decide whether or not you agree with Laura's comments. Then talk about different types of literature using the new vocabulary. ***Actividades 4–5***

Contexto 1 *Micro cuento*

ESTRATEGIA **Leer**

List expressions for reacting to literature List expressions that would be useful for reacting to literature. To do this, draw two faces. Next to the smiling one, list positive statements. Next to the frowning one, list negative statements. In both cases, list literary vocabulary.

¡Me encanta el ritmo! ☺
No me gusta _____ . ☹

AUDIO

Eduardo Saravia es un estudiante argentino que participa en un club de escritores jóvenes. Él acaba de escribir un micro cuento y Laura Labarca, una de sus colegas, escribió unos comentarios para ayudarlo con la revisión.

El nuevo espejo

Alejandro era un chico triste. Vivía en una casa triste, en un barrio triste, en una ciudad triste. Una tarde lluviosa y gris, Alejandro salió de la escuela. Mientras sacaba su paraguas, miraba las cosas en el escaparate de una tienda de antigüedades. De repente le llamó la atención un espejo antiguo, en muy mala condición, con unos adornos de árboles y pájaros. Era muy feo, pero a Alejandro le gustó.

«¿Te gusta?» le dijo un hombre viejo que salía de la tienda. «Es muy barato. Te lo venderé por quince pesos.»

Alejandro no pudo resistir y se llevó el espejo a la casa triste y lo colgó en una pared.

Al día siguiente, en cuanto se levantó, fue y se detuvo frente al espejo y se quedó asombrado. Se vio a sí mismo, pero la escena reflejada en el espejo era de un jardín maravilloso bajo un sol brillante.

Un día se acercó y tocó el espejo con la mano, acariciando una de las flores del jardín. «Qué suave es», pensó Alejandro, cerrando los ojos. Cuando los abrió, vio que ya no estaba en su casa triste. Se encontraba en el jardín del espejo, tocando una flor fantástica. Vio un espejo colgado en un muro del jardín. Cuando Alejandro miró su reflejo, vio su casa triste, en su barrio triste, en su ciudad triste, pero él ya no estaba.

¿PUEDES DAR MÁS DETALLES SOBRE EL CONTEXTO Y LOS ANTECEDENTES?

ME GUSTA LA MEZCLA DE LA REALIDAD Y LO ABSURDO.

¡ME ENCANTA EL CLÍMAX! PERO NO SÉ SI ENTIENDO LA METÁFORA. ¿QUÉ SIMBOLIZA EL ESPEJO?

¡AVANZA! **Objective**
- Understand vocabulary related to literary style.

Core Resource
- Audio Program: TXT CD 15 Track 3

Presentation Strategies
- Make a list of expressions for reacting to literature.
- Play the audio.

STANDARD
1.2 Understand language

Warm Up UTB 8 Transparency 16

Literatura desordenada Ordena las letras de los siguientes términos literarios.

1. stleio _____
2. eafrots _____
3. ospras _____
4. txoenotc _____
5. rirnfie _____
6. Ineeesacd _____
7. loeanv _____
8. nuecot _____
9. rtauo _____
10. iamr _____

Answers: 1. estilo; 2. estrofa; 3. prosas; 4. contexto; 5. inferir; 6. desenlace; 7. novela; 8. cuento; 9. autor; 10. rima

Differentiating Instruction

Pre-AP

Draw Conclusions Ask students to read the short story written by Eduardo Saravia. Based on what they learn about the protagonist, Alejandro, have students work in pairs to draw conclusions about what the mirror means to him. Invite volunteers to share their ideas with the class.

Heritage Language Learners

Writing Skills Have heritage learners read Eduardo's story. Then ask them to write a literary critique of the short story. The critique should utilize the lesson vocabulary. Instruct students to provide concrete examples from the story to accompany their comments. Then invite students to read their review to the class.

VOCABULARIO

Objectives
- Practice using literary terms in context.
- Practice analyzing a story.
- **Culture:** literature and the movies

Practice Sequence
- **Activity 4:** Vocabulary recognition: Demonstrate understanding of the audio and reading.
- **Activity 5:** Vocabulary recognition: Match parts of the story with literary terms.

STANDARDS
1.2 Understand language, Act. 4, 5
2.2 Products and perspectives, Acts, CC
3.1 Knowledge of other disciplines, CC

Comparación cultural

Essential Question
Suggested Answer Los libros usan las palabras. Las pinturas usan las imágenes. Las películas combinan imágenes y palabras.

Background Information
Many of today's movies are based on books. For example, the popular 1998 movie *The Mask of Zorro* was based on a book called *Zorro* by Isabel Allende. Studios pay the author for the right to use the story and can adapt the story for the big screen. Often the books are trimmed down and details are left out so the movie will stay within a 2-3 hour time frame.

✓ Ongoing Assessment
@HomeTutor More Practice ClassZone.com

PARA Y PIENSA **Quick Check** After students have answered the questions for Para y piensa, ask them to discuss the book with a classmate. For additional practice, use Reteaching & Practice Copymaster, URB 8, pp. 1, 3.

See Activity answers on p. 457.

456

---

4 **Comprensión del micro cuento**

Hablar Escribir

Contesta las siguientes preguntas sobre la lectura.

1. ¿Quién es el protagonista del cuento?
2. ¿La repetición de qué palabra crea un ritmo poético en el primer párrafo?
3. ¿Qué sucesos ocurren en el cuento?
4. ¿Cuál es el clímax del cuento?

Expansión:
Teacher Edition Only
Pídales a los estudiantes que escriban dos preguntas adicionales sobre la lectura y que intercambien sus papeles con un(a) compañero(a) para contestar las preguntas.

5 **Mezcla literaria**

Hablar Escribir

Según el cuento «El nuevo espejo», empareja los elementos de cada columna.

1. «él ya no estaba»
2. «un hombre viejo salía de la tienda»
3. Alejandro
4. Eduardo Saravia
5. cuento
6. la tristeza

a. antecedente
b. autor
c. género
d. desenlace
e. protagonista
f. tema

Expansión
Escribe una expansión del cuento donde describes lo que ocurre con el chico en el jardín. Indica qué elementos literarios tiene tu micro cuento.

Comparación cultural

La literatura y el cine
¿Cómo se relacionan las diferentes manifestaciones del arte? Desde que se inventó el cine, libros de varios géneros han servido como fuentes de inspiración para las películas. Por ejemplo, una película americana que se basó en una novela es *De amor y de sombra,* de la autora chilena Isabel Allende. La película es un homenaje (*tribute*) a la libertad y narra una historia de amor durante una época de sucesos políticos dramáticos en **Chile.**

Compara con tu mundo ¿Qué libros conoces que se han convertido en películas? ¿De qué género son los libros? ¿Quiénes son los autores de los libros?

Escena de la película De amor y de sombra, *(1995)*

PARA Y PIENSA **¿Comprendiste?** Piensa en un cuento que hayas leído y contesta las siguientes preguntas.

1. ¿Quién es el (la) protagonista?
2. ¿Cuál es el punto de vista del cuento? (¿Quién lo narra?)
3. ¿Cuál es el tema del cuento?

Get Help Online ClassZone.com

Differentiating Instruction

Heritage Language Learners
Support What They Know Ask students to think of a book that was written by an author from their countries of origin and made into a movie. If they cannot find such an author, tell students to look for a Latin American author whose book was used as the basis for a movie. Invite students to discuss the difference between the book and the movie.

Multiple Intelligences
Musical/Rhythmic Invite students to write a poem about something that interests them. The poem does not have to rhyme. However, tell students that the poem should have a clear rhythm. Select some simple poems to read in class to serve as models.

✻Presentación de GRAMÁTICA

¡AVANZA! **Goal:** Learn about the past progressive tenses. Then discuss events in the past focusing on the actions that were in progress at a certain time. *Actividades 6–9*

♻ *¿Recuerdas?* Preterite vs. imperfect p. 68

English Grammar Connection: In both English and Spanish, you can use the **past progressive** to emphasize that a past action was in progress rather than completed.

Last night, when you arrived,   Anoche, cuando llegaste,
I was reading.   **estaba leyendo.**

Past Progressive

 Animated Grammar
ClassZone.com

You already know how to form the present progressive to emphasize that a present action is in progress. To say that an action *was* in progress, use the **past progressive.**

Here's how:

The most common form of the **past progressive** is the **imperfect** of **estar** plus the **present participle** of the main verb. In this form, it often expresses an action that was interrupted.

> ¿Qué **estabas haciendo** cuando te llamé ayer?
> *What **were you doing** when I called yesterday?*

> **Estaba escribiendo** un cuento y **escuchando** música.
> *I **was writing** a short story and **listening** to music.*

To emphasize that an action continued for a period of time and then came to an end, use the **preterite** of **estar** plus the **present participle** of the main verb.

> **Estuvimos hablando** toda la tarde.
> *We **were talking** all afternoon.*

Use a **preterite** form of the verbs **continuar, seguir,** or **quedarse** with the **present participle** to emphasize the continuation or start of an ongoing action.

> Cuando mi hermana se acostó, **me quedé escribiendo** mi autobiografía.
> *When my sister went to bed, **I kept on (went back to) writing** my autobiography.*

Más práctica
Cuaderno *pp. 347–349*
Cuaderno para hispanohablantes *pp. 348–350*

 Conjuguemos.com

@HomeTutor
Leveled Practice
ClassZone.com

Differentiating Instruction

Slower-paced Learners

Personalize It Have students take out a piece of paper and a pen. Instruct them to write sentences about the following scenarios: one thing they were doing last week that was interrupted; one thing they did for a period of time that came to an end. Provide students with examples to help them get started. Invite volunteers to share their answers with the class.

Pre-AP

Timed Answer Play a game with advanced students to practice the use of the past progressive tenses. Make sure that each student has paper and a pen. Then provide a brief sentence in English such as: I was reading the newspaper. Give students about 20 seconds to write the sentence in Spanish.

- Present the past progressive tenses.
- Discuss event in the past and actions that were in progress at the same time.

Core Resource
- *Cuaderno,* pp. 347–349

Presentation Strategy
- Have students read and take notes on the past progressive tenses.

STANDARD
4.1 Compare languages

⬆ **Warm Up** UTB 8 Transparency 17

Géneros literarios Nombra cinco géneros literarios diferentes.

1. _____
2. _____
3. _____
4. _____
5. _____

Answers: 1. la poesía; 2. la novela; 3. el cuento; 4. la biografía; 5. el libro de historietas

Communication
Common Error Alert

Clarify to students that the most common form of the past progressive consists of the verb **estar** in the imperfect tense and the present participle of the action verb. For example: **Yo estaba bailando en la sala.** Remind students **not to use the imperfect tense for both verbs.** For example: **Yo estaba bailaba en la sala.**

⬆ **Answers** UTB 8 Transparency 24

Answers for Activities on p. 456.

Activity 4
1. Alejandro
2. triste
3. Alejandro vio un espejo antiguo. Lo compró. En el espejo se veía a sí mismo en un jardín.
4. Cuando Alejandro toca el espejo y se da cuenta que está en el jardín.

Activity 5
1. d; **2.** a; **3.** e; **4.** b; **5.** c; **6.** f
Para y piensa Answers will vary.

Objectives

- Practice using past progressive tenses.
- Discuss an event in the past and actions that were in progress at the same time.
- **Recycle:** Preterite vs. imperfect

Core Resources

- *Cuaderno,* pp. 347–349
- Audio Program: TXT CD 15 Track 4

Practice Sequence

- **Activities 6, 7:** Controlled practice: past progressive
- **Activity 8:** Transitional practice: past progressive; Recycle: Preterite vs. imperfect
- **Activity 9:** Open-ended practice: past progressive

STANDARDS

- **1.1** Engage in conversation, Act. 9
- **1.2** Understand language, Act. 6, 7
- **1.3** Present information, Act. 8

Communication
Role-Playing and Skits

Put students in small groups and have them write and act out a skit in which one student tattles on another student to a teacher. Tell students to use the present progressive in this context.

Answers UTB 8 Transparencies 24–25

Activity 6

1. estaban iluminando
2. estaba mirando
3. estaba recitando
4. estaban sonriendo
5. estaba escribiendo
6. estaban durmiendo
7. estaba leyendo
8. estaba esperando

Activity 7

1. Una pareja sí estaba dando una vuelta y conversando.
2. Una familia no estaba comiendo fruta.
3. Una pareja sí estaba leyendo en un banco.
4. Un niño sí estaba aprendiendo a andar en bicicleta.

Answers continue on p. 459.

Práctica de GRAMÁTICA

6 | Un micro cuento

Hablar
Escribir

Completa el cuento con el pasado progresivo del verbo indicado.

Era una noche romántica. La luna y las estrellas __1.__ (iluminar) el cielo de terciopelo *(velvet)* azul. Julieta __2.__ (mirar) el jardín desde su balcón. Romeo __3.__ (recitar) una poesía. Las flores __4.__ (sonreír) de alegría…

De repente, el escritor, que __5.__ (escribir) un drama autobiográfico, se dio cuenta de que sus dos hijos __6.__ (dormir) en el sofá de su oficina. Habían entrado para desearle las buenas noches y él les había dicho que esperaran un momentito. Eso había sido más de media hora antes. El dramaturgo se sintió avergonzado. Los llevó en brazos a su dormitorio y volvió a su oficina. Romeo __7.__ (leer) un libro de historietas mientras lo __8.__ (esperar).

Expansión
Escribe el resto del micro cuento y léelo en clase.

7 | ¿Quién lo estaba haciendo?

Escuchar
Escribir

Escucha la descripción. Mira las ilustraciones y escribe una oración completa para identificar a las personas y acciones que se mencionan o que no se mencionan en la grabación.

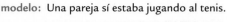
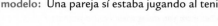

Audio Program
TXT CD 15 Track 4
Audio Script, TE p. 449B

Expansión:
Teacher Edition Only
Pídales a los estudiantes que escriban sobre actividades en que ellos o sus amigos estaban haciendo ayer en un parque.

modelo: Una pareja sí estaba jugando al tenis.

1.
2.
3.

4.
5.
6.

Differentiating Instruction

Slower-paced Learners

Memory Aides Tell low proficiency students to create flashcards to practice the the present participle of several verbs, the imperfect form of the verb **estar,** and the preterite form of commonly used verbs. Have students use their cards in class with a classmate and at home to study.

Pre-AP

Use Transitions Tell students to write a short story using the sentences in Activity 7. They should add transitional phrases to make the story flow more smoothly. Also instruct students to add actions in the preterite tense to interrupt some of the ongoing actions in the story.

8 Biografías de autores ♻ *¿Recuerdas?* Preterite vs. imperfect p. 68

Hablar
Escribir

Haz frases para describir qué estaba haciendo cada autor en un momento importante de su vida.

modelo: escribió sus primeros poemas /
  trabajar en la biblioteca de Buenos Aires
Cuando Borges escribió sus primeros poemas, estaba trabajando en la biblioteca de Buenos Aires.

Jorge Luis Borges

1. estrenó su obra teatral *La carcajada* / empezar su carrera literaria

Augusto Roa Bastos

2. conoció a García Lorca / viajar por España

Pablo Neruda

3. escribió su autobiografía, *Paula* / reflexionar sobre su vida

Isabel Allende

4. ganó el premio Nóbel de literatura / vivir en Brasil

Gabriela Mistral

Expansión
Di qué estabas haciendo tú en cinco momentos importantes de tu vida.

9 ¿Qué estaban haciendo?

Hablar

Pregúntale a tu compañero(a) qué estaban haciendo estas personas ayer a la hora indicada.

modelo: tu hermano(a) / 3:00 de la tarde

1. tus abuelos / 9:00 de la mañana
2. tu profesor(a) de español / 7:00 de la tarde
3. tú / 10:00 de la noche
4. tu perro / 5:00 de la tarde
5. tus compañeros(as) / 11:00 de la mañana

A ¿Qué estaba haciendo tu hermano(a) a las tres de la tarde ayer?

B Mi hermano(a) estaba durmiendo la siesta.

Expansión:
Teacher Edition Only
Pídales a parejas que digan qué estaban haciendo ayer a las 9:00 de la mañana, a las 5:00 de la tarde, y a las 11:00 de la noche.

Más práctica Cuaderno pp. 347–349 Cuaderno para hispanohablantes pp. 348–350

PARA Y PIENSA

¿Comprendiste? Piensa en un evento crítico de tu vida. Recuerda qué estaban haciendo tú y otros miembros de tu familia en ese momento. Luego, escribe cinco oraciones para captar el momento.

Get Help Online ClassZone.com

Differentiating Instruction

Slower-paced Learners

Peer-study Support Ask students to refer back to their answers to Activities 6–8. Pair low proficiency students with high proficiency students or heritage learners. Instruct high proficiency students to clarify all the exercises and explain any answers that the low proficiency students may have done incorrectly.

Pre-AP

Expand and Elaborate Ask students to provide a two more examples of what famous authors were doing at important moments in their lives in Activity 8. They should also note the author's style and area of expertise. At least one of the authors should be Latin American.

Communication

TPR Activity

List several actions using the present progressive on the board. Call on volunteers to act out a random action and have the rest of the class guess.

✓ Ongoing Assessment

@HomeTutor
More Practice
ClassZone.com

PARA Y PIENSA

Alternative Strategy After students have done their sentences for Para y piensa, have them discuss their critical life event with a classmate. For additional practice, use Reteaching & Practice Copymasters, URB 8, pp. 4, 5, 10.

Answers UTB 8 Transparencies 24–25

Answers continued from p. 458
5. Unos niños no estaban jugando al fútbol.
6. Una pareja no estaba remando en un bote

Activity 8
1. Cuando Bastos estrenó su obra teatral *La carcajada,* estaba empezando su carrera literaria.
2. Cuando Neruda conoció a García Lorca, estaba viajando por España.
3. Cuando Allende escribió su autobiografía, Paula, estaba reflexionando sobre su vida.
4. Cuando Mistral ganó el premio nobel de literatura, estaba viviendo en Brasil.

Activity 9 Answers will vary. Sample answers:
1. A. ¿Qué estaban haciendo tus abuelos a las nueve de la mañana?
B. Mis abuelos estaban desayunando.
2. A. ¿Qué estaba haciendo tu profesora de español a las 7:00 de la tarde?
B. Mi profesora estaba enseñando una clase.
3. A. ¿Qué estabas haciendo a las 10:00 de la noche?
B. Yo estaba estudiando.
4. A. ¿Qué estaba haciendo tu perro a las 5:00 de la tarde?
B. Mi perro estaba jugando en el parque.
5. A. ¿Qué estaban haciendo tus compañeros a las 11:00 de la mañana?
B. Mis compañeros estaban tomando refrescos.

Para y piensa Answers will vary. Sample answer: Yo estaba viajando por Europa cuando mi hermana ganó un premio. Mi madre estaba saltando cuando me llamó con las noticias. Mi hermano estaba esquiando en Colorado. Toda la familia regresó para celebrar.

459

Objectives

- Develop listening, reading, and writing skills.
- Understand and correctly produce the past progressive.

Core Resource

- Audio Program: TXT CD 15 Track 5

Presentation Strategies

- Have students scan the poem on p. 460 to get a general idea of what it is about before listening to the audio.
- Play the audio.

Practice Sequence

- **Activity 10:** Contexto 2 comprehension
- **Activity 11:** Transitional practice: past progressive.
- **Activity 12:** Open-ended practice: metaphors, past progressive.

STANDARDS

1.2 Understand language
1.3 Present information, Act. 11, 12

Warm Up   UTB 8 Transparency 17

Pasado progresivo Con las siguientes frases, escribe oraciones usando el pasado progresivo.

1. yo comer pizza / cuando mi padre
2. ella estudiar / cuando alguien
3. nosotros patinar / cuando tú
4. ellos dormir / cuando la alarma

Answers: Answers will vary. Sample answers:
1. Yo estaba comiendo pizza cuando mi padre me llamó.; 2. Ella estaba estudiando cuando alguien gritó.; 3. Estábamos patinando cuando te caíste.; 4. Ellos estaban durmiendo cuando la alarma sonó.

460

GRAMÁTICA en contexto

¡AVANZA!   **Goal:** As you read the poem that Laura wrote, notice how she uses the past progressive tense to describe what was happening. Then discuss the poem and use the past progressive tense to describe your own memories of the past. *Actividades 10–12*

Contexto 2   *Poema*

ESTRATEGIA Leer

Analyze the metaphors Use a chart to analyze the metaphors that Laura uses in her poem. For each metaphor, indicate the meaning. Include any verbs in the metaphors and indicate their tense. See the example below.

Metáfora	Significado	Verbos en la metáfora	Tiempo
un gato grande estaba mirando a los cometas	La luna se movía muy rápido en el cielo y parecía que miraba a los cometas.	estaba mirando	Pasado progresivo

Laura Labarca ha escrito el siguiente poema. Eduardo Saravia lo comentó para ayudarla con la revisión.

AUDIO

Metáforas   *Sería mejor si el título fuera más específico*

La luna — un gato grande —
estaba mirando a los cometas.
Los cometas — ratoncitos —
dormían entre los planetas.

El gato se cansó y fue
a dormir extendido en su silla.   *¡Me gusta la rima y el ritmo!*
El sol — un perro amarillo —
entró saludando al día.

Las nubes — pájaros grises —
estaban volando con rapidez.
El sol las vio y trató de comérselas
a todas a la vez.

El perro no pudo y las nubes
estaban llorando. Y por fin el sol se
fue porque el gato ya estaba llegando.

¿Puedes añadir otra estrofa para relacionar el final con el comienzo otra vez?
¿Qué hizo el gato después de llegar?

Unidad 8 El Cono Sur
460 cuatrocientos sesenta

Differentiating Instruction

English Learners

Provide Comprehensible Input Assist students in understanding the poem. After each stanza, provide a variety ways to demonstrate what is happening. For example, explain what happens in basic Spanish, use gestures, and draw pictures. You can also ask questions after each stanza to check for comprehension.

Heritage Language Learners

Increase Accuracy Have heritage speakers create their own poem. The poem should be rich with metaphors and similes. The poem can be realistic, absurd, or both. Invite students to read their poems to class. Encourage classmates to ask questions about the poem.

10 Comprensión del poema

Hablar
Escribir

Contesta las siguientes preguntas sobre la lectura.

1. ¿Con qué compara a la luna la autora? ¿Qué estaba haciendo la luna?
2. ¿Con qué compara a los cometas la autora? ¿Qué estaban haciendo?
3. ¿Con qué compara al sol la autora? ¿Qué hizo el sol mientras la luna estaba durmiendo?
4. ¿Con qué compara a las nubes la autora? ¿Qué estaban haciendo?
5. ¿Qué siguieron haciendo las nubes cuando el perro no se las pudo comer?
6. ¿Qué estaba haciendo el gato cuando el perro se fue, al final?

Teacher Edition Only
Pídales a los estudiantes que escriban dos preguntas adicionales sobre la lectura y que intercambien sus papeles con un(a) compañero(a) para contestar las preguntas.

11 ¿Quién lo estaba haciendo?

Hablar
Escribir

Relaciona cada verbo con el personaje del poema que estaba haciendo tal acción. Escribe oraciones completas. Utiliza el pasado progresivo.

modelo: saludar = El sol estaba saludando al día.

1. mirar
2. volar
3. dormir
4. llorar
5. comer
6. llegar

Expansión:
Teacher Edition Only
Pídales a los estudiantes que dibujen ilustraciones para acompañar las oraciones.

12 Un juego poético

Escribir
Hablar

Haz una lista de tres sustantivos *(nouns)* y dásela a tu compañero(a). Él o ella debe inventar una metáfora para cada sustantivo de tu lista, relacionando el sustantivo con otra cosa. Tú debes hacer lo mismo con la lista de tu compañero(a). Luego asocia cada sustantivo y metáfora con verbos. Construyan oraciones utilizando el pasado progresivo.

modelo:

sustantivo	metáfora	verbos
parque	una isla verde en un mar de cemento	nadar, caminar, **refugiarse**

Me **estaba refugiando** en el parque, que es una isla verde en un mar de cemento.

Expansión
Con tu compañero(a), escojan las ideas de una de sus tablas y escriban un poema breve. Usen el pasado progresivo más de dos veces.

PARA Y PIENSA

¿Comprendiste? Piensa en un día específico y escribe cinco oraciones para describir tu barrio en ese momento. ¿Qué estaban haciendo las personas? ¿Qué estaba pasando? ¿Qué detalles recuerdas claramente?

Get Help Online
ClassZone.com

cuatrocientos sesenta y uno **461**

Differentiating Instruction

Slower-paced Learners

Sentence Completion Assist low proficiency students with Activities 10 and 11 by starting sentences for them. Then ask students to fill in the missing information. Encourage students to consult their textbooks to find the necessary information. Go over the completed sentences with students and address any questions they may have.

Inclusion

Clear Structure Clarify Activity 12 by providing the following steps: 1. Write three nouns. 2. Switch nouns with a classmate. 3. Make a three column chart. 4. Write the nouns under the column labeled **sustantivo.** 5. Write metaphors for each noun. 6. Write verbs that are related to the metaphor. 7. Write sentence for each metaphor using the present progressive.

Unidad 8 Lección 1
GRAMÁTICA

✓ **Ongoing Assessment**

@HomeTutor
More Practice
ClassZone.com

PARA Y PIENSA
Peer Assessment If a student fails to complete any of the Para y piensa sentences correctly, (s)he should pair up with a student who did them all correctly, and review Activities 8 and 9 on p. 459. For additional practice, use Reteaching & Practice Copymasters URB 8, pp. 4, 6.

Answers UTB 8 Transparencies 25–26

Activity 10
1. La autora compara la luna a un gato grande. La luna estaba mirando a los cometas.
2. La autora compara los cometas a ratoncitos. Estaban durmiendo entre los planetas.
3. La autora compara el sol a un perro amarillo. El sol entró al día mientras la luna estaba durmiendo.
4. La autora compara las nubes a pájaros grises. Estaban volando.
5. Las nubes estaban llorando.
6. El gato estaba llegando cuando el perro se fue.

Activity 11
1. La luna estaba mirando a los cometas.
2. Las nubes estaban volando con rapidez.
3. La luna estaba durmiendo.
4. Las nubes estaban llorando.
5. El sol estaba tratando de comerse las nubes.
6. La luna estaba llegando.

Activity 12 Answers will vary but students should create metaphors with the nouns using the present progressive.

Para y piensa Answers will vary. Sample answer: Era el primer día de la primavera. Mis amigos y yo estábamos andando en patineta. Unas chicas estaban caminando y charlando. Un grupo de niños estaba jugando al básquetol. ¡Todos estábamos divirtiéndonos después de un invierno muy largo!

461

¡AVANZA!

Objectives

- Practice using the subjunctive with conjunctions.
- Discuss when one event occurred in relation to another event.

Core Resource

- *Cuaderno*, pp. 350–352

Presentation Strategies

- Review professions.
- Discuss the use of the subjunctive with conjunctions of time.

STANDARD

4.1 Compare languages

Warm Up UTB 8 Transparency 18

Metáforas Lee las siguientes oraciones según el poema de la p. 460. Di si son correctas o incorrectas. Corrige las incorrectas.

1. La luna estaba mirando a los cometas. _____
2. Las nubes estaban volando. _____
3. El gato estaba llorando. _____
4. El perro estaba jugando. _____
5. El sol estaba tratando de comerse las nubes. _____

Answers: 1. Correcta; 2. Correcta; 3. Incorrecta; El gato estaba llegando.; 4. Incorrecta; El perro estaba saludando al día.; 5. Correcta

Long-term Retention

Recycle

Review the usage and forms of the subjunctive tense. Provide students with multiple examples of sentences containing the subjunctive.

462

Presentación de GRAMÁTICA

¡AVANZA! **Goal:** Learn when to use the subjunctive with certain conjunctions. Then talk about when one event occurred in relation to another event. *Actividades 13–17*

¿Recuerdas? Professions pp. 418–419

English Grammar Connection: Conjunctions of time *(when, until, before, after)* are always followed by the **indicative** in English. In Spanish, however, the **subjunctive** is sometimes required.

I want to read this **before** they **arrive.**   Quiero leer esto **antes de que** **lleguen.**

Conjunctions

Animated Grammar ClassZone.com

After some conjunctions the **subjunctive** is always required; after others, the **indicative** may be used. How do you know what verb form to use?

Here's how: The **subjunctive** is always used after the following **conjunctions.**

a fin de que	antes de que	en caso de que	sin que
a menos que	con tal (de) que	para que	

Vamos a reunirnos **en caso de que** alguien **tenga** preguntas.
*We are going to meet **in case** anyone **has** questions.*

The following conjunctions can be used with the **indicative** or the **subjunctive.**

cuando	en cuanto	tan pronto como
después de que	hasta que	

You use the **indicative** to say that the outcome definitely occurred in the past. You use the **subjunctive** to say that the outcome may occur in the future.

Leí **hasta que** terminé el cuento.   Trabajaré **hasta que** termine el poema.
*I read **until I finished** the story.*   *I will work **until I complete** the poem.*

The conjunction **aunque** is used with the **indicative** when followed by a known fact, but with the **subjunctive** when it is not known if the information presented is true.

Fact: **Aunque es** tarde, salimos ahora.	*Even though it is late, we are leaving now.*
Uncertain: **Aunque esté** lejos, vamos a pie.	*Even if it may be far, we are going on foot.*

Más práctica
Cuaderno *pp. 350–352*
Cuaderno para hispanohablantes *pp. 351–354*

@HomeTutor
Leveled Practice
ClassZone.com

Differentiating Instruction

Pre-AP

Timed Answer Give students a conjunction of time. Then give them a time frame (30–60 seconds) to use that time conjunction in a sentence. As this is a new grammar point, allow students to refer to their textbooks. Remind students to pay attention to their use of the subjunctive or indicative.

Slower-paced Learners

Sentence Completion To help students who are struggling with the subjunctive and conjunctions of time, provide a list of several incomplete sentences. For example: **No vamos a servir cacahuetes en caso de que alguien _____ (tener) alergias.** Instruct students to decide if the verb should be in the subjunctive or the indicative.

Práctica de GRAMÁTICA

13 | Las conjunciones ♻ *¿Recuerdas?* Professions pp. 418–419

Hablar
Escribir

Completa cada frase con la conjunción apropiada.

1. Ana ayudará en la empresa (cuando / hasta que) contraten a otra secretaria.
2. (En cuanto / Aunque) los arquitectos se establezcan, piensan buscar contratos en otros países.
3. (Tan pronto como / Aunque) tenemos un buen plan financiero, nuestra empresa necesita probar otras estrategias.
4. Mi mamá espera que yo encuentre un buen trabajo (aunque / tan pronto como) me gradúe.
5. Dante ya había trabajado varios años en las relaciones públicas (cuando / tan pronto como) abrió su propia agencia de publicidad.

> **Expansión:**
> Teacher Edition Only
> Pídales a los estudiantes que traduzcan todas las oraciones.

14 | La visita de un autor

Hablar
Escribir

Va a haber un evento en la Librería Mundial, cerca de tu casa. Escribe las oraciones y usa las conjunciones apropiadas de la lista.

cuando	aunque
hasta que	tan pronto como
en cuanto	después de que

1. El autor Ariel Dorfman dará su charla ____ la escriba.
2. ____ no he leído sus obras, será interesante escuchar su charla.
3. El año pasado Isabel Allende dio una conferencia; me gustó mucho ____ todavía no había leído nada de ella.
4. ____ ella terminó de hablar, compré su novela y me la firmó.
5. ____ escuche a Dorfman, ¡seguro querré leer todo lo que ha escrito!
6. Espero que estemos en la librería ____ cierre.

> **Expansión**
> Escribe un artículo para comentar qué pasó en el evento con Ariel Dorfman. Usa por lo menos cuatro conjunciones.

AUDIO

Pronunciación La **y**

La **y** funciona como vocal y consonante. Como vocal, en diptongos, se pronuncia como la vocal **i**. Como consonante tiene varias pronunciaciones regionales: un sonido como la *y* de la palabra *yellow* en inglés, un sonido como la *j* de la palabra *job* en inglés, o un sonido /zh/ como la *s* de la palabra *vision* en inglés.

| ya | yoga | ensayo | ayer |

Trabalenguas

**Hoy ya vimos el ayer y ayer imaginamos el hoy;
sin ayer no hay hoy, ni hay hoy sin el ayer.**

Differentiating Instruction

Heritage Language Learners

Increase Accuracy Remind native speakers, especially those who are not completely literate in Spanish, that the Spanish **y** and **ll** are often pronounced like the *y* in English, so it is sometimes difficult to differentiate which letter is being used. Ask heritage speakers to keep this in mind when they are spelling. Give students several words that contain **y** or **ll** and ask them to spell the words aloud.

English Learners

Increase Interaction Ask several questions about the conjunctions and allow sufficient wait time for English learners to answer. If an English learner has difficulty answering a question, ask another student for the answer, or answer the question yourself. Then return to the same English learner and ask him or her the question again.

Objectives
- Practice using the subjunctive with conjunctions of time.
- Talk about when one even occurred in relation to another event.
- **Recycle:** Professions
- **Pronunciation:** The letter **y**

Core Resource
- Audio Program: TXT CD 15 Track 6

Practice Sequence
- **Activity 13:** Controlled practice: conjunctions of time, Recycle: professions
- **Activity 14:** Controlled practice: conjunctions of time

STANDARDS
1.2 Understand language, Act. 13, 14
1.3 Present information, Act. 14
1.4 Compare languages, Pronunciation

Communication
Pair Work

Allow students to work in pairs for Activities 13 and 14. Encourage pairs to discuss what the sentences mean and which conjunctions of time work best for each sentence. Then have two pairs group together to double check their answers.

Answers UTB 8 Transparency 26

Activity 13
1. hasta que
2. En cuanto
3. Aunque
4. tan pronto como
5. cuando

Activity 14
1. tan pronto como
2. Aunque
3. aunque
4. Cuando
5. Después de que
6. hasta que

463

Objectives

· Practice using conjunctions of time with the subjunctive and the indicative.
· **Culture:** surrealist artist

Core Resource

· *Cuaderno,* pp. 350–352

Practice Sequence

· **Activity 15:** Transitional practice: conjunctions of time
· **Activity 16:** Open-ended practice: conjunctions of time
· **Activity 17:** Open-ended practice: the indicative and the subjunctive

STANDARDS

1.1 Engage in conversation, Act. 15
1.3 Present information, Act. 15, 16, 17
2.2 Products and perspectives, Act. 17

Comparación cultural

Essential Question

Suggested Answer Los pintores representan sus sueños con imágenes. Estas imágenes pueden ser reales o surrealistas.

About the Artist

Roberto Matta was born and raised in Chile and educated by the Jesuits. Matta went to Spain in his early twenties to explore his ancestral roots. Matta is usually presented as a "European" painter, based on his time spent in Italy and Paris.

See Activity answers on p. 465.

464

✓ **Ongoing Assessment**   @HomeTutor
More Practice
ClassZone.com

Intervention If a student is unable to write all four sentences correctly, direct him or her to ClassZone.com for additional practice. For additional practice, use Reteaching & Practice Copymasters URB 8, pp. 7, 8.

---

15 | Oraciones en dos tiempos

Hablar
Escribir

Con tu compañero(a), haz oraciones en dos tiempos verbales distintos con la siguiente información. Léanlas a la clase.

modelo: yo escribir / hasta que / terminar mi reseña

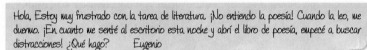

A. Yo escribiré hasta que termine mi reseña.
B. Yo escribí hasta que terminé mi reseña.

1. tú ser famoso(a) / en cuanto / publicar tu sátira
2. nosotros hacer un análisis / cuando / leer el cuento policíaco
3. aunque / Eugenio escribir ensayos / el periódico no querer publicarlos
4. tan pronto como / la profesora explicar / los estudiantes comprender

16 | Tan pronto como...

Leer
Escribir

Lee esta carta de tu compañero Eugenio. Contéstale usando las siguientes conjunciones: **hasta que, tan pronto como, cuando, en cuanto** y **aunque.**

Hola. Estoy muy frustrado con la tarea de literatura. ¡No entiendo la poesía! Cuando la leo, me duermo. ¡En cuanto me senté al escritorio esta noche y abrí el libro de poesía, empecé a buscar distracciones! ¿Qué hago?   Eugenio

17 | ¿Qué te parece?

Leer
Escribir

Comparación cultural

The Onyx of Electra (1944), Roberto Matta Echaurren

Los sueños de Roberto Matta

¿Cómo representan los pintores sus sueños? Roberto Matta Echaurren nació en Santiago de **Chile** y fue uno de los miembros del grupo de los surrealistas. La obra de Matta presenta mundos mágicos, fantásticos y de espacios infinitos. La diferencia fundamental de la obra de Matta, en comparación con otros surrealistas, es que el artista chileno utilizaba imágenes de sus sueños.

Compara con tu mundo *Describe un sueño que hayas tenido recientemente. Si pintaras ese sueño, di en qué se parecería y en qué no se parecería al cuadro de Roberto Matta.*

Analiza y da tres opiniones sobre el cuadro «The Onyx of Electra». Utiliza el indicativo y el subjuntivo con algunas de las siguientes conjunciones: **aunque, cuando, de manera que, de modo que, así que, hasta que** y **mientras.**

Más práctica   Cuaderno *pp. 350–352*   Cuaderno para hispanohablantes *pp. 351–354*

PARA
Y
PIENSA

¿Comprendiste? Escribe cuatro cosas que no te gustan que tu familia haga mientras estás descansando. Utiliza las conjunciones **cuando, mientras, tan pronto como** y **aunque.**

⚡ **Get Help Online**
ClassZone.com

Differentiating Instruction

Multiple Intelligences

Linguistic/Verbal Refer students to the Comparación cultural. Discuss as a class what the brief article is about. Then invite students to share a dream they have had. Ask them to remember how they felt during the dream. Ask about what things or images they saw in their dream or if the dream felt real. Inquire as to whether they dreamt about things that were not possible in real life.

English Learners

Increase Interaction Have pairs of students brainstorm ideas for the answers to Para y piensa. Tell them to say their answers aloud before and while writing them.

Expansión:
Teacher Edition Only
Pídales a los estudiantes que escriban qué hacen ellos cuando tienen que hacer una tarea de una materia que no les gusta. Pídales que usen las conjunciones **hasta que, tan pronto como, cuando, en cuanto** y **aunque.**

Expansión:
Teacher Edition Only
Pídales a los estudiantes que escriban un párrafo para describir las características de la pintura de Roberto Matta.

✳ Todo junto

¡AVANZA! **Goal:** *Show what you know* Listen to and read the conversation among a group of young writers from Argentina and Chile. *Actividades 18–20*

Resumen contextos 1 y 2 Eduardo y Laura son miembros de un club de escritores jóvenes. El grupo se reúne una vez al mes para leer sus obras e intercambiar ideas y comentarios.

Contexto 3 *Diálogo*

ESTRATEGIA Escuchar
Expand the lists of expressions Go back to your prior lists of positive and negative expressions for reacting to literature. As you listen to the conversation among the young writers, expand your prior lists by including their comments and expressions. How many expressions do you have in each list by now?

AUDIO

Este mes el grupo de escritores se ha reunido para hablar sobre un nuevo proyecto.

Eduardo: ¡Tengo unas noticias increíbles! El club de cine quiere filmar una de nuestras obras y hacer una película corta.

Mónica: ¡Bárbaro! ¿Qué género literario prefieren?

Eduardo: Quieren un cuento o un capítulo de una biografía o autobiografía.

Laura: Pues, son muy diferentes, ¿no?

Eduardo: Claro. Nos dijeron que escogiéramos nosotros. ¿Qué piensan?

Manuel: Bueno, Eduardo, estabas revisando tu cuento, ¿verdad?

Eduardo: Sí, y Mónica estaba trabajando en una biografía de Isabel Allende.

Manuel: Todavía no he leído el cuento de Eduardo. ¿Cómo es?

Lección 1
cuatrocientos sesenta y cinco **465**

Differentiating Instruction

Pre-AP
Sequence Information Write snippets of text from the Contextos 1 and 2 on sentence strips. You may want to separate text from the poem and text from the story so as not to confuse students. Read each strip aloud one at a time and tape them to the board to be ordered sequentially with the help of the class.

Inclusion
Multisensory Input/Output Ask students to make a list of any expressions that they do not understand. Ask students to share those phrases with the class and convey the meaning with gestures, simple explanations, or drawings. Ask students to read the dialogue aloud and act out the writers' emotions.

¡AVANZA! **Objective**
· Integrate lesson content.

Core Resource
· Audio Program: TXT CD 15 Track 7

Presentation Strategies
· Review the first two parts of the Contexto aloud.
· Play the audio as students read along.
· Have students expand their list of positive and negative expressions for reacting to literature.

STANDARD
1.2 Understand language

Warm Up UTB 8 Transparency 18

Traducción Traduce las siguientes conjunciones de tiempo.
1. a menos que
2. con tal (de) que
3. en caso de que
4. para que
5. antes de que
Answers: 1. unless; 2. as long as; 3. in case; 4. so that; 5. before

Communication
Interpersonal Mode

In small groups, have students discuss which story or biography they think the writers should make into a movie in Contexto 3.

Answers UTB 8 Transparency 26
Answers for Activities on p. 464.
Activity 15
1. A. Serás famoso en cuanto publiques tu sátira. B. Fuiste famoso en cuanto publicaste tu sátira.
2. A. Haremos un análisis cuando leamos el cuento policíaco. B. Hicimos un análisis cuando leímos el cuento policíaco.
3. A. Aunque Eugenio escriba ensayos, el periódico no quiere publicarlos. B. Aunque Eugenio escribió ensayos, el periódico no quiso publicarlos.
4. Tan pronto como la profesora explique, los estudiantes comprenderán. B. Tan pronto como la profesora explicó, los estudiantes comprendieron.

Activity 16 Answers will vary.
Para y piensa Answers will vary.
Activity 17 Answers will vary.

465

Objective
· Practice using and integrating grammar and vocabulary.

Core Resources
· *Cuaderno,* pp. 353–354
· Audio Program: TXT CD 15 Tracks 7, 8, 9

Practice Sequence
· **Activity 18:** Contexto 3 comprehension
· **Activity 19:** Transitional practice: reading, listening, and speaking
· **Activity 20:** Open-ended practice: writing

 STANDARDS
1.2 Understand language, Act. 18, 19
1.3 Present information, Act. 18, 19, 20

Communication
Regionalisms

Go over the phrases in También se dice that express that something is difficult to do. Say the expressions aloud and have students repeat after you. Then ask heritage learners if they can think of any other phrases that mean the same thing.

Laura: ¡Es buenísimo! El protagonista es un chico muy triste. Un día ve un espejo misterioso y lo compra. Al día siguiente se mira en el espejo y se ve reflejado en un jardín de flores bajo un sol brillante. Al final, él entra por el espejo y cuando mira el reflejo desde el otro lado, ve su casa, pero él ya no está.

Mónica: Es perfecto para una película de fantasía, surrealista, con música misteriosa...

Eduardo: Pero también está buenísima tu biografía, Mónica. Acabo de leer el episodio cuando Isabel Allende estaba trabajando como periodista en Chile y tuvo que salir del país y exiliarse en Venezuela.

Mónica: ¡Qué emocionante! Sería una película de acción; los sucesos y las tragedias personales dentro de un contexto político.

Manuel: ¡Está peludo esto de elegir! Pero tan pronto como decidamos nosotros, los del club de cine pueden empezar el proyecto.

Eduardo: Entonces, sólo hay que evaluar las ventajas y desventajas de cada uno y hacer una adaptación del mejor.

> ### También se dice
> La expresión **está peludo** significa **¡Es difícil!** Se dice de diferente formas:
> ·**Colombia** ¡Es un camello!
> ·**Puerto Rico** ¡No es cáscara de coco!
> ·**España** ¡Es un rollo!
> ·**Cuba** ¡Es un chícharo!

---

18 | Comprensión del diálogo

Escuchar
Hablar
Escribir

Contesta las preguntas sobre el diálogo.
1. ¿Qué quiere hacer el club de cine?
2. ¿Qué género literario prefieren para el proyecto?
3. ¿Qué estaban haciendo Eduardo y Mónica?
4. ¿Qué estilo tendría una película basada en el cuento de Eduardo?
5. ¿Qué trabajo estaba haciendo Isabel Allende en Chile?
6. Según Manuel, ¿cuándo puede empezar el proyecto la gente del club de cine?

> **Expansión:**
> Teacher Edition Only
> Pídales a los estudiantes que resuman qué pasó en Contexto 3 en un párrafo.

466 Unidad 8 El Cono Sur
cuatrocientos sesenta y seis

 Answers UTB 8 Transparency 26

Activity 18
1. El club de cine quiere hacer una película corta sobre una obra del club de escritores.
2. Prefieren un cuento, una biografía, o una autobiografía.
3. Eduardo y Mónica estaban revisando sus obras.
4. Una película basada en el cuento de Eduardo sería una película de fantasía.
5. Isabel Allende estaba trabajando como periodista en Chile.
6. La gente del club de cine puede empezar tan pronto como escojan una obra.

 ## Differentiating Instruction

Pre-AP
Summarize Ask students to work in pairs to create a reading comprehension quiz based on the three Contexto readings. The quiz should include fill-in-the-blank, multiple choice, and short answer questions. Require that students create an answer key to accompany the quiz. Then ask pairs to switch quizzes with another pair and fill in the answers.

Slower-paced Learners
Peer-study Support Put students in pairs to complete Activities 18 and 19. Pair low proficiency students with high proficiency students or heritage learners. However, instruct students to each write out the answers. When pairs have completed the activities, they should compare their answers with another pair.

19 | Integración

Leer
Escuchar
Hablar

Lee la reseña literaria *(book review)* de una nueva novela que muestran en el escaparate de una librería. Luego escucha una entrevista a su autora. Después, explica lo que aprendiste y di si te interesaría leer la novela.

Fuente 1 Reseña literaria

Historia en familia

La nueva novela de Violeta Beltrán narra los sucesos de una familia de inmigrantes españoles en Chile. La protagonista, Camila, cuenta las aventuras de sus parientes en un contexto histórico. La familia estaba aprendiendo a vivir en otro país cuando muchas personas querían que Camila y su familia volvieran a España. Los temas de la obra son los temas típicos de esta autora: el amor y la familia, donde los individuos y los sucesos simbolizan una época histórica.

Fuente 2 Entrevista

Escucha y apunta

• ¿Qué tipo de novela escribió Violeta?

• ¿Qué estaba haciendo la autora cuando pensó en escribir su libro?

modelo: Violeta escribió una novela histórica. Estaba revisando unos papeles de su bisabuela cuando se le ocurrió la idea de escribir. La novela me interesa porque...

Expansión:
Teacher Edition Only
Pídales a los estudiantes que escriban un párrafo para decir qué tipo de novela les gustaría escribir. Pídales que hablen de: el género (aventuras, amor, policíaco, fantástico) y que den una pequeña sinopsis de la historia.

🎧 **Audio Program**
TXT CD 15 Tracks 8, 9; Audio Script, TE p. 449B

20 | ¡A escribir!

Escribir

Escribe una reseña de un libro que hayas leído para publicar en el periódico estudiantil. Incluye una introducción a la obra con el título, el (la) autor(a), el género y un resumen breve sobre los aspectos que consideres más importantes. Por ejemplo, los protagonistas, los sucesos y los temas. En tu conclusión debes incluir razones para recomendar o no recomendar la obra.

Writing Criteria	Excellent	Good	Needs Work
Content	Your review includes many details about the book's elements.	Your review includes some details about the book's elements.	Your review includes few details about the book's elements.
Communication	Your review is organized and easy to follow.	Parts of your review are organized and easy to follow.	Your review is disorganized and hard to follow.
Accuracy	Your review has few mistakes in grammar and vocabulary.	Your review has some mistakes in grammar and vocabulary.	Your review has many mistakes in grammar and vocabulary.

Expansión:
Teacher Edition Only
Pídales a los estudiantes que escriban un ensayo corto para explicar cuáles son los tres elementos más importantes de un buen libro, según ellos.

Más práctica Cuaderno *pp. 353–354* Cuaderno para hispanohablantes *pp. 355–356*

PARA Y PIENSA

¿Comprendiste? Cuenta qué estabas haciendo el fin de semana pasado. Utiliza estas conjunciones con el indicativo y el subjuntivo: **aunque, tan pronto como, después (de) que, antes (de) que** y **cuando.**

🔊 **Get Help Online**
ClassZone.com

Differentiating Instruction

Slower-paced Learners

Read Before Listening Show students a copy of the interview for Activity 19 before listening to the audio. Pause frequently while you read to check for comprehension. Generate a list of problem vocabulary words on a board or overhead and review them with students. Then play the audio two or three times as students read along.

English Learners

Build Background Pair English learners with native English speakers to do background work for Activity 20. Encourage partners to review the Contexto readings and lesson vocabulary for the benefit of the English learners. Before beginning the writing process, instruct students to write a checklist that includes all the necessary pieces of the review.

Long-term Retention

Pre-AP **Integration**

Activity 19 Before students read the book review, have them make a two-column chart in their notebooks. One column should be labeled **Me interesa** and the other, **No me interesa.** As they read and listen, encourage students to find aspects of the novel that interest and don't interest them and place them in the appropriate column.

✓ **Ongoing Assessment**

Rubric Activity 19
Listening/Speaking

Proficient	Not There Yet
Student takes detailed notes, explains what s/he learned, and tells if s/he would like to read the novel.	Student does not take detailed notes, does not explain what s/he learned, and does not tell if s/he would like to read the novel.

✓ **Ongoing Assessment**

@HomeTutor
More Practice
ClassZone.com

PARA Y PIENSA **Intervention** If students are unable to correctly write sentences using conjunctions of time, pair them with another student to review conjunctions of time with the subjunctive and indicative (p. 462). For additional practice, use Reteaching & Practice Copymasters URB 8, pp. 7, 9.

Answers UTB 8 Transparencies 26–27

Activity 19 Answers will vary. See model.

Activity 20
Book reviews will vary. Each review should include the title of the book, the author, the genre, a brief summary, and reasons why the reviewer would or would not recommend it.

Para y piensa Answers will vary but should include correct usage of the conjunctions given with the subjunctive and the indicative. **Iré al supermercado tan pronto como consiga dinero.**

468

¡AVANZA! Objectives

- Read a segment of a novel by Antonio Skármeta.
- Analyze the summary of the story.
- **Culture:** Antonio Skármeta and Pablo Neruda

Core Resource

- Audio Program: TXT CD 15 Track 10

Presentation Strategies

- Use the Para leer strategy to draw students' attention to guessing meaning from the context.
- Point out vocabulary notes.
- Examine Nota cultural with students.
- Read the segment of the novel and respond to questions.

STANDARDS

1.2 Understand language
3.1 Knowledge of other disciplines

Warm Up   UTB 8 Transparency 19

Escribe seis comentarios positivos o negativos sobre las partes de un libro.

Answers: Answers will vary. Sample answers:
1. ¡Este libro es excelente!; 2. Es interesantísimo.;
3. El clímax es absurdo.; 4. La prosa es perfecta.;
5. La obra es increíble.; 6. ¡Es buenísimo!

Culture

About the Poet

Antonio Skármeta is not only a well-known author but also a director of documentaries and films, a script writer, and an actor. Skármeta hosted a successful television program on books and has translated many English-language works into Spanish, including books by Mailer, Fitzgerald, and Melville.

Lectura literaria

¡AVANZA!

Goal: Read the following excerpt from a story in which the Chilean poet Pablo Neruda discusses poetic imagery with the postman. Then experiment making your own poetic images to describe elemental aspects of nature such as the rain or sea waves.

Para leer

ESTRATEGIA Leer

Guess the meaning from the context When you encounter a new expression, think: Do I already know an expression like it in Spanish or English? Also, pay attention to expressions of emotion or intensity. Read the sentence or paragraph as a whole to get a general sense of the meaning. You can create a table like the one below to help you. Don't write down every new expression, only the ones you have trouble with.

Expresión nueva	Expresiones parecidas en inglés o en español	Expresiones de emoción
cartero	carta	tristeza
extrajo	extract	alarmante

Vocabulario para leer

disponerse a	*prepararse para*
soltar	*dejar libre algo*
la manilla	*objeto con que se abre la puerta*
acariciarse	*pasarse las manos suavemente por la piel*
someter	*obligar, forzar*
suspirar	*acción de soltar aire por la boca*

Nota cultural

Sobre el autor **Antonio Skármeta (1940–)**
Nació en Antofagasta, Chile, y estudió en la Universidad de Chile y en Columbia University. Ha escrito novelas, libros de cuentos y literatura infantil. Su obra más famosa es la novela *Ardiente paciencia (El cartero de Neruda)*, que se adaptó al cine para hacer la película italiana *Il postino (El cartero)*. Skármeta fue embajador chileno en Alemania entre 2000 y 2003. Ahora vive otra vez en Chile, donde se dedica solamente a la literatura.

Sobre Pablo Neruda *Ardiente paciencia* describe las conversaciones entre el famoso poeta chileno Pablo Neruda y su cartero mientras el poeta vive en Italia. En realidad, Neruda nunca vivió en Italia, aunque viajó por Europa y vivió en España por varios años. En 1971 Pablo Neruda ganó el premio Nóbel de literatura.

Differentiating Instruction

English Learners

Increase Interaction After reading the Nota cultural aloud in class (or having a heritage learner read it), work with English learners to ensure that they understand who the author is and what they are about to read. Ask several questions about the content of the Nota cultural and afford sufficient wait time for English learners to answer.

Pre-AP

Expand and Elaborate Ask students to research and report to the class on Pablo Neruda. Students should discover interesting facts about the poet that are not in the brief description on p. 468. The report could cover his political interests, his personal life, and his life as a poet.

Ardiente paciencia
AUDIO

(El cartero de Neruda)

Neruda arremetió [1] con su bolsillo [2] y extrajo un billete del rubro [3] «más que regular». El cartero dijo «gracias», no tan acongojado [4] por la suma como por la inminente despedida. Esa misma tristeza pareció inmovilizarlo hasta un grado alarmante. El poeta, que se disponía a entrar, no pudo
5 menos que [5] interesarse por una inercia tan pronunciada. ❧

   —¿Qué te pasa?

   —¿Don Pablo?

   —Te quedas ahí parado como un poste.

Mario torció [6] el cuello y buscó los ojos del poeta desde abajo:

10   —¿Clavado [7] como una lanza?

   —No, quieto como torre de ajedrez.

   —¿Más tranquilo que gato de porcelana?

Neruda soltó la manilla del portón [8], y se acarició la barbilla [9].

15   —Mario Jiménez, aparte de *Odas elementales,* tengo libros
     mucho mejores. Es indigno que me sometas a todo tipo
     de comparaciones y metáforas.

   —¿Don Pablo?

   —¡Metáforas, hombre!

20   —¿Qué son esas cosas?

El poeta puso una mano sobre el hombro del muchacho.

   —Para aclarártelo [10] más o menos
     imprecisamente, son modos de decir
25   una cosa comparándola con otra.

   —Déme un ejemplo.

Neruda miró su reloj y suspiró.

   —Bueno, cuando tú dices
     que el cielo está llorando.

> ❧ **A pensar**
> ¿Por qué te imaginas que el cartero no quiere irse de la casa del poeta?

[1] fought, struggled   [2] pocket   [3] category   [4] distressed
[5] **no pudo...** couldn't help but   [6] twisted   [7] driven in
[8] large door   [9] chin   [10] explain it to you

Lección 1
cuatrocientos sesenta y nueve **469**

Communication

Interpretive Mode

Lectura literaria Read aloud the first part of the excerpt from *Ardiente paciencia* as students listen. Then have students quietly read the segment on their own. Suggest that students create a list of questions they have about the piece.

✓ **Ongoing Assessment**

Quick Check Have students choose three words from Vocabulario para leer and use each in a creative sentence. Then collect the sentences and read a variety of them aloud, leaving out the vocabulary words. Have students jot down each missing word and then go over the answers as a class. Hand back the papers and ask students to correct their own sentences.

Long-term Retention

Personalize It

Ask students to say what they think their profession will probably be someday. Then have students think of what profession they would love to do more than anything. Ask students if the two professions are the same. If not, encourage students to explain why they think they will not be able to do what they truly love.

Differentiating Instruction

Multiple Intelligences

Visual Learners Put students into small groups. Give each group a metaphor from the story. Instruct groups to illustrate the metaphor and to write a brief description of what it means. Then ask each group to present their metaphor to the class. Invite students to speak up if they interpreted a metaphor differently.

Slower-paced Learners

Yes/No Questions Read the first part of *Ardiente paciencia* as a class. Ask students several yes or no questions to check for comprehension. For example: **¿Es cartero Mario Jiménez?** If students answer a question incorrectly, carefully review what happens in that part of the story.

Answers

Para leer Answers will vary, but should include a table in which students write new expressions, similar expressions in English or Spanish, and expressions of emotion.

A pensar Answers will vary. Sample answer: El cartero no quiere irse porque quiere charlar con Neruda sobre la poesía.

469

Objectives
· Read a segment of a novel by Antonio Skármeta.
· Analyze the summary of the story.

Core Resource
· Audio Program: TXT CD 15 Track 10

Presentation Strategy
· Read the segment of the novel and respond to questions.

STANDARDS
1.2 Understand language
3.1 Knowledge of other disciplines

Long-term Retention
Critical Thinking

Analyze Read the excerpt from Antonio Skármeta's novel. Ask students why they think the novel is called *Ardiente paciencia*. Have students share ideas that could logically explain the title of the story.

Lectura literaria *continuación*

30   ¿Qué es lo que quieres decir?

    —¡Qué fácil! Que está lloviendo, pu'[11].

    —Bueno, eso es una metáfora. ❈

    ....

    —¡Claro que me gustaría ser poeta!

    —¡Hombre! En Chile todos son poetas.

35 Es más original que sigas siendo cartero. Por lo menos caminas mucho y no engordas[12]. En Chile todos los poetas somos guatones[13].

    Neruda retomó la manilla de la puerta, y se disponía a entrar, cuando Mario, mirando el vuelo de un pájaro invisible, dijo:

40   —Es que si fuera poeta podría decir lo que quiero.

    —¿Y qué es lo que quieres decir?

    —Bueno, ése es justamente el problema. Que como no soy poeta, no puedo decirlo.

    ....

45   —Si quieres ser poeta, comienza por pensar caminando. ¿O eres como John Wayne, que no podía caminar y mascar[14] chiclets al mismo tiempo? Ahora te vas a la caleta[15] por la playa y, mientras observas el movimiento del mar, puedes ir inventando metáforas.

    —¡Déme un ejemplo!

50   —Mira este poema: «Aquí en la Isla, el mar, y cuánto mar. Se sale de sí mismo a cada rato. Dice que sí, que no, que no. Dice que sí, en azul, en espuma[16], en galope[17]. Dice que no, que no. No puede estarse quieto[18]. Me llamo mar, repite pegando[19] en una piedra sin lograr convencerla. Entonces con siete lenguas verdes, de siete tigres verdes, de siete perros verdes, de siete mares

55 verdes, la recorre, la besa, la humedece[20], y se golpea el pecho[21] repitiendo su nombre.» —Hizo una pausa satisfecho—. ¿Qué te parece? ❈

---

[11] informal pronunciation of **pues**   [12] gain weight   [13] overweight
[14] chew   [15] inlet   [16] foam   [17] gallop   [18] still   [19] hitting
[20] **la...** surrounds it, kisses it, moistens it   [21] **se...** beats its chest

 Reflexiona

    ¿Quiénes se encuentran? ¿Cuál es el interés de uno de los personajes?

❈ A pensar
¿Por qué menciona Neruda su colección de poesía, *Odas elementales*? ¿Qué infieres del intercambio de citas que hacen Neruda y Mario?

❈ A pensar
Lee el poema en voz alta. ¿Qué notas en el sonido de los versos?

Answers

A pensar Answers will vary. Sample answer: Neruda menciona su obra *Odas elementales* porque están hablando sobre metáforas y es una obra rica en metáforas. Creo que hay un intercambio de citas porque los dos hombres piensan como poetas.

A pensar Answers will vary. Sample answer: Los versos en el poema no riman. Hay muchas palabras con el sonido /s/.

Reflexiona Answers will vary. Sample answer: Se encuentran el poeta Pablo Neruda con el cartero. El cartero quiere ser poeta pero no se siente seguro.

470

Differentiating Instruction

Pre-AP

Determine Cause and Effect Ask students the following cause and effect questions about *Ardiente paciencia:* What causes the postman to be sad at the beginning of the excerpt? What is the effect of Neruda explaining metaphors to Mario? What causes Neruda to tell Mario that all poets are overweight? What effect does Neruda's poem have on Mario?

Heritage Language Learners

Literacy Skills Ask heritage speakers to analyze to content and rhythm of the poem on p. 470, lines 50-56. Have them explain to the rest of the class what they think the poem means. Also have heritage speakers share their opinions on the logic of the rhythm. Encourage the rest of the class to ask the heritage speakers questions about the poem.

—Raro.

—«Raro.» ¡Qué crítico más severo que eres!

60 —No, don Pablo. Raro no lo es el poema. Raro es como *yo* me sentía cuando usted recitaba el poema.

—Querido Mario, a ver si te desenredas [22] un poco, porque no puedo pasar toda la mañana disfrutando de tu charla.

—¿Cómo se lo explicara? Cuando usted decía el poema, las palabras iban de acá pa'llá.

65 —¡Como el mar, pues!

—Sí, pues, se movían igual que el mar.

—Eso es el ritmo.

—Y me sentí raro, porque con tanto movimiento me marié [23].

—Te mareaste [24].

70 —¡Claro! Yo iba como un barco temblando en sus palabras.

Los párpados [25] del poeta se despegaron [26] lentamente.

—«Como un barco temblando en mis palabras.»

—¡Claro!

—¿Sabes lo que has hecho, Mario?

75 —¿Qué?

—Una metáfora.

—Pero no vale, porque me salió de pura casualidad [27], no más.

—No hay imagen que no sea casual, hijo.

---

[22] **a ver...** sort yourself out   [23] mispronunciation of **mareé**
[24] you got dizzy   [25] eyelids   [26] lifted   [27] **de pura...** by sheer chance

PARA Y PIENSA

¿Comprendiste?
1. ¿Cómo explica el autor lo que es una metáfora?
2. ¿Qué descubrió Mario cuando Neruda recitó su poema sobre el mar? ¿Qué inventó Mario para explicar su reacción al poema? ¿Cómo reaccionó Neruda?
3. ¿Cómo describirías la relación entre Mario y Neruda? Explica tu opinión usando ejemplos de la lectura.
4. ¿Qué crees que Neruda quiso decir en la última línea de la selección?

¿Y tú?
1. ¿Qué tipos de poesía y narrativa te gustan? ¿Qué poetas y novelistas conoces? ¿Cuáles de sus obras recomiendas y por qué?
2. ¿Qué otra metáfora escribirías para representar lo que sintió Mario?

Lección 1
cuatrocientos setenta y uno   **471**

Differentiating Instruction

Multiple Intelligences

Naturalist Ask students to identify references to nature in *Ardiente paciencia*. Tell students to write an essay, accompanied by illustrations, to explain the use of nature in the story. Also instruct students to discuss why they think nature is an important theme in poetry.

Slower-paced Learners

Peer-study Support Ask students to refer back to their answers to the questions for Para y piensa. Pair low proficiency students with high proficiency students or heritage learners. Instruct high proficiency students to clarify all the questions and explain any answers that the low proficiency students may have done incorrectly.

Answers

Para y piensa Answers will vary. Sample answers:
1. Una metáfora es un modo de decir una cosa comparándola con otra.
2. Mario descubrió que se sentía raro. Mario inventó una metáfora sin saberlo para explicar su reacción al poema.
3. La relación entre Mario y Neruda es como la de profesor y estudiante.
4. Neruda quiso decir que cualquier persona puede ser poeta si presta atención a las imágenes, porque de ellos viene la poesía.

¿Y tú? Answers will vary. Sample answers:
1. Me gusta la poesía sobre la vida. Mi poeta favorito es Robert Frost. Su poema más bonito es "El camino no tomado" ("The Road not Taken").
2. Otra metáfora para respresentar lo que sintió Mario: «Yo iba como una hoja moviéndose en el viento.»

Objective
· Read about seasons in the opposite hemispheres.

Presentation Strategies
· Give students two minutes to scan/ preview the text.
· Have students read along as you (or a series of student volunteers) read the selection aloud.

STANDARD
3.1 Knowledge of other disciplines

Connections
La geografía

Why do the northern and southern hemispheres have opposite seasons? The Earth travels around the sun one full time per year. During the year, the seasons change depending on the amount of sunlight reaching the surface and the Earth's tilt as it revolves around the sun. Summer occurs when a hemisphere is tilted towards the sun, and winter occurs when a hemisphere is tilted away from the sun.

Experiences
Teaching with Maps

Display a map of the world. Ask a student to locate the parallel lines known as the Tropic of Cancer and the Tropic of Capricorn. Explain that the region between these parallels is called the tropics. The Tropic of Cancer marks the northern boundary of the tropics. The Tropic of Capricorn marks the southern boundary of the tropics. Ask students to name a few countries that are in this territory.

Answers
Conexiones
1. En el hemisferio norte, viajo al norte. En el hemisferio sur, viajo al sur.
2. En el sur de Chile.
3. En julio haría frío. En diciembre haría calor.

472

Conexiones   *La geografía*

Estaciones opuestas

En los países del hemisferio sur, las estaciones del año son al revés de las estaciones en el hemisferio norte. Cuando escritores del Cono Sur se refieren a la primavera, ¡están hablando de los meses de septiembre, octubre y noviembre!

El ecuador divide a nuestro planeta en el hemisferio norte y el hemisferio sur. En los países que están cerca del ecuador no hay grandes diferencias entre las estaciones; pero cuando el país está lejos del ecuador, como Chile, Argentina, Uruguay y Paraguay, las diferencias entre las estaciones son más evidentes. Las ciudades del sur de Chile y Argentina están cerca de la Antártida. En Ushuaia, Argentina, la ciudad más al sur del mundo, las temperaturas varían entre 64°F en el verano y 5°F en el invierno.

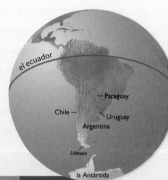

	primavera	verano	otoño	invierno
hemisferio norte	marzo abril mayo	junio julio agosto	septiembre octubre noviembre	diciembre enero febrero
hemisferio sur	septiembre octubre noviembre	diciembre enero febrero	marzo abril mayo	junio julio agosto

Mira el dibujo del hemisferio sur y la tabla de las estaciones. Luego, contesta las siguientes preguntas.

1. Si quieres estar en un clima frío, ¿en qué dirección viajas en cada hemisferio?
2. ¿En qué lugar son más fríos los inviernos, el norte de Paraguay o el sur de Chile?
3. ¿Qué tiempo haría en julio en el sur de Chile y Argentina? ¿Y en diciembre?

Proyecto Haz una investigación sobre el clima de tu región. ¿Cuánta lluvia recibe durante el año? ¿Cuánta nieve? ¿Cuáles son las temperaturas más altas y más bajas que se han registrado? ¿Cuándo ocurrieron? ¿Cómo ha cambiado el clima de tu región en los últimos cien años?

En tu comunidad
El clima de Estados Unidos varía mucho de un lugar a otro. ¿Cómo es el clima de tu región? ¿Hay cuatro estaciones bien definidas? ¿Cómo es el clima en cada estación del año?

472 Unidad 8 El Cono Sur
cuatrocientos setenta y dos

Differentiating Instruction

Multiple Intelligences

Logical/Mathematical Instruct students to create a chart that compares the climate in three different places. They should use the information from the Proyecto about their region and choose two other places. The chart should compare the average amount of rain and snow each year; highest and lowest recorded temperatures; most dangerous storm in the area's history.

Slower-paced Learners

Yes/No Questions Pause frequently while reading the selection to check for comprehension. If students start to seem confused, ask yes/no questions that draw their attention to the most important points in the passage. For example: **¿El ecuador divide a los hemiferios oeste y este? ¿Norte y sur? En los países cerca del ecuador, ¿varían mucho las estaciones?**

En resumen
Vocabulario y gramática

Animated Grammar
Interactive Flashcards
ClassZone.com

Vocabulario

Discuss and Critique Literature

absurdo(a)	absurd	narrar	to narrate
el acto	act	la novela	novel
el análisis	analysis	la obra	work
el antecedente	background event	la poesía	poetry
la autobiografía	autobiography	la prosa	prose
el (la) autor(a)	author	el (la) protagonista	protagonist, main character
la biografía	biography		
el capítulo	chapter	el punto de vista	point of view
el clímax	climax	la realidad	reality
el contexto	context	relacionar	to relate
el cuento	story, short story	la reseña	review
el cuento policíaco	crime story	la rima	rhyme
el desenlace	ending, outcome	el ritmo	rhythm
el ensayo	essay	romántico(a)	romantic
el estilo	style	la sátira	satire
la estrofa	stanza	significar	to mean
el género literario	literary genre	simbolizar	to symbolize
implicar	to imply	el símil	simile
inferir	to infer	el suceso	event
el libro de historietas	comic book	el tema	theme
		titularse	to be called
la metáfora	metaphor	el verso	verse

Link Events and Ideas

aunque	although
en cuanto	as soon as
tan pronto como	as soon as

Gramática

Past Progressive

The most common form of the **past progressive** is the **imperfect** of **estar** plus the **present participle** of the main verb. In this form, it often expresses an action that was interrupted.

¿Qué **estabas haciendo** cuando te llamé ayer?
*What **were you doing** when I called yesterday?*

To emphasize that an action continued for a period of time and then came to an end, use the **preterite** of **estar** plus the **present participle** of the main verb.

Estuvimos hablando toda la tarde.
***We were talking** all afternoon.*

Conjunctions

The **subjunctive** is always used after these **conjunctions**.

a fin de que	con tal (de) que	sin que
a menos que	en caso de que	para que
antes de que		

The following conjunctions can be used with the **indicative** or the **subjunctive**.

cuando	en cuanto	tan pronto como
después de que	hasta que	

• You use the **indicative** to say that the outcome definitely occurred in the past.
• You use the **subjunctive** to say that the outcome may occur in the future.
• **Aunque** is used with the **indicative** when followed by a known fact. Use the **subjunctive** when it is not known to be true.

Objective
· Review lesson vocabulary and grammar

Online SPANISH CLASSZONE.COM

Interactive Flashcards Students can hear every target vocabulary word pronounced in authentic Spanish. Flashcards have Spanish on one side, and a picture or a translation on the other.

Communication
Pair Work

Divide students into pairs and ask the pairs to create a worksheet to practice the lesson vocabulary using one of the following formats: crossword, word scramble, or word search. The worksheet should utilize at least 15 vocabulary words.

Communication
Grammar Activity

Write a complete sentence on the board that contains a past progressive phrase or a conjunction of time with the subjunctive. Write the sentence in the **wrong** order. Then ask the class to instruct you how to fix the sentence. Repeat this process with several sentences.

✓ Ongoing Assessment

Quick Check Review vocabulary by calling on a student to say a word from En resumen. Then quickly call on another student to use that word in a sentence. Continue doing this until each student in the class has had at least one turn.

Differentiating Instruction

Heritage Language Learners

Support What They Know Pair heritage language learners with non-heritage language students. Have the students quiz each other on the vocabulary. The heritage learners can help the other students improve their pronunciation.

English Learners

Provide Comprehensible Input Many of the vocabulary words from this lesson are abstract (i.e. **estilo, metáfora, absurdo,** etc.). It will be necessary to make these words more tangible to English learners. Use drawings, gestures, very simple explanations, and games to help English learners internalize the vocabulary.

Objective
· Review lesson grammar and vocabulary.

Core Resources
· *Cuaderno*, pp. 355–366
· Audio Program: TXT CD 15 Track 11

Presentation Strategies
· Draw students' attention to the accomplishments listed under the ¡Llegada! banner.
· Review activities may be completed in class or as homework.

STANDARDS
1.2 Understand language, Act. 1, 2, 4
2.2 Products and perspectives, Act. 5
3.1 Knowledge of other disciplines, Act. 5

Warm Up   UTB 8 Transparency 19

Pasado progresivo Usa los siguientes sujetos y verbos para escribir frases en el pasado progresivo.

1. yo / comer
2. tú / estudiar
3. usted / hablar
4. ella / bailar
5. nosotros / viajar
6. ellos / visitar
7. Mario / leer
8. Anita / comprar
9. yo / coser
10. nosotros / escribir

Answers: 1. estaba comiendo; 2. estabas estudiando; 3. usted estaba hablando; 4. ella estaba bailando; 5. estábamos viajando; 6. estaban visitando; 7. Mario estaba leyendo; 8. Anita estaba comprando; 9. yo estaba cosiendo; 10. estábamos escribiendo

✓ Ongoing Assessment
@HomeTutor
More Practice
ClassZone.com

Peer Assessment Have students work individually and then pair up with a partner after each activity to check their answers.

See Activity Answers on p. 475.

474

Lección 1
Repaso de la lección

@HomeTutor
ClassZone.com

¡LLEGADA!

Now you can
· discuss and critique literature
· talk about what you were doing in the past
· link events and ideas

Using
· past progressive
· conjunctions

Audio Program
TXT CD 15 Track 11; Audio Script, TE p. 449B

To review
· vocabulary pp. 452–453

AUDIO

1 Listen and understand

Sara Irúñez, una autora paraguaya, está dando una conferencia sobre sus obras. Escucha sus comentarios y luego contesta las siguientes preguntas.

1. ¿Qué le pidieron los organizadores de la conferencia a la señora Irúñez antes de que leyera sus cuentos?
2. ¿Qué estaba haciendo la señora Irúñez cuando empezó a escribir descripciones?
3. ¿Qué le aconsejó el amigo de la señora Irúñez?
4. ¿Qué le pidieron los editores de la revista?
5. ¿Qué otros tipos de literatura ha escrito la señora Irúñez?

To review
· past progressive p. 457
· conjunctions p. 462

2 Discuss and critique literature

Empareja los comentarios de la columna de la izquierda con la terminación correcta de la columna de la derecha. Luego, escribe las oraciones completas.

1. Me gustan los cuentos románticos, con tal de que...
2. Estaba leyendo una novela muy interesante cuando...
3. Voy a escribir unos comentarios sobre el libro para que...
4. Quiero seguir leyendo este poema hasta que...
5. El autor estaba escribiendo su autobiografía en caso de que...
6. La autora del libro de historietas estaba dibujando cuando...

a. identifique el ritmo y los símbolos.
b. se imaginó la escena final.
c. no sean demasiado largos.
d. llegaron unos amigos de visita.
e. algún día se haga famoso.
f. los pueda enviar al autor.

Unidad 8 El Cono Sur
474 cuatrocientos setenta y cuatro

Differentiating Instruction

Slower-paced Learners

Read Before Listening Preview the questions listed in Activity 1 and elicit from students the names or groups of people who are mentioned during the conference. Have students read the questions again and circle or underline key words such as **antes de que, cuando,** or **tipos** that indicate what specific information their answers should contain.

Slower-paced Learners

Memory Aids Encourage students to use a variety of methods to study concepts in the chapter. For example, they can make flashcards for vocabulary, charts to practice the past progressive, and tables that display conjunctions of time with examples that demonstrate when to use the subjunctive versus the indicative.

To review
• past progressive
  p. 457

3 Talk about what you were doing in the past

Escoge una palabra de la lista y di qué estaban haciendo las siguientes personas. Sigue el modelo.

modelo: Ernesto / un poema absurdo / en su cuaderno
Ernesto estaba escribiendo un poema absurdo en su cuaderno.

buscar
escribir
leer
ver
pensar

1. Hernando y Alberto / un drama / en el teatro
2. tú / un ensayo / en la biblioteca
3. nosotros / una biografía / en la base de datos
4. Lorena / en su nuevo cuento

To review
• conjunctions
  p. 462

4 Link events and ideas

Indica la forma correcta de cada verbo para completar la siguiente reseña de un nuevo libro de poesía.

En su nuevo libro, *La realidad,* el poeta Jorge Marichal ha escrito varios tipos de poemas y experimentado con una variedad de estilos literarios. Marichal nunca descansa; tan pronto como __1.__ (terminar) un libro, empieza a escribir otro. Es interesante que el autor publique con tanta rapidez, con tal de que no __2.__ (afectar) a la calidad de su obra. En caso de que usted no __3.__ (conocer) los poemas de Marichal, sepa que es un poeta que prefiere usar símbolos y metáforas. Aunque la poesía anterior de Marichal __4.__ (tener) un ritmo fijo *(fixed),* en este libro el poeta varía el ritmo y usa la rima. El resultado es una obra que no se puede mejorar... ¡hasta que este autor __5.__ (publicar) su próxima colección!

To review
• Comparación
  cultural
  pp. 456, 464

5 Books, movies and surrealist art

Comparación cultural

1. ¿En qué se basó la película *De amor y de sombra*?
2. ¿De qué trata la película?
3. ¿Quién fue Roberto Matta?
4. ¿Qué lo diferenciaba Matta de los otros pintores surrealistas?

Más práctica   Cuaderno *pp. 355–366*   Cuaderno para hispanohablantes *pp. 357–366*

 **Get Help Online**
ClassZone.com

Differentiating Instruction

English Learners

Increase Interaction Have students work together to answer the questions in Activity 5. Tell them to discuss their answers before they write them down. Be sure that they know they can review any Comparación cultural for which they have trouble remembering the answers.

Heritage Language Learners

Writing Skills Remind heritage learners to be vigilant with their spelling, accents, grammar, and punctuation. Instruct students to double check their work after completing Activities 1–5. Tell them to make a note of any errors, however minor, so that they will not make the mistake again.

✓ Ongoing Assessment

Intervention and Remediation If a student has more than two mistakes in any of the activities, direct him or her to the indicated review pages in the PE, and have him or her locate the information relevant to his/her mistakes. Ask him/her to make up one or two additional items for the activity and give them to a friend to complete, checking the friend's work for accuracy.

Answers   UTB 8 Transparency 27

Answers for Activities on pp. 474, 475.

Activity 1

1. Le pidieron que hablara sobre sus obras y su vida.
2. Estaba trabajando en una oficina como secretaria.
3. Le aconsejó que enviara un cuento a una revista.
4. Le pidieron que les enviara más.
5. Policíacos y de suspenso.

Activity 2

1. Me gustan los cuentos románticos, con tal de que no sean demasiado largos.
2. Estaba leyendo una novela muy interesante cuando llegaron unos amigos de visita.
3. Voy a escribir unos comentarios sobre el libro para que los pueda enviar al autor.
4. Quiero seguir leyendo este poema hasta que identifique el ritmo y los símbolos.
5. El autor estaba escribiendo su autobiografía en caso de que algún día se haga famoso.
6. La autora del libro de historietas estaba dibujando cuando se imaginó la escena final.

Activity 3

1. Hernando y Alberto estaban viendo un drama en el teatro.
2. Estabas escribiendo un ensayo en la biblioteca.
3. Estábamos buscando una biografía en la base de datos.
4. Lorena estaba pensando en su nuevo cuento.

Activity 4

1. termine
2. afecte
3. conozca
4. tenga
5. publique

Activity 5   Answers may vary slightly.

1. La película *De amor y de sombra* se basa en una novela de autora chilena Isabel Allende.
2. La película es un homenaje a la libertad y narra una historia de amor durante una época de sucesos políticos dramáticos en Chile.
3. Roberto Matta fue un artista surrealista de Chile.
4. Matta utilizaba imágenes de sus sueños.

Lesson Overview

Culture at a Glance ❀

Topic & Activity	Essential Question
Una obra de teatro en Argentina, p. 476–477	¿Cómo se presentan los distintos géneros de teatro?
El carnaval gigante, p. 482	¿Qué relación tienen las celebraciones con la historia de un país?
Los teatros: monumentales obras de arte, p. 490	¿Cómo puede un edificio convertirse en una obra de arte?
«Colón agarra viaje a toda costa (Parte 4)», por Adela Basch, pp. 494–497	¿Es aceptable manipular la historia para presentar una obra dramática?
Culture review: Theaters in the Southern Cone, p. 501	¿Cómo influye el local en una actuación teatral?

Practice at a Glance ❀

	Objective	Activity & Skill
Vocabulary	Theater	1: Speaking / Writing; 2: Writing; 3: Speaking / Writing; Repaso 1: Listening
	Evaluative terms	4: Speaking / Writing; 17: Speaking / Writing; 18: Reading / Listening / Speaking
Grammar	**Se** for unintentional occurrences	5: Speaking; 6: Speaking / Writing; 7: Listening / Writing; 8: Reading / Writing; 9: Reading / Speaking / Writing; 10: Speaking; 11: Speaking / Writing; Repaso 3: Writing; Repaso inclusivo 2: Writing / Speaking
	Review: uses of the subjunctive	12: Speaking / Writing; 13: Speaking; 14: Writing; 15: Reading / Writing; 17: Speaking / Writing; 18: Reading / Listening / Speaking; Repaso 2: Writing; Repaso 4: Writing; Repaso inclusivo 4: Speaking / Writing
Communication	Read and interpret a short play	11: Speaking / Writing; 16: Listening / Speaking / Writing
	Talk about unplanned occurrences	5: Speaking; 7: Listening / Writing; 10: Speaking; Repaso inclusivo 2: Writing / Speaking
	Express opinions about a text	13: Speaking; 14: Writing; 18: Reading / Listening / Speaking; 19: Writing
	Pronunciation: **z**	*Pronunciación: La **z**, p. 489: Listening / Speaking*
Recycle	**Si** clauses	10: Speaking
♻	Literary vocabulary	12: Speaking / Writing

The following presentations are recorded in the Audio Program for *¡Avancemos!*

- **¡A responder!** *p. 479*
- **7: ¡Excusas!** *p. 485*
- **18: Integración** *p. 493*
- **Repaso de la lección** *p. 500*
  1: Listen and understand
- **Repaso inclusivo** *p. 506*
  1: Escucha y comprende

¡A responder! TXT CD 16 track 2

1. Los actores se visten con el telón.
2. El acomodador prepara la escenografía.
3. Normalmente, el guión tiene mucho diálogo.
4. El dramaturgo dirige el ensayo.
5. Los actores ensayan delante del público.
6. Todos los actores sueñan con el éxito.
7. El público aplaude cuando el telón baja.

7 ¡Excusas! TXT CD 16 track 4

Rafael: ¡Ay, Daniela!

Daniela: Hola, Rafael. ¿Cómo estás?

Rafael: Bien, gracias. ¿Qué tal estuvo la fiesta? No vas a creer qué me pasó el sábado.

Daniela: ¿A ver?

Rafael: Pues, estaba manejando hacia tu casa y de repente se me descompuso el auto. No sé qué le pasó pero cuando empezó a echar humo decidí llamar a mi padre.

Daniela: Pues me alegro de que estés bien y no haya sido más grave. Ah, allí está Jorge que tampoco fue. Vamos a preguntarle qué sucedió.

Jorge: Hola, Daniela. Hola, Rafael. ¿Qué tal la fiesta?

Rafael: Bueno, se me descompuso el auto y no llegué. ¿Y tú?

Jorge: Uy, mi madre se cayó y se le rompió el brazo. Tuvimos que llevarle al hospital.

Daniela: Ojalá se sienta mejor pronto.

Jorge: Gracias.

Daniela: Hola, Raquel, ¿qué te pasó el sábado?

Raquel: Ay, Daniela, perdóname. No tengo buena excusa. Estaba viendo la película *El cartero de Neruda* con mis hermanos y se me olvidó por completo tu fiesta.

Rafael: Ay, Rafa, eres increíble. Oye, Silvia, ¿qué tal?

Silvia: Hola. ¿Cómo están todos? ¿Cómo les fue en la fiesta?

Daniela: Silvia, ¿por qué no viniste?

Silvia: Perdona, Daniela. Estaba estudiando y preparando un experimento para mi clase de física.

Jorge: Silvia, ¿cómo puedes cambiar una fiesta por estudiar?

Silvia: Bueno... Hola, Javier.

Daniela: Javier, ¿qué te pasó el sábado? No viniste a mi fiesta.

Javier: Ay, perdona, Daniela. Se me perdieron las llaves y pasé toda la noche buscándolas.

Raquel: ¿Las encontraste?

Javier: Sí, por fin. Parece que se me cayeron en mi cuarto. Las encontré debajo de la cama.

Daniela: A ti se te pierden muchas cosas, Javier. La semana se te perdió la tarea de literatura.

Javier: Sí, soy un desastre. Si algún día se me pierde la cabeza ¡estaré completamente perdido!

18 Integración TXT CD 16 track 9

Fuente 2, Reporte televisivo

Buenas noches, amigos. Estoy en la puerta del teatro «Los Andes». Es difícil determinar si *El mundo es un pañuelo*, la nueva obra de Martín Caso, es buena o mala. Durante ratos me reí muchísimo. En otros momentos estaba esperando que llegara el intermedio. Los actores son excelentes y la escenografía y vestuario son de calidad. El guión tiene elementos importantes pero es obvio que hay cosas absurdas. No me arrepiento de haber pasado la noche en el teatro, pero espero que la próxima obra de Caso sea un poco más atractiva. Desde Santiago de Chile, les informó Ángel Jaiva.

Repaso de la lección TXT CD 16 track 11

1 Listen and understand

¡Hola, mis queridos radioyentes! Les habla Carmela Castelo con la reseña de la semana. Ya sabrán que a mí no me gusta hacer comentarios negativos. ¡Es la verdad! Si no puedo decir nada bueno, no digo nada. Así que... ¡la reseña de esta semana va a ser muy corta! Bueno, ojalá no tuviera que decirlo, pero la nueva obra en el Teatro Liceo, «El avaro codicioso», realmente no vale la pena. Les recomiendo que se queden en casa y ahorren su dinero — ¡como hace el protagonista de la obra, un avaro viejo y mísero! Los problemas empiezan con el guión, que no da ninguna motivación para los personajes y relata una serie de sucesos poco probables y menos interesantes. ¡Menos mal que el dramaturgo no estuviera en el teatro para ver la reacción negativa del público! Realmente se me ocurrió irme durante el primer acto, pero no quería ofender a los pobres actores, que estaban haciendo todo lo que podían para salvar la situación. Desgraciadamente, era imposible que hasta los mejores esfuerzos pudieran salvar este desastre teatral. Al otro lado, me alegro decirles que la escenografía es buena y el vestuario es magnífico, pero con eso, se me acaban los cumplidos. Y no me van a creer, pero al final, ¡la situación se puso aun peor! Mientras todos esperábamos y esperábamos para que se cayera el telón, ¡el director salió para explicar que el telón ya se les había roto y no era posible bajarlo! ¡El toque final perfecto para una experiencia catastrófica! De todos modos, el público aplaudió mucho; ¡creo que era para expresar su alegría de que la producción por fin se hubiera terminado! Y con eso, no digo nada más... sino que ojalá que mi próxima reseña sea más positiva. Hasta la próxima, entonces, queridos...

Repaso inclusivo TXT CD 16 track 13

1 Escucha y comprende

Dame la mano

Dame la mano y danzaremos,
dame la mano y me amarás.
Como una sola flor seremos,
como una flor, y nada más...

El mismo verso cantaremos,
al mismo paso bailarás.

Como una espiga ondularemos,
como una espiga, y nada más.

Te llamas Rosa y yo Esperanza;
pero tu nombre olvidarás,
porque seremos una danza
en la colina y nada más.

Complete Resource List

On your desktop

Everything you need to ...

Plan	Present	Assess
ONE-STOP PLANNER	**POWER PRESENTATIONS**	 **ONLINE ASSESSMENT SYSTEM**
All resources including audio and video	Ready-made PowerPoint™ presentations with 	✓ Create customized tests with Examview Assessment Suite ✓ Individualized Assessment for on-level, modified, pre-AP, and heritage language learners

 ## Print

Plan	Present	Practice	Assess
URB 8 • Video Scripts p. 52 • Family Involvement Activity p. 76 • Absent Student Copymasters pp. 85–95 **Lesson Plans** p. 155 **Best Practices Toolkit**	**URB 8** • Video Activities pp. 49–50 **TPRS** pp. 106–112	• *Cuaderno* pp. 367–392 • *Cuaderno para hispanohablantes* pp. 367–392 • *Lecturas para todos* pp. 103–110 • *Lecturas para hispanohablantes* • *¡AvanzaCómics!, Mundos paralelos, Episodio 3* **URB 8** • Practice Games pp. 37–44 • Audio Scripts pp. 58–64 • Map/Culture Activities pp. 65–66 • Fine Art Activities pp. 71–72	**URB 8** • Did you get it? Reteaching and Practice Copymasters pp. 12–22

 ## Unit Transparency Book 8

Culture	Presentation and Practice	Classroom Management
• Atlas Maps UTB 1, 1–6 • Fine Art Transparencies 4, 5	• Vocabulary Transparencies 8, 9 • Grammar Presentation Transparencies 12, 13 • Situational Transparencies and label overlay 14, 15 • Situational Student Copymasters pp. 1–2	• Warm Up Transparencies 20–23 • Student Book Answer Transparencies 28–31

Audio and Video

Audio	Video
• Student Book Audio CD 16 Tracks 1–13 • Workbook Audio CD 4 Tracks 31–40 • Heritage Learners CD 2 Tracks 29–32, CD 6 Tracks 25–42 • Assessment Audio CD 4 Tracks 25–42, CD 3 Tracks 1–5 • *Lecturas para todos* Audio CD 2 Track 7, CD 3 Tracks 1–5 • *Música del mundo hispano*	• El Gran Desafío DVD 3

Online (ClassZone.com) and Media Resources

Student	Teacher
Available online and on disc: • eEdition (DVD-ROM) and eEdition Interactive Online Student Edition • @HomeTutor (CD-ROM) - featuring Animated Grammar **Available online:** • Conjuguemos.com • Cultura interactiva • Culture Links • WebQuests • Flashcards • Review Games • Self-check Quiz	**One-Stop Planner (available online and on DVD-ROM):** • Interactive Teacher's Edition • All print resources • All audio and video resources • Learning Scenarios • Conversation Cards • Assessment Program • Examview Assessment Suite • Calendar Planner • Rubric Generator **Available on CD-ROM:** • Power Presentations

Differentiated Assessment

On-level	Modified	Pre-AP	Heritage Learners
• Vocabulary Recognition Quiz p. 371 • Vocabulary Production Quiz p. 372 • Grammar Quizzes pp. 373–374 • Culture Quiz p. 375 • On-level: Lesson Test pp. 376–382 Unit Test pp. 388–394 Final pp. 400–409	• Modified Lesson Test pp. 290–296 • Modified Unit Test pp. 302–308 • Modified Final pp. 314–323	• Pre-AP Lesson Test pp. 290–296 • Pre-AP Unit Test pp. 302–308 • Pre-AP Final pp. 314–323	• Heritage Learners Lesson Test pp. 296–302 • Heritage Learners Unit Test pp. 308–314 • Heritage Learners Final pp. 320–329

| **Core Pacing Guide** |

	Objectives/Focus	Teach	Practice	Assess/HW Options
DAY 1	**Culture:** Learn about the culture of the **Cono Sur** **Vocabulary:** words associated with theater, drama, stagecraft • Warm Up OHT 20 **5 min**	Lesson Opener pp. 476–477 **Presentación de vocabulario** pp. 478–479 • Read A–C • Play audio TXT CD 16 track 1 • *¡A responder!* TXT CD 16 track 2 **25 min**	Lesson Opener pp. 476–477 **Práctica de vocabulario** p. 480 • Acts. 1, 2 **15 min**	**Assess:** *Para y piensa* p. 480 **5 min** **Homework:** *Cuaderno* pp. 367–369 @HomeTutor
DAY 2	**Communication:** discuss how opinions influence ideas, plans • Warm Up OHT 20 • Check Homework **5 min**	**Vocabulario en contexto** pp. 481–482 • *Contexto 1* TXT CD 16 track 3 **Culture:** *El carnaval gigante* **20 min**	**Vocabulario en contexto** pp. 481–482 • Acts. 3, 4 **20 min**	**Assess:** *Para y piensa* p. 482 **5 min** **Homework:** *Cuaderno* pp. 367–369 @HomeTutor
DAY 3	**Grammar:** use **se** and indirect object pronouns for accidental/unplanned events • Warm Up OHT 21 • Check Homework **5 min**	**Presentación de gramática** p. 483 • **se** for unintentional occurrences **Práctica de gramática** pp. 484–485 **Culture:** *El carnaval gigante* **20 min**	**Práctica de gramática** pp. 484–485 • Acts. 5, 6 • Act. 7 TXT CD 16 track 4 • Act. 8 **20 min**	**Assess:** *Para y piensa* p. 485 **5 min** **Homework:** *Cuaderno* pp. 370–372 @HomeTutor
DAY 4	**Communication:** discuss how unplanned occurrences can impact life experiences • Warm Up OHT 21 • Check Homework **5 min**	**Gramática en contexto** pp. 486–487 • *Contexto 2* TXT CD 16 track 5 **15 min**	**Gramática en contexto** pp. 486–487 • Acts. 9, 10, 11 **25 min**	**Assess:** *Para y piensa* p. 487 **5 min** **Homework:** *Cuaderno* pp. 373–372 @HomeTutor
DAY 5	**Grammar:** use the subjunctive to express doubts, opinions, wishes about literary texts •Warm Up OHT 22 • Check Homework **5 min**	**Presentación de gramática** p. 488 • uses of the subjunctive **Práctica de gramática** pp. 489–490 • *Pronunciación:* TXT CD 16 track 6 **15 min**	**Práctica de gramática** pp. 489–490 • Acts. 12, 13, 14, 15 **25 min**	**Assess:** *Para y piensa* p. 490 **5 min** **Homework:** *Cuaderno* pp. 373–375 @HomeTutor
DAY 6	**Communication:** Culmination: convince someone to undertake a difficult task • Warm Up OHT 22 • Check Homework **5 min**	**Todo junto** pp. 491–493 • *Contexto 3* TXT CD 16 track 7 **15 min**	**Todo junto** pp. 491–493 • Act. 16, 18 TXT CD 16 tracks 7, 8, 9 • Acts. 17, 19 **25 min**	**Assess:** *Para y piensa* p. 493 **5 min** **Homework:** *Cuaderno* pp. 376–377 @HomeTutor
DAY 7	**Reading:** *Colón agarra viaje a toda costa (Parte 4)* **Writing:** *Mi autobiografía* **Review:** Lesson Review • Warm Up OHT 23 • Check Homework **5 min**	**Lectura literaria** pp. 494–497 • *Colón agarra viaje a toda costa (Parte 4)* • TXT CD 16 track 10 **Escritura** p. 498 • *Mi autobiografía* **Repaso de la lección** pp. 500–501 **20 min**	**Lectura literaria** pp. 494–497 • *Colón agarra viaje a toda costa (Parte 4)* **Escritura** p. 498 • *Mi autobiografía* **Repaso de la lección** pp. 500–501 • Act. 1 TXT CD 16 track 11 • Acts. 2, 3, 4, 5 **20 min**	**Assess:** *Para y piensa* p. 497 **5 min** *Repaso de la lección* **Homework:** *En resumen* p. 499; *Cuaderno* pp. 378–389 (optional) Review Games Online @HomeTutor
DAY 8	**Assessment**			**Assess:** Lesson 2 or Unit 8 test **50 min**
DAY 9	**Unit culmination** **5 min**	**Comparación cultural** pp. 502–503 • TXT CD 16 track 12 **El Gran Desafío** pp. 504–505 • Show video DVD 3 **Repaso inclusivo** pp. 506–507 **15 min**	**Comparación cultural** pp. 502–503 **El Gran Desafío** pp. 504–505 **Repaso inclusivo** pp. 506–507 • Act. 1 TXT CD 16 track 13 • Acts. 2, 3, 4, 5, 6, 7 **25 min**	**Assess:** *Cuaderno* pp. 390–392 **5 min**

	Objectives/Focus	Teach	Practice	Assess/HW Options
DAY 1	**Culture:** Learn about the culture of the **Cono Sur** **Vocabulary:** words associated with theater, drama, stagecraft • Warm Up OHT 20 **5 min**	Lesson Opener pp. 476–477 **Presentación de vocabulario** pp. 478–479 • Read A–C • Play audio TXT CD 16 track 1 • *¡A responder!* TXT CD 16 track 2 **25 min**	Lesson Opener pp. 476–477 **Práctica de vocabulario** p. 480 • Acts. 1, 2 **15 min**	**Assess:** *Para y piensa* p. 480 **5 min**
	Communication: discuss how opinions influence ideas, plans • Warm Up OHT 20 **5 min**	**Vocabulario en contexto** pp. 481–482 • *Contexto 1* TXT CD 16 track 3 **Culture:** *El carnaval gigante* **15 min**	**Vocabulario en contexto** pp. 481–482 • Acts. 3, 4 **15 min**	**Assess:** *Para y piensa* p. 482 **5 min** **Homework:** *Cuaderno* pp. 367–369 @HomeTutor
DAY 2	**Grammar:** use **se** and indirect object pronouns for accidental/unplanned events • Warm Up OHT 21 • Check Homework **5 min**	**Presentación de gramática** p. 483 • **Se** for unintentional occurrences **Práctica de gramática** pp. 484–485 **15 min**	**Práctica de gramática** pp. 484–485 • Acts. 5, 6 • Act. 7 TXT CD 16 track 4 • Act. 8 **20 min**	**Assess:** *Para y piensa* p. 485 **5 min**
	Communication: discuss how unplanned occurrences can impact life experiences **5 min**	**Gramática en contexto** pp. 486–487 • *Contexto 2* TXT CD 16 track 5 **15 min**	**Gramática en contexto** pp. 486–487 • Acts. 9, 10, 11 **20 min**	**Assess:** *Para y piensa* p. 487 **5 min** **Homework:** *Cuaderno* pp. 370–372 @HomeTutor
DAY 3	**Grammar:** use the subjunctive to express doubts, opinions, wishes about literary texts • Warm Up OHT 22 • Check Homework **5 min**	**Presentación de gramática** p. 488 • Uses of the subjunctive **Práctica de gramática** pp. 489–490 • *Pronunciación:* TXT CD 16 track 6 **15 min**	**Práctica de gramática** pp. 489–490 • Acts. 12, 13, 14, 15 **20 min**	**Assess:** *Para y piensa* p. 490 **5 min**
	Communication: Culmination: convince someone to undertake a difficult task **5 min**	**Todo junto** pp. 491–493 • *Contexto 3* TXT CD 16 track 7 **15 min**	**Todo junto** pp. 491–493 • Acts. 16, 18 TXT CD 16 tracks 7, 8, 9 • Act. 17, 19 **20 min**	**Assess:** *Para y piensa* p. 493 **5 min** **Homework:** *Cuaderno* pp. 373–377 @HomeTutor
DAY 4	**Reading:** *Colón agarra viaje a toda costa (Parte 4)* **Writing:** *Mi autobiografía* • Warm Up OHT 23 • Check Homework **5 min**	**Lectura literaria** pp. 494–497 • *Colón agarra viaje a toda costa (Parte 4)* • TXT CD 16 track 10 **Escritura** p. 498 • *Mi autobiografía* **15 min**	**Lectura literaria** pp. 494–497 • *Colón agarra viaje a toda costa (Parte 4)* **Escritura** p. 498 • *Mi autobiografía* **20 min**	**Assess:** *Para y piensa* p. 497 5 min
	Review: Lesson review **5 min**	**Repaso de la lección** pp. 500–501 **15 min**	**Repaso de la lección** pp. 500–501 • Act. 1 TXT CD 16 track 11 • Acts. 2, 3, 4, 5 **20 min**	**Assess:** *Repaso de la lección* 5 min **Homework:** *En resumen* p. 499; *Cuaderno* pp. 378–389 (optional) Review Games Online @HomeTutor
DAY 5	**Assessment**			**Assess:** Lesson 2 or Unit 8 test **45 min**
	Unit culmination **5 min**	**Comparación cultural** pp. 502–503 • TXT CD 16 track 12 **El Gran Desafío** pp. 504–505 • Show video DVD 3 **Repaso inclusivo** pp. 506–507 **15 min**	**Comparación cultural** pp. 502–503 **El Gran Desafío** pp. 504–505 **Repaso inclusivo** pp. 506–507 • Act. 1 TXT CD 16 track 13 • Acts. 2, 3, 4, 5, 6, 7 **20 min**	**Assess:** *Cuaderno* pp. 390–392 **5 min**

¡AVANZA! **Objectives**
- Introduce lesson theme: **El drama**
- **Culture:** student theater in Argentina

Presentation Strategies
- Ask students if they enjoy the theater.
- Ask students about what kind of theater they prefer.
- Ask if students have ever written, performed in a play, or worked backstage

STANDARD
3.1 Knowledge of other disciplines

Warm Up   UTB 8 Transparency 20

Literatura desordenada Ordena las letras de los siguientes términos literarios.
1. tuiatlsre
2. sioambzlir
3. nrraar
4. siniafigcr
5. inrfeir
6. iimacplr
7. orba
8. tmea

Answers: 1. titularse; 2. simbolizar; 3. narrar; 4. significar; 5. inferir; 6. implicar; 7. obra; 8. tema

Comparación cultural

Exploring the Theme
Ask the following:
1. ¿Has visto obras de teatro? ¿Cuáles?
2. ¿Prefieres comedias, dramas o musicales?
3. ¿Cuál es tu obra de teatro favorita?
4. ¿Has participado en una obra de teatro?

¿Qué ves? Possible answers:
- El actor está practicando. La actriz está arreglando su ropa.
- Es una obra histórica.
- Los otros estudiantes están poniendo las luces, pintando y ayudando.
- Tienen pincel, lata de pintura, luces, papel, escalera.

476

UNIDAD **8**
El Cono Sur

Lección **2**

Tema:
El drama

¡AVANZA! **In this lesson you will learn to**
- read and interpret a short play
- talk about unplanned occurrences
- express opinions about a text

using
- **se** for unintentional occurrences
- review: uses of the subjunctive

♻ *¿Recuerdas?*
- **si** clauses
- literary vocabulary

Comparación cultural

In this lesson you will learn about
- street theater in Uruguay
- theaters in Argentina
- famous writers of Argentina and Chile

Compara con tu mundo
Estos estudiantes tienen que preparar muchas cosas para su obra de teatro, como el escenario *(set)*, disfraces *(costumes)*, luces y música. *¿Te gusta ver o participar en obras de teatro? ¿Qué tipo de obras prefieres?*

¿Qué ves?
Mira la foto
¿Qué hace el actor? ¿Y la actriz?

¿Qué tipo de obra de teatro es?

¿Qué hacen los otros estudiantes?

¿Qué elementos tienen?

476   cuatrocientos setenta y seis

Differentiating Instruction

Pre-AP
Expand and Elaborate Ask students to discuss in depth a play that they have seen. Students should describe what kind of play it was, what it was about, who the main characters were, where they saw it, and why they would or would not recommend it.

English Learners
Provide Comprehensible Input Before viewing and discussing the photograph, show students pictures of a few theater-related items. For example, display pictures of a script, a theater, an actor or actress, a director, and a curtain. Also use gestures as you present each word.

Online SPANISH CLASSZONE.COM

Featuring...	And more...
Cultura INTERACTIVA	• Get Help Online
	• Interactive Flashcards
Animated Grammar	• Review Games
	• WebQuest
@HomeTutor	• Conjuguemos.com

Estudiantes argentinos preparando
una obra de teatro

El Cono Sur
cuatrocientos setenta y siete **477**

Online SPANISH CLASSZONE.COM

WebQuest Provides step-by-step guidance for your students to help them explore this unit's theme and location online. Students are given a task and a set of pre-approved links to conduct research, answer questions, and submit their findings to the class.

Featuring...	And more...
Cultura INTERACTIVA	• Get Help Online
	• Interactive Flashcards
Animated Grammar	• Review Games
	• WebQuest
@HomeTutor	• Conjuguemos.com

Using the Photo

Location Information

Student Theater in Argentina As the photo indicates, student theater in Argentina is very similar to student theater in the United States. There is scenery, costumes, actors, and people who work behind to scenes. The students in this photo are practicing for a historical drama about Columbus's voyage.

Communication
Interpersonal Mode

Ask students to find a partner. Have partners discuss what they see in the photo. Also encourage pairs to talk about what theater-related elements are missing from the photo.

Communication
Role-Playing and Skits

Ask students to work in small groups to create a very brief play. The play can be a romance, drama, comedy, or musical. Encourage students to be extra dramatic for the class's entertainment.

Differentiating Instruction

Heritage Language Learners

Support What They Know Ask heritage speakers to discuss if theater is popular in their country of origin. Tell students to ask a family member if they are not sure and report back to the class. Encourage students to be specific about what type of theater a person could hope to see in their country of origin.

Multiple Intelligences

Visual Learners Instruct students to create a poster that advertises a play. Students can choose a play that already exists or make one up. The poster can consist of magazine cut-outs, illustrations, computer graphics, and photographs. The poster should also contain 3–4 lines that tell what the play is about as well as accolades about the play.

VOCABULARIO

Objectives
- Present vocabulary: words to help interpret a short play
- Check for recognition.

Core Resource
- Audio Program: TXT CD 16 Tracks 1, 2

Presentation Strategies
- Present drama-related vocabulary to the class.
- Play the audio as students read A–C.

 STANDARD

1.2 Understand language

 Communication
TPR Activity

List the following words on the board: **el gesto, el acomodador, aplaudir, el guión, el escenario, cómico, personaje principal, el director.** Call on volunteers to act out a randomly chosen word and have the rest of the class name it.

 TEACHER to TEACHER
Linda Nanos
Boston, MA

Tips for Presenting Vocabulary

"At the beginning of class, I hand out colored index cards on which I have written vocabulary words. I ask students to form groups according to the color of their cards. Each group writes a sentence using the words on the cards. A student from each group writes his or her sentence on the board and the class discusses it together."

✾ Presentación de VOCABULARIO

 ¡AVANZA! **Goal:** Learn new words that will help you understand and interpret a short play. Then talk about various aspects of writing and performing a drama. *Actividades 1–2*

A «Colón agarra viaje a toda costa» es una obra muy interesante; por eso, quiero tomar unas notas antes de representarla. Todos los directores de teatro lo hacen.

Notas del director para la obra de teatro
«Colón agarra viaje a toda costa»

¡Importante! Para dirigir esta obra hay que investigar los antecedentes históricos que utilizó el dramaturgo para describir al personaje principal. El tema de la obra es irónico y algunos de los diálogos son muy cómicos.

Mario es el actor escogido para hacer el papel principal. Es evidente que Cristóbal Colón es un personaje complejo y singular, pero hay que darse cuenta de que Mario es un actor estupendo. El proceso de creación de esta obra es fascinante porque Colón para muchos fue un farsante codicioso y avaro. Para otros fue atrevido, persistente y con un gran coraje.

La dirección de escenografía debe ser excelente, nada que sea poco original. Es obvio que el público tiene que ver los nombres de los barcos.

Differentiating Instruction

Inclusion

Alphabetic/Phonetic Awareness Ask students to write a list of all the words related to drama that they can find in the reading on p. 478. Have students organize their lists in alphabetical order. Invite volunteers to read from their lists. Model the pronunciation of each word or ask a heritage speaker to do it.

Multiple Intelligences

Kinesthetic Divide the class into pairs. Make a photocopy of the director's notes (section A on p. 478) and give one copy to each pair. Ask the pairs to cut the paper so that each sentence is on a separate strip of paper. Tell students to mix the sentences so they are out of order. Play the audio and have students put the sentences in order as they listen.

el acomodador

el vestuario

el accesorio

el guión

el gesto

aplaudir

B Siempre **he soñado con** el éxito, que el público **aplauda** en **el intermedio.** Y cuando termine la obra, **reclamen** que el director salga a saludar.

C Es importante que Mario **ensaye** mucho. También tenemos que asegurar que **el vestuario** sea perfecto.

Más vocabulario

el ensayo *rehearsal*	**reclamar** *to call, to demand*
insólito(a) *unusual*	**el (la) tirado(a)** *pauper*
pedir prestado *to borrow*	*Expansión de vocabulario* p. R17
	Ya sabes p. R17

¡A responder! Escuchar

Vas a oír siete frases de la presentación de una obra de teatro. Si la frase es verdadera, indícalo con el dedo pulgar hacia arriba. Si la frase es falsa, indícalo con el dedo pulgar hacia abajo.

@HomeTutor
Interactive Flashcards
ClassZone.com

Inclusion

Multisensory Input/Output Present all new vocabulary orally and on an overhead. Ask students to repeat words and phrases after you or a heritage speaker. Have students practice saying all the words and phrases again as they write them in their notebooks. Instruct students to put a fold down the middle of their vocabulary page to write the definitions in English.

English Learners

Provide Comprehensible Input Before reading or listening to parts A–C, use new vocabulary in brief, isolated sentences. Draw pictures and use gestures as necessary. Ask comprehension questions at frequent intervals. When you think English learners have a decent grasp of the new vocabulary, direct them to the passages.

Interpretive Mode

If students seem overwhelmed by the new vocabulary, remind them that at this stage their goal is only to recognize it. Encourage them to use the pictures on the page to bridge gaps in comprehension.

✓ Ongoing Assessment

Alternative Strategy Have students listen to the ¡A responder! audio a second time. This time, instead of giving a thumbs up or thumbs down, ask students to write out the correct sentences. Then instruct students to check spelling in their textbooks.

Answers UTB 8 Transparency 28

¡A responder! Audio Script, TE p. 475B
Thumbs up: 3, 6, 7;
Thumbs down: 1, 2, 4, 5

Objectives
- Practice vocabulary: using words to interpret a short play.
- Talk about aspects of writing and performing a drama.

Core Resource
- *Cuaderno*, pp. 367–369

Practice Sequence
- **Activity 1:** Vocabulary recognition: theater and plays
- **Activity 2:** Vocabulary recognition: theater and plays

STANDARDS
- **1.2** Understand language, Act. 1, 2
- **1.3** Present information, Act. 2

✓ Ongoing Assessment

@HomeTutor More Practice ClassZone.com

PARA Y PIENSA **Intervention** These activities give students the opportunity to gauge whether they have grasped the material. If a student is unable to successfully complete this task, (s)he should review pp. 478–479 or get help online at ClassZone.com.

For additional practice, use Reteaching & Practice Copymasters URB 8, pp. 12, 13.

Práctica de VOCABULARIO

1 El ensayo

Hablar Escribir

Elige una de las palabras entre paréntesis para completar la conversación entre dos estudiantes que van a ser actores en una obra de teatro de su escuela.

Ramón: Hola Beba. ¿Vas a __1.__ (ensayar, reclamar) para la obra de teatro?

Beba: Sí. Por si acaso, tengo __2.__ (el gesto, el guión) y lo puedo leer si es necesario.

Ramón: También estoy nervioso. ¿Conoces a la __3.__ (tirada, dramaturga)?

Beba: Sí, Elena Benegas, también va a __4.__ (aplaudir, dirigir) la obra.

Ramón: Te propongo que hagamos un __5.__ (intermedio, ensayo) para aprendernos bien la obra.

Beba: Pues me parece bien porque no quiero que piensen que soy una __6.__ (avara, farsante).

Ramón: No te preocupes Beba, ya verás que en __7.__ (el gesto, el intermedio) todos te van a __8.__ (soñar, aplaudir).

Beba: ¡Ojalá! Para ser actriz hay que ser muy __9.__ (insólito, persistente).

Ramón: Sí, y hay que tener mucho __10.__ (coraje, singular).

2 El teatro

Escribir

Relaciona cada palabra con su concepto. Escribe oraciones completas para definirlas.

> **modelo:** el escenario: El escenario es el lugar del teatro donde se hace la obra.

1. la persona que indica dónde debes sentarte
2. la obra escrita que sirve de guía a los actores
3. abrir las cortinas para que empiece la obra
4. el grupo de objetos, muebles y adornos para la obra
5. guiar a los actores; decirles cómo hacer los diálogos
6. lugar por donde el público se va del teatro

> levantar el telón
> la escenografía
> el (la) acomodador(a)
> dirigir
> el guión
> la salida
> el escenario

Más práctica Cuaderno *pp. 367–369* Cuaderno para hispanohablantes *pp. 367–370*

PARA Y PIENSA **¿Comprendiste?** Elige a la persona que se encarga de los elementos siguientes para una obra de teatro.

Get Help Online ClassZone.com

1. escribir el guión
2. hacer un papel
3. sentar al público

a. el actor o la actriz
b. el (la) dramaturgo(a)
c. el (la) acomodador(a)

Differentiating Instruction

Pre-AP

Circumlocution As an extension of Activity 2, have students work in groups to write a list of 10–15 words related to theater. In the same groups, tell students to take turns describing one of the words to the group. They may use words, phrases, or complete sentences. For example: **Es una persona que escribe una obra de teatro.** Answer: **dramaturgo(a)**

Slower-paced Learners

Memory Aids Play several visual games with low proficiency students to help them retain vocabulary. For example, ask a student to draw a picture to represent one of the theater-related terms on the board while classmates guess the word. You could also use flashcards to play a game where you call out one of the words and the students have to grab the flashcard before their partner can.

Answers UTB 8 Transparency 28

Activity 1 Answers will vary. Sample answers:
1. ensayar
2. el guión
3. dramaturga
4. dirigir
5. ensayo
6. farsante
7. el intermedio
8. aplaudir
9. persistente
10. coraje

Answers continue on p. 481.

480

✿VOCABULARIO en contexto

¡AVANZA! **Goal:** Read the descriptions of Christopher Columbus and consider the effect that other people's opinions can or should have on someone's ideas and plans. *Actividades 3–4*

Contexto 1 *Obra de teatro*

ESTRATEGIA Leer

Chart the opposing views Make a chart like the one to the right. In the first column write all the positive things about Christopher Columbus, and in the second column write all the negative things. What do you think he was really like?

Lo positivo	Lo negativo

Colón agarra viaje a toda costa *(Parte 1)*

AUDIO

La dramaturga argentina Adela Basch escribió esta obra de teatro, donde cuenta cómo ella cree que se le ocurrió a Cristóbal Colón la idea de viajar en busca de nuevas tierras.

Presentador:
Estimado público, hoy vamos a imaginar la historia de un singular personaje, de sus búsquedas[1] y de sus viajes.

5 Para algunos, fue un hombre intrépido y valeroso...

Presentadora:
Para otros, fue solamente un ambicioso.

Presentador:
10 Para algunos, fue un gran navegante[2].

Presentadora:
Para otros, fue sólo un farsante.

Presentador:
Para algunos, quiso ir más allá[3]
15 de los límites del saber.

Presentadora:
Para otros, sólo buscaba honores y poder.

Presentador:
Para algunos, fue un visionario.

20 **Presentadora:**
Para otros, trataba de[4] hacerse millonario.

Presentador:
Para algunos, fue brillante y generoso.

25 **Presentadora:**
Para otros, fue avaro y codicioso.

Presentador:
Para algunos, fue todo generosidad y grandeza.

30 **Presentadora** *(Está en babia[5])*:
¿Qué?

Presentador:
Dije: ¡generosidad y grandeza! ¡Grandeza!
35 ¡Gran-de-za!

Presentadora:
¿Grande ésa? ¿Grande ésa? ¿Grande ésa qué?

Presentador:
40 ¡Grande esa idea que se le apareció en la cabeza! ¡Salir de viaje!

---

[1] searches [2] sailor [3] beyond
[4] **trataba...** he was trying to
[5] **Está...** her head is in the clouds

Lección 2
cuatrocientos ochenta y uno **481**

Differentiating Instruction

Pre-AP

Persuade Have students form groups to prepare a debate for or against Christopher Columbus's trip. Assign groups a position, regardless of how they really feel about the topic. Students can use ideas from the reading, but they may also do some research to support their point of view. Then have a debate in front of the class.

Slower-paced Learners

Read Before Listening Read the play with students before listening to the audio. Pause frequently while you read to check for comprehension. Generate a list of problem vocabulary words on a board or overhead and review them with students. Then play the audio two or three times as students read along.

¡AVANZA! **Objective**
· Understand vocabulary related to expressing opinions.

Core Resource
· Audio Program: TXT CD 16 Track 3

Presentation Strategies
· Scan the article for positive and negative opinions about Christopher Columbus.
· Play the audio.

STANDARDS
1.2 Understand language

Warm Up UTB 8 Transparency 20

¿Cierto o falso? Di si las oraciones son **ciertas** o **falsas.** Corrige las falsas.
1. El guión es una guía para los actores.
2. Aplaudir es el trabajo del director.
3. La dramaturga es la persona que actúa en una obra de teatro.
4. La salida es por donde el público entra el teatro.
5. El escenario es donde se hace una obra.

Answers: Answers may vary. 1. cierto; 2. falso; Dirigir es el trabajo del director.; 3. falso; La dramaturga es la persona que escribe una obra de teatro.; 4. falso; La salida es por donde el público se va del teatro.; 5. cierto

Answers UTB 8 Transparency 28

Activity Answers from p. 480.
Activity 2
1. El (la) acomodador(a) es la persona que indica dónde debes sentarte.
2. El guión es la obra escrita que sirve de guía a los actores.
3. Levantar el telón significa abrir las cortinas para que empiece la obra.
4. La escenografía es el grupo de objetos, muebles y adornos para la obra.
5. Dirigir significa guiar a los actores y decirles cómo hacer los diálogos.
6. La salida es el lugar por donde el público se va del teatro.

Para y piensa
1. b
2. a
3. c

VOCABULARIO

Objectives

· Practice expressing opinions in context.
· Practice using past tense forms.
· Practice describing people.
· Culture: Carnaval in Uruguay

Practice Sequence

· **Activity 3:** Contexto 1 comprehension
· **Activity 4:** Vocabulary production: negative and positive attributes

STANDARDS

1.2 Understand language, Act. 3
1.3 Present information, Act. 3, 4
2.1 Practices and perspectives, CC
2.2 Products and perspectives, CC
4.2 Compare cultures, CC

✓ Ongoing Assessment

@HomeTutor
More Practice
ClassZone.com

PARA Y PIENSA

Quick Check After students have written opinions for Para y piensa, ask them to then say what their opinion is of the people in numbers 1–4.

For additional practice, use Reteaching & Practice Copymasters URB 8, pp. 12, 14.

Comparación cultural

Essential Question

Suggested Answer Las celebraciones representan cosas que ocurrieron en el pasado y las costumbres de un país.

Background Information

Murgas During the 40 days of Carnival in Uruguay, **murgas,** groups of 18 to 20 men, perform in open air stages all over the city. Their shows combine song, drama, and comedy. The celebration is a reflection of the country because the shows satirize the main events of the year and are critiques of Uruguayan politics and culture.

See Activity Answers on p. 483.

482

---

3 | Comprensión de la obra de teatro

Hablar Escribir

Sustituye las siguientes oraciones con expresiones de la lectura que tengan el mismo significado.

> **modelo:** Colón fue un individuo único.
> Colón fue **un singular personaje.**

1. Colón fue un impostor.
2. Colón sólo quería ganar dinero.
3. Colón fue un hombre muy inteligente.
4. Colón sólo pensaba en acumular dinero.
5. Colón tenía grandes ideas.

Expansión:
Teacher Edition Only
Pídales a los estudiantes que escriban dos oraciones más del texto sobre Colón y dos oraciones que tengan el mismo significado.

4 | ¿Cómo son?

Hablar Escribir

Haz una lista de tres personas famosas de la historia o la actualidad. Luego, haz una descripción breve de cada persona con un adjetivo desde una perspectiva positiva y otra negativa. Utiliza adjetivos del vocabulario y de la lectura.

> **modelo:** Hernán Cortés
> Para algunos fue atrevido. Para otros fue codicioso.

Expansión
Escoge a uno de los personajes de tu lista y usa todos los adjetivos que tú piensas que le corresponden.

Comparación cultural

El carnaval gigante

¿Qué relación tienen las celebraciones con la historia de un país? El Carnaval en **Uruguay** es una celebración muy larga. Un elemento importante del Carnaval en Montevideo son los tablados: espectáculos musicales callejeros, creados y actuados por murgas (grupos de músicos), dramaturgos, actores y directores. Estas actuaciones informales son un tipo de teatro popular y es típico que sus temas critiquen la sociedad y la política del día. Hay dos requisitos para los tablados de las murgas. Uno es que los cantantes y actores repasen los sucesos más notables del año. El otro es que los músicos usen las formas musicales que más se escucharon durante el año para acompañar la obra.

Comparsa (musical group) en el carnaval de Montevideo

Compara con tu mundo *¿Hay algún tipo de teatro callejero donde vives? ¿Existen otros tipos de actuaciones callejeras? ¿Cómo son? ¿Dónde y cuándo se presentan?*

PARA Y PIENSA

¿Comprendiste? Escribe descripciones para reflejar las opiniones que tú imaginas que las siguientes personas tienen de ti.
1. tu mejor amigo(a)
2. tus vecinos(as)
3. tu abuelo(a)
4. una persona que no te conozca bien

Get Help Online
ClassZone.com

Differentiating Instruction

Multiple Intelligences

Logical/Mathematical Have students make a chart with three columns and as many rows as necessary. Instruct students to compare the celebration they researched for the culture activity in Comparación cultural with two other celebrations. Students may add notes to their charts as other students present their celebration. Invite volunteers to share their charts with the class.

Pre-AP

Self-correct Tell students to work on Activity 4 in pairs. Encourage them to stop and correct themselves when they think they have made a mistake. Instruct students to write a quick note when they make an error. At the end of the activity, ask students to share some mistakes they made with the class.

❈ Presentación de GRAMÁTICA

¡AVANZA! **Goal:** Learn how to express accidental or unplanned occurrences using **se** and indirect object pronouns. Then talk about some things that have happened to you unexpectedly. *Actividades 5–8*

English Grammar Connection: In English, the cause of an unintentional occurrence is the **subject** of the sentence. In Spanish, the occurrence (**verb**) happens *to* someone, so you use an **indirect object pronoun**.

We (accidentally) **broke** the window.   **Se nos rompió la ventana.**

Se for Unintentional Occurrences

Animated Grammar
ClassZone.com

Unintentional occurrences are expressed in a way that is impersonal, suggesting that no one is responsible for the outcome.

Here's how: The **verb** is expressed with the impersonal pronoun **se** and agrees with the subject. An **indirect object pronoun** indicates the person to whom the action occurred.

Verbs Used to Express Unintentional Occurrences	
acabársele (a uno)	perdérsele (a uno)
caérsele (a uno)	quedársele (a uno)
ocurrírsele (a uno)	rompérsele (a uno)
olvidársele (a uno)	

Se me olvidaron las entradas al teatro.
I forgot the theater tickets.

El tiempo se te acaba.
Your time is running out.

To clarify or emphasize the indirect object pronoun reference, use **a** + **the person** (noun or pronoun).

A Colón se le ocurrió buscar una nueva ruta al Oriente.
It occurred to Columbus to look for a new route to the East.

A mí se me cayó el vaso, pero **a José se le cayeron** los platos.
I dropped the glass, but José dropped the plates.

Más práctica
Cuaderno *pp. 370–372*
Cuaderno para hispanohablantes *pp. 371–373*

@HomeTutor
Leveled Practice
ClassZone.com

Lección 2
cuatrocientos ochenta y tres **483**

Differentiating Instruction

Multiple Intelligences

Logical/Mathematical Have students work in groups to survey the class. Each group uses a different unintentional occurrence expression, tallies what is most often forgotten, lost, and so on. Have each group illustrate the results of their poll with a bar grpah or pie chart. Display and use them in class to practice the expressions.

English Learners

Increase Interaction Give students ample opportunity for clarification and practice. Have students write one to two questions at the end of class about the day's lesson and pass them in. Address the students' questions during the next class by providing concrete examples.

¡AVANZA! **Objectives**
· Present **se** and indirect object pronouns for unintentional occurrences.
· Tell about things that have happened to you unexpectedly.

Core Resource
· *Cuaderno,* pp. 370–372

Presentation Strategy
· Have students read and take notes on the use of **se** and indirect object pronouns.

 STANDARDS
4.1 Compare languages

 Warm Up UTB 8 Transparency 21

Completa Usa el banco de palabras para completar las oraciones.

murgas	celebración	sucesos
sociedad	tablados	política

1. El Carnaval en Uruguay es una _____ larga.
2. _____ son espectáculos musicales.
3. _____ son grupos de músicos.
4. Es típico que los temas del teatro critiquen la _____ y la _____ del día.
5. Los cantantes y actores repasan los _____ más notables del año.

Answers: 1. celebración; 2. Tablados;
3. Murgas; 4. sociedad, política; 5. sucesos

 Answers UTB 8 Transparency 28

Activity Answers from p. 482.
Actividad 3
  1. Colón fue un farsante.
  2. Colón trataba de hacerse millonario.
  3. Colón fue brillante.
  4. Colón fue avaro y codicioso.
  5. Colón quiso ir más allá de los límites del saber.

Actividad 4 Answers will vary but students should include one negative and one positive comment about each person.

Para y piensa Answers will vary. Sample answers:
Mi mejor amiga piensa que soy cómica. Para mis vecinos, soy atrevida. Mi abuelo piensa que soy inteligente. Para Diego, soy simpática.

483

Core Resources
- Practice using **se** to express accidental occurrences.
- Tell about things that have happened to people unexpectedly.

Objectives
- *Cuaderno,* pp. 370–372
- Audio Program: TXT CD 16 Track 4

Practice Sequence
- **Activities 5, 6:** Controlled practice: **se** and indirect object pronouns
- **Activities 7, 8:** Transitional practice: **se** and indirect object pronouns

STANDARDS
- **1.1** Engage in conversation, Act. 5
- **1.2** Understand language, Act. 7, 8
- **1.3** Present information, Act. 6, 7, 8,

Communication
Humor/Creativity

Ask students to write about something ridiculous or strange that happened to them. Invite students to read the brief story to the class. Remind students to use **se** and indirect object pronouns to express accidental occurrences. Give an award to the student who told the most outrageous story.

 Answers UTB 8 Transparencies 28–29

Activity 5
1. A. ¿Por qué no fuiste al ensayo?
   B. Perdona, se me descompuso el auto.
2. A. ¿Por qué no seguiste las direcciones de escenografía?
   B. Perdona, se me olvidaron los cambios.
3. A. ¿Por qué no memorizaste tus diálogos?
   B. Perdona, se me perdió el guión.
4. A. ¿Por qué no te quedaste hasta el final?
   B. Perdona, se me acabó la paciencia.
5. A. ¿Por qué no te maquillaste?
   B. Perdona, se me ocurrieron unas ideas nuevas para el maquillaje.

Answers continue on p. 485.

484

✤ Práctica de GRAMÁTICA

5 | ¡Lo siento!

Hablar

Explícale a tu compañero(a) por qué no has hecho las siguientes cosas.

modelo: llamar / acabársele las baterías del teléfono celular

A ¿Por qué no me llamaste?

B Perdona, se me acabaron las baterías del teléfono celular.

1. ir al ensayo / descomponérsele el auto
2. no seguir las direcciones de escenografía / olvidársele los cambios
3. no memorizar tus diálogos / perdérsele el guión
4. quedarse hasta el final / acabársele la paciencia
5. maquillarse / ocurrírsele unas ideas nuevas para el maquillaje

> **Expansión:**
> Teacher Edition Only
> Pídales a los estudiantes que expliquen por qué no han hecho la tarea para la clase de español.

6 | Un ensayo difícil

Hablar
Escribir

Completa cada oración con el verbo apropiado.

modelo: Olga tuvo problemas porque... el guión en casa.
Olga tuvo problemas porque se le quedó el guión en casa.

1. Felipe tuvo que inventar el diálogo porque... las líneas.

2. La directora cambió las direcciones de escenografía porque... una idea maravillosa.

3. Armando no pudo levantar el telón porque... el brazo.

4. La señora Olmedo no pudo leer porque... las gafas.

5. El productor canceló la producción porque... el dinero.

6. Andrés no pudo entrar al teatro... las entradas.

> **Expansión:**
> Teacher Edition Only
> Pídales a los estudiantes que hagan un anuncio que tenga verbos que describan eventos inesperados.

Differentiating Instruction

Slower-paced Learners

Peer-study Support Have lower proficiency students work with higher proficiency students on Activities 5–8. When they have completed all the activities, suggest that they go over their answers with another pair. Encourage students to ask for help if they unsure about something.

Pre-AP

Use Transitions Have students use the items in Activity 6 to create a story about the theater. They should expand the story, and connect the ideas and events using transitional phrases.

7 ¡Excusas!

Escuchar Escribir

Daniela dio una fiesta el sábado pero varias personas no fueron. El lunes todos le explicaron sus razones. Escucha las explicaciones, elige el dibujo que corresponde, escribe el nombre de la persona y escribe una oración que explique por qué esa persona no fue a la fiesta.

modelo: Rafael

Rafael no fue porque se le descompuso el auto.

1. 2. 3. 4.

 Audio Program
TXT CD 16 Track 4
Audio Script, TE p. 475B

Expansión:
Teacher Edition Only
Pídales a parejas de estudiantes que escriban las respuestas que les dio Daniela a cada una de las personas que no fueron a su fiesta.

8 La Agenda 24/7

Leer Escribir

Lee este anuncio. Luego, contesta las preguntas.

1. Qué les pasa a las personas que necesitan la agenda de este anuncio?
2. ¿Por qué necesitan un archivo en la agenda?
3. ¿Por qué necesitan una alarma?
4. La agenda utiliza energía solar. ¿Qué problema soluciona?

¿SE TE OLVIDAN LAS FECHAS Y CITAS IMPORTANTES?

¿SE TE OCURREN IDEAS Y LUEGO SE TE OLVIDAN?

La agenda personal 24/7 tiene...
> un archivo para apuntar
> una alarma para recordarte tus citas.

Además...
> es un teléfono celular
> hace búsquedas en Internet
> manda y recibe correos electrónicos

Y... no se te acabarán las baterías porque la Agenda 24/7 se carga automáticamente con la energía solar. La vida se te volverá más fácil con la Agenda 24/7.

AGENDA 24/7

Más práctica   Cuaderno *pp. 370–372*   Cuaderno para hispanohablantes *pp. 371–373*

PARA Y PIENSA

¿Comprendiste? Menciona cuatro eventos inesperados que te ocurrieron la semana pasada. Utiliza verbos con **se**.

Get Help Online ClassZone.com

Lección 2
cuatrocientos ochenta y cinco **485**

Differentiating Instruction

English Learners

Build Background Write a list of phrases on the board from Activity 8 that are related to unexpected occurrences. Discuss the meanings of the phrases before having students read the advertisement. Then engage English learners in discussions about what happens to people when they forget about important dates and appointments.

Multiple Intelligences

Visual Learners Instruct students to create a comic strip about a fictional character. The comic strip should tell a brief anecdote of something funny and unexpected that happened to the character. The strip should contain at least four illustrations and four captions.

Communication
TPR Activity

List several accidental occurrences using **se** and indirect object pronouns on the board. Call on volunteers to act out a random incident and have the rest of the class guess.

✓ Ongoing Assessment

@HomeTutor More Practice ClassZone.com

PARA Y PIENSA **Peer Assessment** After students have orally practiced forming the sentences in the Para y piensa, have them write down the sentences and pair up with a partner. Tell partners to check each other's answers for grammatical accuracy.

For additional practice, use Reteaching & Practice Copymasters URB 8, pp. 15, 16

Answers UTB 8 Transparencies 28–29

Activity Answers from p. 484.

Activity 6
1. Felipe tuvo que inventar el diálogo porque se le olvidaron las líneas.
2. La directora cambió las direcciones de escenografía porque se le ocurrió una idea maravillosa.
3. Armando no pudo levantar el telón porque se le rompió el brazo.
4. La señora Olmedo no pudo leer porque se le cayeron las gafas.
5. El productor canceló la producción porque se le acabó el dinero.
6. Andrés no pudo entrar al teatro porque se le perdieron las entradas.

Activity 7
1. Jorge no fue porque tuvo que llevar a su madre al hospital.
2. Raquel no fue porque estaba viendo una película con mis hermanos.
3. Silvia no fue porque estaba estudiando.
4. Javier no fue porque se le perdieron las llaves.

Activity 8 Answers will vary.
1. Se les olvidan las fechas y citas importantes. Se les olvidan las ideas.
2. Necesitan un archivo para apuntar sus ideas porque se les olvidan.
3. Necesitan una alarma para recordarles las fechas y citas importantes porque se les olvidan.
4. No se le acabarán las baterías.

Para y piensa Answers will vary, but students should use **se** with verbs in the preterite to tell about unexpected events last week.

Objectives
¡AVANZA!
- Develop listening, reading, speaking, and writing skills.
- Understand and correctly use **se** to explain unplanned occurrences.

Core Resource
- Audio Program: TXT CD 16 Track 5

Presentation Strategies
- Have students scan the reading on p. 486 to find five of Columbus's ideas.
- Play the audio.

Practice Sequence
- **Activity 9:** Contexto 2 Comprehension
- **Activity 10:** Transitional practice: **se** with indirect object pronouns
- **Activity 11:** Open-ended practice: use **se** with indirect object pronouns to write about when Columbus reached land

STANDARDS
1.1 Engage in conversation, Act. 10
1.2 Understand language, Act. 9, 10
1.3 Present information, Act. 11

Warm Up   UTB 8 Transparency 21

¿Qué ocurrió? Usa **se** para cambiar las siguientes oraciones a situaciones inesperadas.
1. No tuve las gafas.
2. Marta no tuvo las entradas.
3. Tuviste una idea.
4. Perdimos la cita.
5. No pude correr.

Answers: Answers will vary. 1. Se me perdieron las gafas.; 2. Se le olvidaron las entradas.; 3. Se te ocurrió una idea.; 4. Se nos olvidó la cita.; 5. Se me rompió la pierna.

Answers   UTB Transparency 29

Activity 9 Answers will vary.
1. Se le ocurrió a Colón que había más allá.
2. Por saber que había más allá se le encendió gran curiosidad.
3. Se sabe poco de la vida de Colón.
4. Se le presentó que Colón tenía un poderoso y fuerte llamado.

Answers continue on p. 487.

486

GRAMÁTICA en contexto

¡AVANZA! **Goal:** Read about the ideas that occurred to Columbus to inspire his explorations. Then talk about the effects that unplanned occurrences can have on your life. *Actividades 9–11*

♻ *¿Recuerdas?* **Si** clauses p. 423

Contexto 2 *Obra de teatro*

ESTRATEGIA Leer
Write the ideas Find or draw a picture of Christopher Columbus. Around it in speech circles, write (in your own words) at least five of his ideas that you found in the reading.

Colón agarra *viaje* a *toda costa*
(Parte 2)

AUDIO

A Colón se le apareció una idea en la cabeza: ¡Salir de viaje! Aquí continúa el drama.

Presentador:
De Colón se sabe poco. Pero existe la
45 certeza[6] de que se le encendió una idea persistente en la cabeza.

Presentadora:
Siempre sintió gran curiosidad por saber qué había más allá.

50 **Presentador:**
Ustedes preguntarán: ¿más allá de qué?

Colón:
Me pregunto qué hay más allá de esta orilla, más allá de mi sol y de mi tierra,
55 más allá de mi calle, de mi mesa, de mi silla. Me pregunto si habrá maravillas, ciudades sorprendentes, islas misteriosas, personas diferentes... Me pregunto si habrá lagos[7], montañas, ríos, llanuras[8].
60 ¡Y siento un irresistible deseo de aventura!

Presentador:
Se sabe muy poco sobre Colón y sobre su vida.

Presentadora:
65 Pero es seguro que se hacía una pregunta muy atrevida.

Colón:
¿Qué habrá más allá del mar?

70 **Presentador:**
También se sabe con certeza que, cada tanto[9], Colón se sentía reclamado...

75 **Presentadora:**
¡Por un poderoso y fuerte llamado[10]!

*Se escucha golpear[11] a una puerta y no sabemos si está
80 cerrada o está abierta.*

---

[6] certainty   [7] lakes   [8] plains   [9] **cada...** from time to time
[10] **poderoso...** powerful and strong call   [11] knocking

Unidad 8 El Cono Sur
486 cuatrocientos ochenta y seis

Differentiating Instruction

Heritage Language Learners
Literacy Skills Ask heritage learners to read Contexto 2 and paraphrase what they think are the most important ideas. Tell them to summarize parts of the article in a way that would be comprehensible to the entire class. Then ask each heritage learner to relate their ideas to the class.

Slower-paced Learners
Yes/No Questions Read Contexto 2 as a class. Ask students several yes or no questions to check for comprehension. For example: **¿Se sabe mucho de Colón? ¿Sintió curiosidad por explorar?** If students answer a question incorrectly, carefully review the corresponding section.

9 Comprensión de la obra de teatro

Leer
Hablar
Escribir

Contesta las preguntas sobre la lectura.

1. ¿Cuál fue la idea central que se le ocurrió a Colón?
2. ¿Por qué se le encendió gran curiosidad?
3. ¿Qué se sabe de la vida de Colón?
4. ¿Qué se le presentó al final de esta parte?
5. ¿A quién se refiere el presentador con «ustedes»?
6. ¿Qué preguntas se hacía Colón?
7. ¿Qué se sabía con certeza de Colón?
8. ¿Qué deseo irresistible tenía Colón?

Expansión:
Teacher Edition Only
Pídales a los estudiantes que escriban dos preguntas adicionales sobre la lectura y que intercambien sus papeles con un(a) compañero(a) para contestar las preguntas.

10 ¡Preguntas, preguntas! ♻ ¿Recuerdas? Si clauses p. 423

Hablar

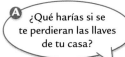

Pregúntale a tu compañero(a) qué haría en las siguientes situaciones.

modelo: perdérsele las llaves de tu casa

A ¿Qué harías si se te perdieran las llaves de tu casa?

B Si se me perdieran las llaves de mi casa, llamaría a mis padres.

1. caérsele el florero (vase) favorito de tu mamá
2. ocurrírsele una idea insólita
3. olvidársele una tarea importante
4. ensuciársele la camisa durante el almuerzo
5. acabársele el tiempo en un examen
6. perdérsele un accesorio
7. rompérsele la ventana de un vecino
8. aparecérsele un(a) viejo(a) amigo(a)

Expansión:
Teacher Edition Only
Pídales a los estudiantes que inventen una situación original y que expliquen qué harían en la situación.

11 La llegada

Hablar
Escribir

Con tu compañero(a), escribe una escena sobre lo que pasó cuando Colón llegó a tierra. Escribe sobre qué pensó, cómo era el lugar y qué hicieron Colón y los otros navegantes. Incluyan las expresiones de abajo.

Pistas: ocurrírsele, aparecérsele, pedir prestado, persistente, coraje, insólito(a)

Expansión
Escriban un párrafo más sobre el regreso de Colón a España.

PARA Y PIENSA

¿Comprendiste? Haz una lista de tres eventos inesperados que te han pasado. Luego, explica cómo cada evento afectó tu vida.

Get Help Online ClassZone.com

Differentiating Instruction

English Learners

Provide Comprehensible Input To be sure that all students understand the items in Activity 10, go over each one before they start it. You could have volunteers act them out for the rest of the class or explain what they mean in Spanish.

Inclusion

Alphabetic/Phonetic Awareness Ask students to write a list of all the nouns in the reading on p. 486. Have students organize their lists in alphabetical order. Model the pronunciation of each word or ask a heritage speaker to do it. When you encounter a cognate, such as **curiosidad,** demonstrate the difference in pronunciation in English and Spanish.

✓ **Ongoing Assessment**

@HomeTutor
More Practice
ClassZone.com

PARA Y PIENSA **Peer Assessment** If a student fails to write one of the three Para y piensa events correctly, (s)he should pair up with a student who wrote them all correctly, and review Activities 5 and 6 on p. 484.

For additional practice, use Reteaching & Practice Copymasters URB 8, pp. 15, 17, 21

Answers UTB 8 Transparencies 29–30

Answers continued from p. 486.

5. «Ustedes» se refiere a los lectores.
6. Si había maravillas, ciudades sorprendentes, islas misteriosas y personas diferentes
7. Se sabía con certeza que se sentía reclamado por un poderoso y fuerte llamado.
8. Tenía el deseo irresistible de aventura.

Activity 10 Answers will vary.

1. A. ¿Qué harías si se te cayera el florero de tu mamá?
   B. Si se me cayera el florero de mi mamá, compraría otro.
2. A. ¿Qué harías si se te ocurriera una idea insólita?
   B. Si se me ocurriera una idea insólita, la escribiría.
3. A. ¿Qué harías si se te olvidara una tarea importante?
   B. Si se me olvidara una tarea importante, hablaría con el maestro.
4. A. ¿Qué harías si se te ensuciara la camisa durante el almuerzo?
   B. Si se me ensuciara la camisa durante el almuerzo, la limpiaría.
5. A. ¿Qué harías si se te acabara el tiempo en un examen?
   B. Si se me acabara el tiempo en un examen, pediría más tiempo.
6. A. ¿Qué harías si se te perdiera un accesorio?
   B. Si se me perdiera un accesorio, compraría otro.
7. A. ¿Qué harías si se te rompiera la ventana de un vecino?
   B. Si se me rompiera la ventana de un vecino, correría.
8. A. ¿Qué harías si se te apareciera un viejo amigo?
   B. Si se me apareciera un viejo amigo, hablaría con él.

Activity 11 Answers will vary, but students should describe what Columbus thought when he reached land, what the land was like, and what Columbus and the other sailors did.

Para y piensa Answers will vary, but students should describe three unexpected events that happened to them and how each event affected his or her life. Students should use **se** to express unexpected occurrences.

Objectives
- Review various contexts for the subjunctive.
- Express opinions, wishes, and doubts about literary texts.

Core Resource
- *Cuaderno,* pp. 373–375

Presentation Strategy
- Discuss the use of the subjunctive when discussing literary texts.

STANDARD
4.1 Compare languages

Warm Up   UTB 8 Transparency 22

Colón Según el Contexto 2, di seis cosas que Colón quería ver.

Answers: Answers will vary. 1. ciudades sorprendentes; 2. islas misteriosas; 3. personas diferentes; 4. lagos; 5. montañas; 6. ríos

Long-term Retention

Recycle

Spend time reviewing the subjunctive forms that students used in previous units. Use several examples from past units and engage the class by asking them questions using the various contexts for the subjunctive. When the class seems comfortable with the subjunctive again, start using examples that involve opinions, wishes, and doubts about literary texts.

❖ Presentación de GRAMÁTICA

¡AVANZA!   **Goal:** Review the various contexts in which to use the subjunctive. Then express opinions, wishes, and doubts about literary texts. *Actividades 12–15*

♻ *¿Recuerdas?* Literary vocabulary pp. 452–453

English Grammar Connection: The **subjunctive** is rarely used in English. It is more common to use the **indicative** or the **infinitive** in English.

Subjunctive:	If I **were** you, I wouldn't do it.
Indicative:	I hope that she **goes.**
Infinitive:	I wanted you **to help** me.

REPASO Uses of the Subjunctive

Animated Grammar
ClassZone.com

The **subjunctive** expresses ideas whose certainty may not be known.

Here's how: Use the **subjunctive** when there is a change of subject after verbs that express *hope, doubt, influence,* or *emotion.*

> **Espero** que él **se dé** cuenta del error.
> **Es dudoso** que nosotras **podamos** venir.
> **Recomendó** que Ana **escribiera** dramas.
> **Me alegro de** que los actores **sean** tan buenos.

Also use the **subjunctive** to talk about what is **unknown** or **indefinite.**

> **Buscamos** actores que **conozcan** el drama.

Some **conjunctions** are always followed by the **subjunctive.**

> Lee el libro **antes de que veas** la película.
> Les enseño **para que sepan** todo.

With **conjunctions of time,** use the **subjunctive** if the action may occur in the future.

> Me quedaré **hasta que termine** la función.
> Vete **tan pronto como** Cristina **llegue.**

Remember that **aunque** is followed by the **subjunctive** when it refers to something whose outcome is not known.

> **Aunque llueva,** jugaremos el partido.

Más práctica
Cuaderno pp. 372–375
Cuaderno para hispanohablantes pp. 374–377

♻ **Conjuguemos.com**   **@HomeTutor**
Leveled Practice
ClassZone.com

Unidad 8 El Cono Sur
488 cuatrocientos ochenta y ocho

Differentiating Instruction

Inclusion

Clear Structure Write charts to demonstrate uses of the subjunctive on an overhead and add an example underneath. For example:
expression of hope, doubt, influence, emotion + ***que*** *+ different subject + subjunctive*
Espero + que + el autor + escriba más libros.
Then ask students to add examples of their own to each chart.

Slower-paced Learners

Memory Aids Write a few sentences that contain the subjunctive in various contexts. Play a game in which you write one sentence at a time on the board, mixing up the order of the words. Then ask students to write the sentence in the correct order in their notebooks. Go over the correct order of each sentence as a class and ask volunteers to translate the sentences.

✳ Práctica de GRAMÁTICA

12 ¿Subjuntivo o indicativo? ♻ ¿*Recuerdas?* Literary vocabulary pp. 452–453

**Hablar
Escribir**

Completa con el subjuntivo, indicativo o infinitivo del verbo indicado.

modelo: Prefiero que las metáforas sean claras en la poesía.

1. Los profesores de literatura creen que es muy importante que nosotros (leer) ejemplos de todos los géneros.
2. Es muy difícil (escribir) el clímax y el desenlace de un cuento.
3. Alejandro busca autores que (soñar) con contar historias singulares.
4. Isabel no duda que ella (tener) talento para la poesía.
5. Ojalá que el autor (publicar) otra colección de cuentos.

> **Expansión**
> Haz cinco comentarios sobre lo que esperas, te alegra, o dudas de los escritores.

13 Los editores

Hablar

Tú eres un(a) autor(a) con una obra nueva para publicar. Tu compañero(a) es un(a) editor(a) que te da sugerencias para que hagas la última revisión.

modelo: aclarar la motivación del protagonista / para que los lectores entender mejor

> **editor(a)** Es importante que aclares la motivación del protagonista.
>
> **autor(a)** ¿Por qué es importante que aclare la motivación del protagonista?
>
> **editor(a)** Es importante para que los lectores la entiendan mejor.

1. simplificar el argumento / sin que perder el impacto
2. explicar lo que ya pasó / antes de que presentar algo nuevo
3. no terminar la historia / hasta que todo quedar claro
4. eliminar el diálogo / a menos que ser imprescindible

> **Expansión:**
> Teacher Edition Only
> Pídales a los estudiantes que le escriban dos sugerencias al autor(a) de un libro que hayan leído.

AUDIO

> ### Pronunciación La z
>
> En Latinoamérica se pronuncia la **z** como /s/. Recuerda que el sonido /s/ también se produce por las combinaciones **ce** y **ci**. En España, la **z** y la combinación **ce** o **ci** se pronuncian como la *th* de la palabra *thin* en inglés.
>
> | | |
> |---|---|
> | zorro | zoológico |
> | razonar | almorzar |
>
> ***Refrán***
> **Zapatero, a tus zapatos.**

Objectives
· Practice using the subjunctive in various contexts
· Practice using the subjunctive to discuss literary texts.
· Recycle: literary vocabulary
· **Pronunciation:** The letter **z**

Core Resource
· Audio Program: TXT CD 16 Track 6

Practice Sequence
· **Activity 12:** Transitional practice: subjunctive, indicative, and infinitive forms; Recycle: literary vocabulary
· **Activity 13:** Controlled practice: use the subjunctive to make literary suggestions

✸ STANDARDS
1.1 Engage in conversation, Act. 13
1.2 Understand language, Act. 12
1.3 Present information, Act. 13

Answers UTB 8 Transparency 30

Activity 12
1. leamos
2. escribir
3. sueñen
4. tiene
5. publique

Activity 13 Answers will vary. Sample answers:
1. **editor:** Es importante que simplifiques el argumento.
   autor: ¿Cómo debo simplificar el argumento?
   editor: Es importante que simplifiques el argumento sin que pierda el impacto.
2. **editor:** Es importante que expliques lo que ya pasó.
   autor: ¿Cuándo es importante que explique lo que ya pasó?
   editor: Es importante que expliques lo que ya pasó antes de que presentes algo nuevo.
3. **editor:** Es importante que no termines la historia ahora.
   autor: ¿Cuándo debo terminar la historia?
   editor: Es importante que no termines la historia hasta que todo quede claro.
4. **editor:** Es importante que elimines el diálogo.
   autor: ¿Cuánto diálogo debo eliminar?
   editor: Es importante que elimines el diálogo a menos que sea imprescindible.

Differentiating Instruction

Heritage Language Learners

Increase Accuracy Bilingual students may be tempted to pronounce the **z** as it sounds in English. Ask heritage learners to pronounce several words that contain the letter **z**. Remind them that the Spanish **z** is pronounced like the *th* in the English word *think* or like the letter *s*. Have students write a **trabalenguas** that contains several words with the letter **z**.

English Learners

Increase Interaction Work with English learners to ensure that they understand the various contexts for the subjunctive. Ask several questions about the subjunctive and allow sufficient wait time for English learners to answer.

489

Objectives

- Practice using the subjunctive in various contexts.
- **Culture:** Learn about the Teatro Colón.

Core Resource

- *Cuaderno,* pp. 373–375

Practice Sequence

- **Activity 14:** Open-ended practice: Use subjunctive to make recommendations.
- **Activity 15:** Transitional practice: the subjunctive

STANDARDS

1.2 Understand language, Act. 15
1.3 Present information, Act. 14
2.2 Products and perspectives, Act. 15
4.2 Compare cultures, Act. 15

Comparación cultural

Essential Question

Suggested Answer La arquitectura puede convertir a un edificio en una obra de arte.

Background Information

Teatro Colón The **Teatro Colón** is the second largest performing arts theater in the southern hemisphere, second only to the Sydney Opera House in Australia. In addition to its exquisite architecture, it is lavishly decorated in gold and plush velvet. The theatre also has a gigantic crystal chandelier with more than 700 lights.

✓ Ongoing Assessment

@HomeTutor
More Practice
ClassZone.com

Quick Check Before having students do the Para y piensa, review the subjunctive and expressions of opinion, emotion, and doubt. If a student is unable to complete all three sentences correctly, direct him or her to ClassZone.com for additional practice.

For additional practice, use Reteaching & Practice Copymasters URB 8, pp. 18, 19, 22.

See Activity Answers on p. 491.

490

---

14 | Una recomendación

Escribir

Tú y tu amigo(a) siempre se hacen sugerencias de lecturas. En un correo electrónico explícale una obra que has leído recientemente y haz algunas sugerencias específicas para que tu amigo(a) disfrute la obra al máximo. Usa por lo menos cinco ejemplos del subjuntivo.

modelo:

```
Hola,
Acabo de leer la última novela del paraguayo Augusto
Roa Bastos y creo que te gustará. Aunque...
```

Expansión:
Teacher Edition Only
Pídales a los estudiantes que escriban un correo electrónico sobre una obra que no recomienden.

15 | Se me ocurre que...

Leer
Escribir

Los teatros: monumentales obras de arte

¿Cómo puede un edificio convertirse en una obra de arte? Hay varios teatros antiguos importantes en los países del Cono Sur. Uno de los teatros más famosos de Latinoamérica es el Teatro Colón de Buenos Aires, **Argentina.** Este edificio tiene un estilo italiano con adornos franceses. Su construcción duró veinte años y se completó en 1908. En 1966 el famoso pintor argentino Raúl Soldi realizó la decoración de la Cúpula del Teatro. Su técnica es hacer la pintura al óleo sobre tela y luego pasarla al muro. Soldi donó la obra a la ciudad de Buenos Aires.

Compara con tu mundo *Nombra un teatro de tu región y menciona los espectáculos que presenta. Di algún detalle que te guste del teatro.*

Teatro Colón, Buenos Aires, Argentina

Expansión:
Teacher Edition Only
Pídales a los estudiantes que escriban un párrafo para decir por qué el Teatro Colón de Buenos Aires es una obra de arte.

Escribe la forma correcta del verbo en el siguiente párrafo.

Es importante que tú __1.__ (explicar) cómo se pinta una cúpula, para que yo __2.__ (poder) entender que __3.__ (ser) muy complicado. __4.__ (Haber) dos formas de __5.__ (pintar): tú lo __6.__ (poder) pintar directamente en el muro o lo __7.__ (poder) hacer primero en una tela. A mí __8.__ (occurrírsele) que la forma más fácil de hacerlo es la primera.

Más práctica   Cuaderno *pp. 372–375*   Cuaderno para hispanohablantes *pp. 374–377*

PARA Y PIENSA

¿Comprendiste? Haz una lista de tres libros que te hayan gustado mucho. Escribe una frase usando el subjuntivo para expresar una opinión, una emoción o una duda sobre cada libro.

Get Help Online
ClassZone.com

Differentiating Instruction

Multiple Intelligences

Visual Learners Ask students to recreate an aspect of a famous piece of architecture that they admire. For example, they could draw a copy of the façade of the building, the ceiling, the windows, the walls, etc. Their drawings should include as much detail as possible. Invite students to share their recreations with the class.

Heritage Language Learners

Support What They Know Ask students from Spanish-speaking countries whether there are grand theaters in their or their parents' country of origin. If so, what kind of presentations are given there: plays, movies, concerts, etc.?

❋ Todo junto

¡AVANZA! **Goal: *Show what you know*** Read and listen to the continuation of the drama about Columbus. Then relate what you can say to encourage someone to undertake a difficult task. *Actividades 16–19*

Resumen contextos 1 y 2 Este drama presentado aquí en cuatro partes cuenta cómo Cristóbal Colón tuvo la idea de viajar a nuevas tierras.

Contexto 3 *Obra de teatro*

ESTRATEGIA Escuchar
List the reasons for and against going
While listening, use a chart to write down reasons Columbus receives for going and reasons he raises for not going.

Razones para ir	Razones para no ir

Colón agarra *viaje* a *toda costa*
(Parte 3)

AUDIO

En esta tercera parte del drama Cristóbal Colón recibe un mensaje donde alguien le dice que se vaya de viaje a descubrir nuevos horizontes.

Colón está en su casa, seguramente pensando en lo que pasa. Golpean a la puerta, que dentro de un instante va a estar abierta.

Colón:
85 ¿Quién es?

Presentador:
¡Cartero!

Le entrega una botella con un mensaje. Colón lo lee, interesadísimo.

Lección 2
cuatrocientos noventa y uno **491**

Differentiating Instruction

Pre-AP

Summarize Instruct students to explain orally what happens in Contexto 3. The summary should include who is speaking, what the characters are doing, and what causes one of the characters to debate something with himself. Also ask students to relate what they would do if they were Columbus.

English Learners

Build Background Discuss with students what it is like to explore a new place. Ask English learners about things that they "discovered" when they came to the United States. Then spend some time reviewing the history of Christopher Columbus and what his "discovery" meant for the United States.

¡AVANZA! **Objective**
· Integrate lesson content

Core Resource
· Audio Program: TXT CD 16 Track 7

Presentation Strategies
· Review the first two parts of the Contexto aloud.
· Play the audio as students read along.
· Have students listen for Columbus's reason for and against going on his trip to discover new places.

 STANDARD
1.2 Understand language

 Warm Up UTB Transparency 22

El tiempo correcto Completa las oraciones con el indicativo, el subjuntivo o el infinitivo del verbo.
1. No quiero _____ (leer) ese libro.
2. Busco libros que _____ (ser) más aventureros.
3. Ojalá que la autora _____ (escribir) otra novela.
4. Es importante que tú _____ (leer) mucho.
5. No dudo que Marco _____ (tener) mucho talento.

Answers: 1. leer; 2. sean; 3. escriba; 4. leas; 5. tiene

Answers UTB 8 Transparency 30

Answers for activities on p. 490.

Activity 14 Answers will vary, but students should use at least five examples of the subjunctive in their e-mails.

Activity 15
1. expliques
2. pueda
3. es
4. Hay
5. pintar
6. puedes
7. puedes
8. se me ocurre

Para y piensa Answers will vary, but students should use the subjunctive with expressions of opinion, emotion, and doubt to describe each book.

491

Objective
· Practice using and integrating lesson grammar and vocabulary

Core Resources
· *Cuaderno,* pp. 376–377
· Audio Program: TXT CD 16
  Tracks 7, 8, 9

Presentation Strategies
· **Activity 16:** Contexto 3 comprehension
· **Activity 17:** Open-ended practice: speaking and writing
· **Activity 18:** Transitional practice: listening, reading, and speaking
· **Activity 19:** Open-ended practice: writing

STANDARDS
1.1 Engage in conversation, Act. 17
1.2 Understand language, Act. 16, 18
1.3 Present information, Act. 16, 17, 18, 19

Answers UTB 8 Transparency 30

Activity 16 Answers may vary.
1. Se le ocurrió saber qué había más allá.
2. Un cartero le dio un mensaje en una botella.
3. Según el mensaje, hay rutas desconocidas, montañas, ríos, selvas y ciudades detrás del horizonte.
4. Ve que el mundo no termina a la vuelta de la esquina.
5. La carta le dice a Colón que explore el mundo.
6. Colón necesita barcos, veleros y dinero.
7. Colón sigue leyendo el mensaje para encontrar algo que le dará coraje.
8. No quiere cruzar el mar a nado.

Activity 17 Answers will vary, but students should create two lists. One list should contain characteristics of a person who would want to go on an adventure as Columbus did. The second list should contain logical reasons to support going on such a trip.

492

---

90 **Colón:**
¿Te vas a pasar la vida preguntando y preguntando? ¿Por qué no tratás de hacer algo? El mundo no termina a la vuelta de la esquina [12], pero eso solamente lo ve el que camina. ¡Vamos! Detrás del horizonte siempre hay algo más. Hay rutas

95 desconocidas con mil posibilidades, hay montañas, ríos, selvas y ciudades.

Colón interrumpe por un momento la lectura del mensaje. Tiene unas ganas bárbaras de salir de viaje. Pero no sabe bien qué hacer.

Sí, sí, pero ¿qué hago? Yo no tengo barcos, ni botes, ni veleros [13]

100 y, sobre todo, no tengo dinero. Soy un seco, un tirado y no voy a cruzar el mar a nado [14]. ¿Qué hago, qué hago, qué hago?

Sigue leyendo el mensaje. Tal vez encuentre alguna palabra que le dé coraje [15].

---

[12] **a...** around the corner   [13] ships
[14] **a...** swimming   [15] courage

También se dice

Colón dice **Soy un seco** para explicar que no tiene dinero.
· **Puerto Rico** No tengo un chavo.
· **Cuba** Estoy sin un kilo.
· **Colombia** No tengo ni cinco.
· **República Dominicana** No tengo ni un chele.
· **España** No tengo un duro.

16 | Comprensión de la obra de teatro

Escuchar Hablar Escribir

Contesta las preguntas sobre la escena.
1. ¿Qué se le había ocurrido a Colón al principio del drama?
2. ¿Quién llamó a la puerta y qué le dio a Colón?
3. Según el mensaje, ¿qué hay detrás del horizonte?
4. Según el mensaje, ¿qué ve el que camina?
5. ¿Qué le dice la carta a Colón que haga?
6. ¿Qué necesita Colón para salir de viaje?
7. Al final, ¿por qué Colón sigue leyendo el mensaje?
8. ¿Cómo Colón no quiere cruzar el mar?

Expansión:
Teacher Edition Only
Pídales a los estudiantes que digan si ellos hubieran querido ir o no con Colón en su viaje a América y por qué.

17 | ¡Un proyecto singular!

Hablar Escribir

Con tu compañero(a), escribe una lista de características que es probable que tenga una persona interesada en tener una aventura similar a la de Colón. Puede ser la misma aventura de Colón u otra diferente. Puedes escoger aventuras que pasan en el futuro o eventos del presente como la exploración de otros planetas o del fondo *(bottom)* del mar. Luego, escriban una lista de razones lógicas para apoyar el proyecto. Discute las dos listas con tu compañero(a) y luego, preséntenlas en clase.

Expansión:
Teacher Edition Only
Pídales a los estudiantes que escriban una lista de razones lógicas para estar en contra del proyecto o aventura que acaban de proponer en la actividad.

Differentiating Instruction

English Learners
Provide Comprehensible Input Before asking English learners to complete the activities associated with Contexto 3, ask them several comprehension questions about the story. Have students point to the place in the story where they found the answer. Paraphrase any pieces of the text that are difficult for English learners to comprehend.

Heritage Language Learners
Support What They Know Have native speakers look at the list of expressions given in También se dice. Ask what other colloquial phrases are used in the region where they or their family members come from to say "I don't have any money." Encourage students to ask someone at home for examples. Write the terms on an ongoing list on the bulletin board.

18 | Integración

Leer
Escuchar
Hablar

Lee las reseñas *(reviews)* a una obra de teatro que salieron en una revista de espectáculos. Luego, escucha la opinión de otro crítico en la televisión. Explica si la obra tiene elementos interesantes o no, y por qué.

🎧 **Audio Program**
TXT CD 16 Tracks 8, 9
Audio Script, TE p. 475B

Fuente 1 Críticas

El mundo es un pañuelo

Campos: Lo que más me gustó de la obra *El mundo es un pañuelo* fue el intermedio. Cuando bajó el telón, me fui a tomar un refresco. Sin duda el escenario y el vestuario son muy buenos. Pero el guión es aburrido y, aunque los actores estaban haciendo todo lo posible, la obra resultó ser un desastre. Recomiendo que no pierdan su tiempo ni su dinero. Se me ocurrió que quizás sea mejor ir a un partido de fútbol.

Ríos: A mí me encantó la nueva obra dramática de Martín Caso. *El mundo es un pañuelo* es lo mejor que ha escrito. El director Alfredo Durán hizo un trabajo genial. La escenografía es fabulosa y el vestuario excelente. El éxito de la obra se debe al guión. Caso entiende lo absurdo de la vida y lo trata con amor y humor. No se pierdan una noche de risa; vayan a ver *El mundo es un pañuelo.*

Fuente 2 Reporte televisivo

Escucha y apunta

- ¿Qué elementos importantes destaca el crítico de la televisión?
- ¿Qué espera el crítico de la televisión?

modelo: El crítico de la televisión destaca los actores y la escenografía. Desea que la próxima obra sea mejor. Para mí hay otros elementos interesantes. En su crítica, Raúl dijo...

Expansión:
Teacher Edition Only
Pídales a los estudiantes que escriban una crítica sobre una película que vieron. Deben tener en cuenta: cómo actuaron los actores y las actrices, el tema, si era aburrida o interesante y por qué.

19 | ¡A escribir!

Escribir

Has decidido mandarle una carta a varias personas, donde describes un proyecto y solicitas dinero y equipo. Describe el tipo de viaje. En el segundo párrafo, explica lo que necesitas y los beneficios de hacer ese viaje.

Writing Criteria	Excellent	Good	Needs Work
Content	Your letter includes many reasons for supporting your trip.	Your letter includes some reasons for supporting your trip.	Your letter includes few reasons for supporting your trip.
Communication	Your letter is organized and easy to follow.	Parts of your letter are organized and easy to follow.	Your letter is disorganized and hard to follow.
Accuracy	Your letter has few mistakes in grammar and vocabulary.	Your letter has some mistakes in grammar and vocabulary.	Your letter has many mistakes in grammar and vocabulary.

Expansión:
Teacher Edition Only
Pídales a parejas de estudiantes que intercambien sus cartas y que escriban otra carta para responder a la propuesta de su compañero(a).

Más práctica Cuaderno *pp. 376–377*   Cuaderno para hispanohablantes *pp. 378–379*

PARA Y PIENSA

¿Comprendiste? Un(a) compañero(a) ha decidido pasar un año estudiando español en Argentina pero está un poco preocupado(a). Dale sugerencias para que se sienta mejor.

🖱 **Get Help Online**
ClassZone.com

1. (No sabe si tiene dinero suficiente.) Si se te acaba el dinero...
2. (Teme que no le guste la familia argentina.) No temas que...
3. (No cree que hable suficiente español.) No dudes que...

Differentiating Instruction

Inclusion

Clear Structure Instruct students to create an outline for Activity 19. The outline should map out ideas and vocabulary for the letter. Students should think about words they will need to describe the trip, the provisions, and the benefits of the trip. Then put students in pairs to address any questions they may have before writing their descriptions.

Pre-AP

Expand and Elaborate Request that students add an extra paragraph to their essays for Activity 19. Instruct students to describe what they hope to see and learn in their travels. Remind them to use the subjunctive form to express their hopes and desires.

Long-term Retention

Pre-AP **Integration**

Activity 18 Have students scan the critics' comments and write in their notebooks what was interesting, what was not, and why. Ask students to complete the same task while listening to the audio. Encourage them to refer back to their notes when they explain if the play is interesting or not.

✓ Ongoing Assessment

Rubric Activity 18
Listening/Speaking

Proficient	Not There Yet
Student takes detailed notes and clearly explains why the play is interesting or not.	Student takes few notes and cannot explain why the play is interesting or not

✓ Ongoing Assessment

@HomeTutor
More Practice
ClassZone.com

PARA Y PIENSA **Intervention** If students are unable to correctly write all three suggestions, pair them with another student to review the subjunctive in various contexts (p. 488).

For additional practice, use Reteaching & Practice Copymasters URB 8, pp. 18, 20.

Answers UTB 8 Transparency 30

Activity 18 Answers will vary. See model.

Activity 19 Letters will vary. The first paragraph should describe the nature of the trip. The second paragraph should list the necessary provisions for the trip and the benefits of taking the trip.

Para y piensa Answers will vary. Sample answers:
1. Si se te acaba el dinero es posible que alguien te pueda enviar más por Internet...
2. No temas que no te guste la familia argentina.
3. No dudes que hablas suficiente español.

¡AVANZA! Objectives

· Read a segment of a play by Adela Basch.
· Analyze the action in the story.
· **Culture:** Adela Basch, Cristóbal Colón.

Core Resource

· Audio Program: TXT CD 16 Track 10

Presentation Strategies

· Use the Para leer strategy to draw students' attention to summarizing the action in each part of the play.
· Point out vocabulary notes.
· Examine Nota cultural with students.
· Read the segment of the play and respond to questions.

STANDARDS

1.2 Understand language
2.2 Products and perspectives
3.1 Knowledge of other disciplines

Warm Up UTB 8 Transparency 23

Explorador Escribe diez características de una persona que quiere explorar el mundo.

Answers: Answers will vary. Sample answers: 1. aventurero(a); 2. interesante; 3. fuerte; 4. divertido(a); 5. energético(a); 6. inteligente; 7. valiente; 8. ambicioso(a); 9. ingenioso(a); 10. atrevido(a)

Culture

About the Author

Adela Basch is known to her friends as Dolly, a nickname which she has deemed very appropriate, since *dolly* means **muñeca** or **juguete,** and she has spent her life "toying" with words. Her gift of word play has made her a beloved figure in children's literature, and many of her works have won awards, including the 1982 Premio Argentores for the children's play *El velero desvelado.*

494

Lectura literaria

¡AVANZA! **Goal:** Read the final scene of the play about Columbus. Then talk about the challenges and rewards of a venture like Columbus' and its modern-day equivalents.

Para leer

ESTRATEGIA Leer
Analyze the action Break down this section of the play into parts (see below). Summarize the action in each part.

Parte 1	Parte 2	Parte 3	Parte 4
Colón lee el mensaje en la botella.			
El mensaje dice que debe ir a ver a los reyes.			

Vocabulario para leer

la carabela	*barco que utilizó Colón para navegar hasta América*
el desaliento	*cansancio, falta de ganas*
la hazaña	*acción heroica*
los rumbos	*rutas, caminos*
conceder	*dar*
el grito	*hablar en voz muy alta*
estar harto(a)	*estar cansado(a) de algo*

Nota cultural

Sobre la autora **Adela Basch (1946–)**

Nació en Buenos Aires. Su primer trabajo fue traductora de libros del inglés al español. En 1979 escribió su primera obra de teatro, *Abran cancha, que aquí viene don Quijote de la Mancha.* En sus obras, siempre incluye juegos de palabras muy graciosos. En 2002 fundó Ediciones Abran Cancha, una editorial alternativa que promueve el encuentro entre adultos y jóvenes para hablar de temas literarios.

Sobre Colón En español se llama Cristóbal Colón. En inglés se llama Christopher Columbus, pero su nombre original es Cristoforo Colombo. Nació en 1451 en Génova, Italia. El drama que empezaste a leer y que termina en esta sección cuenta su primer viaje a América de una manera divertida.

Differentiating Instruction

Pre-AP

Draw Conclusions Read the Nota cultural about Adela Basch and Christopher Columbus. Considering what they know about the author, ask students to draw conclusions about how they think Basch makes the play funny for the reader. Ask students to share their ideas with the class.

English Learners

Provide Comprehensible Input Before asking English learners to read the excerpt from *Colón agarra viaje a toda costa,* make predictions with the students about actions that could happen in the play. Provide several examples of possible actions, using gestures and drawings as necessary.

Colón agarra *viaje* a *toda costa* (Parte 4)

 AUDIO

En esta cuarta y última parte de la obra, Colón, después de leer un mensaje que le mandaron en una botella, decide ir a ver a los reyes [16] de Castilla y Aragón en busca de apoyo financiero para sus planes de viaje...

Colón escucha que alguien llama a su puerta.

105 **Colón:**

¿Quién es?

Presentador:

¡Botelleroooooo! Perdón, cartero.

Colón sale a la puerta que, por supuesto, está abierta y
110 *encuentra una botella con un mensaje. Lo lee en voz alta.*

Colón:

Vamos, Colón, el mar te espera. Sea como sea [17], tenés que conseguir tres carabelas. No dejes que el desaliento te inunde el corazón [18]. Andá [19] a ver a los reyes de Castilla y Aragón.

115 *Colón interrumpe un momento la lectura del mensaje y habla en voz alta [20] consigo mismo.*

Pero si ya fui como veinte veces y no pasa nada. Siempre me dicen: vuelva otro día, vuelva otro día.

Sigue leyendo el mensaje.

120 ¿Y quién te dijo que hoy no es otro día?

Colón se va. ✾

Presentadora:

¡Atención! ¡Atención!

Presentador:

125 Vamos a informar a la población.

Carabelas de Cristóbal Colón,
Daniel Zuloaga

❀ **A pensar**
¿Qué recomendaciones contiene el mensaje y qué responde Colón?

---

[16] king and queen [17] **Sea...** Any way you can [18] **te...** flood your heart [19] Go [20] **en...** aloud

Lección 2
cuatrocientos noventa y cinco **495**

Differentiating Instruction

Heritage Language Learners

Literacy Skills Ask heritage speakers to read the excerpt from *Colón agarra viaje a toda costa* aloud in class. Assign the parts of Presentador, Presentadora, Colón, Reina, and Navegantes. At the end of each page, ask students to explain what happened in their own words.

Multiple Intelligences

Linguistic/Verbal Ask students to study the text for plays on the meanings and sounds of words. Tell students to volunteer their ideas, and make a list on a board or overhead. As a class, discuss what the phrases mean. Then ask students if they understand why the phrases are meant to be comical.

Objectives
- Read a segment of a play by Adela Basch.
- Analyze the action in the story.

Core Resource
- Audio Program: TXT CD 16 Track 10

Presentation Strategy
- Read the segment of the play and respond to questions.

STANDARDS
1.2 Understand language
1.3 Present information

Communication
Interpersonal Mode

Put students into groups of three. Ask the groups to write a dialogue between Columbus and the King and Queen of Spain. The dialogue should involve Columbus pleading his case for money to make his trip. The king and queen should ask Columbus questions and express their reservations. Ask groups to read their dialogue for the class.

Communication
Reluctant Speakers

Allow students who are very shy about speaking in front of the class to videotape or to record their dialogue for the Interpersonal Mode activity.

Answers

Reflexiona
Ha logrado la ayuda de la Reina para hacer su viaje.

A pensar
El «camino» se refiere a la ruta y tierras que Colón y sus navegantes van a explorar.

496

❖ Lectura literaria *continuación*

Presentadora:
¡Los reyes de Castilla y Aragón han logrado unificar España y se creen capaces de cualquier hazaña! ¡Los reyes de Castilla y Aragón empiezan a soñar con la expansión!

130 **Presentadora:**
¡Y ahora tal vez les interese el proyecto de Colón!

Presentador:
¡A la reina de Castilla los bellos ojos le brillan²¹ cuando piensa en la otra orilla!

135 *El presentador y la presentadora se van. Y nos encontramos ante la reina de Castilla y el rey de Aragón en sus tronos. Colón entra, hace una reverencia y permanece de pie.*

Colón:
¡Salud, altezas²²! Espero que ahora estén dispuestos a financiar
140 mi empresa. Les ofrezco una aventura insólita y valiente: navegar hacia el oeste para llegar a Oriente. ¡Internarse en el misterio del mar abierto, buscar otros rumbos y otros puertos!

Reina:
145 Cristóbal Colón, me has convencido. Empezá a prepararte. Tu pedido ha sido concedido.

Presentador:
Las carabelas y sus navegantes van por un camino que nadie tomó antes. ❖

150 **Presentadora:**
Van a enfrentar lo que nadie ha visto y nadie ha oído. ¡Van al encuentro de lo desconocido!

---
²¹ shine   ²² your highness (pl.)

✓ Reflexiona
¿Qué ha logrado Colón hasta este momento?

> ❖ **A pensar**
> ¿Cuál es el «camino» a que se refiere el presentador?

Differentiating Instruction

Inclusion

Multisensory Input/Output Use a variety of strategies to help students understand *Colón agarra viaje a toda costa*. Ask students to scan the play and make a list of any expressions that they do not understand. Have students share those phrases with the class and convey the meaning with gestures, simple explanations, or drawings.

Pre-AP

Sequence Information Ask students to create a comic strip that illustrates the order of events in the conclusion of *Colón agarra viaje a toda costa*. The strip should contain at least five illustrations and five captions. Remind students to paraphrase, not simply copy lines from the play.

Colón y su tripulación²³ ya llevan
155 muchos días navegando sin ninguna
indicación de las tierras que buscan.
Desesperados, los hombres empiezan
a quejarse...

Colón:

160 ¿Qué son esos gritos? ¿Qué pasa?

Luis y Pedro:

¡Que-re-mos vol-ver a ca-sa!

Colón:

Tengan un poco de paciencia.
165 Ya falta poco.

Luis:

¡Qué paciencia ni qué ocho
cuartos!²⁴ Ya estamos hartos.

Colón:

170 ¡Qué mar, qué cielo, qué día! ¡Qué mar... avilla!
¡Creo que estamos cerca de la orilla!

Pedro:

¡Tieee... ! ¡Tieeee... ! ¡Tieeeeeeee... !

¡TIERRA! ¡TIERRA! ¡TIERRA!

175 **Presentador:**

Estimado público, agradecemos mucho su valiente compañía
en esa difícil y osada²⁵ travesía²⁶.

Presentadora:

¡Aquí ponemos fin a la navegación y en este momento termina la función!

Cristóbal Colón muestra la isla Guanahaní a sus marineros

---

²³ crew   ²⁴ **¡Qué...** What do you mean, patience!   ²⁵ daring   ²⁶ crossing

PARA Y PIENSA

¿Comprendiste?

1. ¿Cuáles son las mayores dificultades de Colón en hacer su viaje?
2. ¿Quiénes, por fin, financian la expedición y por qué?
3. ¿Por qué crees que la tripulación quiere regresar a casa?
4. ¿Qué significa cuando Pedro dice «Tierra»?

¿Y tú?

1. ¿Adónde te gustaría viajar?
2. ¿Se te ocurrió ir a buscar lugares desconocidos? ¿Cuáles serían?
3. ¿Qué recomendaciones le darías a Colón si fueras el rey o la reina de España?

Lección 2
cuatrocientos noventa y siete **497**

Differentiating Instruction

Inclusion

Sequential Organization On a board or overhead, break down the sequence of events in the play to help students answer comprehension questions. Start by identifying the most important occurences in the play. Then ask students to add details and events in the order that they appear in the story.

Slower-paced Learners

Sentence Completion Help students by posting a question and an incomplete answer on an overhead. Hearing and seeing the question will help them understand what is being asked. Completing the answer will help facilitate their success and boost their confidence.

Answers

Para y piensa Answers may vary.
1. Colón no tiene dinero, barcos o navegantes. Además, fue a ver los reyes de Castilla y Aragón veinte veces y no le ayudaron.
2. Finalmente los reyes de Castilla y Aragón financian la expedición porque quieren ensanchar su territorio.
3. Creo que los hombres quieren regresar a casa porque tienen frío, hambre y miedo.
4. Significa que Colón y su tripulación han llegado a un lugar nuevo.

¿Y tú? Answers will vary. Sample responses:
1. Me gustaría viajar a Brasil.
2. Sí, se me ocurrió ir a buscar lugares desconocidos. Serían las islas del Caribe.
3. Si yo fuera la reina de España, le recomendaría a Colón que tuviera cuidado.

497

ESCRITURA

Objective
· Write an autobiography.

Presentation Strategies
· Read the Escritura page aloud as a class. Ask students to think of important events in their lives.
· Tell students to draw a timeline of their lives until now and divide it into three sections. After brainstorming events for each age range, they should choose the most important one from each range to include in their autobiography.
· Help students fill in the diagram from p. 498 (in their notebooks) in preparation for writing their autobiography.

 STANDARD

1.3 Present information

✓ Ongoing Assessment

Peer Assessment Before students turn in their autobiographies, have them exchange papers for peer editing. Ask them to look for the following: all of the information from the cause-and-effect diagram appears in the essay, the preterite and imperfect are used properly in paragraphs 1 through 4, and that the subjunctive, conditional, and future are used correctly in the final paragraph. Have students circle or underline errors and return the autobiography to its writer for revision.

 # Escritura

Mi autobiografía

Vas a escribir una autobiografía breve de cinco párrafos. Además de la información personal, como el lugar donde naciste, lugares donde viviste y escuelas a las que fuiste, incluirás experiencias personales.

❶ **Prepárate para escribir**

ESTRATEGIA Haz una lista Escribe los tres sucesos más importantes de tu vida (pueden ser sucesos emocionantes, cómicos, tristes o experiencias interesantes).

❷ **Escribe**

ESTRATEGIA Analiza causa y efecto Usa el siguiente diagrama para analizar cada uno de los tres sucesos que escogiste y ver qué efectos han tenido en tu vida.

Paso 1 Escribe una introducción breve con tus datos: lugar y año de nacimiento, escuelas, actividades favoritas.

Pasos 2 a 4 Escribe tres párrafos para describir los tres sucesos más importantes de tu vida y cómo te han afectado. Usa la lista de causa y efecto del diagrama.

Cuando tenía diez años, mi familia se mudó a Florida. Fue un suceso muy importante porque allí aprendí muchos deportes acuáticos.

Paso 5 Escribe un párrafo con lo que haces actualmente y lo que esperas en el futuro. Piensa en los tiempos verbales que has aprendido hasta ahora y úsalos.

❸ **Revisa tu composición**

Intercambia tu autobiografía con un(a) compañero(a). Lee la autobiografía de tu compañero(a) y subraya todos los verbos. Para cada verbo, haz lo siguiente:

● Decide si son correctos el tiempo y la conjugación del verbo. Presta atención particular al uso del pretérito y el imperfecto en los párrafos 1 a 4, y al uso del subjuntivo, el condicional y el futuro en el párrafo 5.

● Indica los verbos que tengan errores con un círculo.

● Escribe las correcciones.

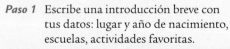

Cuando nací, mi familia vivía(vivió)en Missouri.

Una vez, decidieron pasar el día nadando en el río. A mí no me gustaba nar, por eso les dije(dijo)que(fuera)a quedarme en casa porque me dolía la cabeza. Yo quería tocar la guitarra. Como no quería que ellos se(enteraron)de mis planes,(esperaré)hasta que ellos(salieran).

Differentiating Instruction

Slower-paced Learners

Peer-study Support For the strategy activity in step 2 on p. 498, pair weaker students with stronger students, and have them talk through the activity. After they orally brainstorm several ideas for each "effect" circle, have them complete the diagrams individually. They should then check each other's sentences for spelling and grammar.

Pre-AP

Timed Answer Give students thirty minutes to write Mi autobiografia. They should use five minutes to organize their ideas, twenty minutes to write the essay, and five minutes to revise the essay. As students work on the assignment, keep them aware of the time left by writing it on the board every five minutes. You should also remind them when they should stop organizing and start writing, and when they should start revising.

Lección 2

En resumen
Vocabulario y gramática

Animated Grammar
Interactive Flashcards
ClassZone.com

Vocabulario

Read and Interpret a Short Play

el accesorio	accessory	el escenario	stage
el (la) acomodador(a)	usher	la escenografía	scenery
aplaudir	to clap	el gesto	gesture
el diálogo	dialog	el guión	script
la dirección de escenografía	stage direction	el intermedio	intermission
dirigir	to direct	la obra de teatro	play
el (la) dramaturgo(a)	playwright	la salida	exit
ensayar	to rehearse	(levantar / bajar) el telón	(to raise / to lower) the curtain
el ensayo	rehearsal	el vestuario	wardrobe

Other Words and Phrases

avaro(a)	miserly
codicioso(a)	greedy
el coraje	courage
el (la) farsante	fraud
insólito(a)	unusual
pedir (i) prestado	to borrow
persistente	persistent
reclamar	to call, to demand
singular	unique
soñar (ue) con	to dream of, about
el (la) tirado(a)	pauper

Gramática

Se for Unintentional Occurrences

The verb of an unintentional occurrence is expressed with the impersonal pronoun se and agrees with the subject. An indirect object pronoun indicates the person to whom the action occurred.

Verbs Used to Express Unintentional Occurrences

acabársele (a uno)	perdérsele (a uno)
caérsele (a uno)	quedársele (a uno)
ocurrírsele (a uno)	rompérsele (a uno)
olvidársele (a uno)	

Se me olvidaron las entradas al teatro.
I forgot the theater tickets.

REPASO Uses of the Subjunctive

The subjunctive expresses ideas whose certainty may not be known.

Hope:	**Espero** que él **se dé** cuenta del error.
Doubt:	**Es dudoso** que nosotras **podamos** venir.
Influence:	**Recomendó** que Ana **escribiera** dramas.
Emotion:	**Me alegro de** que los actores **sean** tan buenos.
Unknown:	**Buscamos** actores que **conozcan** el drama.
Conjunctions:	Les enseño **para que** **sepan** todo.
	Vete **tan pronto como** Cristina **llegue.**
	Aunque **llueva**, jugaremos el partido.

Differentiating Instruction

Multiple Intelligences

Linguistic/Verbal Have students write a vocabulary quiz based on p. 499. The quiz should include most of the vocabulary words and use a variety of questions. Students could use formats such as multiple choice, fill-in-the-blank, short answer, or draw the word. Have students switch with another classmate and complete the quiz in class.

Inclusion

Frequent Review/Repetition Have students work in pairs to study the vocabulary on p. 499. One student tries to define words from the list at random (hiding the English translations), while their partner checks his or her work. If students cannot recall the meaning of a word, have them write it in their notebooks and return to it later.

Objective
· Review lesson vocabulary and grammar.

Online SPANISH CLASSZONE.COM

Interactive Flashcards Students can hear every target vocabulary word pronounced in authentic Spanish. Flashcards have Spanish on one side, and a picture or translation on the other.

Featuring...
Cultura INTERACTIVA
Animated Grammar
@HomeTutor

And more...
· Get Help Online
· Interactive Flashcards
· Review Games
· WebQuest
· Conjuguemos.com

Communication
Pair Work

Have student pairs work together to write a review of the play *Colón agarra viaje a toda costa*. Specify a certain number of vocabulary words or phrases for them to use in their review. Also instruct students to use the subjunctive with expressions of influence. Then have students share their reviews with the class.

Communication
Grammar Activity

Hand out two index cards to each student and have them write *subjunctive* on one and *unintentional occurrence* on the other. Read aloud several sentences from the lesson and tell students to hold up the correct card when they hear the corresponding structure.

✓ Ongoing Assessment

Quick Check Review vocabulary by calling on a student to say a word from the En resumen. Then quickly call on another student to use that word in a sentence. Continue doing this until each student in the class has had at least one turn. Avoid repeating words until all the vocabulary has been used in the activity.

Objective
· Review lesson grammar and vocabulary.

Core Resources
· *Cuaderno,* pp. 378–389
· Audio Program: TXT CD 16 Track 11

Presentation Strategies
· Draw students' attention to the accomplishments listed under the ¡Llegada! banner.
· Review activities may be completed in class or as homework.

STANDARDS
1.2 Understand language, Act. 1, 2, 4
1.3 Present information, Act. 1, 3
2.1 Practices and perspectives, Act. 5
2.2 Products and perspectives, Act. 5
4.2 Compare cultures, Act. 5

 Warm Up UTB 8 Transparency 23

Teatro Di qué palabras están relacionadas con las obras de teatro.
1. guión
2. vestuario
3. carabelas
4. botella
5. personaje

Answers: 1. sí; 2. sí; 3. no; 4. no; 5. sí

 Answers UTB 8 Transparency 31

Activity 1
1. No. La obra no vale la pena.
2. Que se queden en su casa.
3. Porque el guión es aburrido.
4. Se le ocurrió irse.
5. La escenografía y el vestuario.
6. El telón se había roto.

Activity 2
1. los intermedios; sean
2. El vestuario; tenga
3. guión; fracase
4. ensayar; se les olviden
5. aplauda
6. Las direcciones de escenografía; haya

500

Lección
2
Repaso de la lección

¡LLEGADA!

@HomeTutor
ClassZone.com

Now you can
· read and interpret a short play
· talk about unplanned occurrences
· express opinions about a text

Using
· **se** for unintentional occurrences
· review: uses of the subjunctive

> **Audio Program**
> TXT CD 16 Track 11
> Audio Script, TE p. 475b

To review
· vocabulary pp. 478–479

AUDIO

1 Listen and understand

Carmela Castelo hace comentarios de teatro para una emisora de radio de Buenos Aires. Hoy está hablando de su reacción a una nueva obra de teatro. Escucha sus comentarios y luego contesta las siguientes preguntas.

1. Según Carmela Castelo, ¿es buena *El avaro codicioso*?
2. ¿Qué les recomienda Carmela Castelo que hagan a sus radioyentes?
3. ¿Por qué estaba bien que el dramaturgo no estuviera en el teatro?
4. ¿Qué se le ocurrió a Carmela Castelo durante el primer acto?
5. ¿Cuáles son dos aspectos de la producción que le gustaron a Carmela Castelo?
6. ¿Por qué no pudieron bajar el telón el director y los actores?

To review
· review: uses of the subjunctive p. 488

2 Read and interpret a short play

Escoge la palabra apropiada para completar cada oración. Luego cambia el verbo al subjuntivo.

1. Siempre quiero que (los intermedios / los ensayos) (ser) largos. Me gusta tomarme un refresco tranquilamente entre los actos.
2. ¡La ropa es fenomenal! (El maquillaje / El vestuario) es un aspecto importante para que la producción (tener) éxito.
3. Esta obra teatral tiene un (escenario / guión) muy bueno. El clímax es muy misterioso. No creo que la obra (fracasar).
4. Los actores necesitan (entrar / ensayar) más. Es probable que (olvidárseles) las líneas.
5. No me gusta que el público (dirigir / aplaudir) durante una escena.
6. (Los acomodadores / Las direcciones de escenografía) son muy interesantes. Es raro que no (haber) más público en el teatro.

Differentiating Instruction

Slower-paced Learners

Read Before Listening Show students the script for Activity 1. Ask students to read the script on their own and highlight any parts that they do not understand. Review trouble spots as a class. Then ask students to put away the script, listen to the audio, and answer the questions. Assist students if they do not comprehend the questions.

Inclusion

Cumulative Instruction To review the subjunctive, provide examples that use conjunctions of time, or expressions of influence, emotion, doubt, and hope. Use sentences from the lesson as well as original sentences. Ask volunteers to identify the subjunctive verb, the conjunction of time, or the expression of influence, emotion, doubt, and hope.

To review
• **se** for unintentional occurrences p. 483

3 Talk about unplanned occurrences

Mira los dibujos para describir qué les pasa a las personas indicadas. Usa **se** y sigue el modelo.

modelo: el técnico / el equipo de sonido
Al técnico se le descompuso el equipo de sonido.

 **1.** yo / las líneas

 2. nosotros / el accesorio

 3. la directora / gran idea

 4. tú / el violín

To review
• review: uses of the subjunctive p. 488

4 Express opinions about a text

Escoge la forma correcta de cada verbo para completar las oraciones.

1. La actriz no dudaba que (podía / pudiera) hacer bien el papel.
2. La dramaturga buscaba actores que (conocían / conocieran) sus obras.
3. Es increíble que no (hay / haya) más teatros en esta ciudad.
4. No me gusta que el público (habla / hable) mucho durante el drama.
5. Es obvio que el guión (es / sea) bueno.
6. Todo el público se quedó hasta que (cayó / cayera) el telón.

To review
• **Comparación cultural** pp. 482, 490

5 Theaters in the Southern Cone

Comparación cultural

1. ¿En dónde se hacen tablados?
2. ¿Qué son las murgas? ¿Qué son los tablados? ¿Cómo son?
3. ¿Cómo se llama el teatro más importante de Buenos Aires?
4. ¿Qué estilo tiene ese teatro?

Más práctica Cuaderno *pp. 378–389* Cuaderno para hispanohablantes *pp. 380–389*

Get Help Online ClassZone.com

Differentiating Instruction

Slower-paced Learners

Peer-study Support Pair high proficiency students with low proficiency students. Have the pairs review Activities 1–5 together. Have stronger students show their partners how to correct and understand their mistakes. Then have them work together to come up with original examples or sentences for each activity.

Pre-AP

Timed Answer Provide students with many opportunities to practice the content of the lesson. Ask culture questions from the Repaso section or make up your own questions. You could also recite sentences that omit verb phrases or vocabulary. Give students 5–15 seconds to respond to you, depending on their proficiency and the difficulty of the question.

✓ **Ongoing Assessment**   @HomeTutor More Practice ClassZone.com

Intervention and Remediation If a student has more than two mistakes in any of the activities, direct him or her to the indicated review pages in the PE, and have him or her locate the information relevant to his/her mistakes. Ask him/her to make up one or two additional questions for the activity and give them to a friend to complete, checking the friend's work for accuracy.

Answers UTB 8 Transparency 31

Activity 3
1. Se me olvidaron las líneas.
2. Se nos cayó el accesorio.
3. A la directora se le ocurrió una gran idea.
4. Se te rompió el violín.

Activity 4
1. podía
2. conocieran
3. haya
4. hable
5. es
6. cayó

Activity 5 Answers may vary slightly.
1. Se hacen tablados en Uruguay durante Carnaval.
2. Las murgas son grupos de músicos y tablados son espectáculos musicales. Las actuaciones informales son parte de un teatro popular que critica la sociedad y la política.
3. El teatro más importante en Buenos Aires se llama el Teatro Colón.
4. El Teatro Colón tiene con un estilo italiano con adornos franceses.

Objectives

- Read two students' descriptions of their favorite authors.
- Students describe an important author from their country.
- Compare the students' author with those discribed by the two students.

Core Resources

- *Cuaderno*, pp. 390–392
- Audio Program: TXT CD 16, Track 12

Presentation Strategies

- Instruct students to read the title on p. 502. Go over the meaning of **cuna** (birthplace) and have them brainstorm and list on the board possible topics under this title. After reading the text, go back to the list and compare it to the content of the reading.
- Have students listen to the audio as they follow along in their text.
- Ask for volunteers to read the descriptions.

 STANDARDS

- **1.2** Understand language
- **1.3** Present information
- **3.1** Knowledge of other disciplines
- **4.2** Compare cultures

✓ Ongoing Assessment

Quick Check Have students respond **cierto** or **falso** based on the reading.

1. Jorge Luis Borges, Ernesto Sábato y Adolfo Bioy Casares son argentinos. (cierto)
2. Jorge Luis Borges hablaba inglés y español. (cierto)
3. Borges fue periodista. (falso)
4. Aníbal quiere estudiar en el Colegio Alemán de Valparaíso. (falso)
5. Gonzalo Rojas vivió en China por un tiempo. (cierto)
6. *El Tarapacá* es una novela de Rojas. (falso)

 Comparación cultural

 AUDIO

Cuna de autores famosos

Lectura y escritura

WebQuest
ClassZone.com

1 **Leer** Rafaela es argentina y Aníbal es chileno. A ellos les gusta mucho la literatura. Lee y compara las descripciones de dos de los autores más notables de sus países, ganadores del Premio Cervantes.

2 **Escribir** Después de leer sobre los autores favoritos de Rafaela y de Aníbal, elige un(a) escritor(a) importante de tu país. Busca información en Internet o en la biblioteca. Luego usa una tabla para organizar la información.

Nombre	Obras	Temas	Género	Premios
Carl Sandburg, Illinois, 1878	*Poemas de Chicago y Abraham Lincoln*	historia	poesía, cuentos	Premio Pulitzer

Paso 1 En Internet o en la biblioteca, busca información sobre un autor importante de tu país.

Paso 2 Organiza la información en una tabla de cinco columnas como la de arriba, incluyendo el nombre del autor, el lugar y el año en que nació, sus obras más importantes, los temas que trataba, los género(s) y sus premios.

Paso 3 Usa la información para escribir un ensayo de tres a cinco párrafos. Incluye una introducción, detalles y tus conclusiones o reflexiones. Luego revisa la gramática y la ortografía.

Compara con tu mundo

Compara el (la) escritor(a) de tu ensayo con los autores mencionados por Rafaela y Aníbal. ¿Tienen estilos parecidos? ¿Qué temas tratan? ¿Cuál es la diferencia más notable entre ellos?

Cuaderno *pp. 390–392*   Cuaderno para hispanohablantes *pp. 390–392*

Differentiating Instruction

Multiple Intelligences

Logical/Mathematical Have students create a chart comparing Borges and Rojas. They should begin with information in the reading but can expand their chart to include information from the Internet. The chart can include information like **país de origen, educación, trabajo(s), premios, novelas, experiencias internacionales,** and so on.

Heritage Language Learners

Literacy Skills Bring one of Borges's or Rojas's works to class and have a native speaker read an excerpt from it. If possible, show the excerpt on an overhead transparency or a handout for the rest of the class. Encourage a heritage learner to paraphrase the excerpt in Spanish or English.

Argentina

Rafaela

Hola, soy Rafaela Buchman y vivo en Buenos Aires, Argentina. Me encanta la literatura y quiero contarles que tres autores argentinos han ganado el premio Cervantes: Jorge Luis Borges, Ernesto Sábato y Adolfo Bioy Casares. A mí me encanta la obra de Borges, porque es un autor fascinante. Nació en Buenos Aires, vivió en Europa por un tiempo, y luego regresó a Buenos Aires, donde trabajó en la Biblioteca Nacional por muchos años. Escribía en español y en inglés, y sabía mucho latín. Sus cuentos son una mezcla de fantasía y realidad, con imágenes de laberintos, espejos y sueños. Ganó el premio Cervantes en 1979. Cuando aceptó el premio, dijo que "el escritor tiene que sentir, luego soñar, y luego dejar que le lleguen las fábulas".

Comparación cultural

Exploring the Theme

The **Premio Cervantes** was established in 1974 to honor the lifetime achievements of Spanish-language writers. Candidates are proposed or nominated by the language academies of Spanish-speaking countries, including the **Real Academia Española,** and by previous **Premio Cervantes** winners. The prize of 90,000 euros is awarded by the Spain's Ministry of Culture. The first prize was awarded in 1976 to Jorge Guillén. The writers mentioned here received their awards in 2003 (Rojas), 1990 (Bioy Casares), 1984 (Sábato), and 1979 (Borges). The prize is named after Miguel de Cervantes y Saavedra, the author of what is considered the first modern novel, **Don Quijote de la Mancha.**

Chile

Aníbal

¿Qué tal? Me llamo Aníbal Duarte y soy de Santiago de Chile. Me encanta escribir y pienso estudiar literatura en la Universidad de Santiago. Mi autor favorito es Gonzalo Rojas. Este escritor nació en Lebu, trabajó en el periódico El Tarapacá y luego creó la revista Letras. Estudió derecho en la Universidad de Santiago, dio clases en el Colegio Alemán de Valparaíso y participó en la creación de la universidad de esa ciudad. Fue consejero cultural en China y encargado de negocios en Cuba. Ganó muchísimos premios, entre ellos el Premio Cervantes en el año 2004.

El Cono Sur
quinientos tres   **503**

✓ Ongoing Assessment

Rubric Lectura y escritura

Writing Criteria	Very Good	Proficient	Not There Yet
Content	Essay includes a clear introduction, two to three informative paragraphs, and a conclusion.	Essay includes an introduction, at least one paragraph with some information, and a conclusion.	Essay includes an indistinguishable introduction, middle, and conclusion with very little information.
Communication	Essay is well organized and easy to follow.	Essay is fairly well organized and easy to follow.	Essay is disorganized and hard to follow.
Accuracy	Essay has very few mistakes in vocabulary and grammar.	Essay has some mistakes in vocabulary and grammar.	Essay has many mistakes in vocabulary and grammar.

Differentiating Instruction

Slower-paced Learners

Personalize It Ask students what kinds of material they prefer to read (**novelas, poesía, periódicos, revistas, tiras cómicas**). Allow students who prefer factual or informational reading to focus their compositions on a writer or publication they enjoy. Remind them to create a list of useful vocabulary before they get started.

Pre-AP

Support Ideas with Details Have students expand their essays and comparisons to include information about the genre and style of literature of the author they chose. Encourage them to include a brief summary of one of their favorite works.

Objective

- Introduce the final mission of the Desafío.

Core Resource

- El Gran Desafío Video: DVD 3

Presentation Strategies

- **Previewing** Have students look at the photos and comment on what the contestants seem to be doing in each. What might the significance be of the pictures of sheets, the clay pot, the seashells? Then ask a volunteer to read the **desafío** summary on p. 504 aloud. Elicit answers to the **Antes del video** questions. Ask students to support their answers with details.
- **Viewing** Review the **Toma apuntes** questions on p. 505. Encourage students to copy the questions in their notebooks or on a piece of paper, leaving space for the notes they'll write. Play the video, then allow students time to review their notes.
- **Post-viewing** Play the video again. Have volunteers read each of the **Después del video** questions and elicit answers from the class. Encourage students to say if they agree or disagree with any given answer.

STANDARDS

1.2 Understand Language
3.2 Acquire information
5.2 Life-long learners

Video Summary

@HomeTutor
VideoPlus
ClassZone.com

Before the final challenge, the group is hanging out on a beach. The professor, his face covered with sunscreen, approaches to describe the mission: to put on a small play that they will write. They will work as a single group, even though the final point will be awarded by team. Marco and Ana manage to borrow some sunscreen from the professor, and Carmen takes the lead. They create their stage between some palm trees and use some sheets as curtains. Their play, a reenactment of several of the best moments from the past challenges, includes Carmen playing the part of "Profesora". Afterwards, the professor has them write down who they think should win. All agree that Carmen and José are the final winners.

▶❙ ❙❙

504

VIDEO
DVD

EL DESAFÍO

En este último desafío, los equipos deben hacer una pequeña obra de teatro, escrita por ellos mismos. Pueden elegir el tema que quieran. Y pueden usar el vestuario, el maquillaje y los accesorios que prefieran. Pero, tienen que trabajar todos juntos, aunque la puntuación es por equipo.

Antes del video

1. Describe esta foto. ¿Dónde está el profesor? ¿Por qué crees que está allí?

2. ¿Qué está haciendo Marco? ¿Qué crees que necesita?

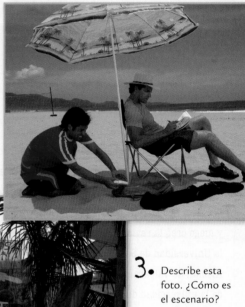

3. Describe esta foto. ¿Cómo es el escenario? ¿Qué crees que va a pasar allí?

Unidad 8
504 quinientos cuatro

Differentiating Instruction

Slower-paced Learners

Peer-study Support Have students review the notes they took while watching the video. Then ask them to work in pairs to answer the **Después del video** questions. If they have trouble answering a question because their notes are different, encourage them to watch the video again and work together to find the best answer.

Heritage Language Learners

Writing Skills Have students write the script for a play such as the one in the video. Encourage them to choose different moments from past challenges, and to vary the vocabulary. Then have them act out or share the script with the class.

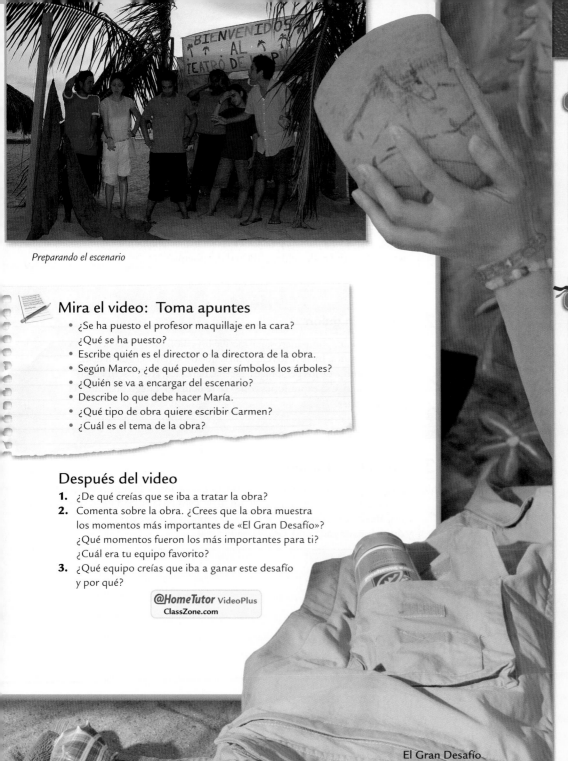

Preparando el escenario

Mira el video: Toma apuntes

- ¿Se ha puesto el profesor maquillaje en la cara? ¿Qué se ha puesto?
- Escribe quién es el director o la directora de la obra.
- Según Marco, ¿de qué pueden ser símbolos los árboles?
- ¿Quién se va a encargar del escenario?
- Describe lo que debe hacer María.
- ¿Qué tipo de obra quiere escribir Carmen?
- ¿Cuál es el tema de la obra?

Después del video

1. ¿De qué creías que se iba a tratar la obra?
2. Comenta sobre la obra. ¿Crees que la obra muestra los momentos más importantes de «El Gran Desafío»? ¿Qué momentos fueron los más importantes para ti? ¿Cuál era tu equipo favorito?
3. ¿Qué equipo creías que iba a ganar este desafío y por qué?

@HomeTutor VideoPlus
ClassZone.com

El Gran Desafío
quinientos cinco **505**

Communication
Group Work

Have students work in groups of three or four to take various polls of their classmates. Poll topics can include "Do you use sunscreen?", "Have you ever acted in a play?", or "What was your favorite challenge?" Have each group chart the results and present them to the class.

Communication
Role-Playing and Skits

Ask students to work in pairs to write a script based on a memorable moment from the past seven challenges. Have pairs assume the roles of two teammates, then encourage them to perform the scene for the class.

Differentiating Instruction

Pre-AP

Draw Conclusions Have students discuss in pairs why they think Carmen turned out to be the leader in this last challenge. Did they think she did a good job? How might the scene have been different had Marco or Luis been the leader?

Inclusion

Cumulative Instruction Have students refer back to the chart they created for Unidad 1 with the columns: Team / Names / Challenge / + / – / Winners. Remind them that the + and – columns were for notes about what each team member did well (+) and not so well (–). Have them fill in the chart for the rest of the challenges, then discuss which challenges and teams they liked the best.

Answers

Después del video Answers will vary.
Sample answers:
1. Yo creía que la obra se iba a tratar de una visita a la playa.
2. Sí (No, no) creo que la obra muestra los momentos más importantes de «El Gran Desafío». Los momentos más importantes para mí fueron cuando Luis y María empezaron a llevarse bien, y cuando Marco cantó con la banda Mariachi. Mi equipo favorito era el de José y Carmen.
3. Creía que el equipo de Marco y Ana iba a ganar este desafío porque eran los más atrevidos de todos los participantes.

Objective
· Unit Culmination

Core Resource
· Audio Program: TXT CD 16 Track 13

Review Options
· **Activity 1:** Transitional practice: listening comprehension
· **Activity 2:** Open-ended practice: writing, speaking
· **Activity 3:** Open-ended practice: writing
· **Activity 4:** Open-ended practice: speaking, writing
· **Activity 5:** Open-ended practice: writing
· **Activity 6:** Open-ended practice: speaking, writing, speaking
· **Activity 7:** Open-ended practice: speaking

STANDARDS

1.1 Engage in conversation, Act. 4, 7
1.2 Understand language, Act. 1, 5
1.3 Present information, Act. 1, 2, 3, 4, 5, 6, 7
3.2 Acquire information, Act. 6

Long-term Retention
Recycle

Review with students the preterite and imperfect tenses. Provide several examples of both verb structures in sentences to help remind students of when to use each. Then ask students to construct a few sentences about their own past using those tenses.

Answers   UTB 8 Transparency 31

Activity 1
1. 1 y 3, 2 y 4;
2. Answers will vary. Possible answer: el poema da la idea de movimiento;
3. De dos amigas;
4. *ejemplo de símil:* como una espiga ondularemos, *ejemplo de metáfora:* seremos una danza;
5. con una flor, con una espiga
6. una danza

506

Repaso inclusivo
♻ Options for Review

Audio Program
TXT CD 16 Track 13
Audio Script, TE p. 475B

1   Escucha y comprende

Escuchar
Hablar
Escribir

Escucha este poema de Gabriela Mistral. Presta mucha atención a la rima y al ritmo. Luego, contesta las preguntas a continuación.

1. ¿Cuáles de los versos de cada estrofa riman?
2. ¿Qué impresión te da el ritmo del poema?
3. ¿Quiénes son las protagonistas del poema?
4. ¿Qué ejemplos de símil y metáfora puedes identificar en el poema?
5. ¿Con qué compara la poetisa a las dos niñas del poema?
6. ¿Qué serán las dos chicas al final del poema?

2   Escribe un guión

Escribir
Hablar

Con un(a) o dos compañeros(as), escribe un guión breve para una obra de teatro cómica. Incluye los elementos que debe tener el guión de un drama (nombre de los personajes, escena, narrador, etc.). Escribe sólo el primer acto. Usa expresiones como **se le ocurrió.** Luego presenten el guión a la clase.

3   Planea tus vacaciones

Escribir

Escoge tres lugares adonde te gustaría ir de vacaciones. El primer lugar debe ser una ciudad grande, el segundo un lugar lejos de la ciudad y el tercero un campamento. Escribe un ensayo en que explicas por qué elegiste esos lugares y qué harías en cada uno. Usa el condicional.

Differentiating Instruction

Pre-AP

Support Ideas with Details Instruct students to add to their writing for Activity 3 by describing places they have already gone on vacation. The descriptions should include where they went, how long they were there, what they did, and what their favorite part of the trip was. Remind students to use the preterite tense.

Inclusion

Clear Structure For Activity 3, have students draw three circles with the labels **Ciudad grande, Lejos de la ciudad,** and **Campamento.** After filling in their destinations, have them make a web of smaller circles for each main circle. In the smaller circles, students should write why they chose that place and what they would do there.

4 | Escribe un diálogo

Hablar
Escribir

Con tus compañeros forma un grupo de cuatro personas. Cada uno representará a un héroe de la vida diaria (por ejemplo bombero[a], policía, médico[a] o trabajador[a]). Escriban un diálogo donde cada uno empiece con la frase **Si yo fuera** y luego expliquen lo que harían. Los otros miembros del grupo deben decirle cosas como **es importante que...** o **yo quisiera que tú...**

5 | Escribe una carta

Escribir

Escríbeles una carta a unos patrocinadores para que donen dinero para un proyecto de acción social que tú organizas. Cuéntales lo que has hecho ya y lo que has planeado. Luego explícales qué harás en el futuro para lograr tus objetivos.

6 | Investiga y reporta

Leer
Escribir
Hablar

En Internet, busca un sitio en español sobre los problemas del medio ambiente en Latinoamérica. Imprime la página. Subraya los verbos en el pretérito y haz un círculo alrededor de los verbos en el imperfecto. Luego escribe una lista de mandatos para resolver los problemas que se mencionan en esa página. Léele los mandatos a la clase.

7 | Opina

Hablar

Tu compañero(a) y tú son consejeros(as) de una empresa que hace aviones. Ustedes les dan sus opiniones sobre cómo habrán cambiado los aviones en 150 años. Pueden hacer comentarios positivos o negativos. Usen el futuro perfecto para su descripción.

✓ Ongoing Assessment

**Integrated Performance Assessment
Rubric Oral Activities 2, 4, 7
Written Activities 1–6**

Very Good	Proficient	Not There Yet
Student thoroughly develops all requirements of the task.	Student develops most requirements of the task.	Student does not develop the requirements of the task.
Student demonstrates excellent control of verb forms.	Student demonstrates good-to-fair control of verb forms.	Student demonstrates poor control of verb forms.
Good variety of appropriate vocabulary.	Adequate variety of appropriate vocabulary.	Vocabulary is not appropriate.
Pronunciation is excellent to very good.	Pronunciation is good to fair.	Pronunciation is poor.

Differentiating Instruction

Slower-paced Learners

Personalize It Personalize Activity 5 by having students choose a school problem that they would like to solve. Have them write a letter to the principal to convince him or her to support their ideas. Before they write the letter, have them make a chart with three columns saying what they have already done, what they have planned to do, and what they will do in the future.

Multiple Intelligences

Visual Learners For Activity 7, have students make a diagram of the plane of the future. As they talk about the plane, they can point out its features.

Answers UTB 8 Transparency 31

Activities 2–7 Answers will vary.

507

¿?Entre dos

Pair Activities

Objectives
· Talk about nature

Core Resources
· Conversation cards, One-Stop Planner

STANDARDS
1.1 Engage in conversation

Possible Answer

A: Dónde podemos escalar?

B: Podemos escalar en el parque Irsu. ¿Dónde podemos observar (mirar) la naturaleza (las mariposas)?

A: Podemos observar (mirar) la naturaleza (las mariposas) en el parque Rifi. ¿Dónde podemos hacer una caminata?

B: Podemos hacer una caminata en el parque Rifi. ¿Dónde podemos utilizar el transporte público?

A: Podemos utilizar el transporte público en el parque Irsu. ¿Dónde podemos encender una fogata?

B: Podemos encender una fogata en el parque Irsu. ¿Dónde podemos acampar (montar una tienda de campaña)?

A: Podemos acampar (montar una tienda de campaña) en el parque Rifi. ¿Dónde podemos montar en bicicleta?

B: Podemos montar en bicicleta en el parque Rifi. ¿Dónde podemos navegar por rápidos?

A: Podemos navegar por rápidos en el parque Irsu.

Possible answer:
El año pasado acampé en... con mi familia. Hicimos caminatas y encendimos fogatas de noche.

UNIDAD 1 — Entre dos • Lección 1

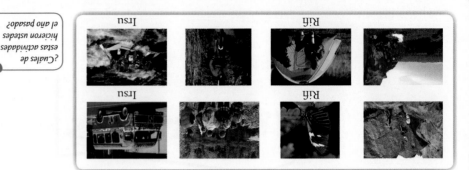

¿Cuáles de estas actividades hicieron ustedes el año pasado?

Estudiante A

Tu compañero(a) y tú quieren hacer un folleto para los parques Irsu y Rifi. Tú sabes algunas actividades que pueden hacer en los parques y tu compañero(a) sabe qué otras actividades pueden hacer. Túrnense para preguntar y contestar en qué parque pueden hacer qué actividad.

Estudiante A: ¿Dónde podemos...?

Estudiante B: Podemos... en el parque... ¿Dónde podemos...?

En Rifi puedes...   En Irsu puedes...

Folletos

Tu compañero(a) y tú quieren hacer un folleto para los parques Irsu y Rifi. Tú sabes algunas actividades que pueden hacer en los parques y tu compañero(a) sabe qué otras actividades pueden hacer. Túrnense para preguntar y contestar en qué parque pueden hacer qué actividad.

Estudiante A: ¿Dónde podemos...?

Estudiante B: Podemos... en el parque... ¿Dónde podemos...?

En Rifi puedes...   En Irsu puedes...

Estudiante B

Irsu   Rifi

Irsu   Rifi

¿Cuáles de estas actividades hicieron ustedes el año pasado?

Differentiating Instruction – Lección 1

Multiple Intelligences

Naturalist Have students research a nature park or other outdoor place of interest and bring photos to class and share their findings. They should talk about the park itself, identify what makes it unique, and discuss the activities that are possible at the park.

Heritage Language Learners

Expand and Elaborate Have students delete the text selected (sorry, used the wrong edit mark!) select one of the parks discussed. Ask them to imagine they camped there over the weekend. Working in pairs, they should say where they went and what they did.

Entre dos • Lección 2

Estudiante A

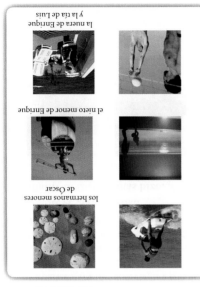

la nuera de Enrique y la tía de Luis

el nieto menor de Enrique

los hermanos menores de Oscar

¿Quiénes son los más activos?
¿Quiénes son los más tranquilos?

Enrique Díaz (abuelo)

Raúl Díaz y Ana Torres (esposos)

Antonio, Luis y Oscar (hijos)

Estudiante B: ... ¿Quién...?

Estudiante A: ¿Quién...?

Ésta es una foto que sacó Elisa, la hermana de Ana. Túrnense tu compañero(a) y tú para preguntar quién hizo las actividades de las fotos el verano pasado y luego contestar con el nombre de la persona.

El verano pasado

El verano pasado

Ésta es una foto que sacó Elisa, la hermana de Ana. Túrnense tu compañero(a) y tú para preguntar quién hizo las actividades de las fotos el verano pasado y luego contestar con el nombre de la persona.

Estudiante A: ¿Quién...?

Estudiante B: ... ¿Quién...?

Enrique Díaz
(abuelo)

Raúl Díaz y Ana Torres
(esposos)

Antonio, Luis y Oscar (hijos)

¿Quiénes son los más activos?
¿Quiénes son los más tranquilos?

Estudiante B

el cuñado de Elisa

el hermano menor de Luis
y el suegro de Ana

el sobrino mayor de Elisa

Differentiating Instruction – Lección 2

Slower-paced Learners

Read before Listening Before starting the conversations with their partners, have students read all the captions they have for the photos shown in their section. Have them identify the activities in Spanish in all the images before starting the activity.

Pre-AP

Summarize After completing the activity, have students write a short paragraph summarizing what the Díaz family did last summer. Have them include as many details as they can remember in their summary.

Objectives

· Talk about family vacations
· Discuss activities, skills, and abilities

Core Resources

· Conversation cards, One-Stop Planner

STANDARDS

1.1 Engage in conversation

Possible Answer

A: ¿Quién condujo motos acuáticas?

B: Raúl condujo motos acuáticas. ¿Quién recogió caracoles?

A: Enrique y Luis recogieron caracoles. ¿Quién caminó por la playa y vio la puesta del sol?

B: Antonio y Enrique caminaron por la playa y vieron la puesta del sol. ¿Quién paseó en canoa?

A: Antonio paseó en canoa. ¿Quién jugó al voleibol playero?

B: Óscar jugó al voleibol playero. ¿Quién hizo un crucero y merendó en la cubierta?

A: Ana y Elisa hicieron un crucero y merendaron en la cubierta.

Answer:
Óscar, Antonio y Raúl son más activos. Enrique, Elisa, Ana y Luis son más tranquilos.

Long-term Retention

 **Recycle**

For additional practice, read aloud true-false statements about the summer activities the Díaz family participated in over the summer. Have students correct the false statements.

511

Objectives

· Describe volunteer activities
· Organize people to do a project

Core Resources

· Conversation cards, One-Stop Planner

 STANDARDS

1.1 Engage in conversation

Possible Answer

A: ¿Qué hizo Diego?

B: Delegó tareas para cumplir con sus objetivos de reciclar más. ¿Qué más hizo él?

A: Cumplió con los objetivos de reciclaje. ¿Qué hizo Jasmín?

B: Escribió artículos para proyectos de acción social. ¿Qué más hizo Jasmín?

A: Colaboró en el diseño de anuncios de prensa y radio con mucha creatividad. ¿Qué hizo Pilar?

B: Recaudó fondos para su club de teatro. ¿Qué más hizo Pilar?

A: Solicitó anuncios en periódicos y revistas locales. ¿Qué hizo Ernesto?

B: Hizo los presupuestos para un comedor de beneficiencia. ¿Qué más hizo Ernesto?

B: Organizó los horarios para los voluntarios.

Possible dialog:

A: ¿A quién elegirías para presidente?

B: Yo elegiría a Pilar porque sabe delegar y comunicarse con periódicos y revistas. Y tú, ¿a quién elegirías?

A: Estoy de acuerdo contigo. Y de vice presidente yo elegiría a Jasmín porque sabe escribir artículos y colaborar en anuncios de publicidad.

Possible answer:
Para ser presidente de una campaña de publicidad es importante saber delegar, pedir dinero y conseguir publicidad. Para ser vice presidente es importante poder crear y anunciar los lemas de la campaña a la comunidad.

512

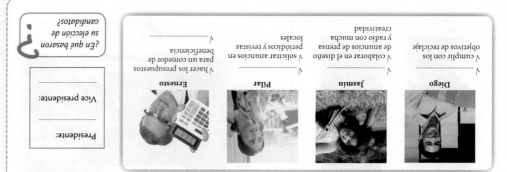

Proyecto de acción social

Tu compañero(a) y tú van a elegir a dos estudiantes para organizar la campaña de publicidad para un comedor para gente sin hogar. Túrnense para preguntar y decir qué información falta de los candidatos de las fotos.

Estudiante A: ¿Qué hizo...?
Estudiante B: ... ¿Qué más hizo...?

Con base en esa información, elijan un(a) presidente y un(a) vice presidente.

Estudiante A: ¿A quién elegirías...?
Estudiante B: ... Y tú, ¿a quién...?

Estudiante B

Diego
√ delegar tareas para cumplir con sus objetivos
√ _____

Jasmín
√ escribir artículos para proyectos de acción social
√ _____

Pilar
√ recaudar fondos para su club de teatro
√ _____

Ernesto
√ _____
√ organizar los horarios de los voluntarios

Presidente:
_____

Vice presidente:
_____

¿En qué basaron su elección de candidatos?

Differentiating Instruction – Lección 1

Pre-AP

Support Ideas with Details Have students assume the identity of one of the students presented in the images. Have them write a letter to apply for the position, explaining why they are the best candidate and providing details to support their theory.

Inclusion

Clear Structure Before students begin the activity, remind students that there are two tasks associated with this activity. While completing the first task, have students record notes on their own paper. Then, have them use their notes to complete the second task.

512

Entre dos • Lección 2

UNIDAD 2

¿Quiénes donaron dinero o trabajaron de voluntarios?

otorgar una entrevista

el patrocinador

comprar los periódicos, sólo leer los titulares

el público

donar para apoyar los programas educativos

el fotógrafo

los editores

la telespectadora

Estudiante A: Es importante...

Estudiante B: ...

Estudiante A: ¿Qué hizo/hicieron...?

Con tu compañero(a), túrnense para preguntar y decir qué hicieron las personas de las fotos. Luego reaccionen usando expresiones impersonales con el verbo en infinitivo.

¡A investigar!

Estudiante A

	qué hicieron	tu reacción
los editores		
el fotógrafo		
el patrocinador		

¡A investigar!

Con tu compañero(a), túrnense para preguntar y decir qué hicieron las personas de las fotos. Luego reaccionen usando expresiones impersonales con el verbo en infinitivo.

Estudiante A: ¿Qué hizo/hicieron...?

Estudiante B: ...

Estudiante A: Es importante...

Estudiante B

	qué hicieron	tu reacción
la candidata		
la telespectadora		
el público		

la telespectadora

el fotógrafo

sacar fotos para las reseñas de restaurantes

los editores

elegir las mejores fotos para su reseña

la candidata

el patrocinador

organizar el teletón

el público

¿Quiénes donaron dinero o trabajaron de voluntarios?

Objectives
· Talk about the media and the community
· Impersonal expressions

Core Resources
· Conversation cards, One-Stop Planner

STANDARDS
1.1 Engage in conversation

Possible Answer

A: ¿Qué hicieron los editores?

B: Eligieron las mejores fotos para su reseña.

A: Es interesante elegir fotos para una reseña.

B: ¿Qué hizo la candidata?

A: Ortogó una entrevista.

B: Es bueno otorgar entrevistas.

A: ¿Qué hizo el fotógrafo?

B: Sacó fotos para las reseñas de restaurantes.

A: Es divertido sacar fotos.

B: ¿Qué hicieron las telespectadoras?

A: Donaron para apoyar los programas educativos.

B: Es importante apoyar los programas educativos.

A: ¿Qué hizo el patrocinador?

B: Organizó el teletón.

A: Es difícil organizar un teletón.

B: ¿Qué hizo el público?

A: Compró los periódicos pero sólo leyó los titulares.

B: Es mejor leer los artículos, no sólo los titulares.

Possible answer:
Las telespectadoras donaron dinero y el patrocinador trabajó de voluntario cuando organizó el teletón.

Differentiating Instruction – Lección 2

Inclusion

Frequent Review/Repetition Before beginning the activity, review with students the formation of the preterite as well as impersonal expressions.

Multiple Intelligences

Kinesthetic Learners Instead of using the images provided in the activity, have them act out similar activities for their partner to guess. Then, students should make a statement about the action using an impersonal expression.

Objectives

- Express environmental concerns and possibilities
- Future tense

Core Resources

- Conversation cards, One-Stop Planner

STANDARDS

1.1 Engage in conversation

Possible Answer

A: Qué proyecto investigará el medio ambiente?

B: Proyecto Renovación. ¿Qué proyecto protegerá las especies en peligro de extinción?

A: Proyecto TerraMundo. ¿Qué proyecto trabajará para disminuir el efecto invernadero?

B: Proyecto Soluciónes. ¿Qué proyecto informará sobre el medio ambiente?

A: Proyecto TerraMundo. ¿Qué proyecto planificará para eliminar las inundaciones?

B: Proyecto Renovación. ¿Qué proyecto desarrollará innovaciones con los recursos?

A: Proyecto Transformación. ¿Qué proyecto combatirá la deforestación?

B: Proyecto Renovación. ¿Qué proyecto colaborará con la comunidad para reutilizar basura?

A: Proyecto TerraMundo.

Answer:

Proyecto TerraMundo y Proyecto Renovación trabajan más con el público y con la comunidad.

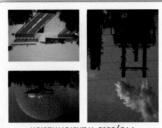
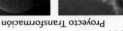

Agencia Míralotodo

Proyecto Transformación   Proyecto Terramundo

¿Qué proyectos trabajan más con el público y con la comunidad?

Estudiante A

Agencia TeleMerca

¿Qué proyecto...	Soluciones	Renovación
investigará el medio ambiente		
trabajará para disminuir el efecto invernadero		
planificará para eliminar inundaciones		
combatirá la deforestación		

Estudiante A: ¿Qué proyecto...?
Estudiante B: ... ¿Qué proyecto...?

Tu compañero(a) y tú trabajan para una agencia de publicidad que quiere patrocinar un proyecto nuevo. Túrnense para preguntar qué proyecto cumple con las preferencias de su agencia, y elige el mejor.

Proyectos para el planeta

Tu compañero(a) y tú trabajan para una agencia de publicidad que quiere patrocinar un proyecto nuevo. Túrnense para preguntar qué proyecto cumple con las preferencias de su agencia, y elige el mejor.

Estudiante A: ¿Qué proyecto...?

Estudiante B: ... ¿Qué proyecto...?

Estudiante B

Agencia Míralotodo		
¿Qué proyecto...	Terramundo	Transformación
protegerá especies en peligro de extinción		
informará sobre el medio ambiente		
desarrollará innovaciones con los recursos		
colaborará para reutilizar basura		

Agencia Telemerca

Proyecto Soluciones   Proyecto Renovación

¿Qué proyectos trabajan más con el público y con la comunidad?

Differentiating Instruction – Lección 1

Heritage Language Learners

Support Ideas with Details Have students select one of the projects listed and present it to the rest of the class. They should include details about the project's plans, costs, and the time it will take to complete. Students could also create their own company if they prefer.

Multiple Intelligences

Intrapersonal Have students think about the two projects and write about them in their journal. Have them reflect on which one they feel is better and why.

Entre dos • Lección 2

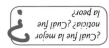

Novedades en breve

Estudiante A

Tu compañero(a) y tú tienen las noticias en breve de dos periódicos digitales sobre novedades en las ciencias. Se desconectan del Internet y no pueden leer el artículo entero. Túrnense para comparar y reaccionar a las noticias según el modelo.

Estudiante A: ¡Qué raro! Según el artículo, penalizaron a... por...

Estudiante B: Bueno, parece que... contamina...

Estudiante A: Es lógico (raro / una lástima / bueno / necesario / peligroso) que...

Noticias del rincón científico

Penalizan al científico	Acampa Ocampo	La Recicleta	Joven de 14 años gana
Robles-Pérez por inventar SolAire, purificador de aire...	comercializa Tiendas EcoAluminio y Ciudadanos Responsables...	es un fracaso, advierte la organización prospera, critican algunos...	el premio "Científico Modelo" por su Esmógrafo...

¿Cuál fue la mejor noticia? ¿Cuál fue la peor?

Novedades en breve

Estudiante B

Tu compañero(a) y tú tienen las noticias en breve de dos periódicos digitales sobre novedades en las ciencias. Se desconectan del Internet y no pueden leer el artículo entero. Túrnense para comparar y reaccionar a las noticias según el modelo.

Estudiante A: ¡Qué raro! Según el artículo, penalizaron a... por...

Estudiante B: Bueno, parece que... contamina...

Estudiante A: Es lógico (raro / una lástima / bueno / necesario / peligroso) que...

Novedades del planeta

Descubren que el SolAire	La compañía LucEs Oro	Satisface el Esmógrafo al	¿Solución para la gente sin hogar?
no mejora el aire sino que lo contamina...	invierte tres millones de dólares en la Recicleta...	público: es útil y despierta la conciencia social sobre el smog...	Donan miles de tiendas de campaña de aluminio reciclado...

 ¿Cuál fue la mejor noticia? ¿Cuál fue la peor?

Differentiating Instruction – Lección 2

Multiple Intelligences

Linguistic/Verbal Have pairs of students imagine they are reporters and have them create a news show with the featured news items. They should build in transitions between the stories to make it sound more natural. Have them present their news reports to the class.

Slower-Pace Learners

Memory Aids Remind students that many of the terms they have learned in this unit include cognates. Have them scan the news reports and identify at least five cognates in each one. Students could use the cognates in their conversations.

Objectives

· Express a point of view and make a recommendation
· Subjunctive

Core Resources

· Conversation cards, One-Stop Planner

STANDARDS

1.1 Engage in conversation

Possible Answer

A: ¡Qué raro! Según el artículo, penalizaron al científico Robles-Pérez por inventar SolAire.

B: Bueno, parece que SolAire contamina el aire.

A: Entonces es lógico que lo penalicen.

B: Parece que la compañía LucEs Oro invirtió tres millones de dólares en la Recicleta.

A: ¡Qué pena! Según los Ciudadanos Responsables, la Recicleta es un fracaso.

B: Es una lástima que sea un fracaso.

A: ¡Increíble! Un joven de 14 años ganó el premio Científico Modelo por su invento, el Esmógrafo.

B: El Esmógrafo tuvo éxito: es útil y despierta la conciencia social del público.

A: Es bueno que gane el premio. (Es importante que los jóvenes emprendan solucionar problemas/despertar la conciencia social.)

B: ¡Qué buena idea! Donaron miles de tiendas de campaña de aluminio reciclado a la gente sin hogar.

A: ¿De veras? Parece que la compañía AcampaOcampo comercializó el producto y tuvo éxito.

B: Es una lástima que ganen dinero de un producto para los pobres.

Possible answer:
La mejor noticia es que un joven desarrolló un invento como el Esmógrafo. La peor noticia es que SolAire no mejora el aire sino que lo contamina.

515

Objectives
· Describe people
· Subjunctive with verbs of influence

Core Resources
· Conversation cards, One-Stop Planner

STANDARDS
1.1 Engage in conversation
1.2 Understand language

Possible Answer

A: ¿Cómo es Karin?

B: Es paciente y modesta pero tímida. ¿Cómo es Pedro?

A: Es trabajador y simpático pero un poco desorganizado.

B: Sugiero que recomendemos a Pedro porque un trabajador social trata con muchas personas.

A: A mí los dos me parecen buenos candidatos.

B: ¿Cómo es Óscar?

A: Es atrevido y comprensivo pero un poco presumido. ¿Cómo es Agustín?

B: Es considerado y dedicado pero un poco orgulloso.

A: Sugiero que recomendemos a Agustín porque un detective debe ser dedicado.

B: Prefiero que recomendemos a Óscar porque un detective tiene que ser atrevido.

A: Bueno. ¿Cómo es Juana?

B: Es sincera y razonable pero un poco inconsiderada. ¿Cómo es Manuel?

A: Es simpático y brillante pero perezoso. Ninguno de los dos me parece sobresaliente.

B: De acuerdo. ¿Cómo es Carmen?

A: Es sobresaliente, organizada y competitiva. ¿Cómo es Paula?

B: Es ingeniosa y práctica pero tímida.

A: Sugiero que recomendemos a Carmen porque un piloto no debe ser tímido.

B: Pero es importante que un piloto sea ingenioso.

A: Insisto en que no recomendemos a un candidato tímido porque es más probable que tenga un accidente.

Answers will vary.

516

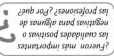

UNIDAD 4 | Entre dos • Lección 1

Las cualidades

Estudiante A

Tu compañero(a) y tú trabajan para una agencia de empleo. Para cada puesto, tienen dos candidatos con experiencia similar pero con distintas cualidades. Túrnense para juntar la información y decidir qué candidato es el mejor para cada puesto.

Estudiante A: ¿Cómo es...?
Estudiante B: Es... ¿Cómo es...?

Estudiante B: Sugiero que ... porque...
Estudiante A: Estoy de acuerdo. (No estoy de acuerdo. Prefiero que... porque...)

Puesto	Candidato	Cualidades	Candidato	Cualidades
Trabajador social	Karin		Pedro	simpático un poco desorganizado
Detective	Óscar	comprensivo atrevido un poco presumido	Agustín	
Programador	Juana		Manuel	simpático brillante un poco perezoso
Piloto	Carmen	sobresaliente organizada muy competitiva	Paula	

¿Fueron más importantes las cualidades positivas o negativas para algunas de las profesiones? ¿Por qué?

Las cualidades

Estudiante B

Tu compañero(a) y tú trabajan para una agencia de empleo. Para cada puesto, tienen dos candidatos con experiencia similar pero con distintas cualidades. Túrnense para juntar la información y decidir qué candidato es el mejor para cada puesto.

Estudiante A: ¿Cómo es...?
Estudiante B: Es... ¿Cómo es...?

Estudiante B: Sugiero que ... porque...
Estudiante A: Estoy de acuerdo. (No estoy de acuerdo. Prefiero que... porque...)

Puesto	Candidato	Cualidades	Candidato	Cualidades
Trabajador social	Karin	paciente modesta un poco tímida	Pedro	
Detective	Óscar		Agustín	considerado dedicado un poco orgulloso
Programador	Juana	sincera razonable un poco inconsiderada	Manuel	
Piloto	Carmen		Paula	ingeniosa práctica un poco tímida

¿Fueron más importantes las cualidades positivas o negativas para algunas de las profesiones? ¿Por qué?

Differentiating Instruction – Lección 1

Slower-paced Learners

Personalize It Instead of using the candidates featured on the page, have students use characters from their favorite shows or movies to complete the activity. They could brainstorm a list of "candidates" before they begin the activity.

Pre-AP

Draw Conclusions Have students discuss the final follow-up question about the significance of good points versus bad points when selecting job candidates. Have them reflect on some specific examples and then base an opinion on those examples. Have groups of students try to agree on a response to the question and explain why.

Entre dos • Lección 2

Mario   Patricia   Alex   Luis

¿Qué profesión tiene?

Estudiante A

Tu compañero(a) y tú quieren adivinar las profesiones de las personas del cuadro. Antes de preguntarse qué hace cada persona, identifiquen la profesión de las personas en las fotos y piensen en algunas pistas. Luego, túrnense para preguntar y decir qué hacen las personas y adivinar (guess) su profesión.

Estudiante A: ¿Qué hace...?
Estudiante B: Trabaja con... (Apaga... / Protege...)
Estudiante A: ¿Es...?

	¿Qué hace / lleva / usa?	Profesión
Álvaro		
Graciela		
Felipe		
Beni		

¿Quiénes tienen profesiones artísticas? ¿Quiénes tienen que mantenerse en forma?

UNIDAD 4

¿Qué profesión tiene?

Tu compañero(a) y tú quieren adivinar las profesiones de las personas del cuadro. Antes de preguntarse qué hace cada persona, identifiquen la profesión de las personas en las fotos y piensen en algunas pistas. Luego, túrnense para preguntar y decir qué hacen las personas y adivinar (guess) su profesión.

Estudiante A: ¿Qué hace...?
Estudiante B: Trabaja con... (Apaga... / Protege...)
Estudiante A: ¿Es...?

Estudiante B

	¿Qué hace / lleva / usa?	Profesión
Mario		
Patricia		
Álex		
Luis		

Álvaro   Graciela   Felipe   Beni

¿Quiénes tienen profesiones artísticas? ¿Quiénes tienen que mantenerse en forma?

Differentiating Instruction – Lección 2

Heritage Language Learners

Expand and Elaborate Have students continue the activity using other professions as prompts. They can start their conversations with **Esta persona hace... trabaja con...,** and so on and their partner should try to guess the profession.

Pre-AP

Communicate Preferences Have students select the profession pictured on the page they would most like to try and explain why.

Objectives
· Describe people and things

Core Resources
· Conversation cards, One-Stop Planner

STANDARDS
1.1 Engage in conversation

Possible Answer

A: ¿Qué hace Álvaro?

B: Trabaja con cerámica.

A: ¿Es artista?

B: Sí. ¿Qué hace Mario?

A: Apaga incendios.

B: ¿Es policía?

A: No, usa mucha agua para proteger a la gente.

B: ¿Es bombero?

A: Sí. ¿Qué hace Graciela?

B: Toca el violín.

A: ¿Es música?

B: Sí. ¿Qué hace Patricia?

A: Escribe libros.

B: ¿Es escritora?

A: Sí. ¿Qué hace Felipe?

B: Es médico para los animales.

A: ¿Es veterinario?

B: Sí. ¿Qué hace Alex?

A: Trabaja con madera.

B: ¿Es artista?

A: No. Hace muebles de madera.

B: ¿Es carpintero?

A: Sí. ¿Qué hace Beni?

B: Lleva el correo a la gente.

A: ¿Es cartero?

B: Sí. ¿Qué hace Luis?

A: Protege a la gente, lleva uniforme y conduce un carro con luces arriba.

B: ¿Es policía?

A: Sí.

Answer:
Patricia, Alex, Álvaro y Graciela tienen profesiones artísticas. Mario, Luis y Beni tienen que mantenerse en forma.

517

Objectives
· Talk about personal items

Core Resources
· Conversation cards, One-Stop Planner

STANDARDS
1.1 Engage in conversation
1.2 Understand language

Possible Answer

A: ¿Tienen una cartera que (yo) pueda usar para guardar el pasaporte?

B: No, tienen una cartera de cuero que es demasiado pequeña. ¿Tienen una computadora portátil con pantalla ancha?

A: Parece que sí, te marco la página. ¿Tienen una bolsa que sirva para llevar una computadora portátil?

B: Parece que sí, te marco la página. ¿Tienen una agenda electrónica que no llame la atención?

A: Parece que sí, te marco la página. ¿Tienen un paraguas que refleje los rayos del sol?

B: No, tienen un paraguas normal. ¿Tienen una cámara digital que no sea más grande que un teléfono celular?

A: No, tienen una cámara digital que es más grande. ¿Tienen gafas de sol que transformen la energía solar en electricidad?

B: No, tienen gafas de sol normales. ¿Tienen un escáner que yo pueda esconder en la cómoda?

A: Parece que sí. Te marco la página.

Possible answer:
No pudimos encontrar ni la cartera, ni el paraguas, ni la cámara digital, ni las gafas de sol que queríamos.

Estudiante A

Lo que encuentras en sitios de computación y cámaras

Nos falta...

Cuando llegan a Perú, tu compañero(a) y tú no tienen todas las cosas que necesitan y piensan comprarlas por Internet. Tu compañero(a) busca en sitios de computación y cámaras mientras tú buscas en sitios de ropa y accesorios. Túrnense para preguntar si los sitios web tienen lo que buscan.

Estudiante A: ¿Tienen... que...?
Estudiante B: Sí, (No, no) tienen... ¿Tienen... que...

— cartera / (yo) poder usar para guardar el pasaporte
— bolsa / servir para llevar una computadora portátil
— paraguas / resistir vientos fuertes
— gafas de sol / transformar la energía solar en electricidad

¿Qué no pudieron encontrar en Internet?

Nos falta...

Cuando llegan a Perú, tu compañero(a) y tú no tienen todas las cosas que necesitan y piensan comprarlas por Internet. Tu compañero(a) busca en sitios de computación y cámaras mientras tú buscas en sitios de ropa y accesorios. Túrnense para preguntar si los sitios web tienen lo que buscan.

Estudiante A: ¿Tienen... que...?
Estudiante B: Sí, (No, no) tienen... ¿Tienen... que...

— computadora portátil / tener una pantalla ancha
— agenda electrónica / no llamar la atención *(attract attention)*
— cámara digital / ser más pequeña que un teléfono celular
— escáner / (yo) poder esconder en la cómoda

¿Qué no pudieron encontrar en Internet?

Estudiante B

Lo que encuentras en sitios de ropa y accesorios

Differentiating Instruction – Lección 1

Multiple Intelligences

Visual Learners Once the activity is complete, have them create a mockup of a Web page that would sell the items they are seeking. Have them include illustrations on their Web site, prices, and descriptions of the items they are seeking.

Inclusion

Clear Structure As students complete the activity, have them break down each communicative task into two parts. Have them first ask simply whether or not they found the item. If the answer is yes, have them then ask about the item using the prompt provided.

Entre dos • Lección 2

Si pudiéramos...

Estudiante B: Pues, jugaría más a... con... Y tú, ¿qué harías...? (Y tú, ¿qué más harías?)

Estudiante A: ¿Qué harías si tuvieras la oportunidad?

Tu compañero y tú están hablando de cómo vivirían o qué harían si tuvieran la oportunidad. Túrnense para preguntar y decir cómo viviría o qué haría cada uno según el modelo.

Estudiante A

¿Quién trabajaría más para ayudar a la comunidad o el planeta?

Si pudiéramos...

Tu compañero y tú están hablando de cómo vivirían o qué harían si tuvieran la oportunidad. Túrnense para preguntar y decir cómo viviría o qué haría cada uno según el modelo.

Estudiante A: ¿Qué harías si tuvieras la oportunidad?

Estudiante B: Pues, jugaría más a... con... Y tú, ¿qué harías...? (Y tú, ¿qué más harías?)

Estudiante B

¿Quién trabajaría más para ayudar a la comunidad o el planeta?

Objectives
· Say what would or would not happen
· Condition tense

Core Resources
· Conversation cards, One-Stop Planner

STANDARDS
1.1 Engage in conversation

Possible Answer

A: ¿Qué harías si tuvieras la oportunidad?

B: Pues, aprendería a tocar un instrumento en una orquesta. ¿Y tú?

A: Jugaría más al fútbol con un equipo. Y tú, ¿qué más harías?

B: Jugaría a los juegos de mesa todos los domingos. Y tú, ¿qué más harías?

A: Sería más simpático con la gente (con los músicos de la calle / con la gente sin hogar). Y tú, ¿qué más harías?

B: Dormiría una siesta al aire libre durante mis ratos de ocio. Y tú, ¿qué más harías?

A: Asistiría a más espectáculos de música bailable. Y tú, ¿qué más harías?

B: Trabajaría más de voluntario para limpiar los parques. (Recogería basura en los parques.) (Ayudaría a recoger basura en los parques.) Y tú, ¿qué más harías?

A: Trabajaría para eliminar el efecto invernadero (disminuir los riesgos del efecto invernadero) (salvar las especies en peligro de extinción).

Possible answer:
Estudiante A trabajaría más para ayudar a la comunidad o el planeta.

Differentiating Instruction – Lección 2

Inclusion

Frequent Review/Repetition Review with students the conditional tense before beginning the activity. You might conjugate some of the verbs they might use during the activity on the board. Then, have students complete the activity, using the verbs as a reference.

Multiple Intelligences

Intrapersonal Have students answer the model question by writing a paragraph in their journals about their own aspirations. They can use the items pictured as ideas, or they can come up with their own ideas.

Objectives
· Talk about the neighborhood
· Present perfect

Core Resources
· Conversation cards, One-Stop Planner

✿ STANDARDS
1.1 Engage in conversation
1.2 Understand language

Possible Answer

A: ¿Has probado los pasteles de la pastelería?

B: No, todavía no los he probado.

A: ¿Has dado una vuelta por la plaza? ¿Has visto la fuente?

B: Sí, ya he dado una vuelta por la plaza y he visto la fuente.

A: ¿Has pasado por el correo?

B: No, todavía no he pasado por el correo.

A: ¿Has visto los periódicos y revistas en el kiosco?

B: Sí, ya los he visto en el kiosco.

A: Conoces el barrio bastante bien pero tienes que pasar por la pastelería y el correo.

B: ¿Has comprado la comida?

A: La he comprado pero todavía no la he preparado.

B: ¿Has limpiado el baño?

A: Sí, ya lo he limpiado.

B: ¿Has sacado la basura?

A: No, todavía no la he sacado.

B: ¿Has preparado el pastel?

A: No, todavía no lo he preparado.

B: Podré ayudar a preparar la comida o el pastel.

Answers will vary.

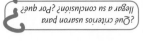

Entre dos • Lección 1

¿Qué criterios usaron para llegar a su conclusión? ¿Por qué?

¿Has...?	sí	no
dar una vuelta por la plaza		
probar los pasteles de la pastelería		
pasar por correos		
ver los periódicos en el kiosco		
Conclusión: Sí (No) lo conoce bien, pero (y) tiene que...		

Estudiante A

Luego, mira las fotos y contesta las preguntas de tu compañero(a) sobre los preparativos para una fiesta que vas a dar en tu casa hoy.

Estudiante A: ¿Has...?

Estudiante B: Sí, ya (No, todavía no) he... (Voy a...)

¿Qué has hecho?

Tu compañero(a) se mudó a un barrio nuevo hace dos semanas. Tú quieres saber si conoce bien el vecindario. Pregúntale qué ha hecho según las pistas del cuadro y decide si lo conoce bien o no.

Estudiante A: ¿Has...?

Estudiante B: Sí, ya (No, todavía no) he...

¿Qué has hecho?

Hace dos semanas que te mudaste a un barrio nuevo. Contesta las preguntas de tu compañero(a) con base en las fotos.

Estudiante A: ¿Has...?

Estudiante B: Sí, ya (No, todavía no) he...

sí   no

no   sí

Estudiante B

Tu compañero(a) está preparándose para hacer una fiesta hoy. Hazle preguntas según el cuadro para saber como podrás ayudar.

Estudiante A: ¿Has...?

Estudiante B: Sí, ya (No, todavía no) he... (Voy a...)

¿Has...?	sí	no
comprar la comida		
limpiar el baño		
sacar la basura		
preparar el pastel		
Conclusión: Podré ayudar a...		

¿Qué criterios usaron para llegar a su conclusión? ¿Por qué?

Differentiating Instruction – Lección 1

Multiple Intelligences

Visual Learners Have students create a map of an imaginary neighborhood that includes all the places referenced in the table, including their "home." As they ask their questions, have them place a check mark by the places they did go and an X mark by the places they did not visit.

Inclusion

Clear Structure Have Student A begin the first conversation and complete the exchange involving places first. Have Student B be the first speaker in the second conversation involving the party preparations. After completing both conversations, you might have Student A and Student B switch roles and complete the conversation again for additional practice.

Entre dos • Lección 2

Fotos de tu compañero(a)

Tus fotos

¿Quién vio más de los sitios desde el tren? ¿Quién vio más de los sitios a pie?

FOTOS DE TU COMPAÑERO(A)

Estudiante A

En vías paralelas

Tu compañero(a) y tú quieren poner las fotos de sus viajes en orden cronológico. Túrnense para preguntar y decir qué hicieron antes, después, primero, etc.

Estudiante A: ¿Qué hiciste antes de tomar el tren?

Estudiante B: Antes, yo... ¿Y qué hiciste después de...?

En vías paralelas

Estudiante B

FOTOS DE TU COMPAÑERO(A)

Tu compañero(a) y tú quieren poner las fotos de sus viajes en orden cronológico. Túrnense para preguntar y decir qué hicieron antes, despues, primero, etc.

Estudiante A: ¿Qué hiciste antes de tomar el tren?

Estudiante B: Antes, yo... ¿Y qué hiciste después de...?

Fotos de tu compañero(a)

Tus fotos

¿Quién vio más de los sitios desde el tren? ¿Quién vio más de los sitios a pie?

UNIDAD 6

Objectives
· Describe an excursion

Core Resources
· Conversation cards, One-Stop Planner

 STANDARDS
1.1 Engage in conversation

Possible Answer

A: ¿Qué hiciste antes de tomar el tren? ¿Fuiste a la plaza?

B: Sí. Pasé un rato en la Plaza donde estaba esa fuente muy linda. ¿Diste una vuelta por los callejones de Toledo?

A: No. Primero vi el paisaje desde el tren. Visitaste el mirador?

B: No. Di una vuelta por los callejones antes. ¿Visitaste el castillo?

A: Sí, visité el castillo. Entonces, fuiste al mirador, ¿verdad?

B: Ah, sí, fui al mirador después de pasear por los callejones. ¿Diste una vuelta por ellos?

A: Sí. Caminé por los callejones después de visitar el castillo. ¿Qué hiciste al final?

B: Hice una visita guiada en tren.

A: Sí, es verdad.

Answer:
El estudiante A vio más desde el tren. El estudiante B vio más a pie.

Differentiating Instruction – Lección 2

Slower-paced Learners

Yes/No Questions Draw a timeline on the board. Include some easy events from the last month and ask yes/no questions about the events using **antes, después, primero,** and so on. Once students have mastered your items, have them complete the conversation.

Inclusion

Clear Structure Review the images with students before completing the activity. Write captions on the board as needed that students can reference while they complete the activity.

Objectives
· Express past assumptions and emotions
· Discuss work and school activities

Core Resources
· Conversation cards, One-Stop Planner

✿ STANDARDS
1.1 Engage in conversation
1.2 Understand language

Possible Answer

A: ¿Qué hacía Carla de niña? ¿Cómo era?

B: Jugaba en el campo. Era tímida y simpática. ¿Qué hizo Carla este año?

A: Actuó en cinco dramas y dirigió un drama. Es admirable que haya actuado en cinco dramas y dirigido un drama.

B: ¿Qué hacía Felipe de niño? ¿Cómo era?

A: No sabía nadar. Era cómico. ¿Qué hizo Felipe este año?

B: Se entrenó para ser salvavidas. Es extraordinario que se haya entrenado para ser salvavidas.

A: ¿Qué hacía Rebeca de niña? ¿Cómo era?

B: Practicaba muchos deportes y era atlética. ¿Qué hizo Rebeca este año?

A: Fue la estrella del equipo de fútbol. No es sorprendente que haya sido la estrella del equipo de fútbol.

B: ¿Qué hacía Rubén de niño? ¿Cómo era?

A: Nunca cantaba. Era inteligente y activo. ¿Qué hizo Rubén este año?

B: Tomó parte en el coro de estudiantes. Es sorprendente que haya tomado parte en el coro de estudiantes.

Possible Answers:
Carla, Felipe y Rubén cambiaron más. Rebeca no cambió mucho.

RUBÉN — nunca cantar — ser inteligente y activo

REBECA — ser la estrella del equipo de fútbol — ser cómico

FELIPE — no saber nadar

CARLA — actuar en cinco dramas y dirigir un drama

Estudiante A: Es increíble que...

Estudiante B: ... ¿Qué hizo... este año?

Estudiante A: ¿Qué hacía... de niño(a)? ¿Cómo era?

asombroso/sorprendente) que...

reaccionen usando expresiones impersonales como **Es increíble (lógico/** decir qué hacía y cómo era cada persona de niño(a), y qué hizo este año. Luego cada persona: una de su niñez y una de este año. Túrnense para preguntar y

Tu compañero(a) y tú están redactando el anuario. Tienen dos fotos para

Estudiante A

¿Cuáles de los graduados cambiaron más? ¿Cuáles menos?

Anuario para los graduados

Anuario para los graduados

Estudiante B

Tu compañero(a) y tú están redactando el anuario. Tienen dos fotos para cada persona: una de su niñez y una de este año. Túrnense para preguntar y decir qué hacía y cómo era cada persona de niño(a), y qué hizo este año. Luego reaccionen usando expresiones impersonales como **Es increíble (lógico/ asombroso/sorprendente) que...**

Estudiante A: ¿Qué hacía... de niño(a)? ¿Cómo era?

Estudiante B: ... ¿Qué hizo... este año?

Estudiante A: Es increíble que...

¿Cuáles de los graduados cambiaron más? ¿Cuáles menos?

CARLA — jugar en el campo — ser tímida y simpática

FELIPE — entrenarse para salvavidas

REBECA — practicar muchos deportes — ser atlética

RUBÉN — tomar parte en el coro de estudiantes

Differentiating Instruction – Lección 1

Pre-AP

Summarize Have students summarize what they found out about each person. Then, have them exchange their summaries with a partner to verify that the information is correct.

Multiple Intelligences

Intrapersonal Have students write a journal entry describing how they were as children. Have them explain if they are different now or not and why.

Entre dos • Lección 2

Estudiante A — Las carreras

Tu compañero(a) y tú son consejeros en la universidad. Túrnense para
- preguntar y decir qué cualidades e intereses tienen los estudiantes
- sugerir la mejor carrera para cada estudiante, usando una frase con **Si es..., podrá...**
- explicar por qué no recomendaron la otra carrera, usando una frase con **Si fuera..., podría...**

Estudiante A: ¿Cómo es...?
Estudiante B: Es... Le interesa(n)...
Estudiante A: Si es... y si le interesa(n)..., podrá ser...
Estudiante B: Estoy de acuerdo. Si fuera (más/menos)..., podría ser...

¿Hay alguien que podría seguir las dos carreras? ¿Quién(es)?

	Juanita	Rosa	Victoria	Rodrigo	Luis	Elena
Cualidades			extrovertida, independiente	ambicioso, no intelectual		atrevida, buena escritora
Intereses			cosmetología, artes	matemáticas		derecho, noticias
Posibles carreras	profesora / agente de la bolsa	trabajadora social / médica			ingeniero / arquitecto	abogada / periodista

Las carreras

Estudiante B

Tu compañero(a) y tú son consejeros en la universidad. Túrnense para
- preguntar y decir qué cualidades e intereses tienen los estudiantes
- sugerir la mejor carrera para cada estudiante, usando una frase con **Si es..., podrá...**
- explicar por qué no recomendaron la otra carrera, usando una frase con **Si fuera..., podría...**

Estudiante A: ¿Cómo es...?
Estudiante B: Es... Le interesa(n)...
Estudiante A: Si es... y si le interesa(n)..., podrá ser...
Estudiante B: Estoy de acuerdo. Si fuera (más/menos)..., podría ser...

	Juanita	Rosa	Victoria	Rodrigo	Luis	Elena
Cualidades	intelectual, no ambiciosa	impaciente, estudiosa			artístico, no muy práctico	
Intereses	matemáticas	anatomía, biología			geometría, edificios	
Posibles carreras			peluquera / dueña de una peluquería	profesor / agente de la bolsa		abogada / periodista

¿Hay alguien que podría seguir las dos carreras? ¿Quién(es)?

Differentiating Instruction – Lección 2

Heritage Language Learners

Expand and Elaborate After students have suggested possible careers for each student, have them also add what they think each student will have to do to pursue the suggested career. What should they study or practice, and how long will it take them to accomplish their goals?

Inclusion

Clear Structure Review **si** clauses with students and have sample sentences on the board for students to reference as they complete the activity. Make sure they understand why using the simple present indicates an event is likely to happen, while the imperfect subjunctive indicates something that is contrary to fact.

Objectives
- Talk about career possibilties
- **Si** clauses

Core Resources
- Conversation cards, One-Stop Planner

STANDARDS
1.1 Engage in conversation

Possible Answer

A: ¿Cómo es Juanita?

B: Es... Le interesan las matemáticas.

A: Si es intelectual, le aconsejaremos ser profesora de matemáticas. Si fuera más ambiciosa podrá ser agente de la bolsa. ¿Cómo es Rosa?

B: Le interesan la anatomía y la biología.

A: Si es estudiosa, le aconsejaremos ser médica.

B: Estoy de acuerdo. Si fuera más paciente, podría ser trabajadora social. ¿Cómo es Victoria?

A: Le interesa la cosmotología.

B: Si es extrovertida e independiente, le aconsejaremos ser dueña de una peluquería. ¿Cómo es Rodrigo?

A: Es... Le interesan las matemáticas.

B: Si es ambicioso y no es intelectual, le aconsejaremos ser agente de la bolsa.

A: Si fuera intelectual, podría ser profesor de matemáticas. ¿Cómo es Luis?

B: Le interesan la geometría y los edificios.

A: Si es artístico, le aconsejaremos ser arquitecto.

B: Estoy de acuerdo. Si fuera más práctico, podría ser ingeniero. ¿Cómo es Elena?

A: Es atrevida y es buena escritora. Le interesan el derecho y las noticias.

B: Si es buena escritora y si le interesan las noticias, le aconsejaremos ser periodista.

A: Estoy de acuerdo.

Answer:
Victoria y Elena podrían seguir las dos carreras que les interesan.

Objectives
· Talk about what you were doing in the past
· Past progressive

Core Resources
· Conversation cards, One-Stop Planner

STANDARDS
1.1 Engage in conversation
1.2 Understand language

Possible Answer

A: ¿Quién estaba buscando cuentos con ilustraciones?

B: Carlos estaba buscando un libro de historietas. ¿Quién estaba narrando los sucesos de un crímen misterioso?

A: Luisa estaba narrando los sucesos de un cuento policíaco. ¿Quién estaba leyendo una obra de la vida de Cervantes?

B: Ana estaba leyendo su biografía. ¿Quién estaba recitando parte de un poema?

A: Ramón estaba recitando una estrofa. ¿Quién estaba criticando el fin de un cuento?

B: Marisol estaba criticando el desenlace. ¿Quién estaba comparando los estilos de dos autores en un análisis literario?

A: Elena los estaba comparando en un ensayo. ¿Quién estaba preparando una reseña de una obra de 23 capítulos?

B: Pablo estaba preparando una reseña. ¿Quién estaba hablando de comparaciones de nubes a animales?

A: Alfredo estaba hablando de símiles. ¿Quién estaba disfrutando de la rima y el ritmo de sus versos favoritos?

B: María estaba disfrutando de la poesía. ¿Quién estaba describiendo el contexto de una narrativa corta?

A: Víctor estaba describiendo el contexto de un cuento.

Possible Answers:
Parece que a Ramón, a María y a Alfredo les gusta la poesía. Deberían colaborar en un proyecto de poesía.

El club de lectura

(Estudiante A — contenido invertido)

¿Quiénes deberían colaborar en proyectos literarios? ¿Por qué?

¿quién?	disfrutar de la rima y el ritmo de sus versos favoritos
¿quién?	preparar una reseña de una obra de 23 capítulos
¿quién?	criticar el fin de un cuento
¿quién?	leer una obra de la vida de Cervantes
¿quién?	buscar cuentos con ilustraciones

Víctor / cuento — Elena / ensayo — Ramón / estrofa — Luisa / cuento policíaco — Alfredo / símil (metáfora)

Estudiante A: ¿Quién estaba buscando cuentos con ilustraciones…?

Estudiante B: Fue… ¿Quién estaba…?

Tú compañero(a) y tú están hablando de la reunión del club de lectura. Túrnense para preguntar y decir qué estaban haciendo todos al final de la reunión. Sigan el modelo.

Estudiante A

El club de lectura

Estudiante B

Tú compañero(a) y tú están hablando de la reunión del club de lectura. Túrnense para preguntar y decir qué estaban haciendo todos al final de la reunión. Sigan el modelo.

Estudiante A: ¿Quién estaba…?

Estudiante B: … ¿Quién estaba…?

Ana / biografía — Carlos / libro de historietas — María / poesía — Pablo / novela — Marisol / desenlace

¿quién?	narrar los sucesos de un crimen misterioso
¿quién?	recitar parte de un poema
¿quién?	comparar los estilos de dos autores en un análisis literario
¿quién?	hablar de comparaciones de nubes *(clouds)* a animales
¿quién?	describir el contexto de una narrativa corta

¿Quiénes deberían colaborar en proyectos literarios? ¿Por qué?

Differentiating Instruction – Lección 1

Pre-AP

Circumlocution Have students take each action listed in the table above and have them explain what each one means without using the actual term in the definition.

Slower-paced Learners

Read Before Listening Have students read the captions that accompany their images and confirm that they know what each one means. Then, have them read over the list of topics they will need to ask questions about. They might want to write out the questions they need to ask before beginning the activity.

Entre dos • Lección 2

 Mariana y Agustín

 el dueño del periódico

 los miembros de la Sociedad de Bellas Artes

 Jaime y Lupe

¿Qué dicen las reseñas? (Estudiante A)

Tu compañero(a) y tú están leyendo reseñas sobre una obra de teatro antes de ir a verla. Túrnense para hacerse preguntas y reaccionar según las pistas del cuadro. Contesten según la información de las fotos.

Estudiante A: ¿Cuál es...?
Estudiante B: Es... ¿Quiénes son...?
Estudiante A: Son... ¿Quién...?
Estudiante B: ...
Estudiante A: Espero que... (Es importante/ raro/ bueno /una lástima que...)

Estudiante A

Tú preguntas...	Tú reacción
cuál / ser / obra de teatro / y	
quién / ser / dramaturgo	
quién / dirigir / obra de teatro	
quiénes / ensayar / mucho	
a quiénes / olvidárseles / guión	

¿Piensan ver esta obra de teatro o preferirían investigar otras? Expliquen su respuesta.

¿Qué dicen las reseñas?

Tu compañero(a) y tú están leyendo reseñas sobre una obra de teatro antes de ir a verla. Túrnense para hacerse preguntas y reaccionar según las pistas del cuadro. Contesten según la información de las fotos.

Estudiante A: ¿Cuál es...?
Estudiante B: Es... ¿Quiénes son...?
Estudiante A: Son... ¿Quién...?
Estudiante B: ...
Estudiante A: Espero que... (Es importante/ raro/ bueno/ una lástima que...)

Estudiante B

Tú preguntas...	Tú reacción
quiénes / ser / actores principales	
quiénes / hacer el papel de / farsantes codiciosos y avaros	
quiénes / ser / patrocinadores	
alguien / reclamar / que / no venderle / más entradas / quién	

 ¿Piensan ver esta obra de teatro o prefirirían investigar otras? Expliquen su respuesta.

 Shakespeare

 César y Alejandro

 Rodrigo

 Martín, Alfredo y Sonia

UNIDAD 8

Differentiating Instruction – Lección 2

Heritage Language Learners

Writing Skills Have students write a paragraph summarizing their findings during the activity. Encourage them to use transition words to combine their sentences and to try and use the subjunctive whenever possible.

Pre-AP

Relate Opinions Have students share which job or role they find most interesting among the ones pictured on the page. Have them explain why they prefer that role over the others.

Objectives
· Read and interpret a play
· **Se** for unintentional occurrences

Core Resources
· Conversation cards, One-Stop Planner

STANDARDS
1.1 Engage in conversation

Possible Answer

A: ¿Cuál es la obra de teatro y quién es el dramaturgo?

B: Es Macbeth, escrito por Shakespeare. ¿Quiénes son los actores principales?

A: Son Mariana y Agustín. ¿Quién dirige la obra de teatro?

B: La dirige Rodrigo. ¿Quiénes hacen el papel de los farsantes codiciosos y avaros?

A: Jaime y Lupe lo hacen. ¿Quiénes ensayan mucho?

B: Martín, Alfredo y Sonia ensayan mucho.

A: Es importante (bueno) que los actores ensayen mucho.

B: ¿Quiénes son los patrocinadores?

A: Los miembros de la Sociedad de Bellas Artes la patrocinan.

B: Es importante que la Sociedad de Bellas Artes patrocinen las obras de teatro.

A: ¿A quiénes se les olvidó el guión?

B: A César y Alejandro se les olvidó.

A: Espero que no se les olvide este fin de semana.

B: ¿Alguien reclama que no le vendan más entradas?

A: Sí, el dueño del periódico ha reclamado.

B: Es raro que no le vendan más entradas.

Possible Answers:
Prefiriríamos investigar otras porque no nos gusta que se les olviden los guiones a los actores y es posible que no tengan más entradas.

Recursos

Vamos a acampar

 YA SABES

Sports

el básquetbol	basketball
el béisbol	baseball
el ciclismo	bicycle racing
el fútbol americano	football
la natación	swimming
el tenis	tennis
el voleibol	volleyball

Travel

el boleto	ticket
confirmar el vuelo	to confirm a flight
el equipaje	luggage
hacer la maleta	to pack a suitcase
la identificación	identification
el itinerario	itinerary
la maleta	suitcase
el pasaporte	passport
pasar por la aduana	to go through customs
pasar por seguridad	to go through security
el reclamo de equipaje	baggage claim
la tarjeta de embarque	boarding pass
viajar	to travel

Prepositions of location

al lado (de)	next to
cerca (de)	near
debajo (de)	under
delante (de)	in front (of)
dentro (de)	inside (of)
detrás (de)	behind
encima (de)	on (top of)
frente a	across from
lejos (de)	far (from)

EXPANSIÓN DE VOCABULARIO

Outdoor activities

la linterna	flashlight
la sudadera (con capucha)	(hooded) sweatshirt
los pantalones deportivos	sweatpants
los guantes	gloves
la bufanda	scarf

Travel

alquilar un auto	to rent a car
cambiar dinero	to exchange money
hacer un recado / una diligencia	to run an errand
la estación de servicio	service station
echar gasolina	to get gasoline
llenar el tanque	to fill the tank
la grúa	tow truck
la multa	parking ticket, fine

Nature

el lago	lake
la laguna	pond
el arroyo	creek
la bahía	bay
la península	peninsula
el bosque húmedo / tropical	rain forest

Animals

el oso	bear
el ciervo	deer
la ardilla	squirrel
la hormiga	ant
el mosquito	mosquito
la mosca	fly
la abeja	bee

Unidad 1 Lección 2 — Expansión de vocabulario

Vamos a la playa

♻ YA SABES

Beach activities

bucear	to scuba-dive
el mar	sea
nadar	to swim
la playa	beach
tomar el sol	to sunbathe
el traje de baño	bathing suit

Family

la abuela	grandmother
el abuelo	grandfather
la hermana	sister
el hermano	brother
la hija	daughter
el hijo	son
la madre	mother
el padre	father
el (la) primo(a)	cousin
la tía	aunt
el tío	uncle

Family vacations

el alojamiento	lodging
estar de vacaciones	to be on vacation
la habitación	hotel room
la habitación individual	single room
la habitación doble	double room
hacer / tener una reservación	to make / to have a reservation
el hotel	hotel
ir de vacaciones	to go on vacation
ver las atracciones	to go sightseeing
visitar un museo	to visit a museum

EXPANSIÓN DE VOCABULARIO

Beach activities

la silla para recostarse	beach chair
la arena	sand
las piedras	pebbles
el delfín	dolphin
el tiburón	shark
la ballena	whale
la foca	seal
el (la) salvavidas	lifeguard

Snack foods and drinks

el batido	milkshake
el helado en barquillo	ice-cream cone
las papitas	chips
las galletas saladas	crackers
las galletitas	cookies
el chicle	chewing gum
los dulces	candy
la limonada	lemonade

Family relationships

divorciado(a)	divorced
la mamá	mom
el papá	dad
el (la) medio(a) hermano(a)	half brother / half sister
el (la) hermanastro(a)	stepbrother / stepsister
el (la) hijo(a) único(a)	only child
adoptivo(a)	adopted
los (las) gemelos(as)	twins

Pets

la mascota	pet
el conejo	rabbit
la rana	frog
el hámster	hamster

¡Todos para uno y uno para todos!

YA SABES

Money

el dinero	money
el dinero en efectivo	cash
el dólar	dollar
el euro	euro
la tarjeta de crédito	credit card

Media

Internet	Internet
el radio	radio
la televisión	television
el televisor	television set

Expressions of frequency

de vez en cuando	once in a while
muchas veces	often, many times
mucho	a lot
nunca	never
siempre	always
todos los días	every day

EXPANSIÓN DE VOCABULARIO

Money

el trabajo a tiempo parcial	part-time job
las monedas	coins
los billetes	bills, notes
los centavos	cents
el cheque de pago de sueldo	paycheck
el estipendio (semanal)	(weekly) allowance

Media

el editorial	publishing company
la empresa de mercadeo	marketing company

Advertisements

contestar un anuncio	to answer an ad
el cartel	poster
la encuesta	survey
el eslogan	slogan

Volunteer activities

hacer una pasantía	to be an intern
la guardería de niños	day-care center
la caridad	charity
la caminata con fondos para caridad	charity walk
la carrera con fondos para caridad	charity race
el (la) tutor(a)	tutor
dar tutoría	to tutor
el centro para la comunidad	community center
el asilo para animales	animal shelter
limpiar las jaulas	to clean cages
la silla de ruedas	wheelchair
entrenar los perros guías	to train guide dogs
leerles a los ciegos	to read to the blind
el lenguaje de señas	sign language

Organizing

el requisito	requirement

Unidad 2
Lección 2

Expansión de vocabulario

¿Cómo nos organizamos?

♻ YA SABES

Community

ayudar	to help
celebrar	to celebrate
compartir	to share

Expressing opinions

Creo que sí.	I think so.
Creo que no.	I don't think so.
En mi opinión...	In my opinion . . .
Es buena idea / mala idea.	It's a good idea / bad idea.
Me parece que...	It seems to me . . .
necesitar	to need
pensar (ie)	to think
preferir (ie)	to prefer
querer (ie)	to want

EXPANSIÓN DE VOCABULARIO

Television

el (la) presentador(a)	host
el reality show	reality show
el programa de concursos	game show
el programa de variedad	variety show
el talk show	talk show
la telenovela	soap opera
el programa matutino	morning show
el programa nocturno	late-night show
la canción tema	theme song

Editorial work

redactar	to compose
la redacción	essay
el borrador	rough draft

Telethon

sonar (ue)	to ring
Se desconectó la llamada.	My call was cut off.
La línea está ocupada.	The line is busy.
Los teléfonos no dejan de sonar.	The phones are ringing off the hook.
colgar (ue) el teléfono	to hang up the phone
La llamada no quiere entrar.	I can't get through.
el número gratis	toll-free number

¿Cómo será el futuro?

♻ YA SABES

Social action

comenzar (ie)	to begin
fracasar	to fail
pedir (i)	to ask for
poder (ue)	to be able, can
servir (i)	to serve
tener éxito	to be successful

Social responsibilities

limpio(a)	clean
limpiar	to clean
el problema	problem
sucio(a)	dirty
vivir	to live

EXPANSIÓN DE VOCABULARIO

Outer space

el continente	continent
la luna	moon
el espacio	space
la nave espacial	spaceship
el extraterreste	alien

Environment

el (la) guardabosques	forest ranger
los incendios forestales	forest fires
el humo	smoke
el huracán	hurricane
el cartón	cardboard
el vidrio	glass
el mundo	world
la vida	life
la energía	energy

Endangered species

la ballena	whale
la tortuga	turtle
la foca	seal
el manatí	manatee
el jaguar	jaguar
el panda	panda
el águila	eagle

Social responsibilities

el seguro (de salud, de auto, de vida)	insurance (health, car, life)

Unidad 3
Lección 2

Expansión de vocabulario

Por un futuro mejor

♻ YA SABES

Social awareness

aprender	to learn
enseñar	to teach
importar	to be important
interesar	to interest
recomendar (ie)	to recommend

Impersonal expressions

Es bueno...	It's good . . .
Es importante...	It's important . . .
Es necesario...	It's necessary . . .

EXPANSIÓN DE VOCABULARIO

Inventions

el telecomando, el control remoto	remote control
el robot	robot
automático(a)	automatic
poderoso(a)	powerful
el poder	power
el televisor de pantalla plasma	plasma-screen TV
el vehículo híbrido	hybrid vehicle
los consumidores	consumers

Social awareness

el partido (republicano, demócrata, independiente)	(Republican, Democratic, Independent) party
el (la) presidente	president
el (la) vicepresidente	vice president
el alcalde, la alcaldesa	mayor
el (la) gobernador(a)	governor
el (la) senador(a)	senator
el (la) representante	representative
el (la) juez	judge
las leyes	laws
la constitución	constitution

¿Quién te inspira?

YA SABES

Personality characteristics

artístico(a)	artistic
atlético(a)	athletic
cómico(a)	funny
desorganizado(a)	disorganized
estudioso(a)	studious
heroico(a)	heroic
inteligente	intelligent
organizado(a)	organized
perezoso(a)	lazy
serio(a)	serious
simpático(a)	nice
trabajador(a)	hard-working
valiente	brave

Role models

el héroe	hero
la heroína	heroine

Professions

el (la) agente de viajes	travel agent
el (la) auxiliar de vuelo	flight attendant
el (la) camarógrafo(a)	cameraman / camerawoman
el (la) deportista	sportsman / woman
el (la) director(a)	director
el (la) director(a) de la escuela	school principal
el (la) guionista	screenwriter
el (la) maestro(a)	teacher

EXPANSIÓN DE VOCABULARIO

Personality characteristics

listo(a)	clever, smart
callado(a)	quiet
extrovertido(a)	outgoing
tonto(a)	silly
travieso(a)	mischievous
talentoso(a)	talented
creativo(a)	creative
ambicioso(a)	ambitious
motivado(a)	motivated
apasionado(a)	passionate
animado(a)	animated, upbeat
optimista	optimistic
pesimista	pessimistic

Features

canoso(a)	gray-haired
calvo(a)	bald
el pelo oscuro	dark hair
el pelo ondulado	wavy hair
el pelo rizado	curly hair
el pelo lacio	straight hair
los frenillos	braces
los rayitos	highlights
la cola de caballo	ponytail
llevar el pelo suelto	to wear your hair down
el flequillo	bangs
las trenzas	braids

Unidad 4
Lección 2

Expansión de vocabulario

¿Quiénes son los héroes?

♻ YA SABES

Everyday people

el (la) amigo(a)	friend
la chica	girl
el chico	boy
el (la) estudiante	student
el hombre	man
la mujer	woman
la persona	person

Emotions

cansado(a)	tired
contento(a)	content
deprimido(a)	depressed
emocionado(a)	excited
enojado(a)	angry
nervioso(a)	nervous
ocupado(a)	busy
tranquilo(a)	calm
triste	sad

EXPANSIÓN DE VOCABULARIO

Goals

el aprecio	recognition
jubilarse	to retire
ganarse la lotería	to win the lottery
encontrar la cura para...	to find the cure for . . .
el cáncer, el SIDA, la enfermedad del corazón	cancer, AIDS, heart disease
obtener un postgrado	to get a graduate degree
disfrutar de...	to enjoy . . .
viajar por el mundo	to travel the world

Professions

el (la) banquero(a)	banker
el (la) recepcionista	receptionist
el (la) intérprete	interpreter
el (la) comediante	comedian
el (la) autor(a)	author
el (la) decorador(a) de interiores	interior designer
el (la) diseñador(a) de modas	fashion designer
el (la) diseñador(a) gráfico(a)	graphic designer
el (la) cirujano(a)	surgeon
el (la) trabajador(a) de limpieza	custodian
el (la) agente (de deportes, de talento)	(sports, talent) agent
el (la) agente de relaciones públicas	public relations agent
el (la) agente de servicio al cliente	customer service agent
el (la) planificador(a) (de eventos, de bodas)	(event, wedding) planner
el bailarín, la bailarina	dancer
el (la) anunciador(a)	announcer
el (la) consejero(a)	guidance counselor
el jefe, la jefa	boss

Comuniquémonos entre naciones

♻ YA SABES

Clothing

el abrigo	coat
la blusa	blouse
las botas	boots
los calcetines	socks
la camisa	shirt
la camiseta	T-shirt
el chaleco	vest
la chaqueta	jacket
el cinturón	belt
la falda	skirt
la gorra	cap
los jeans	jeans
los pantalones	pants
los pantalones cortos	shorts
la pulsera	bracelet
la ropa	clothing
las sandalias	sandals
el sombrero	hat
el suéter	sweater
el traje	suit
el vestido	dress
los zapatos	shoes

Technology

la dirección electrónica	e-mail address
escribir correos electrónicos	to write e-mails
estar en línea	to be online
hacer clic en	to click on
el icono	icon
el mensajero instantáneo	instant messaging
el ratón	mouse
el software	software
el teclado	keyboard

EXPANSIÓN DE VOCABULARIO

Personal possessions

el reproductor de mp3 (eme pe tres)	mp3 player
el llavero	key chain
la licencia de conducir	driver's license
el permiso de conducir	driver's permit
los audífonos	headphones
el casillero	locker
los lentes de contacto	contact lenses
el álbum de fotos	photo album
regalar	to give (as a gift)
el tesoro	treasure
brillante	shiny
opaco(a)	dull

Technology

cortar y pegar	to cut and paste
borrar	to delete
el archivo adjunto	attachment
la sonrisa, la carita feliz (emoticono)	smiley face (emoticon)
escribir a máquina	to type
charlar en línea	to chat online
la cadena de e-mail	e-mail chain (forward)
arroba	@ (at)
punto com	.com (dot com)
el blog	blog
comenzar (ie) / terminar la sesión	to log on / to log off
la memoria	memory
funcionar	to work, function
arreglar	to fix
programar	to program
el virus	virus
el idioma	language

Unidad 5
Lección 2

Expansión de vocabulario

Nuevos amigos, nuevas oportunidades

♻ YA SABES

After-school activities

andar en patineta	to skateboard
caminar	to walk
el centro comercial	shopping center, mall
escuchar música	to listen to music
jugar al fútbol	to play soccer
leer un libro	to read a book
levantar pesas	to lift weights
mirar la televisión	to watch television
montar en bicicleta	to ride a bike
pasar un rato con los amigos	to spend time with friends
practicar deportes	to practice / play sports
el tiempo libre	free time
tocar la guitarra	to play the guitar

Entertainment

el cine	movie theater; the movies
el concierto	concert
la fiesta	party
la gala	gala; formal party
el partido	. . . game
de básquetbol	basketball . . .
de béisbol	baseball . . .
de fútbol	soccer . . .
la película...	. . . film
de aventuras	action
de ciencia ficción	science fiction
de fantasía	fantasy
de terror	horror

EXPANSIÓN DE VOCABULARIO

Leisure activities

hacer un crucigrama	to do a crossword puzzle
hacer un rompecabezas	to do a puzzle
practicar yoga	to practice yoga
pintar	to paint
coser	to sew

Work

la presentación	presentation
aplazar las responsabilidades	to procrastinate
la sala de conferencias	boardroom
el podio	podium
hacer una lluvia de ideas	to brainstorm
mientras	while

Atmosphere

incómodo(a)	uncomfortable
tenso(a)	tense

Instruments

el piano	piano
la flauta	flute
el saxofón	saxophone
el tambor	drum
la trompeta	trumpet
el violín	violin

Music

el rap	rap
alternativa	alternative
la música electrónica	electronic music, techno
el ritmo	rhythm
la letra	lyrics

La vida en la ciudad

♻ YA SABES

Parts of a home

el apartamento	apartment
el armario	closet; armoire
la casa	house
la cocina	kitchen
el comedor	dining room
el cuarto	room; bedroom
la escalera	stairs
el jardín	garden
el patio	patio
el piso	floor (of a building)
la planta baja	ground floor
la sala	living room

Furniture

la alfombra	rug
la cama	bed
las cortinas	curtains
el espejo	mirror
la lámpara	lamp
los muebles	furniture
el sofá	sofa, couch

Chores

barrer el suelo	to sweep the floor
cortar el césped	to cut the grass
darle de comer al perro	to feed the dog
hacer la cama	to make the bed
lavar los platos	to wash the dishes
limpiar la cocina	to clean the kitchen
pasar la aspiradora	to vacuum
planchar la ropa	to iron
poner la mesa	to set the table
los quehaceres	chores
sacar la basura	to take out the trash

EXPANSIÓN DE VOCABULARIO

Apartment building

el ascensor	elevator
la escalera mecánica	escalator
el parqueo subterráneo	underground parking
el (la) conserje	building custodian
la calefacción	heating
el aire acondicionado	air conditioning
el (la) proprietario(a)	landlord

Parts of a home

el traspatio	backyard
la cerca	fence
el garaje	garage
el patio español	back porch
el sótano	basement

Furniture and other items

la almohada	pillow
la mecedora	rocking chair
la bombilla	light bulb
el despertador	alarm clock
la videograbadora	VCR
el congelador	freezer
el triturador de basura	garbage disposal

In the neighborhood

el centro de restaurantes de comida rápida	food court
la heladería	ice-cream shop
el salón de belleza	beauty salon
la peluquería	hair salon, barbershop
la juguetería	toy store
la tienda de discos	music store
el campo de golf	golf course
el municipio	town hall, city hall
la discoteca	discotheque
el centro recreativo	recreation center

Unidad 6
Lección 2

Expansión de vocabulario

Fuera de la ciudad

♻ YA SABES

City life

la acera	sidewalk
la avenida	avenue
el barrio	neighborhood
la catedral	cathedral
la ciudad	city
la cuadra	city block
el edificio	building
la estación de tren	train station
la oficina de turismo	tourist office
la parada de autobús	bus stop
la plaza	plaza; square
el rascacielos	skyscraper
tomar un taxi	to take a taxi

Rural life

acampar	to camp
el (la) agricultor(a)	farmer
la agricultura	agriculture
dar una caminata	to hike
hacer una excursión	to go on a day trip
la montaña	mountain
montar a caballo	to ride a horse
pasear	to go for a walk
pescar	to fish

Life in the past

antiguo(a)	ancient
la civilización	civilization
la estatua	statue
la herramienta	tool
el monumento	monument
la pirámide	pyramid
la religión	religion
las ruinas	ruins
el templo	temple
la tumba	tomb

EXPANSIÓN DE VOCABULARIO

In the country

la granja	farm
el granero	barn
las llanuras	plains, fields
el pasto	grass
la oveja	sheep
la vaca	cow
el toro	bull

On the train

la cortina	curtain
el asiento reservado	reserved seat
facturar las maletas	to check baggage
el asiento reclinable	reclining seat
la bandeja	tray

In the city

la bandera	flag
el garaje público	public parking garage
el parquímetro	parking meter
la calle sin salida	dead end
el desvío	detour
la calle de una vía	one-way street
el semáfaro	stoplight
el cruce	crosswalk
el transvía	trolley
el peatón	pedestrian
la zona peatonal	pedestrian-only zone
la arquitectura	architecture
el diseño	design
la estructura	structure
... está en remodelación	. . . is being remodeled
el asfalto	asphalt
el concreto	concrete
el ladrillo	brick
el acero	steel

Recuerdos

 YA SABES

School activities

estudiar	to study
el examen	exam
hacer la tarea	to do homework
sacar una buena / mala nota	to get a good / bad grade
tomar apuntes	to take notes

Health and fitness

doler (ue)	to hurt, to ache
fuerte	strong
hacer ejercicio	to exercise
herido(a)	hurt
mantenerse (ie) en forma	to stay in shape
la salud	health
saludable	healthy; healthful
sano(a)	healthy
seguir (i) una dieta balanceada	to follow a balanced diet

EXPANSIÓN DE VOCABULARIO

School activities

recordar (ue)	to remember
olvidar	to forget
la detención	detention
el recreo	recess
la asamblea	assembly
un día libre por la nieve	snow day
¿Me puede dar una nota de permiso?	Can I have a hall pass / permission slip?

Sports

los deportes de pista y campo	track and field
correr a campo traviesa	to run cross-country
el (la) porrista	cheerleader
la gimnasia	gymnastics
hacer snowboard	to snowboard
saltar	to jump
hacer trucos	to do tricks
el hockey	hockey

Balanced diet

las grasas	fats
los carbohídratos	carbohydrates
las proteínas	protein

Part-time jobs

el (la) dependiente	salesclerk
el (la) tutor(a)	tutor
el (la) lavaplatos	dishwasher
el (la) árbitro(a)	referee
el (la) interno(a)	intern
el (la) ayudante	assistant
el (la) camarero(a) de hotel	housekeeper
el (la) cadi	caddie

Nuevos principios

YA SABES

School subjects

el arte	art
las ciencias	science
el español	Spanish
la historia	history
el inglés	English
las matemáticas	math

Businesses

el almacén	department store
la farmacia	pharmacy
la heladería	ice-cream shop
la joyería	jewelry store
la librería	bookstore
la panadería	bakery
la pastelería	pastry shop
la zapatería	shoe store

Skills

bailar	to dance
cantar	to sing
cocinar	to cook
correr	to run
dibujar	to draw
editar	to edit
escribir	to write

In business

la hoja de vida	résumé
la carta de presentación	cover letter
el préstamo	loan
el contrato	contract
las ganancias	profits
despedir (i)	to fire
el mercadeo	marketing

EXPANSIÓN DE VOCABULARIO

Career possibilities

la medicina	medicine
la filosofía	philosophy
la comunicación	communication
la biología	biology
la física	physics
la literatura	literature
el periodismo	journalism
la psicología	psychology
la computación	computer science
la educación (primaria, secundaria)	(elementary, secondary) education
las artes y letras	liberal arts
la matrícula	tuition
la ayuda financiera	financial aid

Professions

el (la) ingeniero(a) (civil, mecánico, químico)	(civil, mechanical, chemical) engineer
el (la) psicólogo(a)	psychologist
el (la) nutricionista	nutritionist
el (la) granjero(a)	farmer
el (la) estilista de modas	fashion stylist
el (la) asistente dental	dental hygenist
el (la) optometrista	optometrist
el (la) terapeuta (físico[a])	(physical) therapist

beneficios	benefits
días personales	personal days
jubilación privada	pension plan
seguro médico	medical insurance
sueldo	salary

Cuentos y poesía

YA SABES

Literary terms

el argumento	plot
contar (ue)	to tell (a story)
la leyenda	legend
el mensaje	lesson; message
la narración	narration
el personaje	character

Time and frequency

el año pasado	last year
anteayer	the day before yesterday
antes de	before
a veces	sometimes
después (de)	afterward; after
durante	during
entonces	then; so
frecuentemente	frequently
generalmente	in general; generally
hoy	today
luego	later; then
mañana	tomorrow
más tarde	later on
el mes pasado	last month
normalmente	usually; normally
por fin	finally
primero	first
la semana pasada	last week

EXPANSIÓN DE VOCABULARIO

Books and reading

el club de lectura	book club
la tarjeta de la biblioteca	library card
el (la) antagonista	antagonist
el (la) crítico(a)	critic
el reconocimiento	recognition, acknowledgment

Discuss and critique literature

surreal	surreal
clásico(a)	classic
moderno(a)	modern
horrible	horrible
repetitivo(a)	repetitive
intenso(a)	intense
complejo(a)	complex
sencillo(a)	simple
chistoso(a)	funny
cautivador(a)	captivating
trágico(a)	tragic
irónico(a)	ironic
poco original	not very original, unoriginal
deslumbrante	dazzling
obvio(a)	obvious, predictable
el suspenso	suspense
el sueño	dream

Unidad 8
Lección 2

Expansión de vocabulario

El drama

♻ YA SABES

Evaluative terms

aburrido(a)	boring
agrio(a)	sour
barato(a)	inexpensive
bueno(a)	good
caliente	hot (temperature)
delicioso(a)	delicious
divertido(a)	fun
dulce	sweet
fino(a)	fine
fresco(a)	fresh
interesante	interesting
malo(a)	bad
picante	spicy
sabroso(a)	tasty
salado(a)	salty
único(a)	unique

Theater

el actor	actor
la actriz	actress
la comedia	comedy
el (la) director(a)	director
el drama	drama
la escena	scene
el guión	screenplay
hacer un papel	to play a role

Useful words

demasiado	too; too much
desde	from
entre	between
hasta	to
si	if
sobre	about
tal vez	perhaps, maybe
todavía	still; yet

EXPANSIÓN DE VOCABULARIO

Personal opinion phrases

Admiro la manera en que...	I admire the way . . .
Supongo que...	I am assuming that . . .
Perdí el interés cuando...	I lost interest when . . .
Me simpatiza el papel de...	I like the role of . . .
lo fascinante	the fascinating thing
Es evidente que...	It's evident that . . .
tomar en cuenta que	to take into account that
lo interesante	the interesting thing
por ejemplo	for example
darse cuenta de	to realize

Theater

ponerse de pie para aplaudir	to give a standing ovation
el reparto	cast
el director de reparto	casting director
los ejercicios de calentamiento	warm-ups
el auditorio	auditorium
el disfraz	costume
la máscara	mask
la peluca	wig
la base	foundation
el rubor	blush
el pintalabios, el lápiz	lipstick
el rímel	mascara
la sombra de ojos	eye shadow

Para y piensa
Self-Check Answers

Lección preliminar

p. 5
A Lucía le gusta estar en casa, navegar por Internet, estar en línea y escribir.
A Lucía no le gusta acampar, hacer la tarea o hacer cola.

p. 9
1. Nosotros somos estudiantes.
2. Yo salgo para México.
3. Ella está emocionada.
4. Ellos van a pescar.

p. 11
1. Yo vengo.
2. Juan entiende.
3. Ustedes compiten.
4. Tú cuentas.
5. Yo tengo.
6. Ellas dicen.

p. 15
1. No conozco Miami.
2. Soy estudiante.
3. Beto está enojado.

p. 19
1. Yo me ducho.
2. Paco se levanta.
3. Nosotros nos acostamos.
4. Tú te vistes.

p. 24
1. Soy menor que Rosa.
2. Soy más alto(a) que Rosa.
3. Tengo tantos amigos como Rosa.

Unidad 1

p. 34
Answers will vary. Possible answers include:
1. la estufa de gas, la olla, el saco de dormir, la tienda de campaña
2. hacer caminatas, hacer una excursión, escalar montañas

p. 36
1. navegar por rápidos- sí
2. tomar transporte público- no
3. escalar montañas- sí
4. meterse en la tienda de campaña- no

p. 39
1. Yo utilicé la estufa de gas.
2. Los vendedores ofrecieron un descuento.
3. Nosotros seguimos el sendero.
4. Yo pagué la tarifa más barata.

p. 41
1. organizó   3. usé
2. viajaron

p. 44
1. ¿Tuvieron descuentos en las tarifas?
2. ¿Pusieron el equipo en la camioneta?
3. ¿Durmieron bien en el saco de dormir?

p. 47
1. Tuviste que enfocarte en el equipo necesario.
2. ¡Fue como un problema de lógica!
3. El padre le prestó la camioneta.

p. 51
Answers will vary. Sample responses include:
1. El autor usa el título "Hermandad" porque siente una relación con la naturaleza.

2. Al principio, el autor tiene la actitud de que comparado con la grandeza del cielo de la noche, él es muy pequeño. Al final, después de recibir "un mensaje" de las estrellas, se siente parte de este universo enorme.
3. El autor cambia el orden de los elementos en el título y en la última línea de cada estrofa para describir los papeles de los elementos en los procesos naturales y para ilustrar que cada elemento de la naturaleza tiene una relación con y depende de los otros.
4. La conclusión del poema "Viento, agua, piedra" describe que los elementos de la naturaleza tienen una calidad transitoria.

p. 60
1. hacer surf- sí
2. pararse en la orilla- no
3. merendar- no
4. ver el amanecer- sí

p. 62
1. Sergio, Olga y Rosita se marearon.
2. Llevaron los chalecos salvavidas durante el viaje entero.
3. Sandra conoció a Santiago, un surfista.

p. 65
Answers will vary. Sample responses include:
1. Mi familia pasaba las vacaciones en la playa.
2. Nosotros nos reuníamos con mis abuelos, navegábamos en velero y jugábamos al voleibol playero. Nos quedábamos en un hotel con vista del mar.

p. 67
1. se refrescaban   3. observaba
2. se recostaba   4. pensaba

p. 70
Answers will vary. Students must use preterite verbs in their answers to numbers 1 and 3. In their answer to number 2, the first verb must be in the preterite and the following verbs must be in the imperfect. Sample responses include:
1. Yo fui a Cancún.
2. Cuando llegué, hacía sol y calor.
3. Yo me recosté en la playa, nadé en el mar y recogí caracoles en la orilla.

p. 73
1. fui
2. era, hizo
3. miraba, pensaba

p. 77
Answers will vary. Sample responses include:
1. Tita y su familia vivían en el rancho de Mamá Elena.
2. Todas las mujeres de la familia participaban en la preparación del chorizo.
3. Planchar, bordar y coser ropa eran actividades diarias de las mujeres.
4. Pedro Muzquiz era el señor que quería venir a hablar con Mamá Elena para pedir la mano de Tita.
5. La relación entre Mamá Elena y sus hijas era una de represión. Sus hijas sentían que no tenían mucha independencia y que tenían que estar en casa y cuidar de ella.

Unidad 2

p. 94

Answers will vary. Sample responses include:
1. Los voluntarios organizan campañas para solicitar dinero para ayudar a la gente pobre o sin hogar, ayudan en los hospitales y los hogares de ancianos y limpian los parques y las calles.
2. Anuncios en la prensa, en las emisoras de radio o en los canales de televisión son medios de comunicación útiles para las campañas.
3. En mi comunidad, puedo recoger y reciclar periódicos, revistas, papel, latas, botellas y bolsas de plástico.

p. 96

1. Profesor, ¿podría no darnos ninguna tarea esta noche?
2. Mamá y Papá, ¿podrían comprarme un carro?
3. ¿Podrías ayudarme en la planificación de un proyecto?

p. 99

Answers will vary. Sample responses include:
Ven a los eventos sociales de la escuela.
Sé simpático(a) a otros estudiantes.
Habla con los estudiantes en tus clases para hacer amigos.
No seas tímido(a).
¡No comas la comida de la cafetería!
No llegues tarde a las clases.

p. 101

Answers will vary. Sample responses include:
Colabora con un grupo escolar y organiza un evento para estudiantes.
Ayuda a recoger basura en la escuela.
Sé voluntario(a) para solicitar dinero para actividades y excursiones.
No olvides que es importante ser parte de la comunidad escolar.
¡No vengas a las reuniones si no quieres trabajar!
¡No seas perezoso(a); da tu tiempo para mejorar la escuela!

p. 104

1. Pongan los platos en las mesas.
2. Encienda la estufa.
3. Preparen la comida.

p. 107

Answers will vary. Sample response:
Para estudiar para un examen, organiza todas las cosas que necesitas, como libros y apuntes. Lee los apuntes y escribe preguntas importantes sobre lo que no sabes muy bien. No tengas prisa. Busca la información en el libro y repásala otra vez. No olvides pedirle ayuda a un compañero de clase si la necesitas.

p. 111

Answers will vary. Sample responses include:
1. Barbarita fue a ver a Tita porque se asustó mucho.
2. Tita le dio una taza de tilo para calmarla.
3. Barbarita estaba repasando el preámbulo a la constitución y abriendo la puerta de la nevera para sacar un refresco cuando apareció San Guiven.
4. San Guiven traía un pavo debajo del brazo y le pidió a Barbarita empezarle una colecta y hacerle un santuario.
5. Barbarita aceptó la misión y piensa hacer más latas para la colecta con la ayuda de Tita.

p. 120

Answers will vary. Sample response:
Para mí, las partes más importantes de un periódico son los artículos de opinión, las reseñas de libros y películas y la columna de consejos.

p. 122

1. titular- sí
2. cita- sí
3. gráfica- sí
4. columna de consejos- no
5. carta al editor- sí
6. foto- sí

p. 125

1. Sí, descríbela./ No, no la describas.
2. Sí, publícalas./ No, no las publiques.
3. Organízalos mañana./ No los organices hoy.
4. Sí, envíamelas./ No, no me las envíes.

p. 127

1. díganos
2. dénnoslo
3. no los olvides
4. no lo traduzca

p. 130

Answers will vary. Possible responses include:
1. Fue bueno apoyar la teletón.
2. Es importante escribir una carta al editor.
3. Es necesario incluir subtitulación para sordos en los programas.

p. 133

Answers will vary. Possible responses include:
1. Es buena idea traer unas cámaras de video.
2. ¡Vean la generosidad de todos!

p. 137

Answers will vary. Sample responses include:
1. Son muchas las personas que felicitan al papá la mañana de su cumpleaños.
2. Cuando todos desfilan por la recámara para presentar sus respetos al Papá, la narradora y sus papás están bajo las sábanas y todavía no se han vestido. Todos los demás ya están vestidos.
3. Papá no quiere despertarse. Mamá tiene vergüenza porque dice que se ve horrible. La narradora se siente atrapada; que no puede levantarse hasta que todos hayan felicitado a Papá.
4. El papel de la abuela en la celebración es supervisar los buenos deseos de todo el mundo.
5. La narradora describe a la abuela como enojona y dice que la regaña por estar en el mismo cuarto de sus padres. La relación entre la mamá y la abuela parece difícil. Se queja de ella, pero Papá no le hace caso. Sin embargo, es obvio que la abuela lo quiere mucho a su hijo y a su familia.

Unidad 3

p. 154

Answers will vary. Sample responses include:
1. Las sustancias químicas en el aire y el daño a la capa de ozono causan el smog y la contaminación.
2. Podemos usar recursos naturales, como el sol y el viento para reemplazar los recursos no renovables. También, podemos desarrollar innovaciones para proteger la capa de ozono y disminuir los riesgos de la contaminación.

p. 156

los temblores- no   las inundaciones- sí
el smog- no   los derrumbes- sí

p. 159

1. Mis abuelos descansarán en la playa.
2. Yo iré al museo con mi hermana.
3. Nosotros volveremos a la seis.
4. Mi madre querrá cenar a las siete.

p. 161

Answers will vary. Possible answers include:
Viviremos en una ciudad protegida contra el medio ambiente.
Las ciudades estarán dentro de un globo de vidrio.
La contaminación será tan fuerte que no podremos salir al aire libre.
La capa de ozono no nos protegerá del sol.
No tendremos recursos no renovables.
No habrá árboles ni flores, ni plantas.
Los autos volarán y usarán la energía solar; no necesitarán gasolina.

p. 164

1. El desarollo excesivo no es bueno para el medio ambiente.
2. En nuestro viaje, pasamos por zonas de mucha erosión.
3. Quiero ir a Honduras por el buen tiempo y para ver Copán.

p. 167

Answers will vary. Possible responses include:
1. A Nicolás le interesa un proyecto relacionado con la energía solar porque sabe que no tendremos suficiente petróleo para los vehículos en el futuro. Él piensa que necesitaremos más innovaciones tecnológicas para solucionar el problema y quiere hacer lo que pueda para mejorar la situación.
2. Usan la energía solar para secar los granos de café.

p. 171

Answers will vary. Sample responses include:
1. Las edades que menciona el autor son la niñez, la juventud y la vejez.
2. Según el autor, los niños pueden comer caramelos, jugar y cazar estrellas y mariposas. La juventud es un tiempo lleno de imaginación, sueños y descubrimiento. La vejez es un tiempo de contemplar las experiencias y de tener la sabiduría que sólo pertenece a los ancianos.
3. Según el autor, la felicidad de una persona depende de su actitud.
4. La conclusión del ensayo significa que todas las partes de la vida son especiales; cada edad tiene sus propios encantos.

p. 180

Answers will vary. Sample response:
Para prosperar, una persona o un negocio debe invertir su tiempo y su dinero en una manera responsable. Tiene que respetar la ley y también los valores de la sociedad.

p. 182

Answers will vary. Sample response:
Un producto nuevo debe ser novedoso. Debe satisfacer las necesidades específicas del público.

p. 185

Answers will vary. Sample responses include:
1. Es mejor que una companía tenga una conciencia social a que sólo quiera satisfacer a los inversionistas.
2. Es importante que protejamos nuestros recursos naturales.
3. Es raro que no todas las personas cuiden el medio ambiente.

p. 187

1. Es preferible que los inventos solucionen un problema y despierten la conciencia social.
2. Es necesario que cada participante llene una solicitud y mande una foto.

p. 190

Answers will vary. Sample answers include:
1. Es increíble que haya un canal que conecta a los océanos Atlántico y Pacífico.
2. Es difícil que vayas a la playa para nadar en el invierno.
3. Es mejor que usted invierta dinero en las compañías que cuidan el medio ambiente.
4. Es imprescindible que los doctores nos adviertan de los peligros de no comer comidas nutritivas.

p. 193

Answers will vary. Sample responses include:
1. MejorAire es un invento novedoso porque puede ayudar mucho a los atletas que tienen problemas respiratorios. Es importante que los atletas sepan si la calidad del aire es buena y que no les va a causar problemas antes de seguir adelante.
2. Liliana no debe aceptar la oferta. Liliana necesita proteger su idea. También, es imprescindible que busque la ayuda de otros antes de tomar una decisión tan importante.
3. Es muy importante que Liliana saque una patente. Es mejor que proteja su idea antes de vender los derechos a una compañía.
4. Es necesario que Liliana consulte con un abogado.

p. 197

Answers will vary. Sample responses include:
1. El diálogo tiene lugar en la selva.
2. El hombre quiere buena vista así que el zopilote le dará la suya. Quiere ser fuerte, y el jaguar le dará fuerza. Quiere caminar sin cansarse, y el venado le ofrece sus piernas. Quiere adivinar la llegada de las lluvias, y por eso el ruiseñor le dice que le avisará con su canto. Desea ser astuto y y el zorro le enseñará a serlo. El hombre quiere trepar a los árboles, por eso la ardilla le dará sus uñas. El hombre quiere conocer las plantas medicinales y la serpiente las marcará en el campo para él.
3. La chachalaca gritó «Pobres animales» al final porque quiere que los animales sepan que uno no puede darle la felicidad a otra persona. Los animales le dieron al hombre cosas que ellos necesitan para sobrevivir, pero él siempre estará triste.
4. Él quiere encontrar la felicidad y piensa que esas cosas lo ayudarán a ser feliz.
5. Sí, estoy de acuerdo. Pienso que la felicidad viene de adentro.

Unidad 4

p. 214
Answers will vary. Possible answers include:
1. comprensivo, considerado, dedicado, paciente, sincero, sobresaliente, ingenioso, razonable
2. comprensiva, generosa, orgullosa, paciente, sincera, razonable
3. atrevida, dedicada, paciente, sobresaliente, ingeniosa

p. 216
1. guapo, atrevido, orgulloso
2. paciente, tímida, popular
3. capaz, inteligente, presumida, impaciente, desagradable
4. comprensivo, considerado, enérgico

p. 219
1. Tú quieres que yo conserve agua.
2. Mis hermanos esperan que su entrenador les dé una oportunidad.
3. Nosotros deseamos que ustedes reciclen los periódicos.
4. Yo no quiero que tú gastes todo tu dinero.

p. 221
1. Manuel espera que la situación no sea tan grave como parece.
2. Manuel quiere que todos miren el monitor.
3. Es importante que Manuel piense en una solución.
4. Es necesario que Ramona examine el sistema de aire acondicionado para ver cómo funciona.

p. 224
1. sea
2. estudie
3. saques

p. 227
Answers will vary. Sample answers include:
1. Mis padres dejan que yo sólo use la computadora después de hacer la tarea.
2. Mi profesor prohíbe que los estudiantes hablen cuando él presenta una lección.
3. Yo espero que mis amigos puedan venir a la fiesta el viernes.
4. Mi amigo(a) aconseja que estudiemos mucho para el examen de biología.

p. 231
Answers will vary. Sample responses include:
1. América deduce que su tía Paulina tiene una relación muy linda con sus hijos porque vienen a visitarla todos los domingos.
2. Él es esposo de Paulina y tío de América.
3. América se pone triste cuando piensa en su hija porque ellas no tienen una buena relación. Ella se siente responsable por los errores de su hija.
4. En la casa de Ester, América vio fotos de los hijos de Paulina con caras sonrientes en las tarjetas de Navidad.
5. Ella piensa que una madre debe escuchar y orientar a sus hijos, y más importante, darles la libertad de cometer errores. Dice que puede guiarles sólo si se lo piden.

p. 240
1. La valentía es importante en las profesiones de bombero y policía.
2. Las profesiones de artista, músico, periodista y político pueden traer la fama.
3. En las profesiones de cartero, veterinario y escritor no se arriesga la vida.

p. 242
El padre de Enrique es sincero y vive con honor y valentía. Va al trabajo todos los días, cuida de su familia y siempre está listo para hacer cualquier sacrificio por su familia.

p. 245
Answers will vary. Sample answers include:
1. Es improbable que todos los estudiantes de mi escuela tengan que escribir un artículo para el periódico escolar.
2. Dudo que mi maestro de español toque la guitarra con tres músicos caribeños.
3. Es imposible que mis vecinos sean superhéroes que protegen a los ciudadanos.

p. 247
1. sepa
2. vaya
3. estén

p. 250
Answers will vary. Sample answers include:
1. Me enoja que él no quiera ser detective; no es un chico razonable.
2. Mis tíos sienten que no puedan vernos con más frecuencia.
3. ¡Yo me alegro de que nosotros vayamos a mi restaurante favorito para celebrar mi cumpleaños!

p. 253
Answers will vary. Sample answers include:
1. Dudo que él duerma ahora.
2. No estoy seguro de que ella venga temprano.
3. Me alegro de que tengas éxito.
4. No me sorprende que ellos vuelvan hoy.

p. 257
Answers will vary. Sample responses include:
1. Miguel y Juanita nacieron en Nueva York, Estados Unidos. Sus padres nacieron en la República Dominicana.
2. La manera de saludarse y la costumbre de pedir la ñapa en el mercado representan dos diferencias culturales.
3. Tía Lola les aconseja a Miguel y Juanita que pidan su ñapa cuando vayan al mercado.
4. Según Miguel, lo que le hace a una persona ser un verdadero americano, además de haber nacido en Estados Unidos y hablar en inglés, es actuar como un americano. Él da los ejemplos de tener los Yanquis como su equipo de béisbol preferido y de gustarle los *hot dogs* más que el arroz con habichuelas.
5. Él quiere demostrar que aunque parece dominicano, es americano. Saluda al agente como los americanos; le da un apretón de manos.

Unidad 5

p. 274

Answers will vary. Possible answers include:
1. chat.yahoo.com, AOL
2. itunes, Kazaa, Napster
3. Google, Yahoo, Lycos
4. Amazon.com, ebgames.com

p. 276
1. paraguas- sí
2. escáner- no
3. computadora portátil- sí
4. agenda electrónica- sí
5. monedero- sí
6. mochila- no

p. 279

Answers will vary. Sample responses include:
1. En caso de que pierda la cartera, yo me aseguraré de que llevo identificación conmigo, y que tengo fotocopias de lo que hay adentro.
2. En caso de que tenga una oportunidad de viajar, yo (no) usaré mis ahorros.
3. Antes de que se gradúe, yo recomiendo que mi amigo participe en un club estudiantil.

p. 281
1. Los delegados deben esperar en el hotel hasta que lleguen los líderes del proyecto.
2. No deben llevar un teléfono celular a menos que sea absolutamente necesario.
3. Pueden vestirse informalmente con tal de que no hagan una visita oficial.

p. 284
1. No, no hay nadie en mi clase que tenga un paraguas hoy./ Sí, hay alguien que tiene un paraguas hoy.
2. No, no conozco a nadie que envíe cartas por correo./ Sí, conozco a alguien que envía cartas por correo.
3. No, no tengo un amigo que descargue música por Internet./ Sí, tengo un amigo que descarga música por Internet.

p. 287
1. Marilú teme que la conferencia vaya a ser una experiencia muy intensa.
2. Raúl no sabe que hay una tarea que tiene que cumplir antes de que empiece la primera sesión de la conferencia.

3. Ana ofrece ayudar a Raúl para que pueda hacer la tarea antes de que él empiece la conferencia.

p. 291

Answers will vary. Sample responses include:
1. Los primeros errores en el mapa oficial de Aguamarina se deben a un error tipográfico.
2. Al ver el mapa defectuoso, los ciudadanos trataron de descifrarlo y ir de un lugar a otro siguiendo nada más que sus instrucciones.
3. La consecuencia de la redacción de los ciudadanos fue tratar de valerse únicamente del mapa. Esto se convirtió en el pasatiempo del lugar.
4. El mapa más difícil de seguir era el mapa del 1993, que no tenía ninguna alteración.
5. El mapa menos apropiado para Aguamarina es el mapa de 1979.

p. 300

Answers will vary. Sample responses include:
1. El ajedrez me hace pensar mucho.
2. una orquesta
3. Si quiero informarme sobre un tema en especial, voy a la biblioteca o busco información en Internet.

p. 302

participar en una conferencia estudiantil de la ONU, relajarse, encontrarse con un grupo de gente, ir a una recepción de bienvenida, hablar en el salón de charlas, charlar con otros delegados, asistir a varias reuniones, participar en unas actividades de grupo, intercambiar opiniones, debatir varios temas, participar en un encuentro, dormir una siesta, reunirse con el grupo, ir a un salón de baile, planear una excursión
1. Ocho de las actividades son para las horas de ocio.
2. Siete de las actividades se relacionan con las sesiones de la conferencia.

p. 305
1. Mi abuelo se relajaría.
2. Yo asistiría a un espectáculo.
3. Mi familia y yo pasaríamos un buen rato.
4. Mi profesor podría charlar con muchas personas.

p. 307
1. La gente no iría a ver *Juego de mesa*.
2. La gente a quien le gusta la música iría al Teatro Colina para ver el espectáculo de Música Callejera y al salón Amazonas para bailar y escuchar música.

p. 310
1. La maestra dijo que llamaría al bombero.
2. Nosotros dijimos que saldríamos tranquilamente.
3. Todos dijeron que se reunirían afuera.
4. Los bomberos dijeron que llegarían pronto.

p. 313
1. Ricardo dijo que le gustaría ver Cuzco.
2. Ana dijo que estaría muy ilusionada con la idea de ir a Trujillo porque le fascina la cultura moche.
3. Marilú dijo que le gustaría hacer una excursión por el río Amazonas en barco.
4. Raúl dijo primero que deberían ir a Cuzco. Luego, dijo que le gustaría ir a Trujillo para hacer surfing y ver las ruinas. Al final, dijo que querría ir al Amazonas para ver las pirañas.

p. 317
1. El ajedrez llegó al Nuevo Mundo con los conquistadores españoles.
2. Cada tarde los capitanes españoles se congregaban en Cajamarca para jugar al ajedrez en el departamento que sirvió de prisión al Inca Atahualpa durante su cautiverio.
3. El Inca Atahualpa aprendió de Hernando de Soto a jugar al ajedrez. Tomaba asiento junto a él todas las tardes.
4. Le cedía las piezas blancas para mostrar su respeto, y le invitaba a jugar una sola partida.
5. El Inca no habría sido condenado a la muerte si hubiera permanecido ignorante en el ajedrez. Se dice que Atahualpa pagó con la vida el *mate* que sufrió Riquelme por su consejo a Soto. En el consejo de los jueces el voto de Riquelme hizo la diferencia entre recibir o no recibir la pena de muerte.

p. 334

1. Cuando llego a una casa y quiero que me abran la puerta, toco el timbre.
2. Me lavo las manos en el lavabo.
3. Cuando estoy en el parque y quiero descansar, me siento en un banco.

p. 336

1. piso
2. objeto
3. piso
4. piso
5. objeto
6. objeto
7. objeto
8. objeto

p. 339

1. El grifo está cerrado.
2. El timbre está roto.
3. La lechería está abierta.
4. Los pisos están vendidos.

p. 341

1. divertidas
2. enterada
3. garantizado

p. 344

1. Tú has dejado tu chaqueta en el tren.
2. Mauricio ha descubierto un café nuevo.
3. Mi hermana ha venido temprano.
4. Yo he hablado con mis primos.

p. 347

Answers will vary. Sample answers include:

1. No puedo cocinar porque la puerta del horno está rota. *(adjetivo)* Nuestro perrito ha roto muchas cosas en la casa. *(verbo)*
2. El técnico vino y ahora el horno está arreglado. *(adjetivo)* Mi mamá ha arreglado el piso porque mis abuelos nos visitan hoy. *(verbo)*
3. Por fin, mi proyecto para la clase de ciencias está hecho. *(adjetivo)* ¿Han hecho el anuncio en la estación de radio? *(verbo)*
4. El bebé está dormido. *(adjetivo)* La chica ha dormido mucho porque está enferma. *(verbo)*

p. 351

1. Todo el mundo lo conoce por «Manolito Gafotas».
2. Según Manolito, la ventaja de tener un mote es que ahora ya nadie se mete con él por sus gafas. Él dice

que insultarlo es una pérdida de tiempo desde que tiene su mote.
3. Manolito le puso el mote «El Imbécil» a su hermanito el día en que nació. Cuando fue al hospital para verlo, se acercó a la cuna y le fue a abrir un ojo con la mano. Su hermano se puso a llorar con su llanto falso y Manolito pensó «¡Qué imbécil!». Le puso ese mote porque piensa que su hermano ha nacido para molestar y se lo merece.
4. A la mamá de Manolito no le gustan los motes. Manolito dice que no hay ningún mote que le haga gracia a ella.

p. 360

1. conductor
2. vía, los puentes

p. 362

Answers will vary. Sample responses include:

1. Sí, hay varios puentes viejos en mi área. Están hechos de metal y piedra.
2. Sí, hay muchos edificios viejos en mi área. Son iglesias, tiendas, bibliotecas, y escuelas.

p. 365

Answers will vary. Sample responses include:

1. Elizabeth ya había hecho la tarea cuando su mamá llegó a casa.
2. Miguel y Ángela todavía no habían ido de tapas.
3. Roberto ya había pedido direcciones a la ventanilla cuando se dio cuenta de que habían cancelado el tren.
4. David se había perdido en el centro de la ciudad.

p. 367

Answers will vary. Sample responses include:

1. Cuando llegué hoy a la escuela, Esteban y Alicia ya habían llegado. Juan, Emilia y Susana todavía no habían llegado.
2. Hace cinco años, mi escuela, las iglesias, y el museo histórico ya se habían construido. La biblioteca nueva y el centro comercial todavía no se habían construido.

p. 370

Answers will vary. Sample responses include:

1. Yo habré ido a la escuela y hecho toda la tarea.
2. Tú habrás jugado un partido de fútbol muy importante.
3. El maestro de español habrá mirado los exámenes.
4. Mis amigos y yo habremos pasado un rato en el centro.

p. 373

Answers will vary. Sample response:

Yo he visitado el Museo de Ciencias varias veces. La segunda vez que fui, vi una película de IMAX sobre los animales en África. Yo ya había visto todas las exhibiciones la primera vez que fui, pero no había tenido tiempo de ver esa película.

p. 377

Answers will vary. Sample responses include:

1. Los personajes del poema son el mocito, «ella» y el compadre. «Ella», sueña en su baranda. El compadre y el mocito suben hacia las altas barandas.
2. Lorca utiliza palabras como «escarcha» y «sombra» para destacar el dolor y amargura que sentía el mocito al volver de la guerra.
3. El mocito regresa de la guerra y busca a su novia. El compadre es el padre de la novia.
4. El mocito va a morir por la herida que tiene desde el pecho hasta la garganta. Su novia ya murió. El compadre seguirá montando a caballo porque ya no tiene casa.

Unidad 7

p. 394

1. sí   3. no   5. no
2. sí   4. sí   6. no

p. 396

Answers will vary. Sample answers include:

1. voy a mis clases, almuerzo con mis amigos, voy a reuniones con el consejero académico
2. soy miembro del coro, reparto periódicos, trabajo de niñera

p. 399

1. Mis amigos no querían que yo cuidara a niños los sábados por la noche.
2. Mis padres esperaban que todo saliera bien en mi examen.
3. Mi profesor dudaba que el examen fuera demasiado difícil.

p. 401

Answers will vary. Sample responses include.

1. Mis amigos querían que yo fuera a una fiesta con ellos.
2. Mis padres querían que yo me quedara en casa con ellos.
3. Mi maestro(a) quería que yo estudiara para el examen.
4. Mi hermano(a) quería que yo limpiara su cuarto.

p. 404

Answers will vary. Sample responses include:

1. Era bueno que un compañero hubiera recibido una beca para la universidad.
2. Era impresionante que los profesores hubieran nombrado a tu amiga para la sociedad honoraria.
3. Era raro que los miembros del equipo no se hubieran puesto en forma.

p. 407

Answers will vary. Sample responses include:

1. No podía creer que él no me hubiera dicho la verdad.
2. Me pareció imposible que mis amigos hubieran ido al baile sin invitarme.
3. No me gustó que mi madre no me hubiera dejado ir de vacaciones con mis amigos.
4. Fue increíble que mi hermano y su amigo hubieran leído todos los correos electrónicos que había escrito a mis amigas.

p. 411

1. El cuento ocurre en la época de Navidad.
2. En Cartagena hay aguas navegables y en Madrid no.
3. Los niños suben el bote por las escaleras a su apartamento con la ayuda de sus condiscípulos.
4. Los niños cerraron las puertas y ventanas del apartamento y rompieron la bombilla encendida de una lámpara en la sala. Un chorro de luz empezaba a salir de la bombilla rota como agua. Lo dejaron correr hasta que el nivel llegó a cuatro palmos. Cortaron la corriente y navegaron en bote en la casa.
5. Los niños pidieron equipo de pesca submarina para pescar de su bote.

p. 420

1. Jorge debe ser abogado.
2. Ángela debe ser contable.
3. Rodrigo debe ser traductor.
4. Carmen debe ser enfermera/médica/profesora.

p. 422

Answers will vary. Sample responses include:

1. Las ventajas de ir a una escuela técnica son que uno puede estudiar una especialidad y buscar un empleo en menos tiempo. También es más barato que ir a la universidad. La desventaja es que uno no tiene un título cuando termina.
2. La ventaja de ir a la universidad es que uno puede seguir con sus estudios y recibir un título. Las desventajas son que hay que estudiar por mucho tiempo y que las universidades son muy caras.
3. *Students will provide their own answers.*

p. 425

Answers will vary. Sample responses include:

1. Si ella estudiara derecho, podría seguir una carrera de abogada.
2. Si mi tío(a) abre una empresa, yo trabajaré con él/ella.
3. Si yo fuera profesor(a), nunca daría tarea a mis estudiantes.
4. Si él supiera idiomas, trabajaría en otros países.
5. Si mi madre cocinara bien, yo no tendría tanta hambre.

6. Si tú estudiaras medicina, podrías ser enfermero o doctor.

p. 427

Answers will vary. Sample responses include:

1. Si tuviera más tiempo participaría en más actividades en la escuela.
2. Si voy a la universidad me gustaría recibir un título en la administración de empresas.
3. En el futuro estaré muy contento(a) si tengo una carrera que me guste y que me interese.

p. 430

1. Los maestros se alegraban de que los estudiantes fueran honestos.
2. Mis padres me habían dicho que estudiara relaciones públicas.
3. Era muy importante que la empresa contratara a un traductor.

p. 433

Answers will vary. Sample responses include:

1. Ayer mis padres querían que yo sacara la basura. Ahora quieren que yo corte el césped.
2. La semana pasada mi mejor amigo me pidió que le ayudara con su tarea de matemáticas. Ahora me pide que le ayude con su tarea de español.

p. 437

1. El narrador y el esqueleto se conocieron en el parque.
2. El esqueleto le invitó al narrador a tomar un chocolate porque hacía frío.
3. En el restaurante la mesera les dijo que no podría atenderles y el dueño exigía que se fueran del restaurante inmediatamente.
4. En su casa, el narrador propuso que jugaran un partido de ajedrez. El esqueleto aceptó. La esposa del narrador le dijo que no había chocolate en la alacena. El esqueleto les dijo que no se preocuparan y que debía irse.
5. El esqueleto les dijo al narrador y a su esposa que eran muy gentiles.

Unidad 8

p. 454
Answers will vary. Sample answers include:
1. autor- Sandra Cisneros
2. novela- *Como agua para chocolate*
3. poesía- *Viento, Agua, Piedra*
4. género literario- novelas

p. 456
Answers will vary. Sample responses include:
1. El protagonista es un chico que tiene el mote «Manolito Gafotas».
2. El punto de vista del cuento es el de Manolito; él narra el cuento.
3. El tema del cuento es su mote y cómo y por qué se lo pusieron.

p. 459
Answers will vary. Sample answer:
Cuando recibimos la llamada, mi mamá estaba preparando la cena en la cocina. Mi hermana y yo estábamos haciendo nuestra tarea y mi papá estaba mirando las noticias en la sala.

p. 461
Answers will vary. Sample answer:
Era el primer día de la primavera. Mis amigos y yo andábamos. en patineta. Unas chicas estaban caminando y charlando. Un grupo de niños estaba jugando al básquetbol. ¡Todos estábamos divirtiéndonos después de un invierno muy largo!

p. 464
Answers will vary. Sample responses include:
Cuando estoy descansando, no me gusta que nadie entre a mi cuarto.
Mientras yo duermo, no me gusta que mi hermano escuche música.
Tan pronto como empiezo a decansar, no me gusta que nadie haga ningún ruido.
Aunque me gusta hablar con mis amigos por teléfono, cuando estoy descansando, no me gusta que me llamen.

p. 467
Answers will vary. Sample responses include:
indicativo- Aunque era tarde, mis amigos y yo fuimos al cine porque queríamos ver la película.
subjuntivo- Aunque fuera tarde, iremos al cine.
indicativo- Tan pronto como terminé mi tarea, tuve que ir al correo.
subjuntivo- Le dije a mis padres que limpiaría mi cuarto tan pronto como pudiera.
indicativo- Después de que fui al correo, fui a comer con unos amigos.
subjuntivo- Le dije a mi hermano que jugaría béisbol con él después de que limpiara mi cuarto.
subjuntivo- Tuve que llamar a un compañero de clase antes de que empezara mi tarea porque se me olvidaron mis apuntes en la escuela.
indicativo- Cuando fuimos al cine mi amigo me compró unas palomitas.
subjuntivo- Mi amiga me dijo que me compraría unas palomitas cuando fuéramos al cine.

p. 471
Answers will vary. Sample responses include:
1. Una metáfora es un modo de decir una cosa comparándola con otra.
2. Mario descubrió que se sentía raro. Mario inventó una metáfora sin saberlo para explicar su reacción al poema.
3. La relación entre Mario y Neruda es como la de profesor y estudiante.
4. Neruda quiso decir que cualquier persona puede ser poeta si presta atención a las imágenes, porque de ellos viene la poesía.

p. 480
1. b   2. a   3. c

p. 482
Answers will vary. Sample responses include:
1. Para mi mejor amigo, soy cómico(a) y simpático(a).
2. Para mis vecinos, soy responsable y organizado(a).
3. Para mi abuelo(a), soy inteligente, bonito(a) y generoso(a).
4. Para una persona que no me conozca bien, soy tímido(a) y serio(a).

p. 485
Answers will vary. Sample responses include:
Se me olvidó que había una reunión del comité estudiantil.
Se me cayeron todos los libros enfrente de todos en la cafetería.
Se me perdió la cartera en el cine.
Se me rompió el brazo en un partido de fútbol.

p. 487
Answers will vary. Sample responses include:
Se me ensució la camisa de mi amiga y tuve que comprarle una nueva.
Se me olvidaron las entradas al concierto y llegamos tarde porque tuve que ir a casa para recogerlas.
Se me perdieron unos apuntes muy importantes de la clase de ciencias y saqué mala nota en el examen.

p. 490
Answers will vary. Sample answers include:
La casa de Mango Street, Como las García perdieron su acento, Cien años de soledad
Recomiendo que todos lean *La casa de Mango Street* porque los cuentos de Esperanza me inspiraron mucho.
En *Como las García perdieron su acento*, era triste que las chicas tuvieran que dejar su vida en la República Dominicana.
Es dudoso que haya una novela que incluya tantos eventos importantes de la historia de Latinoamérica como *Cien años de soledad*.

p. 493
Answers will vary. Sample responses include:
1. Si se te acaba el dinero es posible que alguien te pueda enviar más por Internet; es muy fácil.
2. No temas que la familia no te vaya a gustar; ¡son unas personas fenomenales!
3. No dudes que no hables suficiente español; ¡tú sabes mucho y yo sé que no vas a tener ningún problema!.

p. 497
Answers will vary. Sample responses include:
1. Colón no puede conseguir el dinero que necesita para su expedición. Ha ido a los reyes varias veces y siempre le dicen que vuelva otro día.
2. Los reyes de Castilla y Aragón financian la expedición porque empiezan a soñar con la expansión y por eso, les interesa el proyecto de Colón.
3. La tripulación quiere regresar a casa porque ya llevan muchos días navegando y no hay ninguna indicación de las tierras que buscan. Se sienten desesperados y por eso empiezan a quejarse.
4. Cuando Pedro dice «Tierra» significa que por fin han llegado a la orilla.

PARA Y PIENSA
SELF-CHECK

Resumen de gramática

Nouns, Articles, and Pronouns

Nouns

Nouns identify people, animals, places, things, and feelings. All Spanish nouns, even if they refer to objects, are either **masculine** or **feminine.** They are also either **singular** or **plural.** Nouns ending in **-o** are usually masculine; nouns ending in **-a** are usually feminine.

To form the **plural** of a noun, add **-s** if the noun ends in a vowel; add **-es** if it ends in a consonant.

Singular Nouns		Plural Nouns	
Masculine	**Feminine**	**Masculine**	**Feminine**
abuelo	abuela	abuelos	abuelas
chico	chica	chicos	chicas
hombre	mujer	hombres	mujeres
papel	pluma	papeles	plumas
zapato	blusa	zapatos	blusas

Articles

Articles identify the class of a noun: masculine or feminine, singular or plural. **Definite articles** are the equivalent of the English word *the*. **Indefinite articles** are the equivalent of *a, an,* or *some*.

Definite Articles				Indefinite Articles		
	Masculine	**Feminine**			**Masculine**	**Feminine**
Singular	**el** chico	**la** chica		**Singular**	**un** chico	**una** chica
Plural	**los** chicos	**las** chicas		**Plural**	**unos** chicos	**unas** chicas

Pronouns

Pronouns take the place of nouns. The pronoun used is determined by its function or purpose in a sentence.

Subject Pronouns		Direct Object Pronouns		Indirect Object Pronouns	
yo	nosotros(as)	me	nos	me	nos
tú	vosotros(as)	te	os	te	os
usted	ustedes	lo, la	los, las	le	les
él, ella	ellos(as)				

Nouns, Articles, and Pronouns (continued)

Pronouns After Prepositions

mí	nosotros(as)
ti	vosotros(as)
usted	ustedes
él, ella	ellos(as)

Reflexive Pronouns

me	nos
te	os
se	se

Adjectives

Adjectives describe nouns. In Spanish, adjectives match the **gender** and **number** of the nouns they describe. To make an adjective plural, add **-s** if it ends in a vowel; add **-es** if it ends in a consonant. The adjective usually comes after the noun in Spanish.

Adjectives

	Masculine	Feminine
Singular	el chico alt**o**	la chica alt**a**
	el chico inteligente	la chica inteligente
	el chico joven	la chica joven
	el chico trabajador	la chica trabajador**a**
Plural	los chicos alto**s**	las chicas alta**s**
	los chicos inteligente**s**	las chicas inteligente**s**
	los chicos jóven**es**	las chicas jóven**es**
	los chicos trabajador**es**	las chicas trabajador**as**

Sometimes adjectives are shortened when they are placed in front of a masculine singular noun.

Shortened Forms

alguno	**algún** chico
bueno	**buen** chico
malo	**mal** chico
ninguno	**ningún** chico
primero	**primer** chico
tercero	**tercer** chico

Adjectives (continued)

Possessive adjectives indicate who owns something or describe a relationship between people or things. They agree in number with the nouns they describe. **Nuestro(a)** and **vuestro(a)** must also agree in gender with the nouns they describe.

Possessive adjectives also have long forms that follow the noun for emphasis. Expressed without the noun, they act as pronouns.

	Masculine Short Form		**Masculine Long Form**	
Singular	**mi** amigo	**nuestro** amigo	amigo **mío**	amigo **nuestro**
	tu amigo	**vuestro** amigo	amigo **tuyo**	amigo **vuestro**
	su amigo	**su** amigo	amigo **suyo**	amigo **suyo**
Plural	**mis** amigos	**nuestros** amigos	amigos **míos**	amigos **nuestros**
	tus amigos	**vuestros** amigos	amigos **tuyos**	amigos **vuestros**
	sus amigos	**sus** amigos	amigos **suyos**	amigos **suyos**

	Feminine Short Form		**Feminine Long Form**	
Singular	**mi** amiga	**nuestra** amiga	amiga **mía**	amiga **nuestra**
	tu amiga	**vuestra** amiga	amiga **tuya**	amiga **vuestra**
	su amiga	**su** amiga	amiga **suya**	amiga **suya**
Plural	**mis** amigas	**nuestras** amigas	amigas **mías**	amigas **nuestras**
	tus amigas	**vuestras** amigas	amigas **tuyas**	amigas **vuestras**
	sus amigas	**sus** amigas	amigas **suyas**	amigas **suyas**

Demonstrative Adjectives and Pronouns

Demonstrative adjectives and pronouns describe the location of a person or a thing in relation to the speaker. Their English equivalents are *this, that, these,* and *those.*

Demonstrative Adjectives

Demonstrative adjectives agree in gender and number with the noun they describe.

Demonstrative Adjectives

	Masculine	**Feminine**
Singular	**este** chico	**esta** chica
	ese chico	**esa** chica
	aquel chico	**aquella** chica
Plural	**estos** chicos	**estas** chicas
	esos chicos	**esas** chicas
	aquellos chicos	**aquellas** chicas

Demonstrative Adjectives and Pronouns (continued)

Demonstrative Pronouns

Demonstrative pronouns agree in gender and number with the noun they replace.

Demonstrative Pronouns

	Masculine	Feminine
Singular	éste	ésta
	ése	ésa
	aquél	aquélla
Plural	éstos	éstas
	ésos	ésas
	aquéllos	aquéllas

Comparatives and Superlatives

Comparatives

Comparatives are used to compare two people or things.

Comparatives

	más (+)	menos (–)	tan, tanto(s), tanto (=)
with adjectives	**más** serio **que...**	**menos** serio **que...**	**tan** serio **como...**
with nouns	**más** cosas **que...**	**menos** cosas **que...**	**tantas** cosas **como...**
with verbs	Me gusta leer **más que** pasear.	Me gusta pasear **menos que** leer.	Me gusta hablar **tanto como** escuchar.

There are a few irregular comparative words. When talking about the age of people, use **mayor** and **menor**. When talking about qualities, use **mejor** and **peor**.

Age	Quality
mayor	mejor
menor	peor

When comparing numbers, use **de** instead of **que**.
más de cinco...
menos de cinco...

Superlatives

Superlatives are used to set apart one item from a group. They describe which item has the most or least of a quality.

Superlatives

	Masculine	Feminine
Singular	**el más** caro	**la más** cara
	el anillo **más** caro	**la** blusa **más** cara
	el menos caro	**la menos** cara
	el anillo **menos** caro	**la** blusa **menos** cara
Plural	**los más** caros	**las más** caras
	los anillos **más** caros	**las** blusas **más** caras
	los menos caros	**las menos** caras
	los anillos **menos** caros	**las** blusas **menos** caras

The ending **-ísimo(a)** can be added to an adjective to intensify it.

Singular	caldo riqu**ísimo**	sopa riqu**ísima**
Plural	huevos riqu**ísimos**	tortillas riqu**ísimas**

Adverbs

Adverbs tell *when, where, how, how long,* or *how much.* They can be formed by adding **-mente** to the singular feminine form of an adjective.

Adjective		Adverb
alegre	→	alegre**mente**
fácil	→	fácil**mente**
general	→	general**mente**
normal	→	normal**mente**
triste	→	triste**mente**
lento(a)	→	lenta**mente**
activo(a)	→	activa**mente**
rápido(a)	→	rápida**mente**
serio(a)	→	seria**mente**
tranquilo(a)	→	tranquila**mente**

Affirmative and Negative Words

Affirmative or **negative** words are used to talk about indefinite or negative situations.

Affirmative Words	Negative Words
algo	nada
alguien	nadie
algún/alguno(a)	ningún/ninguno(a)
o... o	ni... ni
siempre	nunca
también	tampoco

Verbs: Regular Verbs

Regular verbs ending in **-ar, -er,** or **-ir** always have regular endings.

Simple Indicative Tenses

-ar Verbs

Infinitive	Present Participle	Past Participle
hablar	hablando	hablado

Present	hablo		hablamos
	hablas		habláis
	habla		hablan
Preterite	hablé		hablamos
	hablaste		hablasteis
	habló		hablaron
Imperfect	hablaba		hablábamos
	hablabas		hablabais
	hablaba		hablaban
Future	hablaré		hablaremos
	hablarás		hablaréis
	hablará		hablarán
Conditional	hablaría		hablaríamos
	hablarías		hablaríais
	hablaría		hablarían

-er Verbs

Infinitive	Present Participle	Past Participle
vender	vendiendo	vendido

Present	vendo		vendemos
	vendes		vendéis
	vende		venden
Preterite	vendí		vendimos
	vendiste		vendisteis
	vendió		vendieron

Verbs: Regular Verbs (continued)

-er Verbs

Imperfect	vend**ía**		vend**íamos**
	vend**ías**		vend**íais**
	vend**ía**		vend**ían**
Future	vender**é**		vender**emos**
	vender**ás**		vender**éis**
	vender**á**		vender**án**
Conditional	vender**ía**		vender**íamos**
	vender**ías**		vender**íais**
	vender**ía**		vender**ían**

-ir Verbs

Infinitive	Present Participle	Past Participle
compart**ir**	compart**iendo**	compart**ido**

Present	compart**o**	compart**imos**
	compart**es**	compart**ís**
	compart**e**	compart**en**
Preterite	compart**í**	compart**imos**
	compart**iste**	compart**isteis**
	compart**ió**	compart**ieron**
Imperfect	compart**ía**	compart**íamos**
	compart**ías**	compart**íais**
	compart**ía**	compart**ían**
Future	compartir**é**	compartir**emos**
	compartir**ás**	compartir**éis**
	compartir**á**	compartir**án**
Conditional	compartir**ía**	compartir**íamos**
	compartir**ías**	compartir**íais**
	compartir**ía**	compartir**ían**

Future with ir a + infinitive

Another way to express the future is with the construction **ir a + infinitive**.

voy	vamos
vas	vais
va	van

Ellos **van a venir** mañana.

Verbs: Regular Verbs (continued)

Command Forms

		tú Commands	**usted** Commands	**ustedes** Commands	**nosotros** Commands
-ar Verbs	+	habla	hable	hablen	hablemos
	–	no hables	no hable	no hablen	no hablemos
-er Verbs	+	vende	venda	vendan	vendamos
	–	no vendas	no venda	no vendan	no vendamos
-ir Verbs	+	comparte	comparta	compartan	compartamos
	–	no compartas	no comparta	no compartan	no compartamos

Subjunctive Forms

Present Subjunctive

-ar Verbs	hable	hablemos
	hables	habléis
	hable	hablen
-er Verbs	venda	vendamos
	vendas	vendáis
	venda	vendan
-ir Verbs	comparta	compartamos
	compartas	compartáis
	comparta	compartan

Imperfect Subjunctive

-ar Verbs	hablara	habláramos
	hablaras	hablarais
	hablara	hablaran
-er Verbs	vendiera	vendiéramos
	vendieras	vendierais
	vendiera	vendieran
-ir Verbs	compartiera	compartiéramos
	compartieras	compartierais
	compartiera	compartieran

Compound Tenses

The **perfect tenses** are formed with a conjugation of the auxiliary verb **haber** and a **past participle**.

Present Perfect	**he** hablado	**ha** hablado	**habéis** hablado
	has hablado	**hemos** hablado	**han** hablado
Present Perfect Subjunctive	**haya** hablado	**haya** hablado	**hayáis** hablado
	hayas hablado	**hayamos** hablado	**hayan** hablado
Past Perfect	**había** hablado	**había** hablado	**habíais** hablado
	habías hablado	**habíamos** hablado	**habían** hablado
Past Perfect Subjunctive	**hubiera** hablado	**hubiera** hablado	**hubierais** hablado
	hubieras hablado	**hubiéramos** hablado	**hubieran** hablado
Future Perfect	**habré** hablado	**habrá** hablado	**habréis** hablado
	habrás hablado	**habremos** hablado	**habrán** hablado

Stem-Changing Verbs

Present Tense

Stem-changing verbs in the present tense change in all forms except **nosotros(as)** and **vosotros(as)**.

e → ie

pensar	p**ie**nso	pensamos
	p**ie**nsas	pensáis
	p**ie**nsa	p**ie**nsan

Other **e → ie** stem-changing verbs are **cerrar, comenzar, despertarse, empezar, encender, entender, hervir, perder, preferir, querer** and **recomendar.**

o → ue

poder	p**ue**do	podemos
	p**ue**des	podéis
	p**ue**de	p**ue**den

Other **o → ue** stem-changing verbs are **acostarse, almorzar, costar, doler, dormir, encontrar, envolver, probar** and **volver.**

e → i

servir	s**i**rvo	servimos
	s**i**rves	servís
	s**i**rve	s**i**rven

Other **e → i** stem-changing verbs are **competir, freír, pedir, seguir** and **vestirse.**

u → ue

jugar	j**ue**go	jugamos
	j**ue**gas	jugáis
	j**ue**ga	j**ue**gan

Jugar is the only verb with a **u → ue** stem-change.

Stem-Changing Verbs (continued)

Preterite Tense

Stem-changing **-ir** verbs in the present tense also change stems in some forms of the preterite.

e → i		
pedir	pedí	pedimos
	pediste	pedisteis
	pidió	pidieron

o → u		
dormir	dormí	dormimos
	dormiste	dormisteis
	durmió	durmieron

Present Subjunctive

Stem-changing **-ar** and **-er** verbs in the present tense also change stems in the same forms of the subjunctive.

e → ie		
pensar	piense	pensemos
	pienses	penséis
	piense	piensen

o → ue		
poder	pueda	podamos
	puedas	podáis
	pueda	puedan

u → ue		
jugar	juegue	juguemos
	juegues	juguéis
	juegue	jueguen

Stem-changing **-ir** verbs in the present tense change stems in *all* forms of the subjunctive.

e → ie, i		
preferir	prefiera	prefiramos
	prefieras	prefiráis
	prefiera	prefieran

o → ue, u		
dormir	duerma	durmamos
	duermas	durmáis
	duerma	duerman

e → i		
pedir	pida	pidamos
	pidas	pidáis
	pida	pidan

Present Participles

Some verbs have stem changes as present participles.

decir	→	diciendo
dormir	→	durmiendo
pedir	→	pidiendo
poder	→	pudiendo
servir	→	sirviendo
venir	→	viniendo
vestir	→	vistiendo

Verbs: Spelling Changes

The following verbs undergo spelling changes in some forms to maintain their pronunciation.

c → qu	Preterite	Subjunctive	Command
buscar			
yo	busqué	busque	
tú	buscaste	busques	no busques
usted/él/ella	buscó	busque	busque
nosotros(as)	buscamos	busquemos	(no) busquemos
vosotros(as)	buscasteis	busquéis	
ustedes/ellos(as)	buscaron	busquen	busquen

like **buscar**: destacar(se), explicar, implicar, personificar, pescar, practicar, publicar, sacar, secar(se), significar, tocar

g → gu	Preterite	Subjunctive	Command
jugar (ue)			
yo	jugué	juegue	
tú	jugaste	juegues	no juegues
usted/él/ella	jugó	juegue	juegue
nosotros(as)	jugamos	juguemos	(no) juguemos
vosotros(as)	jugasteis	juguéis	
ustedes/ellos(as)	jugaron	jueguen	jueguen

like **jugar**: apagar, arriesgar(se), descargar, encargar(se), investigar, llegar, navegar, otorgar, pagar

z → c	Preterite	Subjunctive	Command
almorzar (ue)			
yo	almorcé	almuerce	
tú	almorzaste	almuerces	no almuerces
usted/él/ella	almorzó	almuerce	almuerce
nosotros(as)	almorzamos	almorcemos	(no) almorcemos
vosotros(as)	almorzasteis	almorcéis	
ustedes/ellos(as)	almorzaron	almuercen	almuercen

like **almorzar**: amenazar, analizar, cazar, comenzar, comercializar, cruzar, empezar, especializar(se), idealizar, organizar, penalizar, reemplazar, reutilizar, simbolizar, utilizar

Verbs: Spelling Changes (continued)

i → y	Present	Preterite	Subjunctive*	Command
construir				
yo	construyo	construí	construya	
tú	construyes	construiste	construyas	construye no construyas
usted/él/ella	construye	construyó	construya	construya
nosotros(as)	construimos	construimos	construyamos	(no) construyamos
vosotros(as)	construís	construisteis	construyáis	
ustedes/ellos(as)	construyen	construyeron	construyan	construyan

Present Participle: construyendo

*spelling change also applies in all forms of the **Imperfect Subjunctive**: construyera…

like **construir**: destruir, disminuir, concluir

g → j	Present	Subjunctive	Command
proteger			
yo	protejo	proteja	
tú	proteges	protejas	no protejas
usted/él/ella	protege	proteja	proteja
nosotros(as)	protegemos	protejamos	(no) protejamos
vosotros(as)	protegéis	protejáis	
ustedes/ellos(as)	protegen	protejan	protejan

like **proteger**: recoger

c → j	Preterite	Imperfect Subjunctive
conducir		
yo	conduje	condujera
tú	condujiste	condujeras
usted/él/ella	condujo	condujera
nosotros(as)	condujimos	condujéramos
vosotros(as)	condujisteis	condujerais
ustedes/ellos(as)	condujeron	condujeran

like **conducir**: traducir

Verbs: Irregular Verbs

The following verbs are irregular in some forms. The irregular forms are **boldface.**

abrir

Past Participle	**abierto**

caer(se)

Present	**caigo,** caes, cae, caemos, caéis, caen
Preterite	caí, **caíste, cayó, caímos, caísteis, cayeron**
Present Participle	**cayendo**
Past Participle	**caído**

conocer

Present	**conozco,** conoces, conoce, conocemos, conocéis, conocen

creer

Preterite	creí, **creíste, creyó, creímos, creísteis, creyeron**
Present Participle	**creyendo**
Past Participle	creído

dar

Present	**doy,** das, da, damos, dais, dan
Preterite	**di, diste, dio, dimos, disteis, dieron**
Subjunctive	**dé, des, dé, demos, deis, den**
Commands	da (tú), **no des** (neg. tú), **dé** (usted), **den** (ustedes)

decir

Present	**digo,** dices, dice, decimos, decís, dicen
Preterite	**dije, dijiste, dijo, dijimos, dijisteis, dijeron**
Future	**diré, dirás, dirá, diremos, diréis, dirán**
Conditional	**diría, dirías, diría, diríamos, diríais, dirían**
Commands	**di** (tú), no digas (neg. tú), diga (usted), digan (ustedes)
Past Participle	**dicho**

Verbs: Irregular Verbs (continued)

descubrir

Past Participle	**descubierto**

escribir

Past Participle	**escrito**

estar

Present	**estoy**, **estás**, **está**, estamos, estáis, **están**
Preterite	**estuve, estuviste, estuvo, estuvimos, estuvisteis, estuvieron**
Subjunctive	**esté, estés, esté,** estemos, estéis, **estén**
Commands	está (tú) **no estés** (neg. tú), **esté** (usted), **estén** (ustedes)

hacer

Present	**hago,** haces, hace, hacemos, hacéis, hacen
Preterite	**hice, hiciste, hizo, hicimos, hicisteis, hicieron**
Future	**haré, harás, hará, haremos, haréis, harán**
Conditional	**haría, harías, haría, haríamos, haríais, harían**
Commands	**haz** (tú), no hagas (neg. tú), haga (usted), hagan (ustedes)
Past Participle	**hecho**

ir

Present	**voy, vas, va, vamos, vais, van**
Preterite	**fui, fuiste, fue, fuimos, fuisteis, fueron**
Imperfect	**iba, ibas, iba, íbamos, ibais, iban**
Subjunctive	**vaya, vayas, vaya, vayamos, vayáis, vayan**
Commands	**ve** (tú), **no vayas** (neg. tú), **vaya** (usted), **vayan** (ustedes)
Present Participle	**yendo**
Past Participle	**ido**

leer

Preterite	leí, **leíste, leyó, leímos, leísteis, leyeron**
Present Participle	**leyendo**
Past Participle	**leído**

morir

Past Participle	**muerto**

Verbs: Irregular Verbs (continued)

poder

Preterite	**pude, pudiste, pudo, pudimos, pudisteis, pudieron**
Future	**podré, podrás, podrá, podremos, podréis, podrán**
Conditional	**podría, podrías, podría, podríamos, podríais, podrían**

poner

Present	**pongo,** pones, pone, ponemos, ponéis, ponen
Preterite	**puse, pusiste, puso, pusimos, pusisteis, pusieron**
Future	**pondré, pondrás, pondrá, pondremos, pondréis, pondrán**
Conditional	**pondría, pondrías, pondría, pondríamos, pondríais, pondrían**
Commands	**pon** (tú), no pongas (neg. tú), ponga (usted), pongan (ustedes)
Past Participle	**puesto**

querer

Preterite	**quise, quisiste, quiso, quisimos, quisisteis, quisieron**
Future	**querré, querrás, querrá, querremos, querréis, querrán**
Conditional	**querría, querrías, querría, querríamos, querríais, querrían**

resolver

Past Participle	**resuelto**

romper

Past Participle	**roto**

saber

Present	**sé,** sabes, sabe, sabemos, sabéis, saben
Preterite	**supe, supiste, supo, supimos, supisteis, supieron**
Future	**sabré, sabrás, sabrá, sabremos, sabréis, sabrán**
Conditional	**sabría, sabrías, sabría, sabríamos, sabríais, sabrían**
Subjunctive	**sepa, sepas, sepa, sepamos, sepáis, sepan**
Commands	sabe (tú), **no sepas** (neg. tú), **sepa** (usted), **sepan** (ustedes)

salir

Present	**salgo,** sales, sale, salimos, salís, salen
Future	**saldré, saldrás, saldrá, saldremos, saldréis, saldrán**
Conditional	**saldría, saldrías, saldría, saldríamos, saldríais, saldrían**
Commands	**sal** (tú), no salgas (neg. tú), salga (usted), salgan (ustedes)

Resumen de gramática

Verbs: Irregular Verbs (continued)

ser

Present	**soy, eres, es, somos, sois, son**
Preterite	**fui, fuiste, fue, fuimos, fuisteis, fueron**
Imperfect	**era, eras, era, éramos, erais, eran**
Subjunctive	**sea, seas, sea, seamos, seáis, sean**
Commands	**sé** (tú), **no seas** (neg. tú), **sea** (usted), **sean** (ustedes)

tener

Present	**tengo, tienes, tiene,** tenemos, tenéis, **tienen**
Preterite	**tuve, tuviste, tuvo, tuvimos, tuvisteis, tuvieron**
Future	**tendré, tendrás, tendrá, tendremos, tendréis, tendrán**
Conditional	**tendría, tendrías, tendría, tendríamos, tendríais, tendrían**
Commands	**ten** (tú), no tengas (neg. tú), tenga (usted), tengan (ustedes)

traer

Present	**traigo,** traes, trae, traemos, traéis, traen
Preterite	**traje, trajiste, trajo, trajimos, trajisteis, trajeron**
Present Participle	**trayendo**
Past Participle	**traído**

venir

Present	**vengo, vienes, viene,** venemos, venís, **vienen**
Preterite	**vine, viniste, vino, vinimos, vinisteis, vinieron**
Future	**vendré, vendrás, vendrá, vendremos, vendréis, vendrán**
Conditional	**vendría, vendrías, vendría, vendríamos, vendríais, vendrían**
Commands	**ven** (tú), no vengas (neg. tú), venga (usted), vengan (ustedes)

ver

Present	**veo,** ves, ve, vemos, veis, ven
Preterite	**vi, viste, vio, vimos, visteis, vieron**
Imperfect	**veía, veías, veía, veíamos, veíais, veían**
Past Participle	**visto**

volver

Past Participle	**vuelto**

Glosario español-inglés

This Spanish-English glossary contains all the active vocabulary words that appear in the text as well as passive vocabulary lists.

a to, at
  a fin de que in order that **5.1**
  a la vez at the same time
  A la(s)... At... o'clock. **I**
  a menos que unless **5.1**
  a pesar de que in spite of, despite **6.2**
  a pie on foot **I**
  ¿A qué hora es/son...? At what time is/are...? **I**
  a veces sometimes **II**
  A ver. Let's see.
abandonar to abandon
abierto(a) open
  Está abierto(a). It's open. **II**
el (la) abogado(a) lawyer **II, 7.2**
abordar to board **II**
abrazar to hug
el abrigo coat **II**
abril April **I**
abrir to open **I**
  abrir el grifo to turn on the faucet **6.1**
  en absoluto not at all **1.2**
absurdo(a) absurd **8.1**
  lo absurdo the absurd
la abuela grandmother **I**
el abuelo grandfather **I**
los abuelos grandparents **I**
aburrido(a) boring **I**
acabar de... to have just... **I**
acampar to camp **I, II**
el acantilado cliff
acariciar to caress, to stroke
acaso perhaps, maybe
  por si acaso just in case
el acceso access **2.2**
el accesorio prop **8.2**, accessory
la acción (*pl.* **las acciones**) action
el aceite (cooking) oil **II**
la aceituna olive
la acera sidewalk **II**

acercarse to approach
aclarar to clarify, to make clear
acogedor(a) cozy, welcoming **5.2**
el (la) acomodador(a) usher **8.2**
acompañar to accompany; to go or come with
  ¿Quieres acompañarme a...? Would you like to come with me to...? **I**
aconsejar que to advise that **4.1**
el acontecimiento event, happening
acordarse (ue) de to remember
acostarse (ue) to go to bed **I, II**
  Pienso acostarme temprano. I plan to go to bed early.
la actitud attitude
la actividad activity **I**
activo(a) active **II**
el acto act **8.1**
el actor actor **II**
la actriz (*pl.* **las actrices**) actress **II**
la actuación acting **5.2**; performance
  la actuación callejera street performances
actual current, contemporary
la actualidad the present
actuar to act **4.2**
  actuar en un drama to act in a play **7.1**
el acuario aquarium **I**
el acuerdo agreement
  De acuerdo. Right. Agreed.
  estar/no estar de acuerdo con to agree/disagree with **II**
  ponerse de acuerdo to agree **5.1**
además in addition, additionally **6.2**
  además de besides, in addition to
Adiós. Goodbye. **I**
adivinar to guess
adjunto(a) attached
¿Adónde? (To) Where? **I**
  ¿Adónde vas? Where are you going? **I**
adquirir (ie) to acquire

la aduana customs
  pasar por la aduana to go through customs **II**
adulto(a) adult (*adj.*)
el (la) adulto(a) adult
la advertencia warning **3.2**
advertir (ie, i) to warn **3.2**
el aeropuerto airport **II**
afectar to affect
afeitarse to shave oneself **I, II**
el (la) aficionado(a) fan, sports fan **I**
la agencia agency
  la agencia de publicidad ad agency **2.1**
  la agencia de viajes travel agency **II**
la agenda electrónica personal organizer **5.1**
el (la) agente agent
  el (la) agente de viajes travel agent **II**
  el (la) agente de bolsa stockbroker **II, 7.2**
agobiante stifling
agosto August **I**
agotador(a) exhausting **1.1**
agradecer (agradezco) to thank
el (la) agricultor(a) farmer **II**
la agricultura agriculture **II**
agrio(a) sour **II**; bitter
el agua (fem.) water **I**
  el agua dulce fresh water **1.1**
  las aguas termales hot springs
el aguacate avocado
el (la) ahijado(a) godchild
ahogado(a) stifled, choked
ahora now **I**
  ahora mismo right now
ahorrar to save (money, time) **1.1**
los ahorros savings **5.1**
  la cuenta de ahorros savings account **7.1**

el aire air
  al aire libre outside, outdoors; open-air I
  el aire acondicionado air conditioning
  el aire puro clean air II, **3.1**
el ajedrez chess **5.2**
el ajo garlic II
al to the I
  al aire libre outside, outdoors; open-air I, **1.1**
  al extranjero abroad **1.1**
  al lado (de) next to I
  al revés upside down
el ala (*fem.*) wing
alado(a) winged
el albergue juvenil youth hostel **1.1**
el (la) alcalde mayor
la alcaldía mayorship
alcanzar to reach, to attain
alegrarse (de que...) to be happy (that...) **4.2**
alegre happy; upbeat
la alfombra rug I
algo something I, II
el algodón cotton
alguien someone I, II
algún some II
  Algún día... Some day... II
alguno(a) some, any I, II
el alimento food
el aljibe cistern
allí there I
el almacén (*pl.* los almacenes) department store II
almacenar to store
almorzar (ue) to eat lunch I
el almuerzo lunch I
¿Aló? Hello? (on telephone) I, II
el alojamiento lodging II
el (la) alpinista mountain climber II
alquilar to rent I
alto(a) tall I
el altoparlante loudspeaker
la altura height
el (la) alumno(a) student
amable nice, friendly; kind
  Muy amable. Very kind. II
el amanecer sunrise
amargo(a) bitter
amarillo(a) yellow I
el ambiente atmosphere **5.2**; setting
ambos(as) both

amenazar to threaten **3.1**
el (la) amigo(a) friend I
la amistad friendship II, **4.2**
el amuleto good-luck charm
añadir to add II
el análisis (*pl.* los análisis) analysis **8.1**
analizar to analyze **6.2**
anaranjado(a) orange (color) I
ancho(a) wide
los ancianos the elderly **2.1**
andar
  andar en patineta to skateboard I
el andén (*pl.* los andenes) platform **6.2**
el anillo ring I, II
la animación animation II
animado(a) animated, upbeat **7.2**
animarse to get interested or excited
el ánimo spirit
el año year I
  el Año Nuevo New Year
  el año pasado last year I, II
  ¿Cuántos años tienes? How old are you? I
  tener... años to be... years old I
anoche last night I
la anotación (*pl.* las anotaciones) annotation, entry
anteayer the day before yesterday I, II
el antecedente background event **8.1**
antemano: de antemano beforehand **2.1**
antes (de) before I
  antes (de) que before **5.1**
anticipación: con anticipación in advance **1.1**
anticipar to anticipate **7.1**
antiguo(a) ancient II; old
el anuario yearbook **7.1**
anunciar to announce
el anuncio advertisement, ad II; announcement **2.1**
  el anuncio clasificado classified ad **2.2**
  el anuncio de prensa press release
  el anuncio personal personal ad **2.2**
apagar to turn off
  apagar la luz to turn off the light II

apagarse to go out, to burn out
el aparato device
aparecer (aparezco) to appear **4.2**
el apartamento apartment I
aparte de besides, apart from
apasionado(a) passionate **7.2**
el apellido last name II, **1.2**
apenas barely II
aplaudir to clap **8.2**
el apodo nickname
apoyar to support **2.1**
el apoyo support
apreciar to appreciate **3.1**
aprender to learn I
  aprender el español to learn Spanish I
apretado(a) tight (clothing)
el apretón (*pl.* los apretones) **de manos** handshake
aprobar (ue) to pass (a law)
aprovechar to take advantage (of something) **6.1**
los apuntes notes I
  tomar apuntes to take notes I
aquel (aquella) that (over there) I, II
aquél (aquélla) that one (over there) II
aquellos(as) those (over there) I, II
aquéllos(as) those ones (over there) II
aquí here I
la araña spider **1.1**
el árbol tree II, **1.1**
  el árbol de Navidad Christmas tree
el archivo file
la ardilla squirrel
la arena sand **1.2**
el arete earring I, II
el argumento plot II
el armario closet; armoire I
el aro hoop, ring
el (la) arqueólogo(a) archaeologist
el (la) arquitecto(a) architect II, **7.2**
la arquitectura architecture
el arrecife (de coral) (coral) reef
arreglar to repair **6.1**
  arreglarse to get ready II
el arrepentimiento regret
arriesgado(a) risky
arriesgarse to risk **4.2**
la arroba at sign (in e-mail address)
el arroz rice I

el arte art **I**
  el arte interpretativo performance art
  las artes marciales martial arts
  las bellas artes fine arts
las artesanías handicrafts **I, II**
el (la) artesano(a) artisan, craftsperson
el artículo article **II, 2.1**
  el artículo de opinión editorial **2.2**
  los artículos goods, articles **I, II**
  los artículos deportivos sporting goods
el (la) artista artist **II, 4.2**
artístico(a) artistic **I**
el asado barbecue
asado(a) roasted
el ascensor elevator **II**
el asco disgust
  ¡Qué asco! How disgusting! **II**
asegurar to assure
  Te lo aseguro. I assure you. **II**
asentir (ie, i) to agree
así this way, like this
  así que so, thus
el asiento seat
  el asiento numerado numbered seat **6.2**
la asignatura subject (in school)
asistir a to attend **5.2**
asombrarse to be astonished
asombroso(a) surprising
la aspiradora vacuum cleaner **I**
  pasar la aspiradora to vacuum **I**
el (la) astronauta astronaut **4.1**
asustarse to get scared
atender (ie) to attend
atento(a) attentive
  Muy atento(a). Very attentive. **II**
aterrorizar to terrify, to frighten
el (la) atleta athlete **I**
atlético(a) athletic **I**
las atracciones attractions, sights
  ver las atracciones to go sightseeing **II**
atractivo(a) attractive
atraer (atraigo) to attract
atrasar to delay
atrevido(a) daring **4.1**
el aula classroom
aumentar to increase
aún even
aunque although **8.1**
la ausencia absence
auténtico(a) authentic **4.2**
los autitos chocadores bumper cars **I**

la autobiografía autobiography **8.1**
el autobús (pl. los autobuses) bus **I**
  en autobús by bus **I**
la autoestima self-esteem
el automóvil automobile, car
el (la) autor(a) author **8.1**
el (la) auxiliar de vuelo flight attendant **II**
avanzado(a) advanced **II**
avanzar to advance, to move ahead
avancemos let's advance, let's move ahead
¡Avanza! Advance!, Move ahead!
avaro(a) miserly **8.2**
la avenida avenue **II**
la aventura adventure
avergonzarse to feel embarrassed
el avión (pl. los aviones) airplane **I**
  en avión by plane **I**
avisar to inform
¡Ay, por favor! Oh, please! **II**
ayer yesterday **I**
la ayuda help
ayudar to help **I**
el ayuno hunger strike; fast
azteca Aztec **II**
el azucar sugar **II**
azul blue **I**

la bahía bay
bailar to dance **I**
el bailarín/la bailarina dancer
el baile dance
bajar to descend **I**
  bajar el telón to lower the curtain **8.2**
bajo under, beneath
bajo(a) short (height) **I**
el balcón (pl. los balcones) balcony **6.1**
la ballena whale
la balsa raft
la banana banana **I**
bañarse to take a bath **I, II**
el banco bank **II**; bench **6.1**
la bandera flag
la bañera bathtub, tub **6.1**
el baño bathroom **I**
el (la) banquero(a) banker
la baranda railing
barato(a) inexpensive **I, II**
bárbaro: ¡Qué bárbaro! How cool!

el barco boat **I**
  en barco by boat **I**
barrer to sweep **I**
el barrio neighborhood **II**
el barro mud
el básquetbol basketball (the sport) **I**
bastante quite
la basura trash, garbage **I**
el basurero garbage container, trash can **II, 3.1**
la batalla battle **II**
el bate (baseball) bat **I**
la batería battery
batido(a) beaten **II**
batir to beat **II**
el bautismo baptism
el (la) bebé baby, infant **1.2**
beber to drink **I**
la bebida beverage, drink **I**
la beca scholarship
el béisbol baseball (the sport) **I**
el (la) beisbolista baseball player
la belleza beauty
bello(a) nice **II**; beautiful
el beneficio benefit
  a beneficio de for the benefit of **2.2**
la biblioteca library **I**
el (la) bibliotecario(a) librarian
la bicicleta bicycle **I**
bien well, fine **I**
  Bien. ¿Y tú/usted? Fine. And you? (familiar/formal) **I**
  irle bien (a alguien) to do well **7.1**
  Muy bien. ¿Y tú/usted? Very well. And you? (familiar/formal) **I**
  pasarlo bien to have a good time
  salir bien to turn out well **7.1**
la bienvenida welcome
bienvenido(a) welcome (adj.)
el billar billiards **5.2**
el billete ticket
  sacar el billete to buy a ticket **6.1**
la biodiversidad biodiversity **3.1**
la biografía biography **8.1**
la bisabuela great-grandmother **1.2**
el bisabuelo great-grandfather **1.2**
los bisabuelos great-grandparents **1.2**
el bistec beef **I**
la biznieta great-granddaughter **1.2**
el biznieto great-grandson **1.2**
los biznietos great-grandchildren **1.2**
blanco(a) white **I**
  en blanco blank
el bloqueador de sol sunscreen **I**
la blusa blouse **I**

la boca mouth **I**
la boda wedding
el boleto ticket **I, II**
  el boleto de ida y vuelta
  roundtrip ticket **II**
bolos: jugar a los bolos to go
  bowling
la bolsa bag, handbag **5.1**; stock
  market
  la bolsa de plástico plastic
  bag **2.1**
el (la) bombero(a) firefighter **II,
4.2**
la bombilla light bulb
la bombonería candy store **6.1**
bonito(a) pretty **I**
el boquerón (*pl.* **los boquerones**)
  anchovy
bordar to embroider
el borrador eraser **I**; draft
borrar to erase
el bosque forest; woods **II, 1.1**
  el bosque lluvioso rain forest
  el bosque nuboso cloud forest
el bosquejo story board; sketch
la bota boot **II**
el bote boat
  el bote de remos rowboat
la botella bottle
¡Bravo! Bravo! **II**
el brazo arm **I**
brillante brilliant
brillar to shine
la brisa breeze **1.2**
el brócoli broccoli **I**
la broma joke
el bronce bronze
la brújula compass
el (la) buceador(a) scuba diver **II**
bucear to scuba-dive **I**
bueno(a) good **I**
  ¡Buen provecho! Enjoy! **II**
  Buenas noches. Good evening;
    Good night. **I**
  Buenas tardes. Good afternoon. **I**
  Bueno, ... Well, ...
  ¿Bueno? Hello? (on phone) **II**
  Buenos días. Good morning. **I**
  Es bueno (que...) It's good
    (that...) **II**
burlarse de to make fun
  ofbuscar to look for **I**
la búsqueda search **5.1**
el buzón (*pl.* **los buzones**) mailbox
6.1

el caballero knight
el caballo horse **I**
  montar a caballo to ride a
    horse **I**
la cabeza head **I**
la cabina cabin; booth
el cacao cacao tree
cada each; every
  cada tanto from time to time
  cada vez más more and more
la cadera hip
caer (caigo) to fall
  caerse (me caigo) to fall
    down **6.2**
el café coffee; café **I**
el cafetal coffee farm
la cafetería cafeteria **I**
el (la) cafetero(a) coffee worker
la caja box
el (la) cajero(a) cashier
  el cajero automático ATM **6.1**
el calamar squid
el calcetín (*pl.* **los
  calcetines**) sock **I**
la calculadora calculator **I**
el caldo broth **II**
el calendario calendar **II**
calentar (ie) to heat
la calidad quality **I**
cálido(a) warm
caliente hot (temperature) **II**
callado(a) quiet **6.2**
la calle street **I**
el callejón (*pl.* **los callejones**)
  alley **6.2**
el calor heat **I**
  el calor agobiante stifling heat **1.2**
  Hace calor. It is hot. **I**
  tener calor to be hot (person) **I**
la cama bed **I**
  hacer la cama to make the bed **I**
la cámara camera **I**
  la cámara de cine movie
    camera **II**
  la cámara de video video
    camera **II**
  la cámara digital digital
    camera **I, II**
el (la) camarero(a) (food) server **I**

**el (la)
  camarógrafo(a)** cameraman/
  camerawoman **II**
cambiar to change
  cambiar de papel to change roles
el cambio change
caminar to walk **I**
la caminata hike **I**
  dar o hacer una caminata to
    hike, to take a hike **I, II, 1.1**
el camión (*pl.* **los camiones**) truck
la camioneta SUV, truck **1.1**
la camisa shirt **I**
la camiseta T-shirt **I**
la campaña campaign **2.1**
el campeón (*pl.* **los
  campeones**) champion **I**
la campeona champion **I**
el campeonato championship **II**
  el Campeonato Mundial Juvenil
    World Youth Championship
el campo field; the country,
  countryside **I**
el canal canal; channel
  el canal de televisión TV
    channel **2.1**
la cancha court (sports) **I**
la canoa canoe **1.2**
cansado(a) tired **I**
el (la) cantante singer
cantar to sing **I**
la cantimplora canteen, water
  bottle **1.1**
el canto chant
la capa de ozono ozone layer **II, 3.1**
el caparazón (*pl.* **los caparazones**)
  shell (of an animal)
capaz capable
la capilla chapel
el capítulo chapter **8.1**
captar to capture
la cara face **II**
la carabela caravel
el caracol seashell **1.2**
el cariño affection
la carne meat **I**
la carnicería butcher shop **6.1**
caro(a) expensive **I, II**
  ¡Qué caro(a)! How expensive! **I**
el (la) carpintero(a) carpenter **II, 4.2**
la carrera race **I**; career **I**
el carrete reel
la carretera highway
el carro car **1.2**

la carroza float
la carta letter
  la carta al editor letter to the editor
  la carta de presentación cover letter
el cartel sign, poster
la cartera wallet **5.1**
el (la) cartero(a) mail carrier; postman/postwoman **II, 4.2**
el cartón cardboard **II**
la casa house **I**
  la casa editorial publishing company
  la casa rodante RV **1.2**
casarse to get married **II**
la cascada waterfall
la cáscara shell (of a nut or seed)
el casco helmet **I**
casi almost **I**
el caso case
  en caso de que in case **5.1**
castaño(a) brown (hair) **I**
el castillo castle **6.2**
la casualidad chance
  por casualidad by chance **6.2**
la catedral cathedral **II**
catorce fourteen **I**
el cautiverio captivity
cazar to hunt **II**
la cebolla onion **II**
celebrar to celebrate **I**
los celos jealousy **II**
  tener celos (de) to be jealous (of) **II**
el celular cellular telephone
la cena dinner **I**
cenar to dine, to have dinner **II**
  la hora de cenar suppertime
las cenizas ashes
el centro center; downtown **I**
  el centro comercial shopping center, mall **I**
  el centro histórico historic center **6.2**
cepillar to brush
  cepillarse los dientes to brush one's teeth **I, II**
el cepillo brush **I, II**
  el cepillo de dientes toothbrush **I, II**
la cerámica ceramics; ceramic **I**
  de cerámica (made of) ceramic **II**
cerca (de) near (to) **I**
el cerdo pork
  la chuleta de cerdo pork chop **II**

el cereal cereal **I**
la ceremonia ceremony **7.1**
cero zero **I**
cerrado(a) closed
  Está cerrado(a). It's closed. **II**
cerrar (ie) to close **I**
  cerrar el grifo to turn off the faucet **6.1**
la certeza certainty
el césped grass, lawn **I**
  cortar el césped to cut the grass **I**
el chaleco vest **II**
  el chaleco salvavidas life jacket **1.2**
el chambelán male attendant
el champú shampoo **I, II**
la chaqueta jacket **I**
charlar to chat **5.2**
¡Chau! Bye!
el cheque check **2.1**
chévere: ¡Qué chévere! How cool!
la chica girl **I**
el chico boy **I**
el chisme gossip
el chiste joke
  hacer chiste de to make fun of
el chorizo sausage
el ciclismo bicycle racing, cycling **II**
el ciclo cycle
  el ciclo de vida life cycle
cien one hundred **I**
la ciencia ficción science fiction
las ciencias science **I**
  las ciencias naturales natural sciences
el (la) científico(a) scientist **II, 4.1**
cierto(a) certain; true
  (No) Es cierto que... It is (not) true that... **II, 4.2**
la cima peak; height
cinco five **I**
cincuenta fifty **I**
el cine movie theater; the movies **I**
  la estrella de cine movie star **II**
el cinturón (pl. los cinturones) belt **II**
la cita quotation **2.2**; appointment
  tener una cita to have an appointment **II**
la ciudad city **I, II**
  la ciudad universitaria campus
la ciudadanía citizenship
el (la) ciudadano(a) citizen **3.2**
la civilización (pl. las civilizaciones) civilization **II**

claro(a) clear
  Claro. Of course.
  ¡Claro que sí! Of course! **I, II**
la clase class, classroom **I**; kind, type
el (la) cliente client
el clima climate **3.1**; weather
el clímax climax **8.1**
el club club
cobrar to charge (money)
el cobre copper
el coche car **I**; carriage
  el coche tirado por caballo horse-drawn carriage
  en coche by car **I**
el cochinillo suckling pig
cocido(a) cooked **II**
la cocina kitchen **I**; cuisine
cocinar to cook **I**
codicioso(a) greedy **8.2**
el código code
  el código de vestimenta dress code **7.1**
el codo elbow **II**
la cola tail
  hacer cola to get in line **II**
colaborar to collaborate **2.1**
el colegio school, high school
colgar (ue) to hang
el collar necklace **I, II**
el color color
  ¿De qué color es/son...? What color is/are...?
colorido(a) colorful
la columna column **2.2**
  la columna de consejos advice column
el columpio swing, swingset
la comedia comedy **II**
el comedor dining room **I**
  el comedor de beneficencia soup kitchen **2.1**
comentar to comment on, to talk about **5.2**
comenzar (ie) to begin **I**
comer to eat **I**
  comer al aire libre to picnic, to eat outside **I**
comercializar to commercialize, to market **3.2**
cometer to commit
  cometer un error to make a mistake **3.2**
cómico(a) funny **I**
la comida meal; food **I**
  la comida chatarra junk food **7.1**

el comienzo beginning, start **7.1**
el comité committee
  el comité de eventos events committee **7.1**
  el comité estudiantil student government **7.1**
como since; as, like
  como sea however that may be
¿Cómo...? How...?; What? **I**
  ¿Cómo eres? What are you like? **I**
  ¿Cómo está usted? How are you? (formal) **I**
  ¿Cómo estás? How are you? (familiar) **I**
  ¿Cómo llego a...? How do I get to...? **II**
  ¿Cómo me queda(n)? How does it (do they) fit me? **II**
  ¡Cómo no! Of course! **II**
  ¿Cómo se llama? What's his/her/your (formal) name? **I**
  ¿Cómo te llamas? What's your name? (familiar) **I**
la cómoda dresser **I**
cómodo(a) comfortable
los compadres godparents
el (la) compañero(a) companion, partner
  el (la) compañero(a) de equipo teammate **II**
la compañía company, business
comparar to compare
la comparsa dance troupe
compartir to share **I**
la competencia competition **II**
el (la) competidor(a) competitor
competir (i, i) to compete **II**
complejo(a) complex **3.1**
complicado(a) complicated
el comportamiento behavior
comportarse bien/mal to behave well/badly **4.1**
comprar to buy **I**
comprender to understand **I**
  ¿Comprendiste? Did you understand?
la comprensión understanding
comprensivo(a) understanding **4.1**
comprometerse to commit oneself
el compromiso commitment **3.2**
la computación computer studies
la computadora computer **I**
  la computadora portátil laptop computer **5.1**
común common
  en común in common

la comunidad community **II**
con with **I**
  con anticipación in advance **1.1**
  con cuidado carefully
  Con mucho gusto. With pleasure. **II**
  Con permiso. Excuse me. **II**
  con tal (de) que as long as **5.1**
conceder to grant, to bestow
concentrarse to be concentrated
conciencia: la conciencia social social awareness **3.2**
el concierto concert **I**
concluir to conclude, to finish **5.2**
conclusión : en conclusión in conclusion **6.2**
el concurso contest
conducir (conduzco) to drive **1.2**; to steer
la conducta behavior **4.1**
el (la) conductor(a) conductor **6.2**
conectar to connect **I**
  conectar(se) a Internet to connect to the Internet **I, 5.1**
confirmar: confirmar el vuelo to confirm a flight **II**
el conjunto band, musical group; (dance) group
conmigo with me **I, II**
conocer (conozco) to know, to be familiar with; to meet **I**
conocido(a) known
  muy conocido(a) well-known
el conocimiento knowledge **II**
el contraste contrast
consecutivo(a) consecutive, in a row **6.2**
conseguir (i, i) to get, to find **1.1**
el (la) consejero(a) counselor, advisor
los consejos advice
  dar consejos to give advice **5.1**
conservar to conserve **II**; to keep
la consideración consideration
considerado(a) considerate **4.1**
considerar to consider
construir to build **II**
el (la) consultor(a) consultant
  el (la) consultor(a) de informática IT consultant
el consultorio doctor's/dentist's office **II**
el (la) consumidor(a) consumer **II**
la contabilidad accounting **7.2**
el (la) contador(a) accountant **7.2**

la contaminación pollution **II, 3.1**; contamination
contar (ue) to tell (a story) **II**; to count
  contar con to count on; to have, to include
  contar con los demás to count on others **2.1**
contento(a) happy **I**
la contestadora answering machine
contestar to answer **I**
el contexto context **8.1**
contigo with you (familiar) **I, II**
contra against
la contraseña password **5.1**
contratar to hire **7.2**
convencer to convince
  ¡Estoy convencido(a)! I'm convinced! **II**
convertirse en to turn into **4.2**
la cooperación cooperation **2.1**
la copa goblet
  la Copa Mundial World Cup **II**
el coraje courage **8.2**
el corazón (pl. los corazones) heart **I**
la corbata tie, necktie **II**
el corbatín (pl. los corbatines) bow tie **II**
el cordero lamb
la cordillera mountain range
el coro choir **7.1**
la corona tiara
corregir (i, i) (corrijo) to correct
el correo post office **II, 6.1**; mail
  el correo electrónico e-mail **I**
correr to run **I**
la corriente electricity
cortar to cut **I**
  cortar el césped to cut the grass **I**
la corte entourage, attendants
cortés polite
la cortina curtain **I**
corto(a) short (length) **I**
el cortometraje short documentary **2.2**
la cosa thing **I**
la cosecha harvest
coser to sew
la costa coast
costar (ue) to cost **I**
  ¿Cuánto cuesta(n)? How much does it (do they) cost? **I**
  Cuesta(n)... It (They) cost(s)... **I**
la costumbre custom

cotidiano(a) daily
crear to create
la creatividad creativity **2.1**
crecer (crezco) to grow; to grow up
creer to believe, to think
    Creo que sí/no. I think/don't think so. **II**
    no creer que... to not believe that... **4.2**
la crema de afeitar shaving cream **II**
la cría (*pl.* las crías) brood
criar to raise, to bring up
el crimen (*pl.* los crímenes) crime
la crítica review **II**
criticar to criticize **3.2**
cronológico: en orden cronológico in chronological order **6.2**
el crucero cruise
    hacer un crucero to go on a cruise **1.2**
crudo(a) raw **II**
la cruz (*pl.* las cruces) cross
cruzar to cross **II**
el cuaderno notebook **I**
la cuadra city block **II**
el cuadro painting **6.2**; square
    de cuadros plaid **II**
¿Cuál(es)? Which?; What? **I**
    ¿Cuál es la especialidad de la casa? What is the specialty of the house? **II**
    ¿Cuál es la fecha? What is the date? **I**
    ¿Cuál es tu/su número de teléfono? What is your phone number? (familiar/formal) **I**
la cualidad quality
cualificado(a) qualified **7.2**
cualquier any
cuando when **I**
    cuando sea whenever that may be
¿Cuándo? When? **I**
cuanto
    en cuanto as soon as **8.1**
    en cuanto a as to, as for
cuánto(a) how much **I**
    ¿Cuánto cuesta(n)? How much does it (do they) cost? **I**
cuántos(as) how many **I**
    ¿Cuántos años tienes? How old are you? **I**
    ¿Cuántos(as)...? How many...? **I**
cuarenta forty **I**
el cuarto room; bedroom **I**

cuarto quarter **I**
    ...y cuarto quarter past... (the hour) **I**
cuarto(a) fourth **I**
cuatro four **I**
cuatrocientos(as) four hundred **I**
la cubierta deck (of a boat) **1.2**
el cubo bucket
la cuchara spoon **II**
el cuchillo knife **II**
el cuello neck **II**
la cuenta bill (in a restaurant) **I**
    darse cuenta de to realize **5.1**
    la cuenta de ahorros savings account **7.1**
    tener en cuenta to take into account
el cuento story, short story **8.1**
    un cuento policíaco crime story **8.1**
el cuero leather
    de cuero (made of) leather **II**
el cuerpo body **I**
la cuestión (*pl.* las cuestiones) question, issue **II, 2.2**
el cuestionario questionnaire
la cueva cave
el cuidado care
    con cuidado carefully
cuidar to care for, to take care of
    cuidar niños to baby-sit **7.1**
el cultivo cultivation
la cultura culture
el cumpleaños birthday **I**
    ¡Feliz cumpleaños! Happy birthday! **I**
cumplir con to carry out, to fulfill **2.1**
la cuñada sister-in-law **II, 1.2**
el cuñado brother-in-law **II, 1.2**
la cura cure **II**
curar to cure
curioso(a) curious
cursar to study
el curso course (of study) **7.2**

los dados dice **5.2**
¡Dale! Come on! **II**
la dama female attendant
las damas checkers **5.2**
dañar to damage, to harm **II, 3.1**
el daño damage

la danza dance
    la danza folklórica folk dance
dar (doy) to give **I**
    dar consejos to give advice **5.1**
    dar lo mismo to be all the same
    dar una caminata to hike **I, II**
    dar una sugerencia to make a suggestion **5.1**
    dar una vuelta to take a walk **6.1**
    darle de comer al perro to feed the dog **I**
    darse cuenta de to realize **5.1**
    darse prisa to hurry up
    Me da miedo. It scares me. **II**
    Quisiera darle las gracias a... I would like to thank... **II**
los datos information, data
    la base de datos database
de of, from **I**
    de antemano beforehand **2.1**
    de habla hispana Spanish-speaking
    de la mañana in the morning (with a time) **I**
    de la noche at night (with a time) **I**
    de la tarde in the afternoon (with a time) **I**
    de madera/oro/plata (made of) wood/gold/silver **I**
    de moda in style, fashionable
    De nada. You're welcome. **II**
    de repente suddenly
    de vacaciones on vacation **I**
    ¿De veras?, ¿De verdad? Really?
    de vez en cuando once in a while **I**
debajo (de) underneath, under **I**
el debate debate **2.2**
debatir to debate **5.2**
deber should, ought to **I**
el deber duty **4.2**
decidir to decide **7.1**
décimo(a) tenth **I**
decir (digo) to say **I**
    ¡Te digo la verdad! I'm telling you the truth! **II**
    ¿Diga? Hello? (on phone) **II**
    también se dice... you can also say...
la decisión (*pl.* las decisiones) decision
    tomar decisiones to make decisions **7.1**
la decoración (*pl.* las decoraciones) decoration **I**
decorar to decorate **I**
la dedicación dedication

dedicado(a) dedicated **4.1**

el dedo finger **II**

  el dedo del pie toe **II**

  el dedo pulgar thumb

la deforestación deforestation **II, 3.1**

dejar to leave (behind) **6.1**

  ¿Me deja ver? May I see? **I, II**

  dejar de... to quit..., to give up... **7.1**

  dejar un mensaje to leave a message **I, II**

  dejar que to allow that **4.1**

  Le dejo... en... I'll give... to you for... (a price) **I, II**

del (de la) of or from the **I**

delante (de) in front (of) **I**

delegar to delegate **2.1**

deletrear to spell

delgado(a) thin

delicioso(a) delicious **II**

los demás others

demasiado too; too much **I, II**

el (la) dentista dentist **II, 7.2**

dentro (de) inside (of) **I, 1.1**

los deportes sports **I**

  los deportes acuáticos water sports

  los deportes extremos extreme sports

el (la) deportista sportsman, sportswoman **II**

deportivo(a) sports, sporting

deprimido(a) depressed **I**

la derecha: doblar a la derecha to turn right **II**

derecho straight

  seguir derecho to go straight **II**

el derecho law (profession) **7.2**

derecho(a) right (side, direction)

el derrumbe landslide **3.1**

desagradable disagreeable **4.1**

el desaliento discouragement

desarrollar to develop **3.1**

el desarrollo development **3.1**

el desastre disaster

desayunar to have breakfast **II**

el desayuno breakfast **I**

descansar to rest **I**

descargar to download **5.1**

descifrar to decipher

descomponer to break (down)

desconocido(a) unknown

  lo desconocido the unknown

describir to describe **II, 2.2**

descubrir to discover **II**

el descuento discount **1.1**

desde from **II**; since

la desdicha unhappiness

el desfile parade

desear to wish, to want

el desenlace outcome **8.1**

el deseo desire

desesperado(a) desperate

desesperar to despair

desfilar to parade, to march

el desfile parade

deslizarse to slide

deslumbrante dazzling

el desodorante deodorant **II**

desordenar to mess up **6.1**

desorganizado(a) disorganized **I**

despertarse (ie) to wake up **I, II**

después (de) afterward; after **I**

destacado(a) outstanding **7.2**

destacarse por... to stand out (from others) for..., to be remarkable for... **4.1**

el destino destination

la destrucción destruction **II**

destruir to destroy **3.1**

desvanecerse to vanish

la desventaja disadvantage

el detalle detail

el (la) detective detective **II, 4.1**

detenerse (me detengo) to stop

detrás (de) behind **I**

el día day **I**

  Algún día... Some day... **II**

  Buenos días. Good morning. **I**

  el día feriado holiday **7.1**

  los días festivos holidays

  ¿Qué día es hoy? What day is today? **I**

  todos los días every day **I**

el diálogo dialog **8.2**

diario(a) daily

dibujar to draw **I**

el dibujo drawing

  los dibujos animados cartoons **2.2**

diciembre December **I**

diecinueve nineteen **I**

dieciocho eighteen **I**

dieciséis sixteen **I**

diecisiete seventeen **I**

el diente tooth **II**

la dieta diet

  la dieta balanceada balanced diet **7.1**

  seguir una dieta balanceada to follow a balanced diet **II**

diez ten **I**

diferente different

difícil difficult **I**

la dificultad difficulty

el dinero money **I**

  el dinero en efectivo cash **II**

el dios god **II**

la diosa goddess **II**

la dirección (*pl.*** las direcciones)** address **I**; direction

  la dirección electrónica e-mail address **I, II**

  la dirección de escenografía stage direction **8.2**

  pedir direcciones to ask for directions **6.2**

el (la) director(a) principal **I**; director **II**

dirigir (dirijo) to direct, to lead **7.1**; to direct (a play or movie) **8.2**

el disco compacto compact disc **I**

  quemar un disco compacto to burn a CD **I**

Disculpe. Excuse me; I'm sorry. **II**

el discurso speech

discutir to discuss; to argue **II, 5.2**

el (la) diseñador(a) designer **II**

  el (la) diseñador(a) de páginas web Web page designer **7.1**

el diseño design **2.1**

el disfraz (*pl.*** los disfraces)** costume

disfrutar (de) to enjoy **5.1**

disminuir to diminish, to decrease **3.1**

disponerse (me dispongo) a... to get ready to...

disponible available

distinguirse to be distinguished

distinto(a) distinct, different **5.1**

distribuir to distribute **2.2**

la diversión fun

divertido(a) fun **I**

  ¡Qué divertido! How fun! **I**

divertirse (ie, i) to enjoy oneself, to have fun **1.1**

doblar to turn **II**; to fold; to dub

  doblar a la derecha/a la izquierda to turn right/left **II**

doce twelve **I**

el (la) doctor(a) doctor **II**

el documental documentary **II**

el documento (de identidad) (identification) document **5.1**

el dólar dollar **I**

doler (ue) to hurt, to ache **I**
el dolor ache
   el dolor de estómago
   stomachache
domingo Sunday **I**
la donación (*pl.* **las donaciones**)
  donation
donar to donate **2.2**
donde where
   donde sea wherever that may be
¿Dónde? Where? **I**
   ¿De dónde eres? Where are you
   from? (familiar) **I**
   ¿De dónde es usted? Where are
   you from? (formal) **I**
   ¿De dónde es? Where is he/she
   from? **I**
   Por favor, ¿dónde queda...? Can
   you please tell me where ... is? **II**
dorado(a) golden
dormir (ue, u) to sleep **I**
   dormir una siesta to take a nap **5.2**
   el saco de dormir sleeping bag **1.1**
dormirse (ue, u) to fall asleep **I, II**
dos two **I**
doscientos(as) two hundred **I**
el drama drama **II, 8.2**; play,
  dramatic work **7.1**
el (la) dramaturgo(a) playwright,
  dramatist **8.2**
la ducha shower **6.1**
ducharse to take a shower **I, II**
dudar to hesitate
   dudar que... to doubt that... **4.2**
dudoso(a) doubtful
   Es dudoso que... It's doubtful
   that... **4.2**
el (la) dueño(a) owner **7.2**
dulce sweet **II**
   el agua dulce fresh water **1.1**
durante during **I**
durar to last
el DVD DVD **I**

echar to throw
el (la) ecólogo(a) ecologist
el ecoturismo ecotourism
el ecuador equator
el edificio building **II**
editar to edit **II**
el (la) editor(a) editor **II, 2.2**

la educación education
educado(a) educated; polite **7.2**
el efecto effect
   el efecto invernadero greenhouse
   effect **3.1**
   los efectos especiales special
   effects **II**
eficiente efficient **7.2**
el ejemplo example
el ejercicio exercise
   hacer ejercicio to exercise **II**
el ejército army **II**
él he; him **I, II**
el (la) electricista electrician **4.1**
elegir (i, i) (elijo) to choose **2.1**
el elemento element
ella she; her **I, II**
ellos(as) they; them **I, II**
embellecer to beautify
emigrar to emigrate
la emisora (de radio) (radio)
  station **2.1**
emitir to broadcast **2.2**
emocionado(a) excited **I**
   Estoy muy emocionado(a). I'm
   overcome with emotion. **II**
emocionante exciting
emparejar to match
empatado(a): estar empatado to be
  tied (a score) **II**
el emperador emperor **II**
empezar (ie) to begin **I**
el (la) empleado(a) employee **7.1**
el empleo job **7.1**
emprender to undertake **3.2**
la empresa company, firm **7.2**
   la administración de empresas
   business administration **7.2**
el (la) empresario(a) businessperson
  4.1
en in **I**; on
   en absoluto not at all **1.2**
   en autobús by bus **I**
   en avión by plane **I**
   en barco by boat **I**
   en caso de que in case **5.1**
   en coche by car **I**
   en conclusión in conclusion **6.2**
   en cuanto as soon as **8.1**
   en línea online **I**
   en orden cronológico in
   chronological order **6.2**
   en tren by train **I**
en línea online **I**
   estar en línea to be online **I, II**

enamorado(a) in love
   estar enamorado(a) de to be in
   love with **II**
encajar to fit, to be fitting
el encaje lace
encantado(a) magical, enchanted
   Encantado(a). Delighted; Pleased
   to meet you. **I**
encantar to delight **II**
   Me encanta... I love...
   Sí, me encantaría. Yes, I would
   love to. **II**
encargarse de to take charge of, to
  make oneself responsible for **3.2**
encender (ie) to light (a match or
  fire) **1.1**
   encender la luz to turn on the
   light **II**
encima (de) on top (of) **I**
encontrar (ue) to find **I**
   encontrarse (ue) to find oneself;
   to be located
   encontrarse con to meet up
   with **5.2**
el encuentro encounter **5.2**
la encuesta survey
el (la) enemigo(a) enemy **II**
enero January **I**
la enfermedad sickness, disease
el (la) enfermero(a) nurse **II, 7.2**
enfermo(a) sick **I**
enfocarse (en) to focus (on)
el enfoque focus
enfriar to cool
el enlace link **5.1**
enojado(a) angry **I**
enojarse to get angry **II**
enojono(a) short-tempered
enorme huge, enormous
la ensalada salad **I**
ensayar to rehearse **8.2**
el ensayo essay **8.1**; rehearsal **8.2**
enseñar to teach **I**
ensuciar to get (something) dirty **6.1**
entender (ie) to understand **I**
   entenderse bien to understand
   each other well **II**
   entenderse mal to misunderstand
   each other **II**
enterarse de to find out about **6.1**
entonces then; so **I, II**
la entrada ticket **I**; entrance **6.2**
entrar to enter
entre between **II**
la entrega delivery

el entremés (*pl.* **los entremeses**) appetizer **II**

entremeterse to meddle

entretener to entertain

el (la) entrenador(a) coach, trainer **II**, **4.1**

el entrenamiento training

entrenarse to train **II**

la entrevista interview **II**, **2.2**

entrevistar to interview **II**, **2.2**

el envase container **2.1**

enviar to send **5.1**

envolver (ue) to wrap **I**

el equilibrio balance

el equipaje luggage **II**

   facturar el equipaje to check one's luggage **II**

el equipo team **I**; equipment, gear **1.2**

la erosión erosion **3.1**

el error error, mistake

escalar to climb

   escalar montañas to climb mountains **II**, **1.1**

la escalera stairs **I**

el escáner scanner **5.1**

la escapada getaway **1.2**

el escaparate display window **6.1**

la escena scene **II**

el escenario stage **8.2**; set, movie set

la escenografía scenery **8.2**

escoger (escojo) to choose

escolar school (*adj.*), school-related **II**

esconder to hide **5.1**

escribir to write **I**

el (la) escritor(a) writer **II**

el escritorio desk **I**

la escritura writing

escuchar to listen (to) **I**

el escudo coat of arms

la escuela school **I**

   la escuela secundaria high school

   la escuela técnica technical school **7.2**

la escultura sculpture **II**

ese(a) that... (there) **I**, **II**

ése(a) that one **II**

el esfuerzo effort

la esmeralda emerald

esos(as) those... (there) **I**, **II**

ésos(as) those ones **II**

el espacio space, room

la espada sword

los espaguetis spaghetti **II**

el español Spanish **I**

el espanto fright, terror

especial special

la especialidad specialty **II**; major (in college), specialization **7.2**

   la especialidad de la casa specialty of the house **II**

especializarse en to major in **7.2**

la especie species

   las especies en peligro de extinción endangered species **II**, **3.1**

el espectáculo performance, show **5.2**

el espejo mirror **I**

la esperanza hope **7.1**

esperar to wait (for) **I**, **II**

las espinacas spinach **II**

el espíritu spirit

el esplendor splendor, glory

la esposa wife, spouse **II**, **1.2**

el esposo husband, spouse **II**, **1.2**

el (la) esposo(a) spouse **1.2**

la espuma mist; foam

esquiar to ski

la esquina corner

   en la esquina on the corner **II**

establecer to establish **7.2**

el establecimiento establishment

la estación (*pl.* **las estaciones**) season **I**; station

   la estación de metro subway station **6.1**

   la estación de tren train station **II**

el estadio stadium **I**

el estado state

la estancia ranch

el estante shelf

estar to be **I**

   ¿Está...? Is... there? **I**, **II**

   ¿Está bien? OK?

   Está abierto(a)/cerrado(a). It's open/closed. **II**

   estar de vacaciones to be on vacation **II**

   estar en línea to be online **I**, **II**

   estar/no estar de acuerdo con to agree/disagree with **II**, **2.2**

   No, no está. No, he's/she's not here. **I**, **II**

la estatua statue **II**

la estatuilla statuette

el este east

este(a) this... (here) **I**, **II**

éste(a) this one **II**

el estilo style **8.1**

Estimado(a)... Dear...

el estómago stomach **I**

   el dolor de estómago stomachache

estos(as) these... (here) **I**, **II**

éstos(as) these ones **II**

la estrategia strategy **7.2**

estrecho(a) narrow

la estrella star; movie star

   la estrella de cine movie star **II**

estremecerse to shudder

estrenar to premiere, to open **II**

el estreno premiere **II**, **5.2**

el estrés stress **7.1**

estresado(a) stressed **7.1**

la estrofa stanza **8.1**

el estuco stucco

el (la) estudiante student **I**

   el (la) estudiante de intercambio exchange student

estudiar to study **I**

el estudio study

estudioso(a) studious **I**

la estufa stove **1.1**

   la estufa de gas gas stove **1.1**

la etapa stage

eterno(a) eternal

el euro euro **I**

evaluar to evaluate **3.2**

evitar to avoid **5.1**

el examen (*pl.* **los exámenes**) test, exam **I**

la excavación (*pl.* **las excavaciones**) excavation **II**

¡Excelente! Excellent! **II**

la excursión (*pl.* **las excursiones**) day trip, excursion; tour

   hacer una excursión to go on a day trip **II**

exhibir to exhibit

exigir (exijo) que to demand that **4.1**

exiliarse to to be exiled

el éxito success; hit (song)

   tener éxito to be successful **II**

exitoso(a) successful

exótico(a) exotic

experimentar to experience

explicar to explain **II**, **2.2**

explorar to explore **6.2**

expresar to express

la extinción (*pl.* **las extinciones**) extinction

extinguirse to become extinct **3.1**

extranjero: al extranjero abroad **1.1**

F

la **fachada** facade, front of a building
fácil easy **I**
fácilmente easily
facturar el equipaje to check one's luggage **II**
la **facultad** school, department (in college) **7.2**
la **falda** skirt **II**
falso(a) false
falta: hacer falta to lack, to be missing
faltar to lack, to be missing
la **fama** fame **4.2**
la **familia** family **I**
los **familiares** family members
famoso(a) famous **II**
la **fantasía** fantasy
la **farmacia** pharmacy, drug store **II**
el **faro** lighthouse
la **farsa** farce; comical play
el (la) **farsante** fraud **8.2**
fastidiar to annoy
favorito(a) favorite **I**
febrero February **I**
la **fecha** date **I**
  ¿Cuál es la fecha? What is the date? **I**
  la **fecha de nacimiento** birth date **I**
  la **fecha límite** deadline **2.2**
felicitar to congratulate
¡Felicidades! Congratulations!
feliz happy
  ¡Feliz cumpleaños! Happy birthday! **I**
feo(a) ugly **I**
la **feria** fair **I**
la **ferretería** hardware store **6.1**
fiable dependable **7.2**
la **ficha** game piece **5.2**
fiel faithful **4.1**
fiesta party; holiday
  la **fiesta de sorpresa** surprise party **I**
  la **fiesta nacional** national holiday
figurar en to appear in **4.2**
el **filete a la parrilla** grilled steak **II**
filmar to film **II**
el **fin** end
  a fin de que in order that **5.1**
  el **fin de semana** weekend **I, II**
  por fin finally **I, II**
  sin fines lucrativos nonprofit

financiero(a) financial
fino(a) fine, of high quality **II**
el **flan** custard **II**
flexible flexible **7.2**
flojo(a) loose (clothing)
la **flor** flower **1.1**
la **florería** flower shop **6.1**
el **florero** vase
la **fogata** campfire **1.1**
el **follaje** foliage
el **folleto** brochure
fomentar to support, to foster **3.1**
el **fondo** back; bottom
  los **fondos** funds **2.1**
la **forma** shape, form
  ponerse en forma to get in shape **7.1**
formal formal **5.2**
formar to form
fortalecer (fortalezco) to strengthen
la **fortaleza** fortress **6.2**
el **fósforo** match **1.1**
la **foto** photo, picture **I**
  el **foto ensayo** photo essay
  tomar o sacar fotos to take pictures **I, II**
el (la) **fotógrafo(a)** photographer **II, 2.2**
fracasar to fail **II**
el **fracaso** failure **3.2**
la **frecuencia** frequency
frecuente frequent
frecuentemente frequently **II**
el **fregadero** kitchen sink **6.1**
freír (i, i) to fry **II**
el **frente** front
  en frente de in front of
  frente a across from, facing **II, 1.1**
la **fresa** strawberry **II**
fresco(a) fresh **II**
  hacer fresco to be cool (weather) **1.2**
los **frijoles** beans **I**
el **frío** cold **I**
  Hace frío. It is cold. **I**
  tener frío to be cold (person) **I**
frito(a) fried **II**
la **fruta** fruit **I**
la **frutería** fruit stand **6.1**
el **fuego** fire
  los **fuegos artificiales** fireworks
la **fuente** fountain **6.1**; source
fuera (de) outside (of) **1.1**
fuerte strong **I**
la **fuerza natural** natural force

el (la) **fundador(a)** founder
fundar to found
el **fútbol** soccer (the sport) **I**
  el **fútbol americano** football (the sport) **I**
el **futuro** future
  En el futuro... In the future... **II**
futuro(a) future

G

las **gafas** glasses **5.1**
  las **gafas de sol** sunglasses **5.1**
la **gala** gala; formal party **II**
la **galleta** cookie **I**
el (la) **ganadero(a)** cattle rancher
el **ganado** cattle
ganador(a) winning
el (la) **ganador(a)** winner **I**
ganar to win **I**
  ganarse la vida como... to earn a living as... **II**
el **gancho** hook
una **ganga** a bargain **II**
la **garganta** throat **II**
gastar to spend **2.1**
el (la) **gato(a)** cat **I**
el **gazpacho** cold tomato soup **II**
el (la) **gemelo(a)** twin
generalmente generally, in general **II**
el **género literario** genre **8.1**
la **generosidad** generosity
generoso(a) generous **II, 4.1**
genial wonderful, awesome
la **gente** people **II**
  la **gente sin hogar** the homeless **2.1**
el (la) **gerente** manager **7.2**
el **gesto** gesture **8.2**
el **gigante** giant
la **gimnasia** gymnastics
el **gimnasio** gymnasium **I**
gitano(a) Gypsy
el **glaciar** glacier
el **globo** balloon **I**
el **gol** goal (in sports)
golpear to hit
la **goma** rubber
la **gorra** cap **II**
el **gorro** winter hat **I**
el **gozo** enjoyment, happiness
el **grabado sobre madera** wood engraving
el **grabador** tape recorder **2.2**

Gracias. Thank you. **I**
  Gracias por atenderme. Thank you for your service. **II**
  Muchas gracias. Thank you very much. **I**
  Quisiera darle las gracias a... I would like to thank... **II**
la graduación graduation **7.1**
graduarse to graduate **7.1**
la gráfica graphic **2.2**
la gramática grammar
grande big, large **I**
la grandeza grandeur
el grifo faucet **6.1**
  abrir el grifo to turn on the faucet **6.1**
  cerrar el grifo to turn off the faucet **6.1**
el grito shout, cry
el grupo group
el guante glove **I**
  los guantes de trabajo work gloves **2.1**
guapo(a) good-looking **I**
guardar to keep, to put away **5.1**
la guerra war **II**
el (la) guerrero(a) warrior **II**
la guía guide, guidebook **1.1**
  la guía del viajero travel guide
el (la) guía guide (person)
el guión (p los guiones) screenplay **II**; script **8.2**
el (la) guionista screenwriter **II**
el guisante pea
la guitarra guitar **I**
gustar to like **I**
  Me gusta... I like... **I**
  Me gustaría... I would like... **I, II**
  No me gusta... I don't like... **I**
  ¿Qué profesión te gustaría tener? What do you want to be? **II**
  ¿Qué te gusta hacer? What do you like to do? **I**
  ¿Te gusta...? Do you like...? **I**
  ¿Te gustaría...? Would you like...? **I**
el gusto pleasure **I**
  Con mucho gusto. With pleasure. **II**
  El gusto es mío. The pleasure is mine. **I**
  Mucho gusto. Nice to meet you. **I**

H

haber to have
  Había una vez... Once upon a time there was/were... ... **II**
  ha habido... there have been... **II**
  No hay de qué. Don't mention it. **II**
la habitación (pl. las habitaciones) hotel room **II**
  la habitación doble double room **II**
  la habitación individual single room **II**
el (la) habitante inhabitant
hablar to talk, to speak **I**
  de habla hispana Spanish-speaking
  hablar por teléfono to talk on the phone **I**
  ¿Puedo hablar con... ? May I speak to...? **I, II**
hacer (hago) to make, to do
  Hace calor. It is hot. **I**
  Hace frío. It is cold. **I**
  Hace muchos siglos... Many centuries ago...
  Hace sol. It is sunny. **I**
  Hace viento. It is windy. **I**
  hacer clic en to click on **I, II**
  hacer cola to get in line **II**
  hacer ejercicio to exercise **II**
  hacer esquí acuático to water-ski **I**
  hacer falta to lack, to be missing
  hacer fresco to be cool (weather) **1.2**
  hacer la cama to make the bed **I**
  hacer la maleta to pack a suitcase **II**
  hacer la tarea to do homework **I**
  hacer los mandados to do errands **6.1**
  hacer surf de vela to windsurf **I**
  hacer surfing to surf, to go surfing **I**
  hacer un papel to play a role **II**
  hacer un viaje to take a trip **I, II**
  hacer una caminata to hike **1.1**
  hacer una excursión to go on an excursion or guided tour **1.1**
  hacer una visita guiada to take a guided tour **6.2**
  hacerle gracia a alguien to please someone
hecho(a) a mano handmade **II**
Me hace llorar. It makes me cry. **II**
Me hace reír. It makes me laugh. **II**
¿Qué hicieron ustedes? What did you do? (pl., formal) **I**
¿Qué hiciste? What did you do? (sing., familiar) **I**
¿Qué tiempo hace? What is the weather like? **I**
hacerse to become
  hacerse mujer to become a woman
hacia toward
  hacia abajo down
  hacia arriba up
la hamaca hammock
el hambre hunger
  tener hambre to be hungry **I**
la hamburguesa hamburger **I**
la harina flour
harto: estar harto(a) to be tired or fed up
hasta to **II**; until
  Hasta luego. See you later. **I**
  Hasta mañana. See you tomorrow. **I**
  hasta que until **5.1**
hay... there is/are... **I**
  hay que... one has to..., one must... **I**
la hazaña feat, exploit
la heladería ice cream shop **II**
el helado ice cream **I**
la herencia heritage
la herida wound
herido(a) hurt **I**
herir (ie, i) to wound
la hermana sister **I**
el hermano brother **I**
los hermanos brothers; brother(s) and sister(s) **I**
hermoso(a) handsome; pretty **II**
el héroe hero **II**
heroico(a) heroic **II**
la heroína heroine **II**
la herramienta tool **II**

hervido(a) boiled **II**
hervir (ie, i) to boil **II**
la hierba herb
la hija daughter **I**
el hijo son **I**
los hijos children, son(s) and daughter(s) **I**
la historia history **I**; story
histórico(a) historic; historical **II**
la historieta comic strip
el hogar home
    el hogar de ancianos nursing home **2.1**
    la gente sin hogar the homeless **2.1**
la hoja leaf
    la hoja de vida resume
Hola. Hello., Hi. **I**
el hombre man **I**
    el hombre de negocios businessman **II, 7.2**
el hombro shoulder **II**
el homenaje homage
honesto(a) honest, sincere **7.2**
el honor honor **4.2**
honrado(a) honest, honorable **7.2**
honrar to honor
la hora hour; time **I**
    a la hora que sea — at whatever time that might be
    la hora de cenar — suppertime
    ¿A qué hora es/son...? At what time is/are...? **I**
    ¿Qué hora es? What time is it? **I**
horadar to drill
el horario schedule **I**
el horizonte horizon
el horno oven **6.1**
horrible horrible **I**
el hospital hospital **2.1**
el hostal hostel; inn **II**
el hotel hotel **I, II**
hoy today **I**
    hoy en día nowadays
    Hoy es... Today is . . . **I**
    ¿Qué día es hoy? What day is today? **I**
la huelga labor strike
la huella footprint
el huevo egg **I**
húmedo(a) humid
el huracán (*pl.* **los huracanes)** hurricane

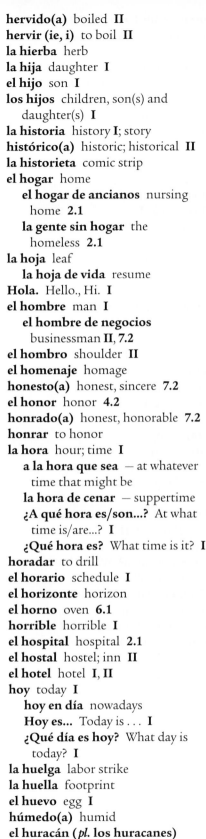

I

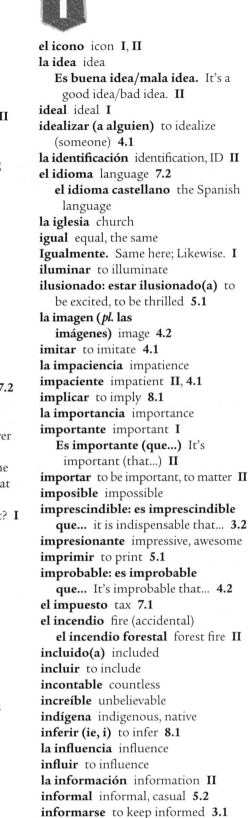

el icono icon **I, II**
la idea idea
    Es buena idea/mala idea. It's a good idea/bad idea. **II**
ideal ideal **I**
idealizar (a alguien) to idealize (someone) **4.1**
la identificación identification, ID **II**
el idioma language **7.2**
    el idioma castellano the Spanish language
la iglesia church
igual equal, the same
Igualmente. Same here; Likewise. **I**
iluminar to illuminate
ilusionado: estar ilusionado(a) to be excited, to be thrilled **5.1**
la imagen (*pl.* **las imágenes)** image **4.2**
imitar to imitate **4.1**
la impaciencia impatience
impaciente impatient **II, 4.1**
implicar to imply **8.1**
la importancia importance
importante important **I**
    Es importante (que...) It's important (that...) **II**
importar to be important, to matter **II**
imposible impossible
imprescindible: es imprescindible que... it is indispensable that... **3.2**
impresionante impressive, awesome
imprimir to print **5.1**
improbable: es improbable que... It's improbable that... **4.2**
el impuesto tax **7.1**
el incendio fire (accidental)
    el incendio forestal forest fire **II**
incluido(a) included
incluir to include
incontable countless
increíble unbelievable
indígena indigenous, native
inferir (ie, i) to infer **8.1**
la influencia influence
influir to influence
la información information **II**
informal informal, casual **5.2**
informarse to keep informed **3.1**
el informe report

la ingeniería engineering **7.2**
el (la) ingeniero(a) engineer **II, 7.2**
ingenioso(a) clever **4.1**
el inglés English **I**
el ingrediente ingredient **II**
la iniciativa initiative **7.2**
la inmigración immigration
el (la) inmigrante immigrant
la innovación (*pl.* **las innovaciones)** innovation **3.1**
inolvidable unforgettable **1.1**
el insecto insect
insistir to insist **3.2**
insólito(a) unusual **8.2**
el (la) integrante member
inteligente intelligent **I**
intentar to try
intercambiar opiniones to exchange opinions **5.2**
el intercambio exchange
el interés (*pl.* **los intereses)** interest
interesante interesting **I**
interesar to interest **II**
el intermedio intermission **8.2**
Internet Internet **I, II**
    conectarse a Internet to connect to the Internet **I**
    navegar por Internet to surf the Web **I**
    por Internet on the Internet
interpretar to perform (a dance)
el (la) intérprete performer
la inundación (*pl.* **las inundaciones)** flood **3.1**
el invento invention **3.1**
el (la) inversionista investor
invertir (ie, i) to invest **3.2**
la investigación (*pl.* **las investigaciones)** research **3.1**
investigar to investigate **II, 2.2**
el invierno winter **I**
la invitación (*pl.* **las invitaciones)** invitation **II**
los invitados guests **I**
invitar to invite **I**
    Te invito. I invite you; I'll treat you. **I**
ir (voy) to go **I**
    ir a... to be going to... **I**
    ir de compras to go shopping **I**
    ir de tapas to go out to eat **6.1**
    ir de vacaciones to go on vacation **II**
    irle bien (a alguien) to do well **7.1**
    Vamos a... Let's... **I**

la **irresponsabilidad** irresponsibility **3.2**
irse (me voy) to go; to leave **II**
la **isla** island
el **itinerario** itinerary **II**
la **izquierda: doblar a la izquierda** to turn left **II**
izquierdo(a) left (side, direction)

el **jabón** (*pl.* los **jabones**) soap **I, II**
el **jamón** (*pl.* los **jamones**) (ham **I**
el **jarabe** syrup
el **jardín** (*pl.* los **jardines**) garden **I**
los **jardines botánicos** botanical gardens
los **jeans** jeans **I**
joven (*pl.* **jóvenes**) young **I**
el (la) **joven** (*pl.* los **jóvenes**) young man/woman **II**
las **joyas** jewelry **I, II**
la **joyería** jewelry store **II**
jubilarse to retire
el **juego** game
el **juego de mesa** board game **5.2**
los **juegos de computadora** computer games **5.1**
los **Juegos Olímpicos** Olympic Games **II**
los **Juegos Panamericanos** Panamerican Games **II**
jueves Thursday **I**
el (la) **juez(a)** (*pl.* los **jueces**, las **juezas**) judge **7.2**
el (la) **jugador(a)** player **I**
jugar (ue) to play (sports or games) **I**
jugar a los bolos to go bowling
jugar al fútbol to play soccer **I**
jugar en equipo to play on a team **II**
el **jugo** juice **I**
el **jugo de naranja** orange juice **I**
julio July **I**
junio June **I**
juntar
juntar fondos to fundraise **2.1**
juntarse (con) to get together (with) **1.2**
junto a next to **1.1**
junto(a) together
jurar to swear (an oath)
¡**Te lo juro!** I swear to you! **II**

el **kayac** kayak **1.1**
el **kiosco** kiosk **6.1**

el **lado** side
al lado (de) next to **I**
por un lado... por otro lado on the one hand... on the other hand **II, 3.2**
el **ladrón** (*pl.* **ladrones**) thief
el **lago** lake
lamentable: Es lamentable que... It's too bad that...
la **lámpara** lamp **I**
la **lana** wool
el **lápiz** (*pl.* los **lápices**) pencil **I**
largo(a) long
el **largometraje** feature, full-length movie **2.2**
la **lástima** shame, pity
¡**Qué lástima!** What a shame! **I, II**
Es una lástima que... It's a shame that...
lastimarse to hurt oneself
la **lata** can, metal can **2.1**
la **lata de refresco** soda can
ser una lata to be a nuisance **2.1**
latoso(a) annoying **2.1**
el **lavabo** bathroom sink **6.1**
lavar to wash **I**
lavarse to wash oneself **I, II**
lavarse la cara to wash one's face **I**
lavarse el pelo to wash one's hair
el **lazo** lasso
la **lección** (*pl.* las **lecciones**) lesson
la **leche** milk **I**
la **lechería** dairy store **6.1**
la **lechuga** lettuce **II**
la **lechuza** owl
el (la) **lector(a)** reader
el **lector DVD** DVD player **I**
la **lectura** reading
leer to read **I**
lejos (de) far (from) **I**
el **lema** motto **2.1**
la **leña** firewood
lentamente slowly
lento(a) slow **II**
el **letrero** sign, poster **2.1**

levantar to lift **I**; to raise **8.2**
levantar el telón to raise the curtain **8.2**
levantar pesas to lift weights **I**
levantarse to get up **I, II**
la **ley** law
la **ley de oro** the golden rule
las **leyes laborales** labor laws
la **leyenda** legend **II**
la **libertad** liberty, freedom
la **libra** pound (weight)
la **librería** bookstore **II**
el **libro** book **I**
el **libro de historietas** comic book **8.1**
el **liceo** high school
el (la) **líder** leader
la **liga** league
ligero(a) light (weight)
el **limón** (*pl.* los **limones**) lemon **II**
limpiar to clean **I**
limpio(a) clean **I**
el **lino** linen
el **lío** mess **6.1**
la **lista** list
listo(a) ready
la **llama** flame
en llamas on fire, burning
la **llamada** phone call **I**
llamar to call
llamar a alguien to call someone (by phone) **I, II**
llamarse to be called
¿**Cómo se llama?** What's his/her/your (formal) name? **I**
¿**Cómo te llamas?** What's your name? (familiar) **I**
Me llamo... My name is... **I**
Se llama... His/Her name is . . . **I**
el **llano** prairie, plain
las **llanuras** plains
la **llave** key **II**
la **llegada** arrival **II**
llegar to arrive **I**
¿**Cómo llego a...?** How do I get to...? **II**
llenar to fill (up) **1.1**
llenar una solicitud de empleo to fill out an application **7.1**
llevar to take, to carry **II**; to wear **I**
llevarse
bien (mal) to (not) get along **II**
llorar to cry **II**
Me hace llorar. It makes me cry. **II**

llover (ue) to rain I
la lluvia rain
Lo siento. I'm sorry. I
la locura craziness
el (la) locutor(a) announcer
lograr to achieve 4.2
el logro achievement, success 4.2
luchar to struggle 3.2
luego later; then I, II
    Hasta luego. See you later. I
el lugar place I
    tener lugar to take place
la luna moon
lunes Monday I
la luz (pl. las luces) light
    encender la luz to turn on the
    light II

la madera wood I
    de madera (made of) wood I, II
la madrastra stepmother I
la madre mother I
la madrina godmother II, 1.2
la madrugada dawn
el (la) maestro(a) teacher I
el maíz corn
mal badly
    Mal. ¿Y tú/usted? Bad. And you?
    (familiar/formal) I
la maleta suitcase II
    hacer la maleta to pack a suitcase II
malo(a) bad I
    Es malo que... It's not good
    that... II
mañana tomorrow I
    Hasta mañana. See you tomorrow.
    Mañana es... Tomorrow is ...
la mañana morning I
    de la mañana in the morning
    (with a time) I
el mandado errand
    hacer los mandados to do
    errands 6.1
mandar to send I; to order, to
    command I, 4.1
    mandar tarjetas postales to send
    postcards II
    mandar que to order, command
    that 4.1
el mandato command
la manga sleeve

la manifestación (pl. las
    manifestaciones) demonstration
la mano hand I
    (estar) hecho(a) a mano (to be)
    handmade II
    ¡Manos a la obra! Let's get to
    work!
la manta blanket 5.2
mantener (mantengo) to keep, to
    maintain 1.2
    mantener el equilibrio to keep
    one's balance 1.2
    mantenerse en forma to stay in
    shape II
la manzana apple I; (city) block 6.1
el mapa map I
el maquillaje makeup II
maquillarse to put on makeup I, II
la máquina machine
el mar sea I
la maravilla marvel
marearse to get seasick; to get
    dizzy 1.2
la mariposa butterfly 1.1
los mariscos seafood
marrón (pl. marrones) brown I
martes Tuesday I
marzo March I
más more I; plus, in addition to
    más de... more than (with
    numbers) II
    Más o menos. ¿Y tú/usted? So-so.
    And you? (familiar/formal) I
    más que... more than... I, II
    más... que more... than I, II
    más tarde later (on) I, II
la máscara mask; masquerade
la mascota pet
las matemáticas math I
la materia subject (in school)
el matrimonio marriage; married
    couple 1.2
mayo May I
la mayonesa mayonnaise II
mayor older I, II
el (la) mecánico(a) mechanic 4.1
la medalla medal
    la medalla de oro/plata/
    bronce gold/silver/bronze medal
el (la) médico(a) doctor 7.2
el medio medium
    en medio de in the middle of
    por medio de by means of
el medio ambiente environment II,
    3.1

medio(a) half
    ... y media half past... (the hour) I
medioambiental environmental
mejor better I, II
la mejora improvement 3.2
mejorar to improve II, 3.1
la memoria memory
menor younger I, II
menos less
    ... menos (diez) (ten) to/before...
    (the hour) I
    a menos que unless 5.1
    menos de... less than... (with
    numbers) II
    menos que... less than... I, II
    menos... que less... than I, II
el mensaje lesson; message II
    dejar un mensaje to leave a
    message I, II
    el mensaje instantáneo instant
    message
el mensajero instantáneo instant
    messaging I, II
la mente mind
la mentira lie, falsehood
el menú menu I
el mercado market I
    el mercado al aire libre open-air
    market II
    el mercado laboral labor market
las mercancías merchandise
merendar (ie) to have a snack 1.2
la merienda afternoon snack II
el mes month I
    el mes pasado last month II
la mesa table I
    poner la mesa to set the table I
la mesita nightstand, end table 6.1
la meta goal 4.2
la metáfora metaphor 8.1
el metal metal
    de metal (made of) metal II
meter
    meter un gol to score a goal II
    meterse en to go into 1.1
    meterse con alguien to provoke
    someone
    meterse en problemas to get into
    trouble 6.2
el metro subway 6.1; meter
la mezcla mixture
mezclado(a) mixed II
mezclar to mix II
la mezquita mosque
mi my I

mí me **I, II**
el micrófono microphone **II**
el microondas microwave
(oven) **6.1**
el miedo fear **I**
  Me da miedo. It scares me. **II**
  ¡Qué miedo! How scary! **I**
  tener miedo to be afraid **I**
la miel honey
el miembro member
  ser miembro de... to be a
  member of... **7.1**
mientras tanto meanwhile
miércoles Wednesday **I**
la migración (*pl.* **las migraciones**)
migration
mil thousand, one thousand **I**
el milagro miracle
el (la) militar soldier
millón: un millón (de) million,
one million **I**
el minuto minute **I**
el mirador outlook, lookout **6.2**
mirar to watch **I**; to look (at)
mismo(a) same
el mito myth
la mochila backpack **I**
la moda style, fashion
  estar de moda to be in style **II**
moderno(a) modern **II**
la modestia modesty
modesto(a) modest **4.1**
moler (ue) to grind
molestar to bother
molesto(a) annoying **2.1**
molido(a) ground (up) **II**
el momento moment
  Un momento. One moment. **I**
la moneda currency
el monedero change purse **5.1**
el monje monk
el mono monkey
la montaña mountain **II**
  la montaña rusa roller coaster **I**
montar to ride **I**; to put up **1.1**
  montar a caballo to ride a horse **I,
II**
  montar en bicicleta to ride a
  bike **I**
el monumento monument **II**
morir (ue, u) to die **II**
el mortero mortar and pestle
la mostaza mustard **II**
mostrar (ue) to show
el mote nickname

motivado(a) motivated **7.2**
la moto acuática personal
watercraft **1.2**
la muchacha girl
el muchacho boy
mucho a lot **I**
  Mucho gusto. Nice to meet
  you. **I**
muchos(as) many **I**
  muchas veces often, many
  times **I**
mudarse to move, to relocate
los muebles furniture **I**
el muelle dock
la mujer woman **I**
  la mujer de negocios
  businesswoman **II, 7.2**
el (la) mulo(a) mule
mundial global, world (*adj.*)
el mundo world **II**
la muñeca wrist **II**
la muralla wall **6.2**
el murciélago bat (animal)
el muro wall
musculoso(a) muscular **II**
el museo museum **I**
la música music **I**
  la música bailable dance
  music **5.2**
  la música folklórica folk music
  la música rock rock music **I**
el (la) músico(a) musician **4.2**
  el (la) músico(a) callejero(a)
  street musician **5.2**
muy very **I**
  Muy bien. ¿Y tú/usted? Very well.
  And you? (familiar/formal) **I**

nacer (nazco) to be born
el nacimiento birth
nacional national
nada nothing **I, II**
  De nada. You're welcome. **I, II**
nadar to swim **I**
nadie no one, nobody **I, II**
los naipes cards **5.2**
la naranja orange (fruit) **I**
la nariz (*pl.* **las narices**) nose **I**
la narración narration **II**
narrar to narrate **8.1**
la natación swimming **I**
la naturaleza nature **II, 1.1**

el (la) navegante navigator
navegar to sail, to go sailing
  navegar por Internet to surf the
  Web **I**
  navegar por rápidos to go
  whitewater rafting **1.1**
la Navidad Christmas
la neblina fog
necesario(a) necessary
  Es necesario (que...) It's necessary
  (that...) **II**
la necesidad need
necesitar to need **I**
el negocio business
  **el hombre/la mujer de
  negocios** businessman/
  businesswoman **II, 7.2**
negro(a) black **I**
nervioso(a) nervous **I**
nevar (ie) to snow **I**
la nevera refrigerator
ni... ni neither... nor **I, II**
la nieta granddaughter,
grandchild **1.2**
el nieto grandson, grandchild **1.2**
los nietos grandchildren **1.2**
la nieve snow
ningún none, not any **II**
ninguno(a) none, not any **I, II**
el (la) niñero(a) babysitter **7.1**
la niñez childhood
el (la) niño(a) child **II**
el nivel level
no no **I**
  no sólo... sino también... not
  only... but also... **II**
  no renovable nonrenewable **3.1**
la noche night; evening **I**
  Buenas noches. Good evening;
  Good night. **I**
  de la noche at night (with a
  time) **I**
el nombre name
normalmente normally; usually **I, II**
el norte north
nosotros(as) we; us **I, II**
la nota grade (on a test) **I**
  sacar una buena/mala nota to
  get a good/bad grade **I**
las noticias news **II, 2.1**
el noticiero news broadcast **2.2**
novecientos(as) nine hundred **I**
novedoso(a) novel, original **3.2**

la novela novel **8.1**
  la novela gráfica graphic novel
noveno(a) ninth **I**
noventa ninety **I**
la novia girlfriend; fiancée **II, 1.2**
noviembre November **I**
el novio boyfriend; fiancé **II, 1.2**
la nuera daughter-in-law **1.2**
nuestro(a) our **I**
nueve nine **I**
nuevo(a) new **I**
el número number **I**; shoe size **II**
  el número de teléfono phone
    number **I**
nunca never **I, II**
nutritivo(a) nutritious **I**

o or **I**
  o... o either... or **I, II**
el objeto object, item **II**
el oblivio oblivion
la obra work (of art, literature) **8.1**
  la obra caritativa charitable
    work **2.2**
  la obra de teatro play, dramatic
    work **8.2**
el (la) obrero(a) laborer **4.1**
observar to observe **1.1**
el obstáculo obstacle **3.2**
el océano ocean
ocho eight **I**
ochocientos(as) eight hundred **I**
el ocio leisure **5.2**
octavo(a) eighth **I**
octubre October **I**
ocupado(a) busy **I**
ocurrírsele (a alguien) to occur (to
  someone)
el oeste west
ofender to offend
la oferta merchandise, offering **6.1**;
  offer
la oficina office **I**
  la oficina de turismo tourist
    office **II**
  la oficina del (de la) director(a)
    principal's office **I**
el oficio occupation **II**
ofrecer (ofrezco) to offer **I, 1.1**
  Le puedo ofrecer... I can offer
    you... (a price) **I**

el oído ear, inner ear (hearing) **II**
Ojalá... I hope..., hopefully...
  ¡Ojalá! I hope so!
el ojo eye **I**
la ola wave
la olla pot **1.1**
oloroso(a) fragrant
once eleven **I**
la opinión (*pl.* **las opiniones**)
  opinion **II**
  En mi opinión... In my opinion... **II**
la oración (*pl.* **las oraciones**) sentence
ordenar to organize **6.1**
la oreja ear, outer ear **I**
organizado(a) organized **I**
organizar to organize **2.1**
el orgullo pride
orgulloso(a) proud **4.1**
  estar orgulloso(a) (de) to be
    proud (of) **II**
originarse to originate
la orilla shore **1.2**
el oro gold
  de oro (made of) gold **I**
la orquesta orchestra **5.2**
osado(a) daring
el otoño autumn, fall **I**
otorgar to grant **2.2**
otro(a) other **I**
el (la) oyente listener

la paciencia patience
paciente patient **II, 4.1**
el padrastro stepfather **I**
el padre father **I**
los padres parents **I**
el padrino godfather **II, 1.2**
los padrinos godparents **1.2**
la paella traditional Spanish rice dish **II**
pagar to pay **I**
la página page
  la página web Web page **1.2, 7.1**
el país country, nation **I**
  el país natal native country
el paisaje landscape **6.2**
el pájaro bird **II, 1.1**
el palacio palace **II**
la paloma dove
el pan bread **I**
la panadería bakery **II**
la pantalla monitor; screen **I, II**
los pantalones pants **I**
  los pantalones cortos shorts **I**

la papa potato **I**
  las papas fritas French fries **I**
los papás parents
el papel paper **I**; role, part **II**
  cambiar de papel to change roles
  de papel (made of) paper
  el papel de regalo wrapping paper **I**
  hacer un papel to play a role **II**
para for; in order to **I**
  para que in order that, so that **5.1**
  Y para comer/beber... And to
    eat/drink... **II**
la parada de autobús bus stop
el paraguas umbrella **5.1**
parar to stop
  Para y piensa. Stop and think.
pararse to stand (up) **1.2**
parecer to seem
  Me parece que... It seems to me... **II**
  ¿Qué les parece...? What did you
    think of ...?
parecerse (a alguien) to look like
  (someone); to be like (someone) **1.2**
parecido(a) alike
la pared wall
la pareja pair
el (la) pariente(a) relative **II, 1.2**
el parque park **I**
  el parque de diversiones
    amusement park **I**
  el parque ecológico ecological
    park, ecoreserve
  el parque nacional national park
el párrafo paragraph
la parrilla grill
  el filete a la parrilla grilled steak **II**
la parrillada barbecue **I**
  hacer una parrillada to barbecue **I**
la parte part
  tomar parte en to take part in **7.1**
participar to participate
el partido game (in sports) **I**
el pasado the past
pasado(a) past **I**; last (in time
  expressions)
  el año/mes pasado last year/
    month **I, II**
  la semana pasada last week **I, II**
el (la) pasajero(a) passenger **II**
el pasaporte passport **II**
pasar to happen; to pass, to come in
  pasar la aspiradora to vacuum **I**
  pasar por la aduana to go
    through customs **II**
  pasar por seguridad to go
    through security **II**

pasar un buen rato to have a good time **5.2**

pasar un rato con los amigos to spend time with friends **I**

pasarlo bien to have a good time

Pase. Go ahead. **II**

¿Qué pasa? What's happening? **I**

¿Qué te pasa (a ti)? What's the matter (with you)?

el pasatiempo pastime **5.2**, hobby

pasear to go for a walk **I**

el pasillo hallway **I**, aisle **6.2**

el paso step, (dance) step; passage

la pasta de dientes toothpaste **I, II**

el pastel cake **I**

la pastelería pastry shop **II, 6.1**

la patata potato **I**

la patente patent **3.2**

patinar to skate **I**

patinar en línea to in-line skate **I**

los patines en línea in-line skates **I**

el patio patio **I**

el (la) patrocinador(a) sponsor **2.2**

patrocinar to sponsor **2.2**

el pavo turkey

la paz peace

pedir (i, i) to order, to ask for **I**

pedir direcciones to ask for directions **6.2**

pedir prestado to borrow **8.2**

peinarse to comb one's hair **I, II**

el peine comb **I, II**

pelado(a) hairless

pelear to fight **II**

la película... ...movie, film **I**

...de aventuras action... **II**

...de ciencia ficción science fiction... **II**

...de fantasía fantasy... **II**

...de terror horror... **II**

el peligro danger

peligroso(a) dangerous **I**

pelirrojo(a) red-haired **I**

el pelo hair **I**

el pelo castaño/rubio brown/blond hair **I**

la pelota ball **I**

el (la) pelotero(a) baseball player

el (la) peluquero(a) hairdresser **7.2**

la pena trouble, suffering

Es una pena que... It's a shame that...

(no) valer la pena to (not) be worth the trouble

Qué pena que... Too bad that...

penalizar to penalize **3.2**

pensar (ie) to think (of); to plan, to intend **I**

peor worse **I, II**

pequeño(a) little, small **I**

perder (ie) to lose **I**, to miss (a train, an opportunity) **6.2**

perderse (ie) to get lost **6.2**; to miss (out on)

Perdón. Excuse me. **I**

Perdóneme. Forgive me. **II**

perdurar to endure

perezoso(a) lazy **I**

el perímetro perimeter

el periódico newspaper **II, 2.1**

el periódico escolar school newspaper

el periódico estudiantil student newspaper

el (la) periodista reporter **II, 4.2**

el período period, time

permanecer (permanezco) to remain

permanecer de pie to remain standing

el permiso permission

Con permiso. Excuse me. **II**

pero but **I**

el (la) perro(a) dog **I**

persistente persistent **8.2**

persistir to persist **3.2**

la persona person **I**

en persona in person

el personaje character **II**

el personal personnel

personificar to personify **4.1**

pertenecer (pertenezco) to belong

pesado(a) boring; heavy

pesar to weigh

a pesar de que in spite of **6.2**

el pescado fish (as food) **I**

pescar to fish **II**

el petróleo oil, petroleum **II, 3.1**

el pez (pl. los peces) fish (the animal) **II, 1.1**

picante hot, spicy **II**

el pie foot **I**

a pie on foot **I**

el dedo del pie toe **II**

la piedra stone

de piedra (made of) stone **II**

la piel skin **I**

la pierna leg **I**

la pieza game piece; piece, composition

la píldora pill

el (la) piloto pilot **II, 4.1**

la pimienta pepper, black pepper **II**

pintar to paint

el (la) pintor(a) painter

la pintura painting **II**

el (la) pionero(a) pioneer

la pirámide pyramid **II**

la piscina swimming pool **I**

el piso floor (of a building) **I**; apartment **6.1**

el primer piso second floor (first above ground) **I**

la pista track (in sports) **II**; clue

el pizarrón (pl. pizarrones) chalkboard, board **I**

la pizza pizza **I**

el placer pleasure

el plan financiero financial plan **7.2**

planchar to iron **I**

el planeta planet **3.1**

la planificación planning **2.1**

el plano city map **6.2**

la planta plant

la planta baja first floor, ground floor **I**

el plástico plastic

la plata silver **I**

de plata (made of) silver **I**

el plato plate; dish; course

el plato principal main course **I**

el plato vegetariano vegetarian dish **II**

la playa beach **I**

la plaza plaza, square **II**

la pluma pen **I**

la población (pl. las poblaciones) population

la pobreza poverty **2.1**

un poco a little **I**

poco a poco little by little **II**

pocos(as) few

poder (ue) to be able, can **I**

Le puedo ofrecer... I can offer you... **I**

¿Podría ver...? Could I see...? **II**

¿Puedo hablar con... ? May I speak to...? **I, II**

poderoso(a) powerful
el poema poem
la poesía poetry **8.1**
el (la) poeta poet
el (la) policía police officer, policeman/policewoman **II, 4.2**
la política politics **3.2**
el (la) político(a) politician **II, 4.2**
el pollo chicken **I**
  el pollo asado roasted chicken **II**
poner (pongo) to put, to place **I**
  poner la mesa to set the table **I**
ponerse (me pongo) to put on
  ponerse de acuerdo to agree **5.1**
  ponerse en forma to get in shape **7.1**
  ponerse la ropa to put one's clothes on, to get dressed **I, II**
popular popular **II, 4.1**
la popularidad popularity
por for, by, around
  por casualidad by chance **6.2**
  por eso for that reason, that's why **II, 4.2**
  Por favor. Please. **I**
  por fin finally **I, II**
  por lo tanto therefore **4.2**
  por medio de by means of
  ¿Por qué? Why? **I**
  por un lado... y por otro lado on the one hand... on the other hand **II, 3.2**
por ciento percent
el porcentaje percentage
porque because **I**
portátil portable
el portero doorman
el porvenir future **3.1**
poseer to possess
la posibilidad possibility
posible possible
  Es posible que... It's possible that...
el póster poster
el postre dessert **I**
  de postre for dessert **I**
practicar to practice **I**
  practicar deportes to play or practice sports **I**
  practicar surf to surf, to go surfing
práctico(a) practical, down-to-earth **4.2**
el precio price **I**
precioso(a) precious **5.1**
preciso(a) exact, precise
preferible: Es preferible que... It's preferable that... **II**

preferido(a) favorite
preferir (ie, i) to prefer **I**
la pregunta question
el prejuicio prejudice
el premio prize; award **II**
la prensa the press **2.1**
preocupado(a) worried
preocuparse to worry
preparar to prepare **I**
  preparar la comida to prepare food, to make a meal **I**
presentar to introduce **I**; to present **II, 2.2**
  Te/Le presento a... Let me introduce you to... (familiar/formal) **I**
el (la) presidente(a) president
la presión de grupo peer pressure **II**
prestar to lend **2.1**
presumido(a) presumptuous **4.1**
el presupuesto budget **2.1**
la primavera spring **I**
primero first **II**
  el primero de... the first of... (date) **I**
primero(a) first **I**
el (la) primo(a) cousin **I**
la princesa princess **II**
el principio principle **3.2**
la prioridad priority **2.1**
la prisa speed, haste
  darse prisa to hurry up
  tener prisa to be in a hurry **II**
probar (ue) to taste **II**
  probar las especialidades to try the specialties **6.2**
el problema problem **I**
  meterse en problemas to get into trouble **6.2**
  No hay problema. No problem.
el producto product
la profesión (pl. las profesiones) profession **II**
  ¿Qué profesión te gustaría tener? What do you want to be? **II**
el (la) profesor(a) teacher; professor **II, 7.2**
el programa program
  el programa educativo educational program **2.2**
la programación programming
el (la) programador(a) programmer **II, 4.1**
programar to program
progresar to progress **3.2**
prohibir que to prohibit that **4.1**

promocionar to promote
promover (ue) to promote
pronto soon
  tan pronto como as soon as **8.1**
la propina tip (in a restaurant) **I**
el propósito purpose, aim **4.2**
la prosa prose **8.1**
prosperar to prosper **3.2**
el (la) protagonista protagonist **8.1**
el protector solar sunscreen
proteger (protejo) to protect **II, 3.1**
proveer to provide
próximo(a) next
el (la) próximo(a) the next **II**
proyectar to project
el proyecto project
  el proyecto de acción social social action project **2.1**
publicar to publish **II, 2.2**
la publicidad publicity **2.1**
  la publicidad por correo mailing **2.2**
el público audience **2.2**
público(a) public
  el transporte público public transportation **1.1**
el pueblo town
el puente bridge **6.2**
la puerta door **I**; gate **II**
el puerto port **1.2**
pues so, well **6.2**; well then
la puesta del sol sunset
el puesto position, job; stand
la pulsera bracelet **II**
el punto dot (in e-mail address)
  el punto de vista point of view **II, 8.1**
puntual punctual **7.2**

qué
  ¿Qué? What? **I**
  ¡Qué asco! How disgusting! **II**
  ¡Qué bello(a)! How beautiful! **II**
  ¡Qué caro(a)! How expensive! **II**
  ¡Qué divertido! How fun! **I**
  ¡Qué lástima! What a shame! **I, II**
  ¡Qué miedo! How scary! **I**
  ¿Qué día es hoy? What day is today? **I**
  ¿Qué es esto? What is this? **I**
  ¿Qué hicieron ustedes? What did you do? (pl., formal) **I**

¿Qué hiciste tú? What did you do? (sing., familiar) **I**

¿Qué hora es? What time is it? **I**

¿Qué pasa? What's happening? **I**

¿Qué tal? How's it going? **I**

¿Qué te gusta hacer? What do you like to do? **I**

¿Qué tiempo hace? What is the weather like? **I**

quedar

　¿Cómo me queda(n)? How does it (do they) fit me? **II**

　Por favor, ¿dónde queda...? Can you please tell me where ... is? **II**

　quedar apretado(a) to fit tight **II**

　quedar bien to fit well **II**

　quedar flojo(a) to fit loose **II**

　quedar mal to fit badly **II**

quedarse (en) to stay (in) **I, II**

los quehaceres chores **I**

quejarse to complain

quemar to burn

　quemar un disco compacto to burn a CD **I**

querer (ie) to want **I**

　Quisiera darle las gracias a... I would like to thank... **II**

querido(a) beloved; dear **II**

el queso cheese **I**

quien who

　quien sea whoever that may be

¿Quién(es)? Who? **I**

　¿Quién es? Who is he/she/it? **I**

quince fifteen **I**

quinientos(as) five hundred **I**

quinto(a) fifth **I**

quitar to take away **6.1**

el radio radio **I**

el (la) radioyente listener (to a radio program)

la raíz (*pl.* **las raíces**) root

la rama branch

rápidamente rapidly

rápido(a) fast **II**

los rápidos rapids

la raqueta racket (in sports) **I**

raro(a) rare

　es raro que... it is strange that... **3.2**

el rascacielos (*pl.* **los rascacielos**) skyscraper **II**

el rastro trace, trail

el rato time, period

　el rato libre free time **7.1**

　pasar un buen rato to have a good time **5.2**

el ratón (*pl.* **los ratones**) mouse **I, II**

la raya stripe

　de rayas striped **II**

la razón (*pl.* **las razones**) reason

　tener razón to be right **I**

razonable reasonable **4.1**

reaccionar to react

reacio(a) stubborn

la realidad reality **8.1**

realista realistic **4.2**

realizar to fulfill, to make happen

la recámara bedroom

recaudar fondos to raise funds **2.1**

la recepción (*pl.* **las recepciones**) reception desk **II, 5.2**

la receta recipe **II**

recibir to receive **I**

el reciclaje recycling **II**

reciclar to recycle **II, 2.1**

reclamar to call, to demand **8.2**

el reclamo de equipaje baggage claim **II**

recoger (recojo) to pick up, to gather **II, 1.2**

recomendar (ie) to recommend **II**

reconocido(a) well-known

recordar (ue) to remember

　¿Recuerdas? Do you remember?

recostarse (ue) to lie down **1.2**

el recreo recess

el recuerdo souvenir **I, II**; memory **7.1**

el recurso wile, way

　el recurso natural natural resource **II, 3.1**

la red net **II**; network

redactar to edit **7.1**

reemplazar to replace **3.1**

referirse (ie, i) to refer

reflejar to reflect

el reflejo reflection

reflexionar to reflect, to look back **7.1**

el refrán saying

refrescarse to cool down or off **1.2**

el refresco soft drink **I**

el refrigerador refrigerator **6.1**

refugiarse (de) to take refuge (from) **1.2**

regalar to give (a gift)

el regalo present, gift **I**

regañar to scold

regatear to bargain **I, II**

registrar to record, to write down

la regla rule

regresar to return **II**

regular: Regular. ¿Y tú/usted? OK. And you? (familiar/formal) **I**

el reino kingdom

reír (i, i) to laugh

　Me hace reír. It makes me laugh. **II**

relacionar to relate **8.1**

las relaciones públicas public relations **7.2**

la relajación relaxation

relajante relaxing

relajarse to relax **5.2**

relatar to relate, to tell **5.2**

el relato tale

la religión (*pl.* **las religiones**) religion **II**

rellenar to stuff

el reloj watch; clock **I, II**

remar to row, to paddle **1.1**

repartir periódicos to deliver newspapers **7.1**

repasar to review, to reexamine

el repaso review

repetir (i, i) to repeat

el repollo cabbage

el reportaje report

el (la) reportero(a) reporter

representar to represent **4.1**

reprobar (ue) to fail

el requisito requirement

rescatar to rescue

la reseña review **2.2, 8.1**

　la reseña literaria book review

la reserva reserve, preserve

　la reserva natural nature reserve

la reservación (*pl.* **las reservaciones**) reservation

　hacer/tener una reservación to make/to have a reservation **II**

la resolución (*pl.* **las resoluciones**) resolution **5.2**
resolver (ue) to solve **5.2**
respetar to respect **3.2**
respirar to breathe **II, 3.1**
responder to reply
la responsabilidad responsibility **II, 3.1**
responsable responsible **II, 3.1**
la respuesta answer
el restaurante restaurant **I**
el resultado result
el resumen summary
  en resumen in summary
resumir to summarize
el reto challenge, dare
el retrato portrait **II**
la reunión (*pl.* **las reuniones**) meeting **5.2, 7.1**
  la reunión de ex alumnos class reunion
reunirse to get together, to meet **1.2**
reutilizar to reuse **3.1**
revisar to check, to revise
la revista magazine **2.1**
rezumar to ooze
rico(a) tasty, delicious **I**; rich
el riesgo risk **3.1**
la rima rhyme **8.1**
el río river **1.1, 6.2**
la risa laughter
risueño(a) smiling
el ritmo rhythm **8.1**
el robot (*pl.* **los robots**) robot **II**
rocoso(a) rocky; (made of) rock
la rodilla knee **I**
rojo(a) red **I**
romántico(a) romantic **8.1**
romper to break **6.1**
la ropa clothing **I**
  la ropa elegante formalwear **II**
  ponerse la ropa to put on clothes **II**
el rostro face
roto(a) broken **6.1**
rubio(a) blond **I**
el ruido noise **5.2**
ruidoso(a) noisy **6.2**
las ruinas ruins **II**
el ruiseñor nightingale
el rumbo route
la ruta route **6.2**
la rutina routine **I, II**

sábado Saturday **I**
saber (sé) to know (a fact, how to do something) **I**
el saber learning, knowledge
el sabor flavor **II**
sabroso(a) tasty **II**
sacar to take out
  sacar el billete to buy a ticket **6.1**
  sacar fotos to take pictures
  sacar la basura to take out the trash **I**
  sacar una buena/mala nota to get a good/bad grade **I**
el saco bag, sack
  el saco de dormir sleeping bag **1.1**
el sacrificio sacrifice **4.2**
la sal salt **II**
la sala living room **I**
  la sala de espera waiting room **6.2**
salado(a) salty **II**; salted
el salar salt mine
el salero saltshaker
la salida departure **II**; exit **8.2**
salir (salgo) to leave, to go out **I**
  salir bien to turn out well **7.1**
el salón (*pl.* **los salones**) **de charlas** chat room **5.1**
la salud health **I**
saludable healthy; healthful **II**
¡Saludos! Greetings!
  Saludos desde... Greetings from...
el (la) salvavidas lifeguard
la sandalia sandal **II**
el sándwich (*pl.* **los sándwiches**) sandwich **I**
sano(a) healthy **I**
el (la) santo(a) saint
  el santo patrón / la santa patrona patron saint
la sátira satire **8.1**
satisfacer to satisfy **3.2**
satisfecho(a) satisfied
sazonado(a) seasoned
el secador de pelo hair dryer **I, II**
secar to dry
  secarse to dry oneself **I, II**
  secarse el pelo to dry one's hair **I**
seco(a) dry
el (la) secretario(a) secretary **4.2**
el secreto secret **I**
la sed thirst
  tener sed to be thirsty **I**

la seda silk
seguir (i, i) to follow **1.1**
  seguir adelante to continue on, to carry on **3.2**
  seguir derecho to go straight **II**
  seguir una carrera to pursue a career **7.2**
  seguir una dieta balanceada to follow a balanced diet **II**
según according to
segundo(a) second **I**
seguramente surely
la seguridad security
  pasar por seguridad to go through security
seguro(a) secure, safe; sure
  (no) estar seguro(a) (de) que... to (not) be sure that... **4.2**
seis six **I**
seiscientos(as) six hundred **I**
seleccionar to select
el sello stamp **6.1**
la selva jungle **II, 1.1**
el semáforo stoplight **II**
la semana week **I**
  el fin de semana weekend **I**
  la semana pasada last week **I, II**
  la semana que viene next week
semanal weekly
el sendero path, trail **1.1**
Señor (Sr.) ... Mr. ... **I**
Señora (Sra.) ... Mrs. ... **I**
Señorita (Srta.) ... Miss ... **I**
sentarse (ie) to sit
el sentido del humor sense of humor
sentir (ie, i) to feel; to be sorry **4.2**
  Lo siento. I'm sorry. **I**
  sentir que... to feel or be sorry that... **4.2**
separado(a) separate
septiembre September **I**
séptimo(a) seventh **I**
la sequía drought **3.1**
ser to be **I**
  Es de... He/She is from... **I**
  Es el... de... It's the... of... (day and month) **I**
  Es la.../Son las... It is... o'clock. **I**
  ser de madera/oro/plata to be made of wood/gold/silver **II**
  ser miembro de... to be a member of... **7.1**
  ser originario(a) de to come from
  Soy de... I'm from... **I**

serio(a) serious **I**
ser sobrenatural supernatural being
la serpiente snake **1.1**
la servilleta napkin **II**
servir (i, i) to serve **I**; to be useful
  servir de presidente(a) to serve as president **7.1**
sesenta sixty **I**
setecientos seven hundred **I**
setenta seventy **I**
sexto(a) sixth **I**
si if **I**
sí yes **I**
  ¡Claro que sí! Of course! **I, II**
  Sí, me encantaría. Yes, I would love to. **I, II**
siempre always **I**
  de siempre usual
la siesta nap **5.2**
  dormir una siesta to take a nap **5.2**
siete seven **I**
el siglo century
el significado meaning
significar to mean **8.1**
siguiente following **I**
la silla chair **I**
  la silla de ruedas wheelchair
el sillón (*pl.* los sillones) armchair **I**
simbolizar to symbolize **8.1**
el símbolo symbol
el símil simile **8.1**
simpático(a) nice, friendly **I**
simplificar to simplify
sin without **1.1**
  sin embargo however, nevertheless **II, 4.2**
  sin que without **5.1**
  sin valor worthless **5.1**
la sinagoga synagogue
la sinceridad sincerity
sincero(a) sincere **II, 4.1**
singular unique **8.2**
el sitio site
  el sitio arqueológico archaelogical site
  el sitio Web Web site **I, 5.1**
el smog smog **II, 3.1**
sobre about, concerning **II**; on
el sobrenombre nickname

sobresaliente outstanding **4.1**
la sobrina niece **II, 1.2**
el sobrino nephew **II, 1.2**
la sociedad society **3.2**
  la sociedad honoraria honor society **7.1**
el sofá sofa, couch **I**
el software software **II**
la soga rope
el sol sun **I**
  el bloqueador de sol sunscreen **I**
  Hace sol. It is sunny. **I**
  tomar el sol to sunbathe **I**
solamente only
el (la) soldado soldier
solicitar to ask for, to request **2.1**
  solicitar una beca to apply for a scholarship **7.1**
la solicitud application
  llenar una solicitud de empleo to fill out an application **7.1**
sólo only
  no sólo... sino también... not only... but also... **II**
solo(a) alone
soltar (ue) to release
solucionar to solve **3.2**
la sombra shadow
el sombrero hat **I**
la sombrilla beach umbrella; parasol **1.2**
someter to force
soñar (ue) to dream
  soñar con to dream about **8.2**
el sonido sound **II**
sonreír (i, i) to smile
la sopa soup **I**
soportar to withstand
sordo(a) deaf
los sordos the deaf
sorprendente surprising **4.2**
sorprender to surprise
  sorprenderse de que... to be surprised that... **4.2**
la sorpresa surprise **I**
sospechar que to suspect that **5.1**
su his, her, its, their, your (formal) **I**
subir to go up **I**
  subir a la vuelta al mundo/la montaña rusa to ride the Ferris wheel/roller coaster **I**
subrayar to underline
la subtitulación para sordos closed captioning for the hearing-impaired **2.2**

el suceso event **8.1**
sucio(a) dirty **I**
la suegra mother-in-law **II, 1.2**
el suegro father-in-law **II, 1.2**
los suegros in-laws **II, 1.2**
el sueldo salary **7.1**
el suelo floor (of a room) **I**; ground, soil **3.1**
el sueño dream; sleep
  tener sueño to be sleepy **II**
la suerte luck
  tener suerte to be lucky **I**
el suéter sweater **II**
el sufrimiento suffering **3.2**
sufrir to suffer
la sugerencia suggestion
  dar una sugerencia to make a suggestion **5.1**
sugerir (ie, i) que to suggest that **4.1**
sumamente extremely **II**
superar to overcome, to surpass **3.2**
la superficie surface
el supermercado supermarket **II**
el sur south
surfear to surf, to go surfing
el (la) surfista surfer **1.2**
suspirar to sigh
el sustantivo noun
el susto fright, scare
susurrar to whisper

la tabla de surf surfboard **1.2**
tal
  con tal (de) que as long as **5.1**
  tal vez maybe **I**
talentoso(a) talented
la talla clothing size **II**; carving
el taller workshop
el tamaño size
también also, too **I**
  no sólo... sino también... not only... but also... **II**
  también se dice... you can also say...
tampoco neither, (not) either **I, II**
tan as
  tan pronto como as soon as **8.1**
  tan... como as... as **I, II**
tanto as much
  tanto como... as much as... **I**
  tanto(s)... como as many... as **II**
tanto(a) so much

Recursos
Glosario español-inglés

tantos(as) so many

las tapas: ir de tapas to go out to eat **6.1**

el tapiz (*pl.* **los tapices**) tapestry **6.2**

la taquilla ticket window **6.2**

tarde late **I**

la tarde afternoon **I**

   Buenas tardes. Good afternoon. **I**

   de la tarde in the afternoon (with a time) **I**

   más tarde later (on) **I, II**

la tarea homework **I**; task

la tarifa fare **1.1**

la tarjeta card

   la tarjeta de crédito credit card **II**

   la tarjeta de embarque boarding pass **II**

   la tarjeta postal postcard **II**

la tarta cake

   la tarta de chocolate chocolate cake **II**

el taxi taxi

la taza cup

el té tea **II**

el teatro theater **I**

el teclado keyboard **I, II**

el (la) técnico(a) technician, repairperson **4.2**

los tejidos woven materials

la tela cloth, fabric

la tele TV

el teléfono telephone **I**

   ¿Cuál es tu/su número de teléfono? What is your phone number? (familiar/formal) **I**

   el teléfono celular cellular phone **I, II**

   Mi número de teléfono es... My phone number is ... **I**

la telenovela soap opera

el (la) telespectador(a) viewer, TV viewer **2.2**

la teletón (*pl.* **las teletones**) telethon **2.2**

el (la) televidente viewer, TV viewer

la televisión television **I**

el televisor television set **I**

el telón (*pl.* **los telones**) curtain (in a theater)

   levantar/bajar el telón to raise/lower the curtain **8.2**

el tema theme **8.1**

el temblor earthquake **3.1**

temer que to be afraid that **5.1**

el templo temple **II**

la temporada season

temprano early **I**

el tenedor fork **II**

tener (tengo) to have **I**

   ¿Cuántos años tienes? How old are you? **I**

   tener... años to be... years old **I**

   tener calor to be hot (person) **I**

   tener celos de... to be jealous of...

   tener éxito to be successful **II**

   tener frío to be cold (person) **I**

   tener ganas de... to feel like... **I**

   tener hambre to be hungry **I**

   tener lugar to take place

   tener miedo to be afraid **I**

   tener prisa to be in a hurry **II**

   tener que to have to **I**

   tener razón to be right **I**

   tener sed to be thirsty **I**

   tener sueño to be sleepy **II**

   tener suerte to be lucky **I**

el tenis tennis **I**

la teología theology

tercero(a) third **I**

el terciopelo velvet

las termas hot springs

terminar to end **I**

la terraza terrace **6.1**

el (la) tesorero(a) treasurer **7.1**

el (la) testigo witness

ti you (sing., familiar) **I, II**

la tía aunt **I**

el tiempo weather; time **I**

   ¿Qué tiempo hace? What is the weather like? **I**

   a tiempo parcial part-time **7.1**

   el tiempo libre free time **I, II**

la tienda store **I**

la tienda de campaña tent **1.1**

la tierra land, soil

el timbre doorbell **6.1**

   tocar el timbre to ring the doorbell **6.1**

la timidez shyness

tímido(a) shy **II, 4.1**

el tío uncle **I**; guy

los tíos uncles, uncle(s) and aunt(s) **I**

típico(a) typical

el tipo type

el (la) tirado(a) pauper **8.2**

tirar to throw (out); to pull

   tirar basura to litter **2.1**

   tirarse (de) to jump off

las tiras cómicas comic strips

el titular headline **II, 2.1**

titularse to be called **8.1**

el título (academic) degree **7.2**; title **7.2**

la toalla towel **I, II**

el tobillo ankle **I**

el tocadiscos (*pl.* **los tocadiscos**) **compactos** CD player **I**

tocar to play (an instrument) **I**; to touch **I**

todavía still; yet **I**

todo all, everything

   todo el mundo everyone

   todo junto all together

todos(as) all **I**

   todos los días every day **I**

tomar to take **I**

   tomar algo to drink something **6.2**

   tomar apuntes to take notes **I**

   tomar decisiones to make decisions **7.1**

   tomar el sol to sunbathe **I**

   tomar fotos to take photos **I, II**

   tomar parte en to take part in, to participate in **7.1**

   tomar un taxi to take a taxi **II**

el tomate tomato **I**

la tormenta storm

el torneo tournament

la tortilla omelet (in Spain) **II**

   la tortilla de patatas potato omelet **II**

la tortuga turtle, tortoise

   la tortuga gigante giant tortoise

trabajador(a) hard-working **I**

el (la) trabajador(a) worker

   el (la) trabajador(a) social social worker **4.1**

trabajar to work **I**

   trabajar a tiempo parcial to work part-time **7.1**

   trabajar de cajero(a) to work as a cashier **7.1**

   trabajar de salvavidas to work as a lifeguard **7.1**

   trabajar de voluntario to volunteer **II, 2.1**

el trabajo work; job

traducir (traduzco) to translate **2.2**

el (la) traductor(a) translator **7.2**

traer (traigo) to bring **I**

   ¿Me puede traer...? Can you bring me...? **II**

el traje suit **II**

   el traje de baño bathing suit **II**

tranquilo(a) calm **I**
la transformación (*pl.* **las transformaciones**) transformation **3.1**
transformar to transform **II**
el transporte público public transportation **1.1**
trasladarse to move (change residence)
tratar
  tratar de to be about; to try to
  tratar sobre to deal with, to be about
  tratarse de to be about **6.2**
travieso(a) mischievous
trece thirteen **I**
treinta thirty **I**
treinta y uno thirty-one **I**
el tren train **I**
  en tren by train **I**
tres three **I**
trescientos(as) three hundred **I**
la tripulación (*pl.* **las tripulaciones**) crew
triste sad **I**
la trituradora food processor
triunfar to triumph
el triunfo triumph
el trofeo trophy
el tronco trunk
tu your (sing., familiar) **I**
tú you (sing., familiar) **I**
la tumba tomb **II**
el turismo tourism
  el turismo ecológico ecotourism
  la oficina de turismo tourist office **II**
el (la) turista tourist **II**
turnarse to take turns

último(a) last
la uña nail (fingernail or toenail) **II**
único(a) unique **II**; only
la unidad unity **3.2**; unit
unificar to unify
el uniforme uniform **II**
unirse to join
la universidad university **7.2**
uno one **I**
usar to use **I**; to wear **I**
usted you (sing., formal) **I, II**

ustedes you (pl., formal) **I, II**
útil useful
utilizar to use **1.1**
la uva grape **I**
¡Uy! Ugh! **II**

las vacaciones vacation **I**
  (estar) de vacaciones (to be) on vacation **I, II**
  ir de vacaciones to go on vacation **II**
el vacío gap
vacío(a) empty
el vagón (*pl.* **los vagones**) wagon, railroad car **6.2**
¡Vale! OK!
la valentía bravery **4.2**
valer (valgo) to be worth
valiente brave **II**
valioso(a) valuable **5.1**
el valle valley
el valor value
valorar to value **3.1**
la vanidad vanity
vanidoso(a) vain **4.1**
variar to vary
la variedad variety
varios(as) various
la vasija container
el vaso glass **II**
el (la) vecino(a) neighbor **4.2**
vegetariano(a) vegetarian
el vehículo híbrido hybrid vehicle **II**
veinte twenty **I**
veintiuno twenty-one **I**
la vejez old age
el velero sailboat **1.2**
el venado deer
el (la) vendedor(a) salesclerk, vendor **I**
  el (la) vendedor(a) ambulante street vendor **5.2**
vender to sell **I**
venir (vengo) to come **I**
la venta sale
la ventaja advantage
la ventana window **I**
la ventanilla ticket window **I**; train window **6.2**

ver to see **I**
  A ver. Let's see.
  ¿Me deja ver? May I see? **I, II**
  Nos vemos allí. See you there.
  ver el amanecer to watch the sunrise **1.2**
  ver la puesta del sol to watch the sunset **1.2**
  ver las atracciones to go sightseeing **II**
el verano summer **I**
la verdad truth
  (No) Es verdad que... It is (not) true that... **II, 4.2**
  ¡Te digo la verdad! I'm telling you the truth! **II**
  ¿De verdad? Really?
  ¿Verdad? Really? Right? **I**
verdadero(a) real, true, sincere **4.2**
verde green **I**
la verdulería vegetable stand **6.1**
las verduras vegetables **I**
la vergüenza shame
  darle a uno vergüenza to feel ashamed
versátil versatile **7.2**
el verso verse **8.1**
el vestido dress **I**
vestirse (i, i) to get dressed **I, II**
el vestuario costumes **8.2**; wardrobe
el (la) veterinario(a) veterinarian **II, 4.2**
la vez (*pl.* **las veces**) time
  a la vez at the same time
  a veces sometimes **II**
  de vez en cuando once in a while **I**
  muchas veces often, many times **I**
  tal vez maybe **I**
la vía track, train track **6.2**
viajar to travel **II**
el viaje trip, journey
  hacer un viaje to take a trip **I**
el (la) vice-presidente(a) vice president **7.1**
la vida life **II**; a living
  el ciclo de vida life cycle
  ganarse la vida como... to earn a living as... **II**
el videojuego video game **I**
el vidrio glass **II**
viejo(a) old **I**
el viento wind
  Hace viento. It is windy. **I**

viernes Friday **I**

el vinagre vinegar **II**

la visita visit

  hacer una visita guiada to take a guided tour **6.2**

visitar to visit

  visitar un museo to visit a museum **II**

la vista view **6.2**

el vitral stained-glass window

la vivienda housing

vivir to live **I**

vivo(a) bright (colors)

el vocabulario vocabulary

la vocación (*pl.* **las vocaciones**) vocation

el volante flyer **2.2**

volar (ue) to fly

el volcán (*pl.* **los volcanes**) volcano **II**

el voleibol volleyball (the sport) **I**

  el voleibol playero beach volleyball **1.2**

el (la) voluntario(a) volunteer **II, 2.1**

  trabajar de voluntario to volunteer **II**

volver (ue) to return, to come back **I**

vosotros(as) you (pl., familiar) **I, II**

votar to vote **3.1**

la voz (*pl.* **las voces**) voice

  en voz alta out loud

el vuelo flight **II**

  confirmar el vuelo to confirm a flight **II**

la vuelta turn

  dar una vuelta to take a walk **6.1**

  la Vuelta a Francia Tour de France **II**

  la vuelta al mundo Ferris wheel **I**

vuestro(a) your (familiar) **I**

y and

  ... y (diez) (ten) past... (the hour) **I**

  ... y cuarto quarter past... (the hour) **I**

  ... y media half past... (the hour) **I**

ya already **I**

el yerno son-in-law **1.2**

yo I **I**

el yogur yogurt **I**

los zahones chaps

zambullirse to dive

la zanahoria carrot **II**

la zapatería shoe store **II**

el zapato shoe **I**

la zona zone, region

el zoológico zoo **I**

el zopilote vulture

el zorro fox

GLOSARIO
español-inglés

Glosario
inglés-español

This English Spanish glossary contains all the active vocabulary words that appear in the text as well as passive vocabulary lists.

to abandon abandonar
about sobre **II**
  to be about tratarse de **6.2**
abroad al extranjero **1.1**
absence la ausencia
absurd absurdo(a) **8.1**
  the absurd lo absurdo
access el acceso **2.2**
to accompany acompañar
according to según
account la cuenta
  savings account la cuenta de ahorros **7.1**
  to take into account tener en cuenta
accountant el (la) contador(a) **7.2**
accounting la contabilidad **7.2**
to ache doler (ue) **I**
to achieve lograr **4.2**
achievement el logro **4.2**
to acquire adquirir (ie)
across from frente a **II**
act el acto **8.1**
to act actuar **4.2**
  to act in a play actuar en un drama **7.1**
acting la actuación **5.2**
action la acción (*pl.* las acciones)
active activo(a) **II**
activity la actividad **I**
actor el actor **II**
actress la actriz (*pl.* las actrices) **II**
ad el anuncio **2.1**
  classified ad el anuncio clasificado **2.2**
  personal ad el anuncio personal **2.2**
to add añadir **II**
  addition: in addition además **6.2**

address la dirección (*pl.* las direcciones) **I**
  e-mail address la dirección electrónica **I, II**
adult el (la) adulto(a)
to advance avanzar
  in advance con anticipación **1.1**
advanced avanzado(a) **II**
advantage la ventaja
  to take advantage (of something) aprovechar **6.1**
adventure la aventura
advertisement el anuncio **II**
advice los consejos
  to give advice dar consejos **5.1**
to advise that aconsejar que **4.1**
advisor el (la) consejero(a)
to affect afectar
affection el cariño
afraid
  to be afraid tener miedo **I**
  to be afraid that temer que **5.1**
after después (de) **I**
afternoon la tarde **I**
  Good afternoon. Buenas tardes. **I**
  in the afternoon de la tarde **I**
afterward después **I**
against contra
agency la agencia
  ad agency la agencia de publicidad **2.1**
agent el (la) agente
ago: Many centuries ago... Hace muchos siglos...
to agree ponerse de acuerdo **5.1**; asentir (ie, i)
  to agree/disagree with estar/no estar de acuerdo con **II, 2.2**
agriculture la agricultura **II**
air el aire
  clean air el aire puro **II, 3.1**
air conditioning el aire acondicionado

airplane el avión (*pl.* aviones) **I**
  by plane en avión **I**
airport el aeropuerto **II**
aisle el pasillo **6.2**
alike parecido(a)
all todos(as) **I**
  all together todo junto
alley el callejón (*pl.* los callejones) **6.2**
to allow that dejar que **4.1**
almost casi **I**
alone solo(a)
already ya **I**
also también **I**
  not only... but also... no sólo... sino también... **II**
although aunque **8.1**
always siempre **I**
analysis el análisis (*pl.* los análisis) **8.1**
to analyze analizar **6.2**
anchovy el boquerón (*pl.* los boquerones)
ancient antiguo(a) **II**
and y
angry enojado(a) **I**
  to get angry enojarse
animated animado(a) **7.2**
animation la animación **II**
ankle el tobillo **I**
annotation la anotación (*pl.* las anotaciones)
announce anunciar
announcement el anuncio **2.1**
announcer el (la) locutor(a)
to annoy fastidiar
annoying molesto(a), latoso(a) **2.1**
answer la respuesta
to answer contestar **I**
answering machine la contestadora
to anticipate anticipar **7.1**
any alguno(a) **I**; cualquier
  not any ningún, ninguno(a) **I, II**
apartment el piso **6.1**, el apartamento **I**

to appear aparecer (aparezco) **4.2**
    to appear in figurar en **4.2**
appetizer el entremés (*pl.* los entremeses) **II**
apple la manzana **I**
application la solicitud
    to fill out a job application llenar una solicitud de empleo **7.1**
to apply (for) solicitar
    to apply for a scholarship solicitar una beca **7.1**
appointment la cita
    to have an appointment tener una cita **II**
to appreciate apreciar **3.1**
to approach acercarse
April abril **I**
aquarium el acuario **I**
archaeologist el (la) arqueólogo(a)
architect el (la) arquitecto(a) **II**, **7.2**
architecture la arquitectura
to argue discutir **II**, **5.2**
arm el brazo **I**
armchair el sillón (*pl.* los sillones) **I**
armoire el armario **I**
army el ejército **II**
around por
arrival la llegada **II**
to arrive llegar **I**
art el arte **I**
    fine arts las bellas artes
    martial arts las artes marciales
    performance art el arte interpretativo
article el artículo **II**, **2.1**
artisan el (la) artesano(a)
artist el (la) artista **II**, **4.2**
artistic artístico(a) **I**
as como
    as long as con tal (de) que **5.1**
    as many... as tanto(s)... como **II**
    as much as... tanto como... **I, II**
    as soon as en cuanto, tan pronto como **8.1**
    as for en cuanto a
    as... as tan... como **I, II**
ashamed: to feel ashamed darle a uno vergüenza
ashes las cenizas
ask
    to ask for pedir (i, i) **I**; solicitar **2.1**
    to ask for directions pedir direcciones **6.2**

to assure asegurar
    I assure you. Te lo aseguro. **II**
astronaut el (la) astronauta **4.1**
at a
    at night de la noche **I**
    at the same time a la vez
    At what time is/are...? ¿A qué hora es/son...? **I**
    At... o'clock. A la(s)... **I**
at sign (in e-mail address) la arroba
athlete el (la) atleta **I**
athletic atlético(a) **I**
ATM el cajero automático **6.1**
atmosphere el ambiente **5.2**
attached adjunto(a)
to attain lograr **4.2**
to attend asistir a **5.2**; atender (ie)
attentive atento(a)
    Very attentive. Muy atento(a). **II**
attitude la actitud
to attract atraer (atraigo)
attractions las atracciones
attractive atractivo(a)
audience el público **2.2**
August agosto **I**
aunt la tía **I**
authentic auténtico(a) **4.2**
author el (la) autor(a) **8.1**
autobiography la autobiografía **8.1**
automobile el automóvil
autumn el otoño **I**
available disponible
avenue la avenida **II**
to avoid evitar **5.1**
award el premio **II**
awareness: social awareness la conciencia social **3.2**
Aztec azteca **II**

baby el (la) bebé **1.2**
to baby-sit cuidar niños **7.1**
babysitter el (la) niñero(a) **7.1**
background event el antecedente **8.1**
backpack la mochila **I**
bad malo(a) **I**
    Too bad that... Qué pena que...
badly mal
bag la bolsa **5.1**, el saco
    plastic bag la bolsa de plástico **2.1**
    sleeping bag el saco de dormir **1.1**

baggage claim el reclamo de equipaje **II**
bakery la panadería **II**
balance el equilibrio
balcony el balcón (*pl.* los balcones) **6.1**
ball la pelota **I**
balloon el globo **I**
banana la banana **I**
band (musical group) el conjunto
bank el banco **II**
banker el (la) banquero(a)
baptism el bautismo
barbecue la parrillada; el asado **I**
barely apenas **II**
to bargain regatear **I, II**
a bargain una ganga **II**
baseball el béisbol **I**
    (baseball) bat el bate **I**
    baseball player el (la) pelotero(a), el (la) beisbolista
basketball el básquetbol **I**
bat (animal) el murciélago
bath: to take a bath bañarse **II**
bathing suit el traje de baño **II**
bathroom el baño **I**
bathtub la bañera **6.1**
battery la batería
battle la batalla **II**
bay la bahía
to be ser; estar **I**
    to be able poder (ue) **I**
    to be about tratar(se) de **6.2**
    to be born nacer (nazco)
    to be cold tener frío **I**
    to be cool (weather) hacer fresco **1.2**
    to be excited estar ilusionado(a) **5.1**
    to be familiar with conocer (conozco) **I**
    to be hot tener calor **I**
    to be hungry tener hambre **I**
    to be important importar **II**
    to be in a hurry tener prisa **II**
    to be jealous of... tener celos de...
    to be lucky tener suerte **I**
    to be on vacation estar de vacaciones **II**
    to be online estar en línea **I, II**
    to be right tener razón **I**
    to be sleepy tener sueño **II**
    to be thirsty tener sed **I**
    to be useful servir (i, i)

to be... years old tener... años **I**
    to be like (someone) parecerse (a alguien) **1.2**
    What do you want to be? ¿Qué profesión te gustaría tener? **II**
beach la playa **I**
    beach umbrella la sombrilla **1.2**
beans los frijoles **I**
to beat batir **II**
beaten batido(a) **II**
beautiful bello(a) **II**
to beautify embellecer
beauty la belleza
because porque **I**
to become hacerse (me hago)
bed la cama **I**
    to go to bed acostarse (ue) **I, II**
    to make the bed hacer la cama **I**
bedroom el cuarto **I**; la recámara
beef el bistec **I**
before antes (de) que **5.1**; menos **I**
beforehand de antemano **2.1**
to begin empezar (ie), comenzar (ie) **I**
beginning el comienzo **7.1**
behave: to behave well/ badly comportarse bien/mal **4.1**
behavior la conducta **4.1**; el comportamiento
behind detrás (de) **I**
to believe creer
    to not believe that... no creer que... **4.2**
to belong pertenecer (pertenezco)
beloved querido(a) **II**
belt el cinturón (*pl.* los cinturones) **II**
bench el banco **6.1**
beneath bajo
benefit el beneficio
    for the benefit of a beneficio de **2.2**
besides además de, aparte de
better mejor **I, II**
between entre **II**
beverage la bebida **I**
bicycle la bicicleta **I**
    bicycle racing el ciclismo **II**
big grande **I**
bill la cuenta **I**
billiards el billar **5.2**
biodiversity la biodiversidad **3.1**
biography la biografía **8.1**
bird el pájaro **II, 1.1**

birth el nacimiento
    birth date la fecha de nacimiento **I**
birthday el cumpleaños **I**
    Happy birthday! ¡Feliz cumpleaños! **I**
bitter amargo(a), agrio(a)
black negro(a) **I**
blank en blanco
blanket la manta **5.2**
block (city block) la cuadra **II**; la manzana **6.1**
blond rubio(a) **I**
blouse la blusa **I**
blue azul **I**
board el pizarrón (*pl.* los pizarrones) **I**
to board abordar **II**
boarding pass la tarjeta de embarque **II**
boat el barco **I**; el bote
    by boat en barco **I**
body el cuerpo **I**
to boil hervir (ie, i) **II**
boiled hervido(a) **II**
book el libro **I**
bookstore la librería **II**
boot la bota **II**
booth la cabina
boring aburrido(a) **I**; pesado(a)
to borrow pedir prestado **8.2**
both ambos(as)
to bother molestar
bottle la botella
bottom el fondo
bow tie el corbatín (*pl.* los corbatines) **II**
bowling: to go bowling jugar a los bolos
box la caja
boy el chico **I**; el muchacho
boyfriend el novio **II, 1.2**
bracelet la pulsera **II**
branch la rama
brave valiente **II**
bravery la valentía **4.2**
Bravo! ¡Bravo! **II**
bread el pan **I**
to break romper **6.1**
    to break down descomponer
breakfast el desayuno **I**
    to have breakfast desayunar **II**
to breathe respirar **II, 3.1**
breeze la brisa **1.2**

bridge el puente **6.2**
bright (colors) vivo(a)
brilliant brillante
to bring traer (traigo)
    to bring up criar
    Can you bring me...? ¿Me puede traer...? **II**
to broadcast emitir **2.2**
broccoli el brócoli **I**
brochure el folleto
broken roto(a) **6.1**
bronze el bronce
brood la cría
broth el caldo **II**
brother el hermano **I**
brother-in-law el cuñado **II, 1.2**
brown marrón (*pl.* marrones) **I**
    brown hair el pelo castaño **I**
brush el cepillo **I, II**
to brush cepillar
    to brush one's teeth cepillarse los dientes **I, II**
bucket el cubo
budget el presupuesto **2.1**
to build construir **II**
building el edificio **II**
bumper cars los autitos chocadores **I**
to burn quemar
    to burn a CD quemar un disco compacto **I**
bus el autobús (*pl.* los autobuses) **I**
    bus stop la parada de autobús
    by bus en autobús **I**
business el negocio
    business administration la administración de empresas **7.2**
businessman el hombre de negocios **II, 7.2**
businessperson el (la) empresario(a) **4.1**
businesswoman la mujer de negocios **II, 7.2**
busy ocupado(a) **I**
but pero **I**
butcher shop la carnicería **6.1**
butterfly la mariposa **1.1**
to buy comprar **I**
    to buy a ticket sacar el billete **6.1**
by por
    by chance por casualidad **6.2**
    by means of por medio de
Bye! ¡Chau!

C

cabbage el repollo
cabin la cabina
café el café **I**
cafeteria la cafetería **I**
cake el pastel **I**; la tarta
  chocolate cake la tarta de
  chocolate **II**
calculator la calculadora **I**
calendar el calendario **II**
call el llamado
call la llamada **I**
to call llamar **I**, reclamar **8.2**
  to be called titularse **8.1**
  to call someone llamar a alguien **II**
calm tranquilo(a) **I**
camera la cámara **I**
  digital camera la cámara
  digital **I, II**
  movie camera la cámara de cine **II**
  video camera la cámara de video **II**
cameraman el camarógrafo **II**
camerawoman la camarógrafa **II**
to camp acampar **I, II**
campaign la campaña **2.1**
campfire la fogata **1.1**
campus la ciudad universitaria
can (to be able) poder (ue) **I**
  Could I see...? ¿Podría ver...? **II**
  I can offer you... Le puedo
  ofrecer... **I**
can (container) la lata **2.1**
  soda can la lata de refresco
canal el canal
candy store la bombonería **6.1**
canoe la canoa **1.2**
canteen la cantimplora **1.1**
cap el gorro **I**; la gorra **II**
capable capaz
captivity el cautiverio
to capture captar
car el coche **I**; el carro **1.2**; el automóvil
  by car en coche **I**
  railroad car el vagón (*pl.* los
  vagones) **6.2**
caravel la carabela
card la tarjeta
  credit card la tarjeta de crédito **II**
cardboard el cartón **II**
cards los naipes **5.2**
care el cuidado
  to take care of cuidar

to care for cuidar
career la carrera
carefully con cuidado
to caress acariciar
carpenter el (la) carpintero(a) **II, 4.2**
carriage el coche
  horse-drawn carriage el coche
  tirado por caballo
carrot la zanahoria **II**
to carry llevar **II**
  to carry on seguir adelante **3.2**
  to carry out cumplir con **2.1**
cartoons los dibujos animados **2.2**
carving la talla
case el caso
  in case en caso de que **5.1**
  just in case por si acaso
cash el dinero en efectivo **II**
cashier el (la) cajero(a)
castle el castillo **6.2**
casual informal **5.2**
cat el (la) gato(a) **I**
cathedral la catedral **II**
cattle el ganado
  cattle rancher el (la) ganadero(a)
cave la cueva
CD player el tocadiscos (*pl.* los
  tocadiscos) compactos **I**
to celebrate celebrar **I**
cellular phone el teléfono celular **I**,
  II; el celular
center el centro **I**
  historic center el centro
  histórico **6.2**
century el siglo
ceramic la cerámica
  (made of) ceramic de cerámica **II**
ceramics la cerámica **I**
cereal el cereal **I**
ceremony la ceremonia **7.1**
certainty la certeza
chair la silla **I**
chalkboard el pizarrón (*pl.* los
  pizarrones) **I**
challenge el reto
champion el campeón (*pl.* los
  campeones), la campeona **I**
championship el campeonato **II**
chance: by chance por casualidad **6.2**
change el cambio
  change purse el monedero **5.1**
to change cambiar
  to change roles cambiar de papel
channel: TV channel el canal de
  televisión **2.1**

chant el canto
chapel la capilla
chapter el capítulo **8.1**
character el personaje **II**
to charge (money) cobrar
to chat charlar **5.2**
chat room el salón (*pl.* los salones) de
  charlas **5.1**
check el cheque **2.1**
to check revisar
  to check one's luggage facturar el
  equipaje **II**
checkers las damas **5.2**
cheese el queso **I**
chess el ajedrez **5.2**
chicken el pollo **I**
  roasted chicken el pollo asado **II**
child el (la) niño(a) **II**
childhood la niñez
children los hijos **I**
choir el coro **7.1**
to choose escoger (escojo)
to choose elegir (i, i) (elijo) **2.1**
chores los quehaceres **I**
Christmas la Navidad
  Christmas tree el árbol de Navidad
church la iglesia
cistern el aljibe
citizen el (la) ciudadano(a) **3.2**
citizenship la ciudadanía
city la ciudad **I, II**
  city block la cuadra **II**; la
  manzana **6.1**
  city map el plano **6.2**
civilization la civilización (*pl.* las
  civilizaciones) **II**
to clap aplaudir **8.2**
to clarify aclarar
class la clase **I**
classroom la clase **I**; el aula
clean limpio(a) **I**
to clean limpiar **I**
clear claro(a)
clever ingenioso(a) **4.1**
to click on hacer clic en **I, II**
client el (la) cliente
cliff el acantilado
climate el clima **3.1**
climax el clímax **8.1**
climb escalar
  to climb mountains escalar
  montañas **II, 1.1**
clock el reloj **I**
to close cerrar (ie) **I**

closed cerrado(a)
  closed captioning for the hearing impaired la subtitulación para sordos **2.2**
  It's closed. Está cerrado(a). **II**
closet el armario **I**
clothing la ropa **I**
  to put on clothes ponerse la ropa **II**
club el club
clue la pista
coach el (la) entrenador(a) **II, 4.1**
coast la costa
coat el abrigo **II**
code: dress code el código de vestimenta **7.1**
coffee el café **I**
  coffee farm el cafetal
  coffee worker el (la) cafetero(a)
cold el frío **I**
  It is cold. Hace frío. **I**
  to be cold tener frío **I**
to collaborate colaborar **2.1**
color el color
  What color is/are...? ¿De qué color es/son...?
colorful colorido(a)
column la columna **2.2**
  advice column la columna de consejos
comb el peine **I, II**
  to comb one's hair peinarse **I, II**
to come venir (vengo) **I**
  Come on! ¡Dale! **II**
  to come back volver (ue) **I**
  to come in pasar
  to come with acompañar
comedy la comedia **II**
comfortable cómodo(a)
comic book el libro de historietas **8.1**
comic strip la historieta, las tiras cómicas
command el mandato
  to command that mandar **4.1**
to comment (on) comentar **5.2**
to commercialize comercializar **3.2**
to commit cometer
  to commit oneself comprometerse
commitment el compromiso **3.2**
committee el comité
  events committee el comité de eventos **7.1**

common común
community la comunidad **II**
compact disc el disco compacto **I**
companion el (la) compañero(a)
company la empresa **7.2**; la compañía
to compare comparar
compass la brújula
to compete competir (i, i) **II**
competition la competencia **II**
to complain quejarse
complex complejo(a) **3.1**
complicated complicado(a)
computer la computadora **I**
  laptop computer la computadora portátil **5.1**
computer studies la computación
concentrated: to be concentrated concentrarse
concert el concierto **I**
to conclude concluir **5.2**
conclusion: in conclusion en conclusión **6.2**
conductor el (la) conductor(a) **6.2**
to confirm confirmar
  to confirm a flight confirmar el vuelo **II**
to congratulate felicitar
  Congratulations! ¡Felicidades!
to connect conectar **I**
to connect to the Internet conectarse a Internet **I, 5.1**
consecutive consecutivo(a) **6.2**
to conserve conservar **II**
to consider considerar
considerate considerado(a) **4.1**
consideration la consideración
consultant el (la) consultor(a)
consumer el (la) consumidor(a) **II**
container el envase **2.1**; la vasija
contamination la contaminación **II, 3.1**
contest el concurso
context el contexto **8.1**
continue: to continue on seguir adelante **3.2**
contrast el contraste
to convince convencer
  I'm convinced! ¡Estoy convencido(a)! **II**
to cook cocinar **I**
cooked cocido(a) **II**
cookie la galleta **I**

cool
  How cool! ¡Qué bárbaro!, ¡Qué chévere!
  to be cool (weather) hacer fresco **1.2**
to cool enfriar
  to cool down or off refrescarse **1.2**
cooperation la cooperación **2.1**
copper el cobre
coral reef el arrecife de coral
corn el maíz
corner la esquina
  around the corner a la vuelta de la esquina **8.2**
  on the corner en la esquina **II**
to correct corregir (i, i) (corrijo)
to cost costar (ue) **I**
  How much does it (do they) cost? ¿Cuánto cuesta(n)? **I**
  It (They) cost(s)... Cuesta(n)... **I**
costume el disfraz (*pl.* los disfraces)
  costumes (in a play) el vestuario **8.2**
couch el sofá **I**
counselor el (la) consejero(a)
to count contar (ue)
  to count on (others) contar con (los demás) **2.1**
countless incontable
country el país **I**; el campo
  native country el país natal
courage el coraje **8.2**
course el plato
  course (of study) el curso **7.2**
  main course el plato principal **I**
court la cancha **I**
cousin el (la) primo(a) **I**
cozy acogedor(a) **5.2**
craftsperson el (la) artesano(a)
craziness la locura
to create crear
creativity la creatividad **2.1**
crew la tripulación (*pl.* las tripulaciones)
crime el crimen (*pl.* los crímenes)
to criticize criticar **3.2**
cross la cruz (*pl.* las cruces)
to cross cruzar **II**
cruise el crucero
  to go on a cruise hacer un crucero **1.2**
cry el grito
to cry llorar **II**
  It makes me cry. Me hace llorar. **II**
cultivation el cultivo

culture la cultura
cup la taza
cure la cura **II**
to cure curar
curious curioso(a)
currency la moneda
current (contemporary) actual
curtain la cortina **I**
   stage curtain el telón (*pl.* los telones)
   to raise/lower the curtain levantar/ bajar el telón **8.2**
custard el flan **II**
custom la costumbre
customs la aduana
   to go through customs pasar por la aduana **II**
to cut cortar **I**
   to cut the grass cortar el césped **I**
cycle el ciclo
   life cycle el ciclo de vida
cycling el ciclismo **II**

daily cotidiano(a); diario(a)
dairy store la lechería **6.1**
damage el daño
to damage dañar **II**
dance el baile; la danza
   folk dance la danza folklórica
to dance bailar **I**
danger el peligro
dangerous peligroso(a) **I**
daring atrevido(a) **4.1**; osado(a)
data los datos
database la base de datos
date la fecha **I**
   birth date la fecha de nacimiento **I**
   What is the date? ¿Cuál es la fecha? **I**
daughter la hija **I**
daughter-in-law la nuera **1.2**
dawn la madrugada
day el día **I**
   day trip la excursión (*pl.* las excursiones)
   every day todos los días **I**
   Some day... Algún día... **II**
   the day before yesterday anteayer **I, II**
   What day is today? ¿Qué día es hoy? **I**
dazzling deslumbrante
deadline la fecha límite **2.2**

deaf sordo(a)
   the deaf los sordos
deal: to deal with, to be about tratar sobre
dear querido(a)
   Dear... Estimado(a)...
debate el debate **2.2**
to debate debatir **5.2**
December diciembre **I**
to decide decidir **7.1**
to decipher descifrar
decision la decisión (*pl.* las decisiones)
   to make decisions tomar decisiones **7.1**
deck (of a boat) la cubierta **1.2**
to decorate decorar **I**
decoration la decoración (*pl.* las decoraciones) **I**
to decrease disminuir **3.1**
dedicated dedicado(a) **4.1**
dedication la dedicación
deer el venado
deforestation la deforestación **II, 3.1**
degree (academic) el título **7.2**
to delay atrasar
to delegate delegar **2.1**
delicious rico(a) **I**; delicioso(a) **II**
to delight encantar **II**
   Delighted. Encantado(a). **I**
to deliver newspapers repartir periódicos **7.1**
delivery la entrega
to demand exigir **4.1**, reclamar **8.2**
   to demand that exigir (exijo) que **4.1**
demonstration la manifestación (*pl.* las manifestaciones)
dentist el (la) dentista **II, 7.2**
deodorant el desodorante **II**
department (in college) la facultad **7.2**
department store el almacén (*pl.* los almacenes) **II**
departure la salida **II**
dependable fiable **7.2**
depressed deprimido(a) **I**
to descend bajar **I**
to describe describir **II, 2.2**
design el diseño **2.1**
designer el (la) diseñador(a) **II**
   Web page designer el (la) diseñador(a) de páginas web **7.1**
desire el deseo
desk el escritorio **I**
to despair desesperar
desperate desesperado(a)

despite a pesar de que **6.2**
dessert el postre **I**
   for dessert de postre **I**
destination el destino
to destroy destruir **3.1**
destruction la destrucción **II**
detail el detalle
detective el (la) detective **II, 4.1**
to develop desarrollar **3.1**
development el desarrollo **3.1**
device el aparato
dialog el diálogo **8.2**
dice los dados **5.2**
to die morir (ue, u) **II**
diet la dieta
   balanced diet la dieta balanceada **7.1**
   to follow a balanced diet seguir una dieta balanceada **II**
different distinto(a) **5.1**; diferente
difficult difícil **I**
difficulty la dificultad
to diminish disminuir **3.1**
to dine cenar **II**
dining room el comedor **I**
dinner la cena **I**
   to have dinner cenar **II**
to direct dirigir (dirijo) **7.1, 8.2**
directions las direcciones
   to ask for directions pedir (i, i) direcciones **6.2**
   stage direction la dirección de escenografía **8.2**
director el (la) director(a) **II**
dirty sucio(a) **I**
   to get (something) dirty ensuciar **6.1**
disadvantage la desventaja
to disagree no estar de acuerdo **2.2**
disagreeable desagradable **4.1**
disaster el desastre
discount el descuento **1.1**
discouragement el desaliento
to discover descubrir **II**
to discuss discutir **5.2**
disgust el asco
   How disgusting! ¡Qué asco! **II**
dish el plato
   vegetarian dish el plato vegetariano **II**
disorganized desorganizado(a) **I**
distinct distinto(a) **5.1**
distinguish: to be distinguished distinguirse
to distribute distribuir **2.2**
to dive zambullirse

dizzy: to get dizzy marearse **1.2**
to do hacer (hago)
    to do errands hacer los mandados **6.1**
    to do well irle bien (a alguien) **7.1**
dock el muelle
doctor el (la) doctor(a) **8.2**; el (la) médico(a) **7.2**
document el documento **5.1**
    identification document el documento de identidad **5.1**
documentary el documental **II**
    short documentary el cortometraje **2.2**
dog el (la) perro(a) **I**
dollar el dólar **I**
to donate donar **2.2**
donation la donación (*pl.* las donaciones)
door la puerta **I**
doorbell el timbre **6.1**
doorman el portero
dot (in e-mail address) el punto
double room la habitación doble **II**
to doubt that... dudar que... **4.2**
doubtful: It's doubtful that... Es dudoso que... **4.2**
dove la paloma
down hacia abajo
to download descargar **5.1**
downtown el centro **I**
draft el borrador
drama el drama **II**
dramatist el (la) dramaturgo(a) **8.2**
to draw dibujar **I**
drawing el dibujo
dream el sueño
to dream soñar (ue)
    to dream about soñar con **8.2**
dress el vestido **I**
dresser la cómoda **I**
to drill horadar
drink la bebida **I**
to drink beber **I**
    to drink something tomar algo **6.2**
to drive conducir (conduzco)
drought la sequía **3.1**
dry seco(a)
to dry secar
    to dry one's hair secarse el pelo **I**
    to dry oneself secarse **I, II**
to dub doblar
during durante

duty el deber **4.2**
DVD el DVD **I**
    DVD player el lector DVD **I**

each cada
ear la oreja **I**
    inner ear (hearing) el oído **II**
early temprano **I**
earn a living as... ganarse la vida como... **II**
earring el arete **I, II**
earth la tierra
earthquake el temblor **3.1**
easily fácilmente
east el este
easy fácil **I**
to eat comer **I**
    to eat lunch almorzar (ue) **I**
    to eat outside comer al aire libre **I**
    to go out to eat ir de tapas **6.1**
ecologist el (la) ecólogo(a)
ecotourism el ecoturismo, el turismo ecológico
to edit editar **II**; redactar **7.1**
editor el (la) editor(a) **II, 2.2**
editorial el artículo de opinión **2.2**
educated educado(a) **7.2**
education la educación
efficient eficiente **7.2**
effort el esfuerzo
egg el huevo **I**
eight ocho **I**
eight hundred ochocientos(as) **I**
eighteen dieciocho **I**
eighth octavo(a) **I**
either tampoco **II**
    either... or o... o **I, II**
    not either tampoco **I**
elbow el codo **II**
the elderly los ancianos **2.1**
electrician el (la) electricista **4.1**
electricity la corriente
element el elemento
elevator el ascensor **II**
eleven once **I**
e-mail el correo electrónico **I**
    e-mail address la dirección electrónica **I, II**
embarrassed: to feel embarrassed avergonzarse
to embroider bordar
emerald la esmeralda

to emigrate emigrar
emperor el emperador **II**
employee el (la) empleado(a) **7.1**
empty vacío(a)
encounter el encuentro **5.2**
end el fin
to end terminar **I**
to endure perdurar
enemy el (la) enemigo(a) **II**
engineer el (la) ingeniero(a) **II, 7.2**
engineering la ingeniería **7.2**
English el inglés **I**
to enjoy disfrutar (de) **5.1**
    Enjoy! Buen provecho! **II**
    to enjoy oneself divertirse (ie, i) **1.1**
enjoyment el gozo
enormous enorme
to enter entrar
entrance la entrada **6.2**
environment el medio ambiente **II, 3.1**
environmental medioambiental
equal igual
equator el ecuador
equipment el equipo **1.2**
to erase borrar
eraser el borrador **I**
erosion la erosión **3.1**
errand el mandado
    to do errands hacer los mandados **6.1**
error el error
essay el ensayo **8.1**
to establish establecer **7.2**
establishment el establecimiento
eternal eterno(a)
euro el euro **I**
to evaluate evaluar **3.2**
even aún
evening la noche **I**
    Good evening. Buenas noches. **I**
event el suceso **8.1**; el acontecimiento
    background event el antecedente **8.1**
every cada
    every day todos los días **I**
everyone todo el mundo
exact preciso(a)
exam el examen (*pl.* los exámenes) **I**
example el ejemplo
excavation la excavación (*pl.* las excavaciones) **II**
Excellent! ¡Excelente! **II**

exchange el intercambio
to exchange opinions intercambiar opiniones **5.2**
excited emocionado(a) **I**
  to be excited estar ilusionado(a) **5.1**
  to get excited animarse
exciting emocionante
excursion la excursión (*pl.* las excursiones)
to excuse
  Excuse me. Perdón **I**; Con permiso. **II**
  Excuse me; I'm sorry. Disculpe. **II**
exercise el ejercicio
to exercise hacer ejercicio **II**
exhausting agotador **1.1**
to exhibit exhibir
exile: to be exiled exiliarse
exit la salida **8.2**
exotic exótico(a)
expensive caro(a) **I, II**
  How expensive! ¡Qué caro(a)! **I**
to experience experimentar
to explain explicar **II, 2.2**
to explore explorar **6.2**
to express expresar
extinct: to become extinct extinguirse **3.1**
extinction la extinción (*pl.* las extinciones)
extremely sumamente **II**
eye el ojo **I**

fabric la tela
facade la fachada
face la cara **II**; el rostro
facing frente a **1.1**
to fail fracasar **II**
failure el fracaso **3.2**
fair la feria **I**
faithful fiel **4.1**
fall el otoño **I**
to fall caer (caigo)
  fall asleep dormirse (ue, u) **I, II**
  to fall down caerse (me caigo) **6.2**
false falso(a)
fame la fama **4.2**
family la familia **I**
  family members los familiares
famous famoso(a) **II**

fan (sports) el (la) aficionado(a) **I**
Fantastic! ¡Qué bárbaro!
fantasy la fantasía
far (from) lejos (de) **I**
fare la tarifa **1.1**
farmer el (la) agricultor(a) **II**
fashion la moda
fast rápido(a) **II**
father el padre **I**
father-in-law el suegro **II, 1.2**
faucet el grifo **6.1**
  to turn on the faucet abrir el grifo **6.1**
  to turn off the faucet cerrar el grifo **6.1**
favorite favorito(a) **I**; preferido(a) **I**
fear el miedo **I**
feat la hazaña
feature (movie) el largometraje **2.2**
February febrero **I**
to feed darle(s) de comer **I**
to feel sentir (ie, i)
  to feel like... tener ganas de... **I**
  to feel sorry that... sentir que... **4.2**
Ferris wheel la vuelta al mundo **I**
few pocos(as)
fiancé el novio **II, 1.2**
fiancée la novia **II, 1.2**
field el campo **I**
fifteen quince **I**
fifth quinto(a) **I**
fifty cincuenta **I**
to fight pelear **II**
file el archivo
to fill llenar **1.1**
  to fill out an application llenar una solicitud de empleo **7.1**
to film filmar **II**
film la película
  action... ...de aventuras **II**
  fantasy... ...de fantasía **II**
  horror... ...de terror **II**
  science fiction... ...de ciencia ficción **II**
finally por fin **I, II**
financial financiero(a)
  financial plan el plan financiero **7.2**
to find encontrar (ue) **I**; conseguir (i, i) **1.1**
  to find oneself encontrarse (ue)
  to find out about enterarse de **6.1**
fine fino(a) **II**

finger el dedo **II**
to finish concluir **5.2**
fire el fuego
  (accidental) el incendio
  on fire en llamas
firefighter el (la) bombero(a) **II, 4.2**
firewood la leña
fireworks los fuegos artificiales
first primero **II**
first primero(a) **I**
  the first of... el primero de... **I**
fish (animal) el pez (*pl.* los peces) **II, 1.1**; **(food)** el pescado **I**
to fish pescar **II**
to fit... quedar...
  ...badly ...mal **II**
  ...loose ...flojo(a) **II**
  ...tight ...apretado(a) **II**
  ...well ...bien **II**
  How does it (do they) fit me? ¿Cómo me queda(n)? **II**
fitting: to be fitting encajar
five cinco **I**
five hundred quinientos(as) **I**
flag la bandera
flame la llama
flavor el sabor **II**
flexible flexible **7.2**
flight el vuelo **II**
  to confirm a flight confirmar el vuelo **II**
flight attendant el (la) auxiliar de vuelo **II**
flood la inundación (*pl.* las inundaciones) **3.1**
floor el piso; el suelo **I**
  first or ground floor la planta baja **I**
  second floor (first above ground) el primer piso **I**
flour la harina
flower la flor **1.1**
flower shop la florería **6.1**
to fly volar (ue)
flyer el volante **2.2**
focus el enfoque
to focus (on) enfocarse (en)
fog la neblina
to fold doblar
foliage el follaje
to follow seguir (i, i) **1.1**
  to follow a balanced diet seguir una dieta balanceada **II**

following siguiente **I**
food la comida **I**
  junk food la comida chatarra **7.1**
food processor la trituradora
food server el (la) camarero(a) **I**
foot el pie **I**
  on foot a pie **I**
football el fútbol americano **I**
footprint la huella
for para **I**; por
  for that reason por eso **4.2**
to force someter
forest el bosque **II**, **1.1**
  cloud forest el bosque nuboso
  forest fire el incendio forestal **II**
  rain forest el bosque lluvioso
Forgive me. Perdóneme. **II**
fork el tenedor **II**
form la forma
to form formar
formal formal **5.2**
formalwear la ropa elegante **II**
fortress fortaleza **6.2**
forty cuarenta **I**
to found fundar
founder el (la) fundador(a)
fountain la fuente **6.1**
four cuatro **I**
four hundred cuatrocientos(as) **I**
fourteen catorce **I**
fourth cuarto(a) **I**
fox el zorro
fragrant oloroso(a)
fraud el (la) farsante **8.2**
free time el tiempo libre **I, II**
French fries las papas fritas **I**
frequency la frecuencia
frequent frecuente
frequently frecuentemente **II**
fresh fresco(a) **II**
  fresh water el agua dulce **1.1**
Friday el viernes **I**
fried frito(a) **II**
friend el (la) amigo(a) **I**
  to spend time with friends pasar un rato con los amigos **I**
friendly amable
friendship la amistad **II, 4.2**
fright el susto, el espanto
from de **I**; desde **II**
front el frente
  in front of delante de **I**; en frente de

fruit la fruta **I**
  fruit stand la frutería **6.1**
to fry freír (i, i) **II**
to fulfill cumplir con **2.1**; realizar
fun la diversión
fun divertido(a) **I**
  to have fun divertirse (ie) **1.1**
  to make fun of hacer chiste de, burlarse de
  What fun! ¡Qué divertido! **I**
to fundraise juntar fondos **2.1**
funny cómico(a) **I**
furniture los muebles **I**
future futuro(a)
the future el porvenir **3.1**; el futuro
  In the future... En el futuro... **II**

gala la gala **II**
game el partido **I**
  board game el juego de mesa **5.2**
  computer games los juegos de computadora **5.1**
  game piece la ficha **5.2**
gap el vacío
garbage la basura **I**
  garbage container el basurero **3.1**
garden el jardín (*pl.* los jardines) **I**
  botanical gardens los jardines botánicos
garlic el ajo **II**
gate la puerta **II**
to gather recoger
gear el equipo
generally generalmente **I, II**
generosity la generosidad
generous generoso(a) **II, 4.1**
genre el género literario **8.1**
gesture el gesto **8.2**
to get conseguir (i, i) **1.1**
  How do I get to...? ¿Cómo llego a...? **II**
  to not get along llevarse mal **II**
  to get along well llevarse bien **II**
  to get angry enojarse **II**
  to get dressed vestirse (i, i) **I, II**
  to get excited animarse
  to get in line hacer cola **II**
  to get in shape ponerse en forma **7.1**
  to get into trouble meterse en problemas **6.2**

to get lost perderse (ie) **6.2**
to get off the subway bajar el metro **6.1**
to get on the subway subir el metro **6.1**
to get married casarse **II**
to get ready arreglarse **II**
to get scared asustarse
to get together reunirse **1.2**
to get together (with) juntarse (con) **1.2**
to get up levantarse **I, II**
getaway la escapada **1.2**
giant el gigante
gift el regalo **I**
girl la chica **I**; la muchacha **I**
girlfriend la novia **II, 1.2**
to give dar (doy) **I**; regalar
  to give advice dar consejos **5.1**
  to give up... dejar de... **7.1**
  I'll give... to you for... Le dejo... en... **II**
glacier el glaciar
glass el vaso **5.2**; el vidrio **II**
glasses las gafas **5.1**
global mundial
glove el guante **I**
  work gloves los guantes de trabajo **2.1**
to go ir (voy) **I**; irse (me voy) **II**
  Go ahead. Pase. **II**
  to be going to... ir a... **I**
  to go bowling jugar a los bolos
  to go for a walk pasear **I**
  to go into meterse en **1.1**
  to go on an excursion hacer una excursión **1.1**
  to go on vacation ir de vacaciones **II**
  to go out salir (salgo) **I**
  to go out to eat ir de tapas **6.1**
  to go shopping ir de compras **I**
  to go sightseeing ver las atracciones **II**
  to go straight seguir derecho **II**
  to go through customs pasar por la aduana **II**
  to go through security pasar por seguridad **II**
  to go to bed acostarse (ue) **I, II**
  to go up subir **I**
  to go whitewater rafting navegar por rápidos **1.1**
  to go with acompañar

goal la meta **4.2**; el gol
goblet la copa
god el dios **II**
godchild el (la) ahijado(a)
goddess la diosa **II**
godfather el padrino **II, 1.2**
godmother la madrina **II, 1.2**
godparents los padrinos **1.2**; los compadres
gold el oro
  (made of) gold de oro **I, II**
golden dorado(a)
good bueno(a) **I**
  Good afternoon. Buenas tardes. **I**
  Good evening. Buenas noches. **I**
  Good morning. Buenos días. **I**
  Good night. Buenas noches. **I**
  It's good (that...) Es bueno (que...) **II**
  It's not good that... Es malo que... **II**
  to have a good time pasar un buen rato **5.2**
Goodbye. Adiós. **I**
good-looking guapo(a) **I**
goods los artículos **I, II**
  sporting goods los artículos deportivos
gossip el chisme
government el gobierno
  student government el comité estudiantil **7.1**
grade la nota **I**
  to get a good/bad grade sacar una buena/mala nota **I**
to graduate graduarse **7.1**
graduation la graduación **7.1**
grammar la gramática
grandchild el (la) nieto(a)
grandchildren los nietos **1.2**
granddaughter la nieta **1.2**
grandeur la grandeza
grandfather el abuelo **I**
grandmother la abuela **I**
grandparents los abuelos **I**
grandson el nieto **1.2**
to grant otorgar **2.2**; conceder
grape la uva **I**
graphic la gráfica **2.2**
  graphic novel la novela gráfica
grass el césped **I**
  to cut the grass cortar el césped **I**
great-grandchild el (la) biznieto(a)
great-grandchildren los biznietos **1.2**

great-granddaughter la biznieta **1.2**
great-grandfather el bisabuelo **1.2**
great-grandmother la bisabuela **1.2**
great-grandparents los bisabuelos **1.2**
great-grandson el biznieto **1.2**
greedy codicioso(a) **8.2**
green verde **I**
greenhouse effect el efecto invernadero **3.1**
Greetings! ¡Saludos!
  Greetings from... Saludos desde...
grill la parrilla
  grilled steak el filete a la parrilla **II**
to grind moler (ue)
ground el suelo **3.1**
ground (up) molido(a) **II**
group el grupo
to grow (up) crecer (crezco)
to guess adivinar
guests los invitados **I**
guide el (la) guía
  guide (book) la guía **1.1**
  travel guide la guía del viajero
guitar la guitarra **I**
guy el tío
gymnasium el gimnasio **I**
gymnastics la gimnasia
Gypsy gitano(a)

hair el pelo **I**
  brown/blond hair el pelo castaño/rubio **I**
hair dryer el secador de pelo **I, II**
hairdresser el (la) peluquero(a) **7.2**
hairless pelado(a)
half medio(a)
  half past... ... y media **I**
hallway el pasillo **I**
ham el jamón **I**
hamburger la hamburguesa **I**
hammock la hamaca
hand la mano **I**
  on the one hand... on the other hand por un lado... por otro lado **II, 3.2**
handbag la bolsa **5.1**
handicrafts las artesanías **I, II**
handmade: (to be) handmade (estar) hecho(a) a mano **II**
handshake el apretón (*pl.* los apretones) de manos

handsome hermoso(a) **II**
to hang colgar (ue)
to happen pasar
  What's happening? ¿Qué pasa? **I**
happy contento(a) **I**; feliz; alegre
  Happy birthday! ¡Feliz cumpleaños! **I**
  to be happy (that...) alegrarse (de que...) **4.2**
hardware store la ferretería **6.1**
hard-working trabajador(a) **I**
to harm dañar **3.1**
harvest la cosecha
hat el sombrero **I**
  winter hat el gorro **I**
to have tener (tengo) **I**; haber
  one has to... hay que... **I**
  there have been... han habido...
  to have a good time pasar un buen rato **5.2**, pasarlo bien
  to have just... acabar de... **I**
  to have to tener que **I**
he él **I**
head la cabeza **I**
headline el titular **II, 2.2**
health la salud **I**
healthful saludable **II**
healthy sano(a) **I**; saludable **II**
heart el corazón (*pl.* los corazones) **I**
heat el calor **I**
  stifling heat el calor agobiante **1.2**
to heat calentar (ie)
heavy pesado(a)
height la cima; la altura
Hello. Hola. **I**
  Hello? ¿Aló?, ¿Bueno?, ¿Diga? **II**
helmet el casco **I**
help la ayuda
to help ayudar **I**
her su **I**; a/de ella **I, II**
herb la hierba
here aquí **I**
  No, he's/she's not here. No, no está. **II**
heritage la herencia
hero el héroe **II**
heroic heroico(a) **II**
heroine la heroína **II**
to hesitate dudar
Hi. Hola. **I**
to hide esconder **5.1**
high school el colegio, la escuela secundaria, el liceo
highway la carretera

hike la caminata **I**
to hike dar o hacer una caminata **I**, **II**, **1.1**
him él **I**, **II**
hip la cadera
to hire contratar **7.2**
his su **I**
historic(al) histórico(a) **II**
history la historia **I**
hit (song) el éxito
to hit golpear
holiday el día feriado **7.1**
    the holidays los días festivos
homage el homenaje
homeless: the homeless la gente
    sin hogar **2.1**
homework la tarea **I**
honest honrado(a) **7.2**;
    honesto(a) **7.2**
honey la miel
honor el honor **4.2**
to honor honrar
honorable honrado(a) **7.2**
hook el gancho
hoop el aro
hope la esperanza **7.1**
    I hope so! ¡Ojalá!
    I hope..., hopefully... Ojalá...
horizon el horizonte
horrible horrible **I**
horse el caballo **I**
    to ride a horse montar a caballo **I**
hospital el hospital **2.1**
hostel el hostal **II**
hot caliente; picante **II**
    It is hot. Hace calor. **I**
    to be hot tener calor **I**
hotel el hotel **I**, **II**
    hotel room la habitación (*pl.* las
    habitaciones) **II**
hour la hora **I**
house la casa **I**
housing la vivienda
how
    How? ¿Cómo? **I**
    How are you? ¿Cómo estás?
    (familiar); ¿Cómo está usted?
    (formal) **I**
    How beautiful! ¡Qué bello(a)! **II**
    How cool! ¡Qué bárbaro!, ¡Qué
    chévere!
    How disgusting! ¡Qué asco! **II**
    How do I get to...? ¿Cómo llego
    a...? **II**

How does it (do they) fit me?
    ¿Cómo me queda(n)? **II**
How expensive! ¡Qué caro(a)! **II**
How many...? ¿Cuántos(as)...? **I**
how much cuánto(a) **I**
How much does it (do they) cost?
    ¿Cuánto cuesta(n)? **I**
How old are you? ¿Cuántos años
    tienes? **I**
How scary! ¡Qué miedo! **I**
How's it going? ¿Qué tal? **I**; ¿Qué
    pasa?
however sin embargo **II**, **4.2**
to hug abrazar
huge enorme
humid húmedo(a)
hunger el hambre
    to be hungry tener hambre **I**
to hunt cazar **II**
hurricane el huracán (*pl.* los
    huracanes)
hurry la prisa
    to be in a hurry tener prisa **II**
to hurry (up) darse prisa
hurt herido(a) **I**
to hurt doler (ue) **I**
    to hurt oneself lastimarse
husband el esposo **II**, **1.2**
hybrid vehicle el vehículo
    híbrido **II**

I yo **I**
    I love... Me encanta...
    I would like... Me gustaría... **II**
    I'm sorry. Lo siento. **I**
ice cream el helado **I**
    ice cream shop la heladería **II**
icon el icono **I**, **II**
idea la idea
    It's a good idea/bad idea. Es
    buena idea/mala idea. **II**
ideal ideal **I**
to idealize (someone) idealizar (a
    alguien) **4.1**
identification document el
    documento de identidad **5.1**
identification la identificación **II**
if si **I**
to illuminate iluminar
image la imagen (*pl.* las
    imágenes) **4.2**

to imitate imitar **4.1**
immigrant el (la) inmigrante
immigration la inmigración
impatience la impaciencia
impatient impaciente **II**, **4.1**
to imply implicar **8.1**
importance la importancia
important importante **I**
    It's important (that...) Es
    importante (que...) **II**
impossible imposible
impressive impresionante
improbable: It's improbable
    that... Es improbable que... **4.2**
to improve mejorar **II**, **3.1**
improvement la mejora **3.2**
in en **I**
    in addition además **6.2**
    in advance con anticipación **1.1**
    in case en caso de que **5.1**
    in conclusion en conclusión **6.2**
    in front (of) delante (de) **I**
    in order that a fin de que, para
    que **5.1**
    in order to para **I**
    in spite of a pesar de que **6.2**
    in the afternoon de la tarde **I**
    in the morning de la mañana **I**
to include incluir
included incluido(a)
to increase aumentar
indigenous indígena
indispensable: It is indispensable
    that... Es imprescindible que... **3.2**
inexpensive barato(a) **I**, **II**
infant el (la) bebé **1.2**
to infer inferir (ie, i) **8.1**
influence la influencia
to influence influir
to inform avisar
informal informal **5.2**
information la información **II**; los
    datos
ingredient el ingrediente **II**
inhabitant el (la) habitante
initiative la iniciativa **7.2**
in-laws los suegros **II**, **1.2**
to in-line skate patinar en línea **I**
in-line skates los patines en línea **I**
inn el hostal **II**
innovation la innovación (*pl.* las
    innovaciones) **3.1**
insect el insecto
inside dentro (de) **I**, **1.1**
to insist insistir **3.2**

instant message el mensaje instantáneo

instant messaging el mensajero instantáneo **I, II**

intelligent inteligente **I**

to intend pensar (ie)

interest el interés (*pl.* los intereses)

to interest interesar **II**

   to get interested animarse

interesting interesante **I**

intermission el intermedio **8.2**

Internet Internet **I, II**

   on the Internet por Internet

   to connect to the Internet conectar a Internet **I**

interview la entrevista **II, 2.2**

to interview entrevistar **II, 2.2**

to introduce presentar **I**

   Let me introduce you to... Te/Le presento a... (familiar/formal) **I**

invention el invento **3.1**

to invest invertir (ie, i) **3.2**

to investigate investigar **II, 2.2**

investor el (la) inversionista

invitation la invitación (*pl.* las invitaciones) **II**

to invite invitar **I**

   I invite you. Te invito. **I**

to iron planchar **I**

irresponsibility la irresponsabilidad **3.2**

island la isla

issue la cuestión (*pl.* las cuestiones) **2.2**

itinerary el itinerario **II**

its su **I**

jacket la chaqueta **I**

   life jacket el chaleco salvavidas **1.2**

January enero **I**

jealousy los celos **II**

   to be jealous (of) tener celos (de) **II**

jeans los jeans **I**

jewelry las joyas **I, II**

   jewelry store la joyería **II**

job el empleo **7.1**; el puesto, el trabajo **7.1**

to join unirse

joke la broma, el chiste

journalist el (la) periodista **4.2**

journey el viaje

judge el (la) juez(a) (*pl.* los jueces, las juezas) **7.2**

juice el jugo **I**

   orange juice el jugo de naranja **I**

July julio **I**

to jump off (of) tirarse (de)

June junio **I**

jungle la selva **II, 1.1**

junk food la comida chatarra **7.1**

kayak el kayac **1.1**

to keep guardar **5.1**; conservar

   to keep informed informarse **3.1**

   to keep one's balance mantener el equilibrio **1.2**

key la llave **II**

keyboard el teclado **I, II**

kind amable

   Very kind. Muy amable. **II**

kind (type) la clase

kingdom el reino

kiosk el kiosco **6.1**

kitchen la cocina **I**

knee la rodilla **I**

knife el cuchillo **II**

knight el caballero

to know

   (a fact, how to do something) saber (sé) **I**

   (a person) conocer (conozco) **I**

knowledge el conocimiento **II**; el saber

known conocido(a)

   well-known muy conocido(a)

laborer el (la) obrero(a) **4.1**

lake el lago

lamb el cordero

lamp la lámpara **I**

land la tierra

landscape el paisaje **6.2**

landslide el derrumbe **3.1**

language el idioma **7.2**

   the Spanish language el idioma castellano

large grande **I**

last pasado(a); último(a)

   last name el apellido **1.2**

   last night anoche **I**

   last week la semana pasada **I, II**

   last year/month el año/mes pasado **I, II**

to last durar

late tarde **I**

   later (on) más tarde **I, II**

later luego **I, II**

   See you later. Hasta luego. **I**

to laugh reír (i, i)

   It makes me laugh. Me hace reír. **II**

laughter la risa

law el derecho **7.2**; la ley

   labor laws las leyes laborales

lawn el césped **I**

lawyer el (la) abogado(a) **II**; **7.2**

lazy perezoso(a) **I**

to lead dirigir (dirijo) **7.1**

leader el (la) líder

leaf la hoja

to learn aprender **I**

learning el saber

leather el cuero

   (made of) leather de cuero **II**

to leave salir (salgo) **I**; irse (me voy) **7.2**; dejar

   to leave behind dejar **6.1**

   to leave a message dejar un mensaje **II**

left izquierdo(a)

   to turn left doblar a la izquierda **II**

leg la pierna **I**

legend la leyenda **II**

leisure el ocio **5.2**

lemon el limón (*pl.* los limones) **II**

to lend prestar **2.1**

Lent la Cuaresma

less menos

   less than... menos que... **I, II**

   less than... (with numbers) menos de... **II**

   less... than menos... que **I, II**

lesson la lección (*pl.* las lecciones); el mensaje **II**

Let's... Vamos a... **I**

letter la carta

   cover letter la carta de presentación

   letter to the editor la carta al editor

lettuce la lechuga **II**

level el nivel

liberty la libertad

librarian el (la) bibliotecario(a)
library la biblioteca **I**
lie: to lie down recostarse (ue) **1.2**
a lie la mentira
life la vida **II**
    life cycle el ciclo de vida
    life jacket el chaleco
    salvavidas **1.2**
lifeguard el (la) salvavidas
to lift levantar
    to lift weights levantar pesas **I**
light la luz (*pl.* las luces)
    to turn on the light encender la
    luz **II**
light bulb la bombilla
light (weight) ligero(a)
to light (a match or fire) encender
    (ie) **1.1**
lighthouse el faro
like como
to like gustar **I, I**
    Do you like...? ¿Te gusta...? **I**
    I like (don't) like... (No) Me
    gusta... **I**
    I would like... Me gustaría...;
    Quisiera... **I**
    I would like to thank... Quisiera
    darle las gracias a... **II**
    What do you like to do? ¿Qué te
    gusta hacer? **I**
    Would you like...? ¿Te
    gustaría...? **I**
line la línea
    to get in line hacer cola **II**
link el enlace **5.1**
list la lista
to listen (to) escuchar **I**
listener el (la) oyente
    (to a radio program) el (la)
    radioyente
to litter tirar basura **2.1**
little pequeño(a) **I**
little: a little un poco **I**
    little by little poco a poco **II**
to live vivir **I**
living la vida
    living room la sala **I**
    to earn a living as... ganarse la
    vida como... **II**
locate: to be located encontrarse (ue)
lodging el alojamiento **II**
long largo(a)
    as long as con tal (de) que **5.1**

to look (at) mirar
    to look back reflexionar **7.1**
    to look for buscar **I**
    to look like (someone) parecerse
    (a alguien) **1.2**
lookout el mirador **6.2**
loose flojo(a)
to lose perder (ie) **I**
lost: to get lost perderse (ie) **6.2**
a lot mucho **I**
loudspeaker el altoparlante
love el amor
    to be in love with estar
    enamorado(a) de **II**
    Yes, I would love to. Sí, me
    encantaría. **II**
to lower bajar **8.2**
    to lower the curtain bajar el
    telón **8.2**
luck la suerte
    to be lucky tener suerte **I**
luggage el equipaje **II**
    to check one's luggage facturar el
    equipaje **II**
lunch el almuerzo **I**
    to eat lunch almorzar (ue) **I**

machine la máquina
magazine la revista **2.1**
mail el correo
mail carrier el (la) cartero(a) **II, 4.2**
mailbox el buzón (*pl.* los
    buzones) **6.1**
mailing la publicidad por
    correo **2.2**
to maintain mantener
    (mantengo) **1.2**
major (in college) la
    especialidad **7.2**
to major in especializarse en **7.2**
to make hacer (hago)
    (to be) handmade (estar) hecho(a)
    a mano **II**
    It makes me cry. Me hace llorar. **II**
    It makes me laugh. Me hace
    reír. **II**
    It scares me. Me da miedo. **II**
    to be made of... ser de... **II**
    to make a mistake cometer un
    error **3.2**
    to make a suggestion dar una
    sugerencia **5.1**

to make decisions tomar
    decisiones **7.1**
    to make fun of burlarse de
    to make the bed hacer la cama **I**
makeup el maquillaje **II**
    to put on makeup maquillarse **I**
mall el centro comercial **I**
man el hombre **I**
to manage conseguir (i, i) (consigo)
manager el (la) gerente **7.2**
many muchos(as) **I**
map el mapa **I**
    city map el plano **6.2**
March marzo **I**
to march desfilar
market el mercado **I**
    labor market el mercado laboral
    open-air market el mercado al
    aire libre **II**
marriage el matrimonio
marry: to get married casarse **II**
    married couple el matrimonio **1.2**
marvel la maravilla
mask la máscara
match el fósforo **1.1**
to match emparejar
math las matemáticas **I**
may
    May I see? ¿Me deja ver? **II**
    May I speak to...? ¿Puedo hablar
    con... ? **II**
May mayo **I**
maybe tal vez **I**; acaso **I**
mayonnaise la mayonesa **II**
mayor el (la) alcalde
mayorship la alcaldía
me mí **I, II**
meal la comida **I**
to mean significar **8.1**
means: by means of por medio de
meanwhile mientras tanto
meat la carne **I**
mechanic el (la) mecánico(a) **4.1**
medal la medalla
    gold/silver/bronze medal la
    medalla de oro/plata/bronce
to meddle entremeterse
medium el medio
to meet conocer (conozco) **I**;
    reunirse **1.2**
    to meet up with encontrarse (ue)
    con **5.2**
    Nice to meet you. Mucho
    gusto. **I**

meeting la reunión (*pl.* las reuniones) **5.2, 7.1**
member el miembro; el (la) integrante
    to be a member of... ser miembro de... **7.1**
memory el recuerdo **7.1**; la memoria
mention: Don't mention it. No hay de qué. **II**
menu el menú **I**
merchandise las mercancías
mess el lío **6.1**
to mess up desordenar **6.1**
message el mensaje **I**
    instant message el mensaje instantáneo
    to leave a message dejar un mensaje **I, II**
metal el metal
    (made of) metal de metal **II**
metaphor la metáfora **8.1**
meter el metro
microphone el micrófono **II**
microwave (oven) el microondas **6.1**
middle: in the middle of en medio de
migration la migración (*pl.* las migraciones)
milk la leche **I**
million un millón (de) **I**
mind la mente
minute el minuto **I**
miracle el milagro
mirror el espejo **I**
mischievous travieso(a)
miserly avaro(a) **8.2**
Miss ... Señorita (Srta.) ... **I**
to miss perder (ie) **6.2**
    to be missing hacer falta
    to miss (out on) perderse (ie)
mist la espuma
mistake el error
to mix mezclar **II**
mixed mezclado(a) **II**
mixture la mezcla
modern moderno(a) **II**
modest modesto(a) **4.1**
modesty la modestia
moment el momento
    One moment. Un momento. **I, II**
Monday el lunes **I**
money el dinero **I**
monitor la pantalla **II**

monk el monje
monkey el mono
month el mes **I**
    last month el mes pasado **II**
monument el monumento **II**
moon la luna
more más **I**
    more and more cada vez más
    more than... más que... **I, II**
    more... than más... que **I, II**
    more than... (with numbers) más de... **II**
morning la mañana **I**
    Good morning. Buenos días. **I**
    in the morning de la mañana **I**
mosque la mezquita
mother la madre **I**
mother-in-law la suegra **II, 1.2**
motivated motivado(a) **7.2**
motto el lema **2.1**
mountain la montaña **II**
    mountain climber el (la) alpinista **II**
    mountain range la cordillera
mouse el ratón (*pl.* los ratones) **I, II**
mouth la boca **I**
to move (relocate) mudarse, trasladarse
movie la película **I**
    full-length movie el largometraje **2.2**
    movie set el escenario
    movie star la estrella de cine **II**
    movie theater el cine **I**
    the movies el cine **I**
Mr. ... Señor (Sr.) ... **I**
Mrs. ... Señora (Sra.) ... **I**
mud el barro
mule el (la) mulo(a)
muscular musculoso(a) **II**
museum el museo **I**
music la música **I**
    dance music la música bailable **5.2**
    folk music la música folklórica
    rock music la música rock
musician el (la) músico(a) **4.2**
    street musician el (la) músico(a) callejero(a) **5.2**
must: one must... hay que... **I**
mustard la mostaza **II**
my mi **I**

N

nail (of finger, toe) la uña **II**
name el nombre
    His/Her name is . . . Se llama... **I**
    last name el apellido **II, 1.2**
    My name is... Me llamo... **I**
    What's his/her/your (formal) name? ¿Cómo se llama? **I**
    What's your (familiar) name? ¿Cómo te llamas? **I**
nap la siesta **5.2**
    to take a nap dormir (ue, u) una siesta **5.2**
napkin la servilleta **II**
to narrate narrar **8.1**
narration la narración **II**
narrow estrecho(a)
national nacional
native indígena
natural resource el recurso natural **II, 3.1**
natural sciences las ciencias naturales
nature la naturaleza **II, 1.1**
navigator el (la) navegante
near (to) cerca (de) **I**
necessary: It's necessary (that...) Es necesario (que...) **II**
neck el cuello **II**
necklace el collar **I, II**
necktie la corbata **II**
need la necesidad
to need necesitar **I**
neighbor el (la) vecino(a) **4.2**
neighborhood el barrio **II**
neither tampoco **I**
    neither... nor ni... ni **I, II**
nephew el sobrino **II, 1.2**
nervous nervioso(a) **I**
net la red **II**
network la red
never nunca **I, II**
nevertheless sin embargo **4.2**
new nuevo(a) **I**
    New Year el Año Nuevo
news las noticias **II, 2.1**
    news broadcast el noticiero **2.2**
newspaper el periódico (*pl.* los periódicos) **II, 2.1**
    student newspaper el periódico escolar

next próximo(a)
> **next to** al lado (de) **I**; junto a **1.1**
> **the next** el (la) próximo(a) **II**

nice simpático(a) **I**; amable; bello(a) **II**
> **Nice to meet you.** Mucho gusto. **I**

nickname el mote, el apodo, el sobrenombre

niece la sobrina **II, 1.2**

night la noche **I**
> **at night** de la noche **I**
> **Good night.** Buenas noches. **I**
> **last night** anoche **I**

nightingale el ruiseñor

nightstand la mesita **6.1**

nine nueve **I**

nine hundred novecientos(as) **I**

nineteen diecinueve **I**

ninety noventa **I**

ninth noveno(a) **I**

no no **I**

no one nadie **I, II**

noise el ruido **5.2**

noisy ruidoso(a) **6.2**

none ninguno(a) **I, 5.2**; ningún **II**

nonprofit sin fines lucrativos

nonrenewable no renovable **3.1**

normally normalmente **I, II**

north el norte

nose la nariz (*pl.* las narices) **I**

not
> **not at all** en absoluto **1.2**
> **not only... but also...** no sólo... sino también... **II**

notebook el cuaderno **I**

notes los apuntes **I**
> **to take notes** tomar apuntes **I**

nothing nada **I, II**

noun el sustantivo

novel la novela **8.1**
> **graphic novel** la novela gráfica

novel novedoso(a) **3.2**

November noviembre **I**

now ahora **I**
> **right now** ahora mismo

nowadays hoy en día

nuisance: to be a nuisance ser una lata **2.1**

number el número **I**
> **phone number** el número de teléfono **I**

nurse el (la) enfermero(a) **II, 7.2**

nursing home el hogar de ancianos **2.1**

nutritious nutritivo(a) **I**

o'clock: It is... o'clock. Es la.../Son las... **I**

object el objeto **II**

oblivion el oblivio

to observe observar **1.1**

obstacle el obstáculo **3.2**

occupation el oficio **II**

to occur (to someone) ocurrírsele (a alguien)

ocean el océano

October octubre **I**

of de **I**
> **Of course.** Claro.
> **Of course!** ¡Claro que sí!, ¡Cómo no! **I, II**

to offend ofender

offer la oferta

to offer ofrecer (ofrezco) **I, 1.1**
> **I can offer you...** Le puedo ofrecer... **I**

office la oficina **I**
> **doctor's/dentist's office** el consultorio **II**
> **principal's office** la oficina del (de la) director(a) **I**
> **tourist office** la oficina de turismo **II**

often muchas veces **I**

oil el aceite **II**; el petróleo **3.1**

OK regular **I**
> **OK!** ¡Vale!
> **OK. And you?** Regular. ¿Y tú/ usted? (familiar/formal) **I**
> **OK?** ¿Está bien?

old viejo(a) **I**; antiguo(a) **II**
> **How old are you?** ¿Cuántos años tienes? **I**
> **to be... years old** tener... años **I**
> **old age** la vejez

older mayor **I, II**

olive la aceituna

Olympic Games los Juegos Olímpicos **II**

omelet la tortilla **II**

on en; sobre
> **on foot** a pie **I**
> **on the one hand... on the other hand** por un lado... y por otro lado **II, 3.2**
> **on top (of)** encima (de) **I**
> **on vacation** de vacaciones **I**

once

once in a while de vez en cuando **I**

Once upon a time there was/ were... Había una vez... **II**

one uno **I**

one hundred cien **I**

onion la cebolla **II**

online en línea **I**
> **to be online** estar en línea **II**

only sólo, solamente; único(a)
> **not only... but also...** no sólo... sino también... **II**

to ooze rezumar

open abierto(a)
> **It's open.** Está abierto(a). **II**

to open abrir **I**

open-air al aire libre **I**

opinion la opinión (*pl.* las opiniones) **II**
> **In my opinion...** En mi opinión... **II**

or o **I**

orange (color) anaranjado(a) **I**

orange (fruit) la naranja **I**

orchestra la orquesta **5.2**

order el orden
> **in chronological order** en orden cronológico **6.2**
> **in order that** a fin de que **5.1**

to order pedir (i, i) **I**
> **to order that** mandar que **4.1**

to organize organizar **2.1**, ordenar **6.1**

organized organizado(a) **I**

to originate originarse

other otro(a) **I**
> **others** los (las) demás

ought to deber **I**

our nuestro(a) **I**

outcome el desenlace **8.1**

outdoors al aire libre

outlook el mirador **6.2**

outside al aire libre
> **outside (of)** fuera (de) **1.1**

outstanding sobresaliente **4.1**; destacado(a) **7.2**

oven el horno **6.1**

to overcome superar **3.2**

owl la lechuza

owner el (la) dueño(a) **7.2**

ozone layer la capa de ozono **II, 3.1**

P

pack: to pack a suitcase hacer la maleta **II**
to paddle remar **1.1**
page la página
    Web page la página web **1.2, 7.1**
to paint pintar
painter el (la) pintor(a)
painting la pintura **3.2**; el cuadro **6.2**
pair la pareja
palace el palacio **II**
Panamerican Games los Juegos Panamericanos **II**
pants los pantalones **I**
paper el papel **I**
    (made of) paper de papel
    wrapping paper el papel de regalo **I**
parade el desfile
to parade desfilar
paragraph el párrafo
parents los padres **I**
park el parque **I**
    amusement park el parque de diversiones **I**
    ecological park el parque ecológico
    national park el parque nacional
part la parte
    to take part in tomar parte en **7.1**
to participate participar
    to participate in tomar parte en **7.1**
partner el (la) compañero(a)
party fiesta
    surprise party la fiesta de sorpresa **I**
to pass pasar
    to pass (a law) aprobar (ue)
passage el paso
passenger el (la) pasajero(a) **II**
passionate apasionado(a) **7.2**
passport el pasaporte **II**
password la contraseña **5.1**
past pasado(a) **I**
    half past... ... y media **I**
    quarter past... ... y cuarto **I**
the past el pasado
pastime el pasatiempo **5.2**
pastry shop la pastelería **II, 6.1**
patent la patente **3.2**
path el sendero **1.1**
patience la paciencia

patient paciente **II, 4.1**
patio el patio **I**
pauper el (la) tirado(a) **8.2**
to pay pagar **I**
pea el guisante
peace la paz
peak la cima
pen la pluma **I**
to penalize penalizar **3.2**
pencil el lápiz (*pl.* los lápices) **I**
people la gente **II**
pepper (black) la pimienta **II**
percent por ciento
percentage el porcentaje
performance el espectáculo **5.2**
    street performance la actuación callejera
perhaps tal vez **I**; acaso **I**
perimeter el perímetro
period el período
permission el permiso
permission el permiso
to persist persistir **3.2**
persistent persistente **8.2**
person la persona **I**
    in person en persona
personal
    personal organizer la agenda electrónica **5.1**
    personal watercraft la moto acuática **1.2**
to personify personificar **4.1**
personnel el personal
pet la mascota
pharmacy la farmacia **II**
phone el teléfono **I**
    My phone number is... Mi número de teléfono is... **I**
    phone call la llamada **I**
    What is your phone number? ¿Cuál es tu/su número de teléfono? (familiar/formal) **I**
photo la foto **I**
    photo essay el foto ensayo
    to take photos tomar fotos **I**
photographer el (la) fotógrafo(a) **II, 2.2**
to pick up recoger (recojo) **II, 1.2**
to picnic comer al aire libre **I**
picture la foto **I**
piece la pieza
pill la píldora
pilot el (la) piloto **II, 4.1**
pioneer el (la) pionero(a)

pizza la pizza **I**
place el lugar **I**
to place poner (pongo) **I**
    to take place tener lugar
plaid de cuadros **II**
plains las llanuras
to plan pensar (ie) **I**
planet el planeta **3.1**
planning la planificación **2.1**
plant la planta
plastic el plástico
plate el plato
platform el andén (*pl.* los andenes) **6.2**
play (dramatic work) el drama **7.1**; la obra de teatro **8.2**
to play
    (an instrument) tocar **I**
    (games) jugar **I**
    (sports) jugar (ue), practicar **I**
    to play a role hacer un papel **II**
    to play on a team jugar en equipo **II**
player el (la) jugador(a) **I**
playwright el (la) dramaturgo(a) **8.2**
plaza la plaza **II**
to please
    Please. Por favor. **I**
    to please someone hacerle gracia a alguien
    Pleased to meet you. Encantado(a). **I**
pleasure el gusto **I**; el placer
    The pleasure is mine. El gusto es mío. **I**
    With pleasure. Con mucho gusto. **II**
plot el argumento **II**
plus más
poem el poema
poet el (la) poeta
poetry la poesía **8.1**
point of view el punto de vista **II, 8.1**
police officer el (la) policía **4.2**
policeman el policía **II**
policewoman la policía **II**
polite educado(a) **7.2**; cortés
politician el (la) político(a) **II, 4.2**
politics la política **3.2**
pollution la contaminación **II, 3.1**
pool (billiards) el billar **5.2**
popular popular **II, 4.1**
popularity la popularidad
population la población (*pl.* las poblaciones)

pork el cerdo
  pork chop la chuleta de cerdo **II**
port el puerto **1.2**
portable portátil
portrait el retrato **II**
to possess poseer
possibility la posibilidad
possible posible
  It's possible that... Es posible que...
post office el correo **II, 6.1**
postcard la tarjeta postal **II**
  to send postcards mandar tarjetas postales **II**
poster el letrero **2.1**, el cartel, el póster
postman el cartero **II**
postwoman la cartera **II**
pot la olla **1.1**
potato la papa **II**; la patata **I**
pound (weight) la libra
poverty la pobreza **2.1**
powerful poderoso(a)
practical práctico(a) **4.2**
to practice practicar **I**
prairie el llano
precious precioso(a) **5.1**
to prefer preferir (ie, i) **I**
preferable: It's preferable that... Es preferible que... **II**
prejudice el prejuicio
premiere el estreno **II, 5.2**
to premiere estrenar **II**
to prepare preparar **I**
present el regalo **I**
  the present la actualidad
to present presentar **II, 2.2**
president el (la) presidente(a)
the press la prensa **2.1**
  press release el anuncio de prensa
pressure la presión
  peer pressure la presión de grupo **II**
presumptuous presumido(a) **4.1**
pretty bonito(a) **I**; hermoso(a) **II**
price el precio **I**
pride el orgullo
princess la princesa **II**
principal el (la) director(a) **I**
principle el principio **3.2**
to print imprimir **5.1**
priority la prioridad **2.1**

prize el premio **II**
problem el problema **I**
  No problem. No hay problema.
product el producto
profession la profesión (*pl.* las profesiones) **II**
professor el (la) profesor(a) **II**
program el programa
  educational program el programa educativo **2.2**
to program programar
programmer el (la) programador(a) **II, 4.1**
programming la programación
to progress progresar **3.2**
to prohibit that prohibir que **4.1**
project: social action project el proyecto de acción social **2.1**
to project proyectar
to promote promover (ue), promocionar
prop el accesorio **8.2**
prose la prosa **8.1**
to prosper prosperar **3.2**
protagonist el (la) protagonista **8.1**
to protect proteger (protejo) **II, 3.1**
proud orgulloso(a) **4.1**
  to be proud (of) estar orgulloso(a) (de) **II**
to provide proveer
to provoke someone meterse con alguien
public público(a)
  public relations las relaciones públicas **7.2**
  public transportation el transporte público **1.1**
publicity la publicidad **2.1**
to publish publicar **II, 2.2**
publishing company la casa editorial
to pull tirar
punctual puntual **7.2**
purpose el propósito **4.2**
pursue: to pursue a career seguir una carrera **7.2**
to put poner (pongo) **I**
  to put away guardar **5.1**
  to put on (clothes) ponerse (la ropa) **I, II**
  to put on makeup maquillarse **I**
  to put up montar **1.1**
pyramid la pirámide **II**

qualified cualificado(a) **7.2**
quality la calidad **I**; la cualidad
quarter cuarto **I**
  quarter past... ... y cuarto **I**
question la pregunta; la cuestión (*pl.* las cuestiones) **II, 2.2**
questionnaire el cuestionario
quiet callado(a) **6.2**
to quit... dejar de... **7.1**
quite bastante
quotation la cita **2.2**

race la carrera **I**
racket la raqueta **I**
radio el radio **I**
raft la balsa
railing la baranda
rain la lluvia
to rain llover (ue) **I**
to raise levantar **8.2**; criar
  to raise the curtain levantar el telón **8.2**
  to raise funds recaudar fondos **2.1**
ranch la estancia
rapidly rápidamente
rapids los rápidos
rare raro(a)
raw crudo(a) **II**
to reach alcanzar
to react reaccionar
to read leer **I**
reader el (la) lector(a)
reading la lectura
ready listo(a)
  to get ready arreglarse **II**
  to get ready to... disponerse (me dispongo) a...
real verdadero(a) **4.2**
realistic realista **4.2**
reality la realidad **8.1**
to realize darse cuenta de **5.1**
Really? ¿Verdad? **I**; ¿De veras? ¿De verdad?
reason la razón (*pl.* las razones)
  for that reason por eso **II, 4.2**

reasonable razonable **4.1**
to receive recibir **I**
reception (desk) la recepción (*pl.* las recepciones) **II**, **5.2**
recess el recreo
recipe la receta **II**
to recommend recomendar (ie) **II**
to record registrar
to recycle reciclar **II**, **2.1**
recycling el reciclaje **II**
red rojo(a) **I**
red-haired pelirrojo(a) **I**
reef el arrecife
to refer referirse (ie, i)
to reflect reflexionar **7.1**; reflejar
reflection el reflejo
refrigerator el refrigerador **6.1**; la nevera
refuge: to take refuge (from) refugiarse (de) **1.2**
region la zona
regret el arrepentimiento
rehearsal el ensayo **8.2**
to rehearse ensayar **8.2**
to relate relatar **5.2**; relacionar **8.1**
relative el (la) pariente(a) **II**; **1.2**
to relax relajarse **5.2**
relaxation la relajación
relaxing relajante
to release soltar (ue)
religion la religión (*pl.* las religiones) **II**
to remain permanecer (permanezco)
to remain standing permanecer de pie
remarkable: to be remarkable for... destacarse por... **4.1**
to remember recordar (ue), acordarse (ue) de
to rent alquilar **I**
to repair arreglar **6.1**
repairperson el (la) técnico(a) **4.2**
to repeat repetir (i, i)
to replace reemplazar **3.1**
to reply responder
report el informe; el reportaje
reporter el (la) periodista **II**; el (la) reportero(a)
to represent representar **4.1**
to request solicitar **2.1**
requirement el requisito
to rescue rescatar

research la investigación (*pl.* las investigaciones) **3.1**
reservation la reservación (*pl.* las reservaciones)
to make/to have a reservation hacer/tener una reservación **II**
reserve la reserva
nature reserve la reserva natural
resolution la resolución (*pl.* las resoluciones) **5.2**
to respect respetar **3.2**
responsibility la responsabilidad **II**, **3.1**
responsible responsable **II**, **3.1**
to make oneself responsible for encargarse de **3.2**
to rest descansar **I**
restaurant el restaurante **I**
to restore restaurar
result el resultado
resume la hoja de vida
to retire jubilarse
to return volver (ue) **I**; regresar **II**
reunion la reunión (*pl.* las reuniones)
class reunion la reunión de ex alumnos
to reuse reutilizar **3.1**
review la reseña **2.2**, **8.1**; la crítica **II**; el repaso
book review la reseña literaria
to review repasar
to revise revisar
rhyme la rima **8.1**
rhythm el ritmo **8.1**
rice el arroz **I**
rich rico(a)
to ride montar **I**; subir a **I**
to ride a bike montar en bicicleta **I**
to ride a horse montar a caballo **I**, **II**
to ride the Ferris wheel/roller coaster subir a la vuelta al mundo/la montaña rusa **I**
right derecho(a)
Right. Agreed. De acuerdo.
Right? ¿Verdad? **I**
to be right tener razón **I**
to turn right doblar a la derecha **II**
ring el anillo **I**, **II**
ring: to ring the doorbell tocar el timbre **6.1**
risk el riesgo **3.1**

to risk arriesgarse **4.2**
risky arriesgado(a)
river el río **1.1**, **6.2**
roasted asado(a)
robot el robot (*pl.* los robots) **II**
rocky rocoso(a)
role el papel **II**
to play a role hacer un papel **II**
roller coaster la montaña rusa **I**
romantic romántico(a) **8.1**
room el cuarto **I**; la habitación (*pl.* las habitaciones) **II**; el espacio
root la raíz (*pl.* las raíces)
route la ruta **6.2**; el rumbo
routine la rutina **I**, **II**
to row remar **1.1**
rowboat el bote de remos
rubber la goma
rug la alfombra **I**
ruins las ruinas **II**
rule la regla
the golden rule la ley de oro
to run correr **I**
to run errands hacer los mandados **6.1**
RV la casa rodante **1.2**

sack el saco, la bolsa **5.1**
sacrifice el sacrificio **4.2**
sad triste **I**
safe seguro(a)
to sail navegar
sailboat el velero **1.2**
saint el (la) santo(a)
salad la ensalada **I**
salary el sueldo **7.1**
sale la venta
salesclerk el (la) vendedor(a) **I**
salt la sal **II**
saltshaker el salero
salty salado(a) **II**
same mismo(a)
Same here. Igualmente. **I**
to be all the same dar lo mismo
sand la arena **1.2**
sandal la sandalia **II**
sandwich el sándwich (*pl.* los sándwiches) **I**
satire la sátira **8.1**
satisfied satisfecho(a)

to satisfy satisfacer **3.2**
Saturday el sábado **I**
sausage el chorizo
to save (money, time) ahorrar **1.1**
savings los ahorros **5.1**
   savings account la cuenta de ahorros **7.1**
to say decir (digo) **I**
saying el refrán (*pl.* los refranes)
scanner el escáner **5.1**
to scare
   It scares me. Me da miedo. **II**
   to get scared asustarse
   How scary! ¡Qué miedo! **I**
scene la escena **II**
scenery la escenografía **8.2**
schedule el horario **I**
scholarship la beca
school la escuela **I**; la facultad **7.2**
   high school el colegio, la escuela secundaria, el liceo
   technical school la escuela técnica **7.2**
school (school-related) escolar **II**
   school newspaper el periódico escolar
science las ciencias **I**
   science fiction la ciencia ficción
scientist el (la) científico(a) **II, 4.1**
to scold regañar
score: to score a goal meter un gol **II**
screen la pantalla **I, II**
screenplay el guión (*pl.* los guiones) **II**
screenwriter el (la) guionista **II**
script el guión (*pl.* los guiones) **8.2**
scuba diver el (la) buceador(a) **II**
to scuba-dive bucear **I**
sculpture la escultura **II**
sea el mar **I**
seafood los mariscos
search la búsqueda **5.1**
seashell el caracol **1.2**
seasick: to get seasick marearse **1.2**
season la estación (*pl.* las estaciones) **I**; la temporada
seasoned sazonado(a)
seat el asiento
   numbered seat el asiento numerado **6.2**
second segundo(a) **I**
secret el secreto **I**
secretary el (la) secretario(a) **4.2**

secure seguro(a)
security la seguridad
   to go through security pasar por seguridad
to see ver
   Let's see. A ver.
   May I see...? ¿Me deja ver...? **I, II**
   See you later. Hasta luego. **I**
   See you there. Nos vemos allí.
   See you tomorrow. Hasta mañana. **I**
to seem parecer (parezco)
   It seems to me... Me parece que... **II**
to select seleccionar
self-esteem la autoestima
to sell vender **I**
to send mandar **I**; enviar **5.1**
sentence la oración (*pl.* las oraciones)
separate separado(a)
September septiembre **I**
serious serio(a) **I**
to serve servir (i, i) **I**
   to serve as president servir de presidente(a) **7.1**
set: movie set el escenario
   to set the table poner la mesa **I**
setting el ambiente
seven siete **I**
seven hundred setecientos **I**
seventeen diecisiete **I**
seventh séptimo(a) **I**
seventy setenta **I**
to sew coser
shadow la sombra
shame la vergüenza
   It's a shame that... Es una lástima/una pena que...
   What a shame! ¡Qué lástima! **I, II**
shampoo el champú **I, II**
shape la forma
   to get in shape ponerse en forma **7.1**
to share compartir **I**
to shave oneself afeitarse **I, II**
shaving cream la crema de afeitar **II**
she ella **I**
shelf el estante
shell la cáscara; el caracol
to shine brillar
ship el barco
shirt la camisa **I**

shoe el zapato **I**
   shoe store la zapatería **II**
shop: to go shopping ir de compras **I**
shopping center el centro comercial **I**
shore la orilla **1.2**
short
   (height) bajo(a) **I**
   (length) corto(a) **I**
shorts los pantalones cortos **I**
short-tempered enojono(a)
should deber **I**
shoulder el hombro **II**
shout el grito
show el espectáculo **5.2**
to show mostrar (ue)
shower la ducha **6.1**
   to take a shower ducharse **I, II**
to shudder estremecerse
shy tímido(a) **II, 4.1**
shyness la timidez
sick enfermo(a) **I**
sickness la enfermedad
side el lado
sidewalk la acera **II**
to sigh suspirar
sights las atracciones
   to go sightseeing ver las atracciones **II**
sign el letrero **2.1**; el cartel
silver la plata **I**
   (made of) silver de plata **I, II**
simile el símil **8.1**
to simplify simplificar
since como; desde
sincere sincero(a) **II, 4.1**; verdadero(a) **4.2**; honesto(a) **7.2**
sincerity la sinceridad
to sing cantar **I**
singer el (la) cantante
single room la habitación individual **II**
sink
   bathroom sink el lavabo **6.1**
   kitchen sink el fregadero **6.1**
sister la hermana **I**
sister-in-law la cuñada **II, 1.2**
to sit sentarse (ie)
site el sitio
   archaelogical site sitio arqueológico
   Web site el sitio Web **I**

six seis **I**

six hundred seiscientos(as) **I**

sixteen dieciséis **I**

sixth sexto(a) **I**

sixty sesenta **I**

size el tamaño
   clothing size la talla **II**
   shoe size el número **II**

to skate patinar **I**
   to in-line skate patinar en línea **I**

skateboard la patineta
   to skateboard andar en patineta **I**

sketch el bosquejo

to ski esquiar

skin la piel **I**

skirt la falda **II**

skyscraper el rascacielos (*pl.* los rascacielos) **II**

sleep el sueño

to sleep dormir (ue, u) **I**
   to be sleepy tener sueño **II**

sleeping bag el saco de dormir **1.1**

sleeve la manga

to slide deslizarse

slow lento(a) **II**

slowly lentamente

small pequeño(a) **I**

to smile sonreír (i, i)

smog el smog **II**, **3.1**

snack
   afternoon snack la merienda **II**
   to have a snack merendar (ie) **1.2**

snake la serpiente **1.1**

snow la nieve

to snow nevar (ie) **I**

so entonces **I**, **II**; pues **6.2**; así que
   so many tantos(as)
   so much tanto(a)
   so that para que **5.1**

soap el jabón (*pl.* los jabones) **I**, **II**
   soap opera la telenovela

soccer el fútbol **I**

social worker el (la) trabajador(a) social **4.1**

society la sociedad **3.2**
   honor society la sociedad honoraria **7.1**

sock el calcetín (*pl.* los calcetines) **I**

sofa el sofá **I**

soft drink el refresco **I**

software el software **II**

soil el suelo **3.1**; la tierra

soldier el (la) soldado, el (la) militar

to solve solucionar **3.2**, **5.2**

some alguno(a) **I**, **5.2**; algún **II**
   Some day... Algún día... **II**

someone alguien **I**, **II**

something algo **I**, **II**

sometimes a veces **II**

son el hijo **I**

son-in-law el yerno **1.2**

soon pronto
   as soon as en cuanto, tan pronto como **8.1**

sorry
   I'm sorry. Lo siento. **I**
   I'm sorry; Excuse me. Disculpe. **II**
   to be sorry that... sentir que... **4.2**

So-so. And you? Más o menos. ¿Y tú/usted? (familiar/formal) **I**

sound el sonido **II**

soup la sopa **I**
   soup kitchen el comedor de beneficencia **2.1**

sour agrio(a) **II**

source la fuente

south el sur

souvenir el recuerdo **I**, **II**

space el espacio

spaghetti los espaguetis **II**

Spanish el español **I**
   Spanish-speaking de habla hispana

to speak hablar **I**
   May I speak to...? ¿Puedo hablar con...? **I**, **II**
   Spanish-speaking de habla hispana

special especial
   special effects los efectos especiales **II**

specialization la especialidad **7.2**

specialty la especialidad **II**
   specialty of the house la especialidad de la casa **II**

species la especie
   endangered species las especies en peligro de extinción **II**, **3.1**

speech el discurso

speed la prisa

to spell deletrear

to spend gastar **2.1**

spicy picante **II**

spider la araña **1.1**

spinach las espinacas **II**

spirit el espíritu; el ánimo

spite: in spite of a pesar de que **6.2**

splendor el esplendor

sponsor el (la) patrocinador(a) **2.2**

to sponsor patrocinar **2.2**

spoon la cuchara **II**

sporting deportivo(a)

sports los deportes **I**
   extreme sports los deportes extremos
   water sports los deportes acuáticos

sportsman/woman el (la) deportista **II**

spouse el (la) esposo(a) **1.2**

spring la primavera **I**

square la plaza **4.2**; el cuadro

squid el calamar

squirrel la ardilla

stadium el estadio **I**

stage el escenario **8.2**; la etapa
   stage direction la dirección de escenografía **8.2**

stairs la escalera **I**

stamp el sello **6.1**

to stand (up) pararse **1.2**
   to stand out (from others) for... destacarse por... **4.1**

stanza la estrofa **8.1**

star la estrella
   movie star la estrella de cine **II**

start el comienzo **7.1**

state el estado

station la estación (*pl.* las estaciones)
   (radio) station la emisora (de radio) **2.1**
   subway station la estación de metro **6.1**
   train station la estación de tren **II**

statue la estatua **II**

statuette la estatuilla

to stay quedarse **II**
   to stay in shape mantenerse en forma **II**
   to stay in... quedarse en... **I**

steak: grilled steak el filete a la parrilla **II**

to steer conducir (conduzco)

step el paso

stepfather el padrastro **I**

stepmother la madrastra **I**

stifling agobiante

still todavía **I**

stock market la bolsa

stockbroker el (la) agente de bolsa **II**, **7.2**

stomach el estómago **I**
   stomachache el dolor de estómago

stone la piedra
  (made of) stone de piedra **II**
to stop parar; detenerse (me detengo); dejar de
stoplight el semáforo **II**
store la tienda **I**
to store almacenar
storm la tormenta
story el cuento **8.1**, la historia
  crime story el cuento policíaco **8.1**
  short story el cuento **8.1**
  story board el bosquejo
stove la estufa **1.1**
  gas stove la estufa de gas **1.1**
straight: to go straight seguir derecho **II**
strange: It is strange that... Es raro que... **3.2**
strategy la estrategia **7.2**
strawberry la fresa **II**
street la calle **I**
  street vendor el (la) vendedor(a) ambulante **5.2**
  street performance la actuación callejera
to strengthen fortalecer (fortalezco)
stress el estrés **7.1**
stressed estresado(a) **7.1**
strike
  hunger strike el ayuno
  labor strike la huelga
stripe la raya
  striped de rayas **II**
strong fuerte **I**
to struggle luchar **3.2**
stubborn reacio(a)
stucco el estuco
student el (la) estudiante **I**; el (la) alumno(a)
  exchange student el (la) estudiante de intercambio
  student newspaper el periódico estudiantil
studious estudioso(a) **I**
study el estudio
to study estudiar **I**; cursar
to stuff rellenar
style el estilo **8.1**; la moda
  to be in style estar de moda **II**
subject (in school) la materia, la asignatura

subway el metro **6.1**
  to get on the subway subir el metro **6.1**
  to get off the subway bajar el metro **6.1**
success el logro **4.2**; el éxito
successful exitoso(a)
  to be successful tener éxito **II**
suddenly de repente
to suffer sufrir
suffering el sufrimiento **3.2**
sugar el azucar **II**
to suggest that sugerir (ie, i) que **4.1**
suggestion la sugerencia
  to make a suggestion dar una sugerencia **5.1**
suit el traje **II**
suitcase la maleta **II**
  to pack a suitcase hacer la maleta **II**
to summarize resumir
summary el resumen
  in summary en resumen
summer el verano **I**
sun el sol **I**
  It is sunny. Hace sol. **I**
to sunbathe tomar el sol **I**
Sunday el domingo **I**
sunglasses las gafas de sol **5.1**
sunrise el amanecer
sunscreen el bloqueador de sol **I**
sunset la puesta del sol
supermarket el supermercado **II**
suppertime la hora de cenar
support el apoyo
to support apoyar **2.1**; fomentar **3.1**
sure seguro(a)
  to not be sure that... no estar seguro(a) (de) que... **4.2**
surely seguramente
to surf hacer surfing **I**, practicar surf, surfear
  to surf the Web navegar por Internet **I**
surface la superficie
surfboard la tabla de surf **1.2**
surfer el (la) surfista **1.2**
to surpass superar **3.2**
surprise la sorpresa **I**
to surprise sorprender
  to be surprised that... sorprenderse de que... **4.2**

surprising sorprendente **4.2**; asombroso(a)
survey la encuesta
to suspect that sospechar que **5.1**
SUV la camioneta **1.1**
to swear jurar
  I swear to you! ¡Te lo juro! **II**
sweater el suéter **II**
to sweep barrer **I**
sweet dulce **II**
to swim nadar **I**
swimming la natación **I**
swimming pool la piscina **I**
swing el columpio
sword la espada
to symbolize simbolizar **8.1**
synagogue la sinagoga
syrup el jarabe

table la mesa **I**
  to set the table poner la mesa **I**
tail la cola
to take tomar **I**; llevar **II**
  to take a bath bañarse **I, II**
  to take a guided tour hacer una visita guiada **6.2**
  to take a nap dormir (ue, u) una siesta **5.2**
  to take a shower ducharse **I, II**
  to take a taxi tomar un taxi **II**
  to take a trip hacer un viaje **I, II**
  to take a walk dar una vuelta **6.1**
  to take advantage (of something) aprovechar **6.1**
  to take away quitar **6.1**
  to take care of cuidar
  to take charge of encargarse de **3.2**
  to take notes tomar apuntes **I**
  to take out the trash sacar la basura **I**
  to take part in tomar parte en **7.1**
  to take photos tomar fotos **I, II**
  to take place tener lugar
  to take refuge (from) refugiarse (de) **1.2**

talented talentoso(a)

to talk hablar **I**
- **to talk about** comentar **5.2**
- **to talk on the phone** hablar por teléfono **I**

tall alto(a) **I**

tape recorder el grabador **2.2**

tapestry el tapiz (*pl.* los tapices) **6.2**

task la tarea

to taste probar (ue) **II**

tasty rico(a) **I**; sabroso(a) **II**

tax el impuesto **7.1**

taxi el taxi

tea el té **II**

to teach enseñar **I**

teacher el (la) maestro(a) **I**; el (la) profesor(a) **II**, **7.2**

team el equipo **I**

teammate el (la) compañero(a) de equipo **II**

technician el (la) técnico(a) **4.2**

telephone el teléfono **I**
- **cellular phone** el teléfono celular **I**, **II**

telethon la teletón (*pl.* las teletones) **2.2**

television la televisión **I**

television set el televisor **I**

to tell contar (ue) **II**; relatar **5.2**
- **I'm telling you the truth!** ¡Te digo la verdad! **II**

temple el templo **II**

ten diez **I**

tennis el tenis **I**

tent la tienda de campaña **1.1**

tenth décimo(a) **I**

terrace la terraza **6.1**

to terrify aterrorizar

test el examen (*pl.* los exámenes) **I**

to thank agradecer (agradezco)
- **I would like to thank...** Quisiera darle las gracias a... **II**
- **Thank you.** Gracias. **I**
- **Thank you for your service.** Gracias por atenderme. **II**

that
- **that one (over there)** aquél(aquélla) **II**
- **that one (there)** ése(a) **II**
- **that... (over there)** aquel(aquella) **I**, **II**
- **that... (there)** ese(a) **I**, **II**

theater el teatro **I**

their su **I**

them ellos(as) **I**, **II**

theme el tema **8.1**

then luego; entonces **I**, **II**

theology la teología

there allí **I**
- **Is... there?** ¿Está...? **II**
- **there is/are...** hay... **I**

therefore por lo tanto **4.2**; por eso

these
- **these ones (here)** éstos(as) **II**
- **these... (here)** estos(as) **I**, **II**

they ellos(as) **I**

thief el ladrón (*pl.* ladrones)

thin delgado(a)

thing la cosa **I**

to think pensar (ie) **I**; creer
- **I think/don't think so.** Creo que sí /no. **II**
- **What did you think of ...?** ¿Qué les parece...?

third tercero(a) **I**

thirst la sed
- **to be thirsty** tener sed **I**

thirteen trece **I**

thirty treinta **I**

thirty-one treinta y uno **I**

this
- **this one (here)** éste(a) **II**
- **this... (here)** este(a) **I**, **II**

those
- **those ones (over there)** aquéllos(as) **II**
- **those ones (there)** ésos(as) **II**
- **those... (over there)** aquellos(as) **I**, **II**
- **those... (there)** esos(as) **I**, **II**

thousand mil **I**

to threaten amenazar **3.1**

three tres **I**

three hundred trescientos(as) **I**

throat la garganta **II**

to throw (out) tirar, echar

thumb el dedo pulgar

Thursday el jueves **I**

thus así que

ticket la entrada **4.2**; el boleto **I**, **II**; el billete **6.1**
- **roundtrip ticket** el boleto de ida y vuelta **II**
- **to buy a ticket** sacar el billete **6.1**

tie la corbata **II**

tie: to be tied (in sports) estar empatado **II**

tight (clothing) apretado(a)

time la hora **I**; la vez (*pl.* las veces); el rato **5.2**; el tiempo
- **at the same time** a la vez
- **At what time is/are...?** ¿A qué hora es/son...? **I**
- **free time** el tiempo libre **I**, **II**; el rato libre **7.1**
- **from time to time** cada tanto
- **part-time** a tiempo parcial **7.1**
- **to have a good time** pasar un buen rato **5.2**
- **What time is it?** ¿Qué hora es? **I**

tired cansado(a) **I**
- **to be tired or fed up** estar harto(a) **I**

title el título

to a **I**; menos **I**; hasta **II**

today hoy **I**
- **Today is ...** Hoy es... **I**
- **What day is today?** ¿Qué día es hoy? **I**

toe el dedo del pie **II**

together junto(a)
- **all together** todo junto
- **to get together** reunirse

Toltecs los toltecas **II**

tomato el tomate **I**

tomb la tumba **II**

tomorrow mañana **I**
- **See you tomorrow.** Hasta mañana. **I**
- **Tomorrow is ...** Mañana es... **I**

too también **I**; demasiado **II**
- **too much** demasiado **I**, **II**

tool la herramienta **II**

tooth el diente **II**

toothbrush el cepillo de dientes **I**, **II**

toothpaste la pasta de dientes **I**, **II**

tortoise la tortuga

to touch tocar

Tour de France la Vuelta a Francia **II**

tourism el turismo

tourist el (la) turista **II**
- **tourist office** la oficina de turismo **II**

tournament el torneo

toward hacia

towel la toalla **I**, **II**

town el pueblo

trace el rastro

track
- **(in sports)** la pista **II**
- **(for trains)** la vía **6.2**

train el tren **I**
- **by train** en tren **I**

to train entrenarse **II**
trainer el (la) entrenador(a) **4.1**
training el entrenamiento
to transform transformar **II**
transformation la transformación
 (*pl.* las transformaciones) **3.1**
to translate traducir (traduzco) **2.2**
translator el (la) traductor(a) **7.2**
transportation el transporte
  public transportation el
   transporte público **1.1**
trash la basura **I**
  trash can el basurero **II, 3.1**
to travel viajar **II**
  travel agency la agencia de
   viajes **II**
  travel agent el (la) agente de
   viajes **II**
treasurer el (la) tesorero(a) **7.1**
tree el árbol **II, 1.1**
trip el viaje
  to go on a day trip hacer una
   excursión **II**
  to take a trip hacer un viaje **I**
triumph el triunfo
to triumph triunfar
trophy el trofeo
trouble
  get into trouble meterse en
   problemas **6.2**
  to (not) be worth the trouble
   (no) valer la pena
truck la camioneta **1.1**; el camión
  (*pl.* los camiones)
true verdadero(a) **4.2**; cierto(a)
  It is (not) true that... (No) Es
   cierto/verdad que... **II, 4.2**
trunk el tronco
truth la verdad
  I'm telling you the truth! ¡Te
   digo la verdad! **II**
to try intentar
  to try the specialties probar las
   especialidades **6.2**
  to try to tratar de
T-shirt la camiseta **I**
Tuesday el martes **I**
turkey el pavo
to turn doblar **II**
  to take turns turnarse
  to turn into convertirse en **4.2**
  to turn off the faucet cerrar el
   grifo **6.1**
  to turn off the light apagar la
   luz **II**

to turn on the faucet abrir el
 grifo **6.1**
to turn on the light encender (ie)
 la luz **II**
to turn out well salir bien **7.1**
to turn right/left doblar a la
 derecha/a la izquierda **II**
turtle la tortuga
TV la tele
twelve doce **I**
twenty veinte **I**
twenty-one veintiuno **I**
twin el (la) gemelo(a)
two dos **I**
two hundred doscientos(as) **I**
type el tipo; la clase
typical típico(a)

Ugh! ¡Uy! **II**
ugly feo(a) **I**
umbrella el paraguas **5.1**
unbelievable increíble
uncle el tío **I**
under debajo (de) **I**; bajo **I**
to underline subrayar
underneath debajo (de) **I**
to understand entender (ie),
 comprender **I**
  Did you understand?
   ¿Comprendiste?
  to misunderstand each other
   entenderse mal **II**
  to understand each other (well)
   entenderse (bien) **II**
understanding comprensivo(a)
 4.1
understanding la comprensión
to undertake emprender **3.2**
unforgettable inolvidable **1.1**
unhappiness la desdicha
uniform el uniforme **II**
to unify unificar
unique único(a) **II**; singular **8.2**
unit la unidad
unity la unidad **3.2**; unit
university la universidad **7.2**
unknown desconocido(a)
  the unknown lo desconocido
unless a menos que **5.1**
unlikely: It's unlikely that... Es
 improbable que **4.2**

until hasta que **5.1**, hasta
unusual insólito(a) **8.2**
up hacia arriba
upside down al revés
us nosotros(as) **I, II**
to use usar **I**; utilizar **1.1**
useful útil
usher el (la) acomodador(a) **8.2**
usual de siempre
usually normalmente **II**

vacation las vacaciones **I**
  (to be) on vacation (estar) de
   vacaciones **I, II**
  to go on vacation ir de
   vacaciones **II**
vacuum cleaner la aspiradora **I**
to vacuum pasar la aspiradora **I**
vain vanidoso(a) **4.1**
valley el valle
valuable valioso(a) **5.1**
value el valor
to value valorar **3.1**
to vanish desvanecerse
vanity la vanidad
variety la variedad
various varios(as)
to vary variar
vase el florero
vegetables las verduras **I**
  vegetable stand la
   verdulería **6.1**
vegetarian vegetariano(a)
velvet el terciopelo
vendor: street vendor el (la)
 vendedor(a) ambulante **5.2**
versatile versátil **7.2**
verse el verso **8.1**
very muy **I**
  Very well. And you? Muy bien. ¿Y
   tú/usted? (familiar/formal) **I**
vest el chaleco **II**
veterinarian el (la)
 veterinario(a) **II, 4.2**
vice president el (la) vice-presidente(a)
 7.1
video game el videojuego **I**
view la vista **6.2**
viewer: TV viewer el (la)
 telespectador(a) **2.2**; el (la)
 televidente

vinegar el vinagre **II**
to visit visitar
    to visit a museum visitar un
      museo **II**
vocabulary el vocabulario
vocation la vocación (*pl.* las vocaciones)
voice la voz (*pl.* las voces)
volcano el volcán (*pl.* los volcanes) **II**
volleyball el voleibol **I**
    beach volleyball el voleibol
      playero **1.2**
volunteer el (la) voluntario(a) **II, 2.1**
to volunteer trabajar de voluntario **II,
2.1**
to vote votar **3.1**
vulture el zopilote

to wait (for) esperar **I, II**
waiting room la sala de espera **6.2**
to wake up despertarse (ie) **I, II**
to walk caminar **I**
    to go for a walk pasear **I**, dar
      una vuelta **6.1**
wall la muralla **6.2**; el muro, la pared
wallet la cartera **5.1**
to want querer (ie) **I**; desear
war la guerra **II**
wardrobe el vestuario **8.2**
warm cálido(a)
to warn advertir (ie, i) **3.2**
warning la advertencia **3.2**
warrior el (la) guerrero(a) **II**
to wash lavar **I**
    to wash one's face/hair lavarse
      la cara/el pelo **I**
    to wash oneself lavarse **I, II**
watch el reloj **I, II**
to watch mirar **I**
    to watch television mirar la
      televisión **I**
water el agua (fem.) **I**
    fresh water el agua dulce **1.1**
waterfall la cascada
to water-ski hacer esquí acuático **I**
wave la ola
we nosotros(as) **I**
to wear llevar **I**; usar

weather el tiempo **I**; el clima
    What is the weather like? ¿Qué
      tiempo hace? **I**
Web page la página web **1.2**
Web site el sitio web **I, 5.1**
wedding la boda
Wednesday el miércoles **I**
week la semana **I**
    last week la semana pasada **I, II**
    next week la semana que viene
weekend el fin de semana **I, II**
weekly semanal
to weigh pesar
welcome la bienvenida
welcome bienvenido(a)
    You're welcome. De nada. **I, II**
well bien **I**; pues **6.2**
    to do well irle bien (a alguien) **7.1**
    to turn out well salir bien **7.1**
    Very well. And you? Muy bien. ¿Y
      tú/usted? (familiar/formal) **I**
    Well, ... Bueno, ...
well-known reconocido(a)
west el oeste
whale la ballena
what qué
    What? ¿Qué? ¿Cuál? **I**; ¿Cómo?
    What a shame! ¡Qué lástima! **I, II**
    What are you like? ¿Cómo eres? **I**
    What color is/are...? ¿De qué
      color es/son...?
    What day is today? ¿Qué día es
      hoy? **I**
    What do you like to do? ¿Qué te
      gusta hacer? **I**
    What fun! ¡Qué divertido!, **I**
    What is the date? ¿Cuál es la
      fecha? **I**
    What is the weather like? ¿Qué
      tiempo hace? **I**
    What luck! ¡Qué casualidad!
    What time is it? ¿Qué hora es? **I**
    What's happening? ¿Qué pasa? **I**
    **What's his/her/your (formal)
    name?** ¿Cómo se llama? **I**
    What's your (familiar) name?
      ¿Cómo te llamas? **I**
wheelchair la silla de ruedas
when cuando **I**
    When? ¿Cuándo? **I**

where donde
    Where? ¿Dónde? **I**
    (To) Where? ¿Adónde? **I**
    Can you please tell me where ... is?
      Por favor, ¿dónde queda...? **II**
    Where are you from? ¿De dónde
      eres/es usted (familiar/formal)? **I**
    Where are you going? ¿Adónde
      vas? **I**
    Where is he/she from? ¿De
      dónde es? **I**
Which? ¿Cuál(es)? **I**
a while un rato
    once in a while de vez en cuando **I**
to whisper susurrar
white blanco(a) **I**
Who? ¿Quién(es)? **I**
    Who is he/she/it? ¿Quién es? **I**
Why? ¿Por qué? **I**
    That's why. Por eso. **II**
wide ancho(a)
wife la esposa **II, 1.2**
to win ganar **I**
wind el viento
    It is windy. Hace viento. **I**
window la ventana **I**
    display window el escaparate **6.1**
    stained-glass window el vitral
    ticket window la ventanilla **I**; la
      taquilla **6.2**
    train window la ventanilla **6.2**
to windsurf hacer surf de vela **I**
wing el ala (fem.)
winged alado(a)
winner el (la) ganador(a) **I**
winning ganador(a)
winter el invierno **I**
to wish desear
with con **I**
    with me conmigo **I, II**
    With pleasure. Con mucho
      gusto. **II**
    with you (familiar) contigo **I, II**
without sin **1.1**; sin que **5.1**
to withstand soportar
witness el (la) testigo
woman la mujer **I**
wonderful genial
wood la madera **I**
    (made of) wood de madera **I, II**
woods el bosque **1.1**
wool la lana

work el trabajo; la obra **8.1**
to work trabajar **I**
  charitable work la obra
    caritativa **2.2**
  Let's get to work! ¡Manos a la obra!
  to work as a cashier trabajar de
    cajero(a) **7.1**
  to work as a lifeguard trabajar de
    salvavidas **7.1**
  to work part-time trabajar a
    tiempo parcial **7.1**
worker el (la) trabajador(a)
  social worker el (la) trabajador(a)
    social **4.1**
workshop el taller
world el mundo **II**
  World Cup la Copa Mundial **II**
worried preocupado(a)
to worry preocuparse
worse peor **I, II**
worth: to be worth valer (valgo)
worthless sin valor **5.1**
wound la herida
to wound herir (ie, i)
to wrap envolver (ue) **I**
  wrapping paper el papel de
    regalo **I**
wrist la muñeca **II**
wristwatch el reloj **II**
to write escribir **I**
writer el (la) escritor(a) **II**
writing la escritura

year el año **I**
  last year el año pasado **I**
  New Year el Año Nuevo
  to be... years old tener... años **I**
yearbook el anuario **7.1**
yellow amarillo(a) **I**
yes sí **I**
  Yes, I would love to. Sí, me
    encantaría. **I, II**
yesterday ayer **I**
  the day before yesterday
    anteayer **I, II**
yet todavía **I**
yogurt el yogur **I**
you
  (*pl.,* **familiar**) vosotros(as) **I, II**
  (*pl.,* **formal**) ustedes **I, II**
  (*sing.,* **familiar**) tú **I**; ti **II**
  (*sing.,* **formal**) usted **I, II**

young joven (*pl.* jóvenes) **I**
  young man/woman el (la) joven
    (*pl.* los jóvenes) **II**
younger menor **I, II**
your
  (**formal**) su **I**
  (*pl.,* **familiar**) vuestro(a) **I**
  (*sing.,* **familiar**) tu **I**
youth hostel el albergue juvenil **1.1**

Z

zero cero **I**
zone la zona
zoo el zoológico **I**

❖Índice

Índice

R

La Raza, 130
reading strategies
  analyze benefits with pyramid
    chart, 181
  analyze conversations, 335
  analyze the dream conversation,
    160
  analyze the characters, 340
  causes and effects, 314
  chart of the subjunctives, 280
  chart to compare commands, 100
  chart the conditional, 306
  cluster related words, 361
  compare the heroes, 246
  compare yourself with Guille, 426
  find numerical expressions, 121
  find the "fantastic elements," 408
  get to know the characters, 215
  infer, 241
  interpret the image, 374
  look for cognates, 48
  make a family tree, 61
  make a mind-map, 35
  make newspaper headlines, 366
  note causes and effects, 314
  play the Circle Game, 108
  read using different techniques,
    220
  recognize the humor, 348
  subjunctive, uses of, 186
  summarize the conversation, 275
  table to review verb tenses, 40
  take notes on history, 288
  track the relationships, 134
  transform verbs in context, 66
  use a diagram for commands, 126
  use a hierarchy chart, 186
  use a honeycomb story map, 74,
    228
  use a problem chart, 155
  use a situational flow chart, 400
  use a Venn diagram, 395
  use an opportunity-analysis
    chart, 421
  use categories, 254
  use dialogue clues from
    punctuation and wording, 194
  use shapes, 434
  writing down the schedule, 301

Real Madrid, 329
realismo mágico, 408
recomendar, subjunctive used with,
  222
recurring actions and imperfect, 63,
  68, 79
reflexive pronouns, 18, 139
  with present perfect tense, 342
reflexive verbs, 18
  command forms of, 123
  regular verbs
  conditional tense, 303
  future perfect tense, 368
  future tense, 156, 157, 173
  imperfect subjunctive, 397, 413
  imperfect tense, 63, 79
  past participles, 337
  past perfect tense, 363
  present perfect tense, 342
  present subjunctive, 183
  present tense, 5
  preterite tense, 37, 53
  tú commands, 97, 113
  usted commands, 102, 113
religious holidays, 404
reported speech, 308
requests, 96
resolver
  conditional tense, 303
  past participle, 337
responsibilities, vocabulary, 199
restaurants, 20-21
Retrato de Dora Maar (Picasso), 352
Retrato de una niña (Velázquez), 352
reunir, imperfect tense, 63
Rojas, Gonzalo, 503
romance, 374
"Romance sonámbulo" (García
  Lorca), 374-377
romper, past participle, 337
ropa tradicional, C12-C13
Rosero Diago, Evelio, 434-437
Ruby, Karin, 449

S

saber
  conditional tense, 303
  future tense, 157, 173
  imperfect subjunctive, 413
  present subjunctive, 188, 199

  present tense, 9
  preterite tense, 42, 53, 62
  using, 14, 62
salir
  conditional tense, 303
  future tense, 157, 173
  present tense, 9
  preterite tense, 37
  tú command, 97, 113
Sánchez, Felix, 210-211
San Fermín, C6
Santana, Carlos, 124
Santiago, Esmeralda, 228-231
Saralegui, Cristina, 214
sayings, 69, 187, 249, 309, 339, 429
school activities, vocabulary, 392-
  393, 413
school newspaper, 121-122
se
  impersonal constructions with, 122
  object pronouns changing to **le**,
    123, 139
  unintentional occurrences, 483,
    499
sea, using, 276
seasons, 472
ser
  imperfect tense, 63
  impersonal expressions +
  infinitive,
    128, 139
  present subjunctive, 188, 199
  present tense, 8
  preterite tense, 42, 53
  tú command, 97, 113
  using, 15
servir, present tense, 10
si clause, 423, 439
simple past tense, using, 308
simple present tense, subjunctive
  following, 428, 439
sin que, 277
situational flow chart, 400
Skármeta, Antonio, 468-471
social awareness, vocabulary, 199
society, vocabulary, 178
Soldi, Raúl, 490
Southern Cone
  famous people, 448
  foods of, 448
  map of, 448

# Créditos

Acknowledgements

Unidad 1

"Hermandad" and "Viento, agua, piedra" by Octavio Paz. © Octavio Paz, 1959. Reprinted by permission.

From *Como agua para chocolate* by Laura Esquivel. Copyright © 1989 by Laura Esquivel. Used by permission of Doubleday, a division of Random House, Inc.

Unidad 2

From *En la Ocho y la Doce* by Roberto G. Fernández. Copyright © 2001 by Roberto G. Fernández. Reprinted by permission of Houghton Mifflin Harcourt Publishing Company. All rights reserved.

From *Caramelo* by Sandra Cisneros. Copyright © by 2002 Sandra Cisneros. Translation copyright © 2002 by Lilana Valenzuela. Published by Vintage Español and originally in hardcover by Alfred A. Knopf, Inc., divisions of Random House. Reprinted by permission of Susan Bergholz Literary Services, New York. All rights reserved.

Unidad 3

"La Mejor Edad" by Carlos Balaguer. © Carlos Balaguer. Reprinted by permission of the author.

Unidad 4

From *El sueño de América* by Esmeralda Santiago. Copyright © 1996 por Esmeralda Santiago. Reprinted by permission of HarperCollins Publishers.

From *Cuando Tía Lola vino de visita a quedarse* by Julia Álvarez. Copyright © 2001 by Julia Álvarez. Translation copyright © 2004 by Liliana Valenzuela. Published by Dell Yearling, an imprint of Random House Books for Children. Reprinted by permission of Susan Bergholz Literary Services, New York and Stuart Bernstein Representation for Artists, New York. All rights reserved.

Unidad 5

Excerpts from "La ciudad de los mapas," from *Desencuentros* by Edmundo Paz Soldán. © 2004, Edmundo Paz Soldán. Reprinted by permission of Santillana USA Publishing Company, Inc.

Unidad 6

Excerpt from *Manolito Gafotas* by Elvira Lindo. © 1994, Elvira Lindo. 1994, Santillana, S. A. Reprinted by permission of RDC Agencia Literaria, Madrid, Spain.

Romance sonámbulo by Federico García Lorca © Herederos de Federico García Lorca. From *Obras Completas* (Galaxia Gutenberg, 1996 edition). All rights reserved. For information regarding rights and permissions, please contact lorca@artslaw.co.uk or William Peter Kosmas, Esq., 8 Franklin Square, London W14 9UU.

Unidad 7

Gabriel García Márquez, "La luz es como el agua" from the work *Doce Cuentos Peregrinos* by Gabriel García Márquez. © Gabriel García Márquez, 1981. Reprinted by permission of Agencia Literaria Carmen Balcells, S.A.

Excerpt from "El esqueleto de visita" by Evelio Rosero Diago. © Evelio Rosero Diago. Reprinted by permission of the author.

Unidad 8

Excerpt from *El cartero de Neruda (Ardiente paciencia)* by Antonio Skármeta. © 1986, Antonio Skármeta. Reprinted by permission of Plaza & Janés Editores, S. A.

Excerpt from *Colón agarra viaje a toda costa* by Adela Basch. © 1992, Adela Basch. Reprinted by permission of Santillana Argentina, S. A.

Photography

Cover *center* David Noton Photography; *bottom right* Scott Markewitz/Taxi/Getty Images; **Title Page** David Noton Photography; **Back Cover** top left Steve Dunwell/The Image Bank/Getty Images; *top center* Joseph Rodriguez/Gallery Stock Limited; *top right* Panoramic Images/Getty Images; *bottom left* Doug Armand/Getty Images; *bottom center* David Noton Photography; *bottom right* P. Pet/zefa/Corbis; **iv** *top right* Allan Penn/Holt McDougal/Houghton Mifflin Harcourt; *bottom left* David H. Wells/Odyssey Productions, Inc.; *bottom right* Albert Gea/Reuters/Landov; **v** *bottom* Stewart Cohen/Getty Images; **vi** *bottom right* Pete Olsen/Holt McDougal/Houghton Mifflin Harcourt; **vii** *top left* Pixel Images, Inc./Holt McDougal/Houghton Mifflin Harcourt; *top right* Greg Johnson/Danita Delimont; **viii** *bottom right* Pete Olsen/Holt McDougal/Houghton Mifflin Harcourt; **ix** *top left* Jeff Greenberg/Alamy; *top right* Ken Karp/Holt McDougal/Houghton Mifflin Harcourt; **x** *bottom right* Pete Olsen/Holt McDougal/Houghton Mifflin Harcourt; **xi** *top left* Sonda Dawes/The Image Works, Inc.; *top right* Basco/gtphoto; **xii** *bottom right* Pete Olsen/Holt McDougal/Houghton Mifflin Harcourt; **xiii** *top left* Clive Brunskill/Getty Images; *top right* Paulo Cunha/Agencia EFE; **xiv** *bottom right* Pete Olsen/Holt McDougal/Houghton Mifflin Harcourt; **xv** *top left* Patricio Realpe, Stringer/AP Images; *top right* Robert Frerck/Odyssey Productions, Inc.; **xvi** *bottom right* Pete Olsen/Holt McDougal/Houghton Mifflin Harcourt; **xvii** *top left* Tips Images; *top right* Robert Frerck/Odyssey Productions, Inc.; **xviii** *bottom right* Pete Olsen/Holt McDougal/Houghton Mifflin Harcourt; **xix** *top left* Timothy Ross/The Image Works, Inc.; *top right* Leon Duquel/Duque Munera Tia; **xx** *bottom right* Pete Olsen/Holt McDougal/Houghton Mifflin Harcourt; **xxi** *top left* Cy Hire/Tom Stack & Asscociates; *top right* Allan Penn/Holt McDougal/Houghton Mifflin Harcourt; **xxviii** *both* Pete Olsen/Holt McDougal/Houghton Mifflin Harcourt; **xxix** *all* Pete Olsen/Holt McDougal/Houghton Mifflin Harcourt; **xxx** Jorge Albán/Holt McDougal/Houghton Mifflin Harcourt; **xxxi** *all* Allan Penn/Holt McDougal/Houghton Mifflin Harcourt; **xxxii** Time Life Pictures/Getty Images; **xxxiii** *top right* Jay Penni/Holt McDougal/Houghton Mifflin Harcourt; *bottom left* Jorge Albán/Holt McDougal/Houghton Mifflin Harcourt; **xxxiv** Allan Penn/Holt McDougal/Houghton Mifflin Harcourt; **xxxv** *both* Michael Goss/Holt McDougal/Houghton Mifflin Harcourt; **xxxvi** *top left* H. Sitton/Zefa/Corbis; *top right* Fadigati, Foodstock - StockFood Munich/StockFood America; *bottom* Steve Vidler/SuperStock; **xxxvii** *top left* Max Montecinos/Reuters Pictures; *top right* Martha Granger/EDGE Productions/Holt McDougal/Houghton Mifflin Harcourt; *center right* Gary Cook/Alamy; *bottom right* Danny Lehman/Corbis; **C2** *banner* Colored engraving, 1599. The Granger Collection, New York; *left* Michael & Patricia Fogden/Minden Pictures; *bottom right* Engraving, 19th century. The Granger Collection, New York; **C3** *top left* Steve Kaufman/Peter Arnold, Inc.; *top right* Mayan corn god, Oaxaca. Earthenware, circa 500 CE. Private collection. Photograph © Bridgeman Art Library; *bottom* Muisca tunjo votive , depicting the Ceremony of El Dorado. Copper and gold alloy, pre-Colombian. Galeria Cano, Bogotá, Colombia. Photograph © Bridgeman Art Library; **C4** *banner* Texas Department of Transportation; *center left* John E. Kelly/FoodPix; *top left* Lois Ellen Frank/Corbis; *bottom center* Leigh Beisch/Foodpix/Jupiter Images; *center right* Judd Pilossof/FoodPix; **C5** *top* Anders Ryman/Corbis; *top inset* Finley - StockFood Munich/StockFood America; *center right* Thomas Eckerle/NewsCom/PictureArts; *center left* Linny Morris Cunningham/NewsCom/Picture Arts; **C6** *banner* Allan Penn/Holt McDougal/Houghton Mifflin Harcourt; *bottom right* Zaheeruddin Abdullah/AP Images; *left* Victor Fraile/Reuters/Landov; **C7** *top left* Albert Gea/Reuters/Landov; *top right* Desmond Boylan/Reuters/Corbis; *top right inset* PhotoSpin; *bottom right* Victor Fraile/Reuters/Landov; **C8** *banner* Kelly-Mooney Photography/Corbis; *banner, inset* Joseph McCullar/ShutterStock; *center left* Alan Copson City Pictures/Alamy; *bottom* AFP/Getty Images; **C9** *top left* Zuma Press/NewsCom; *center right* AFP/Getty Images; *bottom left* Roberto Candía/AP Images; **C10** *banner* SuperStock/age fotostock; *top left* Reuters/Corbis; *bottom* Doug Bryant/DDBStock; **C11** *top* Reuters/Corbis; *center* Enrique Marcarian/Reuters/Corbis; **C12** *banner* Ric Ergenbright/Corbis; *left* Jay Penni/Holt McDougal/Houghton Mifflin Harcourt; *bottom* David H. Wells/Odyssey Productions, Inc.; **C13** *top right* Eduardo Abad/Agencia EFE; *top left* David Sanger Photography/Alamy; *bottom left* Danny Lehman/Corbis; **C14** *banner, center left* Allan Penn/Holt McDougal/Houghton Mifflin Harcourt; *bottom right* Robert Frerck/Odyssey Productions, Inc.; **C15** *top left* Reuters/Corbis; *center right, bottom left* Allan Penn/Holt McDougal/Houghton Mifflin Harcourt; *bottom right* Robert Frerck/Odyssey Productions, Inc.; **C16** *banner* Digital Stock; *top left* H. Sitton/Zefa/Corbis; *bottom* Galen Rowell/Odyssey Productions, Inc.; **C17** *top* Nevada Wier/Corbis; *center right* Hubert Stadler/Corbis; *center left* Richard Cummins/Corbis; **C18** *banner* PhotoDisc; *banner inset* Allan Penn/Holt McDougal/Houghton Mifflin Harcourt; *center left* Ryan Soderlin/Salina Journal/AP Images; *bottom right* Jacqueline Larma/AP Images; **C19** *left* Virtual Media Production; *top right* Russell Gordon/Odyssey Productions, Inc.; *bottom right* Helen Montoya/Zuma Press; **C20** *banner* AFP/Getty Images; *banner, inset* Rob Crandall/Stock Connection/IPN; *center left* Oscar Navarrete/Agencia EFE; *bottom right* David Dudenhoefer/Odyssey Productions, Inc.; **C21** *top right* AFP/Getty Images; *left* Michele Burgess/Index Stock Imagery; *bottom right* Charles & Josette Lenars/Corbis; **C22** *banner* Danny Lehman/Corbis; *top left* Anders Ryman/Corbis; *bottom* Marco Cristofori/age fotostock; **C23** *top left* Time Life Pictures/Getty Images; *top right* Robert Frerck/Odyssey Productions, Inc.; *bottom left* Gary Cook/Alamy; **C24** *banner* Marcelo Del Pozo/Reuters/Landov; *left* Miguel Rajmil/Agencia EFE; *bottom right* Emilio Morenatti/Agencia EFE; *bottom*

Houghton Mifflin Harcourt; **95** Allan Penn/Holt McDougal/Houghton Mifflin Harcourt; **98** Courtesy of El Museo del Barrio; **104** "The Market" (c. 1940s), Pablo O'Higgins. Color lithograph, 12 x 13 in. Collection of the Art Museum of the Americas, Organization of American States; **105** Allan Penn/Holt McDougal/Houghton Mifflin Harcourt; **106** *all* Allan Penn/Holt McDougal/Houghton Mifflin Harcourt; **107** SW Productions/PhotoDisc Green/Getty Images; **112** *right* Najilah Feanny/Corbis; *left* Joe Reidle/Getty Images; **116–117** Ken Karp/Holt McDougal/Houghton Mifflin Harcourt; **118** *left* Ken Karp/Holt McDougal/Houghton Mifflin Harcourt; *right* Jay Penni/Holt McDougal/Houghton Mifflin Harcourt; **119** *top* Ed Bock/Corbis; *bottom* J.F. Rault/Corbis Sygma; **121** Ken Karp/Holt McDougal/Houghton Mifflin Harcourt; **124** *bottom* Kevin Winter/TimePix/Getty Images News and Sport; *top center* Holt McDougal/Houghton Mifflin Harcourt; **126** *top* David Young-Wolff/PhotoEdit; *bottom* Myrleen Ferguson Cate/PhotoEdit; *center* Don Smetzer/PhotoEdit; **130** Jill LeVasseur/Holt McDougal/Houghton Mifflin Harcourt; **131** Ken Karp/Holt McDougal/Houghton Mifflin Harcourt; **134** Eric Gay/AP Images; **142** *bottom right* Jeff Greenberg/age fotostock; **143** *bottom* Jeff Greenberg/age fotostock; **144** *background* Allan Penn/Holt McDougal/Houghton Mifflin Harcourt; *all others* Pete Olsen/Holt McDougal/Houghton Mifflin Harcourt; **145–146** *background* Allan Penn/Holt McDougal/Houghton Mifflin Harcourt; **145** *top left* Pete Olsen/Holt McDougal/Houghton Mifflin Harcourt; **147** Nick Ut/AP Images; **148** *bottom right* Lew Robertson/FoodPix; *bottom left* Jay Penni/Holt McDougal/Houghton Mifflin Harcourt; **149** *bottom* Alfredo Maíquez/Lonely Planet Images; *top left* Robert Frerck/Odyssey Productions, Inc.; *center right* Daniel LeClair/Reuters/Landov; *center inset* Funerary urn with feline lid, Ixil, Quiché, Guatemala. Early postclassic period (900–1200). Polychrome earthenware. Museo Popol Vuh, Guatemala. Photograph by Bridgeman Art Library; **150–151** Michael J. Doolittle/Peter Arnold, Inc.; **152** *background* Guy Jarvis/School Division/Houghton Mifflin Harcourt; *top* BananaStock/SuperStock; *center* Blackout Concepts/Alamy; *bottom right* Chris Gotshall/Sea World Orlando/AP Images; *bottom center* PhotoDisc; *bottom left* Joseph Sohm/Visions of America/Corbis; **153** *background* PhotoDisc; *top left* Dennis MacDonald/age fotostock; *top right* Mireille Vaultier/Alamy; *bottom left* Peter Arnold Inc./Alamy; *bottom right* Walter Astrada/La Nación/AP Images; **155** *top left* Sonda Dawes/The Image Works, Inc.; *bottom right* Frans Lemmens/Getty Images; *bottom left* Jay Penni/Holt McDougal/Houghton Mifflin Harcourt; **156** INSADCO Photography/Alamy; **158** *top* Jay Penni/Holt McDougal/Houghton Mifflin Harcourt; *modelo* Flip Chalfant/Getty Images; *1* Ellis Neel/AP Images; *2* Geri Engberg/The Image Works, Inc.; *3* age fotostock/SuperStock; *4* Jeff Greenberg/age fotostock; *5* Jeff Greenberg/PhotoEdit; *6* Patricio Crooker/fotosbolivia/The Image Works, Inc.; **160** *bottom left* Jay Penni/Holt McDougal/Houghton Mifflin Harcourt; **164** © Luiz Claudio Marigo/naturepl.com; **165** *top center* Jay Penni/Holt McDougal/Houghton Mifflin Harcourt; *inset* Miguel Ángel Molina/Agencia EFE; **167** PhotoDisc/GettyImages; **168** Courtesy of Carlos Balaguer; **169** "Feria" (2006), Graciela Genoves. Oil on canvas. © Zurbaran Galeria/SuperStock; **170** "Valencian Sketch no. 1" Joaquín Sorrolla y Bastida. Museo Sorolla, Madrid, Spain. Scala/Art Resource, New York; **171** Jenny Tylden-Wright/Getty Images; **172** *top left* Michael & Patricia Fogden/Corbis; *top right* Werner Forman/Art Resource, New York; *center right* Guy Jarvis/School Division/Houghton Mifflin Harcourt; *bottom left* Brand X Pictures/Alamy; **174** *1* Ronnie Kaufman/Corbis; *2* Jeff Greenberg/The Image Works, Inc.; *3* David Seri/age fotostock; *4* Joe Sohm/Alamy; *5* Dave G. Houser/Post-Houserstock/Corbis; *6* Amy Wrynn/Holt McDougal/Houghton Mifflin Harcourt; **176–177** Basco/gtphoto; **178–179** *all* Jay Penni/Holt McDougal/Houghton Mifflin Harcourt; **181** *bottom left* Jay Penni/Holt McDougal/Houghton Mifflin Harcourt; **182** Jay Penni/Holt McDougal/Houghton Mifflin Harcourt; **184** Danny Lehman/Corbis; **185** *modelo* Guy Jarvis/School Division/Houghton Mifflin Harcourt; *1* age fotostock/SuperStock; *2* David Young-Wolff/Alamy; *3* Bill Frisch/Brand X Pictures/age fotostock; *4* Kuzma/ShutterStock; *5* Dennis MacDonald/age fotostock; *6* Bob Daemmrich/The Image Works, Inc.; **186** *left* Marcio José Sánchez/AP Images; *bottom right* Jay Penni/Holt McDougal/Houghton Mifflin Harcourt; **189** Blend Images/Alamy; **190** "View of San Antonio de Oriente" (1957), José Antonio Velásquez; Honduran (b.1906, d.1983) oil on canvas, 26 x 37". Collection of the Art Museum of the Americas, Organization of American States; **191** Jay Penni/Holt McDougal/Houghton Mifflin Harcourt; **193** Michael Newman/PhotoEdit; **194** age fotostock/SuperStock; **195** *both* Justin Kerr; **196** Justin Kerr; **197** Justin Kerr; **201** *right* PhotoObjects/Jupiterimages Corporation; *left* Royalty-Free/Corbis; **202–203** Keith Pritchard/Boating Images Photo Library/Alamy; **203** *bottom right* Brandon Cole /Marine Library/Alamy; **204** *background* Allan Penn/Holt McDougal/Houghton Mifflin Harcourt; *all others* Pete Olsen/Holt McDougal/Houghton Mifflin Harcourt; **205** *background* Allan Penn/Holt McDougal/Houghton Mifflin Harcourt; *top left* Pete Olsen/Holt McDougal/Houghton Mifflin Harcourt; **207** Organics Image Library/Alamy; **208** *Enrique* Allan Penn/Holt McDougal/Houghton Mifflin Harcourt; *Inez* Jay Penni/Holt McDougal/Houghton Mifflin Harcourt; *bottom right* Foodcollection/StockFood America; **209** *top left* Nicholas Pitt/Alamy; *right* Copyright © 2008 by David Dudenhoefer and Odyssey Productions, Inc.; *bottom left* David Dudenhoefer/Odyssey Productions, Inc.; *bottom left inset* Phil Schermeister/Corbis; **210–211** Clive Brunskill/Getty Images; **212** *top* Jay Penni/Holt McDougal/Houghton Mifflin Harcourt; **213** *top left* Topham/The Image Works, Inc.; *top center* Bob Daemmrich/The Image Works, Inc.; *bottom left* Digital Vision Inc./SuperStock; *bottom center* PhotoDisc; *bottom right* Michael Rosenfeld/Getty Images; *top right* Arnie Rosner/Index Stock Imagery; **214** Ralph Notaro/Getty Images; **215** *bottom left* PhotoDisc; *all others* Jay Penni/Holt McDougal/Houghton Mifflin Harcourt;

216 Nicolas Osorio/eStock Photo/Alamy; 219 AP Images; 224 Andres Leighton/AP Images; 225 *both* Jay Penni/Holt McDougal/Houghton Mifflin Harcourt; 226 Jay Penni/Holt McDougal/Houghton Mifflin Harcourt; 228 Paco Torrente/ Agencia EFE; 229 "Plazoleta Rodolfo Walsh" (2000), Graciela Genoves. Oil on canvas. © Zurbaran Galleria/Superstock; 231 Rob & Sas/Corbis; 232 *all* Bettmann/Corbis; 236–237 Tony Arruza/Corbis; 238 *left* Paulo Cunha/Agencia EFE; *right* Jorge Albán/Holt McDougal/Houghton Mifflin Harcourt; *background* Allan Penn/Holt McDougal/Houghton Mifflin Harcourt; 239 *top* Eric Fougere/Corbis Sygma; *background* Allan Penn/Holt McDougal/Houghton Mifflin Harcourt; *secretary* Rubberball; *carpenter* Rubberball; *musician* PhotoDisc; *police Officer* Rubberball; *bottom right* PhotoDisc/Getty Images; *bottom center* Jorge Albán/Holt McDougal/Houghton Mifflin Harcourt; *bottom left* SSC/SuperStock; 241 Allan Penn/Holt McDougal/Houghton Mifflin Harcourt; 245 "Marpacífico" ("Hibiscus") (1943), Amelia Pelaez. Oil on canvas. 45 1/2" x 35". Gift of IBM. Collection of the Art Museum of the Americas, Organization of American States; 246 *top right* Ariel Skelley/Corbis; *center* Lew Robertson/Corbis; *bottom right* John Henley/Corbis; 250 "Mi Futuro y mi Tierra" (2003), Oscar Ortiz. Colored pencil on paper, 63.5 cm x 48.2 cm. The Bridgeman Art Library; 251 Allan Penn/Holt McDougal/ Houghton Mifflin Harcourt; 252 *Silvia* Dynamic Graphics Group/Creatas/Alamy; *Enrique* Allan Penn/Holt McDougal/ Houghton Mifflin Harcourt; *postman* Henry Ditlz/Corbis; *Rebeca* Allan Penn/Holt McDougal/Houghton Mifflin Harcourt; 253 Stock4B/Getty Images; *background* Guy Jarvis/School Division/Houghton Mifflin Harcourt; 254 Associated Press; 255 *top* Angelo Cavalli/age fotostock; 256 *top* Giraud Philippe/Corbis; 257 *both* Guy Jarvis/School Division/ Houghton Mifflin Harcourt; 262–263 Jorge Albán/Holt McDougal/Houghton Mifflin Harcourt; 263 *bottom right* Jorge Albán/Holt McDougal/Houghton Mifflin Harcourt; 264 *background* Allan Penn/Holt McDougal/Houghton Mifflin Harcourt; *all others* Pete Olsen/Holt McDougal/Houghton Mifflin Harcourt; 265 *background* Allan Penn/Holt McDougal/ Houghton Mifflin Harcourt; *top left* Pete Olsen/Holt McDougal/Houghton Mifflin Harcourt; 266 Mark J. Terrill/AP Images; 268 *bottom left* Allan Penn/Holt McDougal/Houghton Mifflin Harcourt; *bottom right* Laura Jihansen/StockFood America; 269 *center right* Walter Wust/Agencia EFE; *bottom* Hubert Stadler/Corbis; *top left* Andrés Stapff/Reuters Pictures; 270–271 Patricio Realpe, Stringer/AP Images; 272 Allan Penn/Holt McDougal/Houghton Mifflin Harcourt; 273 *top* Allan Penn/Holt McDougal/Houghton Mifflin Harcourt; 275 Allan Penn/Holt McDougal/Houghton Mifflin Harcourt; 278 Ancient Art & Architecture - All rights reserved/Danita Delimont; 279 Martha Granger/EDGE Productions/Holt McDougal/Houghton Mifflin Harcourt; 280 *bottom right* Allan Penn/Holt McDougal/Houghton Mifflin Harcourt; *center left* Robert Frerck/Odyssey Productions, Inc.; 284 *center* Mireille Vautier/The Art Archive; *computer* Ingvald Kaldhussater/ ShutterStock; *book* Artville; *purse* Stockbyte; *PDA, umbrella, wallet* PhotoObjects/Jupiterimages Corporation; 285 *center* Allan Penn/Holt McDougal/Houghton Mifflin Harcourt; 287 *top left* Ingvald Kaldhussater/ShutterStock; 288 2003 Dave Feiling Photography; 289–290 Digital Vision/Getty Images; 289 *top, 2nd from top* Digital Vision/Getty Images; *3rd from top* PhotoDisc/Getty Images; *4th from top* Digital Vision/Getty Images; *bottom* Artville; 290 Artville; 291 Digital Vision/Getty Images; 294 *1, 2, 4, 5, 6* PhotoObjects/Jupiterimages Corporation; *3* Ingvald Kaldhussater/ShutterStock; 296–297 Robert Frerck/Odyssey Productions, Inc.; 298 *center* Allan Penn/Holt McDougal/Houghton Mifflin Harcourt; *bottom left* Jeff Greenberg/age fotostock; *bottom center* Pablo Corral Vega/Corbis; *bottom right* Martha Granger/EDGE Productions/Holt McDougal/Houghton Mifflin Harcourt; 299 *background* Jay Penni/Holt McDougal/Houghton Mifflin Harcourt; 301 *top* Allan Penn/Holt McDougal/Houghton Mifflin Harcourt; *bottom* Inga Spence/Index Stock Imagery; 304 2006 by Robert Frerck/ Odyssey Productions, Inc.; 306 *center* Martha Granger/EDGE Productions/Holt McDougal/Houghton Mifflin Harcourt; *bottom* Jeff Greenberg/age fotostock; 310 Wes Walker/Lonely Planet Images; 311 *right* Allan Penn/Holt McDougal/Houghton Mifflin Harcourt; 314 Courtesy, Museo Ricardo Palma en Miraflores, Lima, Peru; 315 *top left* Mireille Vautier/Museo Pedro de Osma, Lima/The Art Archive; *bottom right* PhotoObjects/Jupiterimages Corporation; 316 Bildarchiv Preussischer Kulturbesitz/Art Resource, New York; 317 Bettmann/Corbis; 322–323 E. Hummel /Zefa/Corbis; 323 James Gritz/PhotoDisc/Getty Images; 324 *background* Allan Penn/Holt McDougal/Houghton Mifflin Harcourt; *bottom left* Pete Olsen/Holt McDougal/Houghton Mifflin Harcourt; 325 *background* Allan Penn/Holt McDougal/ Houghton Mifflin Harcourt; *mouse* Tan Kian Khoon/ShutterStock; *all others* Pete Olsen/Holt McDougal/Houghton Mifflin Harcourt; 328 *bottom left* Jay Penni/Holt McDougal/Houghton Mifflin Harcourt; *bottom right* Holt McDougal/ Houghton Mifflin Harcourt; 329 *top left* Jesús Domínguez/Agencia EFE; *top left inset* Paco Torrente/Agencia EFE; *right* Andreu Dalmau/Agencia EFE; *bottom left* Emilio Naranjo/Agencia EFE; 330–331 Tips Images; 332 *top left* Jay Penni/Holt McDougal/Houghton Mifflin Harcourt; *top center* Robert Harding World Imagery/Getty Images; *bottom left* Arcaid/Alamy; *bottom right* Elizabeth Whiting & Associates/Alamy; 333 *top left* Oliver Strewe/Lonely Planet Images; *top center* San Rostro/ age fotostock; *top right* HIRB/Index Stock Imagery; *center left* Alberto Paredes/age fotostock; *center* David Young-Wolff/ Alamy; *center right* Terry Williams/Getty Images; *bottom left* age fotostock/SuperStock; *bottom center* Steve Hamblin/Alamy; *bottom right* Steve Vidler/SuperStock; 335 *bottom left* Jay Penni/Holt McDougal/Houghton Mifflin Harcourt; 336 Steve Vidler/SuperStock; 340 *inset* Jay Penni/Holt McDougal/Houghton Mifflin Harcourt; 344 *top* Alberto Bocos Gil/AFP/Getty Images; *bottom* Alberto Bocos Gil/AFP/Getty Images; 345 Jay Penni/Holt McDougal/Houghton Mifflin Harcourt; 348 Bernardo Pérez/NewsCom/El País Photos; 349–351 Illustration by Emilio Urberuaga. Courtesy of Alfaguara Press/ GrupoSantillana; 352 *left,* "Portrait of a Little Girl" (ca. 1638–44), Diego Rodríguez de Silva y Velázquez(Spanish, 1599–

Holt McDougal/Houghton Mifflin Harcourt; **478** *center* Holt McDougal/Houghton Mifflin Harcourt; **479** *top left* Adrian Weinbrecht/Getty Images; *right* Allan Penn/Holt McDougal/Houghton Mifflin Harcourt; *center left* Royalty-Free/Corbis; **481** Allan Penn/Holt McDougal/Houghton Mifflin Harcourt; **482** Andrés Stapff/Reuters/Corbis; **486** *top* Allan Penn/Holt McDougal/Houghton Mifflin Harcourt; *bottom right* Allan Penn/Holt McDougal/Houghton Mifflin Harcourt; **490** Westend 61/Alamy; **491** Allan Penn/Holt McDougal/Houghton Mifflin Harcourt; **494** Courtesy of Adela Basch; **495** *top right* Museo Naval Madrid/Dagli Orti/The Art Archive; *bottom right* PhotoDisc/Getty Images; **496** Allan Penn/Holt McDougal/Houghton Mifflin Harcourt; **497** Monastery of the Rabida, Palos, Spain/Dagli Orti/The Art Archive; **502–503** Daniel García/AFP/Getty Images; **503** *bottom right* Manuel H. de León/AP Images; **504** *background* Allan Penn/Holt McDougal/Houghton Mifflin Harcourt; *all others* Pete Olsen/Holt McDougal/Houghton Mifflin Harcourt; **505** *background* Allan Penn/Holt McDougal/Houghton Mifflin Harcourt; *all others* Pete Olsen/Holt McDougal/Houghton Mifflin Harcourt; **510** *climbing* Gary Russ/Holt McDougal Photo; *butterfly* Digital Vision; *trail, campfire* Holt McDougal Photo; *bus* Sam Dudgeon/Holt McDougal Photo; *tent, bike* Getty Images/PhotoDisc; *raft* Corbis; **511** *family* Corbis; *jet boat, seashells, relaxing* Getty Images/PhotoDisc; *sunset, canoe* Image Ideas; *volleyball* Stockbyte; **512** *deliveryman* Jupiter Images; *grass* Getty Images/Stockbyte; *headphones* Getty Images/Digital Vision; *calculator* Ingram Publishing; **513** *reading* Sam Dudgeon/Holt McDougal Photo; *tv* Dennis Fagan/Holt McDougal Photo; *photographer, newspaper, stock reports* Corbis; *journalists, meeting* Holt McDougal Photo; *reporter, speech* Getty Images/PhotoDisc; **514** *frog, turtle, recycling, smoke stacks, windmills, cars, testing soil* Comstock; *wetlands* Jupiter Images; *amazon* Getty Images/PhotoDisc; *house solar panels, kids with jar* Getty Images/Digital Vision; *polar bear* Corel; *truck, flood* Corbis; **516** *Augustin* ImageState; *all others* Getty Images/PhotoDisc; **517** *Mario, Luis* Don Couch/Holt McDougal Photo; *Patricia, Graciela* Corbis; *Alex, Felipe* Getty Images/PhotoDisc; *Alfaro* George Alban/Holt McDougal Photo; *Obed* Victoria Smith/Holt McDougal Photo; **518** *camera, wallet* Holt McDougal Photo; *scanner, pda, laptop, sunglassess, messenger bag* Getty Images/PhotoDisc; *umbrella* Don Couch/Holt McDougal Photo; **519**, *soccer game, shaking hands* Getty Images/PhotoDisc; *band, gameboard* Sam Dudgeon/Holt McDougal Photo; *polar bears* Jupiter Images; *orchestra* Goodshoot; *hammock* Peter Van Steen/Holt McDougal Photo; *garbage* Don Couch/Holt McDougal Photo; **520** *making cookies, bathroom, garbage, groceries* Corbis; *bedroom* Getty Images/PhotoDisc; *green beans* Brand X Pictures; *fountain* Don Couch/Holt McDougal Photo; *atm* Cindy Bland Verheyden/Holt McDougal Photo; *pastries, post office* Victoria Smith/ Holt McDougal Photo; *train* Flat Earth; *kiosk* Sam Dudgeon/Holt McDougal Photo; **521** *cobblestone, tower* John Langford/ Holt McDougal Photo; *Plaza de Armas* Ricardo Alcaraz/Holt McDougal Photo; *red train* Holt McDougal Photo; *orange train, bridges, castle, street* Don Couch/Holt McDougal Photo; **522** *plant, Carla* Getty Images/Digital Vision; *making face, overalls, Felipe, Ruben* Corbis; *watermelon, Rebeca* Getty Images/PhotoDisc; **523** *Juanita, Rosa* Getty Images/Stockdisc; *Victoria* Que Net; *Rodrigo* Corbis; *Luis* Comstock; *Elena* Holt McDougal Photo; **524** *Victor* Corbis; *Elena* BananaStock/Jupiter Images; *Ramon* BananaStock/Alamy; *Luisa, Ana, Pablo, Marisol* Holt McDougal Photo; *Alfredo, Carlos, Maria* Marty Granger/Holt McDougal Photo; **525** *mimes, clapping* Getty Images/PhotoDisc; *cell phone, Shakespearean couple, director, actor with script* Corbis; *actor in blue coat, actor in vest* Victoria Smith/Holt McDougal Photo.

All other photography © Jorge Albán/Holt McDougal/Houghton Mifflin Harcourt Publishing Company.

Every effort has been made to contact the copyright holder of the images used herein. Mistakes or omissions brought to our attention will be fixed in later editions.

Illustration

5 Eric Larsen; **8** Rob Saunders; **19** James Yamasaki; **22** James Yamasaki; **28–29** Mike Reagan; **36** Eric Larsen; **52** Steve McEntee; **61** Charlene Potts; **62** Charlene Potts; **66** Charlene Potts; **67** Charlene Potts; **69** Eric Larsen; **71** Charlene Potts; **88–89** Mike Reagan; **100** Anna Veltfort; **101** Eric Larsen; **103** Anna Veltfort; **109–110** *top* Susan Gal; **115** Eric Larsen; **129** *all* Eric Larsen; **135** *top* Enríque Sanchez; **137** *top* Enríque Sanchez; **148** Mike Reagan; **161** Vilma Ortiz-Dillon; **163** Eric Larsen; **187** Eric Larsen; **208** Mike Reagan; **223** Eric Larsen; **249** Eric Larsen; **261** James Yamasaki; **268–269** Mike Reagan; **281** Steve McEntee; **283** Eric Larsen; **292** Steve McEntee; **294** *modelo* Steve McEntee; **305** Eric Larsen; **309** *bottom right* Eric Larsen; **312** Steve McEntee; **320** Vilma Ortiz-Dillon; **328** Mike Reagan; **334** Vilma Ortiz-Dillon; **335** Lauren Scheuer; **338** Vilma Ortiz-Dillon; **339** Eric Larsen; **343** Steve McEntee; **354** James Yamasaki; **362** Steve McEntee; **364** Eric Larsen; **367** Steve McEntee; **381** Steve McEntee; **388–389** Mike Reagan; **403** Eric Larsen; **409–410** Raul Colón/Morgan Gaynin, Inc.; **425** *top* Steve McEntee; **429** Eric Larsen; **435** *top* Joe Cepeda; **436** *top* Joe Cepeda; **448–449** Mike Reagan; **458** James Yamasaki; **461** Steve McEntee; **463** Eric Larsen; **472** Steve McEntee; **478** Polo Barrera; **484** Rob Saunders; **485** James Yamasaki; **489** Eric Larsen; **501** Rob Saunders.

All other illustrations by Robin Storesund or Chris Wilson/Holt McDougal/Houghton Mifflin Harcourt.